Lübke, Wilhelm

Geschichte der Architektur

1. Band

Lübke, Wilhelm

Geschichte der Architektur

1. Band

Inktank publishing, 2018

www.inktank-publishing.com

ISBN/EAN: 9783747720080

GESCHICHTE

DER

ARCHITEKTUR

VON DEN ÄLTESTEN ZEITEN BIS ZUR GEGENWART

DARGESTELLT

VON

DR. WILHELM LÜBKE

PROFESSOR DER KUNSTGESCHICHTE AM POLYTECHNIKUM IN STUTTGART.

VIERTE

STARK VERMEHRTE UND VERBESSERTE AUFLAGE.

ERSTER BAND.

MIT [illegible]10 ILLUSTRATIONEN IN HOLZSCHNITT.

LEIPZIG 1870.

VERLAG VON E. A. SEEMANN.

EINLEITUNG.

Erste Regungen des Bautriebs. Unter allen Künsten schliesst sich keine so innig den Bedürfnissen des Lebens an wie die Baukunst. Keine ist daher der Verwechslung mit bloss handwerklichem Schaffen so leicht ausgesetzt wie sie; denn da sie den Bedingungen gemeiner Zweckmässigkeit zugleich gerecht zu werden sucht, und ihre früheste Thätigkeit dahin zielt, dem Menschen ein Obdach herzustellen, so glaubt man sie jenen Bedingungen allein unterthan. So lange die Architektur nur solche äussere Erfordernisse befriedigt, steht sie allerdings lediglich auf der Stufe des Handwerks und hat noch keinerlei Anspruch auf einen Platz unter den Künsten. Weder das Wigwam des nordamerikanischen Wilden, noch die backofenförmige Hütte des Hottentotten, noch endlich das schlichte strohbedachte Haus unseres Landmannes gehört dem Gebiete der Bau-Kunst an.

Denkmal. Allein bei diesen Werken allgemeinster, alltäglicher Nothwendigkeit bleibt der Bautrieb des Menschen nicht stehen. So weit unser Blick in die entlegenen Zeiten der Kindheit unseres Geschlechts hinaufreicht, trifft er auf Spuren gesellschaftlicher Vereinigungen, die ebenfalls in baulichen Schöpfungen ihren Ausdruck gesucht und gefunden haben. Sobald Genossenschaften entstanden, konnte es nicht fehlen, dass Einzelne durch Muth und Tapferkeit, durch Klugheit im Rathe sich vor den Uebrigen hervorthaten und durch allgemeine Anerkennung ihrer Tüchtigkeit die Führerschaft erhielten. Das Andenken solcher Helden zu ehren, thürmte das Volk auf ihren Gräbern mächtige Erdhügel auf oder wälzte Steinmassen darüber, und es entstanden die ältesten Formen des Denkmales.

Altar. Zugleich aber musste aus der Wahrnehmung der ewigen Regelmässigkeit im Wechsel der Erscheinungen, im Vereine mit der das Gemüth überwältigenden Macht der Natur-Ereignisse, die dunkle Vorstellung von einer höheren Weltordnung und der Abhängigkeit des Menschen von derselben sich erzeugen. Die Idee von der Gottheit entstand und rief den Altar hervor, durch dessen Opfer der Mensch sich mit dem höchsten Wesen in Verbindung zu setzen suchte. Mochte man aber einen gewaltigen Felsblock aufrichten und durch einen zweiten tischartig überdecken, oder eine Anzahl von Blöcken in einfachem oder doppeltem Kreise aufschichten, oder noch andere Formen für die Bezeichnung der Cultstätte ersinnen, wie deren der keltische Norden manche zeigt; die Bau-Kunst hat an ihnen eben so wenig Theil, wie an jenen primitivsten Grabdenkmälern.

Ideale Zwecke. Dennoch ist nicht zu verkennen, dass Werke dieser Art dem Wesen der Kunst bereits um eine Stufe näher treten, als jene Schöpfungen alltäglichen Bedürfnisses. Zwar dienen auch sie dem betreffenden Zwecke in bloss äusserlicher Weise; aber indem dieser Zweck sich mit höheren, geistigeren Vorstellungen verbindet, mehr in der Idee als in der Nothdurft des Lebens wurzelt, heben die Erzeugnisse desselben sich aus jener niederen Sphäre empor und lassen bereits des Volkes Wesen und Richtung, wenngleich noch mit rohen, mehr andeutenden als klar bezeichnenden Zügen, im architektonischen Bilde schauen.

Der Tempel die erste Kunstform. Da wir also auf den bisher erwähnten Stufen baulicher Thätigkeit die *Kunst* noch nicht entdecken konnten, so werden wir in der Entwicklungsgeschichte des Menschengeschlechts uns nach anderen Momenten umzusehen haben, um den Ausgangspunkt für unsere Betrachtung zu gewinnen. Da tritt uns denn, als erste entschiedene Kundgebung der Baukunst als solcher, der *Tempel* entgegen. In ihm findet zunächst das *religiöse* Bewusstsein eines Volkes seinen vollgültigen Ausdruck. Aber damit ist es noch nicht genug, sonst hätten wir auch in jenen unförmlichen Opferaltären Werke der Kunst erblicken müssen. Es muss vielmehr in einem Volke der Sinn für Harmonie, Ebenmass und künstlerische Einheit schon so geweckt sein, dass es seine höchsten Ideen nur in solchen Werken ausspricht, die jene Eigenschaften oder doch ein lebendiges Streben darnach in sich tragen. Dies wird aber nur da der Fall sein, wo die Beziehung zum göttlichen Wesen sich bereits in bestimmten Anschauungen ausgeprägt hat und für die Ordnung der gesellschaftlichen Verhältnisse entscheidend geworden ist. Einem Volke auf solcher Entwicklungsstufe kommt es nicht bloss darauf an, seine Cultstätten in willkürlicher Weise auszuzeichnen, sondern es genügt sich nur dann, wenn es in dem Bauwerke durch Maass, Verhältniss der Theile, innere Einheit des Ganzen eine Andeutung jener höheren Weltordnung gewonnen hat, welche ihm in dunkler Ahnung oder in klarer Erkenntniss vorschwebt. Erst da erhebt sich also die bauliche Thätigkeit zur Kunst, wo neben der Erfüllung eines praktischen Zweckes — und zwar zunächst des höchsten: eine Stelle für die Gottesverehrung zu schaffen — das Werk der Menschenhand auch noch einen idealen Gehalt birgt, wo es *das Schöne* zur Erscheinung bringt.

Wesen der Baukunst. Dies Schöne, welches die Seele der Architektur ausmacht, unterscheidet sich aber wesentlich von dem Schönen, welches wir als Inhalt und Ziel der beiden anderen bildenden Künste, der Sculptur und Malerei, erkennen. Während *diese* nämlich das Schöne des *organischen* Lebens durch den Stoff der unorganischen Natur darzustellen haben, geht die Architektur auf die *Idealisirung des unorganischen Stoffes* selbst aus. Wie nun in allem Dasein eingeborene Gesetze walten, die freilich im organischen Leben, in der Pflanze, im Thiere, im Menschen, zu viel feineren, complicirteren Formen sich entfalten, so finden sich auch im Reiche des Unorganischen bestimmte Gesetze vor. Es sind die Gesetze der Schwere und des inneren Zusammenhaltes. Diesen Grundbedingungen muss der Geist, der aus dem unorganischen Stoffe das Schöne hervorbilden will, sich fügen. Aber sie sind nur die leitenden Kräfte, niemals Ziel oder selbst Gegenstand der Darstellung; und indem der Mensch, auf sie gestützt, dem unorganischen Stoffe das Gepräge seines Geistes aufdrückt, erhebt er ihn zur Einheit eines *organischen Ganzen* und bringt jene Gesetze zur klareren, schärferen Erscheinung, welche in der Natur vom bunten Teppich des Lebens verhüllt sind.

Charakter der Baukunst. Dadurch treten die Werke der Architektur den Gebilden des Reiches, dem sie entstammen, der unorganischen Welt, entschiedener als etwas Fremdes, Neues gegenüber, während die bildenden Künste nicht so weit von den natürlichen Vorbildern ihrer Thätigkeit sich entfernen. Eine Statue, ein Portrait, eine Landschaft scheinen lediglich ihr Urbild nachzuahmen, weshalb eine oberflächliche Betrachtung jene beiden Künste fälschlich als „nachahmende" bezeichnet hat. Ein Haus, eine Tempelhalle, ein Thurm findet dagegen im Reiche der unorganischen Natur, wo Alles ordnungslos zu liegen scheint, keine solche Analogie. Daher erlangen die architektonischen Schöpfungen eine in jeder Hinsicht besondere, eindrucksvolle Stellung. Zunächst bieten sie sich dem Beschauer wie eine Welt für sich dar, die ihre Bildungsgesetze nur in sich selbst trage, sie nirgend anderswoher entlehnend. Wir wissen, dass dem nicht so ist; dass in der Architektur die Gesetze, die in der unorganischen Natur verborgen liegen, nur zum bestimmteren Ausdruck kommen. Diese Gebundenheit an die *statischen Gesetze*, denen die Baukunst sich nicht zu entziehen vermag, verleiht ihren Schöpfungen den Charakter der Ordnung und Gesetzmässigkeit, den keinerlei Willkür so leicht verwirren und trüben kann. Denn bei der Unabänderlichkeit jener Gesetze und bei dem spröden, herben Stoffe, in welchem sie sich auszuprägen haben, bleibt das Element persönlichen Beliebens von den Werken der Architektur am meisten ausgeschlossen, und der Baumeister, beherrscht von jenen unentrinnbaren Bedingungen, fühlt sein eigenes Ich mehr zurücktreten; allgemeine Verhältnisse und Ideen, als deren Werkzeug gleichsam er nur arbeitet, gewinnen die Oberhand, und so kommt es, dass die Architektur mehr als jede andere Kunst den Charakter strenger Objectivität gewinnt.

Allgemeiner Inhalt.

Daraus ergeben sich mehrerlei Folgerungen. Zunächst wird sich im einzelnen Werke des einzelnen Meisters bei Weitem nicht so sehr wie in den beiden Schwesterkünsten, Sculptur und Malerei, die Individualität einer Persönlichkeit, sondern der Gesammtgeist einer Zeit, eines Volkes spiegeln. Der nach streng waltenden Gesetzen gegliederte Bau wird wie eine nothwendige Blüthe jener allgemeinen Verhältnisse und Beziehungen erscheinen: er wird ein treuer Abdruck von ihnen sein, ein nicht zu verfälschendes Document der Cultur-Entwicklung eines ganzen Geschlechts. Freilich muss man die Sprache dieser Lapidarschrift verstehen. Sie hat, wie alles im Allgemeinen Wurzelnde, etwas Geheimnissvolles, an dem der Verstand des Menschen in einseitiger Beschränkung blöde herumtastet. Da er den Schlüssel dieser Hieroglyphik nicht aufzufinden vermag, so schiebt er dem fraglichen Wesen allerlei platt Symbolisches unter und wähnt unter den Grundformen geometrischer Bildung die tiefsten Geheimlehren eingeschlossen. Aber nirgend liegt der Geist in solchen Formeln verborgen; nirgend strebt die wahre Kunst, das Skelett abstracter Gedanken mit ihren lebensvollen Gliedern zu umkleiden; was sie in edler Hülle birgt, das ist der allgemeine Geist der Völker und der Zeiten, der aus den Formen hervorblitzt wie aus dem Körper die Seele. Form und Inhalt dürfen hier wie dort nicht getrennt werden; sie durchdringen einander vollkommen zu einem unlöslichen Ganzen, und wie sich beim menschlichen Körper nicht fragen lässt, wo der Sitz der Seele sei, so verhält es sich auch mit dem Werke der Baukunst, das ebenfalls ein untheilbarer Organismus ist, in welchem die Idee des Schönen zur Erscheinung kommt.

Geschichtl. Stellung.

Sodann geht aus jener Grundanlage die geschichtliche Stellung der Architektur hervor. Da in ihr die allgemeinsten und urthümlichsten Ideen der Völker zur Verkörperung gelangen, so musste sie nothwendig unter den Künsten des Raumes den Reigen eröffnen. Sie bot den jüngeren Schwestern, der Sculptur und Malerei, erst den Boden für ihre Entfaltung, als der Tempel sein Götterbild, seine äussere bildnerische Ausstattung, und diese wieder ihren lebendigeren Schmuck vom Glanze der Farbe verlangte. Wegen der Strenge ihrer Gesetze blieb sodann die Architektur für die begleitenden Künste lange Zeit Richtschnur und Stützpunkt; denn da in diesen das Element individuellen Lebens in weit höherem Grade enthalten ist, so arten sie für sich leichter in Willkür und Laune aus.

Schranken.

Dagegen sind jedoch der Architektur wieder insofern Schranken gezogen, als sie die höchsten Ideen nicht mit der individuellen Klarheit und Bestimmtheit wie jene beiden Künste, sondern mehr ahnend und allgemein zur Anschauung bringt. Vor Allem ist festzuhalten, dass der besondere Zweck, dem jedes Bauwerk sich anbequemen muss, in gewisser Hinsicht als hemmende Fessel dem in die Erscheinung strebenden Gedanken sich aufdrängt. Allein gerade in dieser Beschränkung verklärt sich die Kunst und feiert ihren höchsten Triumph. Denn indem sie dem Einzelzwecke vollauf genügt, weiss sie mit so bedeutendem Ueberschuss ihres geistigen Gestaltungsvermögens an das Werk heranzugehen, dass sie aus der gegebenen eine neue, eigenthümliche Aufgabe entwickelt, sich eine neue höhere Forderung selber stellt, welcher gegenüber das Verlangen praktischer Nützlichkeit, das nebenbei auch seine Rechnung findet, unendlich untergeordnet erscheint. Käme es auf die Befriedigung des blossen Bedürfnisses an, mit wie geringen Mitteln hätte sich eine umschliessende Cella für das Götterbild, ein Versammlungsraum für die Christengemeinde errichten lassen! Der hellenische Tempel, der gothische Dom ragen so weit über diese Zwecke hinaus, dass dieselben nur noch als ein zu Grunde liegendes Motiv in Betracht kommen, bei dessen Behandlung die Kunst so sehr ihre eigenen Wege gewandelt, ihrem eigenen Ziele gefolgt ist, dass ihre Schöpfung keinen anderen Zweck zu haben scheint, als der in ihrem eigensten Wesen eingeschlossen liegt: den der Schönheit.

Herrscher-palast. Haben wir die Entstehung des Tempels als die Geburtsstunde der Baukunst bezeichnet, so wird in der nun folgenden geschichtlichen Betrachtung, bei gewissen Völkern das gleichzeitige ebenso kunstbedeutsame Auftreten des Herrscherpalastes vielleicht diesen Satz zu widerlegen scheinen. Doch werden wir finden, dass in solchen Fällen der königliche Palast nur als eine andere Form für den Tempel anzusehen ist, wie denn bei jenen Nationen in der Stellung der königlichen Person selbst als obersten Priesters oder gar als sichtbarer Verkörperung des Gottes jenes Verhältniss begründet liegt.

Privat-Architektur. Nur als eine geringe Nebenquelle, abgeleitet von jenem mächtigen Hauptstrome, können wir die Privat-Architektur ansehen. Erst in den Epochen, wo einer rasch erschlossenen Kunstblüthe die üppige Entfaltung des Luxus folgt, entlehnt der Privatbau, in früheren Zeiten schlicht und unkünstlerisch, gewisse Formen, besonders ausschmückender Art, dem Tempelbaue, um durch sie auch dem Werke alltäglichen Bedürfnisses die höhere Weihe der Kunst aufzudrücken. Doch ist jene Entlehnung nur ein schwacher Nachhall, in welchem der Grundaccord, nicht ohne mancherlei Trübung, leise verklingt. In weiter vorgeschrittenen Epochen der Entwicklung erwächst aber der Baukunst die praktische Aufgabe, allen Bedürfnissen des Lebens, sowohl einem ausgebildeten staatlichen Dasein, als auch den mannigfachen Beziehungen des Privatlebens in künstlerischer Weise gerecht zu werden. Erst in dieser allgemeinen Ausdehnung ihrer Herrschaft wird sie zum vollkommenen Spiegelbilde des gesammten Charakters einer Zeit.

Die Elemente der Architektur. An jedem Werke der Baukunst lassen sich die beiden Elemente des Praktisch-Nothwendigen und des Idealen, deren Vereinigung erst das Kunstwerk ausmacht, nachweisen. Doch ist dies nur so zu verstehen, dass Beides nicht getrennt für sich, sondern auf's Innigste verschmolzen auftritt. Der reale Zweck ist es zunächst, der die Anordnung des Grundplanes bedingt. Aber die harmonische Ausbildung desselben fällt schon der eigentlichen künstlerischen Thätigkeit anheim, um so mehr, da sie nicht ohne Rücksicht auf die Art der Bedeckung der Räume durchgeführt werden kann. Auch die Raumbedeckung ist für's Erste ein Ergebniss praktischer Anforderungen, die nach den Bedürfnissen der Gottesverehrung, der Sitte des Volkes, der klimatischen Beschaffenheit des Landes und der Art des zu verwendenden Materiales sich vielfach anders gestalten. Die Erfindung derjenigen Construction dagegen, die am vollkommensten dem Zweck entspricht, ist bereits eine That des baukünstlerischen Genius. Allein erst dadurch verleiht dieser seiner Schöpfung die vollendende Weihe, dass er in einer schönen, klar verständlichen Formensprache den Grundplan und die Construction vor Aller Augen darlegt, dass er durch angemessene Gliederungen das Bauwerk als einen lebendigen Organismus hinstellt, der selbst seine Ornamentik wie durch ein Naturgesetz hervortreibt.

ERSTES BUCH.

Die alte Baukunst des Orients.

ERSTES KAPITEL.

Aegyptische Baukunst.

1. Land und Volk.

Geschichtliche Stellung.

Ehe die Schönheit ihren siegreichen Einzug hält und in vollem Glanze aus dem Gliederbaue der griechischen Architektur hervorleuchtet, finden wir einen langen Zeitraum der Vorbereitung, in welchem von verschiedenen Völkern die Aufgabe einer idealen Gestaltung des unorganischen Stoffes von verschiedenen Seiten her den Versuch einer Lösung erfahren hat. Man kann es eine Theilung der Arbeit nennen, kraft welcher jedes Volk, gemäss der in ihm vorwiegenden Seite geistiger Anlage, eine Architektur geschaffen hat, in der die Besonderheit des jedesmaligen Volksgeistes sich mit aller Schärfe der Einseitigkeit ausspricht. Erst dem Volke der Griechen, in welchem die widerstrebenden Richtungen menschlicher Natur zu edler Harmonie verbunden waren, gelang es, in den Werken seiner Architektur jene Widersprüche zu schöner Einheit zu verschmelzen; erst durch sie verliert die Architektur das Gepräge streng nationaler Gebundenheit und wird fortan die gemeinsame Aufgabe der verschiedenen, nur durch das Band verwandten Culturstrebens verbundenen Völker.

Naturbedingtheit.

Auf jenen Vorstufen werden wir den Geist noch im Banne der Natur antreffen. In der Kindheit der Völker, wo der Mensch zuerst der umgebenden Natur als ein Besonderes, Geistiges sich gegenübergestellt fühlt, beginnt sein Ringen nach Befreiung von dieser Fessel, sein Streben nach Beherrschung der Natur. Aber indem er mit ihr kämpft, bleibt er von ihr abhängig, unter dem Einfluss ihrer Gestaltungen. Daher drückt sie Allem, was er schafft, in übermächtiger Weise ihr Gepräge auf. Je freier der Mensch im Laufe fortschreitender Bildung sich losringt, desto weniger unterliegt er dem Einfluss der Natur; und wenn derselbe auch niemals ganz verschwindet, so äussert er sich zuletzt doch so gelinde, dass das Werk geistiger Thätigkeit nur wie mit eigenthümlichem Dufte davon angehaucht scheint.

Das Land.

Wenn irgend ein Land unter dem Banne scharf ausgeprägter Naturbedingungen liegt, so ist es Aegypten *). Durch einen Wall hoher Felsgebirge von der afrikanischen Wüste getrennt, ertrotzt es seine Existenz von dem verheerenden, alles Leben überdeckenden Sandmeere. Aber die Dürre des regenlosen Klimas würde das Land dennoch zur Unfruchtbarkeit verdammen, wenn nicht die alljährlich wiederkehrende Anschwellung des Nils es mit einem Schlamm überzöge, welcher den Bewohnern als ergiebigster Ackerboden dient. Diese Ueberschwemmungen treten, sobald die gewaltigen Regengüsse des tropischen Winters in den Hochgebirgen Afrikas begonnen haben, mit einer merkwürdigen Regelmässigkeit ein, die auf die alten Aegypter nicht geringen

*) Literatur: Description de l'Égypte. Antiquités. — *C. R. Lepsius.* Denkmäler aus Aegypten und Aethiopien. Berlin 1849 ff. — *R. Rosellini.* Monumenti dell' Egitto e della Nubia. 3 Vols. Pisa 1834—44. — *G. Erbkam.* Ueber den Gräber- und Tempelbau der alten Aegypter. Berlin 1852. — *Gau.* Neuentdeckte Denkmäler von Nubien. Fol. Stuttgart und Paris 1822.

Einfluss übte. Da alles Gedeihen von dem segenspendenden Strome herrührte, so wurde es zunächst von Wichtigkeit, das periodische Wiederkehren der Anschwellung vorher zu bestimmen. Die Rechenkunst bildete sich aus, zugleich wurde der Blick auf die Gestirne des Firmaments gerichtet, um nach ihnen die Zeit einzutheilen. Sodann aber war es nicht genug, diese Zeit zu berechnen: man musste auch, wenn die Ueberschwemmung eintrat, den Strom des Wassers reguliren, dass er überallhin gleichen Segen bringe, während für die Städte schützende Dammbauten nothwendig wurden. So übte sich die Bauthätigkeit der Bewohner, durch die Natur des Landes gezwungen, bereits frühzeitig in mächtigen Kanal- und Deichanlagen, die wie ein Netz über die Ufer des Flusses sich ausbreiteten. Hatte man aber auf diese Weise sich die Möglichkeit eines annehmlichen Daseins geschaffen, so strebte man auch danach, die Spuren desselben in bleibenden Denkmälern der Nachwelt aufzubewahren: es erwachte der Sinn für historische Existenz.

Charakter des Volkes. Noch einen tieferen Einfluss aber gewann der wunderbare, wohlthätige Strom auf die Menschen, indem er ihnen das Bild einer strengen Regel und Gesetzmässigkeit gab und sie selbst zu Ordnung und Regelmässigkeit anhielt. Allen ihren Einrichtungen prägte sich dieser Geist festbegründeter Norm, die kein Irren und Schwanken kennt, ein, und der Volkscharakter erhielt eine scharfe, aber auch einseitige Ausbildung des Verstandes. Doch dürfte nicht jede Eigenthümlichkeit der alten Aegypter aus jenen Naturbedingungen allein herzuleiten sein. Dieses merkwürdige Volk scheint einen angebornen Sinn für ernste, würdevolle Auffassung des Daseins, für Betrachtungen von weniger mystisch-speculativer, als praktisch-moralischer Färbung gehabt zu haben. Gewiss ist, dass keinem Volke des Alterthums die Vorstellung von der Nichtigkeit und Vergänglichkeit des menschlichen Lebens und von der Fortdauer der Seele nach dem Tode, und daraus hervorgehend der Cultus des Todes, so geläufig war wie den Aegyptern. Daraus ergab sich die Macht des Priesterthums, das die vornehmste Kaste bildete. In den Händen der Priester war zugleich die Pflege der Wissenschaften, besonders der Geometrie und Astronomie, und durch die strenge Kasteneintheilung, welche alle Einrichtungen des Lebens durchdrang, war die Erblichkeit jener Lehren und Kenntnisse gesichert.

Religion. Die Religion des Volkes war zwar eine vielgötterige, aber in den Hauptgottheiten Isis und Osiris waren zunächst nur die natürlichen Erscheinungen der Nilanschwellung symbolisch ausgedrückt. Im Uebrigen gesellte sich ein Thiercultus von ziemlich rohsinnlichem Gepräge hinzu, wie denn auch selbst den Göttern Thierköpfe gegeben wurden. Neben dieser allgemein verbreiteten Lehre wird jedoch auch eine mehr philosophische Auffassung bestanden haben, die indess eine klare Ausprägung um so weniger gewonnen zu haben scheint, als die Geistesrichtung der Aegypter der philosophischen Speculation keineswegs günstig war. Für den vorwiegenden Trieb nach geschichtlichem Leben, so wie für das Bedürfniss bildnerischer Thätigkeit spricht die merkwürdige Erfindung der **Hieroglyphen**, in welcher ungefügen Schrift bedeutende Thaten und Ereignisse den Mauern der Denkmäler eingegraben sind.

Geschichte. Aegyptens Geschichte reicht bis in die graueste Urzeit hinauf, bis zu Jahrhunderten, aus denen von keinem anderen Volke der Erde eine Kunde zu uns gedrungen ist. Eine etwa 2000 Jahre v. Chr. stattgehabte Eroberung durch ein fremdes barbarisches Nomadenvolk, die **Hyksos**, macht einen Einschnitt in die Geschichte des Landes, die danach als die des **alten** und des **neuen Reiches** sich theilt. Vor mehr als 2000 Jahren v. Chr. errichtete man schon die Kolossalbauten der Pyramiden, die dem alten Reiche von Memphis in Unter-Aegypten angehören. Die letzte Zeit, den Blüthenpunkt des alten Reiches, bezeichnen die Felsengräber von Beni-Hassan in Mittel-Aegypten und wahrscheinlich der als grosser Wasserbehälter ausgegrabene Mörissee. Die Herrschaft der Hyksos wurde nach fünfhundertjährigem Bestehen von Thutmosis (Thutmes) III. durch einen langen Krieg gebrochen. Von da beginnt der Aufschwung des neuen Reiches, das unter Ramses Miamun, dem grossen Eroberer, der seine siegreichen Waffen bis in ferne Länder trug, seine glorreichste Zeit erlebte. Diese Epoche dauerte Jahrhunderte hindurch, bis etwa 1260 v. Chr. In dieser Zeit war Theben der Mittelpunkt der Herrschaft. Danach erlebte Aegypten mancherlei Schicksale, zuletzt eine Zwölfherrschaft, welcher Psammetich um 670 v. Chr. ein Ende machte. Indess war die Kraft der nationalen Entwicklung gebrochen, und die innere Auflösung wurde durch die persische Eroberung schliesslich besiegelt.

2. Denkmäler des alten Reiches.

Als die Hyksos eindrangen und auf den Trümmern der alten Pharaonen-Dynastie ihre Macht begründeten, fanden sie schon eine Reihe von Denkmälern vor, deren Entstehung zum Theil bis ins höchste Alterthum hinaufreichte. Unter ihnen sind die bedeutendsten und ältesten die Pyramiden von Memphis*). An der Grenze des lachenden, fruchtbaren Nilthales und der öden Sandwüste erheben sich diese ungeheueren Bauten gleich künstlichen Bergen, und flössen durch ihr Alter, ihre einfache Kolossalität seltsames, mit Scheu gemischtes Staunen ein. Ihr streng in sich abgeschlossener, Fremdes abweisender, nur auf den eigenen Gipfelpunkt sich beziehender Charakter macht sie zu architektonischen Vertretern des eben so schroff in sich selbst gekehrten Wesens jenes Volkes. Die Pyramiden liegen in einer Ausdehnung von ungefähr acht Meilen in Gruppen zerstreut, welche nach den benachbarten Dörfern Gizeh, Daschur, Meidun, Saccara benannt werden. Ihre Zahl beläuft sich auf ungefähr vierzig, und ihre Grösse variirt in vielen Abstufungen. Die grössten, welche der Gruppe von Gizeh angehören und von den Königen Cheops (Chufu) und Chefren den Namen führen, haben eine quadratische Grundfläche von über oder nahe an 700, eine Höhe von fast 450 Fuss. In diesen Verhältnissen liegt es schon angedeutet, dass der Winkel, in welchem die vier Seiten oben zusammentreffen, ein sehr stumpfer, das Ansteigen der Pyramide ein allmähliches ist. Diese gewaltigen Bauten sind in compacter Masse aus grossen, bis zu 20 Fuss langen Bruchsteinen, einige auch aus Ziegeln aufgeführt und genau nach den Himmelsgegenden gerichtet. An der Ostseite jeder Pyramide sieht man noch jetzt Ueberreste von tempelartigen Heiligthümern, welche wahrscheinlich Kapellen für die Todtenopfer und andre auf den Grabcultus bezügliche heilige Handlungen enthielten. Das Volumen der einen Pyramide hat man auf beinahe 72, das der grössten auf 89 Millionen Kubikfuss berechnet. Nur einige schmale Gänge führen in den Kern derselben zu einer kleinen Grabkammer, welche den Sarkophag des königlichen Erbauers barg. Somit sind diese Pyramiden unstreitig die riesigsten Grabdenkmäler der Welt, von einem ganzen Volke von Sclaven errichtet, um dem Ruhmgelüst eines einzigen Despoten zu fröhnen. Dieser egoistische Zweck spricht sich auch in der starr abgeschlossenen, für die bauliche Entwicklung durchaus unfruchtbaren Form aus. Sind die Pyramiden daher immerhin ein Beweis für ein schon lange begründetes, fest gewurzeltes Cultursystem, so zeugen sie doch zugleich von einer grossen Urthümlichkeit des Kunstgefühls, das mehr im Aufthürmen von kolossalen, organischer Gliederung unfähigen Massen, als im Schaffen eines lebendigen architektonischen Organismus seinen Ausdruck fand. Zwar waren die Pyramiden mit glänzenden Granitplatten bekleidet, allein dass dieselben erheblichen Sculpturschmuck gehabt hätten, steht im Allgemeinen zu bezweifeln. Auch der an der Nordseite gelegene Eingang in's Innere war durch eine solche Granitplatte verdeckt. Um diese Bekleidung anbringen zu können, wurde das Werk in Absätzen aufgeführt und dann mit der Vollendung von oben nach unten fortgeschritten. Man findet sogar unfertige Pyramiden, die noch jetzt die terrassenartige Gestalt der ersten Anlage zeigen. Auch sonst ist man neuerdings durch gründliche Untersuchungen zu überraschenden Aufschlüssen über die Art der Entstehung dieser Baukolosse gelangt. Danach bergen die grössten unter ihnen im Innern den Kern einer viel kleineren Pyramide, mit der man zuerst den Bau abschloss. Sodann legte man einen Mantel um dieselbe und fügte

Pyramiden von Memphis.

*) The pyramids of Gizeh by Col. *Howard Vyse*. 3. Vols. London 1839. — *C. R. Lepsius*. Denkmäler aus Aegypten und Aethiopien. Abth. 1. — Description de l'Egypte. Antiquités. Vol. V.

in einer noch späteren Bauepoche gar einen zweiten hinzu, wodurch endlich die Pyramiden zu ihrer jetzigen Ungeheuerlichkeit anwuchsen.

Pyramiden von Daschur und

Die ältesten Pyramiden will man in der Gruppe von Daschur erkannt haben, darunter namentlich eine ganz in Backsteinen mit grösster Gediegenheit der Technik ausgeführte, deren Grundfläche 350 Fuss im Quadrat misst. Zwei andere Pyramiden von Daschur sind dagegen aus Hausteinen errichtet und gehören zu den grössten dieser Denkmäler. Die eine, südlichere, von 616 Fuss quadratischer Grundfläche, zeigt dabei die abweichende Eigenthümlichkeit, dass sie zuerst in einem stumpfen Winkel von 54 Grad sich erhebt, dann aber (vgl. Fig. 1) die letzte Hälfte ihrer Höhe in einen spitzeren Winkel von 42 Grad bildet: wahrscheinlich, um den Abschluss des gar zu riesenhaft angelegten Werkes früher herbeizuführen. Ihre trefflich polirte Bekleidung ist zum grössten Theil erhalten. Sie und ihre Schwestern werden jedoch noch

von Gizeh.

übertroffen durch die drei Riesenpyramiden von Gizeh, welche der vierten Dynastie angehören und in mächtigem Quaderbau durchgeführt sind. Die älteste von ihnen, ursprünglich 707 Fuss quadratische Grundfläche bei 454 Fuss Scheitelhöhe messend,

Fig. 1. Pyramide von Daschur. (Nach Vyse und Perring.)

wurde von Schafra oder Chefren, wie Herodot ihn nennt, errichtet. Ihre Bekleidung besteht nordwärts aus Granitplatten, oben aus Kalkstein. Ihr schliesst sich die gewaltigste aller Pyramiden, jene des Chufu oder Cheops an, welche an der Basis 764 Fuss bei 480 Fuss Scheitelhöhe mass. Sie enthält statt einer einzigen drei Grabkammern, welche durch auf- und absteigende Gänge mit einander verbunden sind. Die unterste von ihnen ist tief im Felsboden eingesprengt, 102 Fuss unter der Basis der Pyramide. Ein Gang von 320 Fuss Länge führt zu ihr hinab. Die mittlere Grabkammer hält man für die der Gemahlin des Erbauers; am wichtigsten ist jedoch in ihrer Anlage die oberste Grabkammer. Ehe man zu ihr gelangt, erweitert sich der schräg aufsteigende enge Gang zu einer Galerie von 5 Fuss Breite, 28 Fuss Höhe und 150 Fuss Länge. Ihre Decke wird durch Schichten vorkragender Steine gebildet, ihre Wände sind mit fein bearbeiteten Quadern von bedeutender Grösse bekleidet. Die Grabkammer selbst ist ein Raum von 17 zu 19 Fuss Grundfläche und 34 Fuss Höhe. Neun Granitblöcke, glatt geschliffen, gleich der übrigen Granitbekleidung dieser prachtvollen Kammer, bilden die Decke. Um dieselbe vor dem ungeheueren Druck der darüber befindlichen Masse zu schützen, sind fünf kleine Entlastungskammern über ihr angebracht, von denen die oberste durch sparrenförmig gegeneinander gestemmte Blöcke geschlossen wird. — Geringeren Umfang hatte die dritte Pyramide, denn bei einer Grundfläche von 354 Fuss im Quadrat erhob sie sich ursprünglich zu 218 F. Scheitelhöhe. Aber ihr Erbauer Mencheres (Mykerinos bei Herodot) hat ihr durch höchste Gediegenheit der Ausführung doch die Bewunderung des Alterthums und der Neuzeit gesichert. In ihrer Kammer fand sich noch der Sarkophag des Königs (Fig. 2), der in der schräg geneigten Fläche seiner Wände, in der leistenartigen, an Holzbau erinnernden Gliederung derselben und in der kräftig vorspringenden Hohlkehle seines Gesimses uns wichtige Fingerzeige über das architektonische Formgefühl jener Frühzeit giebt.

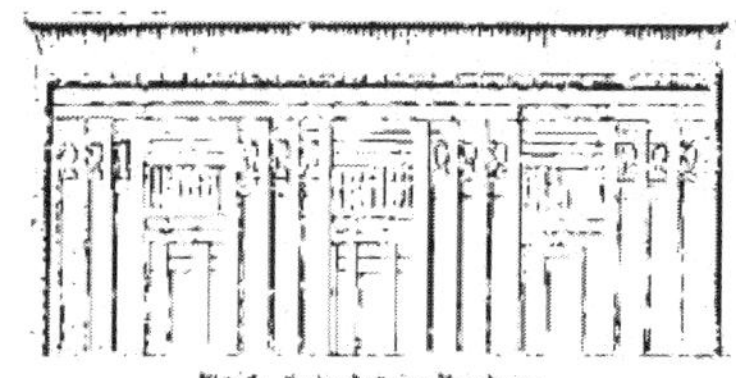

Fig. 2. Sarkophag des Mencheres.

In der Nähe der Gruppe von Gizeh erhebt sich aus dem Wüstensande ein Sculpturwerk, das an Kolossalität in seiner Art jenen riesigen Monumenten würdig zur Seite steht. Es ist der berühmte Sphinx, der hier als gigantischer Wächter des Gräberfeldes lagert. Seine Körperlänge beträgt 89, nach anderen Angaben gar 140 Fuss, die Höhe, so weit sie noch jetzt aus dem Flugsande aufragt, erreicht 42 und lässt eine Gesammthöhe von über 70 Fuss vermuthen. Er ist mit bewunderungswürdiger Kühnheit und Sicherheit aus einem einzigen Felshügel gemeisselt und hält zwischen den Vordertatzen einen kleinen Tempel. Eine Inschrift bezeichnet den Koloss als „Horus auf dem Sonnenberge", und eine andere an der Hinterwand des Tempelchens ergiebt den Namen Thutmes IV. Doch ist dieser erst später hinzugefügt, denn allem Anscheine nach gehört der Sphinxkoloss als Zeitgenoss zu den Pyramiden. Der Sphinx-Koloss.

Um diese gigantischen Denkmäler reihen sich ringsum die Privatgräber, welche den Zeiten derselben alten Dynastien angehören. Es sind meist die „Auserlesenen des Königs", vornehme Hofleute und Beamte der Residenz Memphis, welche hier bestattet wurden. Da findet man*) einen Kammerherrn Sehen aus König Chufu's Hofstaate; einen Priester und Kammerherrn Imeri und dessen ältesten Sohn Ptah-binnofer, von dessen schön erhaltenem Grabe die Pfosten und die Oberschwelle der Thür ins Berliner Museum haben wandern müssen. Ein andres Grab beherbergt den „Obersten des Gesanges", also Hofkapellmeister Ata. Diese Gräber sind, auf derselben Fläche, welche die Pyramiden trägt, aus Kalkblöcken erbaut, auf rechtwinkligem Grundplan, aussen mit pyramidal verjüngten, oben abgeplatteten Mauern. Die nach Osten angebrachte Thür wird durch zwei Pfosten eingefasst, welche eine als Cylinder gestaltete Oberschwelle tragen. (Fig. 3) Letztere, ohne Zweifel eine Nachbildung von Holzconstructionen, erinnert an die Palmstämme, welche bei den alten Aegyptern wie noch jetzt bei Fellah-Arabern als Oberschwelle der Thür dient. Man tritt zuerst in ein kleines Gemach, an dessen Wänden der Verstorbene sammt seinen Frauen und Kindern, mit Beigabe seines Namens und seiner Titel in Reliefs dargestellt ist. Dann folgen Kammern mit lebhaft gemalten, noch jetzt in alter Farbenfrische strahlenden Darstellungen von Opferscenen und von Bildern aus dem Privatleben der alten Aegypter, die letzteren namentlich wohl die ältesten und interessantesten Kulturschilderungen der Welt. Andere Gräber sind in die senkrecht abfallenden Seiten des Kalkgebirges hineingearbeitet. Bei diesen gelangt man durch eine ähnlich behandelte Thür in ein kleines Gemach, und von da durch einen Schacht in die Grabkammer. Auch diese ge- Privatgräber.

*) Vgl. Reiseberichte aus Aegypten, von *H. Brugsch*, Leipzig 1855, S. 38 ff. — *Lepsius*, Briefe aus Aegypten etc.

hören dem Zeitalter der grossen Pyramiden und enthalten ebenfalls die Sarkophage von Priestern und andern Vornehmen des Hofes von Memphis. Sie sind einfacher, als jene ersten; doch sieht man in dem vorderen Gemache wieder die Reliefgestalten der Verstorbenen und ihrer Angehörigen. Mehrfach sind im Inneren Blendnischen angebracht, welche eine leistenartige Dekoration ganz im Style des Mykerinos-Sarkophages zeigen. Ueberall sind es also die Formen eines Holzbaues, welche in den Denkmälern dieser Frühzeit dem architektonischen Schaffen zum Muster dienen. Mehrfach findet man sogar die Decken aus Reihen von Rundbalken gebildet, wie noch heute die Araber nach uralt ägyptischer Sitte die Decke ihrer Wohnhäuser aus Reihen von Palmstämmen zusammenfügen. Wo endlich grössere Grabkammern herzustellen waren, da liess man viereckige Pfeiler als Stützen stehen, gab den einzelnen Abtheilungen eine gewölbartige Decke oder mauerte sie wirklich mit Ziegelgewölben in Tonnenform aus. Säulen scheinen in jener Frühzeit noch nicht vorzukommen; wohl aber findet man in den Gräbern der sechsten Dynastie, welche in grosser Anzahl in der Nähe der alten

Fig. 3. Felsgrab von Gizeh. (Brugsch.)

Stadt Antinoë bei Zaujet el Meitin sich erhalten haben, eine reichere Ausbildung des viereckigen Pfeilers. Schlanke Lotosstengel erheben sich aus der vertieften Fläche und werden oben durch einen zusammengebundenen Strauss von Knospen bekrönt.

Andre Werke. Neue Entwicklungsstufen bringt sodann die Epoche der zwölften Dynastie, etwa um den Ausgang des dritten Jahrtausends. Ihr gehören die Felsengräber von Beni-Hassan in Mittel-Aegypten an, eine Reihe mächtiger Aushöhlungen, welche Grabkammern enthalten. Sie öffnen sich nach aussen mit einer Halle, deren Stützen eine sonst in Aegypten sehr seltene Gestalt haben. Von achteckiger Grundform und mit einer einfachen Platte überdeckt, scheinen sie einen Uebergang vom Pfeiler zur Säule zu bilden. Ueber ihnen zieht sich ein rechtwinkliges Gebälk hin, das durch eine weit vorspringende Platte abgeschlossen ist. An der Unterseite derselben sieht man eine Reihe vorspringender Glieder, ähnlich wie Querhölzer eines leichten Daches angeordnet (Fig. 4). Sie erinnern, obwohl in schwächlicherer Ausprägung, an die Zahnschnitte des griechisch-ionischen Styles. Eine andere hier vorkommende Säulenform ist sechzehnkantig mit ausgetieften Rinnen nach Art des dorischen Säulenschaftes (Fig. 5). Man hat sie deshalb wohl die protodorische (vordorische) genannt. Nur die eine, dem Mittelgange zugekehrte Seite ist gerade, da sie die Fläche für die Hieroglyphenschrift bietet. Daneben findet sich auch die Pflanzensäule, die später zu besprechen ist. Endlich lässt sich auch die Aegypten eigenthümliche Form des Denkpfeilers, der **Obelisk**, schon in dieser Zeit nachweisen. Abgesehen von einem kleineren Denkmal dieser Art in den Memphisgräbern der siebenten Dynastie, kommt der erste bedeutsamere Obelisk im Anfange der zwölften Dynastie vor. Er steht noch jetzt

Fig. 4. Felsfaçade von Beni-Hassan.

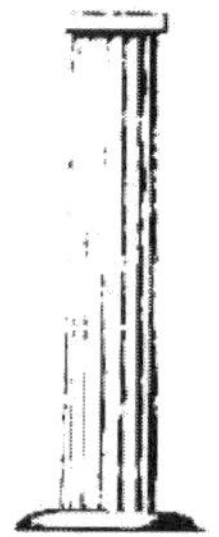

Fig. 5. Säule von Beni-Hassan.

bei **Heliopolis** in Unter-Aegypten und trägt den Königsnamen Sesurtesen I. Denselben Namen findet man an den ältesten Theilen des Haupttempels von Theben zu Karnak, wo zugleich abermals achteckige Säulen gleich denen von Beni-Hassan angetroffen werden.

3. Grundform des ägyptischen Tempels.

Zweck des Gebäude[s]. Anlage.

Die wichtigsten Denkmäler des neuen Reiches sind jene grossräumigen Bauwerke, in welchen man die Tempel der alten Aegypter erkannt hat. Auf einer mächtigen Terrasse von Ziegelsteinen, die ihn über das flache Ufer des Stromes erhebt, mit der Vorderseite diesem zugewandt, stellt sich der ägyptische Tempel dar. Hohe, schräg ansteigende Umfassungsmauern scheiden ihn streng von der Aussenwelt ab. Keine Oeffnungen durchbrechen die eintönige Fläche, und selbst die Thore haben mehr einen abwehrenden als einladenden Charakter. Der Eingang besteht nämlich aus einer schmalen, hohen Oeffnung, die von einem etwas vorgeschobenen Portalbau eingerahmt wird. Zu beiden Seiten erhebt sich auf rechtwinkliger Grundlage ein schräg ansteigender, thurmartiger Bau, der sogenannte **Pylon** (Fig. 6). Auch dieser bietet dem Auge keinerlei Gliederung. Die horizontalen Bänder, die ihn umziehen, dienen nur den farbigen Bildwerken, welche alle Flächen bedecken, zum Abschluss; die schlitzartigen Vertiefungen neben dem Eingange waren bestimmt, Mastbäume mit wehenden Wimpeln als festlichen Schmuck aufzunehmen. Von einem Sockel, der das Gebäude vom Boden trennte, ist nicht die Rede; die pyramidale Masse scheint sich mit ganzer Wucht unlöslich in die Erde hineinzugraben. Die Ecken dagegen werden durch einen verzierten Rundstab eingefasst, und den oberen Abschluss der Pylonen, wie aller übrigen Aussenflächen, bildet unter einer Platte eine hochsteigende Hohlkehle, die mit ihrer kräftigen Schattenwirkung dem Massencharakter des Ganzen wohl entspricht. Dieses Gesimse, sowie die Rundstäbe, welche rahmenartig die Flächen umspannen, fanden wir schon am Sarkophag des Mencheres als uralte ächt-ägyptische Grundformen.

Pylon.

Obelisken.

Manche andere Zierden pflegen oft hinzuzutreten, um die Bedeutsamkeit des Hauptportales zu erhöhen. Dahin gehören besonders die **Obelisken**, auf schmal rechtwinkliger Grundlage steil aufsteigende, an der Spitze pyramidenartig schliessende

Denkpfeiler, welche aus einem einzigen ungeheueren Granitblock gehauen und ganz mit Hieroglyphen bedeckt wurden. Ausserdem stehen wohl noch kolossale Bildnissstatuen zu den Seiten des Einganges.

Fig. 6. Tempel zu Edfu (Façade).

Inneres. Eingetreten, gelangt man zuerst in einen freien Vorhof, der rings von den hohen Tempelmauern umschlossen und von einer mit mächtigen Steinbalken bedeckten Säulen-

Fig. 7. Tempel des Chensu zu Karnak (Vorhof).

halle umzogen wird. Die Umfassungswände und oft selbst die Säulenschäfte pflegen mit historischen Darstellungen bunt bemalt zu sein. Geht man in der Mittelaxe des Gebäudes weiter, so gelangt man nicht selten zu einem zweiten Pylon und zweiten

Vorhofe, ja selbst zu einem dritten, wohl noch grösseren. Auf unserer Abbildung Fig. 8 folgt jedoch auf den Vorhof gleich der **Säulensaal**, der eben so wenig wie jener diesen Monumenten fehlt. Meistens hat er sogar eine viel grössere Tiefe als die hier angegebene von zwei Säulenreihen. Er ist durchaus mit einer Steindecke von mächtigen Balken geschlossen. Die mittlere Doppelreihe besteht jedoch aus höheren

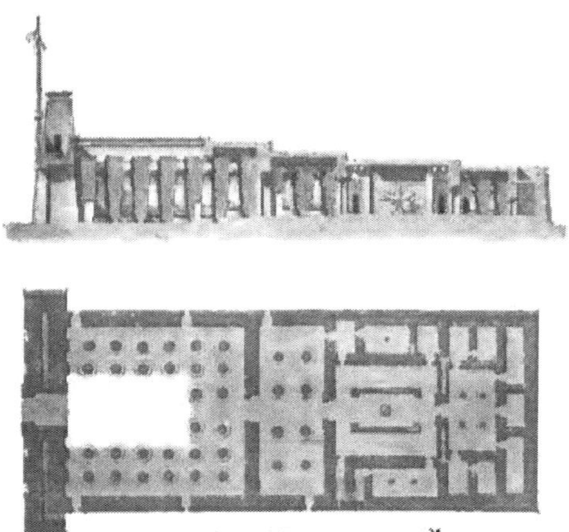

Fig. 8. und 9. Tempel des Chonsu zu Karnak (Längendurchschnitt und Grundriss).

und kräftigeren Säulen, die also auch eine höhere Decke (Fig. 10) tragen. Dadurch entstehen oben Seitenöffnungen zwischen der höheren und niederen Decke, welche, einst vermuthlich mit Gittern geschlossen, den Raum erhellen. — Von hier schrumpft das Innere, durch eine zweite Umfassungsmauer begrenzt, immer mehr zusammen. Denn während der Boden mit Stufen aufsteigt, wird die Decke der folgenden, aus vielen kleinen Gemächern, Kammern und Sälen bestehenden Räume immer niedriger, bis sich hinter der letzten Thüre, in tiefe Dämmerung gehüllt, die enge **Cella** öffnet, welche das Bild des Gottes birgt. Im Inneren also wie im Aeusseren ist der Charakter des Tempels feierlich geheimnissvoll, wie die Lehren jener Priesterkaste, denen selbst die Griechen eine verborgene Weisheit beimassen.

4. Denkmäler des neuen Reiches.

Nach Vertreibung der Hyksos durch Thutmes III. wurde Theben der Mittelpunkt des neuen Reiches, das unter der Herrschaft mächtiger Könige aus den Geschlechtern der Amenophis (Amenhotep), Thutmosis und der Ramessiden zu höchster Blüthe sich erhob. Den Glanzpunkt dieser durch Jahrhunderte sich hinziehenden Epoche Das neue Reich.

bildet die achtzehnte und neunzehnte Dynastie, und in dieser wieder Ramesses II., Mia-mun, auch Ramses der Grosse genannt, der um die Mitte des 15. Jahrhunderts v. Chr. lebte und den ägyptischen Namen bis in Asien furchtbar machte. Unzählige Trümmerhaufen, die an Umfang und Massenhaftigkeit wohl unerreicht dastehen, zeugen noch jetzt von den kolossalen Bauunternehmungen jener Dynastien. Theben, von den Alten das „hundertthorige" genannt, lag an einer Stelle des Nil, wo der Strom in einer Breite von 1300 Fuss sich majestätisch durch die Ebene wälzt, die hier in weiterer Entfernung von den begleitenden Gebirgszügen eingefasst wird. Die Ausdehnung der Stadt mass nach der Länge wie nach der Breite zwei Meilen. Das ganze Gebiet der ehemaligen Stadt wird jetzt durch die Ueberreste zahlreicher Tempel und anderer mächtiger Gebäude bedeckt. Sie führen gegenwärtig nach den elenden Dörfern, die sich mit ihren armseligen Hütten in die Ruinen uralter Pharaonen-Herrlichkeit eingenistet haben, den Namen.

Tempel von Karnak.

Das durch Alter und Grossartigkeit hervorragendste Denkmal ist der auf dem östlichen Nilufer gelegene Tempel von **Karnak**, in welchem man den berühmten Ammonstempel wiedererkannt hat. (Fig. 11.) Eine Reihe von Herrschern hat an diesem Monumente gebaut, das, auf der Grundlage eines uralten Heiligthumes, ein Palladium

Fig. 10. Tempel von Karnak. Säulensaal.

des neuen Reiches gewesen zu sein scheint. Eine Doppelallee von riesigen Widdersphinxen führte nach dem Hauptportale. Dieses öffnete sich über 60 Fuss hoch, zu beiden Seiten von einem Pylon eingeschlossen, der bei 336 Fuss Breite sich 138 Fuss hoch erhob. Durch die bronzenen Flügelthüren des Hauptportales gelangte man in einen ungeheueren Vorhof von 270 Fuss Tiefe und 320 Fuss Breite. Eine doppelte Säulenreihe leitete den Nahenden durch diesen Vorraum zu einem zweiten Pylonenthor von noch weit kolossalerer Anlage. Durch dieses gelangte man zu einem Säulensaale, der die riesigste aller Vorhallen bildet, den Inschriften nach von Sethos I. begonnen und von dessen Nachfolgern im Laufe des 14. und 15. Jahrh. v. Chr. beendet. Er misst 320 Fuss Breite bei 164 Fuss Tiefe. Seine gewaltige Steindecke wird von 134 Säulen getragen, deren jede eine Höhe von 40 und einen Umfang von 27 Fuss hat. Doch nimmt auch hier eine Doppelreihe die Mitte ein, um den Zugang in der Axenrichtung des Gebäudes weiter zu bezeichnen. (Fig. 11). Ihre einzelnen Säulen erhoben sich 66 Fuss hoch bei einem Umfange von 38 Fuss, so dass die mittlere, höher gelegene Steinbedachung des Saales auf Kapitälen ruhte, deren Umfang 64 Fuss mass. Alle Säulen und Wandflächen dieses ungeheueren Saales waren mit buntbemalten Reliefs, einer Riesenchronik der Pharaonen geschmückt.

Die mittlere Säulenreihe führte auf ein drittes Pylonenthor von ebenfalls kolossaler Anlage, durch welches man in einen schmaleren, freiliegenden Hof trat. Dieser

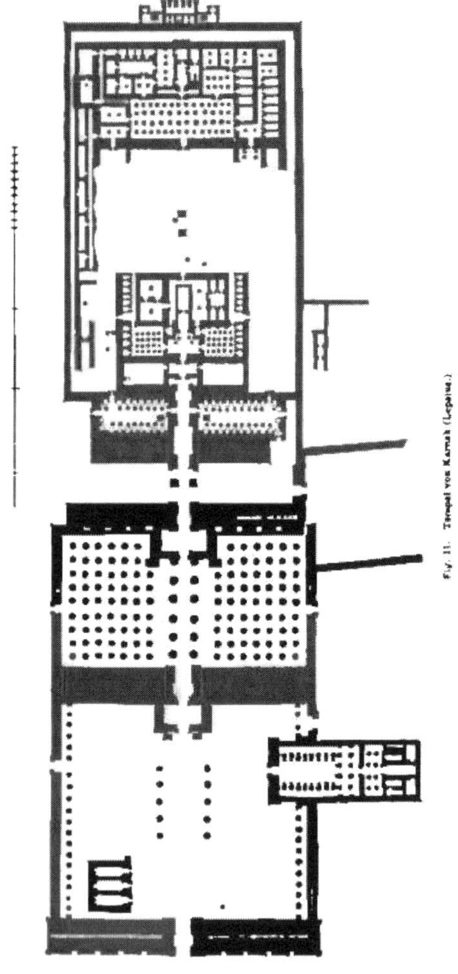

Fig. 11. Tempel von Karnak (Lepsius.)

schloss den eigentlichen Kern des Tempels ein, der von einem vierten Pylon und einer damit verbundenen Umfassungsmauer begrenzt wurde. Vor diesem Pylon erhoben sich zwei von Thutmes I. errichtete granitne Obelisken, der eine 99, der andere 69 Fuss hoch. Zu den Anlagen desselben Königs rechnet man auch eine Säulenstellung in einem der kleineren Gemächer, von welcher sich indess zu geringe Reste erhalten haben, als dass sie mit Sicherheit vollständig ergänzt werden könnte. Diese Säulen knüpfen an die Form der Polygonsäulen von Beni-Hassan an und entwickeln dieselbe bis zu 28 Kanälen, welche von vier Flachstreifen in vier gleiche Gruppen gesondert werden. Das Kapitäl wurde durch fünf Bänder mit dem Schafte verknüpft, worin sich ein von der Lotossäule entlehntes Motiv ankündigt. Dass jedoch, nach Falkener's Annahme, unter dem Abacus des Kapitäls noch eine Rundplatte vorhanden gewesen sei, wodurch eine auffallende Verwandtschaft mit dem griechisch-dorischen Kapitäl erzielt würde, ist von anderer Seite als höchst unwahrscheinlich zurückgewiesen worden.*)

In der Axe des Gebäudes weiter schreitend gelangt man in eine Anzahl schmaler, niedriger, theils unbedeckter, theils bedeckter Räume, die, schachtelartig in einander gebaut, durch Gänge und Pforten in Verbindung standen, durch Pfeilergalerien geschmückt waren. Eine Menge anderer Gemächer und säulengetragener Säle mit karyatidenartigen Kolossen, Corridoren und Gängen schlossen sich hier zu beiden Seiten und nach hinten an, grossentheils von Thutmes III. und seiner Schwester erbaut. Ueberall sind die Wände mit Sculpturen in kostbaren Steinarten, Granit und Porphyr, geschmückt, welche theils religiöse Ceremonien, theils königliche Grossthaten, Schlachten und Siege, Bestrafung von Gefangenen, theils auch Scenen des häuslichen Lebens darstellen.

Tempel von Luksor.

Etwas jünger, und offenbar mit Beziehung auf jenen Bau errichtet, war der südwestlich von ihm gelegene Tempel von Luksor, ein Werk Amenhotep's III. Er ist nämlich nicht mit seinem Eingange dem Nil zugekehrt, sondern zog sich mit seiner Längenaxe dem Ufer des Stromes entlang. Mit dem Tempel von Karnak war er durch eine Allee von ungeheuern Sphinxen verbunden, deren etwa 600 die über 6000 Fuss lange Entfernung in gemessenen Abständen ausfüllten. Mehrere Pylonenthore von prachtvoller Anlage unterbrachen diesen kostbaren Processionsweg, der auf einen Seitenpylon des Tempels von Karnak mündete. Im Innern dieses Tempels hat man an den Säulen eine sonst in Aegypten, wie es scheint, nicht vorkommende Ausschmückung gefunden. Ihre Kapitäle und vielleicht auch die Schäfte waren mit dünnen Kupferplatten überzogen, welche mit dem Hammer getrieben sich genau den Formen anschmiegten und mit Malerei bedeckt waren.

Tempel des Chensu.

Den Denkmälern von Karnak fügte Ramses III. noch zwei Heiligthümer hinzu; das eine derselben schloss sich dem grossen Haupttempel an, jedoch so, dass es, die südliche Seitenmauer des grossen Vorhofes durchbrechend, seine Längenrichtung in die Queraxe des Hauptbaues nimmt. Das andere, dem Chensu (Khons) gewidmet und erst von den Nachfolgern des Ramses vollendet, ist unter Fig. 5 und 9 im Grundriss und Durchschnitt dargestellt; eine Ansicht des Hofes giebt Fig. 7.

Andre Denkmäler.

Auch das westliche Ufer des Stromes ist hier mit Trümmern kolossaler Gebäude übersäet. Namentlich ziehen die Reste der ungeheuren, in den Fels gehauenen Königsgräber, der Hypogäen, die Aufmerksamkeit auf sich. Ueberhaupt scheint auf diesem Ufer die Todtenstadt gelegen zu haben. Die bedeutendsten Gräber finden sich in einem Felsthale, welches Biban el Moluk (die Pforten der Könige) genannt wird. Ein einziger Zugang führt in diese von steilen Felswänden umschlossene Schlucht, in welcher die senkrecht einfallenden Sonnenstrahlen eine glühende Hitze erzeugen. Eine Menge von Oeffnungen sind in den Felsen gemeisselt, welche mit langen Corridoren und Gemächern in Verbindung stehen. Jedes Grab bildet eine geschlossene, in das Gebirg

Biban el Moluk.

*) *Falkener's* Restitution im Mus. of class. antiq., 1851, p. 67 sq. wird durch *Bergau* und *Erbkam* in Gerhard's Archäol. Zeitung 1853. Anzeiger No. 136 bestritten. Letzterer behauptet, *Falkener* habe die Säulenbasis wahrscheinlich als Kapitäl genommen, denn dieses könne, nach allen ägyptischen Analogien, nur als einfache oder mit der Hathormaske verbundene Deckplatte ergänzt werden.

hineingearbeitete Anlage, die in einem prachtvollen Pfeilersaale den Sarkophag des Königs birgt. Dieser besteht aus mehreren schachtelartig einen alabasternen Kern umgebenden Granithüllen. Alle Wandflächen sind mit Reliefs bedeckt, die, in bunten Farben von dem goldgelben Grunde sich abhebend, diesem Gemache den Namen des „goldenen Saales" gegeben haben. — In einem anderen Gebäude hat man sodann das von Diodor beschriebene Grabmal des Osymandyas zu erkennen geglaubt. Inschriften und Bildwerke scheinen es jedoch als einen von Ramses dem Grossen erbauten Palast zu bezeichnen. Bemerkenswerth ist, dass einige weitgedehnte, von Ziegelsteinen aufgeführte Hallen tonnengewölbförmig bedeckt sind. Ferner findet sich ein nicht minder bedeutender Bau bei Medinet-Habu, der, unter Ramses III. errichtet, in seiner Gesammtanlage den schon betrachteten Tempelpalästen ähnlich ist.

Osymandeion.

Medinet-Habu.

Pavillon von Medinet-Habu.

In der Nähe des letzteren erhebt sich, unter demselben Herrscher ausgeführt, ein kleinerer Bau von ungewöhnlicher Anlage. Von den Franzosen als „Pavillon" bezeichnet, macht er in der That den Eindruck eines zu Privatzwecken, etwa als ländliches Wohnhaus errichteten Gebäudes. Von kurz gedrängter, quadratischer Anlage wird er von zwei weit vorspringenden Seitenflügeln umfasst, welche einen inneren Hofraum einschliessen und nach vorn pylonenartig enden. Wir wissen durch Herodot (II, 95), dass solche thurmartig erhöhte Bauten den Aegyptern als Schlafstätten dienten, weil sie oben vor den Mückenschwärmen sicher waren. Das Gebäude zeigt drei Stockwerke, die durch innere Treppenanlagen zugänglich waren und durch kleine Fenster ihre Beleuchtung erhielten. Die Wohngemächer sind durch gemalte Scenen aus dem Privatleben des Fürsten geschmückt. Den obern Abschluss bildet nicht das übliche Kranzgesims, sondern eine Art von Zinnenkrönung.

Wohngebäude.

Das Licht, welches dieser interessante Bau auf die Anlage der ägyptischen Wohngebäude wirft, wird durch zahlreiche Abbildungen solcher Baulichkeiten auf Wandgemälden noch verstärkt. Demnach war es bei den Aegyptern nicht ungewöhnlich, Wohnhäuser von drei Stockwerken zu besitzen. Diodor (I, 45) spricht selbst von vier- und fünfstöckigen Privathäusern, was bei der dichten Bevölkerung des Landes in den Städten nicht unwahrscheinlich ist. Drei Stockwerke zeigt auch das auf einem Wandgemälde dargestellte Haus, von welchem unsere Fig. 12 eine Abbildung giebt. Es zeigt sich, nach den schlanken Verhältnissen zu urtheilen, als ein Holzbau, wie denn im ägyptischen Privatbau die Holzconstruction allgemein verbreitet gewesen sein mag, da selbst an den ältesten Gräbern eine Nachbildung derselben sich fand. Unsere Abbildung scheint den inneren Hof darzustellen, der jedem ansehnlicheren Hause als Mittelpunkt der Anlage diente. Ein Treppe, deren Eingang ein hohes Portal bildet, führt zu den obern Geschossen empor, deren Eintheilung man rechts aus den beiden Reihen kleiner mit Holzgittern verschlossener Fenster erkennt. Das oberste Stockwerk wird durch eine von Säulen getragene Galerie gebildet. Bei dem milden, regenlosen Klima dienten solche obere Galerien besonders als Schlafstätten. Die hohe Thür rechts scheint zu den unteren Wohngemächern zu führen. Links sieht man nur eine kleine Pforte und eine fensterlose Wand. Dort mögen die Vorrathsräume angebracht sein. Am oberen Ende dieses Theils scheint ein Teppich aufgehängt, über welchem man die Brüstung einer zweiten Galerie bemerkt. So gewähren diese Bauten einen luftigen, freien Eindruck, der durch heitere Bemalung noch gehoben wurde. Gartenanlagen traten oft hinzu und verliehen dem Ganzen den Charakter ländlicher Ungezwungenheit.

Fig. 12. Aegyptisches Wohnhaus.

Feld der Kolosse.

Unweit von Medinet-Habu, am Rande eines Akazienwäldchens, liegen ungeheure Trümmer von Granit, Porphyr, Marmor und Sandstein, die einem Gebäude von mächtigen Dimensionen angehört haben müssen. Gleich daneben erheben sich die Reste

2*

von siebzehn Riesenstatuen, von welchen der Ort das „Feld der Kolosse" heisst. Nur zwei von ihnen, der Zerstörung entgangen, sitzen aufrecht als übergrosse Königsbilder, die mit der Kopfbedeckung an 70 Fuss hoch sind. Der eine dieser gigantischen Sandstein-Monolithen, dessen Gewicht man auf nahe an drei Millionen Pfund berechnet hat, ist das im Alterthum berühmte Memnonsbild, das, wie die Sage erzählt, beim Gruss der Morgensonne einen klagenden Ton erschallen liess. — Noch ein anderer Prachtbau

Kurnah. erhebt sich hier in der Nähe von Kurnah. Er scheint ausschliesslich einer wohnlichen Anlage gedient zu haben, wie seine abweichende Grundform andeutet. Statt der Pylonen führt eine 150 Fuss tiefe Vorhalle von zehn Säulen auf drei Eingangspforten, deren jede den Zugang zu einem besonderen Complex von Gemächern, Sälen und Corridoren bildet.

Tempel zu Elephantine. Weiter südlich von Theben sind an verschiedenen Orten noch Ueberreste von Denkmälern dieser Epoche. So auf der Nilinsel Elephantine zwei Tempel aus der Zeit Amenhotep's III, die durch ihre Anlage sich von allen früheren Bauten unterscheiden. Es sind kleine kapellenartige Gebäude, aus einer Cella bestehend, um welche sich nach Art griechischer Tempel eine auf freien Stützen ruhende Halle hinzieht. Diese Stützen werden bei dem einen, südlicher gelegenen Tempel an jeder Langseite durch sieben einfach viereckige Pfeiler gebildet, die unten durch eine Brustwehr, oben durch einen Architrav verbunden sind. Die Brustwehr wird durch eine Hohlkehle sammt Platte abgeschlossen, und dieselbe Form, nur in grösseren Verhältnissen, bekrönt den ganzen Bau. An den Schmalseiten treten statt der Pfeiler je zwei Säulen mit geschlossenem Lotoskapitäl ein, und an der Vorderseite öffnet sich zwischen denselben der Eingang über einer hohen zur Terrasse emporführenden Treppe. Der kleine Bau misst sammt der Halle nur 32 zu 42 Fuss. Beide Tempel sind jetzt zerstört, und nicht besser ist es einem ganz ähnlich angelegten Heiligthum zu El Kab,

Tempel zu Eileithyia. dem alten Eileithyia, ergangen. Von einem anderen, ebenfalls auf Amenhotep III. zurückzuführenden Tempel daselbst haben sich mehrere sechzehnseitige Säulen erhalten, welche sich von den früheren Beispielen dieser Art dadurch unterscheiden, dass sie an der Vorderfläche eine Hathormaske tragen. Neben dem Nachwirken älterer Formen machen sich also neue Elemente in der Planbildung und in der Detailausstattung geltend.

Unter-Aegypten. Unter-Aegypten nimmt in diesen Epochen des neuen Reiches nur in geringem Grade Theil an der künstlerischen Entwickelung. Doch mögen hier wenigstens die

Serapeum u. Apisgräber. durch Mariette's glänzende Entdeckung ans Licht gezogenen Reste des Serapeums von Memphis bei dem heutigen Saccara, sammt den ausgedehnten Gräbern der heiligen Apis-Stiere erwähnt werden. Die erste Anlage stammt von Ramses dem Grossen und seinem Lieblingssohne Schaemdjom. Die Gräber bilden grosse Gänge von beträchtlicher Ausdehnung, die nach Art gewölbter Tunnel etwa zehn Fuss breit in den Kalkfelsen eingehauen sind. Auf ihrem schräg geneigten Boden sieht man noch die Schienen, auf welchen die kolossalen Sarkophage der heiligen Stiere mittelst Walzen herabgeschafft wurden. Abwechselnd zur Linken und zur Rechten sind in den Gängen Nischen von etwa zwanzig Fuss Höhe angebracht, in welchem man die spiegelblank geschliffenen Granitsarkophage findet. Sie haben eine Grösse, dass 24 Personen bequem darin stehen können; die Länge eines solchen Riesensarges beträgt 27, seine Höhe acht und mit dem Deckel elf, die Breite sieben Fuss.

5. Alte Monumente im untern Nubien.

Nubische Bauten. Nicht allein im glanzvollen Mittelpunkte des neuen Reiches, sondern auch an den entlegenen Grenzen desselben, jenseits des eigentlichen Aegyptens, haben sich zahlreiche Spuren der Bauthätigkeit jener mächtigen Herrscher erhalten. Dahin gehören

Amada. zunächst Reste eines von Thutmes III. erbauten Heiligthumes zu Amada, welches wieder Polygonsäulen mit einfacher Deckplatte und unverjüngtem 24seitigem Schaft enthält. Von demselben Könige ist ein Tempel erbaut worden, dessen Ruinen man bei Semneh sieht, und bei welchem ebenfalls Polygonsäulen vorkommen. Derselben Entstehungszeit gehört der Haupttempel bei Wadi-Halfa, welcher wieder, gleich einem kleineren, daselbst gelegenen, polygone Säulen zeigt. Noch weiter südwärts bei Soleb erbaute Amenhotep III. einen grossen Tempel mit Pylon, Säulenhof und stattlichem Säulensaal. Die architektonischen Formen sind kraftvoll und in edlen Verhältnissen behandelt. Neben der geschlossenen Lotossäule tritt hier eine neue Form auf, welche einen Palmenschaft nachahmt. Ueber dem verjüngten, ziemlich schlanken Stamm bildet sich das Kapitäl durch acht grosse Palmblätter, deren Spitzen, wie vom Druck der darauf liegenden Platten umgebogen erscheinen und dadurch der Form den Ausdruck elastischen Lebens verleihen.

Semneh. Wadi Halfa. Soleb.

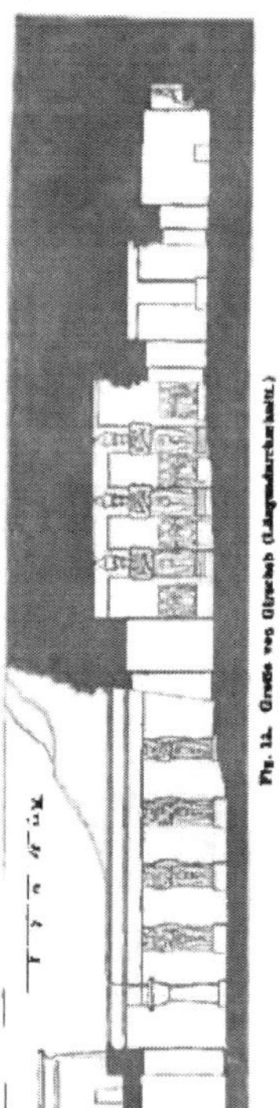

Fig. 12. Grotte von Girscheh (Längendurchschnitt.)

Felsbauten.

Andere nubische Denkmäler sind in dem Felsgebirge ausgehöhlt und als königliche Todtenhallen zu betrachten. Das bedeutendste dieser Werke befindet sich bei Ipsambul (Abu Simbel). Es ist den Hieroglyphen zufolge unter dem grossen Ramses entstanden und erscheint unter den Denkmälern dieser Art als das kolossalste. Zwei Façaden sind in die Felswand eingehauen, die grössere von 117 Fuss Breite und gegen 100 Fuss Höhe. Die riesigsten Steinbilder Aegyptens (mit Ausnahme des berühmten Sphinx bei der grossen Pyramide von Memphis), vier an der Zahl, die sitzend eine Höhe von 65 Fuss erreichen, bewachen den Eingang. Dieser führt in eine Vorhalle, an deren Pfeilern kolossale Gestalten von Priestern, die Arme über der Brust gekreuzt, in feierlich grossartiger Haltung stehen. Sodann gelangt man durch zwei kleinere Hallen in das Innerste Heiligthum, wo wieder vier sitzende Kolossalstatuen aus dem Felsen herausgemeisselt sind. Ausserdem erstrecken sich zu beiden Seiten dieser Mittelräume noch mehrere Nebensäle, alle gleich jenen grottenartig aus dem Gebirge herausgehöhlt. An den Wänden erblickt man in zahlreichen Sculpturen die Thaten des Ramses, der, in ungewöhnlicher Grösse dargestellt, von seinem Kriegswagen herab die Feinde vernichtet. — Jene kleinere Grottenanlage hat an ihrer Façade sechs kolossale Figuren, die indess stehend und als Hochreliefs behandelt sind. Die Vorhalle wird hier durch Pfeiler, die statt der Kapitäle Isisköpfe haben, getragen. Im Uebrigen ist die Anlage mit jener zuvor beschriebenen verwandt.

Ipsambul.

Grotte von Derri.

Aehnlich sind die Grotten von Derri, auf der gegenüber liegenden arabischen Seite des Nil, angeordnet, nur dass sie des Façadenschmuckes entbehren und sogleich mit jener Halle beginnen, deren Stützen zum Theil Pfeiler, zum Theil Kolossalstatuen sind. Die Grotten von Girscheh (vgl. 13 u. 14) haben sogar einen freigebauten Vorhof, dessen Eingang durch einen Pylon bezeichnet wird. Auch hier sind Pfeiler und Standbilder von mächtigen Dimensionen als Träger der Decke verwendet. Verwandte Anlagen zeigen die Grotten von Wadi Sebûa, welche gleich den übrigen unter Ramses II. entstanden sind. Endlich mögen noch aus derselben Zeit die Grotten unfern von Kalabscheh genannt

Girscheh. Wadi Sebûa und Kalabscheh.

werden, in deren Hauptraum die Decke von zwei Säulen von polygoner Form getragen wird. Der Schaft hat 20 Rinnen, welche durch vier Flachstreifen geson-

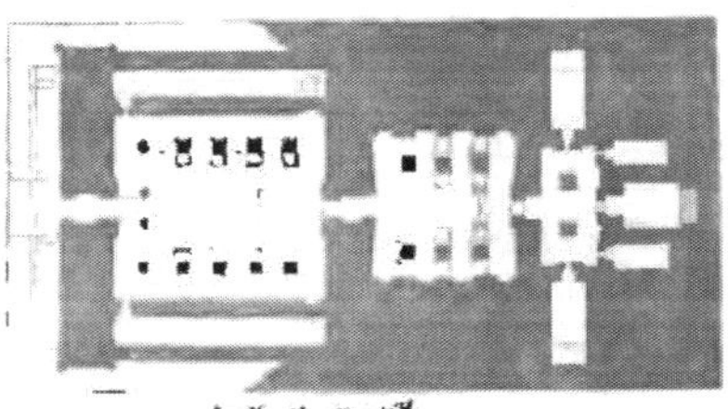

Fig. 12. Grotte von Girscheh (Grundriss.)

dert werden. Das Verhältniss ist wie bei den meisten dieser äthiopischen Denkmäler ein überaus schweres.

6. Spätere Formen.

Dauer des Styls. In der Abgeschlossenheit des ägyptischen Charakters war ein zähes Festhalten am Einheimischen, alterthümlich Ueberlieferten nothwendig gegeben. Daher sehen wir noch in den späteren Zeiten, als fremde Eroberer das Land überschwemmten, ein Beharren an der heimischen Bauweise, und selbst die ausländischen Herrscher bedienten sich des ägyptischen Styles, um den Göttern des Landes, wie Staatsklugheit gebot, Tempel zu errichten. Doch hatten sich im Verlauf historischer Entwicklung gewisse Umwandlungen, sowohl der Grundlage als der Durchführung, herausgebildet. Dergleichen findet
Denderah. man an einem prachtvollen Tempel zu Denderah (Tentyris), unterhalb Theben, der von Kleopatra und Julius Cäsar begonnen wurde. Er ist dadurch bemerkenswerth, dass ihm, wie den meisten spätägyptischen Bauten, der Vorhof sammt dem Pylon fehlt, statt dessen die Anlage gleich mit der Säulenhalle beginnt. Auch die Form der Säulen ist abweichend, da anstatt der Kapitäle Hathorköpfe angeordnet sind, über welchen die das Gebälk tragenden Kragsteine als kleine Tempelchen sich gestalten (vgl. Fig. 25). In der Nähe des Haupttempels liegt, wie oft in dieser Spätzeit, ein kleinerer Nebentempel, der von gewissen Darstellungen an seiner Aussenseite Typhonium heisst, in Wirklichkeit aber als heilige Geburtsstätte, Mammisi, zu betrachten ist. Diese kleinen kapellenartigen Heiligthümer bestehen nur aus einer von einem Säulenumgang umgebenen Cella. Alle diese Anlagen finden ihr Vorbild bereits an dem oben erwähnten Tempel von Elephantine. — Von den Tem-
Philä. peln der Insel Philä, welche grösstentheils der Ptolemäerzeit angehören, ist namentlich der östlich gelegene (Fig. 13) von ungemeiner Pracht und reichem Schmuck. Um einen aus drei Cellen bestehenden Kern zieht sich eine freie Säulenstellung, das von stark ausladendem Gesims bekrönte Gebälk zu tragen. Doch werden die Ecken von breiten Pfeilern gebildet, welche die bekannte schräge Ansteigung haben. Ausserdem werden bis zur halben Höhe der

Fig. 13. Oestlicher Tempel auf Philä (Grundriss).

Säulen die Zwischenweiten durch Einsatzwände ausgefüllt, welche ebenfalls mit einem Gesims versehen und gleich den Eckpfeilern mit bunt bemalten Reliefs reich verziert

Fig. 16. Westlicher Tempel auf Philä.

sind. Der westliche kleinere Tempel (vgl. die Ansicht Fig. 16 und den Grundriss Fig. 17) besteht nur aus einer rechtwinkligen, überdeckten und von Säulen umgebenen Halle. Vermuthlich diente er als heiliges Thiergehege. Zwischen den Säulen finden sich auch hier Brüstungsmauern, an beiden Schmalseiten liegen Eingänge. Sämmtliche Wandflächen sind mit Sculpturen reich bedeckt, welche auf unserer Abbildung, des kleinen Maassstabes wegen, fortgelassen wurden.

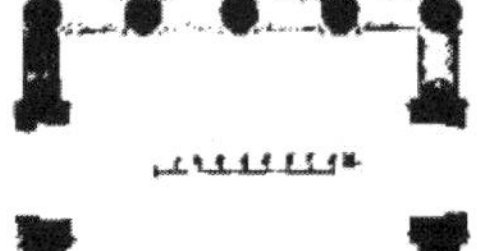

Fig. 17. Westlicher Tempel auf Philä (Grundriss).

Auch der grosse Tempel zu Edfu (Apollinopolis magna) gehört hierher, eins der glänzendsten Werke ägyptischer Kunst und eine der besterhaltenen Prachtanlagen der Ptolemäerzeit. Edfu. Ausser dem oben auf Seite 12 gegebenen Aufriss seiner prächtigen Pylonen-Façade gewährt Fig. 18 einen Blick über die Gesammt-Anlage, welche an

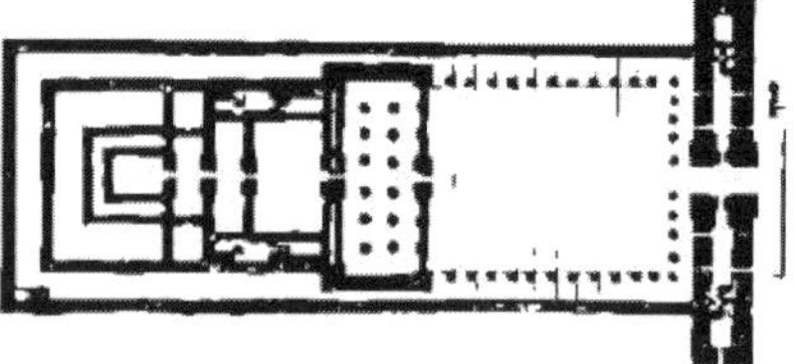

Fig. 18. Tempel zu Edfu (Grundriss).

Regelmässigkeit der Durchbildung mit den Denkmälern der früheren Epochen wetteifert. Fig. 19, der Querdurchschnitt durch den hypäthralen Vorhof, giebt eine Anschauung von der zierlich reichen Ausstattung seiner Wandflächen, Brüstungsmauern und Säulenschäfte. Aus derselben Zeit stammt der von Ptolemäus Epiphanes um 200 v. Chr. gegründete Tempel, dessen Ueberreste bei Kum Ombu, dem alten Ombos, in riesigen Säulen aus dem Sande aufragen. Der Haupttempel hat die seltene Anlage eines Doppeltempels mit zwei Cellen und den zu jeder gehörenden Vorräumen und Aussenwer-

Kom Ombo.

Fig. 19. Tempel zu Edfu (Querschnitt).

ken. Ein kleineres dazu gehöriges Heiligthum ist als Mammisi der Geburt des Osiris geweiht, und eine Inschrift bezeichnet die Bedeutung dieser, sowie anderer ähnlicher Anlagen so: „dies ist der Ort des Kindbettes der Göttin Ape: kreisend hat sie geboren ihren Sohn an dieser Stelle." Diese kleinen Kapellen sind also recht eigentlich als göttliche Wochenstuben aufzufassen.

Pyramiden von Meroë.

Noch sind hier die Pyramiden von Meroë in Ober-Nubien zu nennen, eine späte Nachahmung der grossen unterägyptischen Pyramiden. Doch unterscheiden sie sich in formeller Hinsicht wesentlich von jenen: denn nicht allein, dass sie von geringerer Grösse sind — die höchsten nicht über 80 Fuss — und von verhältnissmässig schmaler Grundlage viel steiler ansteigen; auch die Hinzufügung einer mit Pylonen geschmückten Vorhalle und die Anordnung einer Nische über dem Eingange derselben ist ihnen charakteristisch. So scheint es, dass man in jener späteren Zeit mit Absicht die uralte Form wieder aufgenommen hat, jedoch mit derjenigen Maassbeschränkung, die einem kleineren Geschlechte aufgenöthigt wurde, und mit demjenigen Streben nach einer Verbindung mit organischen Architekturformen, welche der verfeinerte Kunstsinn wünschenswerth machte.

7. Styl der ägyptischen Architektur.

Steinbau.

Fassen wir die Merkmale in's Auge, welche das Wesen der ägyptischen Architektur ausmachen, so ist zunächst die Solidität der ganzen aus Stein errichteten Construction zu beachten. In allem Freibau der Aegypter tritt das Princip der flachen Steinbalkendecke entschieden auf und prägt auch an den übrigen Bautheilen sich deutlich aus. Die Holzarmuth des Landes, der unerschöpfliche Reichthum an trefflichen Steinarten, Granit, Basalt, Sandstein, Porphyr, Marmor und Alabaster führte die Einwohner schon früh auf diese Bauweise und brachte sie zu einer Technik in Behandlung des schwierigsten Materials, die noch jetzt unerreicht dasteht. Ausserdem bot das überreich bevölkerte Land den Herrschern eine Menge von Arbeitskräften zur Ausführung ihrer Riesenbauten dar. War einmal der Steinbau für die Bedeckung der Räume geboten, so folgte daraus die Anordnung vieler stämmigen, kurzen Säulen in geringen Abständen, die den mächtigen Deckbalken als Stütze dienten. Daraus ergab sich auch ohne Zweifel das schräge Ansteigen aller Aussenmauern, die ein fest begründeten, in sich zusammenhängendes Strebesystem als Gegendruck gegen die wuchtenden Steindecken bildeten.

Behandlung des Aeusseren.

Der Rundstab, mit welchem man alle Mauerecken einfasste, und die stark vortretende Hohlkehle des bekrönenden Gesimses mit ihrer tiefen Schattenwirkung (Fig. 20) sind Beweise vom Streben nach lebendiger Gliederung der Massen. Jene Hohlkehle wird mit einem, zusammengebundenen Rohrstäben ähnlichen Ornament ganz oder in Gruppen mit Abständen, die durch Bilderwerk ausgefüllt sind, bedeckt. Besonders oft kommt eine symbolische Figur, die beschwingte Sonnenscheibe, an den Gesimsen, und vorzüglich über den Eingängen, vor (Fig. 21). Im Uebrigen sind die Flächen des Aussenbaues ohne jede andere Detaillirung und Unterbrechung; da sind weder Gesimse, noch Fensteröffnungen, noch schmückende Säulenhallen: im Allgemeinen ist Alles schlicht, ernst, eintönig, doch nicht ohne den Eindruck imponirender Massenhaftigkeit, die um so mehr erhöht wird, je weniger Einzelformen dem Auge geboten werden, die als Massstab für das Ganze dienen könnten. Der reiche Schmuck bemalter Reliefs, welche in mehreren Reihen über einander die Flächen bedecken, ist durchaus äusserlicher Natur, nach Art der Darstellungen auf Teppichen, und bezeugt, dass das Streben der ägyptischen Architektur nach Gliederung der Massen doch nur ein oberflächliches war, unfähig, ein Ganzes in organischer Weise zu bewältigen. Hier erweist sich also der Stoff noch mächtiger als die gestaltende Kraft des menschlichen Geistes, obschon dieser in klarer Verständigkeit die Massen behandelt. Aber er bleibt bei ihrer Durchbildung auf halbem Wege stehen, um in dieser unfertigen Gestaltung typisch zu erstarren.

Fig. 20. Kranzgesims.

Fig. 21. Geflügelte Sonnenscheibe.

Gestalt der Säulen. Polygon-Säulen.

Für das Innere ist die Ausbildung des Säulenbaues das Bezeichnendste. Zunächst kommt hier die polygone Säule in Betracht, die schon zur Zeit des alten Reiches in Beni-Hassan sowohl achteckig als sechszehnseitig auftrat. Diese Form erscheint als die primitivste, da sie durch Abfasung aus dem viereckigen Pfeiler hervorgegangen ist. Wenn sie nun in den vorhandenen Ueberresten der späteren Epochen im Vergleich mit anderen Formen allerdings nur selten und sporadisch auftritt, so fehlt es ihr gleichwohl nicht an gewissen Momenten weiterer Entwicklung. Diese betrifft theils den Schaft, der in mannichfacher Abstufung einfacher oder reicher kannelirt ist und bis zu 24 Rinnen in den Ueberresten von Amada, bis zu 28 im Tempel zu Karnak sich entfaltet. Wichtiger noch sind die Beispiele, welche ein Bestreben nach Ausbildung des Kapitäls bekunden, wie in den Monumenten von El Kab und Sedeinga. Allein die ägyptische Kunst beweist hier zugleich, dass eine consequente ästhetische Durchführung des structiven Gedankens nicht ihre Sache ist; denn anstatt eines einfach klaren Ausdrucks des architektonisch Zweckmässigen verfällt sie auf das äusserliche bloss symbolische Motiv der Hathormaske.

Pflanzen-Säulen.

Alle diese Beispiele gehören der Epoche der 18. und 19. Dynastie, also der Zeit vom 16. bis zum 14. Jahrhundert vor Christo an. Verdrängt wurde aber die Polygonsäule bald durch jene allgemeiner gebräuchliche Form, welche ursprünglich dem Pflanzenreiche entlehnt und dann in hergebracht conventioneller Weise beibehalten zu sein scheint. Am deutlichsten geben das die ältesten Säulen — sie finden sich ebenfalls in den Grotten der Gräber von Beni-Hassan — zu erkennen. Hier macht der Säulenstamm den Eindruck von vier oder mehreren gebündelten Rohrstäben oder Lotosstengeln, die unter der Last des Gebälkes am unteren Ende eine kräftig geschwellte Ausbauchung erhalten haben, so dass sie mit einer Einziehung auf der nicht hohen, aber sehr breiten, scheibenartigen Basis fussen. Das Kapitäl, in der Form einer geschlossenen Knospe, erinnert ebenfalls an die Lotuspflanze. Unterhalb desselben erscheint der Stamm von mehreren Bändern, wie um ihn fester zusammen zu halten, umwunden. Man wird in dieser Form eine Fortbildung und Entwicklung des Motivs zu erkennen haben, welches erst im Relief an den Pfeilerflächen des benachbarten Zaujet el Meitin (S. 12) angedeutet wurde. — Diese Form findet sich an späteren Monumenten vielfach wiederholt, zunächst gewöhnlich mit Beseitigung der zu deutlichen Anspielungen auf die Pflanzengestalt (Fig. 22). Der Schaft ist dann einfach cylindrisch, mit geringerer Verjüngung sich erhebend und mit eben so vereinfachtem Kapitäl endend. Auf dieses legt sich ein würfelförmiger Aufsatz, der als Abacus die Steinbalken der Decke aufnimmt. — Sodann aber trifft man häufig eine

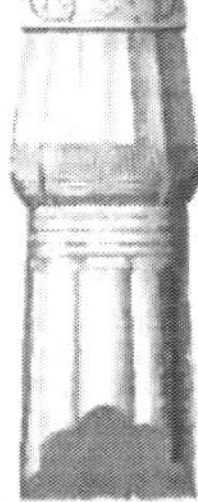

Fig. 22. Medinet-Habu.

Fig. 23. Säule von Kum-Umbu.

Fig. 24. Medinet-Habu.

Fig. 25. Denderah.

andere, entschieden schönere Gestalt (Fig. 23). Die geschlossene Knospe hat sich geöffnet, die anmuthige Form eines glockenartigen Pokals oder eines voll aufgeblühten Blumenkelches bietend. Diese Grundform benutzte der reichere Styl der ägyptischen Kunst, um sie mit zierlichem Blattschmucke, manchmal nach Art einer Palme, zu umkleiden. Zugleich öffnet sich dann auch der Kelch als mehrblättrige Blume, deren Dekoration, an den verschiedenen Säulen wechselnd, gleichfalls dem Pflanzenreiche entlehnt ist. Ebenfalls dem vegetativen Gebiete entlehnt zeigt sich die Palmensäule, wie sie in naiver Nachbildung eines Palmenschaftes schon im

Tempel zu Soleb zur Zeit Amenhotep's III auftrat. Alle diese auf Naturformen beruhenden Gestaltungen werden dann in den späteren Epochen aufs mannichfachste decorativ umkleidet, so dass sogar in denselben Säulenreihen der grösste Reichthum von Variationen stattfindet. So in Edfu und den Tempeln zu Philae. — Spielender erscheinen endlich jene aus vier Hathorköpfen zusammengesetzten Kapitäle, auf welchen der das Gebälk aufnehmende Deckstein in Gestalt eines kleinen Tempelchens ruht (Fig. 25). Sie gehören der späteren Epoche ägyptischer Kunst an, haben aber ebenfalls in früheren Epochen ihre Vorbilder an jenen Kapitälen zu Sedeinga und Eileithyia (El Kab). — Gewöhnlich sind die Säulen in ihrer ganzen Ausdehnung mit bunten Figuren und Hieroglyphen bedeckt, die in lebendiger Harmonie zu dem glänzenden Farbenschmucke der übrigen Bautheile stehen, aber gleich jenen, ja noch mehr als sie, den schwachen Punkt der ägyptischen Architektur verrathen. Denn die Säule büsst durch dies blosse Ueberziehen mit bildlichem Schmucke einen grossen Theil ihrer Würde und Kraft ein, da die bunte Umhüllung nur die Eingebungen der Willkür, nicht den nothwendig gebotenen Ausdruck entschiedenen Stützens zur Erscheinung bringt. — Strenger dagegen sind die Pfeiler und Pilaster gebildet, deren sich der ägyptische Styl ebenfalls häufig bedient. Ihre mit Bildwerken geschmückten Flächen stützen ohne Vermittlung eines besonderen Gliedes die Steinbalken der Decke. An der Vorderseite sind aber gewöhnlich aufrechtstehende menschliche Figuren angebracht, die indess, ohne zu tragen, sich bloss an die Pfeiler anlehnen (Fig. 24).

Gesammt-Anlage.

Denselben Mangel einer streng organischen Entwicklung offenbart die Gesammtanlage der Tempel. Wie das Portal gleichsam in den Bau eingeschoben ist, wie sich diese Einschiebung bei jedem neuen Pylon wiederholt, wie eine zweite und eine dritte Mauer innerhalb der Umfassungsmauer sich umherzieht, wie endlich das innerste Heiligthum ebenso dem umschliessenden Bau eingesetzt ist: so lässt sich dies Einschachtelungssystem, wie man es treffend bezeichnet hat, in allen Theilen verfolgen. Der ägyptische Tempel erscheint daher als ein Aggregat einzelner Theile, fähig, bis in's Unendliche Zusätze und Erweiterungen zu erfahren, wie dies nachweislich in der That stattfand. Sodann ist zu beachten, dass der Tempel, nachdem er durch imposante Portale, Vorhöfe, Hallen den Sinn des Eintretenden gefesselt und auf das Höchste vorbereitet hat, allmählich niedriger, enger, düsterer zusammenschrumpft, so dass da, wo würdigste Entfaltung, höchste Erhebung erwartet wird, niedrige Beschränkung eintritt und mit der Oede eines mystischen Schweigens antwortet. Dies hängt wieder eng mit dem Wesen eines Cultus zusammen, der in seinem Allerheiligsten keine lebenerfüllten, vom Volksgeiste geschaffenen, sondern nur todte, durch Priestersatzung geformte Göttergestalten aufzuweisen hatte. Nicht minder endlich ist die Eintönigkeit des ägyptischen Grundrisses, der sich überall in derselben unorganischen Zusammensetzung wiederholt, bezeichnend für das einer lebendigen Entwicklung unfähige Wesen jener Kunst. Denn auch hier begegnen wir zwar im Verlauf ihrer mehrtausendjährigen Existenz den natürlichen Fortschritten vom Einfachen zum Reichen und von da zum Spielend-Ueppigen: allein eine eigentliche Fortbildung der Form hat nur in geringem Maasse, eine Entwicklung der Construction gar nicht stattgefunden.

Construction

Andererseits lässt sich nicht leugnen, dass dieser Styl in constructiver Hinsicht eine bedeutsame Stellung einnimmt. Der Kern derselben ist der steinerne Deckenbau, der hier zum ersten Male in grossartiger, consequenter Anlage uns entgegen tritt, rückwirkend auf die enge Stellung kräftiger Säulen und den dadurch bedingten künstlerischen Eindruck der inneren Räume, verbunden mit einem System von stützenden, umschliessenden und gegenstrebenden Gliedern, deren Gestalt nicht allein eine ihrer Function entsprechende Bildung, sondern auch den bisweilen glücklichen Versuch, ihre Wesenheit im ornamentalen Gewande auszusprechen, aufweist.

Resultat.

So stossen wir zwar überall in der ägyptischen Architektur auf Gegensätze, die sich nicht nach innerer Nothwendigkeit lösen, sondern nach den Regeln äusserer kluger Berechnung gegen einander nach Möglichkeit ausgeglichen sind. Dennoch reisst die Massenhaftigkeit, das gewaltig Gediegene der ganzen Bauart, im Verein mit der bestechenden Pracht bildnerischen Schmuckes, uns zur Bewunderung hin, die sich nicht verhehlen kann, dass hier Grosses, Bedeutsames erstrebt sei, wenngleich die Schönheit dieses Styles so einseitig beschränkt ist wie der Charakter jenes Volkes.

ZWEITES KAPITEL.

Babylonisch-assyrische Baukunst.

Babylon u. Niniveh.

Einer der ältesten Culturzsitze ist das Mittelstromland (Mesopotamien), das vom Euphrat und Tigris eingeschlossen wird. Die frühesten Reiche, die hier geblüht, entzogen sich lange der geschichtlichen Kunde; nur die Bücher des alten Testaments enthalten dunkle Andeutungen, Namen von mächtigen Herrscherstädten, die in historischer Zeit bereits von der Erde verschwunden waren, bis die neuere Forschung sie wieder ans Licht zog. Die ältesten Sagen schon verknüpfen sich unter der Erzählung vom sogenannten Thurmbau zu Babel mit Bau-Unternehmungen von riesigem Umfange. Den Mittelpunkt jener frühesten Cultur scheint die Stadt Babylon gebildet zu haben. Durch ihre Lage am Euphrat, unweit des persischen Meerbusens, erhob sie sich bald zum Handels-Emporium für den Westen und Osten und vermittelte den Verkehr zwischen den Völkern jenseits des Indus, den Bewohnern des Kaspischen und denen des Mittelmeeres. Ihre mächtigste Nebenbuhlerin, durch Handelsthätigkeit wie durch Kriegstüchtigkeit ausgezeichnet, war Niniveh, weit oberhalb am Tigris gelegen.

Das Land.

Durch die Beschaffenheit des Landes wurden die Bewohner schon früh zur Culturentwicklung geführt. Mesopotamien, ein grosses alluviales Becken, ist jährlichen Ueberschwemmungen ausgesetzt, sobald der auf Armeniens Gebirgen geschmolzene Schnee die ohnehin hohen Wasser des Euphrat über die niedrigen Ufer austreten macht. Um diesen Uebelstand in einen Vortheil zu verwandeln, baute das Volk ungeheure Deiche, die dem Flusse als künstliches Ufer dienen, Kanäle und Bassins, die den Ueberfluss des Wassers ableiten, aufnehmen und befruchtend über das Land vertheilen sollten. Der Tigris dagegen, dessen reissend schnelle Strömung in der trockenen Jahreszeit Mangel an Wasser erzeugte, wurde durch Steindämme, deren mächtige Ueberreste noch jetzt Aufmerksamkeit erregen, in seinem Laufe gehemmt. Gegen die Einfälle der nördlich angrenzenden rauhen Bergvölker suchte man sich durch eine hohe Mauer, die vom Euphrat bis zum Tigris das Land absperrte, zu sichern.

Nachrichten der Alten.

Weisen diese Unternehmungen, deren Spuren zum Theil die Jahrtausende überdauert haben, schon auf eine grosse Rührigkeit hin, so sind die Nachrichten der alten Schriftsteller von der Grösse jener Städte, der Pracht und der Menge ihrer Gebäude geeignet, diesen Eindruck bis ins Wunderbare zu steigern. Babylon wurde in einem Umfange von 480 Stadien oder beiläufig 12 geographischen Meilen von Mauern umgeben, die bei einer Höhe von 50 bis 300 Ellen so breit waren, dass ein Viergespann auf ihnen bequem umwenden konnte. Wenn auch diese Grösse durch die weitläufige Bauart solcher orientalischen Städte, die einen beträchtlichen Complex von Gärten in sich schliessen, in etwas gemindert wird, so bleibt sie immerhin staunenswerth genug.

Tempel des Belus.

In der Stadt ragte unter den Prachtwerken der Tempel des Belus oder Bal durch seine Kolossalität hervor, ein in acht Stockwerken sich verjüngender Bau von quadratischer Grundfläche, der an der Basis an 600 Fuss ins Geviert und eben so viel an Höhe mass. Eine Treppe zog sich um diese acht Absätze herum und führte zu einem Tempel, der das oberste Geschoss einnahm und goldene Statuen, sowie das Ruhebett

Paläste. Hängende Gärten.

und den goldenen Tisch des Gottes umschloss. Eine Mauer von anderthalb Meilen im Umkreise diente dem heiligen Tempelraum als Umfriedigung. Nicht minder bedeutend waren die beiden königlichen Paläste, deren jüngerer und prächtigerer dem grossen Nebukadnezar seine Entstehung verdankte. Dieser König umgab auch die Stadt mit einer dreifachen Mauer und führte das Wunderwerk der hängenden Gärten auf, welche die Sage mit dem Namen der Semiramis in Verbindung setzt. In Wahrheit aber, so wird erzählt, baute der König dieselben seiner medischen Gemahlin Nitokris zu Liebe, um ihrer Sehnsucht nach den heimischen Gebirgen durch einen grossartigen Terrassenbau zu genügen.

Trümmer.

Von diesen Werken ist nichts erhalten als eine Reihe riesiger Schuttberge und wirrer Trümmerhaufen.*) Als Babylon durch Cyrus erobert worden war, sank der frühere Glanz der Stadt schnell dahin. Xerxes zerstörte den prachtvollen Tempel des Belus. Alexander der Grosse beabsichtigte ihn wieder aufzubauen, aber sein Plan scheiterte an der Kolossalität des Werkes. Denn so mächtig waren die Massen desselben, dass zwei Monate lang zehntausend Mann vergeblich sich mühten, die Trümmer bei Seite zu schaffen. Alexander begann selbst die Mauern der Stadt niederzureissen, deren völlige Zerstörung nachmals durch Demetrius Poliorketes bewirkt ward. Von nun an ging die Stadt mit Riesenschritten der völligen Verödung entgegen. Andere Städte erhoben sich statt ihrer; zunächst Seleucia, später Bagdad, das zu nicht minder fabelhafter Pracht erblühte.

Ruinen von Hillah.

Gegenwärtig ahnt man nur in den öden Trümmerfeldern, die sich in der Gegend des Dorfes Hillah mehrere Meilen in der Runde auf beiden Ufern des Euphrat erstrecken, die alte mächtige Königsstadt. Ungeheuere Schutthügel, so umfangreich, dass man für den ersten Augenblick sie für Werke der Natur halten möchte, erheben sich noch jetzt als die Reste der hervorragendsten Gebäude. Dieser Zustand von Zerstörung ist durch die Beschaffenheit des verwendeten Materiales bedingt. Denn da das Land, weithin ein alluvialer Schlammboden, keinerlei Gestein bietet, so waren die Babylonier gezwungen, ihre Bauten mit Ziegeln aufzuführen, die entweder an der glühenden Sonne jenes Erdstrichs gedörrt, oder im Ofen gebrannt wurden. Diese sind nun zum Theil verwittert, zum Theil durch Brand zerstört und verglast. Auch wuschen die gewaltigen Regengüsse, welche die Winterzeit jener Gegenden begleiten, tiefe Rinnen und Schluchten in die bereits zerstörte Oberfläche, die Winde überwehten sie mit dem Sande der Wüste, und endlich holten die Araber Steine von dort hinweg zur Erbauung ihrer Wohnungen. So gewähren die kolossalen, fast formlosen Schutthügel den Eindruck eines erhabenen Grauens, das oft durch den wirklichen Schrecken der in den Klüften lauernden Räuber oder in den Höhlen hausender wilder Thiere verstärkt wird. Als der englische Reisende Ker Porter die Ruinen besuchte, sah er auf dem Gipfel eines der höchsten Hügel zwei majestätische Löwen, die auf der Höhe der Pyramide in der Sonne auf und ab wandelten. Es war dies der vom Volke Birs-i-Nimrud, d. i. Thurm des Nimrod, genannte Hügel, den man seiner Lage und Beschaffenheit nach mit ziemlicher Gewissheit als den Tempel des Belus ansieht. Er erscheint als ein massiver, aus ungebrannten Backsteinen erbauter und vermuthlich mit Erde oder Schutt ausgefüllter Thurm, der in mehreren über einander zurücktretenden Absätzen errichtet und mit gebrannten und mit Inschriften versehenen Backsteinen bekleidet war, zwischen denen eine sehr dünne Lage von Kalkmörtel oder Asphalt und Mattengeflecht sich befand. Man will sechs Stockwerke deutlich erkannt haben. Der untere Umfang des ungeheueren Trümmerhaufens misst 2286, und seine Höhe beträgt 235 Fuss, also noch nicht die Hälfte des ganzen Thurmes, dessen Höhe von den Alten auf etwa 600 Fuss in acht Stockwerken angegeben wird. Ein anderer Trümmerberg, Mudschelibe genannt, scheint auf seinem Gipfel mehrere Gebäude getragen und auf den vier Ecken Thürme gehabt zu haben. Er ist von ähnlicher Bau-

Birs-i-Nimrud. Mudschelibe.

*) Literatur: *Ker Porter*, Travels in Georgia, Persia etc. London 1821 fg. — *Rich*, Memoirs on the ruins of Babylon. Neue Ausg. London 1839. — *Buckingham*, Travels in Mesopotamia. London 1827. — *Ainsworth*, Researches in Assyria, Babylonia etc. London 1838. — *Loftus*, Travels and researches in Chaldaea and Susiana. 1857.

art, seine Seiten sind genau orientirt, und sein Umfang beträgt an der Basis 2111 Fuss.

El Kasr.

Von den übrigen Hügeln ist noch der sogenannte El Kasr (d. h. Palast) zu erwähnen, in dem man den neuen Palast des Nebukadnezar zu erkennen glaubt.

Anlage derselben.

Bei all diesen mächtigen Bauten bleiben wir über die Anlage und Behandlung des Innern im Dunkeln. Von architektonisch ausgeprägten Formen ist Nichts bemerkt worden. Ein kolossaler, aus grobem grauem Granit gehauener Löwe, vielleicht ein Thorwächter, wurde gefunden. Von den Thoren berichten übrigens die alten Schriftsteller, dass ihre Thürflügel sowohl wie die Pfosten aus Erz geformt waren. Wichtig ist die Bemerkung, dass die gefundenen Backsteine sämmtlich den Namen Nebukadnezar's tragen, ein Beweis, dass die Ueberreste nicht von der ältesten Stadt, sondern von den Bauten jenes grossen Königs, der um 600 v. Chr. regierte, herrühren.

Ruinen von Warka.

Ausser diesen Ruinen hat man bis jetzt im unteren Euphrat-Thale noch eine andere Trümmergruppe untersucht, welche etwa 40 deutsche Meilen südlich von Bagdad, ungefähr zwei Meilen östlich vom Euphrat bei Warka liegt und höchst wahr-

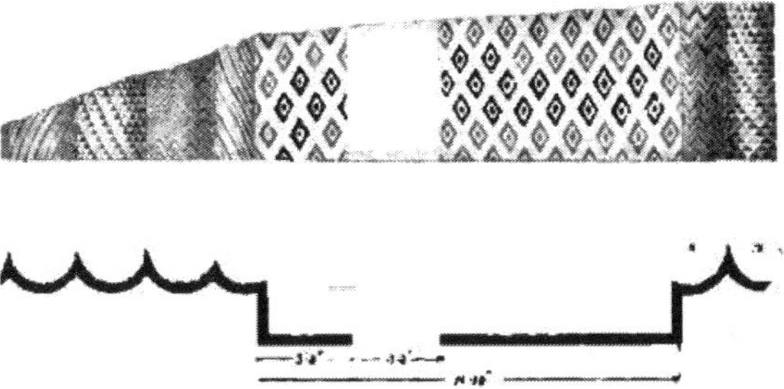

Fig. 26. Wandbekleidung von einem Palaste zu Warka.

scheinlich Ueberreste alt-babylonischer Kunst enthält. Das Hauptgebäude erhebt sich auf einer etwa 40 bis 50 Fuss hohen Plattform von Luftziegeln und ist ganz aus gebrannten Steinen errichtet. Es bildet ein Rechteck von 246 zu 173 Fuss und hat Mauern von 12 und 22 Fuss Dicke. Diese sind an der südwestlichen Façade mit 2½ Zoll starkem Gypsüberzug bekleidet und durch ein System rahmenartiger Nischen und cylindrisch vortretender Stäbe gegliedert, welche an Holzconstruction erinnern und eine überaus primitive Art der Wandbekleidung darstellen. An einem anderen der dortigen Gebäude sind die aus Luftziegeln aufgeführten Mauern mit einer Lage von sechs Zoll langen, in einen Asphaltbewurf eingedrückten Keilen von gebranntem Thon incrustirt, welche verschiedenfarbig glasirt in teppichartigen Mustern von grosser Mannichfaltigkeit und Schönheit die Flächen beleben (Fig. 26).

Tempel von Mugeir.

Einen merkwürdigen Rest uralt chaldäischer Tempelanlage bietet die Ruine von Mugeir, in welcher man einen vom Könige Uruk um 2200 v. Chr. erbauten Tempel der Stadt Ur (Hur) erkannt haben will. Eine Stufenpyramide, von an der Luft getrockneten Ziegeln massiv aufgeführt und mit einer Bekleidung von Backsteinen versehen, trug wahrscheinlich eine Tempelcella von mässigem Umfange. Breite Mauerpfeiler von geringem Vorsprung gliedern die Wände; eine schmale Treppe führte an der einen Langseite, eine breitere wahrscheinlich an einer der schmalen Seiten empor.

Ruinen von Niniveh.

Bedeutendere Aufschlüsse haben wir durch die Ausgrabungen erhalten, welche Botta und in neuester Zeit Layard und mehr noch Place in den Gegenden gemacht haben, in denen man das alte Ninive h vermuthet*. In der Nähe der Stadt Mosul, auf dem gegenüberliegenden Ufer des Tigris, ziehen sich in einer Ausdehnung von etwa zehn geographischen Meilen mächtige Ruinenhügel den Strom entlang. Sie finden sich in einem ähnlichen Zustande der Zerstörung wie die zu Hillah; der Regen hat tiefe Furchen in ihre senkrechten Seiten gerissen, der Sand der Wüste hat sie überschüttet, und im Frühjahr überkleiden sie sich mit einem Teppich von lachendem Grün, der bald vor der versengenden Glut der Sonne schwindet und öder Nacktheit weicht. Lange waren diese Trümmerberge, die eine uralte Tradition als die Ueberreste der Stadt Ninive h bezeichnete, ein Gegenstand ehrfürchtigen Staunens; erst das jüngste Jahrzehnt hat durch unermüdlich fortgesetzte Ausgrabungen ihren räthselhaften Inhalt ans Licht gezogen. Zuerst nahm der französische Consul Botta den Ruinenhügel in Angriff, welcher 15 Kilometer nördlich am Mosul und am Tigris entfernt nach dem Dorfe Khorsabad genannt wird. Bedeutendere Ausbeute gewährten sodann die Nachgrabungen Layard's in den Hügeln am Nimrud, welche den südlichsten Punkt dieser Denkmälerkette bezeichnen. Es scheinen hier mehrere Königspaläste dicht neben einander bestanden zu haben, die Layard ihrer Lage nach als Nordwest-, Südwest- und Centralpalast bezeichnet. Der grösste unter den Hügeln ist der wiederum mehr nördlich Mosul gerade gegenüber gelegene, Kujjundschik genannte, dessen Umfang auf 7690 Fuss angegeben wird. Alle früheren Ausgrabungen wurden aber in architektonischer Ausbeute neuerdings weit übertroffen durch die umfassenden Entdeckungen, welche der französische Consul Place zu Khorsabad gemacht und in einem durch Gediegenheit und Pracht gleich ausgezeichneten Werke zu veröffentlichen begonnen hat. Indem er die Arbeiten Botta's wiederaufnahm und nicht wie seine Vorgänger, namentlich die Engländer ausschliesslich den Gewinn möglichst zahlreicher Kunstgegenstände für das britische Museum zum Hauptziel seiner Untersuchungen machte, ist es ihm gelungen zum ersten Mal das vollständige Bild einer assyrischen Palastanlage und damit die wichtigsten Aufschlüsse über die Architektur dieses Volkes zu gewinnen, und durch den Beistand des scharfsinnigen Architekten Thomas an Stelle der phantastisch-kritiklosen Restaurationen eines Fergusson eine treue, wahrhafte Wiederherstellung der ninivitischen Bauwerke zu geben.

Anlage der Bauwerke.

Die Anlage dieser Bauten ist von besonderer Art. Für jedes Gebäude wurde zunächst, wie es scheint, eine Plattform gewonnen, indem man eine compacte Masse von Ziegeln, die an der Sonne getrocknet waren, dreissig bis vierzig Fuss über das Niveau der Ebene legte. Als Bindemittel für dieselben pflegte man Erdpech zu verwenden. Diese Terrassen waren mit Brüstungsmauern von Hausteinen eingefasst. Die Mauern des Baues, die sich auf jener Unterlage erhoben, bestanden ebenfalls aus Ziegeln, die jedoch an vielen Stellen durch grosse steinerne Platten mit Reliefs von etwa einem Fuss Dicke verkleidet waren. Solcher Reliefs pflegen mehrere Reihen über einander zu stehen, durch Keil-Inschriften getrennt; wo auch dadurch die Höhe des Gemaches noch nicht erreicht wurde, zeigen die oberen Theile desselben ein bemaltes Ziegelmauerwerk oder auch einen weissen Stucküberzug. Andere haben bloss diesen weissen Stuck über einer schwarz gefärbten Basis von verschiedener Höhe. Die Gesammtanlage der Gebäude folgte nicht etwa einem symmetrischen Princip, sondern es gruppirten sich die Räume frei nach Zweckmässigkeit um mehrere Höfe (vgl. Fig. 27.) An den einzelnen Zimmern fällt die ausserordentliche Länge bei geringer Breite auf; sie erscheinen dadurch mehr wie Hallen oder Galerien. Der Hauptsaal im Nordwestpalast von Nimrud misst nur 33 Fuss Breite bei einer Länge von über 150 Fuss. Die meisten grösseren Räume haben das Drei-, Vier-, ja Fünffache der Breite zur Länge. Die Thüröffnungen, auch wohl besondere Abtheilungen in jenen langen Räumen, waren

*) Literatur: *Botta et Flandin*, Monuments de Ninivé. Paris 1849. — *A. Layard*, The monuments of Nineveh. London 1849. — *Derselbe*, A second series of the monuments of Nineveh. Fol. London 1853. — *Derselbe*, Nineveh and its remains. Deutsch von W. Meissner. Leipzig 1850. — *Derselbe*, A popular account of discoveries at Nineveh. Deutsch von W. Meissner. Leipzig 1852. — *Derselbe*, Fresh discoveries in the ruins of Nineveh and Babylon. Deutsch von Th. Zenker. Leipzig 1856. — *Bonomi*, Nineveh and its palaces. 1853. — *W. Vaux*, Nineveh and Persepolis, London 1851. Deutsch von Th. Zenker. Leipzig 1852. — *Rawlinson*, The five monarchies. London 1864. — Ninivé et l'Assyrie par *Victor Place*, avec des essais de restauration par *F. Thomas*. Fol. Vol. I. Paris 1865 ff.

ohne Zweifel mit prächtigen Teppichen abgeschlossen, wie deren mehrfach auf den Reliefdarstellungen, zum Theil an reich verzierten Säulen befestigt, zu sehen sind. Der Fussboden besteht entweder aus Alabasterplatten, oder aus gebrannten Backsteinen. Die Eingänge der Zimmer werden oft durch zwei phantastische Halbstatuen gebildet, und die Hauptthore durch ähnliche Sculpturen von bedeutenden Dimensionen ausgezeichnet (Fig. 28). In der Regel sind es gigantische Stiere bis zu 12 Fuss hoch und 14 Fuss lang, mit gekröntem Mannshaupt und gewaltigen Adlerflügeln. Diese Stiere, sowie alle ähnlichen Kolosse assyrischer Bauwerke, treten mit dem Vorderleibe als selbständige Sculpturen aus der Mauer vor, während der übrige Körper als Relief mit derselben zusammenhängt. Seltsamer Weise sind ihnen stets fünf Füsse gegeben, nämlich zu den beiden Hinterfüssen drei vordere, damit sowohl der von vorn Herantretende, als der von der Seite hin Anschauende jedesmal die Vierzahl vollständig erblicke. Zwei dieser Riesenwächter, parallel aufgestellt, schliessen die Portalhalle in ihrer ganzen Tiefe ein (vgl. Fig. 28) während oft zwei andere, in der Regel kleiner als jene, sich an der Front der Portalwände gegenüberstehen. Die Figur 29 zeigt, wie dieselbe Anordnung sich bisweilen auf mehrere benachbarte Portale erstreckt, die durch solche Kolossalfiguren mit einander in Verbindung gesetzt sind. Die Doppelfiguren zur Linken schliessen das mittlere Hauptportal ein, während die Figur zur Rechten das eine der beiden Seitenportale einfasst. Mit Einschluss des zwischen ihnen angebrachten löwenbezwingenden Mannes haben also die drei Portale
Reliefs. zehn Kolossalfiguren als imposanteste aller Eingangsdecorationen aufzuweisen. Die Reliefs der Wandflächen sind stark vortretend, die Figuren gewöhnlich drei bis vier Fuss hoch, während die Tafeln selbst bisweilen eine Höhe von acht bis zehn Fuss erreichen; Spuren von Bemalung sind vielfach sichtbar, namentlich roth und blau. Oft

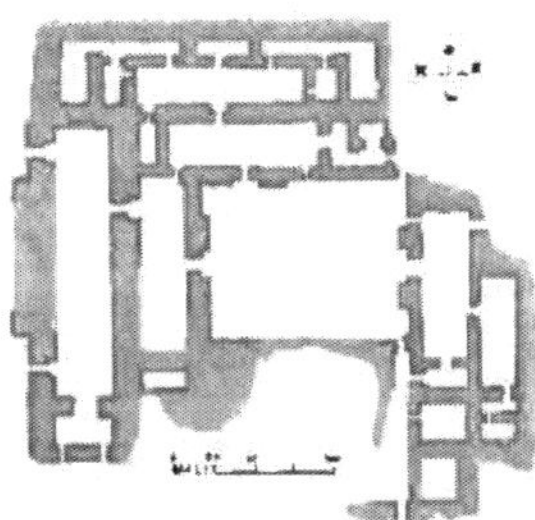
Fig. 27. Nordwestpalast von Nimrud (Grundriss).

Fig. 28. Portalfiguren von Khorsabad.

sind die gewaltig dicken Wände hinter den Reliefplatten bloss mit Erde ausgefüllt, die, um fester zu sein, mit Lehm untermengt wurde. Die Darstellungen der zahllosen Reliefs beziehen sich meistens auf geschichtliche Ereignisse, ja im Palast zu Kujjundschik scheint jedes Gemach die sculpirte Chronik einer besonderen historischen Begebenheit zu enthalten. Da sind kriegerische Unternehmungen, Angriffe auf Festungen, Flussübergänge, Schlachten und Unterjochungen verschiedenartiger Völker, Darbringungen von Tribut, Jagden, religiöse Handlungen, Opfer und Processionen nicht ohne Naturtreue, aber auch mit einer gewissen Nüchternheit geschildert. Die einzeln angebrachten Kolossalfiguren zeigen dagegen eine phantastische Mischung von menschlichen und thierischen Formen (vgl. Fig. 28): Stiere und Löwen mit Männerköpfen und Vogelfittichen, Menschen mit Vogelköpfen u. dgl. Der zu jenen Sculpturen benutzte Stein ist ein sehr weicher, grauweisser Alabaster, der an der Luft eine dunkelgraue Farbe annimmt. Doch wurde zu den Einzelfiguren auch wohl ein glänzend gelber Kalkstein aus den kurdischen Gebirgen, zu anderen Bildwerken ein grobkörniger grauer Kalkstein verwendet.

Nimrud.

Die ersten umfassenderen Ausgrabungen waren die von Nimrud. Im Nordwestpalaste allein, der von allen am besten erhalten ist und keinerlei Zerstörung durch Feuer erfahren hat, wurden achtundzwanzig Gemächer mit ihren Sculpturen aufgedeckt. Den Eingang zu einem Zimmer bildeten zwei riesige Priestergestalten mit bekränztem Haupte, im Arme ein Opferthier tragend. Neben diesem Palaste haben die Ausgrabungen in einem unförmlichen Schutthügel die Reste einer grossen, mit

Fig. 29. Portalbekleidung von Khorsabad.

Steinplatten bekleideten Stufenpyramide zu Tage gefördert. In dem Südwestpalaste, dessen Reliefs durch Feuer grossentheils verkalkt waren, fand man eine Menge von Tafeln, die, an den Ecken zum Theil abgeschlagen, auf beiden Seiten Darstellungen enthielten. Man erkannte daraus, dass sie von einem älteren Gebäude hergenommen und für das neuere passend gemacht waren. Im Mittelpunkte des Hügels entdeckte man eine Reihe von Grabkammern, die zum Theil menschliche Skelette und mancherlei Urnen und Zierrathen enthielten, welche an die der ägyptischen Gräber erinnern. Als man tiefer drang, fand man fünf Fuss unter den Gräbern die Reste eines alten Palastes, und in dessen Zimmern ganze Reihen aufgestellter Reliefplatten, die offenbar losgelöst worden waren, um an einen anderen Ort gebracht zu werden. Ihre Aehnlichkeit mit denen des Südwestpalastes liess keinen Zweifel, dass der Centralpalast jenem späteren sein Material habe herleihen müssen. — Zu den merkwürdigsten Entdeckungen ist noch die Ausgrabung eines kleinen Obelisken zu zählen, der eine Keilinschrift von 210 Zeilen trägt. Sodann aber dürfen die beiden Kolossalsculpturen nicht unerwähnt bleiben, welche gleich dem Obelisken dem Centralpalaste angehörten. Die eine ist ein Löwe von 10½ Fuss Länge und gleicher Höhe, mit mächtigem Flügelpaar und menschlichem Haupte. Die andere, ein ähnlich mit Menschenkopf und Flügeln ausgestatteter Stier, ist von noch riesigeren Dimensionen.

Kujjundschik.

In **Kujjundschik**, wo die beträchtliche Anzahl von über 70 Räumen untersucht wurde, haben die Reliefplatten eine bedeutendere Höhe, als die zu Nimrud und Khorsabad. Auch die menschenköpfigen, geflügelten Stiere der Hauptthore übertreffen mit ihrer Länge und Höhe die der anderen Gebäude, wie der ganze Palast an Umfang und Pracht alle übrigen assyrischen Paläste überragt zu haben scheint. Den Inschriften nach war der König, der diesen Palast erbaut hat, der Sohn des Erbauers von Khorsabad. Er hat also an Kolossalität seiner Werke den Vater überbieten wollen. Der Plan des ebenfalls durch Feuer zerstörten Palastes (Fig. 30) bietet dieselben Grundzüge, wie die übrigen aufgedeckten Gebäude, nur nach einem beträchtlich gesteigerten Maassstab. Um mehrere Höfe, von welchen bis jetzt die drei mit C, D, J be-

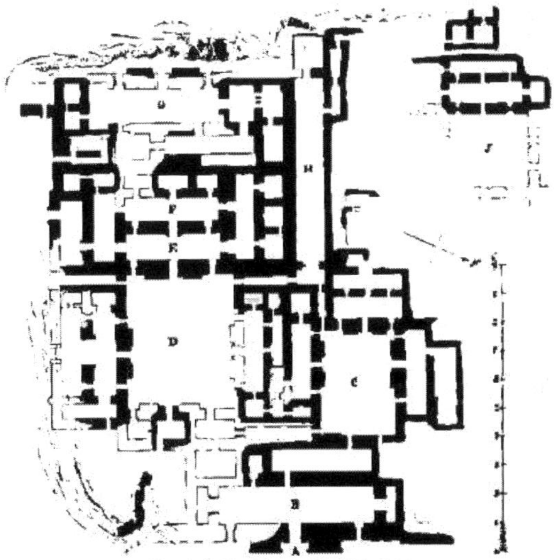

Fig. 30. Palast von Kujjundschik. (Fergusson).

zeichneten nachgewiesen werden konnten, gruppiren sich auch hier nach allen Seiten parallel laufende Galerien, welche von kleineren Gemächern begleitet werden. Die grösseren Galerien stehen in der Regel durch drei Portale mit den Höfen und auch wohl unter einander in Verbindung. Jede dominirende Axe, jedes Streben nach Symmetrie ist ausgeschlossen, ja selbst die gegenüberliegenden Portale entsprechen einander in der Axenrichtung nur ausnahmsweise, z. B. in den Galerien E, F. Die Portale sind durchweg auch hier mit kolossalen Stiergestalten eingefasst, ja die Haupteingänge an der östlichen und westlichen Façade (bei A und G) sind mit einer ganzen Reihe von zehn solcher gigantischer Thorwächter ausgestattet. Der ganze Palast erhob sich auf demselben Niveau einer hoch über dem Flussthal aufragenden Terrasse. Vom Flusse, der die Westseite der Terrasse bespülte, wie von der östlichen Seite mussten Rampen oder Treppen auf die Höhe der Platform führen. Auffallend ist in der inneren Disposition des Gebäudes, dass mit dem westlichen Haupteingange (bei G) nur acht Räume, sämmtlich mit Ausnahme des ersten von bescheidenen Dimensionen, in Verbindung stehen, während die übrigen zahlreichen Räume des Palastes unter einander und mit den grossen Höfen communiciren. Von den Galerien hat die mit H bezeichnete die ungeheure Länge von 218 Fuss bei nur 25 Fuss Breite. Wichtig für die weitere Erkenntniss assyrischen Palastbaues ist vor Allem die Entdeckung einer ansteigenden Rampe von 10 Fuss Breite, die sich in vier rechtwinklig gebrochenen Absätzen noch wohl erhalten hat und unzweifelhaft auf ein Galeriegeschoss führte. Man sieht sie auf unserer Abbildung in der südwestlichen Ecke des Palastes, mit ihrem an der Südseite angeordneten Zugang. Was die Beleuchtung der Räume betrifft, so werden wir später sehen, dass einige durch kleine Galerien mit Säulenstellungen ein oberes Seitenlicht erhielten; andere begnügten sich mit dem durch die Eingänge von den Höfen einfallenden Lichte oder wurden, wie Place nachgewiesen hat, durch Oeffnungen in den gewölbten Decken erleuchtet. An decorativer Pracht übertrifft der Palast von Kujjundschik die Werke von Nimrud und Khorsabad. Die Kriegsthaten und baulichen Unternehmungen seines Gründers Sennacherib bedeckten in unabsehbaren Reliefzügen die Wände aller Gemächer. An Grösse des Styls werden diese Werke von denen des Nordwestpalastes übertroffen; an zierlicher Detailausführung überbieten sie aber selbst die eleganten Arbeiten von Khorsabad.

Khorsabad.

Was endlich Khorsabad, oder wie es in den Inschriften heisst, Hisir-Sargon betrifft, so sind wir erst hier durch die rastlosen Bemühungen Place's zur vollständigen Erkenntniss einer assyrischen Palastanlage gelangt. Das Gebäude (vgl. Fig. 31) erhebt sich auf einer künstlichen Terrasse T von sonnegetrockneten Ziegeln, die bei einer Höhe von vierzehn Metern 314 M. Breite bei 344 M. Länge misst. Dieser ungeheure Unterbau bildet eine Fläche von 96,466 Quadratmetern, und der kubische Inhalt beläuft sich auf 1,350,524 Meter. Eine Mauer, 3 M. stark, mit Vertheidigungsthürmen, bekleidet mit grossen Kalksteinquadern von 2 bis 3 M. Länge und durch Pilaster verstärkt, umgiebt das Ganze und setzt sich bei P, P als Umfassung der gleichzeitig erbauten Stadt fort, welche mit dem Palast in unmittelbarer Verbindung stand.

Disposition.

Die Orientirung dieser ungeheueren Bauanlage, die an Grossartigkeit keinem der berühmten ägyptischen Werke nachsteht, ist so angeordnet, dass die Ecken nach den Haupthimmelsgegenden gerichtet sind. Das Ganze umfasst c. 210 Räume, Säle, Zimmer und Gemächer von verschiedenster Grösse und Ausstattung, die sich um dreissig Höfe gruppiren. Die genaueren Untersuchungen Place's haben über Bedeutung und Bestimmung der einzelnen Theile kaum irgendwo noch Ungewissheit gelassen. Man unterscheidet leicht auf dem Plane den eigentlichen Palast Sargon's, nach heutigem Sprachgebrauch des Orients das Serail, welches den nördlichen (eigentlich nordwestlichen) Theil des Bauwerkes einnahm, und einen mächtigen Vorderhof K von 61 zu 110 M., sowie einen kleineren fast quadratischen Centralhof M besitzt. Südöstlich gegen die Stadt hin breiten sich die Wirthschaftsgebäude (dépendances) J aus, deren Mittelpunkt der grosse Hof C von 100 M. Tiefe bildet. Westlich von diesem springt ein mit besonderer Sorgfalt angelegter, streng abgeschlossener Gebäudecomplex vor, in welchem Place den Harem nachgewiesen hat. Dies sind die Haupttheile, zu welchen als selbständige Monumente noch die Stufenpyramide O und der als Tempel erklärte Bau N hinzugefügt sind.

Zugänge.

Eine doppelte Freitreppe A, deren Spuren noch wohlerhalten sind, führte aus der Stadt auf die 43 Fuss höher liegende Platform der Terrasse, welche den Palast trug. Für den Verkehr der Reiter und Wagen, sowie für die Verproviantirung eines so grossen Gebäudes nimmt Place daher mit Recht einen zweiten Zugang an, der bei R mit einer sanft ansteigenden Rampe die Höhe erreichte. Der Fussgänger fand in der Façade bei B den Haupteingang, der durch eine lange, schmale quer angelegte Vorhalle in den grossen Wirthschaftshof C führte. Zwei Seitenportale, mit quadratischen, wahrscheinlich kuppelbedeckten Hallen dienten derselben Verbindung. Die drei Portale waren durch reichste plastische Decoration zu einem wirkungsvollen Ganzen ver-

3*

bunden; jede Seitenpforte war von einem Paar kolossaler Stiere eingefasst; das Hauptportal hatte sogar drei Paare, und an dem inneren Thore noch ein viertes. Zu Wagen gelangte man über die Rampe R auf den östlichen Theil der Terrasse und konnte entweder um das Gebäude herumbiegen, um eine der nördlich gelegenen Pforten zu errei-

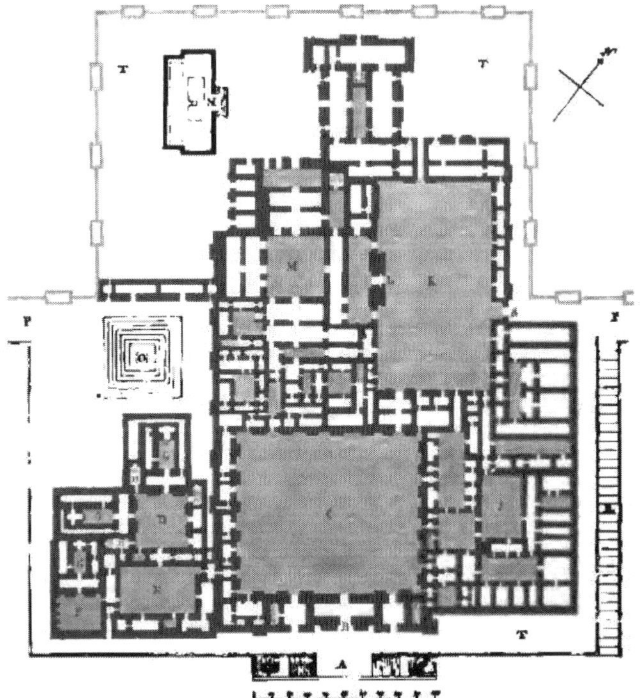

Fig. 21. Palast von Khorsabad. (Nach Place.)

chen, oder bei S direct in den Haupthof K einfahren. Hier befand man sich angesichts
Serail. der prachtvoll mit Reliefs und Malerei geschmückten Façade des königlichen Serails, wo bei L ein Hauptportal, mit kolossalen Stieren decorirt und von zwei Nebenpforten flankirt, in den Palast führte. Die Verbindung mit dem Centralhof M vermittelt ein kleiner Vorhof und eine Galerie von 15 Fuss Breite bei etwa 145 Fuss Länge. Nach der bei assyrischen Palästen so häufig wiederkehrenden Gewohnheit sind die Verbin-

dungsthüren nicht in der Axe, sondern seitwärts ganz am Ende der Galerie angeordnet. Nach den drei anderen Seiten mündet der Centralhof auf je zwei parallel angelegte Säle, die bei ungefähr gleicher Breite von 25 Fuss in der Länge von 85 bis c. 100 Fuss variiren. Hier sind die Axen in einer Weise betont, wie sie in den ninivitischen Palästen selten vorkommt; in der Längenaxe konnte der Blick vom innersten südlichen Theil des Palastes durch acht in einer Flucht liegende Thüren eine Perspektive von über 300 Fuss bis zur grossen nördlichen Terrasse verfolgen. Aehnlich den hier betrachteten Theilen ist die nördliche Partie des Palastes, einschliesslich des dort frei vorspringenden Flügels, in wenige grosse Gemächer getheilt, und nur ein schmaler Corridor stellt eine directe Verbindung der nördlichen Terasse mit dem Hofe K her. Ohne Frage haben wir es hier mit dem für die Repräsentation bestimmten öffentlichen Theile des Palastes zu thun, dem eben so bestimmt der mehr nach innen hineingezogene, südlich vom Hofe C begrenzte Theil mit seinen kleineren um mässige Höfe gruppirten Gemächern als Privatwohnung des Herrschers gegenübertritt. Ist doch eine ganz verwandte Anordnung neuerdings in den römischen Cäsarenpalästen nachgewiesen worden. Der verschiedenen Bestimmung der Räume entspricht ihre künstlerische Decoration. Alle für die Repräsentation berechneten Theile des Palastes sind mit Reliefplatten bekleidet, über welchen an den oberen Partien der Wände weisser Stuck, entweder einfach oder mit Gemälden geschmückt, angebracht ist. Diese anspruchsvolle Decoration, welche einer wohnlichen Benutzung im Wege stehen würde, hört vollständig auf in den kleineren als Privatgemächer zu betrachtenden Räumen. Diese haben keinerlei Reliefbekleidung, sondern lediglich weissen Stucküberzug mit einem schwarzen Sockel. Wandgemälde scheinen vorzugsweise in denjenigen Räumen angebracht, welche als Schlafzimmer zu bezeichnen sind. Dennoch ist bei der grossen Ausdehnung des Palastes der bildnerische Aufwand ein ausserordentlicher gewesen; man berechnet 6000 laufende Fuss Reliefs von über 9 Fuss Höhe, also gegen 60,000 Quadratfuss Bildwerke, dazu noch 24 Paar kolossale Stiere an den verschiedenen Portalen.

Wirthschaftsgebäude.

Für die Wirthschaftsräume bildet der grosse Hof C den Mittelpunkt. Bemerkenswerth ist hier wieder, dass die Hauptzugänge zu demselben nicht in der Axe angebracht sind. Auch die mächtigen Strebepfeiler, welche die Mauern des Hofes beleben, haben keine regelmässige Vertheilung. Die Gemächer an der Nordseite dieses Hofes gehören noch zum Serail, welches hier durch eine einzelne schmale Pforte mit dem grossen Hofe und durch diesen mit dem Harem communicirt. An der Westseite dagegen sieht man eine Reihe von grösseren und kleineren Gemächern, welche zu Magazinen dienten. Man fand grosse Vorräthe von gewöhnlichem Thongeschirr, von emaillirten Ziegeln, von eisernen Geräthschaften, als Aexten, Hämmern, Beilen, Ketten, endlich auch von mannichfachen Bronzegegenständen. Die Hauptmasse der Wirthschaftsräume bildet aber die östliche Gruppe mit acht Höfen und etwa 60 einzelnen Gelassen. Hier hat man die Spuren der Stallungen und Remisen, Küchen, Bäckereien, Vorrathskammern und Weinkeller entdeckt.

Harem.

Am entgegengesetzten westlichen Ende springt ein selbständig abgeschlossener Baucomplex aus der Masse hervor, in welchem mit Sicherheit die Frauenwohnung nachgewiesen werden kann. Dieselbe ist von allen Seiten isolirt und hängt nur mittelst einer kleinen, durch ein Wächterzimmer gesicherten Pforte mit dem übrigen Theile des Palastes zusammen. Wer hier eintreten wollte, musste die ganze Tiefe des Hofes C durchschneiden. Ein anderes wohlbewachtes Pförtchen stand an der Südseite mit der grossen Terrasse in Verbindung. Schon die Aussenmauern des Harems unterscheiden sich von den übrigen Theilen durch eine Decoration von verticalen Streifen, die in Gruppen von je sieben angeordnet sind und an die Ruinen von Warka erinnern. Auch im Innern übertrifft die Ausstattung an Feinheit und Sorgfalt die der übrigen Palasträume. Während selbst im Serail die Höfe mit gebrannten Ziegelplatten gepflastert sind, die Zimmer aber einen Fussboden von gestampftem Thon haben, sind im Harem die Höfe und Gemächer mit Ziegeln oder grossen Steinplatten gepflastert, und die Eingänge der verschiedenen Hofseiten durch breite diagonal laufende Trottoirs mit einander in Verbindung gebracht. Der äussere Hof E gewährt den Zugang zu allen inneren

Räumen, die sich ihrerseits wieder als drei gesonderte Wohncomplexe gruppiren. Der kleine Hof F schliesst den ersten derselben völlig ab. Schmale Corridore und Gemächer umgeben den mittleren Saal G von 18 Fuss Breite bei 36 Fuss Länge, der als unbedeckter Hof angelegt ist und zu einer kreuzförmig vertieften, um 5 Stufen erhöhten Nische führt. Denkt man sich vor dem Eingang dieser Nische einen Teppich gegen die Sonne ausgespannt, so ergiebt sich ein Lokal, das die Vorzüge der freien Luft mit der Kühle geschlossener Räume verband und den Bewohnerinnen des Harems als Salon dienen mochte. Dieselbe Anordnung mit geringen Abweichungen wiederholt sich an den beiden Complexen, die ihren Zugang im zweiten Hofe D erhalten. Dazu kommen aber noch drei wieder völlig gleiche, streng von einander und von den übrigen Räumen getrennte Gemächer H, 16 Fuss breit und 32 Fuss lang. Sie enden in einer geräumigen um 5 Stufen erhöhten Nische, welche offenbar bestimmt war ein Bett aufzunehmen. Aus der wohldurchdachten Anlage geht unzweifelhaft hervor, dass der Harem für drei gleichberechtigte Gemahlinnen des Königs sammt ihrem weiblichen Hofstaat eingerichtet war. Die einzelnen Gemächer wurden nicht bloss durch 10—12 Fuss starke Mauern, sondern auch durch Flügelthüren, deren Spuren noch auf dem Estrich wahrzunehmen sind, sorgfältig abgeschlossen. Auf der Schwelle des einen hat sich eine Inschrift gefunden, in welcher König Sargon die Götter um Fruchtbarkeit für seine Ehe bittet. Mit dieser Sorgfalt der Anordnung hielt die Ausschmückung der Räume gleichen Schritt. Die Gemächer, namentlich die Schlafzimmer, zeigen Spuren von Wandgemälden. Besondere Pracht herrschte aber in der Decoration der Höfe. Die Wände des inneren Hofes hatten eine Bekleidung von emaillirten Ziegeln, welche gelbe Figuren auf blauem Grund enthielten; an passendem Ort sind Grün, Weiss, Schwarz und Oker hinzugefügt. An den drei Haupteingängen des Hofes waren je zwei männliche Statuen angebracht, die einzigen statuarischen Werke, welche in dem ganzen Palaste sich gefunden haben. Zu diesen Statuen, die mit dem farbigen Schmuck der Wände ein reiches Ganze bildeten, kam aber an dem Hauptportal noch ein höchst merkwürdiges Prachtstück, das bis jetzt in der Welt der orientalischen Monumente einzig dasteht. Es waren zwei Palmbäume von 9 M. Länge, ganz mit schuppenförmigen vergoldeten Erzplättchen bekleidet, zu beiden Seiten des Einganges neben den Statuen sich erhebend. Sie erinnern an die goldene Platane und Rebe, welche Theodoros von Samos für Artaxerxes gearbeitet hatte, und unter welchen die Perserkönige zu thronen pflegten.

Stufen-pyramide. Zu den merkwürdigsten Ueberresten gehört sodann die Stufenpyramide O, welche sich auf der westlichen Terrasse in dem Winkel zwischen Harem und Serail erhebt. Ihre Grundfläche bildet ein Quadrat von 132 Fuss, und eine sanft ansteigende Rampentreppe, deren Stufen 2 M. Breite, 0,80 M. Tiefe und 0,05 M. Höhe messen, führte um die einzelnen Stockwerke bis auf den Gipfel. Vier Stockwerke, jedes c. 19 Fuss hoch, sind noch wohlerhalten. Das Ganze ist massiv aus getrockneten Thonziegeln aufgeführt, jedes Geschoss aber mit emaillirten Ziegeln in verschiedenen Farben bekleidet: das erste weiss, das zweite schwarz, das dritte roth, das vierte blau. Ursprünglich haben ohne Zweifel sieben Stockwerke bestanden, denn diese heilige Planetenzahl kehrt in den Decorationen der Gebäude immer wieder, und Herodot I, 181 erzählt vom Tempel des Belus, dass er dieselbe Anlage gehabt und aus acht Stockwerken bestanden habe, wobei offenbar die Basis als besonderes Geschoss mitgezählt ist. Die sieben Mauern von Ekbatana waren aber nach demselben Gewährsmann (I, 98) mit denselben Farben und zwar in der gleichen Reihenfolge geschmückt. Wir haben daher das fünfte Stockwerk in Zinnober, das sechste in Silber, das letzte in Gold zu denken. Ob auf der Platform, die gegen 140 Fuss hoch über der Terrasse aufragte und 36 Fuss im Quadrat mass, ein Altar stand, oder ob das eigenthümliche Bauwerk nur als Observatorium zum Beobachten der Gestirne diente, muss unentschieden bleiben. Zwei runde Steinaltäre wurden in dem Schutt aufgefunden. Die Rampen, welche bis zur Höhe einen Weg von fast einem Kilometer beschrieben, hatten eine mit gezacktem Zinnenkranz bekrönte Balustrade von Stein, von welcher Reste sich erhalten haben.

Endlich ist des auf der nordwestlichen Ecke der Terrasse bei N liegenden Gebäudes zu gedenken, dessen Fussboden um mehrere Meter erhöht ist, so dass der 54 M. breite, 31 M. tiefe Saal, der das Ganze in ungetheilter Anordnung einnimmt, auf einer Freitreppe zu ersteigen war. Die Bekleidungen dieses Gebäudes, sowie die Treppen und die Reliefs der Wände bestehen aus Basalt, während zu denselben Theilen am Hauptpalaste Kalkstein verwendet wurde. Man will in diesem Bau einen Tempel erkennen, obwohl die Vergleichung mit den heutigen Gebäuden persischer Herrscher eher einen Thronsaal vermuthen lässt. Tempel.

Ueberblicken wir das grossartige Bild dieser Palastanlage, wie es von des Architekten Thomas Hand in Place's Prachtwerk mit gewissenhafter Berücksichtigung des Thatbestandes und strengem Festhalten an den monumentalen Zeugnissen der ninivitischen Ausgrabungen entrollt ist, so unterscheidet sich dasselbe vortheilhaft von den willkürlichen Phantastereien der Engländer, namentlich eines Fergusson, durch die überzeugende Einfachheit und Folgerichtigkeit der Darstellung. Für alle Räume ist die Wölbung, und zwar die Tonne, angenommen, wofür die durchgängige Mächtigkeit der 10—24 Fuss starken Mauern und die gleichmässige Breite der Räume, sowie der gänzliche Mangel von Spuren hölzerner Bedeckung Zeugniss ablegen. Nur hie und da sind Kuppeln oder Halbkuppeln nach deutlichen Anzeichen auf den Reliefs hinzugefügt. Die Beleuchtung erfolgte theils durch Oeffnungen in den Gewölben, die mit Thonröhren ausgesetzt waren, theils durch kleine Galerien oder durch die offenen Thüren. Ein zweites Stockwerk war nicht vorhanden; vielmehr bildete sich über dem unteren Geschoss eine den ganzen Bau umfassende Platform, die als Terrasse zum Lustwandeln diente. So thronte in fast monotoner, aber imposanter Ruhe die Masse des Palastes hoch über der Ebene, nur an den Portalen mit farbiger Decoration und der riesigen Bilderschrift kolossaler Stiere belebt; das Ganze bekrönt mit einem siebenfach ausgezackten Zinnenkranz, überragt von dem in bunter Farbenpracht strahlenden Massenbau der Stufenpyramide. Gesammtbild.

Zu diesem gewaltigen Bauwerk kam nun aber noch die Anlage einer ganzen Stadt, ebenfalls von Sargon errichtet und sammt dem Palast in der kurzen Frist von 711 bis zu seinem Todesjahre 702 v. Chr. vollendet. Place hat in den verschütteten Ruinen so viel aufgedeckt, um über die Anlage Rechenschaft geben zu können. Die Mauern, grösstentheils noch wohl erhalten, bilden ein Rechteck von 1760 zu 1685 M., also einen Umfang von anderthalb Meilen. Sie sind in der erstaunlichen Dicke von 24 M. ganz aus getrockneten Ziegeln errichtet und an der Basis auf mehr als drei Fuss Höhe mit Kalksteinen bekleidet. Ihre ungeheuere Breite macht Alles wahr, was die Alten von den Mauern Babylons erzählen und worin man lange Zeit die Uebertreibung eines orientalischen Märchens hat erkennen wollen. In regelmässigen Abständen von 27 M. sind 64 Thürme von $13\frac{1}{2}$ M. Breite und 4 M. Vorsprung daran vertheilt, die zur Vertheidigung dienten und in völlig gleicher Anordnung, mit ausgezackten Zinnen bekrönt, auf den Reliefdarstellungen wiederkehren (vgl. Fig. 39). Ausserdem waren in unsymmetrischer Anordnung sieben Thore — wieder nach der heiligen Zahl! — angebracht, welche jetzt noch fast unverletzt erhalten sind. Dieselben zeigen die gleiche Anlage eines rundbogigen Thorweges von 6,46 M. Höhe bei 4 M. Weite, dessen noch wohlerhaltene Gewölbe aus getrockneten Ziegeln mit Hülfe eines thonartigen Mörtels aufgeführt sind. Nur in der Decoration unterscheiden sich zwei Arten von Thoren, denn vier derselben, für Fussgänger bestimmt und durch Barrieren für Wagen und Reiter gesperrt, sind ohne allen Schmuck, während die drei anderen mit emaillirten Ziegeln reich bekleidet und mit 11 Fuss hohen, $13\frac{1}{2}$ Fuss langen Stieren decorirt sind, welche den Bogen zu tragen scheinen. Diese Stadtthore haben durch ihre treffliche Erhaltung wichtige Aufschlüsse über die Gestalt der Palastthore und das System der Ueberdeckung der Räume dargeboten. Die Stadt Hisr-Sargon.

Ueber Alter, Namen und Ursprung dieser ungeheueren Bauten haben die durch Major Rawlinson, J. Oppert, Dr. Hincks und Andere entzifferten Keilinschriften bereits mancherlei Aufschluss gebracht. Zugleich treffen einige äussere Umstände für eine wenigstens ungefähre Datirung zusammen. Jedenfalls müssen jene Werke über die Alter der Monumente.

Zeit der Zerstörung von Niniveh, 606 v. Chr., hinaufrücken. Es ist aber durch andere Gründe wahrscheinlich, dass die ältesten Bauten zum Mindesten in das neunte Jahrhundert unserer Zeitrechnung zu verweisen sind. Dahin gehört vor Allem der **Nordwestpalast zu Nimrud**, als dessen Erbauer die Inschriften den Assurnasirpal ergeben haben, einen von 923—899 v. Chr. lebenden kriegerisch-kräftigen Fürsten.*) Der **Centralpalast** ist etwas jünger als jener, da er inschriftlich vom Sohne des Assurnasirpal, von Salmanassar V. (899—870) erbaut wurde. Die übrigen Paläste gehören einer zweiten, im achten Jahrh. beginnenden Dynastie an. Zuerst baute König Sargon (721—702) den Palast von **Khorsabad**, in welchem man das alte **Hisir-Sargon**, Xenophons Mespila, erkannt hat; dann sein Nachfolger Sennacherib (702—680) den gewaltigen Palast von **Kujjundschik**. Den Beschluss macht Assurbanipal (668—660) mit dem **Südwestpalast** von Nimrud. Das alte **Niniveh** will man in dem Palast von Kujjundschik sowie in dem grossen, Mosul gegenüberliegenden, von den Türken **Nebi Junes**, d. i. das Grab des Jonas, genannten Trümmerhügel nachgewiesen haben. Nimrud endlich sieht man als das alte Kalah an, während der südlich gelegene Trümmerhügel von Kileh Schergat mit **Aschur** identifizirt wird.

Styl dieser Architektur. Fassen wir nun die Resultate für unsere Betrachtung zusammen. Wie in Aegypten, so ist auch hier das architektonische Streben auf Kolossalität der Anlagen, auf Luxus der Ausstattung gerichtet; aber während dort die Gediegenheit des verwendeten Materiales früh zum monumentalen Steinbalkenbau führte, bleibt die Kunst der Assyrer bei einem unentwickelten Massenbau stehen, der grösstentheils von der Plastik sein Kleid verlangt. Neben der plastischen Decoration finden wir an ausgezeichneteren Stellen die Anwendung eines malerischen Schmuckes in den prächtig emaillirten Ziegeln der Portaleinfassungen. Wo diese reicheren Mittel nicht zur Anwendung kommen, sind entweder die Mauerflächen glatt und nur mit Stuck bekleidet oder sie erhalten eine Art primitiver Gliederung, wie wir sie ähnlich an dem altbabylonischen Palaste zu Warka trafen. Es sind langgestreckte Halbcylinder, in Gruppen von je sieben nach der heiligen Zahl der Chaldäer angeordnet, in regelmässigen Abständen getrennt durch rechtwinklig abgestufte schmale Mauernischen, die im Zusammenhange mit jenen Halbcylindern den Mauerflächen wohl eine gewisse Belebung durch Schattenstreifen verleihen, ohne jedoch die Monotonie der festungsartig starren Massen wesentlich aufzuheben. So dürftig und nüchtern dies Motiv sicherlich ist, so müssen wir es doch als die einzige Spur einer mit rein architektonischen Mitteln bewirkten Flächengliederung als höchst beachtenswerth hervorheben. Wir treffen diese Formen auch auf den Reliefdarstellungen und lernen aus denselben (vgl. Fig. 32), dass die Cylindersysteme sich am oberen Ende durch rechtwinkligen Abschluss zu Gruppen zusammenfassten. Dasselbe Reliefbild beweist, im Einklang mit den Entdeckungen von Khorsabad, dass im grossen Ganzen einer Palastanlage man dieses einfache Motiv durch den Contrast zu steigern wusste, indem man dasselbe auf einzelne Theile des Gebäudes beschränkte.

Fig. 32. Assyrischer Palast. Relief von Kujjundschik. (Layard.)

Zinnenkrönung. Sodann sind die Bekrönungen dieser Gebäude als weiterer Ausdruck des architektonischen Gefühls der Assyrer zu beachten. Sämmtliche Theile eines Baues, sowohl die Terrassen als auch die Wohngeschosse selbst, erhalten einen Kranz von Backsteinzinnen, die jede für sich durch abgetreppten Umriss wie ein kleines Nachbild der Stufenpyramiden erscheint. Auch dafür gewinnen wir sowohl an den Ausgrabungen

*) Die historischen Daten vgl. in *Fr. Lenormant*, Manuel d'histoire ancienne de l'Orient. 3 Vols. Paris 1868

in Khorsabad wie an den Reliefdarstellungen (vgl. Figg. 32 u. 37), wo sie bisweilen der kleinen Dimensionen wegen als einfache dreieckige Zacken gezeichnet sind, genügende Anschauung. Endlich ist auch eines Kranzgesimses zu gedenken, welches im Palast zu Khorsabad die Brüstungsmauer der Terrasse krönte (Fig. 33). Es zeigt eine tiefeingezogene Hohlkehle unter vorspringender Platte, nach unten begrenzt durch kräftigen Wulst: eine Form, der man lebendige Wirkung nicht absprechen kann, die aber wahrscheinlich sich von Aegypten herleitet.

Fig. 33. Brüstungsmauer von Khorsabad.

Im Uebrigen werden also die Mauerflächen des Aeusseren, sowie ein grosser Theil der inneren Wände, bloss decorativ mit Sculpturen überdeckt, und das eigentliche baukünstlerische Schaffen bleibt trotz hoch entwickelter Technik, trotz grossartiger Anlagen auf einem ziemlich primitiven Standpunkt stehen. Man darf den Grund dieser Eigenthümlichkeit nicht im Material des Ziegelsteines suchen, denn die Werke des Mittelalters liefern ein glänzendes Beispiel von reicher Entwickelung des Backsteinbaues. Hätte der Trieb und die Gabe eines höheren architektonischen Kunstbildens in den Erbauern von Niniveh und Babylon gelegen, sie hätten entweder den Backsteinbau kunstgemäss durchgebildet, oder auf dem Rücken ihrer Ströme Quadern aus den Felsgebirgen Armeniens herbeigeholt, was sie sogar für andere Zwecke wirklich thaten. In dieser Beschaffenheit der assyrisch-babylonischen Architektur liegt auch die Unzulässigkeit einer Herleitung griechischer Bauweise aus dieser Quelle klar ausgesprochen. Dagegen ist nicht zu leugnen, dass gewisse decorative Formen von hoher Schönheit, die sich in diesen assyrischen Gebäuden finden, eine mehr als zufällige Verwandtschaft mit griechischen Ornamenten zeigen. Wir geben von einer Platte des Fussbodens im Palast zu Kujjundschik ein Stück (Fig. 34), an welchem besonders die Anwendung und Verbindung geöffneter und geschlossener Lotosblumen von höchst eleganter Wirkung ist. Ein Vergleich mit dem weiter unten mitzutheilenden Ornament vom Halse einer buddhistischen Siegessäule wird ergeben, dass wir es hier mit einer dem altasiatischen Gefühl besonders zusagenden Form zu thun haben. Ohne Zweifel haben diese und ähnliche Formen ihr Vorbild in den Erzeugnissen der Teppichweberei gehabt, die in den assyrisch-babylonischen Ländern von altersher in glänzender Blüthe stand.

Architektonischer Mangel.

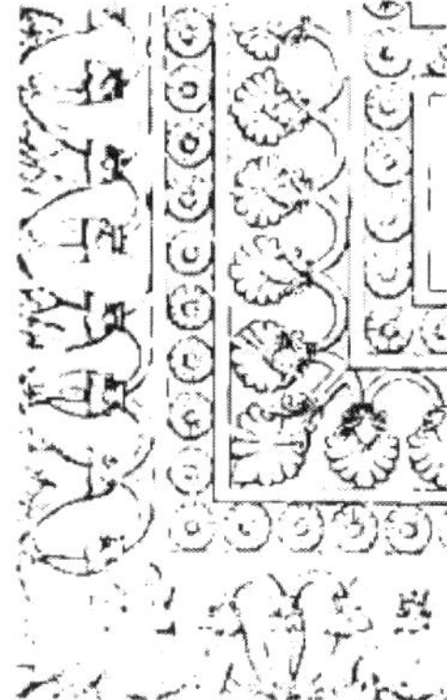
Fig. 34. Ornament von Kujjundschik.

Ueber die Art der Raumbedeckung war man lange Zeit völlig im Dunkeln; erst die sorgfältigen Ausgrabungen Place's haben ergeben, dass nicht, wie man immer annahm, hölzerne, etwa mit Metallschmuck bekleidete Decken die Gemächer abschlossen, sondern dass häufig die Räume mit Gewölben versehen waren. Diese Entdeckung hat etwas Ueberraschendes, obwohl man gewölbte Abzugsgräben im Halbkreis wie im Spitzbogen unter den verschiedenen assyrischen Palästen gefunden hat, und obwohl die Reliefs häufig gewölbte Thore an den dargestellten Gebäuden zeigen. So sieht man auf einer Platte von Kujjundschik (Fig. 35) ein Rundbogenportal, das mit zwei Reihen Rosetten umfasst ist, welche wir gleich den Rosetten- und Blumenfriesen der umgebenden Wandflächen uns nach Analogie der Stadtthore von Khorsabad als emaillirte Thonplatten zu denken haben. Aber trotz dieser Beispiele war man geneigt die

Art der Decken.

Wölbung nur auf Kanalanlagen und vereinzelte Thore von mässiger Weite beschränkt zu glauben und wies die Möglichkeit zurück, dass die Paläste durchweg selbst mit ihren Räumen von 30 bis 40 Fuss Weite massive Wölbungen gehabt haben könnten. Trotzdem scheint nach den Ermittelungen Place's die Thatsache festzustehen, dass wenigstens im Palaste Sargons sämmtliche Räume mit Gewölben versehen waren, die auffallender Weise gleich den Unterbauten und den Mauern aus ungebrannten Ziegelsteinen mit einem ebenfalls aus Thon bestehenden Mörtel ausgeführt waren. Der bloss an der Sonne getrocknete Thon war also das Material, aus welchem diese Gebäude in allen Theilen hergestellt wurden. Für Anwendung der Gewölbe spricht nun auch die Dicke der Mauern, die von drei bis zu sieben, ja acht Metern steigt, und deren Massenhaftigkeit sonst keine genügende Erklärung fände. Die Form der Wölbung ist fast durchgängig die des halbrunden Tonnengewölbes, auf welches besonders die schmale Plananlage der meisten Gemächer hinweist. Doch kam an einzelnen Stellen auch die Kuppel und die Halbkuppel zur Anwendung, von deren Gebrauch die Reliefs (vgl. Fig. 40) mehrfach Zeugniss ablegen. Ueber den Gewölben breitete sich dann eine Platform aus, die als ausgedehnte Terrasse, mit Zinnenbalustraden abgeschlossen, sich über alle Theile des Gebäudes erstreckte, und aus welcher nur die Kuppeln und Halbkuppeln höher aufragten.

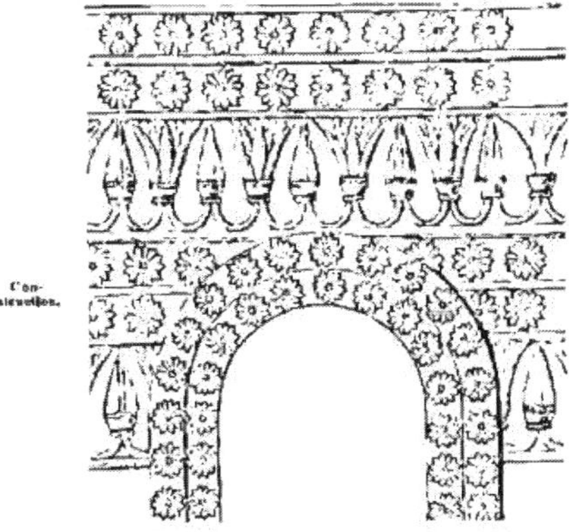

Fig. 28. Portaldecoration. Kujjundschik.

Construction. Die Herstellung so ausgedehnter Gebäude aus blossen an der Sonne getrockneten Ziegeln ist eine der bemerkenswerthesten unter den neueren Entdeckungen. Place behauptet sogar, die Steine seien noch in feuchtem Zustande zur Versetzung gekommen, was aber bei so massenhaften Terrassen undenkbar scheint. Vermuthlich trifft eine andere Annahme das Richtige, dass die trocknen Steine beim Versetzen angefeuchtet wurden und durch die ausgezeichnete Adhäsionskraft des Thones sich innig verbanden. Noch jetzt verfährt man in jenen Gegenden auf ähnliche Weise, wie die Berichterstatter mehrfach wahrzunehmen Gelegenheit fanden. Ist es doch nicht minder auffallend, dass die Brüstungsmauer zu Khorsabad, welche den ungeheueren Druck der ganzen Terrasse aushalten musste, aus Quadern zusammengefügt war, bei deren Verbindung weder Mörtel noch selbst Metallklammern zur Anwendung kamen. Gleichwohl haben alle diese Constructionen nur der gewaltsamen Zerstörung zu weichen vermocht. Die fast ausschliessliche Anwendung des ungebrannten Thones hat übrigens für jenes Klima ihre praktische Bedeutung, denn die französischen Forscher versichern, dass noch jetzt das Landvolk dort in Thonhütten lebe und in denselben sowohl gegen die erdrückende Hitze des Sommers wie gegen die Winterregen besser geschützt sei als die Bewohner von Mosul in ihren Steinhäusern.

Säulen. Bei der umfassenden Anwendung der Wölbungen ist ein Gebrauch von freien Stützen, wie es scheint, ausgeschlossen gewesen. Wenigstens hat sich von Säulen in sämmtlichen assyrischen Palästen kein sicherer Ueberrest entdecken lassen; wohl aber zeigen die Reliefs Andeutungen, nach welchen die Bekanntschaft mit säulenartigen Stützen nicht geläugnet werden kann. So sieht man auf einem Relief von Kujjundschik das untere Ende einer Säulenreihe (Fig. 36), mit der eigenthümlichen Anordnung, dass geflügelte und ungeflügelte Löwen die wulstförmige Basis auf dem Rücken tragen. Für die Kapitäle der assyrischen Säulen bringen andere Reliefs uns manche Aufschlüsse. So ist zu Nimrud ein Tisch dargestellt, der auf einer Säule mit

Fig. 36. Säulendarstellungen. Relief von Kujjundschik

ausgebildetem Volutenkapitäl ruht: eine Form, die wir sogleich noch in andrer Weise antreffen werden. Allem Anscheine nach dienten die Säulen nur zu untergeordnetem Gebrauch; in den grossen Constructionen haben sie keine Rolle gespielt.

Was die Beleuchtungsart betrifft, so hat Place für manche Gemächer Lichtöffnungen in den Gewölben, die durch eingesetzte Thoncylinder gebildet wurden, ähnlich den noch heute in den türkischen Bädern gebräuchlichen, nachgewiesen. Andere Gemächer begnügten sich mit dem durch die Thüre einfallenden Tageslicht. Dass die Eingänge nicht bloss durch Teppiche verschlossen wurden, geht aus den im Fussboden mehrfach beobachteten Spuren von hölzernen Thüren, einfachen und doppelten, hervor. Endlich lässt sich aus gewissen Darstellungen in den Reliefs abnehmen, dass manche Räume durch ein von oben einfallendes Seitenlicht erhellt wurden. Mehrere Abbildungen von Gebäuden zeigen nämlich dicht unter dem Dache Galerien mit Säulen. Auch lassen sich dabei mehrstöckige Anlagen deutlich erkennen, jedoch so, dass die Geschosse in stufenförmigen Absätzen über einander aufsteigen (Fig. 32). Die Form der Säulen an diesen Galerien ist ausserdem höchst merkwürdig (Fig. 37), weil, wie es scheint, am Kapitäl doppelte Voluten vorkommen, eine Bildungsweise, die anderwärts in der griechischen Kunst zu so edlen Gestaltungen führen sollte. Beleuchtung.

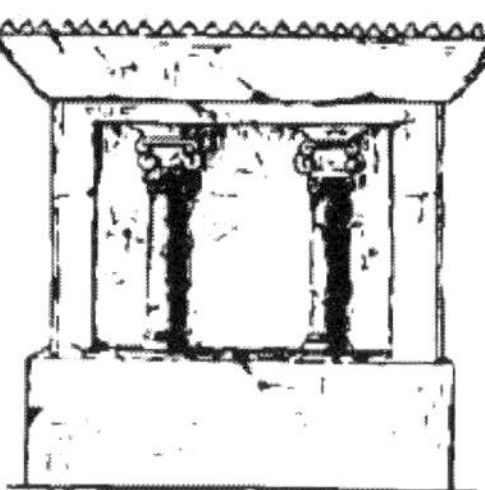

Fig. 37. Säulengalerie. Relief von Khorsabad.

Nach einem ausgebildeten Tempelbau, wie er so ausdrucksvoll die Architektur Aegyptens bedingte, fragen wir im ganzen Bereich assyrischer Kunst vergeblich. Dennoch wird man die Stufenpyramiden von Nimrud und Khorsabad wohl als Unterbauten von Tempeln betrachten dürfen. Auch ein Relief von Kujjundschik (Fig. 38) giebt die Darstellung eines solchen Baues, der auf einem Hügel errichtet scheint, über welchen zwei gewundene Wege zum ersten Stockwerk hinaufführen, während ein Portal mit zinnengekrönten Pylonen den Eingang zum Tempelbezirk schliesst. Bei der mangelhaften Perspektive dieser Kunst ist nämlich der als Hügel dargestellte Grund Tempelbau.

offenbar als Vorhof des Tempels zu betrachten. Selbst das erste Stockwerk, dessen Mauergliederung durch Lisenenstreifen auch sonst an babylonisch-assyrischen Werken wiederkehrt, muss noch als Umfassungsmauer des Gebäudes aufgefasst werden, denn erst im folgenden Absatz sieht man ein grosses in das Innere führendes Portal. Auf diesen Stufenbauten erhob sich wahrscheinlich die kleine Tempelcella, sehr unähnlich den breit hingelagerten ägyptischen Tempeln, die sich mit ausgedehnten Vorhöfen als Wallfahrtstätten zu erkennen geben, wohl aber in gewisser Verwandtschaft mit den griechischen Culttempeln, nur dass an diesen die übermächtige Stufenpyramide zu einem maassvoll vorbereitenden, aber ebenfalls abgestuften Unterbau eingeschränkt ist. Kleinere tempelartige Heiligthümer, als vereinzelte Kapellen in baumreichen mit Bächen durchschnittenen Hainen gelegen, nach Art des griechischen Antentempels

Fig. 38. Stufenpyramide. Relief von Kujjundschik. (Rawlinson.)

sich mit Säulen zwischen Eckpfeilern öffnend, aber mit geradem, zinnengekröntem Dach geschlossen, kommen ebenfalls auf den Reliefs von Khorsabad und Kujjundschik vor. Endlich ist selbst die Darstellung eines Tempelgebäudes mit Giebeldach zu Khorsabad gefunden worden (Fig. 39). An den Pfeilern sind Schilde aufgehängt, wie es später an den Architraven griechischer Tempel nicht ungewohnt war; das Netzwerk des Giebelfeldes erinnert an die Decoration phrygischer Felsgräber; die vor dem Tempel aufgestellten kesselartigen Gefässe mahnen an die Tempelgeräthe von Jerusalem; nur für die wie eine Lanzenspitze gestaltete Bekrönung des Giebels haben wir keine Analogien. Wenn nun auch nicht mit Sicherheit behauptet werden kann, dass wir es hier mit einem assyrischen Heiligthum zu thun haben, so dürfen wir doch jedenfalls das Lokal der Darstellung auf dem Boden des westasiatischen Alterthums suchen.

Wohngebäude des Volkes

Von den Wohngebäuden des Volkes haben wir ebenfalls nur durch die Reliefs eine Anschauung. In Kujjundschik (Fig 40) sieht man auf einer Darstellung eine Gruppe kleiner Wohnhäuser, theils mit geraden Decken, theils mit Kuppeldächern, letztere entweder halbkreisförmig oder mit hohem konischen Aufbau. Die Eingänge bald im Bogen, bald geradlinig geschlossen, liegen, einem auch in den Königspalästen beobachteten Gebrauch entsprechend, meist nicht in der Axe, sondern an der Seite der

Fig. 39. Tempel auf einem Relief von Khorsabad. (Botta.)

Façade. Sie scheinen zugleich als Lichtöffnungen gedient zu haben, denn die am Scheitel der Kuppeln angedeuteten Oeffnungen waren hauptsächlich für den Abzug

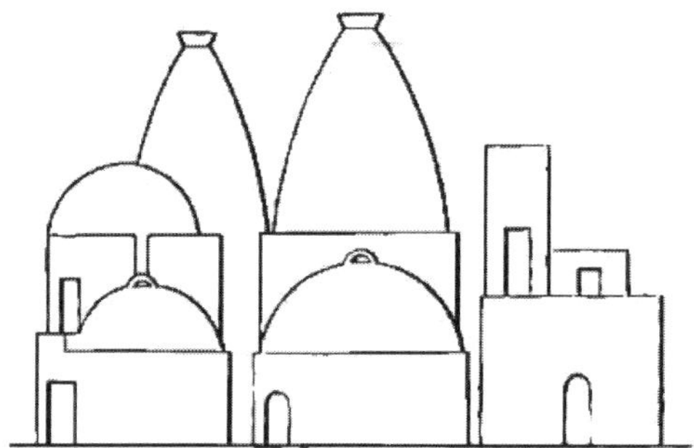

Fig. 40. Wohngebäude. Relief von Kujjundschik. (Layard.)

des Rauches bestimmt, da wenigstens bei den hohen konischen Kuppeln ihre Entfernung zu bedeutend ist, um für die Lichtwirkung noch in Betracht zu kommen.

Fassen wir Alles zusammen, so scheint so viel gewiss, dass der Sinn jener Völker überwiegend auf das Praktische mehr weltlicher Zwecke gerichtet war: daher ihre Wasserbauten, Dämme, Kanäle, Schutzmauern, Königspaläste. Und obwohl ihre Könige sich die demüthigen Knechte des Bar nennen, so hielten sie neben der unumschränkten Gewalt asiatischer Despoten auch die Priesterwürde in Händen. Im Königthume ging Alles ohne Unterschied auf. Daher scheint bei ihnen kein Tempelbau von höherer Bedeutung gewesen zu sein; der Palastbau trat an dessen Resultat

Stelle. Aber bei diesem Palastbau, so glänzend immer er war, zeigt sich doch unverkennbar der Mangel eines höheren architektonischen Sinnes. Nirgends ein eigentlich baukünstlerisches Princip, nirgends das Festhalten einer Axe mit symmetrischer Gliederung der Massen, wie es so vollkommen in Aegypten sich findet. Ziemlich regellos, vom jedesmaligen Bedürfnisse bedingt, reihen sich die Gemächer um einzelne Höfe, deren Eingänge ebenfalls die Axen mehr vermeiden als betonen. Ebensowenig erkennt man eine Steigerung in der Gruppirung und Ausbildung der Räume; die prachtvollsten Säle kommen über die eng bedingte Form schmaler langer Galerien nicht hinaus. Reicher plastischer Schmuck muss für Alles entschädigen. In den decorativen Einzelheiten liegt allerdings ein Verdienst der assyrischen Baukunst, wie denn Mesopotamien eine Anzahl von charakteristischen Formen meistens der uralten Teppichweberei des Landes entlehnt und in die Architektur eingeführt zu haben scheint. Immerhin aber muss der Gesammteindruck dieser frei auf grossen Terrassen angeordneten, von Farben und Metallschmuck strahlenden Gebäude ein mehr malerischer als architektonisch-plastischer gewesen sein.

DRITTES KAPITEL.

Persische Baukunst.

Das Volk. Schreiten wir mit unserer Betrachtung weiter nach Osten vor, so treffen wir ein Land, das, vom Indus bis an den Tigris reichend, die Völkerstämme der Baktrer, Meder und Perser umfasst, die den Gesammtnamen der Arier führten, heute unter der Bezeichnung des Zendvolkes bekannt. Es war dies ein für sich geschlossener, durch besondere Sprache und Cultur von den Nachbarvölkern unterschiedener Stamm, bei dem wir auch eine in vieler Hinsicht eigenthümliche Baukunst antreffen. Jene drei Völker trugen gleichmässig zu der Culturentwicklung bei, welche ihren Höhenpunkt zuletzt im persischen Reiche fand. Denn von den Baktrern stammte die alte Religion der Parsen, jene dualistische Lehre von einem guten und bösen Princip, einem Reiche des Ormuzd, des Lichts, dem das Reich Ahrimans, der Finsterniss, entgegengesetzt war; von den Medern ging die erste Ausprägung staatlichen Lebens aus, als das medische Reich sich aus den Trümmern des babylonischen erhob; das kräftige, unverbrauchte Bergvolk der Perser endlich war es, welches die verweichlichten Meder in der Herrschaft ablöste und seine Obermacht über die Reiche Babyloniens, Kleinasiens, Syriens und Aegyptens ausbreitete.

Religion. Uralt erscheint auch bei den Persern die erste Cultur. Sie hat sich in dem Religionssysteme Zoroasters ausgeprägt, dessen Ausdruck die alten heiligen Bücher der Zend-Avesta sind. Nach ihnen wurde ein unerschaffenes All, Zeruane-Akerene, gedacht, aus welchem Ormuzd, der Beherrscher des Lichtreiches, und Ahriman, der Gott der Finsterniss, hervorgingen. Diese Vorstellungen haben etwas Geistiges, Geläutertes, das unserer Auffassung menschlich näher tritt. Der Cultus war höchst einfach, der Vielgötterei der alten Völker abgesagt. Auf hohen Bergen wurden Feueraltäre errichtet und unter dem Symbol der Flamme der Lichtgeist verehrt. Sein Reich auszubreiten, das Böse zu bekämpfen und zu vernichten, war jedes frommen Parsen Lebensgebot. Daher wurde zur Pflicht gemacht, geistige und körperliche Reinheit zu pflegen, das Lebendige zu erhalten, Bäume zu pflanzen, Quellen zu graben, Wüsten zu befruchten. Frei einerseits von dem Banne einer die Sinne überwältigenden Natur, die den Geist des Inders gefesselt hielt, andererseits von dem Zwange, feindlichen

Naturbedingungen eine künstliche Existenz abzuringen, wie er den Bewohner Mesopotamiens auferlegt war, konnten die Perser mit mässiger Arbeit einem grossentheils dankbaren Klima reiche Culturblüthen entlocken und für ein menschenwürdiges Dasein die entsprechende Grundlage schaffen. Auch ihre Staatsform war eine Despotie, allein gemildert wurde dieselbe dadurch, dass jedem einzelnen Reiche seine Eigenthümlichkeit und Selbständigkeit gewahrt wurde, ja selbst in dem zu entrichtenden Tribute, dem einzigen Zeichen der Unterwürfigkeit, drückte sich dies Princip aus, da jedes Land von seinen eigenen Producten darzubringen hatte.

Kunstrichtung.

Der Kunst freilich war die weniger poetisch-phantasievolle als verständig-klare Anschauung der Perser minder günstig. Wo ein einfacher Feuerdienst auf den Bergen den ganzen Cultus ausmachte, lag kein Bedürfniss zum Tempelbau vor; wo die Gottesidee auf eine Personificirung von abstracten Begriffen hinauslief, war kein Anreiz zu bildnerischer Gestaltung gegeben. Auch hier also blieb nur der Herrscherpalast als Motiv für die Entwicklung der Baukunst übrig, und allerdings bezeugen die Ueberreste des Landes, dass die mit dem Pomp eines glänzenden Ceremoniells auftretende königliche Macht auch in der Architektur eine würdige Ausprägung gefunden hat. Manches berichten uns davon die alten Schriftsteller. So zeichnete sich Ekbatana, die Residenz des medischen Reiches, bereits im Anfange der Mederherrschaft durch einen königlichen Palast von besonderer Pracht aus. Die Säulen, das Gebälk und die Täfelungen der Wände waren von Cedern- und Cypressenholz, mit Platten von Gold und Silber kostbar überzogen. Aus dieser bemerkenswerthen Angabe dürfen wir wohl einen neuen Beleg für die Vermuthung schöpfen, dass auch Assyriens Palastbauten ähnlich ausgestattet waren, wie denn die in sieben Absätzen aufsteigende Burg von Ekbatana an jene terassenförmigen Bauwerke Babylons erinnert. Die Zinnen der Geschosse, so wird uns erzählt, glänzten in verschiedenen Farben, die letzten beiden gar in Silber und Gold. Selbst die Dachziegel seien aus diesen Prachtmetallen gefertigt gewesen. Diese Angaben erhalten durch die in Assyrien mehrfach aufgefundenen farbigen Mosaikbekleidungen der Mauern ihre Erklärung.

Epochen.

Mit dem grossen Cyrus (559—529) beginnt die Geschichte Persiens und zugleich die der persischen Architektur. Ueberreste seiner Bauten sind an verschiedenen Punkten erhalten und bezeugen eine Bauthätigkeit, welche durch ausgebildete Technik und gediegenes Material sich auszeichnet. Die siegreichen Kriegszüge, welche den grossen Eroberer zum Herrn ganz Vorderasiens, mit Einschluss der kleinasiatischen Landstriche machten, befruchteten die noch jugendliche Kunst der Perser durch die Eindrücke der alterthümlichen Denkmäler jener Länder. Die Vollendung der persischen Architektur erfolgte dann unter Darius Hystaspis (521—485) und seinem Sohn Xerxes (485—465), unter welchen die persische Macht ihren Höhepunkt erreichte. Bald darauf trat der Verfall ein, der zugleich dem selbständigen künstlerischen Schaffen ein frühes Ziel setzte.

Aelteste Werke.

Unter den auf unsere Tage gekommenen Ueberresten persischer Baukunst*), die in weiter Ausbreitung, vornehmlich über die fruchtbare Bergebene von Farsistan, dem eigentlichen Persis, ausgestreut liegen, sind zunächst die Trümmer von der Königsburg des Cyrus zu Pasargadae zu erwähnen. Sie bestehen aus der fast vollständig erhaltenen, grösstentheils künstlich angelegten Terrasse, welche ehemals den Palast des Eroberers trug. Von unregelmässiger Ausdehnung, an der Vorderseite 200 Fuss breit, an der rechten Seite ebenso tief, während links die Tiefe nur 190 Fuss beträgt, lehnt sie sich wie alle persischen Palastsubstructionen an einen Felsrücken an. Ihre Einfassung besteht aus einem trefflich behandelten Quaderbau mit alla rustica geränderten und tief eingeschnittenen Blöcken, die bis zu 8 Fuss Länge messen und genugsam von der Gediegenheit und Pracht der Anlage zeugen. — Südlich von dieser Terrasse ist der Ueberrest eines andern Palastes des Cyrus erhalten, dessen Unterbau nur 130 zu 150 Fuss umfasst. Er trug ehemals eine Säulenhalle, von deren gewaltigen

*) Literatur: R. *Ker Porter*, Travels in Georgia, Persia etc. London 1821. 4°. — *Coste et Flandin*, Voyage en Perse; Perse ancienne. 5 vols. — *Ch. Texier*, Description de l'Arménie, de la Perse etc. Paris 1852. — W. Vaux, Nineveh and Persepolis. Deutsch von Th. Zenker. Leipzig 1852.

Dimensionen eine mit Ausschluss des Kapitäls noch wohl erhaltene Säule Zeugniss ablegt. Ihr uncannellirter Schaft erreicht fast 50 Fuss Höhe und ist aus vier Trommeln zusammengefügt; die Basis bildet ein horizontal geriefter Wulst von kräftigem Profil. An einem der drei noch aufrechtstehenden Pfeiler liest man in Keilschrift die einfache Bauurkunde: „Ich bin Cyrus der König, der Achämenide." An einem andern Pfeiler begleitet dieselbe Inschrift das Reliefbild eines Herrschers, aus dessen Schultern vier mächtige Flügel hervorwachsen, während sein Haupt von einem an die ägyptische Pharaonenkrone erinnernden Diadem überragt wird.

Grab des Cyrus. Besser erhalten sind die Grabmäler der persischen Könige, an denen uns verschiedene Auffassungen des Grabmalbaues entgegentreten. Sie liegen in der Ebene von Merghab, in dessen Trümmern man das alte Pasargadae zu erkennen glaubt. Ausgezeichnet vor allem ist ein Bauwerk, welches unzweifelhaft als Grabmal des Cyrus anzusehen, beim Volke als Grab der Mutter Salomons (Meschhed-i-Mader-i-Suleiman) gilt. In sieben kolossalen Stufen steigt terrassenartig ein mächtiger viereckiger Unterbau auf, dessen unterste Platte 43 Fuss Länge bei 37 Fuss Breite misst. Den

Fig. 11. Grab des Cyrus.

Gipfel krönt ein oblonges Gebäude, 21 Fuss lang und 16½ Fuss breit, das, von einem schrägen Steindache bedeckt, einem kleinen Hause gleicht. Eine schmale Thür führt an der Vorderseite hinein. Wir haben also hier dieselbe Anlage, wie sie bei den Stufenpyramiden Assyriens in kolossalem Maassstabe herrschte. Das ganze Gebäude, mit Einschluss des Untersatzes, ist aus ungeheueren Blöcken von schönem weissem Marmor, die durch eiserne Klammern verbunden sind, aufgeführt, einige vierzig Fuss hoch. Es ist ein wahrhaft königliches Grabmal, imposant durch seine hohe Einfachheit. Ausserdem umgaben vierundzwanzig uncannelirte Rundsäulen, jede in einem Abstande von vierzehn Fuss von der anderen, den Bau, von denen nur noch die Reste der zertrümmerten Schäfte ihren Platz bewahrt haben. Das Grab stand ehemals in einem wohl angepflanzten, wasserreichen Haine, den viele Bäume zierten und hohes Gras bedeckte. Der Hain ist zerstört und das Innere des Grabes seines Inhaltes beraubt. Noch sieht man drinnen die Spuren von gewaltsam herausgerissenen Haken, an denen wahrscheinlich Teppiche befestigt gewesen; sonst ist das 7 Fuss breite, 10 Fuss lange und 8 Fuss hohe Grabgemach leer, der glänzende Marmor von der Zeit geschwärzt.

Königsgräber. Wesentlich verschiedene Anlagen zeigen die Königsgräber, die man einige Meilen von dort in derselben Thalebene, unweit Merdasht, findet. Es sind Grabkammern, in den Felsen gemeisselt und unzugänglich, da sie nur von oben her an verborgenen Stellen zu betreten waren. Die vordere Felsenfläche ist senkrecht bearbeitet und mit Reliefs bedeckt, welche für die Kenntniss des architektonischen

Systems der Perser wichtig erscheinen, da sie die Façade eines Gebäudes andeuten (Fig. 42). Schlanke Halbsäulen sind unten aus dem Felsen hervorgearbeitet, deren Kapitäle eine höchst phantastische Form zeigen. Es sind die Vorderleiber zweier Stiere, zwischen deren Nacken, da sie nach den entgegengesetzten Seiten schauen, ein angedeutetes Gebälk sichtbar wird, das offenbar die Querbalken bezeichnen soll. Auf

Fig. 43. Grab des Darius (Coste et Flandin.)

diesen ruht ein Architrav, der nach der Weise des griechisch-ionischen dreifach gegliedert ist und unter seiner Deckplatte eine Art von Zahnschnittfries zeigt. In der Mitte ist eine blinde Thür angebracht mit geradem Sturz und kräftig gegliedertem Deckgesims. Ueber der Säulenordnung ist ein an den Ecken von aufrechtstehenden Einhörnern eingefasster thronartiger Bau ausgemeisselt, auf welchem die Gestalt des Königs opfernd vor einem Feueraltare, über ihm sein Schutzgeist, der Ferober, sichtbar wird. Sieben dieser grossartigen Denkmäler, durchweg ziemlich übereinstimmend ausgeführt, finden sich auf zwei Punkten vereint: drei an der Felswand, welche im Hintergrunde des später zu besprechenden Palastes von Persepolis aufragt; vier dicht neben einander an dem nordwestlich von dem heutigen Istakr sich erhebenden Felsen, welcher Naksch-i-Rustam genannt wird. Zu letzteren gehört die hier abgebildete Façade, welche durch ihre Keilinschrift als Grab des Darius bezeichnet wird.

Fig. 41. Die Palasttrümmer von Persepolis. (Ansicht.)

Ruinen von Persepolis. Die Hauptreste persischer Architektur liegen in der Nähe dieser Gräber. Der Volksmund giebt ihnen den Namen Tschihil-Minar, die vierzig Säulen; es sind die Trümmer des berühmten Königspalastes von Persepolis, eines Werkes, das noch jetzt in seiner Zerstörung die Spuren der grossartigsten Pracht zur Schau trägt (Vgl. Fig 43). In majestätischer Einsamkeit erheben sich die schlanken glänzendweissen Marmorsäulen auf der weiten Ebene von Merdascht am Fusse des kahlen Bergrückens, der die öde Fläche begrenzt. Es ist eine mächtige Terrassenanlage. Sie führt zu einem künstlichen Plateau von gewaltiger Ausdehnung, welches mit zahllosen Trümmern, Mauerresten und Säulenschäften bedeckt ist. Auf einer prachtvollen in zwei Absätzen hinaufführenden Doppeltreppe (Fig. 44 bei A) steigt man von der Ebene empor. Die

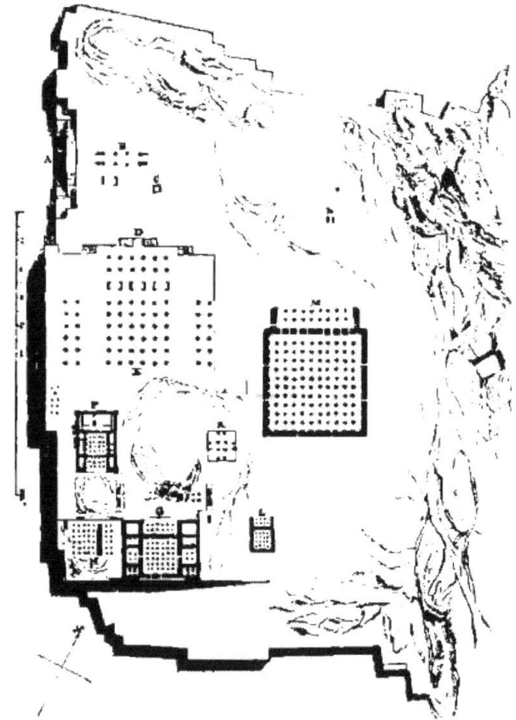

Fig. 44. Grundriss von Persepolis. (Nach Texier und Coste-Flandin.)

Treppen sind 22 Fuss breit, so dass zehn Reiter bequem neben einander hinaufreiten könnten, und die Stufen bei 22 Zoll Tiefe so niedrig — höchstens 4 Zoll hoch — dass die Reisenden gewöhnlich in der That hinaufreiten. Das Material ist ein schöner weisser Marmor, der in so riesigen Blöcken gebrochen ist, dass manchmal vier bis sechs Stufen aus einem Stück gehauen sind. Man fühlt den langsamen Festschritt, mit dem einst feierliche Züge hier hinaufgewallt sein mögen. Auf der nächsten Platform angelangt,

4*

kommt man zu einer dreifachen Eingangshalle B, die aus vier Mauerpfeilern und vier schlanken Säulen besteht. An den Pfeilern begrüssen uns in gewaltiger Bilderschrift des Palastes Hüter: an dem vorderen Paare zwei kolossale Stiere, ähnlich denen zu Nimrud; an dem inneren zwei geflügelte, 15 Fuss hohe Stiere mit Menschenköpfen.

Propyläon. Dieses kolossale Propyläon, dessen Säulen über 50 Fuss hoch waren, ist von Xerxes als Abschluss der von seinem Vater Darius begonnenen Palastanlage errichtet worden. So bezeugt es die in drei Sprachen abgefasste Inschrift, welche jedem der vier Pfeiler eingemeisselt ist. Sie lautet: „Der grosse Gott Auramazda (Ormuzd), er, der diese Welt gemacht, der das Menschengeschlecht gemacht, der dem Menschengeschlecht das Leben gegeben, der Xerxes zum Könige gemacht, zum Könige des Volkes, wie zum Gesetzgeber des Volkes. Ich bin Xerxes der König, der grosse König, der König der Könige, der König so vieler volkreicher Länder, die Stütze der grossen Welt, der Sohn Darius des Königs, des Achämeniden. — Es sagt Xerxes der König: bei der Gnade des Ormuzd, ich habe gemacht dieses Eingangsthor, und es giebt manch noch herrlicheres Werk ausser Persepolis, welches ich ausgeführt habe oder welches mein Vater ausgeführt. Was immer für herrliche Werke zu sehen sind, wir haben jedes von ihnen ausgeführt durch die Gnade des Ormuzd. Es sagt Xerxes der König: möge Gott beschützen mich und mein Reich. Sowohl was von mir ausgeführt worden, als was von meinem Vater ausgeführt worden, möge Ormuzd es beschützen."

Schreiten wir auf dem mit polirten Marmortafeln von ungeheurer Grösse bedeckten Plateau weiter vor und wenden uns mit dem feierlichen Umzug der alten Processionen zur Rechten, so wird der Blick durch die Säulenstämme der obersten Terrasse E, durch die zweifach doppelten, mächtigen Treppen, die zu beiden Seiten hinaufführen (D), durch die reichen Sculpturwerke, mit denen die vorderen Treppenwangen ganz bedeckt sind, aufs Grossartigste überrascht. Es sind die Darstellungen feierlicher Aufzüge des in langen Reihen einherschreitenden Hofstaates, sowie der Abgeordneten von verschiedenen Völkerschaften, die Tribut zu bringen scheinen. Daneben die Speerträger der königlichen Leibwache und ausserdem — wie es scheint in symbolischer Anspielung auf die Macht des Herrschers — ein Kampf des Löwen mit dem Einhorn. Auf den wiederum sehr sanft ansteigenden Treppen, deren Axe auffallender Weise nicht mit der Axe des Propyläons übereinstimmt, erreicht man endlich die oberste Platform, die in der bedeutenden Ausdehnung von 350 und 380 Fuss mit zerbrochenen Kapitälen, Säulenschäften und zahllosen Trümmerhaufen übersäet ist. Hier stand auf einem um 10 Fuss über die Terrassenfläche sich erhebenden Unterbau eine Halle von 36 quadratisch in Reihen geordneten Säulen E, welcher vorn und zu beiden Seiten Doppelcolonnaden von je sechs Säulen, gleichsam als Vorhallen, vielleicht als Aufenthaltsort für Diener und Hofbeamte, hinzugefügt waren.

Halle des Xerxes. Diese imposante Halle, laut den Inschriften der Treppenwange ebenfalls von Xerxes erbaut, zeigt uns die persische Architektur in ihrer Vollendung. Der Mittelbau und die vordere (nördliche) Colonnade haben dieselbe Säulenform, wie das Propyläon: Doppelstiere, welche auf emporstehenden Voluten ruhen, die ihrerseits von einem kelchförmigen Gliede getragen werden (vgl. Fig. 45). Die beiden Seitenhallen zeigen dagegen das einfachere Kapitäl, welches wir bereits an den Grabfaçaden kennen gelernt haben; an der westlichen Colonnade sind es Stiere, an der östlichen gehörnte Löwen (Fig 46), welche einst das Gebälk trugen. Die zwischen der vorderen (nördlichen) Colonnade und dem Mittelbau entdeckten Mauerreste sind nicht genau genug untersucht worden, um für die Restauration des Ganzen verwerthet zu werden. Jedenfalls haben wir aber in dieser Halle mit ihren über 60 Fuss hohen Säulen und dem Intercolumnium von c. 24 Fuss eine der kolossalsten architektonischen Schöpfungen der alten Welt, die mit ihrer Grundfläche von über 100,000 Quadratfuss selbst die gewaltigsten ägyptischen Tempelhallen hinter sich liess.

Palast des Darius. Weiter südwärts schreitend gelangt man an ein kleineres Gebäude F, das auf einer 15 Fuss höheren Terrasse sich erhebt und inschriftlich als ein Werk des Darius bezeichnet wird. Es hat seinen Eingang über einer Doppeltreppe an der Südseite, abweichend von allen übrigen Gebäuden dieses Palastcomplexes, die an der Nordseite ihren

Zugang haben. Eine an der Westseite angebrachte Treppe ist ein späterer Zusatz aus Artaxerxes Zeit. Der Palast des Darius beginnt mit einer offenen Vorhalle von zweimal vier Säulen, welche auf beiden Seiten von vorspringenden Flügeln eingeschlossen wird. Daran schliesst sich ein quadratischer Hauptsaal von viermal vier Säulen, beiderseits von kleineren Gemächern eingefasst, und an der Nordseite von mehreren grösseren Räumen und Corridoren begrenzt, in welchen wohl auch die Treppen zum oberen Geschoss lagen. Dies Gebäude hat die bescheidenen Dimensionen von 95 Fuss Breite bei 135 Fuss Länge. Die Säulen sind sämmtlich bis auf die Basen verschwunden; dagegen haben sich ansehnliche Reste der marmornen Thür- und Fensterrahmen, theils mit Reliefbildern bedeckt, erhalten.

Palast des Xerxes.

Südöstlich von diesem ältesten Theile gelangt man zu einer um 5 Fuss tiefer gelegenen, aber wiederum selbständigen und an mehreren Seiten durch Treppen mit den übrigen Baugruppen verbundenen Terrasse. Den Hauptzugang zu derselben bildet an der Ostseite eine prächtige Doppeltreppe mit gebrochenem Lauf, die auf ein aus vier Säulen bestehendes Thor J mündete. Das Hauptgebäude dieser dritten Terrasse, bei G, nach dem Zeugniss der Inschriften ein Palast des Xerxes, ist in seiner Eintheilung dem Palast des Darius verwandt; nur dass es die umgekehrte Orientirung zeigt, in seinen Dimensionen grösser ist und demgemäss sechsfache statt vierfache Säulenstellungen hat. Endlich fehlen ihm auch die Säle der Rückseite, statt deren der durch Fenster erleuchtete grosse mittlere Saal, der mit seinen 36 Säulen das Centrum der Anlage bildete, ziemlich hart an den südlichen Rand der Terrasse vorgeschoben ist. Zwei Treppen vermitteln hier die Verbindung einerseits mit dem östlichen Terrassentheil, andrerseits mit einem nicht ganz verständlichen Säulenbau bei H, der die südwestliche Ecke der Terrasse einnimmt. Steigen wir die östliche Treppe hinab, so gelangen wir zu einem tiefer als alle bisher besprochenen Theile liegenden Gebäude I, welches nur theilweise ausgegraben worden ist, in seinen aufgedeckten Mittelpartien aber den entsprechenden Theilen am Palast des Darius völlig analog ist. Wir finden dieselbe offene Halle von zweimal vier Säulen und daranstossend den Saal mit viermal vier Säulen, sogar in den Maassen mit dem Baue des Darius genau übereinstimmend. Da die Bauten des Xerxes durchweg grösseren Maassstab zeigen, da ferner die Errichtung zweier völlig gleicher Paläste an gleicher Stelle schwerlich demselben Fürsten zugeschrieben werden kann, so dürfen wir hier vielleicht ein Gebäude älterer Zeit vermuthen.

Die Hundertsäulenhalle.

Im Centrum der ganzen ausgedehnten Terrassenanlage erhebt sich ein Propyläon (K), welches gleich dem zuerst betrachteten bei B und fast in denselben grossartigen Verhältnissen aus vier Säulen und vier Paaren reliefgeschmückter Pfeiler bestand. Von hier gelangt man ostwärts an das umfangreichste unter allen Gebäuden von Persepolis, auf unserem Plan mit M bezeichnet. Es besteht wieder aus einer offenen Eingangshalle, deren Decke durch zweimal acht Säulen getragen wurde, und aus einem gewaltigen Saal von über 210 Fuss im Quadrat, dessen Decke auf hundert Säulen von etwa 25 Fuss Höhe ruhte. Zwei Thüren vermittelten an der Vorderseite die Verbindung mit der Vorhalle, ebensoviele in den anderen Seiten die Communication mit den wahrscheinlich auf allen Seiten anstossenden Gemächern. Ausser den Thüren führten an der Vorderseite drei Fenster dem grossen Saal ein spärliches Licht zu, während Nischen in Form von Fensterblenden den übrigen Abtheilungen eine angemessene Belebung der Wandfläche gaben. Die Dicke der 10 Fuss starken Mauern und die niedrigen Verhältnisse der Säulen lassen auf ein ehemaliges Obergeschoss schliessen, die abgeschlossene Anlage des Ganzen, zu welchem nur die Portale K und M den Zugang gestatteten, geben der Vermuthung Raum, dass wir es hier mit dem Harem der persischen Könige zu thun haben.

Suchen wir im Geiste die Pracht dieser ganzen über 4000 Fuss im Umfange messenden Anlage wiederherzustellen, so werden wir bekennen, dass sie zu den architektonischen Wundern der alten Welt gehörte. Diese zahlreichen Baugruppen mit ihren Säulen, Fenster- und Thürgewänden von weissem Marmor, terrassenartig über- und neben einander aufragend, vorbereitet und vermittelt durch Propyläen von grossartigem Maassstab und glänzender Ausstattung, eingeleitet und verbunden durch breite

Doppeltreppen mit bildwerkgeschmückten Wänden, dies malerisch reiche Ganze hoch über der Ebene aufragend und abgeschlossen durch die bewegten Linien des Gebirges, aus dessen Felswänden ganz in der Nähe die Façaden der Königsgräber als ideale Nachbildung derselben Palastarchitektur aufragten: das war ein Ganzes, dem auch wir unsre Bewunderung nicht versagen können. Um von der architektonischen Bedeutsamkeit nur eins hervorzuheben, sei besonders auf die Behandlung der Freitreppen hingewiesen, die vielleicht im ganzen Alterthum nicht ihres Gleichen gefunden haben. Bemerkenswerth ist endlich noch, dass ein vollständiges System von Abzugskanälen, die in eine bei C befindliche Cisterne münden, die ausgedehnte Anlage durchzog.

Bestimmung des Gebäudes.

Die Bestimmung dieser Prachtbauten, von denen wir nirgends bei den Alten erfahren, dass sie dauernd die Residenz der persischen Könige gewesen, und deren beschränkte Räumlichkeiten in der That für den bleibenden Aufenthalt eines königlichen Hofstaates wenig ausreichend sein würden, scheint jedenfalls mit dem Pomp des Hofes zusammenzuhangen. Aus der freien, grossartigen Anlage des Ganzen, sowie besonders aus dem Inhalt der Reliefdarstellungen darf man mit hoher Wahrscheinlichkeit schliessen, dass dieser verschwenderische Bau gewissen feierlichen Ceremonien, Tributdarbringungen und Völkergesandtschaften als Schauplatz diente, dass in ihm die königliche Würde sich gleichsam architektonisch repräsentirte, dass er, im Stammlande Persis gelegen und in unmittelbarer Verbindung mit den alten Grabstätten der Könige, ein Nationalheiligthum war.

Styl.

Was den Baustyl anlangt, so ist die terrassenartige Anlage zunächst bemerkenswerth. Doch hat sie weder das Wüst-Verworrene indischer Pagoden, noch das Gedrückt-Schwere babylonischer Pyramiden: frei und heiter stellt sie sich dar in freier, heiterer Naturumgebung, imponirend durch ihre riesige Ausdehnung, aber erhebend durch das Anmuthig-Edle ihrer Durchbildung. Sodann ist die schlanke, luftige Form der Säulen besonders charakteristisch. Sie sind aus weissem Marmor in meisterhafter Vollendung errichtet, und die ungeheueren, sorgsam polirten Blöcke ohne Mörtel so genau zusammengesetzt, dass kaum Fugen wahrzunehmen sind. Bei c. 65 Fuss Höhe haben sie etwa 4½ Fuss im unteren Durchmesser; den straffen, etwas verjüngten Stamm umgeben rinnenartige Vertiefungen (Kanellirungen), die, wie in der griechisch-ionischen Architektur, durch Stege getrennt sind. Die Basis besteht aus einem oder mehreren runden Wulsten, zu denen ein geschwungener, mit Lotosblättern besetzter, sehr schlanker Ablauf sich gesellt. Das Kapitäl wird grösstentheils, wie bei den Façaden der oben betrachteten Felsengräber, aus zwei Stieren, bisweilen auch aus Löwen, gebildet, zwischen deren Rücken man sich das Gebälk des Oberbaues zu denken hat (Fig. 16). Diese Form, obgleich ziemlich phantastisch, hat nicht allein etwas symbolisch Bedeutsames, sondern muss auch für das feste Zusammenaufliegen der Balken höchst zweckmässig gewesen sein. Bizarr erscheint dagegen eine andere Form (Fig. 45), die sich bauchig zusammenzieht, am oberen engeren Ende von einem Bande zusammengefasst und ganz von herabfallenden Lotosblättern bedeckt. Darüber folgt ein kelchförmig aufknospendes Glied, mit Perlenschnüren decorirt, auf welches ein seltsam mit aufrechtstehenden Schnecken (Voluten) gezierter Theil sich legt. Dieser diente dann wieder dem hockenden Stierpaar als Stütze. Dies Ganze hat etwas Zerbrechliches, Unsolides. Dass das auf den Säulen ruhende Gebälk sammt dem übrigen Oberbau ohne Zweifel kein steinernes, sondern nur ein hölzernes, wahrscheinlich reich mit kostbarem Metall umkleidetes war, beweist die ungemeine Schlankheit der Stützen und der weite, an 24 Fuss betragende Abstand derselben von einander. Zudem hat man keinerlei Spuren eines steinernen Oberbaues auffinden können, und selbst der Verschluss der Hallen scheint nur durch ausgespannte Teppiche bewirkt worden zu sein. Die Portale und Thüren haben eine rechtwinklige Umfassung, die durch ein kräftig wirkendes Gesims bekrönt wird. Ueber einem schmalen, mit dem Perlenornamente bekleideten Rundstabe erhebt sich eine hohe, stark vortretende Kehle, mit mehreren Reihen von Lotosblättern geschmückt und durch eine Platte überdeckt.

Trümmer von Susa.

Von den anderen Residenzen der Perserkönige sind keine erwähnenswerthen Ueberreste bis jetzt aufgedeckt worden, obwohl eine genauere Durchforschung des Trümmerhügels von Schusch, dem ehemaligen Susa, wahrscheinlich Ausbeute genug gewähren würde. Wenigstens wissen die Alten von der Pracht, mit welcher die Residenz von Susa ausgestattet war, viel zu berichten. Eine von den Engländern Sir Williams und Loftus vorgenommene Untersuchung führte dort zur Aufdeckung einer Säulenhalle, welche der grossartigen Halle des Xerxes zu Persepolis in der Anlage entspricht. Auch die Säulen zeigen ähnliche Behandlung, namentlich die Anwendung des reich gegliederten Glockenkapitäls mit Volutenaufsatz und Doppelstierbekrönung.

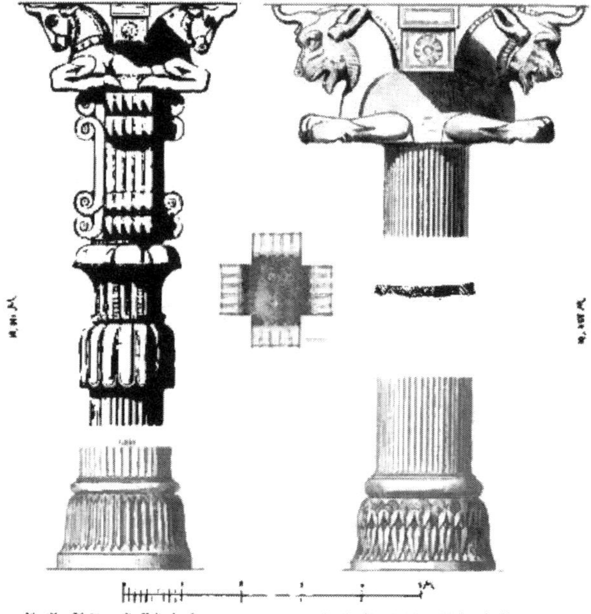

Fig. 45. Säule von der Halle des Xerxes zu Persepolis.

Fig. 46. Vom östlichen Porticus der Halle des Xerxes.

Während alle bisher bekannt gewordenen Reste persischer Architektur sich als Paläste oder Grabmäler der Herrscher erweisen, sind von den Cultusstätten des Volkes keine sicheren Spuren entdeckt worden. Eigentliche Tempel hat der abstrakte Lichtdienst der Perser niemals verlangt, wohl aber Feueraltäre, über deren Form uns die Reliefs der Grabfaçaden belehren. Ueberbleibsel solcher Anlagen haben sich aber, wie es scheint, nicht erhalten, wenn man nicht etwa gewisse Unterbauten bei Pasargadae, von denen der eine mit Treppen versehen ist, dahin rechnen will. Andere Bedeutung scheinen zwei merkwürdige Freibauten zu haben, von denen der eine bei Pasargadae, der andere besser erhaltene bei Naksch-i-Rustam noch jetzt aufrecht steht. Es sind thurmartige Bauwerke von 35 Fuss Höhe bei einer quadratischen Grundfläche von Cultusstätten.

etwas über 20 Fuss. Ganz in trefflichem Quaderbau aufgeführt, sind sie im unteren Theile massiv und enthalten ein 16 Fuss über dem Boden liegendes Gemach, das wohl als Grabkammer aufzufassen ist. Wir hätten es also mit einer besonderen Gattung altpersischer Freigräber zu thun. Auf den Ecken springen lisenenartige Verstärkungspfeiler vor, die ohne Krönung in einen Zahnschnittfries übergehen, der die Wandflächen abschliesst. Eine rechtwinklig geschlossene Thür führt in das Gemach; ausserdem sind die Wände durch rechtwinklige Blendnischen gegliedert und durch kleine regelmässig vertheilte Einschnitte belebt, eine etwas wunderliche Decoration, deren Ursprung schwer zu motiviren ist.

Fremde Einflüsse. Fragt man nach der Entstehung der persischen Architektur, so scheint es unleugbar, dass starke Einwirkungen des griechisch-ionischen Styles, wie er in Kleinasien sich ausgebildet hatte, stattgefunden haben. Dafür sprechen das steinerne Giebeldach am Grabmal des Cyrus, sowie die Behandlung der Säulenstämme, die welche Formation der Basen, das dreitheilige Gebälk, die Perlenschnüre an Kapitälen und Gesimsen, endlich die Kapitäl-Voluten. Selbst die barbarische Anwendung letzterer, die nicht liegend, sondern aufrecht stehend behandelt sind, erklärt sich daraus, dass ein nicht eigentlich künstlerisch geartetes Volk in einer Periode beginnender Ueppigkeit jene Motive entlehnte, um sie in eigenwilliger, durchaus unconstructiver, aber phantastisch-pikanter Weise zu benutzen. Dies wurde ermöglicht durch die leichte Beschaffenheit des Oberbaues, in dessen Holzconstruction wir eine den vorderasiatischen Völkern gemeinsame Eigenthümlichkeit zu erkennen haben. Es erinnert dieselbe, gleich dem von den Schriftstellern berichteten Teppichverschluss der Wände, an Urzustände der Cultur, an ein Nomadenleben in beweglichen Zelten, dessen Nachklänge die Prachtarchitektur der Spätzeit, durch die Milde des Klima's begünstigt, festhielt. Die Form der bekrönenden Gesimse scheint dagegen ein von Aegypten übertragenes Motiv zu sein, welches man in einer dem heimischen Gefühle zusagenden Weise umbildete. Historische Bestätigung findet die Ansicht von der Entlehnung fremder Formen sowohl durch die verhältnissmässig späte Datirung der persischen Denkmäler, als auch durch das Zeugniss Herodots von dem Charakter jenes Volkes, den er als einen für Fremdes besonders empfänglichen darstellt.

Eigenes. Dagegen fehlt es auch nicht an persisch-nationalen Elementen. Dahin rechnen wir die überaus grosse graziöse Schlankheit der Säulen, das heiter Prächtige der weiten Terrassen, die Form des Stierkapitäls und im Allgemeinen die Art der Empfindung, in welcher die entlehnten fremden Motive aufgefasst und umgewandelt wurden. Dass alle diese Elemente nicht in consequenter, organischer Weise verbunden, dass auch in constructiver Hinsicht kein einheitliches System errungen wurde, bildet den Grundzug und zugleich die Schwäche dieses Styles. So brachten auch in politischer Beziehung die Perser es nicht zu einer staatlichen Einheit. Ihr Despotismus war ein Amalgam der verschiedensten Völker, die beim Mangel eines centralisirenden, staatbildenden Gedankens nur lose verknüpft, nicht zu einem Körper verschmolzen waren.

ANHANG.

Sassanidische Baukunst.

Geschichte. Fünfhundert Jahre waren vergangen, seit das alte Perserreich durch Alexander's Eroberungszug seinen Untergang gefunden hatte. Griechische Cultur hatte sich auf den Stätten, wo einst Darius und Xerxes geschaltet, ausgebreitet und mit glänzenden architektonischen Denkmälern dies neue Herrschaftsverhältniss ausgeprägt. Seleucia war an die Stelle des alten Babylon getreten, wurde aber wie alle übrigen Diadochen-Residenzen fast spurlos von der Erde vertilgt, ebenso wie die Seleuciden Dynastie selbst von den kräftigen Parthern gestürzt wurde. Da erhob sich im J. 226 unserer Zeitrechnung das Perservolk unter Ardaschir (Artaxerxes) I., zerstörte das parthische Reich und richtete ein neues Perserreich auf, das nach dem Namen des Stammvaters der neuen Herrcher das Reich der Sassaniden genannt wurde. Die alten Erinnerungen an die Grösse der Vorzeit lebten auf, die Religion der Vorfahren, der Dienst des Ormuzd mit seinem Feuercultus wurde wieder hergestellt, und in siegreichen Kämpfen das neue Reich gegen Römer und Byzantiner vertheidigt, bis es 641 dem Islam erlag.

Kunstsinn d. Sassaniden.

Nach der Weise der persischen Vorzeit strebte auch die Sassanidenzeit nach monumentaler Verherrlichung. Noch standen prachtvolle Reste der alten Paläste und Grabmäler aufrecht: aber dazwischen hatten sich Denkmäler griechisch-römischer Kunst gedrängt, gewiss nicht ohne Anflug jener üppigeren Phantastik, wie sie auch in anderen Römerresten des Orients hervortritt. Kein Wunder, dass die Epigonen von diesen verschiedenartigen Elementen Einflüsse erlitten, die sich in ihren architektonischen Leistungen unverkennbar spiegeln. Aber um so beachtenswerther drängt sich die Thatsache auf, dass die Neuperser zwar ähnlich ihren Vorfahren einen eklektischen Hang verrathen, dass sie aber gleich jenen noch immer die Kraft besitzen, aus entlehnten Motiven eine eigenthümliche Architektur zu gestalten.

Paläste.

Die wichtigsten Schöpfungen derselben bestehen in den P a l ä s t e n der Herrscher. Ihre Anlage fusst auf althergebrachten einheimischen Grundzügen: es sind grosse rechtwinklige Massen, die sich um einen freien Hof gruppiren. Aber in der Gliederung und Anordnung des Ganzen und mehr noch in der Ueberdeckung der Räume tritt ein neues Prinzip hervor, dessen Ursprung aus den Bauten der Römer und wohl auch der Byzantiner abzuleiten ist. Die Räume werden durchgängig mit starken Gewölben bedeckt, und zwar ausschliesslich mit Tonnen und Kuppeln. Aber nur ausnahmsweise zeigen diese den Halbkreisbogen der klassischen Architektur; vielmehr wird der Bogen in seinem Scheitel fast immer überhöht, so dass er eine elliptische Form annimmt. Selbst der Spitzbogen, und in einzelnen Fällen der Hufeisenbogen findet Anwendung. An mächtigen Portalhallen treten diese Formen oft in so gewaltiger Spannung und Höhe hervor, dass sie den Eindruck eines kühnen ritterlichen Wesens und schlanken Emporstrebens machen. Ohne Zweifel liegen hier die Keime zu manchen spezifisch orientalischen Formen, die erst im Islam ihre volle Blüthe erfahren sollten. Bei der Flächenbehandlung der Aussenmauern spielt ein missverstandenes System römischer Wandgliederung die Hauptrolle; Blendnischen von verschiedenen Bogenformen werden in mehreren Geschossen über einander angebracht und von grösseren Halbsäulenstellungen umrahmt. Diese etwas monotone Decoration hat ebenfalls auf die Flächengliederung des maurischen Styles allem Anscheine nach eingewirkt. Wo endlich einzelne Nischen oder Portale geschmückt werden sollen, tritt die antike Pilastergliederung ein, aber umrahmt von einem altpersischen Thürgestell mit dreifacher Architravabstufung und bekrönt von dem Kranzgesims mit blattgeschmückter Hohlkehle, wie es schon die alten Grabfaçaden von Pasargadae zeigen. Im Uebrigen sucht eine reiche plastische Ausstattung, ebenfalls im Sinn und Styl der altpersischen Monumente, den etwas nüchternen Charakter dieser stattlichen Denkmäler zu modifiziren.

Denkmäler.

Die einzelnen Bauwerke, so weit sie bis jetzt untersucht wurden, lassen allem Anscheine nach mehrere Entwicklungsstufen erkennen, die, anfangs mehr an das System der klassischen Architektur gebunden, allmählich zu freierer Selbständigkeit vorschreiten. Doch muss es, bei noch mangelhaftem Stande der Kenntniss dieses Gebietes, dahingestellt bleiben, ob nicht gewisse Einflüsse in späterer Zeit von der byzantinischen Kunst geübt worden sind. Ueberwiegend römische Reminiszenzen herrschen noch an dem Palast von Al Hathr, etwa dreissig englische Meilen vom Tigris, westlich von Kalah Schergat gelegen. Die Ruinen der Stadt bedecken einen grossen Kreis von einer englischen Meile im Durchmesser. Innerhalb desselben befindet sich ein ungefähr 700 zu 800 Fuss messender befestigter Palast, der zwei Höfe umschliesst. Der innere Hof enthält ein Gebäude, welches aus einer Reihe von abwechselnd schmalerer

Al Hathr.

und breiterer, mit Tonnengewölben im Halbkreis bedeckter Räume besteht. Ihr Licht erhalten dieselben einzig aus dem Eingangsbogen. Diese Portale, durch Halbsäulen von einander getrennt, erinnern an die Anlage römischer Triumphbögen, da stets ein grösserer und höherer Bogen von zwei schmaleren und niedrigeren flankirt wird. Der reine Halbkreis, die Gliederung und Ausschmückung dieser Bögen erinnert an klassische Muster. Doch mischt sich damit mancher eigenthümliche Zug, wie denn die Keil-

Diarbekr. steine der grossen Bögen abwechselnd mit Reliefköpfen ausgestattet sind. Auch der Palast zu Diarbekr, später zu einer Moschee umgeschaffen, verräth römische Anklänge in den korinthischen Halbsäulen, welche in zwei Geschossen die Wände gliedern. Ob die Spitzbogen der Portale ursprünglicher Anlage angehören, muss einstweilen dahin gestellt bleiben; ebenso ob der Palast, als Werk Schapur II, aus dem 4. Jahrhundert unserer Zeitrechnung stammt.

Firuz-Abad. Die vollständige Ausprägung des sassanidischen Styles finden wir dann an einigen anderen Palästen, unter welchen der von Firuz-Abad, südlich von Schapur, vielleicht der früheste ist. Er bildet ein Rechteck von 180 zu 332 Fuss, an dessen vorderer Schmalseite sich ein Portal von etwa 38 Fuss Weite zwischen 15 Fuss starken Mauern öffnet. Das elliptische Tonnengewölbe desselben bedeckt eine tiefe Halle, in welche nach beiden Seiten zwei ähnliche Hallen querschiffartig münden. Winzig schmale Eingänge führen von diesen Theilen in drei quadratische, mit Kuppeln bedeckte Säle, die mit ihrer Wölbung sich weit über die benachbarten Räume erheben und offenbar den wichtigsten Theil der Anlage bilden. Von hier aus gelangt man durch schmale Thüren in die niedrigeren Gemächer, welche sich um einen schmucklosen quadratischen Hof reihen. Sie sind mit Tonnengewölben bedeckt und erhalten ihr Licht durch schmale Thüren vom Hofe aus. Nur die Kuppelsäle bekommen ein Oberlicht durch eine im Centrum des Gewölbes angebrachte Oeffnung. Merkwürdig ist die mehr mittelalterliche als römische Art, wie die Kuppeln durch überkragende Bogen in den Ecken sich aus

Sarbistan. dem quadratischen Grundplan entwickeln. — Dasselbe Bausystem zeigt der Palast zu Sarbistan, nur dass hier die Anlage architektonisch durchgebildeter und einheitlicher erscheint. Denn an der Façade öffnen sich drei Portalhallen, eine mittlere von etwa 35 Fuss Weite und zwei seitliche von 24 Fuss, gegen das dreitheilig angelegte Innere. Der Hauptraum gestaltet sich als grossartiger Kuppelsaal von etwa 44 Fuss Durchmesser. Er steht in Verbindung mit den Seitenräumen und dem Hofe, der den Mittelpunkt für die inneren Gemächer bildet. In zweien dieser durch Fenster erleuchteten Gemächer kehrt die lange galerieartige Form der assyrischen Palasträume wieder. Hier ist auch durch frei vor die Wände tretende Säulenstellungen, welche Gewölbansätze tragen, eine Gliederung des Innern versucht worden. Diese Säulen, sowie die am Aeusseren gruppenweise angebrachten Halbsäulen sind aber ohne Basis und Kapitäl als rohe Cylinder behandelt und erinnern eher an jene Wandgliederungen des alten Palastes zu Warka (S. 35) als an irgend welche klassische Säulenordnungen.

Ktesiphon. Dennoch sollte die sassanidische Architektur auch eine primitive Kapitälform hervorbringen, die — freilich in ungeschlachter trapezartiger Gestalt — an dem stattlichen Palaste zu Ktesiphon oder El Madain auftritt (Fig. 47). Das Aeussere bietet das vollständig entwickelte System der nüchternen Pilaster- und Blendengliederung dieses Styles, doch bewirkt der gewaltige Bogen der in der Mitte angebrachten Portalhalle, 72 Fuss weit bei 85 Fuss Höhe und 115 Fuss Tiefe der Halle, eine willkommene Unterbrechung dieser öden Wandbekleidung. Noch eine andere Eigenheit sassanidischer Bauwerke ist dabei zu beachten: dass nämlich bei den Blenden, Thüren und Fenstern der Bogen weiter ist als die Oeffnung, der er zum Abschluss dienen soll, wodurch eine Form bewirkt wird, welche vielleicht den Hufeisenbogen hervorgerufen hat. An anderen Monumenten, wie zu Sarbistan, kommt das Umgekehrte vor, dass der Bogen enger ist als die Oeffnung und über die Seitenpfosten der letzteren etwas vorspringt. In der späteren Zeit hat die sassanidische Kunst mehrfach das byzantinische Trapezkapitäl aufgenommen und dasselbe mit Rankenwerk oder figürlichen Darstellungen von ziemlich phantastischem Style bedeckt. So zeigen es Kapitäle, die zu Bisutun und Ispahan gefunden wurden.

Tak-i-Bostan. Von anderen Denkmälern sind, ausser den Resten von Wasserleitungen und Brücken, besonders einige Monumente zu erwähnen, deren Bestimmung freilich dunkel bleibt. Dahin gehört vor Allem das Felsenthor von Tak-i-Bostan nahe bei Kirmanschah. In die steile Felswand sind zwei im Rundbogen sich öffnende tiefe Nischen eingehauen, die kleinere etwas vortretend, die grössere, 24 Fuss weit und 21 Fuss tief, in einem rechten Winkel gegen die Seitenwand der vorderen zurückspringend. Treppenstufen sind in diese Seitenwand geschnitten, und die grössere Nische ist durch abgestufte Zinnen wirksam bekrönt. Die Form des Bogens, mehr noch die schwebenden Victorien auf den Zwickelfächen über dem Hauptbogen erinnern an die römische Kunst; auch das Detail der Ornamentik beruht theilweise auf antiken Einflüssen, so dass dies Monument zu den früheren der Sassanidenzeit gehören dürfte. Dagegen sind die Sculpturen, welche die inneren Wände bedecken, eine phantastische Nachblüthe altassyrischer und persischer Plastik, denn sie schildern Hirsch- und Eberjagden eines Herrschers und diesen selbst in einem stattlichen Reiterbilde. Jedenfalls ist das Denkmal, durch eine bestimmte Veranlassung ins Leben gerufen, als monumentale Verherrlichung königlicher Macht aufzufassen. Ein ähnliches Werk, jedoch aus einem Freibau in Quadern bestehend, findet sich unter dem Namen Tak-i-Gero am Berge Za- *Tak-i-Gero.*

Fig. 47. Palast zu Ktesiphon.

gros. Einfacher behandelt, zeigt es in seinen Gliederungen ebenfalls Anklänge an klassische Formen: dagegen erscheint der Hufeisenbogen seiner Wölbung als ein neues Element, das in der muhamedanischen Architektur seine weitere Ausbildung erfahren sollte.

Feueraltäre. Endlich bezeugen paarweise angelegte Feueraltäro bei Naksch-i-Rustam die Erneuerung des altnationalen Cultus durch die Sassaniden. Auf weithin sichtbaren Felskuppen über treppenförmiger Terrasse aufragend, haben sie an den Ecken des stark verjüngten Baues schwerfällige, aber in ihrer Art und an ihrem Platze ausdrucksvolle Rundsäulen auf rechtwinkligen Plinthen und mit flachem Gesimsband als Kapitäl, von welchem kräftige Rundbögen zur Verbindung mit den benachbarten Ecken sich aufschwingen. Die Bekrönung des Ganzen besteht aus einer Art von Zinnenkranz. In ihrer derben Kraft geben diese Denkmäler ein Zeugniss von der frischen Tüchtigkeit des Sinnes, der sie hervorgerufen hat.

Bei aller Lückenhaftigkeit der bis jetzt geführten Untersuchungen sind immerhin die sassanidischen Werke ein merkwürdiges Glied in der Kette der Entwicklung, welches die alte Kultur des Orients mit der durch den Islam repräsentirten Kunstform des Mittelalters verbindet.

VIERTES KAPITEL.

Phönizische und hebräische Baukunst.

Phönizier.

Schon im zweiten Jahrtausend v. Chr. sassen an dem schmalen Küstensaume Syriens, der sich in einer Länge von etwa dreissig Meilen erstreckt, die Phönizier, eines der rührigsten Völker des Alterthums. Von semitischer Abstammung, ausgestattet mit der dieser Volksart eigenen Beweglichkeit, mit ihrem praktischen Spürsinn und ihrem rastlosen Streben nach Erwerb, wussten die Phönizier sich frühzeitig als kühne Seefahrer zu Herren des Mittelmeeres zu machen. Ihre Schiffe drangen nördlich bis zu den Küsten des Schwarzen Meeres, westlich bis nach Spanien und selbst zu den entlegenen britannischen Gestaden. Dort holten sie Zinn und den im Alterthum hochgeschätzten Bernstein, in Spanien fanden sie Ueberfluss an Silber, Gold und andern Metallen, die sie von den Eingeborenen für werthloses Spielzeug eintauschten. Aber auch mit den alten Culturvölkern des Morgenlandes standen sie in regem Verkehr. Ihre Karavanen waren mit den Erzeugnissen des babylonischen Kunstfleisses beladen, wie sie denn Maass und Gewicht der Babylonier annahmen und den Griechen übermittelten. Aegyptens und Arabiens Produkte wussten sie auf dem Weltmarkte zu verwerthen: ja von der nördlichen Spitze des Rothen Meeres aus machten ihre Schiffe einen Entdeckungszug nach den fernen Gestaden Indiens, von wo sie Gold, Edelsteine, Elfenbein, Sandelholz, Affen und Pfauen zurückbrachten. Ihre vorgeschobene Weltlage machte sie zu Vermittlern des Morgenlandes und Abendlandes; auf ihren gebrechlichen Fahrzeugen trugen sie die hochentwickelten Culturen Aegyptens und Babylons an alle Gestade des Mittelländischen Meeres, zu den alten Bevölkerungen Griechenlands, der Inseln, Italiens, ja selbst Spaniens und den westlichen und nördlichen Küsten Afrika's. Ueberall gründeten sie Kolonien, kaufmännische Niederlassungen, betrieben den Bergbau, suchten nach Purpurschnecken und gaben ohne Zweifel den ersten Anstoss zum Erwachen eines abendländischen Culturlebens.

Ihr Handel.

Die ältesten und wichtigsten Städte des phönizischen Landes waren Sidon, der „Markt der Heiden",*) und Tyrus, deren „Kaufleute Fürsten sind und die Krämer die herrlichsten im Lande".**) Von hier aus wurden zuerst die Inseln Kypros, Rhodos und Kreta kolonisirt, und schon im Laufe des 13. Jahrhunderts v. Chr. bedeckten die phönizischen Niederlassungen alle Gestade und Inseln des Aegäischen Meeres. Um 1100 waren sie bis an die Säulen des Herkules vorgedrungen und gründeten als westlichsten Stützpunkt ihrer Macht die Stadt Gades. Indem sie den noch in schlichten Naturzuständen lebenden Bevölkerungen Griechenlands und der übrigen Länder des Mittelmeeres die Cultur des Orients und selbst ihre eigene Buchstabenschrift mittheilten, erlangten sie für die Geschichte des Menschengeschlechts eine hohe Bedeutung. Aber sie waren nicht bloss Vermittler fremder Erzeugnisse, sondern sie nahmen in manchen Kunstgewerben selbstthätig eine hervorragende Stellung ein. Im Bauwesen, im Erzguss, in der Verarbeitung edler Metalle, in feinen Webereien waren sie hoch erfahren. Besonders aber rühmte man im Alterthum ihre Glasfabriken und ihre Purpurfärbereien.

Ihre Cultur.

Die meisten dieser Techniken mögen sie von früheren Culturvölkern sich angeeignet haben, so die Weberei von den Babyloniern, die Glasfabrikation von den Aegyptern; doch gelten sie im homerischen Zeitalter als die ausschliesslichen Träger aller höheren Kunstfertigkeit. Die kostbaren Mischkrüge von Erz oder Silber, die Geschmeide aus Gold und Elektron stammen aus Sidon, der Stadt voll schimmernden

*) Jesaias 23, 3. **) Ebenda 23, 8.

Erzes, sind von kunstreichen sidonischen Männern gefertigt, wie die prachtvollen bunten Gewänder als Erzeugnisse sidonischer Frauen gerühmt werden. Als Baumeister werden die Phönizier von den ihnen benachbarten und befreundeten Juden beim Tempel zu Jerusalem verwendet; aber selbst Euripides weiss zu berichten, dass die Mauern von Mykenä nach phönizischem Kanon erbaut waren.*)

Baukunst.

Je wichtiger nach alledem das merkwürdige Volk für die Uebertragung orientalischer Kunstformen nach dem Abendlande war, um so mehr haben wir es zu beklagen, dass von der ganzen Herrlichkeit seiner Städte so gut wie nichts übrig geblieben ist. Nur gewaltige, aus Riesenquadern aufgeführte Damm- und Uferbauten haben sich auf der Insel Arvad, sowie nördlich von dort zu Marathus erhalten. Sie legen Zeugniss ab von dem grossartig praktischen Sinn des Volkes und der unverwüstlichen Gediegenheit seiner Bautechnik. Die Quader sind scharf gefugt, an den Rändern glatt gearbeitet, der übrige Theil der Flächen aber ist rauh stehen gelassen, so dass der Eindruck derber Festigkeit noch verstärkt wird. Es sind wohl die ältesten Werke der sogenannten Rustica.

Dammbauten.

Wie der Oberbau phönizischer Tempel und Paläste beschaffen war, wissen wir nicht; da aber die häufige Anwendung von Cedernholz, von kostbaren Metallbekleidungen und ehernen Säulen erwähnt wird, so dürfen wir eine Verwandtschaft mit der babylonisch-assyrischen Architektur annehmen. Bekannt ist Ezechiels Anrede an Tyrus: „Deine Grenzen sind mitten im Meer, und deine Baumeister haben deine Schönheit vollkommen gemacht. Sie haben all dein Getäfel aus Cypressen, deine Mastbäume aus Cedern vom Libanon, deine Ruder von Eichen aus Basan und deine Bänke von Elfenbein gemacht." — Die Tempel in Gades und Utika waren mit ehernen Säulen und Balken von Cedernholz geschmückt; der Tempel des Apollo am Markte zu Karthago war im Innern mit Goldplatten bekleidet. Ueber die Form der phönizischen Tempel erfahren wir nichts.

Baumaterial.

Um so merkwürdiger sind gewisse Reste auf den Inseln Malta und Gozzo, in welchen man uralte phönizische Tempelanlagen zu erkennen glaubt. Es sind unbedeckte Räume, die aus verschiedenen mannichfach verbundenen, zum Theil kleeblattartig zusammenstossenden Halbkreisnischen bestehen. Ihre Einfassung wird von kolossalen Steinen gebildet, deren unregelmässige Zwischenräume ziemlich roh durch kleinere Steine ausgefüllt sind. Die Technik dieser seltsamen Bauwerke, die so weit hinter der gediegenen Quaderconstruction jener Damm- und Uferbauten zurücksteht, weist entweder auf ältere, rohere Völkerstämme hin, oder gehört einer Vorzeit phönizischer Cultur. Auch die vereinzelten mit Wellenlinien und Spiralen ornamentirten Steinplatten, die man gefunden hat, sind Zeugnisse einer höchst primitiven Kunstübung.

Tempel auf Malta und Gozzo phönizisch?

Zu den spätesten Werken phönizischer Kunst gehören dagegen die in Karthago neuerdings aufgegrabenen Ueberreste**). Es sind die der römischen Zerstörung entgangenen Befestigungsmauern der Byrsa, aus ungeheuern Tuffquadern in einer Dicke von 33 Fuss ausgeführt. Sie enthielten in drei Stockwerken halbrunde Kammern, welche als Magazine, als Stallungen für Pferde und Elephanten und Wohnräume für die Besatzung dienten und durch innere Gänge unter einander zusammenhingen. Von diesen Anlagen sind neuerdings durch die Nachgrabungen Beulé's ansehnliche Reste zu Tage gefördert worden. Aehnliche halbrunde Gemächer, die auf einen gemeinsamen Gang sich öffnen, zeigen auch die alten Cisternen von Karthago und in verwandter Weise war der Hafen des Kothon daselbst mit halbrunden Schiffsbehältern umgeben.

Mauern von Karthago.

Endlich haben wir die Gräber der Nekropolis von Karthago zu erwähnen. Sie sind in ungeheurer Ausdehnung in einen langgestreckten Kalkhügel eingehauen, der ehemals durch die Befestigungen der Stadt geschützt war. Durch eine obere Oeffnung des Felsens, die ursprünglich ohne Zweifel mit einer Steinplatte verschlossen wurde, gelangt man über eine aus dem Felsen gehauene Treppe auf den Boden des Grabgemaches. Dieses hat die Form eines länglichen Rechtecks, das durch vortretende

Gräber von Karthago.

*) *Euripides*, Herc. fur. 948. **) *Beulé's* Nachgrabungen in Karthago. Aus dem Franz. Leipzig 1861. 8.

Pfeiler mit flachen Bogennischen eine Art Eintheilung und Wandgliederung erhält. In den einzelnen Wandfeldern sieht man paarweise oder zu dreien die viereckigen Oeffnungen der in die Tiefe des Felsens rechtwinklig eingehauenen Grabstätten. Selbst reichere Gräber scheinen keine künstlerische Ausstattung erhalten zu haben, nur ein weisser feiner Stuck bedeckt die Wände des Gemaches; die Mauern der Felsensärge dagegen blieben unbekleidet, weil jener Kalkstein die Eigenschaft besitzt als eigentlicher Sarkophag (Fleischfresser) die Leichen zu verzehren.

Bauten der Israeliten. Eine willkommene Ergänzung dieser dürftigen Ueberbleibsel phönizischer Kunst würden uns die ausführlichen Berichte über die baulichen Unternehmungen der Juden bieten, wenn dieselben nicht in hohem Maasse an Unklarheit und selbst an Uebertreibungen und Widersprüchen litten. Das Volk der Israeliten erscheint in den Zeiten nach seiner Niederlassung im Lande Kanaan noch ganz in den patriarchalischen Zuständen eines vom Nomadenleben eben erst zu sesshaftem Ackerbau übergegangenen Stammes. Wir finden es dann in der Zeit seiner grössten Macht in friedlichem Verkehr mit den Phöniziern. König Salomo lieferte dem Könige Hiram von Tyrus alljährlich Weizen, Wein und Oel, schützte die Karawanen der Phönizier und gestattete die Gründung einer phönizischen Niederlassung an der Nordspitze des rothen Meeres, dafür erhielt er Werkleute und Material für die glänzenden Bauten, mit welchen er Jerusalem

Salomon's Tempelbau. zu schmücken gedachte. Vor allem beschloss er, anstatt der tragbaren Stiftshütte, welche, bezeichnend für den früheren Nomadenzustand der Juden, bis dahin das Heiligthum gebildet hatte, Jehova einen prachtvollen Tempel zu bauen. Schon David hatte den Plan dazu gefasst, aber erst seinem Sohne gelang die Ausführung. Wenn wir von den Vorbereitungen zu diesem grossen Unternehmen lesen *), so glauben wir uns nach Nimrud versetzt, wo manche Reliefplatte eine lebendige Anschauung solcher Unternehmungen orientalischer Herrscher gewährt. Nachdem Salomo von König Hiram die Vergünstigung erbeten hatte, Cedern auf dem Libanon schlagen zu lassen, wurden, wenn die Berichte nicht übertreiben, achtzig Tausend Zimmerleute und siebenzig Tausend Lastträger mit dreitausend dreihundert Aufsehern zur Arbeit ausgesandt. Zugleich liess der König „grosse und köstliche Steine" zum Fundamente des Tempels brechen. Im vierten Jahre seiner Regierung (1014 v. Chr.) konnte der Bau beginnen, der nach sieben Jahren vollendet dastand. Zur Leitung desselben hatte der König von Tyrus den kunstverständigen Meister *Hiram* gesandet. Der Tempel erhob sich auf dem Berge Moria, der von tiefen Schluchten begrenzt an der nordöstlichen Seite der alten Stadt aufragt. Es ist dieselbe Stelle, welche jetzt der Haram es Scherif mit der Moschee El Aksa einnimmt. Die gewaltige Platform, an der Südseite 860, an der Ostseite 1400 Fuss lang, ruht zum Theil auf gewölbten Substructionen, deren unge-

Die Grundmauern. heurer Quaderbau nach dem Urtheile neuerer besonnener Forscher jedoch nicht mehr aus salomonischer Zeit stammt **). Geränderte Quadern mit rauher Oberfläche, wie sie ähnlich an den phönizischen Uferbauten vorkommen, finden sich hier in Blöcken von fünf bis sieben Fuss Höhe und sechzehn bis achtundzwanzig Fuss Länge. An der südöstlichen Ecke des Unterbaues (Fig. 18) kann man die ältesten Umfassungsmauern noch auf funfzehn Schichten verfolgen, die in allmälicher Verjüngung eine festungsartige Böschung zeigen. Sie übertreffen alles Römerwerk an Gewaltigkeit der Massen, lassen sich aber gleichwohl nicht über die Zeit des Herodes hinaufdatiren. So besonders an der Westseite, der sogenannten Klagemauer der Juden, wo die neun unteren Schichten sich deutlich als Reste derselben Anlage zu erkennen geben. Vergleicht man mit diesen Unterbauten, was Josephus von den Substructionen des salomonischen

*) Die Nachrichten über den Tempelbau finden sich im I. B. der Kön. Kap. 6—7 u. II. Chron. Kap. 3—4. Werthvolle Ergänzungen dazu bietet vor Allem Ezech. Kap. 40—43, wo der visionären Form unverkennbar eine klare Anschauung des salomonischen Baues zu Grunde liegt. Dazu die einzelnen Notizen bei Jerem. 52 und II. Kön. 25. Durch neuere kritische Feststellung des Textes sind sämmtliche früheren Erklärungsversuche beseitigt und die Grundlagen einer klaren Anschauung, soweit der Zustand der Berichte eine solche zulässt, gewonnen. Zu vergleichen sind nunmehr: *Ewald's* Gesch. des Volkes Israel III, S. 28 ff. — *H. Merz*, im Kunstblatt 1848 Nr. 5—7. — *O. Unruh*, Das alte Jerusalem und seine Bauwerke. Langensalza 1861. — Vorzüglich aber die gelehrte exegetische Schrift von *O. Thenius*, Die Bücher der Könige. Leipzig 1849.

**) Namentlich will *M. de Vogüé*, (Rev. arch. 1863. VII, p. 291 ff.) die gewaltigen Substructionen des Tempels sämmtlich als Bauten des Herodes angesehen wissen; nur (die nördliche) Ostseite habe Salomon gegründet. Die späteren Haupttheile sammt der goldenen Pforte seien aus Justinian's Epoche.

Tempels sagt, so darf man annehmen, dass diese neuerdings dem Herodes zugeschriebenen Theile in der grossartigen Anlage und Durchführung die Einwirkung und Nachbildung der salomonischen Werke zu erkennen geben. Dieselbe gewaltige Construction erkennt man an dem Rest einer Bogenspannung, welche an der südwestlichen Ecke der Platform in einer Breite von 50 Fuss mit drei gigantischen Steinlagen aus der Umfassungsmauer vorragt. Dieses Bruchstück gehört augenscheinlich einer Brücke an, welche die Thalschlucht überspannte und den Tempel mit der gegenüberliegenden Burg und zwar mit dem Xystus*) verband. Der Radius des Bogens lässt sich auf

Fig. 30. Südseite vom Unterbau des Salomonischen Tempels.

20½ Fuss berechnen. Dies war die Brücke, welche bei der Belagerung der Stadt unter Pompejus durch die geschlagenen Anhänger Aristobuls abgebrochen wurde, als diese sich zur äussersten Vertheidigung auf den Tempelberg zurückzogen. Von hier aus hielt später Titus, nachdem der Tempel in seine Gewalt gefallen war, seine Rede an die noch auf der Burg kampfbereit stehenden Juden. — Das Innere des Unterbaues besteht an der Südseite aus Tonnengewölben von 15 bis 30 Fuss Spannung, die auf vierzehn Reihen von Pfeilern von gleich mächtiger Structur ruhen. Die Stärke dieser Pfeiler beträgt fünf Fuss und darüber, und sie sind aus geränderten Quadern von be-

*) Joseph. bell. Jud. II, 16, 3. Vgl. ebenda I, 7, 2. VI. 6, 2. und Ant. XIV. 4, 2.

deutender Grösse ohne Mörtel zusammengefügt. Sie erinnern an jene „grossen und köstlichen Steine“ (1. Kön. 5, 17), die zum „Grunde des Hauses“ gebrochen wurden.

Plan des Tempels. Der **Plan des Tempels** war in seinen Grundzügen folgender. Zwei Vorhöfe umfassten das Heiligthum, der äussere für das Volk bestimmt, der innere den Priestern vorbehalten. Eine Mauer umgab den äusseren, eine zweite den inneren höher gelegenen Vorhof. Letzterer war aus einer dreifachen Reihe grosser Steine und einer Reihe Cedernbalken errichtet. Der äussere Vorhof enthielt eine Anzahl von Gebäuden, welche Vorrathskammern und Wohnungen für die Tempeldiener bildeten. In der Mitte des inneren Vorhofes befand sich der Brandopferaltar und das auf zwölf Stiergestalten ruhende eherne Meer, ein zehn Ellen im Durchmesser haltender Kessel zur Abwaschung der Priester; ausserdem zehn kupferne Gestelle, welche Kessel zur Abwaschung der Opferthiere trugen. Von hier führte eine steinerne Treppe von zehn hohen Stufen zum Eingange des Tempels, der die östliche Schmalseite desselben einnahm.

Der Tempel war ein längliches Rechteck, sechzig Ellen lang, zwanzig Ellen breit und dreissig Ellen hoch. Er bestand aus einer Vorhalle und zwei inneren Räumen, dem „Heiligen“ und dem „Allerheiligsten“. Die Vorhalle, an Breite und Höhe dem übrigen Baue gleich, zehn Ellen tief, war mit zwei, von Hiram kunstreich aus Erz gegossenen Säulen geschmückt, die wahrscheinlich den Deckbalken des vierzehn Ellen weiten Portals trugen*). Sie erhielten die Namen Jachin und Boas, d. h. fest und stark, worin wohl nichts Andres, als das Vertrauen auf die Festigkeit des Baues, an dessen Stirnseite sie als bedeutsame Träger fungirten, ausgesprochen werden sollte. Aus der Vorhalle führte eine Flügelthüre von zehn Ellen Weite, deren Cypressenholzflügel sich in goldnen Angeln drehten, in das vierzig Ellen lange „Heilige“, welches durch hochliegende Seitenfenster wohl nur ein mässiges Licht erhielt. Hier standen neben zehn goldnen siebenarmigen Leuchtern der Räucheraltar und der Schaubrodtisch. Von hier führte eine sechs Ellen weite Thür, die mit einem Vorhange verdeckt (und mit Kettenwerk geschlossen?) war, in das zwanzig Ellen tiefe, eben so hohe und breite „Allerheiligste“, das die Bundeslade enthielt. Wie die Cella bei den ägyptischen Tempeln, so war auch hier dieser innerste Raum niedriger als die übrigen Theile und in geheimnissvolles Dunkel gehüllt. Zwei ungeheuere geflügelte Cherubgestalten, zehn Ellen hoch, aus Oelbaumholz gearbeitet und mit Gold überzogen, schirmten die Lade, indem sie den einen Flügel gegen einander breiteten und mit dem andern die Decke des Gemachs berührten. Alle inneren Räume des Tempels waren mit Cedernholz getäfelt, und dieses mit Goldplatten überzogen, auf welchen man in flachem Relief Palmen, Coloquinthen, Blumengewinde und Cherubim erblickte. Selbst der Fussboden war aus Cypressenholz gefertigt und mit Gold bekleidet. Die beiden innern Räume des Tempels waren von einem Anbau umgeben, welcher in drei niedrigen Stockwerken von je fünf Ellen Höhe dreissig kleine Gemächer enthielt, die als Schatzkammern, Vorrathsräume und zum Gebrauch der Priester dienten. Da die Umfassungsmauer des Tempelgebäudes sich nach oben in Absätzen verjüngte, so nahm jedes folgende Stockwerk in der Breite um eine Elle zu. Eine Wendeltreppe führte an der Südseite zu den Kammern und zu dem über dem Allerheiligsten liegenden Obergemache hinauf. Von der Beschaffenheit des Aeussern erfahren wir Nichts, wahrscheinlich eben desshalb, weil es wenig Bemerkenswerthes bot. Denn als einfacher Quaderbau, ohne Holz- und Goldbekleidung, gab es den Berichterstattern, die sichtlich bei dem Metallglanz und der Kostbarkeit des Innern mit Behagen verweilen, keinen Anlass zur Schilderung.**)

Dies im Wesentlichen die Grundzüge des salomonischen Tempelbaues. Sie geben freilich nur die allgemeinen Umrisse, denen namentlich für die Gestaltung des Aeussern jede charakteristische Anschauung fehlt. Man hat bald auf ägyptische, bald auf

*) Nach der kritischen Exegese von *Ewald* und *Thenius* lässt sich die freie Stellung der Säulen **vor** der Halle vielleicht nicht festhalten, obwohl die Vergleichung mit den bekannten cyprischen Münzen des Astartheiligthums zu Paphos die Annahme frei vor der Halle errichteter Säulen wiederum nahe legt.

**) Dass die salomonischen Baumeister nicht auf den [illegible] Einfall kommen konnten, auch das Aeussere mit Holz und Gold zu überziehen, liegt auf der Hand. Wo bei den Beschreibungen vom „Aeussern“ die Rede ist, kann darunter nur im Gegensatz zum Allerheiligsten das Heilige, und im Gegensatz zu diesem die Vorhalle verstanden sein.

assyrisch-babylonische Formen verwiesen, ohne bis jetzt zu einer durchweg befriedigenden Lösung zu kommen. Es scheint aber, als ob Einflüsse von beiden Seiten nachzuweisen seien. Die hohe Terrassen-Anlage mit ihrer allmähligen Gipfelung ist babylonisch-assyrischen Ursprungs. Dasselbe gilt von dem metallnen Bekleidungsstyl der Wände und wohl auch von der Anwendung eherner Säulen. Die Cherubim, die mit dem doppelten Antlitz eines Menschen und eines Löwen geschildert werden, lassen sich ebensowohl auf Flügelgestalten der ägyptischen wie der assyrischen Kunst zurückführen; wenn jedoch Ezechiel die Cherubim an den Wänden regelmässig mit Palmenlaubwerk abwechseln lässt, so fühlt man sich stark versucht an den sogenannten Lebensbaum und die ihn umgebenden Gestalten auf den ninivitischen Denkmälern zu erinnern. Vielleicht darf man sodann bei den Ajlim (Widdern), die sich im Heiligen finden, an Wandsäulen, Pfosten oder Pfeiler mit Volutenkapitälen denken, wie solche auf den Reliefs der ninivitischen Denkmäler als alt-orientalische Form oftmals vorkommen.

Wichtiger würde eine zuverlässige Erklärung der berühmten beiden Erzsäulen der Vorhalle sein, wenn eine solche überhaupt möglich wäre. Sie gehörten zu den grossen Gusswerken, mit welchen Hiram den Tempel geschmückt hatte. Ihr runder Schaft, hohl gegossen in einer Dicke von vier Fingern, hatte 12 Ellen im Umfang, also beinahe 4 Ellen Durchmesser, und erreichte eine Höhe von 18 Ellen, mithin mit etwa $4^{1}/_{2}$ Durchmesser. Das Kapitäl war 5 Ellen hoch, kelchartig ausgebaucht, mit Lilienwerk und siebenfachen Kettenschnüren, sowie mit zweihundert Granatäpfeln in zwei Reihen geschmückt. Erwägt man das Verhältniss des Schaftes und des Kapitäls, so liegt die Analogie ägyptischer Formen allerdings nahe, denn ähnliche Verhältnisse bilden dort das Durchschnittsmaass der Säulen. Auch das Lilien- oder Lotuswerk liesse sich wohl aus ägyptischen Vorbildern erklären. Allein die Schnüre und die Granatäpfel suchen wir vergebens an ägyptischen Säulen, während sie an den Säulen der nördlichen Halle von Persepolis allerdings vorkommen. Wenn man dort (vgl. Fig. 45) den oberen Volutenaufsatz entfernt und die beiden unteren Theile etwas gedrungener, minder schlank emporstrebend annimmt, so erhält man eine Kapitälform, an deren oberem Theile das Lilienwerk sowie die Granatschnüre sich finden, während der untere die im biblischen Text geschilderte bauchige Gestalt zeigt. Wir haben allerdings die Gesammtverhältnisse auch des Schaftes gedrungener anzunehmen als dort; allein da der salomonische Bau fast fünf Jahrhunderte früher datirt als die Halle zu Persepolis, so wird man für seine Formen jene schwerere Gedrungenheit ohnehin voraussetzen dürfen, die älteren Monumenten eigen zu sein pflegt. Wir meinen daher nicht, dass in den Kapitälen von Persepolis genaue Muster für die Wiederherstellung der Säulen des salomonischen Tempels zu finden seien; wohl aber glauben wir in jenen die späteren Entwicklungsstufen einer altasiatischen Form zu erkennen, wie sie in den Werken Hirams wahrscheinlich vorhanden gewesen ist. Dass den Juden damals diese Schöpfungen etwas durchaus Neues und Staunenswerthes waren, geht schon aus der ebenso umständlichen als ungeschickten Beschreibung der Augenzeugen hervor. Denn wie viel man auch auf die Verderbtheit des ursprünglichen Textes abrechnen mag, immer blickt doch die Ungewohnheit architektonischer Anschauungen aus den Berichten hervor. Und darin liegt eine Hauptschwierigkeit für das richtige Verständniss.

Den ägyptischen Einfluss dürfen wir vielleicht in der Anlage des Innern, namentlich in der gegen die vorderen Räume enger werdenden, dunklen Cella des Allerheiligsten erkennen. Auch mag das Aeussere durch flache Dächer und ein ägyptisches Kranzgesims abgeschlossen worden sein. Dass letzteres in Palästina nicht ungebräuchlich war, werden wir sogleich an mehreren noch vorhandenen Denkmälern nachweisen. Selbst die Böschung, die pyramidale Verjüngung der Mauern, die den ägyptischen Bauten eigen ist, finden wir an den Substructionen des Moriaberges noch erhalten. Man wird daher, bei aller Vorsicht, doch den ägyptischen Einfluss nicht so unbedingt abweisen dürfen, wie noch Schnaase es gethan.*) Am allerwenigsten kann man auf

Die beiden Erzsäulen.

Aegyptischer Einfluss.

*) Gesch. d. bild. K. I. S. 245; 2. Aufl. I. S. 278.

dem heutigen Standpunkt der Forschung die „Abgeschlossenheit des alten Aegyptens" dagegen anführen. Hatte doch Salomo selbst eine ägyptische Königstochter zur Gemahlin. Damit soll jedoch nicht geleugnet werden, dass der phönizisch-babylonische Styl mit seinem kostbaren Täfelwerk und seiner Metallbekleidung beim salomonischen Tempel jedenfalls vorherrschend war.

Schicksale des Tempels von Jerusalem.

Bekanntlich wurde der Tempel Salomons 587 durch die Chaldäer zerstört. Bald darauf, um 574, verfasste Ezechiel jene Vision, in welcher er ein ideales Bild des neuen Tempels aufstellte. Unter Serubabel (536—515) führten die aus der Gefangenschaft heimgekehrten Juden einen neuen Tempel auf, der indess nur eine geringere Nachbildung des salomonischen war. Diesen brach der baulustige und prunkliebende Herodes ab (20 vor Chr.), um an seine Stelle einen grösseren, prachtvollen im griechisch-römischen Style zu errichten. Der Glanz dieses Tempels war es, auf den die Jünger Christi den Meister staunend aufmerksam machten, der dann das prophetische Wort sprach: „Kein Stein wird auf dem andern bleiben, der nicht zerbrochen würde." Dass dieses Wort nur vom Tempel selbst, nicht aber vom Unterbau gelte, wurde schon bemerkt. Vielleicht darf man sogar annehmen, dass von den Wasserleitungen, durch welche Salomo das für den Opferdienst erforderliche Wasser dem Tempel zuführte, in den noch vorhandenen Werken beträchtliche Ueberreste erhalten sind. Dagegen ist von dem Palaste, welchen der König für sich und seine ägyptische Gemahlin aufführen liess, keine Spur auf uns gekommen. Dieser krönte mit seiner weitläufigen Anlage den Ostrand des westlich vom Moria gelegenen Zionberges und wurde durch die oben erwähnte Brücke mit dem Tempel verbunden. Ein Portal führte von der Ostseite in einen vorderen Hof, welcher das sogenannte „Haus vom Walde Libanon" enthielt. Dies war ein zu Versammlungen und Staatshandlungen bestimmter Bau von hundert Ellen Länge, 30 Ellen Höhe und 50 Ellen Breite, der mit drei Geschossen einen, wie es scheint, höheren Mittelbau umgab. Die einzelnen Stockwerke wurden von einer dreifachen Reihe von je fünfzehn Cedernsäulen getragen und den Säulen gegenüber durch viereckige Fenster erleuchtet. Offenbar hat diese Anlage Aehnlichkeit mit den römischen Basiliken gehabt. Von hier gelangte man durch eine Säulenhalle in einen inneren Hof, welcher den eigentlichen Palast sammt der Frauenwohnung enthielt. Ob das Ganze mehr den ägyptischen oder den chaldäischen Palästen nachgebildet war, wird sich schwerlich noch entscheiden lassen. Dreizehn Jahre währte der Bau, der von „köstlichen Steinen nach dem Winkeleisen gehauen von Grund bis an das Dach" errichtet war. Die „köstlichen und grossen Steine" zu den Fundamenten waren zehn und acht Ellen lang.*) Die Umfassungsmauer des Hofes war dagegen wie jene des Tempels aus drei Schichten Quadern und einer oberen Lage von Cedernbalken gebildet.

Gräber bei Jerusalem.

Sind wir hinsichtlich der künstlerischen Gestaltung dieser bedeutenden Bauten auf blosse Vermuthungen beschränkt, so gewinnen gewisse bescheidnere Ueberreste jüdischer Architektur eine um so grössere Wichtigkeit. Dies sind die Gräber der alten Nekropole von Jerusalem, die sich in einem Halbkreis um einen grossen Theil der Stadt ausbreitet.**) Die Gräber der Juden sind gleich denen der Phönizier ohne Ausnahme Felsgräber. In der Regel wurden sie an einer steil abfallenden Felswand angebracht, oder man schuf sich künstlich eine solche, indem man mit grosser Mühe von oben her in den Felsen eindrang und einen rechtwinkligen Ausschnitt in denselben hinein arbeitete. In diesem Falle führte eine Treppe zu dem freien Vorplatz hinab. Bei den einfachsten Anlagen gelangte man durch eine mittelst einer Steinthür zu verschliessende Oeffnung in die viereckige Grabkammer. Bei reicheren Gräbern findet sich vor der Grotte eine Vorhalle in Gestalt eines Atriums.

Anlage der Gräber.

Die Form des Grabes selbst ist bei den nachweislich altjüdischen Anlagen dreifacher Art. Entweder wurden die Leichen auf Felsbänken an den Wänden der Grotte beigesetzt, die sich manchmal um

*) 1. Kön. 7. 10.

**) Die genauesten Untersuchungen dieser Gräberstadt verdanken wir dem gewissenhaften Forscher Dr. *Titus Tobler* Golgatha (St. Gallen 1851) S. 201 ff. Das Hauptwerk in künstlerischer Beziehung ist *F. de Saulcy's* Voyage autour de la mer morte. Paris 1853. 2 Vols in 4. und Atlas in Fol. Dann *A. Salzmann*, Jérusalem, étude et reproduction photographique des monuments de la ville Sainte. Paris 1856. 2 Vols. Fol., deren photographische Aufnahmen schätzbar sind, während man die „Ansichten" des kleinern Textbandes [illegible] entbehren kann.

die drei Seiten des Gruftraumes, mit oder ohne Wölbung, hinziehen (Bank- oder Aufleggrab nach Tobler's Bezeichnung), oder in vertieften trogartigen Oeffnungen, welche meistens paarweise angeordnet sind (Trog- oder Einleggrab), oder endlich sie wurden in kleine stollenartige Aushöhlungen geschoben, welche rechtwinklig in die Tiefe des Felsens hineingetrieben sind (Ofen- oder Schiebgrab). Auch diese Schiebgräber gehen oft von einer Bank mit oder ohne Wölbung aus. Alle diese Formen von Gräbern, namentlich aber das Schiebgrab, finden sich in ganz ähnlicher Weise in phönizischen Nekropolen, so neuerdings noch in denen von Karthago, bei welchen auch die Wölbung der Grabnischen angetroffen wird. Solcher Art sind zu Jerusalem die sogenannten Richtergräber, das angebliche Jacobsgrab, sowie das Grab der Helena.*) Die Vertiefungen in dem Felsen wurden genau der Durchschnittsgrösse des menschlichen Körpers angepasst.

Grösseren Grabanlagen gab man eine Vorkammer. So zeigt das Jacobsgrab eine Art von Atrium, aus welchem man nach drei Seiten in die anstossenden Grabkammern mit ihren Schiebgräbern gelangt. Aber auch nach aussen suchte man diese Anlagen Aeussere Form der Gräber.

Fig. 49. Von den Königsgräbern zu Jerusalem.

durch eine charakteristische Form auszuprägen. Zum mindesten gab man der Eingangsthür ein kräftiges Rahmenprofil, welches sich nach oben verjüngt und dort mit einem rechtwinkligen Vorsprung, den „Ohren", sich wieder verbreitert, bisweilen auch giebelartig abschliesst. Alle diese Formen kommen bei den Troglodytengrotten des Dorfes Siloa, einer uralten Nekropole, vor. Ebendort sieht man an einem grösseren Grabe die Felsfaçade sorgfältig behauen und mit einem überaus derben ägyptischen Kranzgesims abgeschlossen. Andere Gräber beginnen mit einer in den Felsen gearbeiteten offenen Vorhalle, deren Façade mannichfach geschmückt ist. Am Grabmal Josaphats wird die Felswand durch einen Giebel abgeschlossen, den ein volutenartiges Ornament in Form einer Federkrone abschliesst. Dieselbe Bekrönung findet man an dem prachtvollen Giebel der Richtergräber, dessen Rahmen ein feines Zahnschnittgesims begleitet, und dessen Fläche mit reich verschlungenem Blattwerk, nach Art der Fächerpalmen, bedeckt ist. Aehnliches Blattwerk füllt den Giebel über dem Thürsturz. Die scharfe, trockne Behandlung und die ganze Anordnung, die sich ebensowohl von griechischen wie von römischen Mustern entfernt, wird man als eigenthümlich jüdisch-phönizische Arbeit gelten lassen müssen. Sie erinnert am meisten an den

*) Diese und wohl die meisten der übrigen Benennungen sind rein willkührlich, was hier von vorn herein bemerkt werden muss.

Charakter getriebener Metallwerke. Dagegen verrathen die Rahmenprofile und die Zahnschnitte den Einfluss ausgebildet griechischer Kunst.

Säulenfaçaden. Andere Felsfaçaden verschmähen den Giebel, öffnen sich dagegen mit Säulenstellungen, deren Gebälk dann mannichfach decorirt wird. Ziemlich einfach tritt diese Anordnung am Jakobsgrabe hervor, das sich mit zwei dorischen Säulen zwischen Pilastern oder Anten öffnet, und dessen Fries in ditriglyphischer Anordnung (d. h. drei Metopen auf jedem Intercolumnium) ebenfalls das nüchterne Gepräge des späten Dorismus verräth. Königsgräber. Glänzender ist die Façade der grossartigen Königsgräber, die nach ihrer reichen innern Anlage mit einer Vorhalle, mehreren Grabkammern und, nach Toblers Zählung, 38 Gräbern überhaupt zu den bedeutendsten dieser Denkmäler gehören. Sie öffnen sich mit einem felsgehauenen Atrium, dessen Decke ehemals von zwei Säulen getragen wurde. Die untere Hälfte des Architravs und die Seitenwandungen sind rahmenartig mit einem dichten Gewinde von Wein- und Oelblättern bedeckt.

Fig. 50. Von einem jüdischen Sarkophag.

Am Fries (Fig 49) sind dorische Triglyphen, mit Rundschilden wechselnd, angeordnet; nur über dem mittleren Intercolumnium treten an die Stelle der Triglyphen aufgerichtete dreifache Palmzweige, welche Kränze und Trauben zwischen sich haben. Deutet hier der Triglyphenfries auf die Einwirkung griechischer Kunst, so beweist die Unterbrechung desselben durch Ornamente, deren Gestalt und Behandlung nichts mit den Formen classischer Architektur zu schaffen haben, das selbständige Fortwirken einheimischer Kunstweise. Da wahrscheinlich die Anlage dieser Königsgräber identisch ist mit dem Grabmal, welches die Königin Helena von Adiabene um 45 nach Chr. sich und ihrem Geschlecht errichtete, so wird diese classizistische Behandlung daraus erklärlich. Von den Pyramiden, welche dasselbe ursprünglich krönten, ist allerdings nichts mehr vorhanden; sie sind sammt den Säulen des Porticus verschwunden. Sarkophag. Die Sarkophage, die sich noch im Innern finden, sowie jene, welche in das Museum des Louvre nach Paris gewandert sind, zeigen gräcisirende Rahmenprofile, aber auf den Flächen jene Rosetten, Blumen und Blattgewinde, welche der jüdischen Kunst eigenthümlich sind und an getriebene Metallarbeiten erinnern (Fig. 50). Man darf damit eine ebenfalls im Louvre befindliche Bleiplatte von einem phönizischen Sarkophag zusammenstellen, auf welcher zwischen Epheu- und Lorbeerblättern eine gekrönte Sphinx angebracht ist. So spielen hier fremde, bald ägyptische, bald griechische Einflüsse in dieses Kunstgebiet hinein, ohne aus demselben seine eigenen hauptsächlich dem vegetativen Reich entlehnten Decorationsformen zu verdrängen. Bei dem strengen mosaischen Verbot bildlicher Darstellungen wurde die jüdische Kunst nothwendig auf die Formen des Pflanzenreiches hingewiesen. — Ganz ähnliche Anordnung, nur ohne Säulen, aber mit verwandtem Charakter der Friesdecoration zeigt noch ein anderes Grab, welches den Namen der Apostelhöhle trägt, weil die Sage es zu einem Zufluchtsort der Apostel gestempelt hat.

Fig. 51. Sogenanntes Grab des Absalom.

Felsgräber, als Freibauten.

Endlich sind noch zwei Monumente von völlig abweichender Form zu erwähnen, die als Freibauten rings aus dem Felsen losgearbeitet wurden. Im Kidronthale dicht beisammen liegend, verbinden sie eine thurmartig pyramidale Anlage mit den Gliederungen theils ägyptischer, theils griechischer Kunst. Das eine, welches den Namen des Zachariasgrabes trägt, ist ein aus dem umgebenden Felsen herausgehauener Würfel von 17 Fuss im Quadrat, der mit einer 12 Fuss hohen Pyramide abschliesst. Der Unterbau hat an den Ecken Wandpfeiler mit Kapitälen, welche die reichen Gliederungen griechischer Anten nachahmen. Mit ihnen sind in ziemlich ungeschickter Weise ionische Viertelsäulen verbunden, welche mit zwei Halbsäulen derselben Ordnung jede Seite des Würfels nach Art eines griechischen Pseudoperipteros gliedern. Ueber dem ungetheilten Architrav schliesst der Unterbau mit dem Rundstab, der gewaltigen Hohlkehle und der vortretenden Platte des ägyptischen Kranzgesimses ab und wird durch die ebenfalls von dort entlehnte Form einer strengen Pyramide bekrönt. Die Grabkammer, welche das Innere ohne Zweifel birgt, ist bis jetzt noch nicht untersucht worden.

Grab des Zacharias.

Absalom's Grabmal.

Verwandte Form bietet das Grab des Absalom, das sich als isolirter thurmartiger Bau in einem aus dem Felsen gehauenen Hofe erhebt (Fig. 51). Ein Würfel von 24 Fuss Quadrat bei 20 Fuss Höhe bildet ähnlich wie am Zachariasgrabe den Unterbau; aber statt wie dort durch eine felsgehauene Pyramide wird hier der obere Abschluss durch einen aus $6^1/_2$ bis $7^1/_2$ Fuss grossen Blöcken errichteten thurmartigen Bau bewirkt. Der Unterbau ist wie am Zachariasgrabe durch ionische Halbsäulen und an den Ecken durch Pilaster mit ionischen Viertelsäulen gegliedert. Darüber folgt ein Architrav und ein dorischer Triglyphenfries mit Rundschilden in den Metopen, drei über jedem Intercolumnium. Das ägyptische Kranzgesims in mächtiger Ausladung bildet den Abschluss. Ueber demselben zieht sich eine schmale Platform um den stark eingezogenen Oberbau, von wo eine Felsentreppe in die Grabkammer hinab führte. Die

Wände der Kammer waren ursprünglich, wie die noch vorhandenen Nägel zu beweisen scheinen, mit Metallplatten bekleidet. Der Oberbau besteht aus einem quadratischen, mit einem Gesims abgeschlossenen Geschoss, über welchem sich ein zweites, ebenso bekröntes in Cylinderform erhebt. Von diesem steigt, durch Vermittlung eines kleinen Aufsatzes, die einwärts geschweifte Spitze auf, welche in eine tulpenartige Blume ausläuft und dem Monument eine Gesammthöhe von 45 Fuss giebt. Der Oberbau, der aus grossen Werkstücken ausgeführt ist, hat im Innern nur wenig hohlen Raum.

Geschichtliche Stellung.

Man hat etwas voreilig alle diese Denkmale dem höchsten jüdischen Alterthum zuweisen wollen.*) In dem zuerst besprochenen dieser beiden Grabmäler meinte man das Denkmal jenes Zacharias zu erkennen, welcher auf Geheiss des Königs Joas (877 bis 837 v. Chr.) gesteinigt wurde. Für das Absalomdenkmal, welches in noch höhere Zeit hinaufreichen würde (c. 1020 v. Chr.), werden historische Zeugnisse beigebracht. Es heisst (II Sam. 18, 18), Absalom habe, um seinen Namen auf die Nachwelt zu bringen, sich bei Lebzeiten im Königsgrunde ein Denkmal aufgerichtet, welches noch vorhanden sei. Auch Josephus (Ant. VII. 7. 3) kennt das Monument, das nach seiner Versicherung zwei Stadien von der Stadt entfernt war. Gleichwohl ist es unmöglich, den Charakter des vorhandenen Denkmals mit dem Zustande jüdischer Architektur um 1000 v. Chr. in Uebereinstimmung zu bringen. Sehr bequem wäre es, mit anderen Schriftstellern diese und ähnliche Monumente als uralte Vorläufer hellenischer Kunst zu proclamiren, in welchen die Formen dorischer und ionischer Architektur noch gemischt auftreten, die dann später erst von den Griechen zu besonderen Ordnungen ausgebildet worden wären. Allein die Juden waren in jener Frühzeit so wenig selbstthätig in der Architektur, dass sie zu ihren bedeutenderen Unternehmungen phönizische Meister berufen mussten. Was diese dann geschaffen, trat den Juden selbst als etwas so Ungewöhnliches entgegen, dass sie in ihren Beschreibungen keine bezeichnenden Ausdrücke dafür finden und schon dadurch als architektonisch ungeschult sich verrathen. Und dort sollten zu gleicher Zeit Denkmäler entstanden sein, welche die Formen griechischer Architektur in ausgeprägtem und schon nüchtern gewordenem Systeme handhaben? Man betrachte unbefangen die Gliederungen, namentlich die Gesimsprofile, und man wird sie den griechischen des 3. und 2. Jahrhunderts v. Chr. entsprechend finden. Die Triglyphen und die Schilde der Metopen haben die grösste Aehnlichkeit in der Behandlung mit jenem am Sarkophag des L. Scipio Barbatus, der um 250 v. Chr. gearbeitet wurde und auch die Mischung des ionischen Zahnschnittes mit dorischem Friese aufweist. Die Gräber der Könige, welche in ihrem Triglyphenfriese denselben Charakter zeigen, jedoch ein stärkeres einheimisches Element der Decoration damit verbinden, haben wir oben als ein um das Jahr 50 nach Chr. entstandenes Werk hingestellt. Die Gräber der Maccabäer, welche um die Mitte des 2. Jahrh. vor Chr. bei Modin errichtet wurden, waren gleich diesen letzteren mit pyramidalen Aufsätzen, sechs kleineren um eine mittlere grössere Pyramide, bekrönt.**) Endlich wissen wir aus der Bibel, dass die Pharisäer zu Christi Zeit den von ihren Vätern getödteten Propheten Denkmäler errichteten und „die Gräber der Gerechten schmückten".***) Hält man mit diesen Thatsachen zusammen, dass die Identität des jetzt vorhandenen sogenannten Absalomgrabes mit dem in der Schrift erwähnten nicht zweifellos festzustellen ist, so wird eine vorsichtige Untersuchung etwa Folgendes als wahrscheinlich annehmen dürfen.

Alter der Gräber.

Die primitivsten Grabfaçaden, wie sie in den Höhlen des Dorfes Siloa vorliegen und auch in der eigentlichen Nekropolis von Jerusalem vorkommen, zeigen nur schlichte Thürgewände, ähnlich den ältesten Grabfaçaden Etruriens. In einzelnen Fällen kommt ägyptischer Einfluss vor, der jedoch nur in dem bekannten Kranzgesims mit der Hohlkehle sich ausspricht; einer Form, der wir selbst in Assyrien und Persien begegnet sind. Alle diese einfachsten Elemente der Gestaltung mögen wohl dem höchsten jüdi-

*) So namentlich de Saulcy, dem sich Jul. Braun, Gesch. d. Kunst I. S. 306 ff. angeschlossen hat. Auch Semper in seinem geistvollen Buche „der Styl" ist nicht abgeneigt, dieser Ansicht beizutreten.

**) I. Macc. 13, 27–30.

***) Matth. 23, 29. Luc. 11, 47 und 48.

schen Alterthum angehören, wie sie denn vielleicht auch auf die äussere Ausstattung des salomonischen Tempels einen Rückschluss zulassen. Selbständige, dem jüdischen Boden eigenthümliche Kunstformen vermögen wir in jenen einfachen Denkmalen nicht nachzuweisen. Die zweite Gruppe der Gräber von Jerusalem muss dagegen einer Zeit angehören, in welcher die vollendete griechische Kunst sich über die Völker der alten Welt auszubreiten begann. Wie dieselbe in Italien ungefähr um die gleiche Zeit, etwa 250 v. Chr. eindringt, so sehen wir es auch in Palästina; und wie die ersten Epochen dieser hellenischen Kunst auch in Rom die strengeren, einfacheren Ordnungen des dorischen und ionischen Styles fasst ausschliesslich begünstigen, und die prunkvollere korinthische Bauweise erst von der beginnenden Kaiserzeit mit Begierde aufgenommen wird, so finden wir es in den jüdischen Monumenten. Auch jene Mischung der Ordnungen ist für eine solche Zeit des beginnenden Studiums bezeichnend. Wie mischte man in unserer Zeit gothische und romanische Elemente, ehe man beide streng scheiden und consequent anwenden lernte! Dabei war es in Palästina naheliegend, die althergebrachten ägyptischen Ueberlieferungen festzuhalten, vor Allem das Kranzgesims und selbst in vereinzeltem Falle die Pyramide. Was sich inzwischen an selbständigem Kunstgeist entwickelt hatte, floss in reichem Laubschmuck mit ein, für welchen man sich an die Vegetation des Landes, an das Weinblatt und die Traube, an Oel- und Palmzweige, an Epheu- und Lorbeerblätter hielt. Wie gesagt, war es das strenge mosaische Bildverbot, welches die jüdische Kunst zur Laubornamentik trieb und hier eine vegetative Flächendecoration hervorrief, die dem Kunstcharakter des übrigen Alterthumes fremd ist. Unter ähnlichen Voraussetzungen sollten später die Araber, jener in vielfacher Beziehung den Israeliten verwandte Volksstamm, dies Prinzip des Flächenschmuckes weiter ausbilden.

FÜNFTES KAPITEL.

Kleinasiatische Baukunst.

Das Land.

Kleinasien war in früher Zeit schon der Schauplatz einer reichen und mannichfachen Culturentwicklung. Auf drei Seiten vom Meere umflossen und von fruchtbaren, anmuthigen Inseln umgeben, unter einem der schönsten Himmelsstriche, der alle Bedingungen eines höheren Daseins in Fülle gewährt, musste das Land durch seine vorgeschobene Lage, durch die ausgedehnte Küstenbildung, durch die nahe Verbindung mit dem Orient und Occident bald zur Ansiedelung locken. Es fanden denn auch von allen Seiten frühzeitig Einwanderungen statt, sowohl von arischen und semitischen als auch von thrakischen und griechischen Stämmen, die zumeist an den Küsten und auf den Inseln sich ansiedelten und den Grund zu einer mannichfaltigen Cultur legten. Die weit ausgedehnte und durch Buchten reich gegliederte, auf Handel und Schifffahrt hinweisende Küste, ferner die Durchschneidung und Zerstückelung des Landes durch eine Anzahl meist parallel laufender Gebirgszüge, verbunden mit der ursprünglichen Verschiedenheit der Abstammung, beförderte eine Isolirung der einzelnen Colonistengruppen und bewirkte somit eine gewisse Mannichfaltigkeit der Entwicklung.

Die Volksstämme.

Während nun an der West- und Nordküste sowie auf den umgebenden Inseln die griechischen Ansiedler eine Reihe von selbständigen Staaten bildeten, treten in historischer Zeit ausserdem als Hauptstämme die Phryger, Lyder und Lycier uns entgegen. Die Phryger hatten den mittleren, durch waldreiche Hochebenen ausgezeichneten Bezirk inne; westlich neben ihnen sassen in der vom Mäander durchströmten Landschaft die Lyder; an der Südküste hatten sich die Lycier angesiedelt. Ausserdem finden wir nördlich von den Lydern die Myser, und südlich von ihnen die Karer.

Geschichte. Alle diese Völkerschaften wurden allmählich, vom Beginn des siebenten Jahrhunderts an, durch die immer mächtiger und reicher gewordenen Lyder unterjocht. König Gyges (um 700 v. Chr.) begann den siegreichen Kampf mit den Nachbarstaaten, der durch seine Nachfolger Ardys, Sadyattes und Alyattes beendet wurde. Es erhob sich das mächtige lydische Reich mit seiner prachtvollen Hauptstadt Sardes; und als dem Nachfolger des Alyattes, dem berühmten Krösus, auch die Unterwerfung der bisher frei gebliebenen kleinasiatischen Griechen gelang, hatte die lydische Macht ihren Gipfelpunkt erreicht. Aber schon um 550 erlagen die Lyder dem siegreichen Vordringen des Cyrus, der ganz Kleinasien seinem Scepter unterwarf. Mit Alexander dem Grossen (331 v. Chr.) erlosch der Glanz des persischen Reiches. Griechische Cultur drang im Gefolge seiner Siegeszüge ein und erhielt sich in ihrer späten Nachblüthe selbst während die welterobernde Macht der Römer auch diese Gebiete unter ihre Herrschaft beugte.

Reste von Mauern. So weit bis jetzt unsere Kenntniss der kleinasiatischen Denkmäler reicht*), sind es besonders die Gebiete Phrygiens, Lydiens und Lyciens, welche in manchen alterthümlichen Werken Zeugnisse jener frühen Culturblüthe aufweisen. So finden sich, besonders in Lycien und Karien, an mehreren Orten Reste gewaltiger Mauern, aus polygonen, scharf behauenen und wohl gefügten Blöcken errichtet, wie zu Kalynda in Karien, oder es tritt auch eine beinah regelmässige Schichtenlage ein, wie bei den bedeutenden Mauertrümmern von Iassus an der karischen Küste. Diese Bauweise werden wir auch bei den ältesten Völkern Griechenlands und Italiens als die ursprünglichste kennen lernen, da sie im ganzen Bereiche der Länder des Mittelmeeres eine allgemein verbreitete gewesen zu sein scheint.

Grabdenkmäler. Ausserdem hat sich aus der kleinasiatischen Frühzeit nur eine Anzahl von Grabdenkmälern erhalten, von der primitivsten und einfachsten Form des Tumulus bis zu jenen entwickelteren Werken vorschreitend, in welchen eine besondere nationale Richtung des Bausinns deutlich ausgesprochen ist. Verdankten die oben erwähnten Mauerreste einem lediglich praktischen Bedürfnisse des Schutzes und der festen Umfriedigung ihre Entstehung, so knüpfen die hier zu betrachtenden Denkmäler an ideale Zwecke an, und selbst auf der untersten Stufe der Gestaltung bezeugen sie bereits das lebendige Streben nach Schöpfungen monumentaler Bedeutung.

Lydische Gräber. Die ältesten dieser Denkmäler scheinen sich in Lydien erhalten zu haben, wo man mehrere aus einer Anzahl von Grabhügeln bestehende Nekropolen entdeckt hat.

Fig. 52. Sogenanntes Grab des Tantalus.

Es sind Grabhügel (Tumuli) von theilweis kolossalen Dimensionen, auf kreisrundem, steinernem Unterbau kegelförmig sich erhebend (Fig. 52 a). Durch mehrfache, in concentrischen Kreisen aufgeführte und mit Quermauern verbundene Mauerringe ist ein festes Netz gebildet worden, dessen Zwischenräume mit Steinschüttungen ausgefüllt wurden. Im Innern findet sich eine viereckige Grabkammer (vergl. den Grundriss Fig. 52 b), nach oben durch über einander vorkragende Steine in horizontaler Lagerung geschlossen (Durchschnitt Fig.

*) Literatur: *Ch. Texier*, Description de l'Asie mineure. 3 Vols. Paris 1849. — *Ch. Fellows*, A Journal written during an excursion in Asia minor. London 1839. — *Derselbe*, An account of discoveries in Lycia. London 1841. Deutsch von Dr. Zenker. Leipzig 1853. — *Spratt and Forbes*, Travels in Lycia. London 1847.

52 c). An der lydischen Küste, am Nordrande des Golfs von Smyrna, erheben sich viele solcher Grabdenkmale, deren umfangreichstes, das sogenannte **Grab des Tantalos**, an der Basis nahe an 200 Fuss im Durchmesser hat. Eine andere Gruppe hat man in der Gegend der alten lydischen Hauptstadt **Sardes** entdeckt, darunter drei von hervorragender Grösse. In dem östlich gelegenen umfangreichsten Hügel, der noch jetzt eine Höhe von etwa 250 Fuss misst, will man das von Herodot gerühmte **Grab des Alyattes** erkannt haben. Reste eines Steinbaues, die sich auf dem Gipfel desselben befinden, scheinen der Schilderung Herodot's, nach welcher fünf Denksäulen das Grabmal krönten, zu entsprechen. Diese Form der Königsgräber reicht bis zur homerischen Zeit hinauf und erinnert an die Schilderung der Bestattung Hektors, wie sie im XXIV. Gesange der Ilias (V. 795 ff.) gegeben wird:

„Jetzo legeten sie die Gebein' in ein goldenes Kästlein
Und umhüllten es wohl mit purpurnen weichen Gewanden;
Senkten sodann es hinab in die hohle Gruft, und darüber
Häuften sie mächtige Stein' in dichtgeschlossener Ordnung,
Schütteten dann in der Eile das Mal."

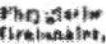
Phrygische Grabmäler.

Anderer Art sind die Grabmäler, welche man in **Phrygien** findet. Die Gräber wurden hier als Grotten in dem Felsen ausgehöhlt und durch mehr oder minder ausgedehnte, oft reich verzierte, der Gebirgswand aufgemeisselte Façaden charakterisirt. Es herrschte also derselbe Brauch, welchem wir auch bei den persischen Königsgräbern begegneten. Anlage und Ausstattung dieser Werke zeugt von einem primitiven, an schlichte Holzconstruction erinnernden Formgefühl. Die viereckige Façade wird von einem rahmenartigen Gerüst eingefasst und schliesst mit einem Giebel von geringem Neigungswinkel. Es sind dies vielleicht die ältesten Zeugnisse, an welchen die bedeutsame Form des Giebels, ohne Zweifel als Reminiszenz eines Holzbaues, wie er waldreichen Gebirgsgegenden eigen ist, hervortritt. Auch der doppelte volutenartige Abschluss, welcher dem Giebel als Bekrönung dient, gewährt ähnliche Anklänge an Schnitzarbeiten. Das bedeutendste dieser Denkmäler, an Alter und Umfang hervorragend, findet sich bei dem heutigen **Dogan-lu** und gilt nach den Andeutungen der dasselbe bedeckenden altphrygischen Inschrift als das **Grab des Midas** (Fig. 53). Bei einer Höhe von etwa 40 Fuss eine Breite von 30 Fuss messend, besteht es aus einer teppichartig mit mäandrischen Ornamenten bedeckten Fläche, umfasst von einem mit Rautenverzierungen decorirten Rahmen. An seinem Fusse befindet sich die nischenförmige Oeffnung der Grotte.

Fig. 53. Sogenanntes Grab des Midas bei Dogan-lu.

Lycische Grabmäler.

Noch entschiedener erkennt man die directe Nachahmung eines althergebrachten Holzbaues an den zahlreichen Grabdenkmälern **Lyciens**. Auch hier hat man dieselben aus dem Felsen herausgearbeitet, doch variiren diese Anlagen vielfach und zwar so, dass zwei grundverschiedene Formen sich erkennen lassen. Entweder wird das Grabmal als ein aus dem Naturstein herausgemeisseltes, gänzlich freistehendes, monolithes Werk hingestellt und birgt sarkophagähnlich die bestatteten Ueberreste; oder es wird nach Art der phrygischen Gräber eine Aushöhlung des Felsens bewirkt, welche dann durch eine Façade bedeutsame Gestalt gewinnt.

Sarkophage. Die erste Art der Grabmäler (Fig. 55) bildet einen anfänglich viereckigem, gesimsbekröntem und oft reliefgeschmücktem Untersatze sich erhebenden, unseren Koffern am meisten zu vergleichenden Sarkophag. Auch hier lässt sich die bewusste Nachbildung der Holzconstruction nicht verkennen, die selbst im Innern das Balkengefüge deutlich nachahmt. Die vorzüglich bezeichnende Form erhalten diese Denkmäler durch den als steiles, gebogenes Giebeldach gestalteten Deckel, an welchem das Balken- und Lattenwerk des Holzbaues ausgedrückt wird. Auf dem Gipfel erscheint ein bekrönendes Glied, an den Seiten werden knaggenartige Vorsprünge ausgemeisselt und manchmal als Löwenköpfe gestaltet.

Fig. 54. und 55. Lycische Grabmäler zu Antiphellos.

Grabfaçaden. Die andere Gattung der lycischen Gräber, welche sich durch vollständige Felsfaçaden auszeichnet, ahmt die Holzconstructionen des Blockhausbaues nach (Fig. 54). Die nach oben gekrümmten oder an den Enden verstärkten Zangen der Schwellen, das ganze Balkenwerk mit allen Einzelheiten des Holzverbandes, mit den Rahmen, Pfosten, Riegeln und Kämmen, das Alles ist mit so sclavischer Genauigkeit in den Felsen übersetzt, dass man versteinerte Blockhäuser vor sich zu sehen glaubt. Nach oben sind sie entweder horizontal geschlossen oder durch einen vorspringenden Giebel bekrönt, unter welchem in decorativer Weise eine Art von Gesims in Form vorspringender, dicht an einander gereihter Querhölzer erscheint. Solche Grabfaçaden findet man bei den meisten altlycischen Ortschaften, so zu Myra, Telmissos, Xanthos, Phellos, Antiphellos u. A., oft massenhaft über und neben einander eine hohe Felswand bedeckend.

Ionisch-lycische Grabfaçaden. Haben wir an all diesen kleinasiatischen Werken zwar einen lebendig erwachten Kunstsinn kennen gelernt, der aber theils über die primitivste Form der Bethätigung nicht hinauskam, theils in den Fesseln einer mechanischen Nachahmung gefangen blieb, welche, weil ihr die bei allem tektonischen Schaffen so unerlässlichen Grundbedingungen des bestimmenden Materiales fremd waren, es nur zu Werken von untergeordnetem und zwar lediglich decorativem Werthe brachte, so werden wir nun einer Reihe verwandter Denkmäler, ebenfalls auf lycischem Boden begegnen, in welchen, bei allem Festhalten an gewissen heimischen Traditionen, doch ein Element höheren künstlerischen Gestaltens hervortritt. Hierin haben wir ohne Zweifel Einflüsse der benachbarten, schon damals auf einer verhältnissmässig hohen Culturstufe stehenden ionischen Griechen Kleinasiens zu erkennen. Die Anlage dieser Grabdenkmäler schliesst sich im Wesentlichen den vorher erwähnten Felsgrotten an, nur dass die Façade sich durch Aufnahme des Säulenbaues völlig anders gestaltet. Sie sind entweder in derbem Relief ausgemeisselt oder erweitern sich, bedeutender vorspringend, zu vollständigen Portiken (Fig. 56). Auf kräftigen Eckpfeilern und zwei von ihnen eingeschlossenen Säulen ruht das Dach mit seinem Giebel. Bisweilen finden sich bloss Pfeiler ohne Säulenstellungen; auch kommt wohl eine einzelne Mittelsäule zwischen den Pfeilern vor, doch dies nur ausnahmsweise, da der in der Mitte liegende Eingang dadurch verdeckt wird. Die Form dieser Säulen ist eine primitiv ionische, sowohl der Basis als auch dem Kapitäle nach, welches kräftig ausladende Voluten zeigt. Der Schaft erscheint meistens uncannelirt und mit mässiger Verjüngung. Das Gebälk besteht aus dem ein- oder mehrtheiligen Architrav, über welchem eine Reihe vortretender Balkenköpfe ein zahnschnittartiges Gesims bildet. Der Giebel ist auf den Enden und der Spitze mit einfachen, derben Akroterien gekrönt. Limyra, Telmissos, Antiphellos und Kyaneä-Jaghu weisen derartige Denkmäler auf. An anderen Werken dieser Gattung lassen sich sowohl in den Sculpturen wie in den architektonischen Details Anklänge an persische Kunstformen wahrnehmen. So namentlich an einer Felsfaçade zu Myra, welche ihre Pilasterkapitäle mit grossen, streng stylisirten Löwenköpfen bekrönt, eine symbolisirende Behandlung der architektonischen Glieder, welche den Stier- oder Einhornkapitälen von Persepolis nahe steht. Noch mehr erinnert der Reliefschmuck des Giebels an jene persischen Werke, denn er wiederholt die Darstellung des Löwen, der einen Stier zerreisst.

Fig. 56. Ionisch-lycische Grabfaçade. Telmissos.

Ein vollständiger Freibau hatte sich zu Xanthos erhalten, bis er neuerdings in's britische Museum nach London übertragen wurde.*) Man hat früher aus den Sculpturen, mit welchen dieses Werk geschmückt war, in ihm ein Denkmal des Harpagos vermuthet, bis neuerdings Urlichs es als Siegeszeichen für die Eroberung von Telmissos durch die Xanthier (ca. 370 v. Chr.) erklärt hat. Auch hier macht sich in der ganzen künstlerischen Ausprägung der Einfluss ionischer Sinnesweise bemerklich, während in der Anlage eine gesteigerte Fortbildung der eigentlich lycischen Denkmäler zu erkennen ist. Es erhob sich auf rechtwinkligem, reliefgeschmücktem Unterbau als kleine, von einer ionischen Säulenhalle umgebene Cella. Die Vorderseite schmückten vier, die Langseite sechs Säulen von kurzem Verhältniss mit ionischer Basis und einem kräftigen Kapitäl von doppelten Voluten und zwiefachem Polster, das an den Seiten durch ein Schuppenband und zwei Perlschnüre gehalten wird.**) Das Gebälk besteht nur aus dem mit Reliefs geschmückten Architrav, über dessen Kranzgesims sich der tempelartige Giebel erhebt. Nereiden-Denkmal.

Die Frage nach dem Alter der kleinasiatischen Monumente kann, so lange die Alter der Monumente.

*) Durch Sir Charles Fellows. Vgl. dessen Account of discoveries in Lycia. London 1841; and Account of the Ionic trophy monument etc. London 1848. Sodann Falkener's Restauration in dessen Mus. of Class. ant.

**) Die Verwandtschaft dieses Kapitäls mit dem vom Erechtheion habe ich in meiner Gesch. d. Plastik S. [illegible] Anm. ** nachgewiesen.

Inschriften derselben noch unentziffert bleiben, nur annäherungsweise, zumeist aus dem Charakter der Bildwerke, beantwortet werden. Die primitiven Grabhügel Lydiens mögen leicht bis zu den Zeiten des Gyges (c. 700 v. Chr.) und Alyattes (620—563) hinaufreichen. Darauf folgen, wohl noch dem sechsten Jahrh. angehörig, die phrygischen Grabmäler, die durch ihre naive Behandlungsweise jedenfalls ein höheres Alter beanspruchen dürfen, als die ohne Zweifel erst dem fünften, vierten und dritten Jahrhundert zuzuschreibenden lycischen Werke. Seit dem fünften Jahrhundert etwa dringen die Formen der feiner ausgebildeten hellenischen Kunst mehr und mehr in die Bauweise Kleinasiens ein und lösen die ursprüngliche Besonderheit des nationalen Styles um so leichter auf, als derselbe, wie wir gesehen, aus eigener schöpferischer Kraft ohnehin nicht zur consequenten Ausprägung eines in und für das Steinmaterial erdachten baulichen Organismus gelangt zu sein scheint.

Bedeutung dieser Denkmäler.

Als wichtige Momente für die baugeschichtliche Würdigung haben wir indess an den Bauten Kleinasiens alle jene Einzelformen hervorzuheben, welche, in Verbindung mit manchen Details babylonisch-assyrischer und persischer Kunst, eine Gleichartigkeit, wenn auch nicht des baukünstlerischen Genius überhaupt, so doch des Formgefühls bei all diesen westasiatischen Völkergruppen bekunden. Wir werden später in der griechisch-ionischen Bauweise die reife Frucht kennen lernen, in welcher das verwandte Streben seinen edelsten, höchsten, geläutertsten Ausdruck gewann.

SECHSTES KAPITEL.

Indische Baukunst.

I. Land und Volk.

Natur des Landes.

Ein tiefgeheimnissvolles, durch Wundersagen genährtes Interesse richtete schon seit den Zeiten Alexanders die Sehnsucht der westlichen Völker nach dem fernen indischen Osten hin. Die moderne Wissenschaft hat dieses Interesse nicht mindern können, denn was sie erforscht und ergründet hat, weicht an überwältigendem Zauber in keiner Weise den Dichtungen jener Mährchen. Wir finden dort ein Land, das die üppigste Natur mit ihren verschwenderischen Gaben überschüttet. Von den beiden heiligen Riesenströmen Brahmaputra und Indus begrenzt, zu welchen als dritter, mittlerer der Ganges tritt, dacht sich das Land terrassenartig vom höchsten Gebirgsstock der Erde, dem Himalaya, bis zu den flachen Stromufern und Meeresküsten ab. Auf diesem Terrain finden sich die Klimate aller Zonen, von der heissesten der Tropen bis zur Region ewigen Schnees und Eises, neben einander; vornehmlich in der Halbinsel des Dekan sind sie dicht zusammengedrängt. Wirkt hier die Natur schon durch den unvermittelt raschen Wechsel ihrer Erscheinungen übermächtig auf den Geist des Menschen ein, so scheint sie mit der überschwänglichen Fülle ihrer Pflanzen- und Thierwelt ihn vollends umstricken zu wollen. Die Producte der verschiedensten Zonen begegnen sich auf demselben Boden des fruchtbarsten Stromlandes, welches, unterstützt von der brütenden Hitze der tropischen Sonne, ihnen eine so erstaunliche Ueppigkeit des Wachsthums und der Verbreitung verleiht, dass von allen Culturpflanzen zweimalige Jahresernten erzielt werden. Belebt ist diese Welt von einer Unzahl Gethiers, in welchem gleichfalls die Natur ihre Richtung auf das Gewaltige kundgegeben hat, indem sie den Elephanten und das Rhinoceros, die Riesen ihrer Gattung, schuf und in den Schaaren kleinerer Geschöpfe den Mangel der Grösse durch die Massenhaftigkeit ersetzte. Kein Wunder, dass der Mensch, in diese überströmend reiche Umgebung versetzt, dem Eindrucke derselben sich nicht zu entziehen vermochte; dass er, in einem Reiche des jähesten Wechsels, der schärfsten Gegensätze, der üppigsten Triebkraft lebend, auch seinerseits einen Hang nach dem Wundersamen, Uebermässigen erhielt, der die Thätigkeit der Phantasie vorzugsweise beförderte und dieselbe wie in einem wogenden Chaos unbestimmt schwankender Formen auf und nieder trieb.

Dies ist der vorwaltende Grundzug im Charakter des indischen Volkes, der demselben unter den Völkern des Alterthums eine ganz besondere Stellung anweist. Wir finden die Inder schon früh einer speculativen Richtung des Denkens, einem Grübeln über die Geheimnisse des Daseins und der Schöpfung hingegeben, das in der ältesten Religionsform des Brahmaismus seinen Ausdruck gefunden hat. Während das Leben dadurch ein überwiegend theokratisches Gepräge erhielt und durch die Satzungen der Priester eine Kasten-Eintheilung begründet wurde, welche als drückende Fessel jede freiere Entfaltung des Volksgeistes hemmte, konnte der Sinn für ein geschichtliches Dasein sich nicht regen. Trotz einer hochalterthümlichen Cultur, trotz frühzeitiger Ausbildung und ausgedehnten Gebrauches der Buchstabenschrift kam dies merkwürdige Volk weder zu eigentlich historischen Aufzeichnungen, noch überhaupt in höherem Sinne zu einer Geschichte. Ein traumhaft-phantastisches Sagengewebe umschlingt bis in späte Zeit das Dasein des Volkes, das unter dem Drucke seiner Priester und Despoten willenlos fortvegetirte. Das Volk.

Brahmaismus.

Erst mit dem Auftreten Buddha's wird der indische Volksgeist zu einer höheren Bethätigung seiner Existenz aufgeweckt. Das wüst-phantastische Religionssystem des Brahmaismus wird gestürzt, der ganze Götterhimmel der Hindu zerstört, und eine neue Lehre auf der Grundlage einer rein menschlichen Moral aufgebaut. Nach dem Tode des Stifters (um 540 v. Chr.) erfährt zwar der Buddhismus manche Zusätze, Trübungen seiner ursprünglichen Reinheit, Einflüsse der polytheistischen Vorstellungen des Brahmaismus: allein er gewinnt dabei an Ausdehnung, besonders seit der König Asoka (um 250 vor Chr.) Buddha's Lehre annimmt und mit Eifer ihre Verbreitung über die indischen Lande befördert. Aber auch auf die Gestaltung des Brahmaismus übte der neue Glaube entscheidenden Einfluss, indem er ihn zu einer schärferen, klareren Ausprägung seines Systemes zwang. Buddhismus.

Mit dem Zeitpunkte, wo durch den König Asoka der Buddhismus zur Herrschaft kam, beginnt auch, wie es scheint, die monumentale Bauthätigkeit Indiens. Die frühesten auf uns gekommenen Werke wenigstens datiren aus dieser Epoche. Doch lassen sie, im Verein mit den Nachrichten über die anderweitigen baulichen Unternehmungen, welche jener König in's Leben gerufen hat, eine schon entwickelte Technik und eine festbegründete künstlerische Tradition voraussetzen. Auch wird von einem verfallenen Tempel des Indra berichtet, der durch Asoka wieder hergestellt sei.*) Fügen wir dazu die Schilderungen der alten Epen Mahabharata und Ramayana, welche von ausgedehnten Städteanlagen mit prachtvollen Palästen und Tempeln, von einem vollständigen Strassen- und Brückenbau jener älteren Zeit erzählen, so dürfen wir nicht zweifeln, dass in den noch vorhandenen Denkmälern die Fortsetzung und Blüthe einer alterthümlichen Kunstthätigkeit zu erkennen sei, die durch die neue Religionsform nur neue Ziele und eine veränderte Richtung und Gestalt erhalten hat. Beginn des Monumentalbaues.

Während nun die gefeierten Residenzen der Brahmanenfürsten durch die Zerstörungslust der späteren mohamedanischen Eroberer vom Erdboden vertilgt worden sind, hat sich in allen Theilen des ungeheueren indischen Ländergebietes eine grosse Anzahl von Cultbauten erhalten, die unter sich eine grosse Mannichfaltigkeit zeigen. Zum Theil sind sie buddhistischen, zum Theil brahmanischen Ursprungs, jene durch grössere Einfachheit und Strenge, diese durch reiche Phantastik der Decoration kenntlich. Der Buddhismus rief vornehmlich zweierlei Gebäudeanlagen hervor: die Stupa's (nach dem gewöhnlichen Sprachgebrauch: Tope's) als heilige Reliquienbehälter, und die Vihara's, ausgedehnte Bauten für Wohnungen der Priester, neben welchen besondere Verschiedene Arten von Gebäuden.

*) *Lassen*, Indische Alterthumskunde II, 270.

Anlagen als Chaitja's (Tempel) hervortreten. Da es nun religiöse Satzung bei den buddhistischen Mönchen war, sich zu Gebet und frommen Betrachtungen oft in die Einsamkeit zurückzuziehen und in den Höhlen des Gebirges zu wohnen, so begann man bald letztere künstlich zu erweitern und auszubilden. So entstanden die Grottenbauten, welche noch mehr als jene Werke die Bewunderung in Anspruch nehmen. Nicht minder ahmten die Brahmanen den Buddhisten die Anlage grossartiger Tempel und Klöster nach, die ebenfalls entweder als Freibauten, oder als Felsgrotten behandelt wurden, so dass eine Zeit lang beide Religionssecten in Errichtung solcher Denkmale wetteiferten.

Chronologie. Die glänzendste Bethätigung dieses Bautriebes fällt erst in die christliche Zeitrechnung, etwa in die Epoche 500—1000 n. Chr. Späterhin trat eine Entartung zu immer grösserer Phantastik ein, bis die mohamedanische Eroberung das selbständige Culturleben des indischen Volkes vollends zerstörte. Wie lange aber auch die indische Kunst ihr selbständiges Dasein geführt hat, zu einer Entwicklung im höheren Sinne gelangte dasselbe niemals. Mangel an Entwicklung. Derselbe Mangel des historischen Sinnes, der das Volk gleichgültig gegen seine Geschichte machte und bei bereits hochgesteigerter Cultur selbst die Geschichtsschreibung nicht aufkommen liess, tritt auch in den Kunstwerken der Inder hervor. Wohl erkennt der Forscher Unterschiede nach den Epochen, sofern eine reichere, mannichfaltigere Formbehandlung auch hier auf eine schlichtere Bauübung folgt; wohl machen sich Variationen in den einzelnen Theilen des grossen Gebietes, in Süd- und Nord-Indien, in Thibet und Kaschmir, in Ceylon und Java, geltend: wohl sind die Bauten der Buddhisten von denen der Brahmanen, und beide wieder, nach Fergusson's Forschungen, von denen der Jaina's, einer besonderen Secte, zu trennen: allein in all diesen Schattirungen ist kein Keim zu einer inneren Entwicklung zu entdecken; es sind und bleiben Strömungen eines mehr von der Phantasie, als vom klaren Verstande geleiteten Gestaltungstriebes.

Wir betrachten nunmehr die indischen Monumente nach ihren verschieden Arten*).

2. Freibauten.

Die ältesten, bis jetzt bekannten Werke indischer Kunst sind in einer Anzahl von Siegessäulen Asoka's. Säulen entdeckt worden, welche König Asoka um 250 v. Chr. als Triumphzeichen des siegreichen Buddhismus errichten liess. Solche Säulen hat man zu Delhi, Allahabad, Bakhra, Mathia, Radhia und Bhitari, sämmtlich in der Nähe des Ganges dicht beisammenliegend, gefunden. Sie sind von gleicher Grösse, etwas über 10 Fuss hoch, an der Basis über 10 Fuss, am Kapitäl über 6 Fuss im Umfange, aus einem röthlichen Sandsteine gefertigt (Fig. 57 a). Bestimmung, Form und Ausschmückung waren bei

Fig. 57. Indische Siegessäule.

Fig. 58. Ornament des Säulenhalses.

allen dieselben. Der Hals, unmittelbar unter dem Kapitäl, zeigt ein Band von Palmetten und Lotosblumen, mit dem Stamme durch eine Perlschnur verknüpft (Fig. 58),

*) Literatur: L. Langlès, Monuments anciens et modernes de l'Hindoustan. 2 Vols. Paris 1821. — A. Cunningham, The Bhilsa Topes, or Buddhist monuments of Central India. London 1854. — J. Fergusson, Handbook of architecture, Vol. I. London 1855, und zahlreiche Abhandlungen in den Schriften der asiatischen gelehrten Gesellschaften.

Formen, die in auffallender Weise an persische und assyrische Vorbilder erinnern. Das Kapitäl besteht aus einem umgekehrten Blattkelch (Fig. 57 *b*), der ebenfalls Verwandtschaft mit gewissen persischen Kapitälformen zu haben scheint. Auf dem Kapitäl erhebt sich eine verzierte Deckplatte, welche das Sinnbild des Buddha, einen liegenden Löwen, trägt. Durch eine auf mehreren dieser Säulen gleichlautende Inschrift ist ihre Errichtung durch Asoka und damit also auch ihre Zeitbestimmung mit Sicherheit erwiesen.

Westliche Einflüsse.

Wir haben also die merkwürdige Thatsache, dass die indische Architektur mit fremden Einflüssen beginnt. Allein man darf darauf nicht zu viel Gewicht legen. So weit bis jetzt die Kunde über die indischen Denkmäler reicht, sind diese westasiatischen Einflüsse als höchst untergeordnete, vorübergehende anzusehen. Weder auf die Art der baulichen Anlage, noch auf die Gestaltung des Details haben fremde Vorbilder eingewirkt; vielmehr wird uns in der Reihenfolge der fernerhin zu betrachtenden indischen Werke ein durchaus eigenthümlich nationales Gepräge auf jedem Schritt entgegen treten; wir werden sehen, dass die Grundgedanken und die Hauptformen der indischen Architektur nichts zu schaffen haben mit vereinzelten entlehnten Motiven der Detailbildung.

Der Stupa (Tope.)

Unter den Cultdenkmalen des Buddhismus gebührt dem Stupa oder Tope als der einfachsten Form die erste Stelle. Seine Entstehung verdankte er dem religiösen Gebrauch der Anhänger Buddha's, die Ueberreste ihres Meisters und seiner Schüler und Nachfolger als geheiligte Reliquien aufzubewahren. Die Reliquien wurden in kostbare Kapseln verschlossen und über denselben ein Gebäude aufgeführt, dessen Grundform die primitive Gestalt eines Grabhügels (Stupa) zeigt. Nach seiner Bestimmung nannte man ein solches Denkmal auch wohl Dagop, d. h. das Körperbergende. Die Stupa's sind in halbkugelförmiger Ausbauchung aus Steinen errichtet und unterscheiden sich oft kaum von der Gestalt eines natürlichen Hügels. Doch erheben sie sich auf terrassenartigem, in späterer Zeit bisweilen hoch emporgeführtem Unterbau, manchmal mit einem Kreise schlanker Säulen umgeben. Stufen führen in der Regel auf die Höhe des Unterbaues, und besondere Portalanlagen sind damit zuweilen verbunden. Die Bekrönung dieses Bauwerkes, dessen Dimensionen manchmal sehr bedeutend sind, bildet ein weites Schirmdach, ein Symbol des Feigenbaumes, unter welchem Buddha seinen Meditationen nachhing. In ähnlicher Weise wurde auch die Gestalt des Stupa selbst symbolisch als Andeutung der „Wasserblase" aufgefasst, unter deren Bilde Buddha die Vergänglichkeit alles Irdischen zu bezeichnen pflegte.

Aelteste Tope's.

Solcher Denkmäler gibt es eine grosse Anzahl in den verschiedenen Theilen Indiens verstreut. König Asoka selbst soll die Reliquien Buddha's in 84,000 Theile getheilt, dieselben an alle Städte seines Reiches gesandt und darüber Stupa's errichtet haben. Wie übertrieben auch diese Angaben sind, jedenfalls lassen sie auf eine schon entwickelte Bauthätigkeit schliessen. Ueberreste solcher Bauten aus Asoka's Zeit will man in der Umgegend von Gajah gefunden haben. Im Uebrigen liegen die noch vorhandenen Tope's in mehreren Gruppen zusammen. Eine Hauptgruppe findet sich in Central-Indien bei der Stadt Bhilsa; es sind an dreissig derartige Bauten hier erhalten, unter denen die beiden Tope's von Sanchi die bemerkenswerthesten scheinen.

Fig. 59. Tope von Sanchi.

Tope von Sanchi.

Der grössere (Fig. 59) hat bei ungefähr 56 Fuss Höhe einen unteren Durchmesser von 120 Fuss und erhebt sich in einfacher Kuppelform mit mehreren Absätzen. In einem Abstande von 10 Fuss wird er von einer steinernen Umzäunung eingeschlossen, in welche vier Portale von über 18 Fuss Höhe führen. Die Einfassung des Portals wird durch kräftige, bildwerkgeschmückte Pfeiler gebildet, auf deren Kapitälen Steinbalken von geschweifter Form ruhen. Zwei dieser Kapitäle sind mit den Gestalten von Elephanten, das dritte ist mit Löwen, das vierte mit menschlichen Figuren plastisch verziert. Reliefs und freie Sculpturen bedecken auch die ganze Fläche der Steinbalken. Hier verbindet sich also mit der einfach ursprünglichen Form des Grabhügels (Tumulus) bereits ein phantastisch bewegter Decorationsstyl, der auf eine fest begründete Tradition zurückweist. Den Zugang zum nördlichen und südlichen Portale bezeichnen schlanke, gegen 33 Fuss hohe Säulen, deren Kapitäle zum Theil jene umgekehrte Kelchform der oben erwähnten ältesten Siegessäulen des Buddhismus zeigen, zum Theil mit der auf Buddha hindeutenden symbolischen Löwengestalt geschmückt sind. Diese Formen scheinen dafür zu sprechen, dass wir hier Werke aus der Zeit des Asoka vor uns haben. Zugleich aber deutet die Behandlung der wichtigsten architektonischen Theile, namentlich der Portale mit ihren geschweiften Architraven, unverkennbar darauf hin, dass der indische Steinbau hier schon in der spielenden Nachbildung von Holzconstructionen sich gefällt.

Tope's zu Amravati und Sarnath.

Ausser den Resten eines grossen, von einer Anzahl kleinerer Hügel umgegebenen Tope's zu Amravati, an der Mündung des Flusses Kistna, wird sodann eine nördlich von Benares und Sarnath gelegene, mit dem Namen Sarnath bezeichnete Gruppe solcher Heiligthümer erwähnt. Das Hauptdenkmal erhebt sich bei einem Durchmesser von 50 bis 60 Fuss thurmartig zu einer Höhe von 110 Fuss. Seine Entstehungszeit scheint um 600 nach Chr. zu fallen. Der untere Theil ist mit acht Nischen und reichen Reliefs geschmückt, deren sorgfältige Ausführung gerühmt wird.

Tope's auf Ceylon.

Eine andere Gruppe von Tope's ist auf Ceylon entdeckt worden, unter denen die bedeutendsten im Gebiete der alten glänzenden Residenz Anurahjapura liegen. Sie sind meist in gewaltiger Ausdehnung aus Ziegeln errichtet und mit marmorartigem Stuck bekleidet. In dem sogenannten Ruanwelli-Dagop hat man den vom König Dushtagamani um 150 v. Chr. erbauten Mahastupa (d. h. grosser Stupa) entdeckt. Ursprünglich 270 Fuss hoch, erhebt er sich noch jetzt in einer Höhe von 140 Fuss auf einer Granitterrasse, die 500 Fuss im Quadrat misst.

Ein andrer Tope, Abayagiri genannt, von einem Könige Walagambahu im J. 85 v. Chr. errichtet, hat bei einem Durchmesser von 360 Fuss eine Höhe von 244 Fuss. Er diente nicht als Reliquienbehälter, sondern wurde als Denkmal eines Sieges errichtet. Dieselbe Bestimmung hatte der Jetawana-Tope, welcher in ähnlichen Dimensionen, aber etwas höher und schlanker, von König Mahasin im J. 275 nach Chr. erbaut wurde. Völlig abweichend von diesen mächtigen Denkmalen sind zwei andere, von denen der eine zu den ältesten bekannten Werken indischer Kunst gehört. Dies ist der um 250 vor Chr., also zu Asoka's Zeit, von dem berühmten Könige Devenampiatissa für eine hochgefeierte Reliquie — die rechte Kinnbacke Buddha's — aufgeführte Thuparamaya-Dagop (Fig. 60). Seine Höhe erreicht gleich dem Durchmesser nur 50—60 Fuss, aber die Platform, auf welcher er steht, wird von drei Kreisen granitner monolither Säulen umgeben, deren ursprüngliche Zahl weit über hundert (die Berichte schwanken zwischen 108 und 184) betragen zu haben scheint. Bei einer Höhe von 20 Fuss zeigen diese Säulen einen unten einfach viereckigen, oben achteckigen schlanken Schaft, welchen ein Kapitäl krönt, das sich von den aus König Asoka's Zeit bekannten Formen wesentlich unterscheidet. Wenn man also in den Siegessäulen jenes Königs einen west-asiatischen Einfluss anerkennen muss, so scheint dagegen dieses gleichzeitige Denkmal eine original-indische Kunstweise zu bezeugen, welche sich selbständig entwickelt haben mag. Die Anlage und Ausführung dieses hochverehrten Heiligthums wurde dann ein halbes Jahrtausend später (221 nach Chr.) in dem Lanka-Ramaya-Dagop wiederholt.

Tope's von Afghanistan.

Endlich hat man an den nordwestlichen Grenzen Indiens bis nach Afghanistan hinein eine ebenfalls zahlreiche Gruppe von Tope's gefunden, welche am Fusse des Hindu-Khu sich in der Richtung der alten Königsstrasse hinziehen, die Indien mit den westlichen Ländern verband. Es sind die Tope's von Manikyala, von Belur, Peschaver, Jelalabad, Kabul und Kohistan. Die meisten derselben haben als Zeugniss einer ziemlich späten Entstehungszeit eine viel schlankere, mehr thurmartig aufstrebende Form und reiche Verzierung der Basis. Die Gruppe von Manikyala enthält als wichtigstes Denkmal einen Tope, der dem grösseren von Sanchi an Ausdehnung ungefähr gleichkommt, an Höhe (70—80 Fuss) ihn dagegen übertrifft. Als derselbe 1830 geöffnet wurde, fand man drei verschiedene Reliquien und dabei Münzen aus der Sassanidenzeit. Von den übrigen Tope's, die man auf mindestens fünfzehn schätzt, wurde noch einer geöffnet, in welchem man römische Münzen aus der Zeit des Marc Aurel und baktrische etwa aus dem ersten christlichen Jahrhundert fand. Zu den ältesten Denkmälern indischer Kunst rechnet man dagegen einen Tope zu Jamalgiri, nördlich von Peschawer. Sein Durchmesser beträgt nur etwa 20 Fuss und seine Oberfläche ist mit 18 Figuren des sitzenden Buddha geschmückt. Die Pilaster zwischen denselben sollen korinthische Kapitäle und die Sculpturen seiner zerstörten Umfassungsmauer griechischen Styl verrathen. Um Jelalabad endlich zählt man 37 Tope's, welche in drei Gruppen bei Darunta, Hidda und Chahar-Bagh angeordnet sind und den

Fig. 60. Tuparamaya-Tope auf Ceylon.

ersten fünf bis sechs Jahrhunderten der christlichen Aera anzugehören scheinen. Thurmartig schlank erheben sie sich in mässigem Durchmesser auf einer kreisrunden Basis, welche ihrerseits auf einer quadratischen Platform ruht. Die Gruppe von Kabul, aus 20 bis 30 Tope's bestehend, bietet wenig Interesse; dagegen hat der Tope zu Sultanpore die beachtenswerthe Thatsache ans Licht gebracht, dass ein ursprünglich kleines Denkmal durch spätere Ummantelung erheblich vergrössert wurde.

Um aber ein vollständigeres Bild von den freien Bauwerken Indiens zu bekommen, haben wir uns zur Betrachtung der grossen Tempelanlagen der Hindu (des Brahmaismus) zu wenden, die durchweg den späteren Gestaltungen dieser Kunst angehören und zumeist in die mittelalterliche Epoche der christlichen Zeitrechnung fallen. Die Europäer haben ihnen den Namen Pagoden gegeben, ein Ausdruck, der, wie es scheint, aus dem indischen Worte Bhaguwati, d. h. „heiliges Haus“, entstanden ist. Der Hindu nennt sie Vimána. Dies sind meistens grosse Gruppen von Gebäuden, die von einem oder auch mehreren Höfen umfasst und durch Ringmauern, die oft mit Thürmen versehen sind, umschlossen werden. Da giebt es in solcher Baugruppe ausser den Haupt- und Nebentempeln noch Kapellen, Säle zur Unterbringung der Pilger (Tschultri's), Säulenhallen, Galerien, Bassins zur Reinigung in mannichfacher Gestalt. Doch ist bei den hervorragendsten Theilen gewöhnlich eine mehr oder minder hohe Kuppel- oder Pyramidenform überwiegend, wie denn auch ganze Reihen jener Tope's nicht zu fehlen pflegen und selbst die Portalbauten des Haupteingangs (Gopura's) sich durch Pagoden.

beträchtliche pyramidale Bekrönung auszeichnen, so dass der Gesammteindruck dieser Pagoden mit ihren verschiedenartigen Gebäuden und der Menge hoch und höher aufsteigender Pyramiden voll verwirrender Mannichfaltigkeit und seltsamer Phantastik ist. Man sieht deutlich, wie bei den früher betrachteten ägyptischen Monumenten, dass

Fig. 61. Pagode von Tiruvalur.

man Wallfahrts-Tempel vor sich hat, die für die Aufnahme zahlreich zuströmender Pilger angeordnet sind (Fig. 61). Eine Umfassungsmauer mit mehreren thurmartig pyramidalen Thoren umschliesst das Ganze; eine zweite Mauer trennt den äusseren

Fig. 62. Saal des Tempels von Chillambrum.

Hof von dem inneren, und aus dem letzteren gelangt man durch Vorhallen zuletzt in die dunkle niedrige Cella des Gottes. Der Umfang des hier dargestellten Tempels von Tiruvalur wird auf 945 Fuss zu 700 Fuss angegeben. Zu den merkwürdigsten Theilen dieser Bauten gehören die ausgedehnten Hallen, welche meistens als Tschultri's bezeichnet werden. Ihre steinernen Decken ruhen auf Reihen granitner Säulen und Pfeiler, denen für das breitere Mittelschiff weit vorspringende Kragsteine und Consolen aufgelegt sind, so dass der freischwebende Theil der Decke auf ein Drittel der Schiffbreite reduzirt wird. In dem beigefügten Beispiel aus der Pagode von Chillambrom (Fig. 62) hat das Mittelschiff eine Weite von 21 Fuss 6 Zoll, während die inneren Seitenschiffe 8, die äusseren 6 Fuss weit sind.

Pagode von Chillambrom und andere.

Die Südspitze des Dekan weist die meisten und wichtigsten dieser Bauten auf. Die eben erwähnte ungeheure Pagode von Chillambrom, die mehrere Tempel von bedeutenden Dimensionen in sich schliesst, ist eine der berühmteren. Vier Hauptthore führen hinein, deren jedes auf einem 30 Fuss hohen Sockel eine mit Bildwerken und Ornamenten überladene Pyramide trägt. Auf einer Treppe, die sich um die einzelnen Absätze herumzieht, gelangt man aus dem Innern auf ihren Gipfel. Von dem Reichthum und der Grossartigkeit der hier verwendeten Mittel gibt es eine annähernde Vorstellung, wenn man die Pracht erwägt, die allein auf die innere Ausschmückung des Einganges verwendet ist. Vier mächtige Pilaster gliedern jede der beiden Wände. Jeder ist aus einem einzigen, 45 Fuss hohen Granitblock gearbeitet und in seiner ganzen Fläche mit Ornamenten überladen. Mit ihm ist eine Säule verbunden, ganz frei aus demselben Block herausgearbeitet. Sie hängt mit der benachbarten Säule durch eine kolossale steinerne Kette von 29 Ringen zusammen, die nebst dem Pfeiler aus einem Granitstück von mindestens 60 Fuss gemeisselt ist. Aehnlich bedeutend ist die Pagode der Insel Ramisseram, deren Eingangsthor eine Pyramide von 100 Fuss Höhe krönt, und deren Haupttempel in so gewaltigen Dimensionen aufgeführt ist, dass über tausend prachtvoll geschmückte Säulen sein Dach tragen. Die Pagode von Madura (Fig. 63) an der Coromandel-Küste erhebt sich in ihrem Hauptbaue sogar über 150 Fuss in zwölf Geschossen. Die Pyramide ist mit zahllosen Bildwerken bedeckt, die im Verein mit all den geschweiften Dächern den Ausdruck von Unruhe und Ueberladung in's Unglaubliche steigern. Noch gewaltiger und prächtiger ist die wohl erst im 10. oder 11. Jahrhundert erbaute grosse Pagode von Tandjore, deren reichgeschmückte Pyramide in 14 Stockwerken die Höhe von 180 bis 200 Fuss erreicht.

Fig. 63. Pagode von Madura.

Neuere Werke.

Bis in wie verhältnissmässig junge Zeit die Anlage solcher Bauten herabreicht, bezeugt die berühmte Pagode von Jaggernaut, die im Jahre 1198 n. Chr. vollendet wurde, in der Anlage eine der grossartigsten und umfangreichsten, in der Ausführung dagegen roher als die vorher genannten Werke. Noch viel jünger ist ein Tschultri (Saal für die Aufnahme der Pilger) zu Madura, welches erst im Jahre 1623 unserer Zeitrechnung begonnen wurde. Dieser riesige Saal wird von 124 in vier Reihen gestellter Pfeiler getragen, deren jeder bis zum Kapitäl aus einem einzigen Granitblock besteht. Die Pfeiler sind auf allen Seiten so vollständig mit Ornamenten der wunderlichsten Art überladen, die Gesimse so vielgliedrig in buntestem Formwechsel zusammengesetzt, die Sockel und Flächen der Pfeiler mit einem solchen Gewirr seltsamen Bildwerks bedeckt, dass das Auge rastlos in dieser gleichsam toll gewordenen Ornamentik umherirrt, kaum vermögend eine Form festzuhalten.

Hindutempel in Orissa.

Etwas abweichend, aber ebenso phantastisch gestalten sich die brahmanischen Tempel der mehr nördlich gelegenen Gebiete von Orissa und Ober-Indien. Der Grundplan ist auf einen thurmartigen Bau (Vimana) beschränkt, welcher die Cella mit dem Bilde des Gottes enthält, und dessen Eingang eine viereckige Halle bildet. In diesen Tempeln drängt sich die Nachahmung von Holzconstructionen wieder augenscheinlich hervor, und die Form des Hauptgebäudes ist so abweichend von denen der übrigen Hindupagoden, dass man sie mit kolossalen aufgerichteten Fässern vergleichen kann, nur dass die Wände in vier convexe Seiten gebrochen sind. Solcher Tempel zählt man zu Bubaneswar noch über hundert, von denen der älteste, die „grosse Pagode", im Jahre 657 nach Chr. erbaut worden ist. Verwandter Art ist die schwarze Pagode zu Kanarne und manches andere noch jetzt erhaltene Denkmal. In Ober-Indien haben die Tempel eine ganz ähnliche Form, nur dass, wie in der Pagode zu Barrolli, deren prachtvolle Ueberreste in einer romantischen Wildniss unfern der Wasserfälle des Chumbul liegen, statt der geschlossenen Vorhalle eine offene auf phantastisch geschmückten Pfeilern angeordnet ist. Man schreibt ihn dem 8. oder 9. Jahrh. unserer Zeitrechnung zu.

Hindutempel in Ober-Indien.

Jainatempel.

Eine besondere Erwähnung verdienen die Bauten der Jaina's. Es ist dies eine Sekte, die sich sowohl von den Buddhisten als von den Brahmanen unterscheidet, obwohl es scheint, als ständen ihre religiösen Anschauungen denen der ersteren nicht sehr fern. Allerdings erkennen sie Buddha nicht an, wohl aber eine Reihe von 24 Heiligen, unter denen Parswanath und Mahavira hervorragen. Da letzterer von ihnen als Lehrer und Freund Buddha's anerkannt wird, so mag ihre Religion im Wesentlichen der buddhistischen verwandt sein. Ihre Denkmäler findet man in den Gebieten von Mysore und Guzerat. Während erstere bis jetzt nicht untersucht worden sind, berichtet Fergusson über mehrere bedeutende Monumente des letzteren Landstriches. Den Tempeln um Junaghur und Ahmedabad, sowie jenem zu Somnath wird ein hohes Alter zugeschrieben. Einer beträchtlich jüngeren Epoche der indischen Kunst gehören dagegen die Tempel des Berges Abu, welcher seine Granitmassen über 5000 Fuss hoch aus der Ebene erhebt. Unter ihnen sind zwei ganz von weissem Marmor erbaut und mit glänzenden Bildwerken geschmückt. Der ältere im J. 1032 durch einen fürstlichen Kaufmann Vimala Sah erbaut, bildet ein Rechteck von 140 zu 90 Fuss, das rings mit Mauern nach aussen abgeschlossen ist, nach innen aber sich gegen einen freien Hof durch Säulenhallen öffnet, hinter welchen 55 Cellen, im Anschluss an die Umfassungsmauern angeordnet sind. In jeder dieser Cellen, welche an buddhistische Klöster erinnern, sieht man das Bild eines mit gekreuzten Beinen sitzenden Heiligen. In der Tiefe des Hofraums erhebt sich, mit reichem Pyramidendache bekrönt, die Cella, zu welcher eine grossartige dreischiffige, auf 48 Pfeilern ruhende, in Kreuzgestalt sich ausbreitende Vorhalle führt. Wo die Kreuzarme derselben zusammentreffen, ist ein etwa 27 Fuss weites Achteck gebildet, welches auf acht Pfeilern eine prachtvolle Kuppelwölbung bedeckt. Um die marmornen Architrave zu unterstützen, steigen von den Kapitälen der Pfeiler diagonale Stützen empor, welche, obwohl ebenfalls in Marmor ausgeführt, durchaus den Charakter von Holzconstructionen tragen (Fig. 64). Diese originelle Aufnahme des Kuppelbaues und seine Verbindung mit einer an buddhistische Klosteranlagen erinnernden Disposition macht die wesentlichste Eigenthümlichkeit der Jaina-Bauten aus*). Andre Ueberreste von Denkmälern finden sich in der Nähe von Chandravati, einige Meilen südlich vom Berge Abu, doch scheinen sie einer jüngeren Epoche anzugehören, wie denn überhaupt erst die Herrschaft Khumbo Rana's von Oudeypore (1418—68 v. Chr.) die glänzendste Entfaltung der Jaina-Architektur hervorrief. Der von ihm erbaute Tempel von Sadree, in einem einsamen Thal am Fusse des Aravalli-Gebirges gelegen, hat eine Ausdehnung von 200 bis 225 Fuss. Im Centrum erhebt sich eine fünffache Cella, zu welcher kreuzarmig von den vier Haupteingängen grossartige Hallen führen, welche

*) Vergl. über diesen ganzen Abschnitt *Fergusson* a. a. O., der mit grosser Vorliebe den phantastischen Schöpfungen indischer Kunst nachgegangen ist und in seinen Untersuchungen derselben ebenso besonnen, wie in seiner Anerkennung ihrer „Schönheiten" überschwänglich erscheint.

auf 420 Säulen ruhen. Diese Hallen erweitern sich wieder in vier kreuzförmigen Gruppen zu je fünf, also im Ganzen zu 20 Kuppeln, die durch Grösse und Höhe unter einander verschieden sind. Die Hauptkuppeln ahmen die wunderliche fassartige Form gewisser Hindubauten nach, während die meisten mit Halbkugeln bedeckt sind. Da endlich die zahlreichen Kapellen, die das Ganze umkränzen, ebenfalls von lauter einzelnen Kuppelchen gekrönt werden, so ist der Anblick dieses wunderlichen Gebäudes einem Walde seltsam riesiger Pilzgewächse gleich. Fergusson, dem wir einen Grundriss und eine Ansicht des Aeussern verdanken, ist von der Schönheit des Ganzen und der Details entzückt.

Fig. 34. Vimala Sah's Tempel auf dem Berge Abu.

Unter den angrenzenden Ländern verdient Pegu, ehemals eine Provinz des Birmanischen Reiches, Erwähnung; denn seine Bauwerke, obwohl allem Anscheine nach aus der Spätzeit indischer Kunstblüthe, deuten auf Einflüsse der buddhistischen Bauweise. Wenn in den Ruinen von Pagan der Spitzbogen nach gothischer Form, verbunden mit gewölbten Gemächern angetroffen wird, wie man berichtet, so darf man darin wahrscheinlich die Einwirkung der muhamedanischen Kunst und damit eine späte Entstehungszeit vermuthen. Die Pagoden des Landes lassen sich auf die buddhistische Dagopform zurückführen, nur dass dieselbe, wie auf Ceylon, zu riesiger Ausdehnung gesteigert ist. Auch tritt an die Stelle der einfachen Kuppelgestalt die complicirtere einer von reich gegliederter Polygonbasis aufsteigenden Pyramide, die in eine hohe eiserne von Gold strahlende Spitze ausläuft. Solcher Art ist die Pagode von Kommodu, Ava gegenüber am Irrawaddi gelegen. Sie hat an der Basis einen Umfang von 944 Fuss und erhebt sich 160 Fuss hoch mit einer 22 Fuss darüber hinauf- Denkmäler von Pegu.

steigenden Spitze. An der Basis wird sie von einem ganzen Walde kurzer Pfeiler, 802 im Ganzen, umgeben, eine Anordnung, welche sichtlich den Säulenkränzen älterer Tope's wie des Thuparamaya und anderer nachgeahmt ist. Weit gewaltiger in den Massen zeigt sich die grosse Shoemadu-Pagode zu Pegu, die über zwei ausgedehnten Terrassen zu 330 Fuss Höhe aufsteigt und an der Basis 395 Fuss Durchmesser hat. Statt der Pfeiler umgeben sie in zwei Reihen über hundert 27 Fuss hohe Zwergpagoden, deren unruhiger Contour an Drechslerarbeit erinnert, wie denn in solchen krausen Spielereien schon ein Uebergang zu chinesischen Formen zu erkennen ist. Ganz ähnliche Anlagen bemerkt man an der berühmten Shoedagong-Pagode zu Rangun. Hunderte von kleineren Gebäuden dieser Art werden in allen Städten und Dörfern des Landes angetroffen. Was sonst in Pegu von Gebäuden vorhanden ist, besteht ausschliesslich aus Holzconstructionen, und selbst die Klöster (Kium's) sind in dieser Weise aufgeführt und mit äusserster Pracht durch Gold- und Farbenglanz ausgezeichnet. In diesen Werken artet aber die Architektur in die völlige Ueberladung und die aberwitzige Formenspielerei der ausschweifendsten chinesischen Bauweise aus, so dass wir uns ihrer weiteren Betrachtung überheben können.

Bauten auf Java.

Eine bedeutende Blüthe buddhistischer Kunst tritt uns sodann auf der Insel Java entgegen. Doch gehören auch ihre Denkmäler der jüngeren Epoche, etwa dem 14. Jahrhundert unserer Zeitrechnung an. So der Haupttempel von Boro-Budor, eines der mächtigsten Denkmäler buddhistischer Baukunst*). Wie auf Ceylon und in Pegu ist es die ins Kolossale übertragene Dagopform, welche den Grundgedanken dieses merkwürdigen Gebäudes ausmacht, nur freilich in völlig origineller, abweichender Umgestaltung. Auf einem Grundplan von 400 Fuss im Quadrat steigt, im Wesentlichen vierseitig, aber mit vielfach einwärts und auswärts springenden Ecken, eine Stufenpyramide in neun Stockwerken auf. Die fünf unteren Stockwerke bilden Terrassen, welche von der Mitte jeder Seite durch Freitreppen erstiegen werden. Diese Terrassen sind mit reliefgeschmückten Balustraden eingefasst, aus welchen 436 mit phantastischen Kuppeln und Spitzen bekrönte Nischen mit sitzenden Buddhagestalten hervorragen. Von den drei oberen Stockwerken ist das erste mit 32, das folgende mit 24, das dritte mit 16 schlanken Kuppeln ausgestattet, welche wieder ähnliche sitzende Buddhabilder enthalten. Den Abschluss endlich macht ein kuppelartiger Dagop, in welchem sich die Reliquienkammer befindet. Wie ein Berg erhebt sich das Ganze, bei einer Höhe von 116 Fuss weit ausgestreckt, völlig überdeckt mit Statuen und Reliefs, so dass vielleicht die Welt kein zweites Bauwerk von so überschwänglich reicher plastischer Ausstattung aufzuweisen hat. Unweit Boro Budor liegen die nicht minder merkwürdigen Tempel von Brambanam, welche dem 10. Jahrhundert und den Jaina's zugeschrieben werden. In der That scheinen sie in der Anlage Verwandtschaft mit den oben betrachteten Monumenten dieser Sekte in Guzerat zu haben. Der Haupttempel besteht aus fünf Cellen, von welchen ähnlich wie beim Tempel zu Sadree vier um einen mittleren kreuzförmig angeordnet sind. Reich mit Bildwerken geschmückt und durch ein Pyramidendach gekrönt, erhält diese mittlere Gruppe noch grössere Bedeutung durch 239 kleinere Tempel, welche in regelmässiger Anlage und in gewissen Zwischenräumen ein grosses Quadrat ausfüllen. In jedem Tempelchen befindet sich eine kleine Cella mit dem Bilde eines sitzenden Heiligen, ähnlich wie es die übrigen Jaina-Tempel zeigten.

Bauten in Kaschmir.

Endlich finden wir noch eine Abzweigung von der indischen Baukunst in dem wegen seiner Schönheit und Fruchtbarkeit gepriesenen Kaschmir**). Mit seiner Religion scheint es auch die Form der Tempel von den Hindu erhalten zu haben; allein es mögen Einflüsse baktrisch-hellenischer Cultur gewesen sein, welche eine Umprägung des Styles zur Folge hatten, wie wir sie sonst nirgends im weiten Gebiete indischer Kunst finden. Eine allerdings corrumpirte Nachahmung griechischer, namentlich dorischer Säulen und Pilaster verbindet sich mit einer Gliederung, Gesimsanlage und endlich mit einer streng durchgebildeten Giebelform an den Portalen wie an den pyrami-

*) Vergl. *Sir Stamford Raffle's* History of Java, und darnach *Fergusson* I. p. 16 ff.
**) Nach einem Berichte von Major *A. Cunningham* bei *Fergusson* I. p. 124 ff.

dalen Dächern, so dass der Eindruck wirklich ein wenngleich barbarisch hellenisirender genannt werden kann. Wunderlich genug mischt sich damit bei der Bekrönung der Oeffnungen ein häufig angebrachter Kleeblattbogen. Als das älteste Denkmal wird der Tempel von **Martund** bezeichnet, der in der Mitte des 5. Jahrhunderts unserer Zeitrechnung begonnen wurde. Unter den übrigen Tempeln wird der von **Payach** und der im 10. Jahrhundert erbaute von **Pandrethan** hervorgehoben.

3. Grottenanlagen.

Entstehung der Grotten.

Neben jenen Tope's und meist mit ihnen verbunden trifft man in Indien zahlreiche ausgedehnte bauliche Anlagen, welche in den Granitkern der Berge hineingearbeitet sind. Auch diese scheinen ihre erste Entstehung dem Buddhismus zu verdanken. Da es bei den frommen buddhistischen Schwärmern nämlich Sitte war, sich oft auf längere Zeit zu religiösen Uebungen und Betrachtungen aus dem Geräusch der Welt zurückzuziehen und die Einsamkeit der Gebirgsklüfte und Höhlen aufzusuchen, so kam man bald darauf, diese Höhlen künstlich weiter auszubilden, grössere Haupträume sammt umgebenden Kapellen und einzelnen Cellen für die frommen Büsser auszutiefen und einen Complex mannichfacher Räume daraus zu gestalten. Diese klosterähnlichen Anlagen, die sogenannten **Vihâra's**, haben zum Mittelpunkt in der Regel eine grössere tempelartige Halle, welche das Bild Buddha's enthält.

Vihâra-Grotten.

Die ältesten scheinen die Felshöhlen bei **Gajah** zu sein, welche, wie die Inschriften bezeugen, von König Dasaratha, dem zweiten Nachfolger Asoka's, den buddhistischen Priestern zur Wohnung hergerichtet worden sind. Andere Anlage, und zwar die eines einfacheren Heiligthumes, zeigen die **Chaitja-Grotten**, welche lediglich als Tempel dienten.

Chaitja-Grotten.

Bald als der Brahmaismus seine Reaction gegen die neue Lehre begann, ahmte er dieselbe auch in der Anlage der Grotten nach und machte auch hierin die überschwängliche Phantastik seiner Sinnesweise geltend. So findet man eine Zeit lang Grotten buddhistischer und brahmanischer Art neben einander, bis zuletzt, seit dem Unterliegen oder der Verdrängung des Buddhismus, seine Grotten von den Brahmanen in Besitz genommen und mannichfach umgestaltet werden.

Buddhistische Grotten.

Die einfachere und ursprünglichere Anlage finden wir bei den **buddhistischen Grotten**. Die Grundform des Heiligthums stellt in der Regel einen länglichen, rechtwinkligen Raum dar, der durch zwei Reihen schlicht gebildeter Pfeiler in drei Schiffe getheilt wird. Das mittlere von diesen ist breiter und läuft nach dem einen Ende in eine Halbkreisnische aus, um welche die Seitenschiffe als Umgang sich fortsetzen. Letztere haben die gewöhnliche flache Felsdecke, auch sind die Pfeiler unter einander durch ein Gebälk verbunden, aber das Mittelschiff ist nach Art eines Tonnengewölbes überhöht, welches bisweilen sich der Form des Spitzbogens und des Hufeisenbogens nähern soll. Dem entsprechend ist die Halbkreisnische mit einer halben Kuppel bedeckt, unter welcher die kolossale Gestalt des Buddha sitzt. Sie thront in der Nische eines cylinderförmigen Körpers, des **Dagop**, auf welchem sich eine in Form einer riesigen Zwiebel zusammengedrückte Kugel erhebt. In dieser wunderlichen Form will man die „Wasserblase" symbolisch angedeutet finden, welche den Buddhisten als Sinnbild der Vergänglichkeit des menschlichen Lebens geläufig war.

Grotten zu Ellora, Karli u. a.

Solche buddhistische Tempel finden sich unter den Grotten von **Ellora**, wo namentlich der nach dem Wiswakarma benannte hierher gehört (Fig. 65). Sodann sind die Tempel der Insel **Salsette** und die Grotten von **Karli** zu nennen. Eins der ältesten und bedeutendsten Werke, etwa um 150 v. Chr. entstanden, ist die Chaitja-Grotte von Karli (Fig. 66 u. 67). Sie wird durch zwei Reihen von je 16 Säulen in drei Schiffe getheilt, die sich halbkreisförmig schliessen, indem sieben achteckige Pfeiler den Umgang um den in der Nische aufgestellten Dagop bilden. Die Kapitäle der Säulen haben die an den ältesten Denkmälern vorkommende Gestalt einer umgekehrten Glocke. Eine hufeisenförmig gewölbte Decke mit hölzernem Rippenwerk überspannt das Mittelschiff; am Fusspunkte der Wölbung treten über den Kapitälen Elephantenfiguren in kräftigem

Relief heraus. Erleuchtet wird der 26 Fuss lange und 45½ Fuss breite Raum durch eine halbkreisförmige Lichtöffnung, welche über dem Eingange an der dem Dagop

Fig. 56. Grotte des Wiswakarma zu Ellora.

gegenüberliegenden Schmalseite sich befindet. Bei Bang in Central-Indien hat man ebenfalls vier buddhistische Tempel entdeckt; überhaupt bestehen an den meisten

Orten buddhistische Heiligthümer neben den brahmanischen; ja in einem Tempel zu Ellora finden sich Bildwerke beider Religionen vereint. Alles dies deutet demnach

Fig. 66. Grotte zu Karli (Durchschnitt.)

Fig. 67. Grotte zu Karli (Grundriss).

auf eine Zeit hin, wo jene beiden Formen des indischen Cultus friedlich neben einander bestanden, wie sie selbst von Alexander dem Grossen noch gefunden wurden.

Durch mannichfaltigere, complicirtere Gestalt, besonders aber durch reichere plastische Ausstattung unterscheiden sich die **brahmanischen Grotten** von den buddhistischen. Man erkennt an ihnen leicht das Bestreben, jene einfacheren, zum Theil älteren Werke an Opulenz und Pracht zu überbieten. Brahmanische Grotten.

Die meisten und bedeutendsten Grottentempel finden sich in den nördlichen Felsenkämmen des Ghat-Gebirges, das die Halbinsel Dekan begrenzt, sowie auf den Inseln **Elephanta** und **Salsette**, grösstentheils nicht weit von Bombay entfernt. Unter ihnen stehen an Umfang und Ausbildung die Werke, welche nach dem benachbarten Dorfe **Ellora** den Namen führen, obenan. Dort bildet der Rücken des Granitgebirges einen Halbkreis von bedeutender Ausdehnung. Diese ungeheueren Felsmassen, die den Umfang einer ganzen Stadt einnehmen, sind durchweg ausgehöhlt, so dass sie, manchmal in mehreren Stockwerken über einander, eine Reihe von Tempeln bilden. Oft ist die obere Felsmasse ganz fortgearbeitet, so dass der aus den Bergen herausgehauene Tempel als frei liegendes Bauwerk zu Tage tritt, während er zugleich durch seine mit reichem Schmucke bedeckte Eingangshalle nach aussen sich öffnet. Zur Stütze dieser gewaltigen Grotten, die überwiegend flache Decken haben, hat man Reihen von Pfeilern oder Säulen stehen lassen, die in mannichfaltiger Weise gegliedert und mit phantastischen Ornamenten bedeckt sind. Von den einzelnen selbständigen Tempeln sind ferner nach dem frei herausgearbeiteten Haupttempel steinerne Brücken herübergeschlagen; zahllose Treppen und Kanäle, die in den Felsen gehauen sind, vermitteln die Verbindung dieser Vorhöfe, Corridore, Galerien, Haupt- und Nebentempel, Pilgersäle und Wasserbassins, so dass das Ganze wie ein versteinertes Räthsel Auge und Geist in Verwirrung setzt. Grotten von Ellora.

Kailasa zu Ellora.

Von den Wunderwerken zu Ellora trägt das grösste, um 1000 n. Chr. entstandene den Namen Kailasa, Sitz der Seligen. (Fig. 68 u. 69). Durch einen breiten, mit Bildwerken gezierten Eingang, zu dessen Seiten zwei in den Felsen gehauene Treppen nach dem oberen Stockwerke führen, gelangt man in einen ganz aus dem Berge herausgearbeiteten freien Raum, der rings von hohen, mit Galerien und Kapellen durchbrochenen Felswänden eingeschlossen wird. Im Innern dieses Tempelhofes, der die mächtige Ausdehnung von 150 Fuss Breite bei 250 Fuss Tiefe hat, begegnet der Blick zu beiden Seiten zwei riesigen, aus dem Felsen gemeisselten Elephanten, in deren Nähe je eine hohe, wunderlich geformte Säule steht, die einen sarkophagähnlichen Steinblock trägt. Die Mitte aber nimmt eine quadratische Vorhalle ein, durch deren unteres Geschoss der Weg zum Haupttempel führt, während das obere das Bild des Ochsen Nandi, des Last-

Fig. 69. Kailasa zu Ellora.

thieres Siva's, umschliesst. Schwebende Steinbrücken verbinden dies obere Geschoss mit der Eingangshalle und dem Tempel. Dieser stellt sich als gewaltiger Felskoloss von etwa 90 Fuss Höhe dar, den man derartig ausgehöhlt hat, dass er, ausser einem Hauptraume von 103 Fuss Länge und 56 Fuss Breite, noch sieben symmetrisch ihn umgebende Nebenkapellen hat. Auch von diesen sind wieder zum Theil schwebende Brükken zu den benachbarten Grotten hinübergeschlagen, welche die das ganze seltsame Bausystem einschliessenden Felswände durchbrechen. Der Tempel selbst wird durch 16 in vier Reihen stehen gebliebene Steinpfeiler von nur 17 Fuss Höhe, die mit eben so vielen aus den Wänden hervortretenden Pilastern durch ein Steingebälk verbunden werden, in fünf Schiffe eingetheilt, von denen das mittlere die übrigen an Breite übertrifft und auf einen besonderen engen Raum hinführt. Dieser wird von zwei riesigen Figuren am engen Eingange bewacht und umschliesst gleichsam als Sanctuarium das kolossale aus dem Felsen gearbeitete Bild des Gottes.

Ausführung.

Fasst man diese imposante Architekturgruppe in's Auge und erwägt, dass das Ganze durch Menschenhände aus dem Felsen, und zwar aus dem härtesten Granitgestein, herausgemeisselt worden ist, so muss die Ungeheuerlichkeit der Arbeit wohl in Staunen setzen. Nun bedenke man aber, dass diese Gebirgsmassen nicht etwa roh aus dem Naturgestein herausgehauen, sondern in allen Theilen, man mag die umgebenden Felswände mit ihren vortretenden Pfeilerarkaden, oder die Aussenflächen der Eingangsgrotte des Haupttempels und der Nebenanlagen, oder das Innere sämmtlicher Räume betrachten, mit Bildwerken, Reliefs, unzähligen Thier- und Menschenfiguren, wunderlichen Schnörkeln aller Art überdeckt sind; dass die meisterhafte Feinheit und Sorgfalt dieser bis in's Kleinste ausgearbeiteten Details in einem seltsamen Contraste zu der Massenhaftigkeit der ganzen Anlage steht. Da sind hundertfach wiederholte Götzenbilder oder Reihen von Löwen und Elephanten, die als Sockel die Kapellen umgehen; phantastische, kolossale Menschengestalten, die karyatidenartig die überragenden Gesimse tragen; mythologische Darstellungen aller Art, Schilderungen von Schlachten und Siegen, und zwischen all dem bunten Gewirr zahlreiche Inschriften. Da fühlt man sich denn auf's Lebhafteste an die Eigenthümlichkeiten der indischen Natur erinnert, die ebenso auf einer massenhaft imponirenden Grundlage die verwirrend-üppige Vielheit einer reich gegliederten Pflanzen- und Thierwelt ausgebreitet hat.

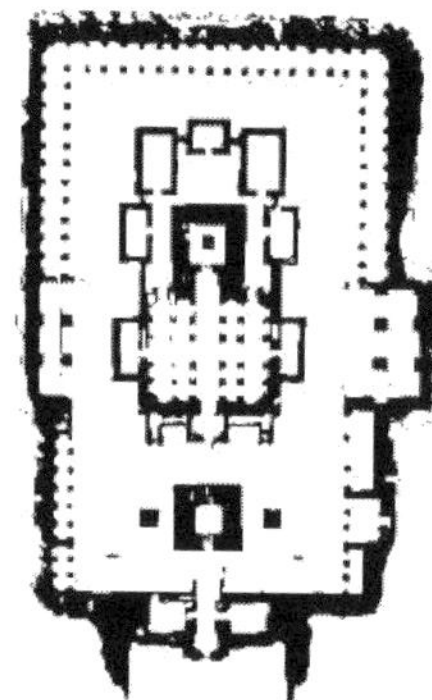

Fig. 69. Kailasa zu Ellora (Grundriss)

Grotten im südlichen Indien.

Die Aufzählung aller einzelnen Monumente würde hier zu weit führen. Es muss indess bemerkt werden, dass Werke verwandter Art sich, wenngleich mit mancherlei Verschiedenheit des Planes und der Ausführung, auch über andere Theile Indiens erstrecken. Im südlichen Dekan, unfern von Madras, sind in den Küstengebirgen Grottentempel von kaum minder bedeutendem Umfange als die von Ellora. Man nennt sie Mahamalaipur, d. h. die Stadt des grossen Berges. Sie standen mit sieben frei gemauerten Pyramiden in Verbindung, die dem Orte den Namen der „sieben Pagoden" verschafft haben. Sodann finden sich in Central-Indien Grotten von bedeutendem Umfange bei Dhumnar, die reich mit Sculpturen geschmückt sind

---

Detailformen.

Suchen wir nun unter der Ueberfülle bildlicher Schöpfungen, mit denen die meisten jener Grotten ausgestattet sind, nach Formen, die in architektonischer Hinsicht charakteristisch genannt werden können, so bieten sich nur die Säulen oder Pfeiler sammt den Pilastern dar. So vielfach dieselben variirt erscheinen, so lassen sie sich doch auf eine Grundform zurückführen. Den unteren Theil bildet ein quadratischer Stamm, meist ohne Vermittlung aus dem Boden aufsteigend, bisweilen durch einige schmale Sockelglieder mit ihm verknüpft (vgl. 70 u. 71). Ueber diesem Untersatze, der mehr hoch als breit ist, folgt ein zweites Hauptglied, das als runder Schaft mit bedeutender Verjüngung, nach unten meistens ausgebaucht, aufsteigt. Auch dieses wird durch einige bisweilen sehr phantastische Gliederungen mit dem Untersatze verbunden. Oben dagegen wird der runde Schaft durch mehrere schmale Bänder, die man den Hals der Säule nennen könnte, zusammengefasst. Sodann kommt das Kapitäl, welches als kräftiger Pfühl weit über den Hals hinausquillt, als habe hier ein weicher, kugelförmiger

Körper durch den gewaltigen Druck von oben diese Gestalt angenommen. Gleichsam um das völlige Auseinanderquellen des Pfühls zu verhindern, legt sich um ihn in der Mitte reifenartig ein horizontales Band. Charakteristisch erscheint, dass Schaft und Kapitäl mit Cannelirungen oder vertical aufsteigenden Streifen bedeckt sind. Endlich legt sich auf das Kapitäl ein breit ausladendes Glied von verschiedenartiger Bildung, das als

Fig. 20 und 21. Pfeiler aus den Grotten von Ellora.

Console dem aufruhenden Gebälk zur Stütze dient und manchmal einen deutlichen Anklang an Holzconstruction enthält.

Kritik der Formen. Betrachtet man dieses seltsame architektonische Gebilde, so ergibt sich auch hier das Walten einer Phantastik, die es zu keiner organischen Schöpfung bringen kann. Was die statische Nothwendigkeit forderte, war eine kräftige Stütze für die wuchtende Felsdecke. Die einfachste Form für diese wäre die eines viereckigen Pfeilers gewesen. Allein der Drang nach reicherer Gestaltung begnügte sich damit nicht. Er versuchte eine künstlerische Belebung des Baugliedes, welche bei aller technischen Feinheit der Bearbeitung, die zum Theil bewundernswerth sein soll, doch im ganzen Aufbaue beweist, wie verworren und naturbeherrscht der Schönheitssinn hier ist. Kein Glied gibt sich durch sein Vorwiegen als Hauptglied zu erkennen. Der untere viereckige Theil ist als blosser Sockel zu gross, der runde Schaft als Säulenstamm zu klein, das übermächtige Kapitäl steht zu beiden in üblem Verhältniss. So scheint die lastende Decke und der Felsboden, jene durch das obere, dieser durch das untere Glied derart überzugreifen, dass das Mittelglied, welches beim Freibau in allen Baustylen als das hauptsächlichste sich kundgibt, durch sie zu unbedeutender Kürze zusammenschrumpft, gleichsam als nothwendige Folge dieser Troglodytenbauart. Keine einzige Form spricht angestrafft ein entschiedenes Tragen aus; vielmehr herrscht zwischen der ungemilderten Starrheit des unteren viereckigen Theiles und der schwammigen Weichheit und Unbestimmtheit der oberen Glieder ein unvermittelter Gegensatz. Minder phantastisch freilich sind die Pfeiler der buddhistischen Tempel. Allein wo sie wie an manchen Orten als schlichte achteckige Pfeiler ohne Sockel und Kapitäl aufsteigen, zeigen sie sich jeder künstlerischen Gliederung baar; wo sie dagegen ausgebildetere Form haben, tragen sie denselben Mangel an organischem Aufbau zur Schau, wie ihre brahmanischen Vorbilder, denen gegenüber sie nur etwas einfacher erscheinen.

Grundplan. Um nunmehr auf die Gesammtanlage der Grottentempel einzugehen, so erkennt man bald bei aller Verschiedenheit im Einzelnen gewisse Grundbedingungen, die sich überall wiederholen. Wir haben es zunächst mit einem Innenbau zu thun, der eine Menge von Menschen zu gemeinsamer Gottesverehrung aufzunehmen geeignet ist; sodann tritt die Richtung der ganzen Räumlichkeit nach einem bedeutsamen Centrum hervor, das als Sanctuarium das Bild des Gottes umschliesst; endlich gehört dazu die Verbindung von Nebenbauten mit dem Haupttempel, die als Kapellen, Vorhallen, Wasserbassins auf mancherlei besondere Eigenthümlichkeiten des Cultus hinweisen. Diese Grunderfordernisse werden von den brahmanischen Denkmälern in bunt wechselnder Art erfüllt, und nur der buddhistische Tempel gab ihnen eine consequentere, angemessenere Lösung. Bemerkenswerth erscheint dabei die Aehnlichkeit, welche die meisten dieser Bauten mit der Anlage christlicher Kirchen bieten, ja die Uebereinstimmung der buddhistischen Tempel mit der altchristlichen Basilika. Da, wie kaum bemerkt zu werden braucht, an ein Hinüber- oder Herübertragen nicht zu denken ist, so zeigt sich hier recht augenfällig, wie in beiden Religionen ähnliche Bedürfnisse des Cultus ähnliche Anlage und Raumeintheilung mit sich brachten. Beide forderten einen Wallfahrtstempel; in ihm ein Allerheiligstes, welches das Bild der Gottheit umschloss; ferner geräumige Hallen, welche das zur Verehrung herbeieilende Volk fassten; endlich eine Anordnung derselben, die den Eintretenden nach dem Zielpunkte des Cultus hinleitete.

Phantastik.

So verständig diese Gesammtanlage war, so phantastisch ist die Art, wie sie von den Indern ausgeführt wurde. Schon der seltsame Gedanke, mit dem Tempel sich in den Granitkern der Erde hineinzuwühlen, spricht dafür. Wenn der Mensch mit dem Bauwerke, durch das er sich als frei organisirendes Wesen den Naturgebilden gegenüber stellt, sich in den Bann der Naturzufälligkeit hineinbegibt, so erkennt man daraus deutlich, wie unauflöslich die Fesseln derselben seinen Geist umstricken. Hier musste die Launenhaftigkeit der Bergformation, die unsymmetrische Gestaltung mit all ihren Seltsamkeiten so bedingend eingreifen, dass an eine organische Consequenz der ganzen Anlage nicht zu denken war. Unter diesem Banne nahmen selbst die Glieder, an denen am ersten das statische Gesetz eine organische Bildung hätte hervorrufen müssen, wie wir gesehen haben, eine phantastische Form an. Endlich musste in der Behandlung des Einzelnen jener wilde Taumel durch alle erdenklichen Linien, jenes unzählige Wiederholen gewisser Thiergestalten sich kund geben, welches überall den Blick verwirrt. Der Geist, der den übergewaltigen Naturbedingungen zu entfliehen suchte, fiel immer wieder in ihre Gewalt zurück; der Mensch kam eben, wie Kapp bezeichnend sagt, nicht über die Natur hinaus, die, immer nur sich selbst wiederholend, dem Geiste ein Gleiches anthut und ihn nicht aus seiner Unfreiheit und seinem statarischen Dasein zur Freiheit der die Naturfesseln abschüttelnden Entwicklung losgibt.

Charakteristik der indischen Architektur.

Erwägt man, dass zwischen den jüngsten indischen Bauwerken und den ältesten bekannten Denkmälern ein Zeitraum von beinahe zwei Jahrtausenden liegt, so wird dadurch die Zähigkeit, der Mangel an Entwicklung in der indischen Architektur in's helle Licht gesetzt. In der That ist Maasslosigkeit der Phantasie, grenzenlose Willkür der Formbildung, gänzlicher Mangel an organischer Durchführung der fast immer sich gleich bleibende Charakter jener Kunst. Auf einem solchen Gebiete kann von Entwicklung in höherem Sinne des Wortes nicht die Rede sein. Eben so wenig wie Indien eine Geschichte hat, besitzt es eine historische Entfaltung der Architektur. Es ist bei jenem Volke sowohl in Leben, Sitte und Religion, als auch in der Kunst nur von Zuständen die Rede, die mit geringen Modificationen durch die Jahrtausende sich gleich geblieben sind.

Fremde Einflüsse.

Auch eine Einwirkung anderer Architektursysteme auf das indische haben wir im weiten Bereiche der Denkmäler nicht zu entdecken vermocht. Wohl werden einzelne geringfügigere Einflüsse der Art eben so gut stattgefunden haben, wie noch heute von Seiten der modern-europäischen Architektur auf die indische bemerkt wird. So mögen in den westlichen Indusländern vereinzelte westasiatische, so mögen später gewisse mohamedanische Motive von den Prachtbauten der Eroberer sich eingeschlichen haben: ohne Zweifel aber verschwanden sie in dem Chaos der indischen Ornamentik wie ein

Tropfen im Meer, ohne jemals einen formenbestimmenden Einfluss erlangt zu haben.

Resultat. Hiermit wäre das Bild der Indischen Architektur in seinen wesentlichen Zügen vollendet. Wir fanden ungeheuere Kräfte in Bewegung gesetzt, massenhafte Unternehmungen gefördert. Aber die Schönheit war jenem Streben verschlossen; Harmonie und Klarheit blieben fern, wo eine maasslose Phantasie alle Formen ins Ungeheuerliche verschwimmen liess.

ZWEITES BUCH.

Die klassische Baukunst.

ERSTES KAPITEL.

Die griechische Baukunst.

1. Land und Volk. Anfänge.

Einseitigkeit der bisherigen Richtungen.

Bisher verweilte unsere Betrachtung bei Völkern, denen es bestimmt war, in beschränkter Weise eine gewisse Richtung des Kunstlebens auszuprägen. Es lag diese Einseitigkeit, wie wir gesehen, im Wesen jener Völker, wie in der geographischen Physiognomie ihrer Länder vorgezeichnet. Keines von ihnen vermochte sich zu einer weltumfassenden Bedeutung zu erheben, keines zu durchgreifend entscheidender Einwirkung auf andere Nationen zu gelangen. Die Aegypter in den schmalbegrenzten Uferstrichen des Nil, die Babylonier im Mittelstromlande des Euphrat und Tigris, die Perser in ihren engumschlossenen Gebirgsthälern, die Inder in den abgelegenen Gebieten ihrer heiligen Ströme: sie Alle ohne Ausnahme gruppiren sich mit ihrer ganzen Existenz um das Gebiet eines Flusses, auf welches sie ausschliesslich mit ihrem leiblichen und geistigen Dasein angewiesen sind. Daher in jenen Kunstrichtungen der Mangel individuell hervortretenden Lebens, innerer Entwicklung, daher die Monotonie, die sich mit kaum veränderten Zügen durch die Jahrtausende hinschleppt. Der Bann zwingender Naturgewalten hält den Geist noch gefesselt, und so gross auch die Verschiedenheit der einzelnen Richtungen war, so bieten diese doch nur den Eindruck einer grossartigen Theilung der Arbeit, welche der zusammenfassenden That des griechischen Genius voraufgehen musste. Jene Kunstleistungen sind nur eintönige Melodien, denen erst bei den Griechen die volle Harmonie folgen konnte; sie sind wie mächtige Treppen zu betrachten, welche von verschiedenen Seiten her auf die Höhe führen, die der marmorstrahlende griechische Tempel krönt.

Griechenlands Lage und Natur.

Griechenland dagegen bot in der Lage und Naturbeschaffenheit des Landes einen bemerkenswerthen Gegensatz gegen jene. Hier erdrückte nicht die überschwängliche Triebkraft einer tropischen Vegetation; es waltete nur die segensreiche Milde und Anmuth eines südlichen Klima's. Hier war nicht gewissen übermächtigen Naturbedingungen der Boden für Entfaltung des Culturlebens abzutrotzen; es gab die mässige Beschaffenheit des Landes Anregung zur Thätigkeit, aber auch Aussicht auf erfolgreiches Mühen. Hier krystallisirte nicht das Leben in monotoner Masse um einen festen Mittelpunkt; vielmehr gliederte sich in reichster Mannichfaltigkeit das durch Gebirgszüge und tief einschneidende Buchten vielfach getheilte Land zu mancherlei Einzelgruppen, die für die Entfaltung eines individuell besondern Lebens den geeignetsten Spielraum boten. Hier endlich lockte die hafenreiche Küste und die herrliche Lage inmitten dreier Welttheile zum Handel, zur Meerfahrt, zur Beweglichkeit des Denkens und Trachtens.

Wesen des Volkes.

Auf diesem bevorzugten Boden treffen wir nun ein Volk, das in seinem Wesen die Vorzüge des Landes, gleichsam in höchster Potenz entwickelt, zur edelsten Blüthe entfaltet zeigt. War bei jenen Völkern des früheren Alterthums irgend eine Seite menschlicher Begabung auf Kosten der übrigen ausschliesslich vorwiegend, dort die Phantasie, dort der grübelnde Verstand, dort die praktische Richtung nach aussen: so sind in den Griechen jene Eigenthümlichkeiten aufs Edelste verschmolzen. Da nun keine zum Nachtheil der andern ausgebildet wurde, so erwuchs daraus einestheils ein Sinn für weises Maasshalten, welcher der kolossalen Ungeheuerlichkeit abhold war, anderntheils eine Harmonie der Durchbildung, welche den Menschen nach seiner sinnlichen und geistigen Seite zu einem in sich einigen, geschlossenen Individuum ausprägte.

Freiheitssinn.

Hiermit hing der den Griechen innewohnende mächtige Trieb zur Freiheit zusammen. Selbst ihre alten Alleinherrschaften, die in der Heroenzeit überall bestanden, waren weit entfernt vom Charakter asiatischer Despotie. Wir finden ihre Könige von einem Rathe der Aeltesten, Weisesten umgeben, und schon damals haben die Versammlungen des Volkes einen bestimmenden Einfluss auf die öffentlichen Angelegenheiten. Aus dem Sturze jener Herrschergeschlechter erhob sich sodann der kräftige Baum staatlicher Freiheit, unter dessen schützendem Dache allein jene hohe Culturblüthe sich entfalten konnte, welche die Bewunderung aller Zeiten ist. Welch ein Gegensatz zu jenen despotisch regierten Völkern des Orients! Dort wurden alle Unternehmungen, auch die künstlerischen, von einem unumschränkten Herrscherwillen dictirt, dem die Masse des ausführenden Volkes sclavisch gehorchte. Daher in allen jenen Werken eine eintönige Colossalität, welche den Mangel geistig freien Gepräges durch das Massenhafte vergeblich zu ersetzen sucht. Bei den Griechen aber entsprangen jene herrlichen Kunstwerke dem lebendigen Sinne, dem kräftigen, selbstbestimmenden Geiste des Volkes. Daher jene klar umgrenzte, mit plastischer Bestimmtheit sich von der Naturumgebung ablösende Gestalt der Bauwerke, die wie lebenerfüllte Individuen vor uns stehen.

Sinn für Maass und Harmonie.

Doch die Freiheit allein, dies Grundprincip griechischen Wesens, würde leicht in schrankenlose Willkür entartet sein, wenn nicht der angeborene Sinn für Harmonie, für edles Maass zügelnd dazugetreten wäre. Es lebte in jenem Volke eine geradezu religiöse Scheu vor dem Uebertriebenen, Maasslosen; aus allen ihren Schöpfungen weht uns wohlthuend, beruhigend dieser Hauch entgegen, und in ihren Tragödien ist das Ueberschreiten jenes Grundgesetzes stets der Angelpunkt der tragischen Katastrophe. Desswegen war in ihren Freistaaten, selbst in den am meisten demokratischen, ein starkes aristokratisches Element vorhanden, aber es war die edelste, beste Aristokratie, die jeder gebildete Geist mit Freuden anerkennt, die Aristokratie der Edelsten, Besten.

Griechische Cultur allgemeingültig.

In diesen Eigenschaften allein ist es zu suchen, dass griechische Bildung, griechische Kunst bei aller fest ausgeprägten nationalen Form doch eine Allgemeingültigkeit hat, welche sie zum unerreichten Vorbilde alles Dessen, was naturgemäss, einfach, wahr und schön ist, für alle kommenden Zeiten und Völker gemacht, welche ihr vorzugsweise den Ehrennamen der k l a s s i s c h e n erworben hat. Auch die Inder, Aegypter, Perser hatten ihre Baukunst als eine wesentlich nationale ausgebildet. Aber jene nationalen Charaktere waren zu einseitig beschränkt, als dass sie in ihren Werken maassgebend für andere Völker, für künftige Culturepochen hätten sein können. Erst bei den Griechen war dies eben wegen ihrer harmonischen Anlage, ihrer allseitigen, echt menschlichen Bildung der Fall. Desswegen trägt bei aller Gemeingültigkeit die griechische Architektur doch am meisten das Siegel freier Individualität an der Stirn; desswegen hat sie auch zuerst eine eigentliche innere Geschichte. Zwar erscheint gegen jene nach Jahrtausenden zählenden Culturen der älteren Völker die Zeit des Griechenthums äusserst kurz. Aber sie durchläuft auf engem Raume einen weiten Kreis von Entwicklungsstufen und bezeugt die Wahrheit, dass der Werth des Daseins nicht nach der Länge der Zeitdauer, sondern nach der Tiefe des schöpferisch lebendigen Inhalts gemessen werden muss.

Vorzeit der griech. Kunst.

Wir haben nun, um zur Betrachtung der griechischen Kunst zu gelangen, die Nebel einer Vorzeit zu durchlaufen, deren Denkmäler zu den eigentlich griechischen Schöpfungen sich ungefähr so verhalten, wie jene als Vorstufen bezeichneten asiatischen und ägyptischen Werke. In dem ganzen Länderbereiche, welcher nachmals durch die

hellenische Cultur berührt wurde, auf dem Boden der eigentlichen Hellas, an den Küsten Kleinasiens wie auf den zwischenliegenden Inseln und selbst auf italischem Gebiete, finden wir Denkmäler einer urthümlichen Bauweise, welche auf eine in vorgeschichtlicher Zeit gemeinsame Culturentfaltung in diesen Ländern des Mittelmeeres hindeuten. Diese gewaltigen Werke, deren Compositionsweise und Formgefühl von dem des späteren historischen Hellenenthums so weit abweicht, werden auf das Urvolk der Pelasger zurückgeführt. Man hat unter diesem Namen die Gesammtbezeichnung Pelasger.
für jene Völkerstämme zu verstehen, welche, durch gemeinsame Abstammung verbunden, aus ihren Sitzen im Inneren Asiens hervorgingen und sich in langsamem Zuge über die das Becken des Mittelmeeres umgürtenden Länder ergossen. Noch in den Schilderungen Homerischer Poesie lassen sich die Nachklänge jener alten Culturzustände erkennen, und manche deutliche Spuren darin weisen auf eine Verwandtschaft mit der Kunst Vorderasiens hin. Es ist mit einem Worte die Epoche, in welcher die Vorväter der Hellenen gleich allen übrigen Küstenvölkern des Mittelmeeres durchaus dem Einfluss der altorientalischen Cultur unterworfen sind, die vornehmlich durch die Phönizier ihnen zugetragen wurde.

Ohne der öfter bei Homer erwähnten Grabhügel gefallener Helden ausführlicher Kyklopische Mauern.
zu gedenken, die uns die primitive Form des Tumulus vorführen, sei hier an die Reste uralter Städtemauern erinnert, welche bei den Griechen selbst Verwunderung erregten und wegen ihres fremdartigen Ansehens den Namen kyklopische Mauern (Fig. 72

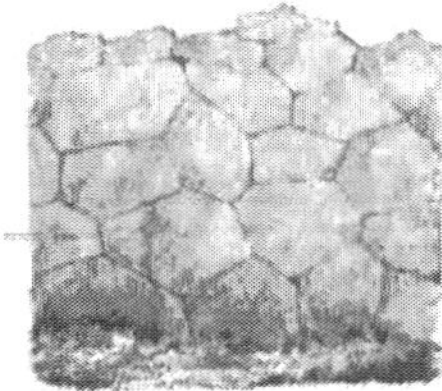

Fig. 72. und 73. Kyklopisches Mauerwerk.

u. 73) erhielten*). Das Wesentliche dieser Reste, deren man zu Argos, Mykenae, Tiryns und in Kleinasien zu Kaldos, Patara, Assos und an anderen Orten antrifft, besteht darin, dass anstatt eines Quaderbaues eine gleichsam primitivere Behandlung des Steines stattfindet. Die grossen Blöcke werden in unregelmässiger Gestalt, wie der Steinbruch sie liefert, scharf ausgearbeitet und so zusammengesetzt, dass die Fugen überall in einander greifen und das Mauerwerk dadurch ohne Anwendung von Mörtel die grösste Festigkeit erlangt. Damit wechseln jedoch mehrfach Mauern, die sich mehr dem eigentlichen Quaderbau anschliessen, obwohl eine regelmässige horizontale Schichtenlage in ihnen noch nicht durchgeführt ist. Ob diese Bauweise jünger als jene, oder ob beide gleich alt sind, lässt sich mit Gewissheit nicht bestimmen. Eigenthümlich sind auch die Thore solcher Mauern behandelt, theils mit senkrecht gestellten Stadtthore.
Pfosten, deren Verbindung durch mehrere über einander vorkragende Steine bewirkt ist, wie zu Phigalia und Amphissa, theils mit schräg zu einander geneigten Seitenpfosten, die durch einen mächtigen Steinbalken oben verbunden werden, wie am Löwenthor zu Mykenae.**) In diesem Falle wird über dem Thürsturz eine durch vorkragende Steinschichten gebildete dreieckige Oeffnung hergestellt zur Entlastung jenes Balkens. Am Thor von Mykenae zeigt diese Oeffnung noch die ausfüllende Steinplatte,

*) *W. Gell*, Probestücke von Städtemauern des alten Griechenlands. München 1831. — *J. Gailhabaud*, Denkmäler der Baukunst. Bd. I. Hamburg 1842.

**) *Abel Blouet*, Expédition scientif. de Morée. Paris 1831—38. Vol. II. pl. 64.

7*

welche mit einem der ältesten Sculpturwerke Europas geschmückt ist. (Fig. 74.) Zwei aufrecht stehende Löwen bewachen eine Säule, welche man wohl, mit Ablehnung aller tiefsinnig symbolischen Erklärungen, als einfache abbreviirte Bezeichnung des zu schützenden Palastes betrachten darf. Die Form ihres Kapitäles kommt einer umgekehrten Basis des attisch-ionischen Styles ziemlich nahe. Es sind die Elemente der Hohlkehle und des Wulstes, die auch in der ältern orientalischen Kunst auftreten und später in Griechenland sich zu schönster rhythmischer Wechselbeziehung entfalten sollten. Der Säulenschaft, der um ein Geringes nach unten verjüngt ist *), ruht auf zwei Plinthen, welche, von zwei neben einander angebrachten Hohlkehlen getragen, zugleich die Vorderfüsse der Löwen aufnehmen. An dem Gebälk über dem Säulen-

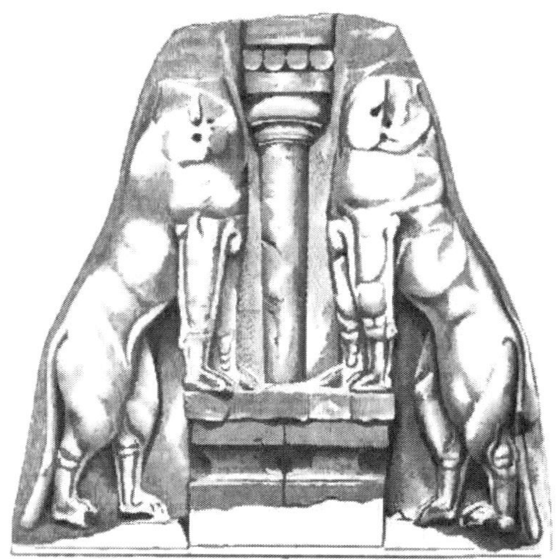

Fig. 74. Relief vom Löwenthor zu Mykenae. (Nach dem Abguss im Berliner Museum.)

kapitäl sieht man die Nachahmung der Kopfenden von runden Querhölzern; darüber dann als Abschluss eine Platte.

Herrscherpaläste.

Als besonders reich ausgestattet erscheinen die **Herrscherpaläste** bei Homer, der sich gern in der Schilderung derselben ergeht. Säulenhallen werden erwähnt, und vorzüglich wird des Metallglanzes gedacht, von welchem die Wände schimmerten. Wie dies gleich manchen anderen Eigenthümlichkeiten durchaus an asiatische Sitte erinnert, so ist es auch der Denkart des nachmaligen Griechenthums fremd, Privatwohnungen kostbar zu schmücken. Es lässt sich daher auch für jene Bauwerke mit Sicherheit eine mehr oder weniger fremdartige Form gleich den kyklopischen Mauern und

*) Gegenüber *Strack's* Versicherung, die Säule sei nicht verjüngt, muss ich nach genauer Besichtigung und Ausmessung des Abgusses im Museum zu Berlin meine Angabe einer Verjüngung doch aufrecht halten.

Thoren annehmen. Für die Anschauung dieser Paläste selbst gewähren uns die Schilderungen Homer's wichtige Anhaltspunkte; denn wenn auch gelegentlich, wie bei der phantastischen Beschreibung vom Palast des Alkinoos, die Vorstellungen in's Märchenhafte hinausschweifen, so liegt doch den Schilderungen der Paläste des Odysseus, des Menelaos, des Nestor und anderer griechischer Helden offenbar die Anschauung der Wirklichkeit zu Grunde. Ein weiter Vorhof „wohlumhegt mit Mauer und Zinnen", und mit „zweigeflügelter Pforte" verschlossen, steht zunächst mit dem Wirthschaftshof in Verbindung. Hier sind in Ställen die Rosse und die Heerden des Schlachtviehes untergebracht, hier findet sich eine Remise für die Wagen. Ein zweites Thor, gegenüber jenem ersten, führt in den inneren Hof zur Männerwohnung. Ein Peristyl von Säulen umgibt diesen Hof, dessen Mitte der Altar des Zeus Herkeios, des Herdbeschützers, einnimmt. Gemächer schliessen sich rings an den Hof, und über einen Flur gelangt man von hier zum grossen Männersaal (dem Megaron), dessen Decke auf Säulen ruht. Von diesem führt eine Treppe zu einem Obergeschoss (dem Hyperoon)); zugleich kommt man auch durch eine Pforte zur Frauenwohnung, welche also den hinteren, inneren Theil des Wohnhauses einnimmt. Ausser einem geräumigen Arbeitssaal und den Wohnräumen für die Frauen umfasst derselbe das eheliche Schlafgemach (den Thalamos), und in einem Obergeschoss ebenfalls eine Reihe von Kammern und Zimmern; hier war es, wohin sich Penelope während der Abwesenheit ihres Gemahls vor dem Andringen der Freier sittig zurückzog. Ueber die Ausstattung dieser gesammten Räumlichkeiten wissen wir nur, dass Homer dabei häufig des Erzes, Goldes und Silbers, des Elektrons und Elfenbeins gedenkt, so dass also, wie gesagt, eine an vorderasiatische Sitten erinnernde Vorliebe für den Schmuck mit Metallen und ähnlichen kostbaren Stoffen geherrscht zu haben scheint.

Solchen stattlichen Königsburgen war die Anlage von **Schatzhäusern** (**Thesauren**) eigen, die zur Aufbewahrung der oft reich aufgehäuften Kostbarkeiten aller Art ursprünglich und zunächst aber wohl als **Grabkammern** dienten. Sie waren gewölbt, oft unterirdisch, doch beruht auch bei ihnen die Wölbung auf dem Gesetze der Ueberkragung. Das noch wohlerhaltene Schatzhaus des **Atreus zu Mykenae** (Fig. 75) gibt eine deutliche Vorstellung davon *). Von einem etwa 48 Fuss im Durchmesser haltenden Kreise steigt eine durch horizontal geschichtete Steinlagen gebildete Wölbung (Tholos) eben so hoch auf, die dadurch hervorgebracht wird, dass jede obere Steinreihe über die untere vorgekragt und sodann an den vorstehenden Ecken abgeschrägt ist. Erzplatten scheinen ehemals das ganze Innere bekleidet zu haben. **) Dies, so wie Spuren von Halbsäulen am Eingange (Fig. 76 u. 77) sammt anderen Verzierungen aus grünem, rothem und weissem Marmor, bekundet denselben Sinn für bunten Farbenschmuck und Metallschimmer, und die Art der Ornamente verräth ein an asiatische Kunst, und zwar an Bronzetechnik erinnerndes Formgefühl. An den Rundbau stösst ein kleineres, beinahe quadratisches, aus dem Felsen gehauenes Gemach. Der Zugang zum Schatzhause wird durch einen unbedeckten Gang von 20 Fuss Breite und über 60 Fuss Länge gebildet, der auf beiden Seiten von Quadermauern ein- Schatzhäuser.

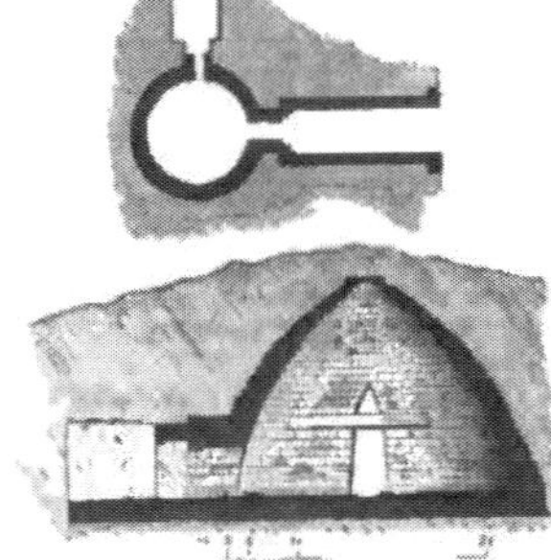

Fig. 75. Schatzhaus des Atreus zu Mykenae.

*) A. Blouet II. pl. 66 ff. vgl. Gailhabaud Denkmäler der Baukunst I.

**) Ein kleineres, in der Nähe gelegenes Rundgemach ähnlicher Art, welches kürzlich aufgedeckt wurde, zeigt noch Reste seiner ehemaligen Erzbekleidung. Vgl. Bötticher's Untersuchungen in Erbkam's Zeitschr. für Bauw. 1862.

geschlossen ist. Er führt zu einem gegenwärtig offenen Eingange (vgl. den Durchschnitt), dessen Oeffnung sich nach oben verengt und durch einen Steinbalken von 26 Fuss Länge geschlossen wird. Dieser erscheint durch eine dreieckige Oeffnung im oberen Mauerwerk, ganz nach Art des Löwenthores und anderer ähnlicher Portale, entlastet. — Noch bedeutender ist das ebenfalls schon von Pausanias gerühmte Schatzhaus des Minyas zu Orchomenos, das in der Höhe des Thürsturzes gegen 65 Fuss Durchmesser hält, „ein Wunderwerk, wie der alte Berichterstatter (Paus. IX, 38, 2) sagt, keinem anderen in Hellas oder sonstwo untergeordnet.“

Fig. 76. Details vom Schatzhause zu Mykenae

Fig. 77. Restaurirte Säule vom Schatzhause zu Mykenae.

Andre derartige Anlagen sieht man noch bei dem Dorfe Bafio in der Gegend des alten Amyklae in Lakonien und auf dem Burghügel von Pharsalos in Thessalien. —

Umwälzung.

Dorer im Peloponnes.

Ionier.

Fragt man, welche geschichtlichen Ereignisse dem Walten jenes noch vom Orient bedingten künstlerischen Triebes ein Ende gemacht und an seine Stelle die klare, edle Weise, die wir als griechische Kunst kennen, gesetzt haben, so ist auf die entscheidende Umwälzung hinzudeuten, welche durch das Eindringen der Dorer aus dem Norden Griechenlands nach dem Peloponnes bewirkt wurde. Dies ist der Beginn der Entwicklung des griechischen Lebens. Indem die Dorer den Stamm der Ionier nach Attika zurückdrängten und ihn zur Colonisation der kleinasiatischen Küste trieben, gestaltete sich eine Basis für das Doppelwesen jener beiden so grundverschiedenen Stämme desselben Volkes, durch das die vollendet harmonische Entfaltung des Griechenthums bedingt war.

Charakter der beiden Stämme.

Die ernsten, würdevollen, kriegerischen Dorer bildeten nicht bloss einen Gegensatz, sondern eine glückliche Ergänzung zu dem weicheren, anmuthigeren, den friedlichen Künsten mehr zugeneigten Charakter der Ionier; jene wurden durch den Einfluss dieser gemildert, diese durch den Wetteifer mit jenen gekräftigt, und gerade diesem einzig in der Geschichte dastehenden Wechselverhältnisse verdanken wir die Wunderblüthe griechischer Cultur. Wie sich hierdurch erst die Eigenthümlichkeiten hellenischer Sitte ausbilden konnten, muss auch die Entfaltung der Architektur unter dem Einfluss derselben günstigen Bedingungen stattgefunden haben.

Erste Bildung griechischer Architektur von 1000–600 v. Chr.

Es lässt sich demnach annehmen, dass die Zeit von der Einwanderung der Dorer (um 1000 v. Chr.) bis zur Epoche der in ihren Grundzügen vollendeten Verfassungen, die durch Solons Gesetzgebung bezeichnet wird, auch den Formen der Architektur im Wesentlichen ihre feste Ausprägung gab. Die Ordnung der staatlichen Verhältnisse musste begründet sein, ehe die Kunst zu vielseitigerer Thätigkeit sich aufschwingen konnte. Gegen Ende dieser Epoche treten uns die beiden Hauptstyle der Architektur, welche den Namen jener beiden Stämme führen, in geschlossener Form entgegen; so lässt nach Pausanias Bericht um 650 v. Chr. der sikyonische Herrscher Myron zu Olympia ein Schatzhaus aufführen, in welchem ein Gemach in dorischem, ein anderes in ionischem Styl erbaut war. Aber beide waren mit Erzplatten bekleidet, so dass noch in der Mitte des 7. Jahrh. v. Chr. diese orientalische Ueberlieferung nicht ganz überwunden war. Es entsteht nun die Frage: auf welchem Wege gelangten die Griechen von dieser ältesten, durch phönizisch-babylonische Einflüsse bedingten Bauweise zu jenem mächtigen Steinbalkenbau über steinernen Säulen, den wir an ihren Tempelbauten in der Folgezeit finden werden.

Zwei Hauptstyle.

Wir müssen vor Allem uns jene Frühzeit des griechischen Lebens als eine Epoche frischer Entwicklung denken. Durch diesen Trieb nach unaufhaltsamem Fortschreiten unterschieden sich die Hellenen von allen Völkern des Orients. Denken wir uns nun dieses hochbegabte Volk, nach der durch die dorische Wanderung herbeigeführten politischen Umgestaltung, offnen Blickes zwischen die hoch alterthümlichen Culturen des Orients und Aegyptens hineingestellt, wie muss nach der Ordnung der staatlichen Verhältnisse das Bedürfniss nach künstlerischer Gestaltung des Lebens seinen Sinn erfüllt haben! Zunächst auf politischem Gebiete welche Regsamkeit, welch weit über die Schranken der engen Heimath hinausschauender Blick! Schon um 888 erhalten die Spartaner durch Lykurg ihre feste Staatsverfassung. In langwierigen blutigen Kämpfen erobern sie Messenien, dessen Unterwerfung 668 vollendet ist. Neben ihnen treten Korinth und Sikyon immer noch bedeutsam hervor, ersteres handelsmächtig, letzteres bis c. 600 unter kunstliebender Tyrannis. Daran schliesst sich Aegina, noch in ungebrochener Kraft durch Handel und Seefahrt blühend. Athen gewinnt erst um 594 durch Solon seine neue Ordnung. Aber während dieser Epoche treibt der kühne Unternehmungsgeist die Griechen weit über die Meere hinaus, nicht wie die Phönizier bloss Faktoreien anzulegen und durch Industrie und Handel die fremden Völker auszubeuten: nein, um überall neue Staaten zu gründen und die hellenische Cultur über den damals bekannten Kreis der Erde auszubreiten. Von den Inseln des ägäischen Meeres beginnend, erstreckt sich diese grossartige Colonisationsthätigkeit nordwärts über die Küsten von Macedonien und Thracien bis zu den Gestaden des unwirthbaren Pontos (des schwarzen Meeres). Ostwärts war bald der Saum der kleinasiatischen Küste mit blühenden griechischen Pflanzstädten bedeckt; westwärts wurde Unteritalien (Grossgriechenland), Sicilien und Korsika hellenisirt, und selbst in Gallien (Massilia, Marseille um 600) und Spanien (Sagunt) schlug griechisches Staatswesen Wurzel.

Politische Entwicklung.

In einer Epoche, wo sich so intensiv die Volkskraft staatenbildend bewährte, konnte bei einem künstlerisch angelegten Volke wie die Griechen auch die Kunst nicht vernachlässigt sein. Aber es wird schwer, sich von den einzelnen Stufen eines fast gänzlich in Nebel gehüllten Entwicklungsganges Rechenschaft abzulegen. Zwischen den gewaltigen Burgbauten der achäischen Vorzeit, die jedenfalls vor das Jahr 1000 hinaufreichen, und den ältesten griechischen Tempeln, die wir schwerlich über das Jahr 600 hinaufdatiren können, liegt eine Lücke, die wir mit Denkmalen nicht auszufüllen vermögen. Wie war der älteste griechische Tempelbau beschaffen? wie entwickelte er sich zu der in den ältesten der erhaltenen Monumente schon fest ausgeprägten Form?

Aeltester Tempelbau.

Die ältesten Stätten der Götterverehrung waren bei den Vorfahren der Griechen wie bei den ihnen stammverwandten Germanen nur heilige Bezirke unter freiem Himmel, geweihte Haine wie jener berühmte Eichenhain des uralten Zeus zu Dodona. Bei Homer sodann werden zwar Tempel erwähnt, aber in so flüchtiger, dürftiger Weise, dass wir keine Vorstellung von der Form derselben erhalten, indess wohl auf grosse Einfachheit schliessen dürfen, da sonst der schilderungsfrohe Mund des ionischen Sängers uns wohl genauere Beschreibungen überliefert hätte. Aber aus manchen Nachrichten des Pausanias, wie aus dem vollständigen Untergang aller frühesten griechischen Tempelbauten dürfen wir mit Bestimmtheit schliessen, dass dieselben au-

Holzbauten.

fänglich Hütten aus Holzstämmen waren, wie ja der älteste Tempel zu Delphi als „Hütte“ aus Lorbeerzweigen (Paus. X. 5, 9) bezeichnet wird. Andere Spuren ältester Holzbauten werden wir im geschichtlichen Ueberblick aufzuzählen haben.

Primitivste Steinbauten.

Von diesem Holzbau mag man jedoch bald, da schon damals Griechenland zumeist holzarm war, zur Steinconstruction übergegangen sein, zuerst freilich noch in sehr primitiv schlichter Weise. Beispiele solcher ältester Steintempel der Griechen scheinen sich auf der Insel Euboea, einer auf dem Berge Ocha bei Karystos, drei auf dem Berge Kliosi bei Styra erhalten zu haben. Es sind einfache, meist länglich rechteckige Gebäude, aus unregelmässigen Steinplatten errichtet, deren Zwischenräume durch kleinere Steine ausgefüllt sind. Auch das Dach wird aus gegen einander gestemmten Steinplatten gebildet, die über der Mitte eine Lichtöffnung lassen, — den ersten Keim der späteren Hypäthral-Anlagen. Die Thür liegt in der Mitte der Langseite, was freilich seltsam erscheint; an dem Gebäude auf dem Berge Ocha sind neben ihr zwei Fenster angebracht.

Aegyptischer Einfluss.

Dass aber die Griechen weder von jenem Holzbau, noch von diesem primitiven Steinbau aus durch unmittelbare Umbildung zu der edlen Form ihrer späteren Tempel gelangt sind, bedarf wohl nicht des Beweises. Ein äusserer Anstoss muss auf jenem Stadium der Entwicklung sie berührt und zu einer neuen schöpferischen Thätigkeit begeistert haben. Dieser Impuls mag wohl von Aegypten gekommen sein. Schon früher war dieses Land den Griechen nicht unbekannt geblieben; mit Psammetich (670), der durch Hülfe griechischer Söldner die Herrschaft erlangte, öffnet sich das Nilthal umfassender als früher den wissbegierigen Hellenen. Sie erblicken die grossartigen Tempel des Landes mit ihren Säulenhallen und dem gewaltigen Steinbalkenbau ihrer Decken, und nun machen sie freie Anwendung von dem dort Erkannten, indem sie den steinernen Säulen- und Deckenbau auf ihre Tempel übertragen und als ihr eigenstes Element das steinerne Giebeldach hinzufügen. Solche Uebertragung dürfen wir uns aber bei einem jugendfrischen, künstlerisch angelegten Volke wie die Hellenen nicht mechanisch und äusserlich denken. Wohl mag die dorische Säule mit ihren an den ältesten Denkmälern Siciliens vorkommenden 16 Kanälen aus ägyptischen Anschauungen entstanden sein; hat man doch sogar achteckige Säulen, ähnlich denen von Beni-Hassan, mehrfach in Griechenland aufgefunden. Wohl deutet auch die an sicilischen Tempeln und auf der Vase des Ergotimos nachgewiesene Form des Hohlkehlengesimses auf Aegypten hin, wie auch die später zu erwähnenden Pyramiden im Peloponnes denselben Einfluss bezeugen*). Wohl mögen wir auch in der gleichzeitigen griechischen Plastik am vierarmigen Apollo zu Lakedämon, an der hundertbrüstigen Artemis der Ephesier, an der pferdeköpfigen Demeter zu Phigalia die unabweislichen Einwirkungen des Orients, speciell Aegyptens zugeben. Wer aber den griechischen Tempel in seiner vollendeten Form betrachtet, der wird bekennen, dass alle jene fremden Impulse die Griechen doch nur dazu geweckt haben, ihr innerstes, eigenstes Wesen in ihren Kunstwerken auszusprechen und zu verklären. Sie wären kindisch gewesen, wenn sie von den fortgeschrittenen Culturvölkern des Orients nicht hätten lernen wollen; aber dass sie alle ihre Lehrmeister nachmals hoch überflügelt haben, und dass die einzelnen orientalischen Formenelemente, die sie in ihr Kunstschaffen aufgenommen, das unsterbliche Verdienst ihrer genialen Schöpferkraft nicht mindern können, das ist jedem Einsichtigen klar.

2. System der griechischen Baukunst.

Der Tempel als Grundform.

So mannichfaltig die Bauwerke der bisher betrachteten Völker waren, und so verschiedenartig in ihrer Mannichfaltigkeit, so einfach und klar bestimmt sind die Schöpfungen der griechischen Architektur. Wir haben hier den Tempel vorzugsweise zu betrachten, da es bei der republikanischen Einfachheit jenes Volkes keine

*) Obwohl diese Pyramiden von *Bursian's* gewichtiger Stimme als jünger bezeichnet werden, sind wenigstens uralte Werke dieser Art durch *Pausanias* bezeugt.

Paläste gab, und die Kunstform der Architektur sich gerade am Tempelbau vornehmlich entwickelt hat *).

Zunächst ist hier in's Auge zu fassen, dass die künstlerische Entfaltung der griechischen Architektur sich im Steinbaue, und zwar vorzüglich im Marmor, vollzogen hat. Zwar bestand seit den frühesten Zeiten bei den Griechen auch ein Holzbau: allein für die ästhetische Betrachtung dürften die früheren Denkmäler, selbst wenn sie sich erhalten hätten, von untergeordnetem Werthe sein, und was die späteren anbetrifft, von denen wir bei den Schriftstellern Manches erfahren, so gehörten diese dem Privatbau an, der durchweg seine Kunstformen von denen des Tempelbaues, jedoch innerhalb der festgesetzten Schranken, entlehnte. Anders verhält es sich mit den in Kleinasien, besonders in Phrygien und Lycien entdeckten Grabdenkmälern, von denen wir oben gesprochen haben. Obwohl aus steinernen Façaden bestehend, die mit einem Giebel und anderen Formen griechischer Kunst ausgestattet sind, schliessen sie sich doch in unverkennbarer Weise einer alten einheimischen Holz-Architektur an und geben besonders mit ihren flachen, ausdruckslosen Profilen den Anschein von Bretterfaçaden.

Steinbau.

Grabdenkmäler in Kleinasien.

Mit Recht hat man das Wesen des griechischen Tempels durch den Begriff des Säulenhauses ausgedrückt. Auf einem mächtigen, aus grossen Steinblöcken fest und sorgfältig gefugten Unterbau (Krepidoma) von drei oder mehreren Stufen wird das Gebäude gleichsam als ein der Gottheit dargebrachtes Weihgeschenk über die umgebende Landschaft erhoben. Der Tempelbezirk, der geweihte Temenos, der den Tempel umschliesst, wird im ganzen Umfange durch eine Mauer, in welche meistens eine bedeutsam angelegte Eingangshalle (Propylaion) führt, abgetrennt. Die Stufen der Tempel-Platform (des Stereobat) sind, wie schon aus ihrer Höhe hervorgeht, nicht als Treppen angelegt; um den Aufgang zu vermitteln, wurden an der vorderen und hinteren Schmalseite in der Mitte kleinere Treppenstufen eingefügt. Auf der glatten Oberfläche des Unterbaues, dem aus sorgfältig gefugten Platten gebildeten Stylobat, erhebt sich der Tempel als Rechteck, dessen längere Seiten ungefähr das Doppelte der schmaleren messen. Die Seite des Einganges ist die östliche, so dass das Bild des Gottes in der Cella, dem Eintretenden zugewandt, nach Osten schaut. Ringsum oder doch wenigstens vorn oder an beiden Schmalseiten bezeichnet die dem Privathause untersagte Säulenreihe die Bedeutung des Tempels. Sie stützt das aus mächtigen Säulenblöcken zusammengesetzte Gebälk und durch dieses das steinerne Giebeldach mit seinen Bildwerken, ebenfalls ein ausschliessliches Vorrecht des Tempelbaues. Die Zwischenräume der Säulen werden durch eherne Gitter abgeschlossen, damit Unbefugten der Zugang gewehrt werde. Die Decke der Säulenhalle wird meistens aus Steinbalken gebildet, welche einerseits auf dem Gebälk der Säulen, andrerseits auf der Cellamauer aufliegen. Die Zwischenfelder (Kalymmatien) werden mit dünnen steinernen Platten ausgefüllt, die man durch viereckige Aushöhlungen (Kassetten) noch mehr erleichtert. Dagegen ist in der Mitte seiner vorderen Giebelseite eine mächtige Flügelthür angebracht. Um diese nicht zu verdecken, musste die Anzahl der an dieser Seite stehenden Säulen eine gerade sein.

Tempelschema.

Die Säulen bestehen aus Basis, Schaft und Kapitäl. Durch die Basis (den Fuss) sind sie mit dem Fussboden verbunden; der Schaft (Stamm) bildet das vorwiegende, die Function des Stützens erfüllende Glied; das Kapitäl bereitet ein sicheres Auflager für das Gebälk. Dieses besteht zunächst aus dem Architrav (Epistylion), mächtigen Steinbalken, die von einer Kapitälmitte zur anderen reichen, die Säulenreihe zu einem Ganzen verknüpfend. Auf dem Epistyl ruht der Fries, dessen Vorderfläche mit Bildwerken in Relief geschmückt wurde und daher bei den Alten Zophoros (Bildträger) hiess. Dieser trägt nach aussen die weit vortretende Platte des Hauptgesimses oder Geison, nach innen die Steinbalken der Hallendecke. Das Gesims, das auf den Lang-

Aufbau des Tempels.

*) Für die Erklärung des Wesens des griechischen Tempelbaues und seiner Formen ist als epochemachendes Hauptwerk *C. Bötticher's* Tektonik der Hellenen (2 Bde nebst Atlas. Potsdam 1843—1852, 2. Aufl. Berl. 1869 ff.) zu nennen. Daneben bietet *G. Semper* in seinem „Stil oder praktische Aesthetik" für die Auffassung nicht bloss der griechischen, sondern der gesammten antiken Architektur eine Fülle geistvoller Fingerzeige und bedeutender Aufschlüsse. Die Details der antiken Architektur findet man in dem reichhaltigen Sammelwerke von *J. M. Mauch*: Neue systematische Darstellung der architektonischen Ordnungen der Griechen, Römer und neueren Baumeister. Potsdam 1845.

seiten die horizontale Dachtraufe bildet, trägt an den Schmalseiten ein anderes Geison von derselben Gestalt, giebelartig aufsteigend und ein dreieckiges Feld (Tympanon) einschliessend, welches durch hineingestellte Bildsäulen bedeutsamen Schmuck erhält. Auf dem Gipfel des Dachgesimses wird eine Steinplatte (Plinthus) angebracht, welche eine Giebelblume (Akroterion) trägt. Aehnliche Plinthen belasten, um dem Schub des Dachgesimses entgegen zu wirken, die unteren Enden desselben und nehmen hier eine halbirte Palmette auf. Anstatt dieser Blumenschemata werden bei manchen Tempeln oft Statuen oder andere, dem Cultzweck entsprechende Symbole (Dreifüsse oder dergl.) aufgestellt. Das Gesims wird durch einen ausgehöhlten Rinnleisten (die Sima) bekrönt, der, über der Dachfläche hervorragend, das Regenwasser sammelt und durch die auf den Ecken und an den Langseiten in gewissen Abständen angebrachten hohlen Thierköpfe hinabschickt. Das Dach mit seiner sanften Steigung bezeichnet durch seine Giebel die Richtung des Gebäudes, die Lage des Einganges und schliesst den aus vielen Gliedern zusammengesetzten Bau zu einem einheitlichen Ganzen ab. Es ist ein Ziegeldach, welches aus abwechselnden Bahnen von flachen Regenziegeln und gewölbten Deckziegeln besteht. Letztere bilden bei ihrer Vereinigung auf dem Gipfel des Daches palmettenartig gestaltete Firstziegel, während ihr unteres Ende hinter der Traufrinne durch Stirnziegel charakterisirt wird. Die Wände der Cella werden aus horizontal gelegten, ohne Mörtel, nur durch sorgfältigste Fugung verbundenen Steinblöcken in der vollen Dicke der Mauer gebildet.

Fig. 78. Stirnziegel vom Tempel der Artemis zu Eleusis.

Technik. Die Technik in Bearbeitung des Steinmaterials ist durchweg von höchster Vollendung. Für die Säulen wurden im Fussbodenrande, flache Vertiefungen ausgehöhlt, und sodann, um die Verletzung der Säulen bei unmittelbarer Berührung mit dem Fussboden zu vermeiden, von dem unteren Säulenstücke so viel fortgenommen, dass nur ein schmaler Schutzsteg (Scamillum) stehen blieb, auf dessen viel kleinerer Fläche demnach die ganze Last ruhte. Eine ähnliche Vorrichtung verhinderte zwischen Epistyl und Kapitäl die Beschädigung des letzteren. Die Säulen bestehen in der Regel aus einzelnen in der Mitte durch Dübel zusammengehaltenen Trommeln, welche sorgfältig auf einander geschliffen wurden. Die Cannelirung der Schäfte wurde nur am untersten und am obersten Stücke vor dem Aufrichten der Säule ausgeführt und an den übrigen Theilen erst nach geschehener Versetzung vollendet. Bei Tempeln mit vollständigem Säulenumgang (d. h. bei peripteralen Anlagen) erhielten die Säulen am oberen Ende eine Neigung nach innen, um dem Schub der Decke und des Daches entgegen zu streben. Diese und andere Feinheiten der technischen Ausführung legen ein Zeugniss von der hohen Vollendung der architektonischen Praxis bei den Griechen ab.

Inneres. Da sich die künstlerische Durchbildung des griechischen Tempels vorzüglich am Aeusseren geltend machte, so war das Innere nur von untergeordneter Bedeutung. Es diente ausschliesslich dem Bilde des Gottes als Behältniss und verlangte daher als Haupterforderniss eine Cella, vor welcher der Pronaos (die Vorhalle) den Zugang vermittelte, während an der Rückseite die entsprechende Säulenstellung das Posticum bildete. Manchmal wurde von der Cella noch ein besonderer Hinterraum (Opisthodomos) geschieden. Bei grösseren Tempeln wurde, um dem Innern mehr Licht zu geben, eine Vorrichtung getroffen, vermöge welcher der mittlere Theil des Daches entfernt und eine Oeffnung (Opaion) gebildet werden konnte. Man nannte diese Gebäude, weil solchergestalt die Cella unter freiem Himmel lag, Hypäthraltempel.

Hypäthral-tempel.

Das Dach ruhte nach innen dann auf zwei Säulenstellungen, welche ihrerseits wieder auf dem Gebälk zweier unterer Säulenreihen standen (Fig. 79). Dadurch wurde ein mittlerer hypäthraler Raum gebildet, auf beiden Seiten unten von schmaleren Gängen, oben von Emporen eingefasst.

Fig. 79. Tempel des Poseidon zu Pästum. Querschnitt.

Bestimmung der Tempel.

Die Verhältnisse dieser Gebäude waren durchweg mässig und selbst die grössten können sich nicht mit der Kolossalität indischer und ägyptischer Tempel vergleichen. Der Grund davon ist in ihrem Zweck gegeben. Denn während die Wallfahrts-Tempel der Inder und Aegypter bestimmt waren, eine grosse Menge zu gottesdienstlicher Feier zu umfassen, war der griechische Tempel ohne solche Bedeutung nur als das Haus des Gottes gedacht. Deshalb entwickelte er nur eine Architektur des Aeusseren, die durch die Säulenhalle und den Bildschmuck des Giebels vertreten war. Deshalb umgab ihn in weitem Kreise fest umgrenzt ein heiliger Tempelbezirk, innerhalb dessen, dem Eingange gegenüber, der Brandopfer-Altar sich erhob. Hier versammelte sich zur Feier der Feste das Volk, dem durch die geöffneten Pforten der Blick in's Heiligthum gewährt wurde. Wer aber in's Innere treten wollte, um dem Gotte ein Weihgeschenk oder ein Opfer darzubringen, musste zum Zeichen der inneren Reinigung sich aus der in der Vorhalle niemals fehlenden Schale mit geweihtem Wasser besprengen. Die Cella selbst umschloss ausser dem kleinen Opferaltar die kostbaren Weihgeschenke und im Hintergrunde auf erhöhtem Throne das heilige Cultbild der Gottheit. Dies die Einrichtung der Cult-Tempel.

Agonal-Tempel.

Ausser ihnen gab es noch eine andere Gattung von Tempeln, die nicht im Sinne jener, sondern nur als Besitzthum der Gottheit heilig waren, bei denen demnach der Brandopferaltar, die Weihwasserschale, das heilige Cultbild des Gottes fehlten. Statt des letzteren enthielten sie gewöhnlich eine kostbare chryselephantine (aus Gold und Elfenbein um einen hölzernen Kern gefertigte) Statue der Gottheit. Ausserdem bewahrten sie Weihgeschenke, die Gelder und Kostbarkeiten des öffentlichen Schatzes und die zu den grossen Festzügen erforderlichen Geräthe. Im Opisthodomos war dann vermuthlich, wie z. B. im Parthenon, das Bureau der Schatzmeister. Diese Art von Tempeln nennt man Fest- oder Agonaltempel.*) In ihrer künstlerischen Form sind sie jedoch durch Nichts von den Culttempeln unterschieden, nur ihre plastische Ausschmückung deutet auf die Verschiedenheit der Bestimmung sinnreich hin.

Scheidung des Architektonischen vom Plastischen.

Was vor Allem die Gesammterscheinung des griechischen Tempels vor allen orientalischen Bauten auszeichnet, ist die Klarheit, mit welcher das architektonische Gerüst in einer Anzahl fein bezeichnender Formen seinen künstlerischen Ausdruck gefunden hat, während die bildnerische Ausstattung, die an den Bauwerken des Orients alle Flä-

*) Die Begründung der Lehre vom Cultus- und Agonaltempel giebt *C. Bötticher* in seiner Tektonik, und neuerdings in einer Reihe von Aufsätzen des Philologus Bd. 17 u. 18. Ohne allen seinen Ausführungen, die für manche Punkte auf blosser Hypothese beruhen, überall beizutreten, halte ich den Grundgedanken doch für richtig.

chen teppichartig überdeckte, für bestimmte Theile aufgespart wird. Diese Scheidung des architektonischen und plastischen Elementes, die in jenen älteren Denkmalen noch ungetrennt in einander flossen, ist eine der wichtigsten Leistungen des griechischen Kunstgeistes. Indem sich die Fülle bildnerischer Gestaltungen am Fries und im Giebelfelde in festen Rahmen fügt, wird der Körper des Bauwerkes von der plastischen Ueberladung befreit und vermag seinen Organismus mit Abweisung symbolisch-phantastischer Formen aus rein architektonischen Motiven zu entwickeln und zu gliedern. Das ist seit der Griechenzeit ein unveräusserliches Grundgesetz der höheren Baukunst.

Grundformen des Tempels.

Jene Grundzüge der Tempelanlage waren unabänderlich feststehend; allein im Einzelnen gestatteten sie doch mancherlei Variationen, die sich zunächst auf die Anordnung der Säulenhallen beziehen. Die einfachsten Formen waren auch die ältesten; für den dorischen wie den ionischen Styl möchte jene Anlage die ursprünglichste sein, welche an den Schmalseiten durch eine vorgestellte Säulenreihe Hallen bekommt, die jedoch an beiden Seiten durch die vortretende Wand geschlossen werden. Da man die Stirnflächen dieser Wände Anten nennt, so heisst ein solcher Grundplan (Fig. 80) ein Tem-

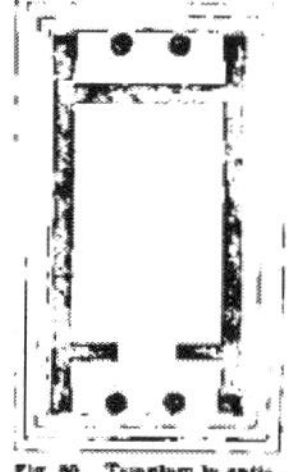
Fig. 80. Templum in antis.

Fig. 81. Amphiprostylos.

pel mit Anten (templum in antis). Treten die Seitenwände zurück, so dass die Säulenreihe die ganze Breite des Baues einnimmt, so erhält man den Prostylos. Wiederholt sich diese Anordnung auch an der Rückseite, so entsteht der Amphiprostylos. (Fig. 81). Bei manchen der grösseren Tempel aber zieht sich um den in einer dieser drei Grundformen gebildeten Bau noch eine Säulenstellung ringsum: sie heissen Peripteral-Tempel. So ist der Parthenon (Fig. 114) ein Amphiprostylos, der Apollotempel zu Bassae (Fig. 125) ein T. in antis, beide mit peripteraler Säulenhalle. Wird die Säulenstellung verdoppelt, wie am Tempel des Olympischen Zeus zu Athen (Fig. 108), so erscheint der Dipteral-Tempel. Seltener vorkommende Spielarten des letzteren sind der Pseudoperipteros (falsche P.), den nicht Säulen, sondern an die Mauer gelehnte Halbsäulen umgeben, wie der Zeustempel zu Agrigent (Fig. 111), und der Pseudodipteros (falsche D.), der die äussere Säulenreihe in ihrem weiten Abstande von der Cella, mit Hinweglassung der inneren, zeigt.

Verschiedene Stylarten.

Die künstlerische Durchführung jenes Grundschemas, die sich vornehmlich am Aeusseren und zwar an den Säulenordnungen und der Behandlung von Gebälk und Giebel kundgiebt, ist in den beiden Stylen, dem dorischen und ionischen, eine wesentlich verschiedene. Die korinthischen Formen und die attisch-ionische Bauweise treten später als eine Ableitung aus jenen hinzu.

Andere Gebäude

Minder bedeutend sind die übrigen öffentlichen Gebäude der Griechen. Bei dem glücklichen Klima bedurfte man zu festlichen wie geschäftlichen Zusammenkünften nur offener Plätze, die durch umgebende Säulenhallen Schatten darboten. Namentlich

Märkte

waren die Märkte (Agora), als Sammelplätze des Volks für öffentliche Verhandlungen von mancherlei Art, mit solchen Säulengängen und vielfachen plastischen Denkmälern geschmückt.*) Aus Vitruv erfahren wir, dass die Griechen ihrer Agora eine viereckige, dem Quadrat sich nähernde Form zu geben liebten. Doch haben sie dabei jedenfalls den örtlichen Bedingungen einen bestimmenden Einfluss zugestanden.

Selbst bei den Theatern überliess man das Meiste der natürlichen Beschaffenheit des Ortes und wählte vorzugsweise einen an eine Anhöhe gelehnten Thalkessel als Zuschauerraum, dem sich die mit geringem Aufwand hergestellte Bühne anschloss. Der Zuschauerraum (das eigentliche Theatron oder Koilon) bildet bei dem griechischen Theatern in der Regel etwas mehr als einen Halbkreis, indem entweder die Schenkel desselben verlängert werden, oder ein hufeisenförmiger Grundplan bewirkt wird (vgl. Fig. 82). Ihn umgibt eine Umfassungsmauer, an welche sich ein breiter unbedeckter, später mit Säulenhallen geschlossener Gang wie ein Gürtel (Diazoma) schliesst. Von hier erstrecken sich in concentrischen Kreisen absteigend die Sitzreihen der Zuschauer, bei grösseren Anlagen durch einen (wie auf unserer Abbildung) oder mehrere Gänge in verschiedene Ränge wie wir sagen würden — getheilt. — In gleichmässigen Zwischenräumen werden die Sitzreihen durch niederführende Treppenstufen unterbrochen. Die unterste Reihe wird durch eine Brüstungsmauer von der etwas tiefer liegenden Orchestra getrennt. Dies war der Raum, in welchem sich um die in der Mitte aufgestellte Thymele, den Altar des Bakchos, der feierliche Reigen des Chores bewegte. Seinen Zugang hatte derselbe durch die offenen Eingänge (Parodoi) von der Rechten und Linken der Bühne. Letztere (die Skene) bestand aus einem rechtwinkligen Gebäude mit zwei vorspringenden Seitenflügeln, vor dessen mit drei Thüren versehener Front die Schauspieler auf dem erhöhten und mit einem Dache versehenen Proskenion (oder Logeion) sich bewegten (Fig. 83). Treppen verbanden das Proskenion mit der niedriger gelegenen Orchestra. Man sieht, wie diese ganze Anlage in einfachster Weise aus der Gestalt des griechischen Dramas hervorgegangen ist. Das Proskenion war durch ein zwischen den vorspringenden Flügeln angeordnetes Dach geschützt, wie sich aus deutlichen Spuren der Theater von Aspendus und Orange und aus Darstellungen auf gemalten Vasen (Sammlung Durand und kais. Sammlung zu Paris) ergeben hat. Auch die Anbringung der Periakten, dreiseitiger Prismen, welche unsere Coulissen vertraten und oben wie unten von Zapfen gehalten, bei Verwandlungen gedreht wurden, zwingt zur Annahme gedeckter Proskenien. Ebenso wird dieselbe bedingt durch die mannichfaltige Maschinerie des antiken Theaters, namentlich die Flugmaschine, welche mehrfach schon bei Aeschylos zur Anwendung kam. Andere Vorrichtungen wie die Exostra und das Ekkyklema dienten dazu, die Hinterwand der Skene zu öffnen und in halbkreisförmiger Vertiefung das Innere des Hauses zu zeigen, namentlich um die Zuschauer zu Zeugen eines drinnen vorgefallenen Mordes zu machen, wie in Sophokles Elektra V. 1466 und der Antigone V. 1294. Im Gegensatz zur Bühne lag jedoch der Zuschauerraum unter freiem Himmel, und nur zeltartig ausgespannte Teppiche schützten, auch dies jedoch erst in späterer Zeit, vor dem Brande der Sonne.**) Griechische Theater sind theilweise erhalten zu Iassos, besonders alterthümlich und von einfacher Anlage, zu Argos, Sparta, Mantinea und Megalopolis, letzteres das grösste in

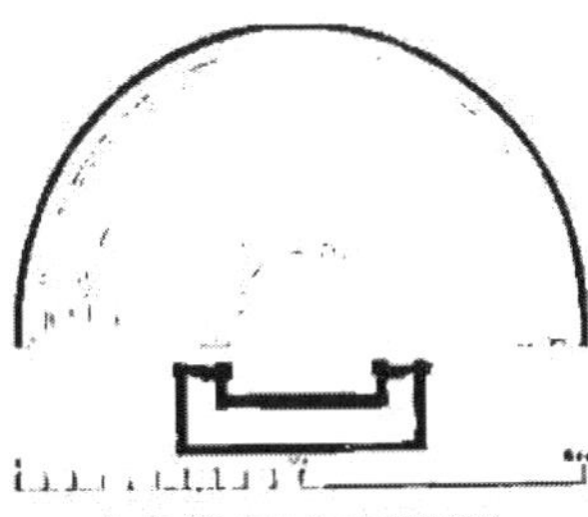
Fig. 82. Theater zu Segesta (Grundriss).

*) E. Curtius, Ueber die Märkte hellenischer Städte. Archäol. Ztg. 1848.

**) H. Strack, Das altgriechische Theatergebäude (Potsdam 1843), gibt eine Zusammenstellung sämmtlicher bekannten antiken Theater nebst einer geistvollen und kunstsinnigen Restauration des griechischen und des römischen Theaters. — Vergl. Fr. Wieseler, Theatergebäude und Denkmäler des Bühnenwesens bei den Griechen und Römern. Fol. Göttingen.

Griechenland, hinreichend für 40,000 Zuschauer, bei 336 Fuss Durchmesser der Orchestra und 650 Fuss der Area des Theatrons; ein besonders durch treffliche Ausstattung hervorragendes zu Epidauros, vom Bildhauer Polyklet erbaut; sodann das berühmte Theater des Dionysos zu Athen, neuerdings durch die glänzende Entdeckung Strack's wieder ans Licht gezogen. Man erkennt darin deutlich die Anordnung der tiefliegenden Orchestra, deren Marmorfliesen noch erhalten sind und die durch eine Umfriedigung marmorner Platten vom Zuschauerraum getrennt ist; namentlich aber 41 wohlerhaltene Marmorsessel der unteren Sitzreihen, welche den Inschriften zufolge als Ehrenplätze den Priestern verschiedener Gottheiten, dem Herold, Feldherrn und einem angesehenen Römer angewiesen waren. Ferner finden sich Theater zu Delos, Sikyon und Melos; in Kleinasien Telmissos, Assos, Aizani, Pessinunt, auf Sicilien zu Syrakus, eins der grössten, von 420 Fuss Durchmesser, und zu Segesta (Fig. 82 u. 83).

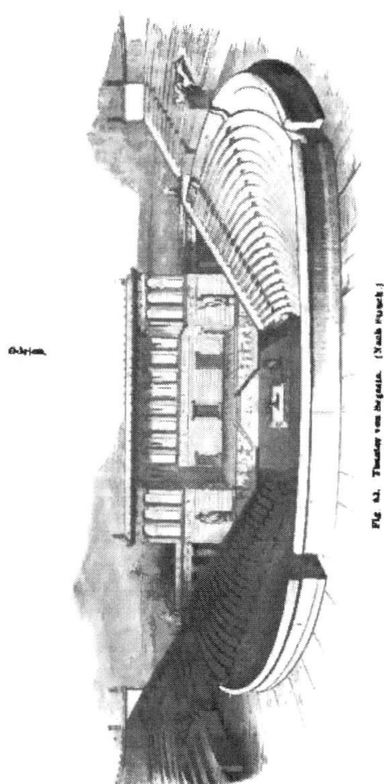

Fig. 82. Theater von Segesta. (Nach [illegible].)

Odeion. In geringerer Ausdehnung dem Theater nachgebildet, meist in der Nähe desselben, befand sich das zu musikalischen und lyrischen Aufführungen, gelegentlich aber auch zu Volksversammlungen und Gerichtssitzungen benutzte Odeion. Solche Odeen finden sich zu Athen, von Perikles unterhalb der Akropolis aufgeführt, zu Aperlae in Kleinasien, zu Akrae und Catania auf Sicilien und zu Pompeji. Auch Herodes Attikus erbaute zu Ehren seiner Gemahlin Regilla ein Odeon zu Athen, ein anderes zu Korinth. Diese Odeen unterschieden sich von den grossen Theatern hauptsächlich dadurch, dass sie vollständig gedeckt waren, wie denn das des Perikles nach dem Vorbilde des Xerxeszeltes ein zeltförmiges Dach hatte. Auch fehlte ihnen die Orchestra mit der Thymele, sowie die Vorkehrungen zu den scenischen Veränderungen, statt deren sie sich mit einer festen, architektonisch gegliederten Bühne (scena stabilis, im Gegensatze zur scena ductilis) begnügten. Im Uebrigen war die Anordnung des Zuhörerraumes mit den aufsteigenden Sitzreihen wie bei den grossen Theatern durchgeführt.

Stadium und Hippodrom. Verwandte Werke waren das für den öffentlichen Wettlauf und andere gymnastische Uebungen bestimmte Stadium; ähnlich, aber in noch längergestreckter Anlage und in umfassenderer Ausdehnung der **Hippodrom**, dem Wettrennen der Rosse dienend. Für das Stadium war eine Länge von 600 griechischen Fussen vorgeschrieben. Man wählte für die Anlage Oertlichkeiten, welche ein langes, schmales, von Hügelreihen umsäumtes Thal darboten, oder schuf künstlich ein solches. An dem einen

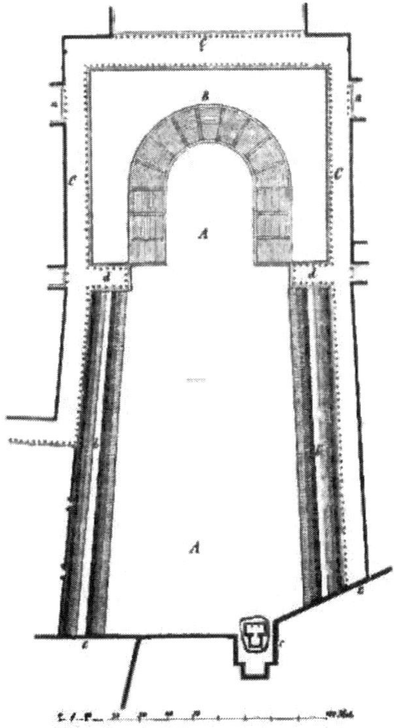

Fig. 54. Stadium von Messene.

Ende wurde dasselbe halbkreisförmig abgeschlossen und rings mit amphitheatralisch aufsteigenden Sitzreihen für die Zuschauer umgeben. Ziemlich umfangreich sind die Ueberreste des Stadiums zu **Messene** (Fig. 54). Die Arena desselben (A) lehnt sich mit ihrem untern Ende an die Stadtmauer c und hat dort ein tempelartiges kleines Gebäude mit einer Vorhalle zwischen Anten im dorischen Style. Der untere sich allmählich etwas verengende Theil ist von Erdwällen umzogen, welche in b durch einen horizontalen Gang getrennt werden. Hinter ihnen auf der Höhe erheben sich dorische Arkaden mit geschlossener Rückseite, welche bei d vortreten und von da ab den oberen im Halbkreis gebildeten Theil etwas verengern. Dieser obere Theil, offenbar für bevorzugte Zuschauer bestimmt, ist von sechzehn steinernen Sitzreihen (B) eingefasst, welche durch Treppenstufen in regelmässiger Vertheilung zugänglich waren. Hier ziehen die Säulengänge C sich im Rechteck herum und schliessen am oberen Ende mit einer dreifachen Säulenstellung, welche einen imposanten Abschluss gab. Bei a treten noch besondere kleinere Säulenstellungen hinzu, welche die Zugänge von aussen vermittelten. Die ganze ausgedehnte Anlage, in dorischem Style durchgeführt, gehört zu den stattlichsten Resten ihrer Art. Ausserdem kennen wir noch Ruinen von Stadien zu Iassos, Aphrodisias, Ephesus und Sikyon; Hippodrome zu Pessinunt, Aizani u. s. w. Vom Stadium zu Athen sind neuerdings beträchtliche Reste, namentlich das Halbrund mit seiner Brustwehr und mehreren Marmorsitzen bis auf das Podium durch den Architekten Ziller aufgedeckt worden.

Choragische Denkmäler.

In einem Bezug zu den öffentlichen Spielen stehen auch die choragischen Denkmäler, kleine oft sehr zierliche Bauwerke, welche errichtet wurden, um den in den musischen Wettkämpfen als Siegespreis davongetragenen Dreifuss wie ein Anathem emporzuhalten. Manchmal war es nur eine Säule, welche den Dreifuss aufnahm; bisweilen führte man aber selbständige kleine Gebäude auf, die einen breiteren Untersatz darboten. In Athen hatte sich von solchen Monumenten eine ganze Strasse gebildet, welche nach ihnen den Namen Tripodenstrasse führte.

Grabmäler.

Die Grabmäler gehören ebenfalls hierher, mögen sie in einfacher Weise als Felskammer mit und ohne Portikus gestaltet sein, oder sich als aufrechte Denkpfeiler (Stelen) mit giebelartigem Abschluss oder einer Akroterienblume bekrönt darstellen*). Besonders die letzteren Denkmale, so klein und unscheinbar sie sind, geben einen lebendigen Beweis von der Feinheit des künstlerischen Gefühles, mit welcher die Griechen bei bescheidenem Maasshalten ihren schlichtesten Denkmälern das Gepräge sinnvoller Schönheit zu verleihen wussten. Auf der vordern Fläche des Denksteins ist bisweilen das Bild des Verstorbenen, auch wohl eine Familienscene, meistens der Abschied des Scheidenden von den Seinigen, im Relief dargestellt.

Wohnhäuser.

Endlich ist des Privatbaues zu gedenken, der, im Gegensatz zu der fast asiatischen Pracht der Herrscherpaläste aus der alten Tyrannenzeit, bei dem republikanischen Geiste der griechischen Staatsverfassung durchaus einfach war, und erst in der späteren Epoche durch eine Rückwirkung orientalischer Sitten mit allem Prunk einer ausgebildeten Kunstweise ausgestattet wurde. Das griechische Wohnhaus — so viel geht aus den Zeugnissen der Alten hervor — hat darin seinen diametralen Unterschied vom modernen (und mittelalterlichen) Wohnhause, dass es nicht wie dieses sich der Strasse zuwendet, sondern im Gegentheil sich von derselben zurückzieht und um einen inneren Hofraum (Aula) sich gruppirt. Wie es schon die homerischen Herrscherpaläste zeigten, so bewahrt auch in der späteren Zeit das Privathaus der Alten jene Eintheilung in einen vorderen Theil, die Männerwohnung (Andronitis), und in einen hinteren Theil, die Frauenwohnung (Gynaikonitis). Beide sind mit einander durch einen Flur (Metaulos oder Mesaulos) verbunden, beide reihen ihre Gemächer um einen offenen Hof mit einem Säulenperistyl, von welchem die Zimmer durch die nur mit Vorhängen verschliessbaren Thüröffnungen ihr Licht empfangen. Auch hier erhebt sich inmitten der ersten Aula unter freiem Himmel der Altar des Zeus Herkeios. Eine Stiege führt nach dem Obergeschoss (dem Hyperoon), wenn ein solches vorhanden, welches für die Sclaven bestimmt war. Dem Haupteingang (Thyroreion) gegenüber, an der entgegengesetzten Seite der Aula, führt der einzige Zugang zur Frauenwohnung, so dass der ganze Verkehr derselben durch die Männerwohnung geht, von dort aus überwacht wird. Wir haben also hier ganz das orientalische Verhältniss, welches noch heute den Harem in die innersten Gemächer des Hauses verlegt. Die Aula der Gynaikonitis ist nur auf drei Seiten mit einem Peristyl umgeben; die Rückseite öffnet

*) O. M. v. Stackelberg, Die Gräber der Griechen in Bildwerken und Vasengemälden. Fol. Berlin 1836.

sich auf einen Vorplatz, der den Zugang zum Arbeitssaal der Hausfrau, zum ehelichen Thalamos und zu den Schlafzimmern der Töchter gewährt. Zu beiden Seiten der Aula dagegen öffnen sich Räume zu hauswirthschaftlichen Zwecken, und wir finden hier die Küche, die Speise- und Vorrathskammern u. dergl., so wie auch die Stiege zum Obergeschoss der Gynaikonitis, das den Sclavinnen angewiesen ist. Die verschiedenen Räume erhalten gleichsam ihre Weihe durch Aufstellung von Altären und anderen Heiligthümern, wie sie der Bedeutung des Ortes entsprechen. Dies im Wesentlichen die Grundform des hellenischen Hauses*).

3. Der dorische Styl.

Die Säule.

Ernst und würdig wie der Charakter des Volksstammes, der ihm seinen Namen gegeben, ist das Wesen des dorischen Styles. Von der obersten Stufe des Unterbaues steigen in dichtgedrängten Reihen, mit einem Abstand (Intercolumnium) von $1^1/_4$ bis $1^1/_2$ unterem Durchmesser, die mächtigen Säulen auf. Keine Basis, welche den selbständigen Charakter jeder einzelnen Säule zu stark betonen würde, bildet einen vermittelnden Uebergang. Unvorbereitet, in voller, ungebrochener Kraft schiessen die Stämme auf; ein aus dünnen Platten dicht gefügter Plinthos (der Stylobat), der die oberste Stufe des Krepidoma bedeckt, dient ihnen als gemeinsamer Fuss. Der Säulen gemeinsame Bestimmung ist, den Architrav (das Epistylion) zu stützen. Wie bewusste Wesen, so kühn und energisch steigen sie auf.

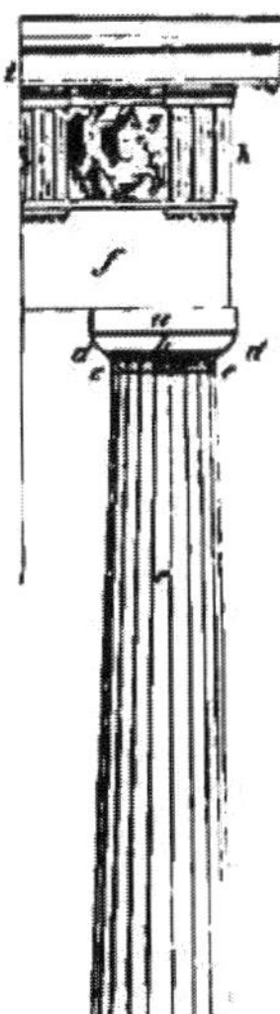
Fig. 85. Aufriss der dorischen Säule sammt Gebälk.

Der Schaft.

Der runde Schaft würde indess leblos erscheinen, wenn nicht die Cannelirungen (Rhabdosis) ihn bedeckten. Dies sind zwanzig flache Kanäle, Vertiefungen, welche, mit den Kanten in einen scharfen Steg an einander stossend, parallel emporsteigen. Nicht allein, dass ihre Schattenwirkung die sonst todte Masse gliedert, so dass sie von Leben durchpulst erscheint: es spricht sich auch in den Canneluren das straffe Zusammenschliessen des Schaftes um seinen Mittelpunkt, die Anspannung der Säulenkraft, die aufsteigende Tendenz des Stammes auf's Entschiedenste aus. So gegliedert steigt der Schaft der Säule scheitrecht empor, verändert bis auf ein Drittel der Höhe seinen Durchmesser nicht, bildet dann aber eine Verjüngung, die sich etwa auf ein Sechstel des unteren Durchmessers beläuft. Da aber der untere Theil des Schaftes von dieser Verjüngung ausgeschlossen ist, so bildet sich eine scheinbare Anschwellung (die Entasis). Die Höhe des ganzen Schaftes beträgt einschliesslich des Kapitäls an Monumenten der besten Zeit etwa $5^1/_2$, an alterthümlichen oder provinziellen Denkmälern oft weniger, ja selbst nur 4 untere Durchmesser.

Der Säulenhals.

Dicht unter dem oberen Ende zieht sich ein feiner Einschnitt (Fig. 85 bei *e*) ringsum, von wo aus man bis zum Kapitäl den Hals der Säule (das Hypotrachelion) rechnet. Dieser entstand aus der technischen Construction der Säule. Denn da man während der Einrichtung des Oberbaues die unteren Theile nothwendig verletzt haben würde, so fügte man die einzelnen Steintrommeln, aus denen der Säulenschaft bestand, uncannelirt zusammen und führte nur an dem oberen, mit dem Kapitäl aus einem Block gearbeiteten Stücke die Canneluren aus, die dann für die Vollendung der unteren Theile als

*) Vergl. *K. Fr. Hermann*, Handbuch der griechischen Privatalterthümer. Heidelberg 1852. — Die Wohnhäuser der Hellenen, von Dr. *Arthur Winckler*. Berlin 1868.

Richtschnur dienten. Bisweilen brachte man in missverstandener Weise eine mehrfache Wiederholung dieses Einschnittes an. Ueber dem Halse folgen drei oder mehr schmale Bänder oder Riemchen (*d*), welche sich dicht über einander um das Ende des Schaftes legen, als gelte es, hier mit allen Mitteln das stützende Glied in seiner Stärke zusammen
Kapitäl. zu halten. Denn nun quillt, um das Kapitäl zu bilden, über dem Riemchen plötzlich die freigegebene Kraft der Säule mächtig nach allen Seiten hervor, ladet weit über den Schaft aus und zieht sich dann mit scharfer Einbiegung oben zusammen. Dies ist der Echinus (*b*). Auf ihn legt sich sodann, weit vortretend, die kräftige viereckige Platte, der Abakus (*a*), und somit ist der Uebergang aus dem Aufsteigenden in's Wagerechte, aus dem Stützenden ins Gestützte, aus der Säule in das Gebälk auf die einfachste, klar bezeichnendste Weise bewirkt. Der bedeutende Conflict, der hier entsteht, konnte nicht anschaulicher versinnlicht werden, als durch das mächtige Glied des Echinus, der auch als Welle (Kyma) aufgefasst und mit einer Reihe aufrecht stehender, mittelst der Bänder des Halses festgehaltener, aber durch die Wucht der Platte mit den Spitzen nach unten umgebogener Blätter (Fig. 86) charakterisirt wird*). Diese
Anten. Kapitälbildung erfährt eine Umgestaltung an den Anten, den Stirnseiten der Mauern. Hier wird aus dem Abakus eine leichte Platte und aus dem Echinus ein zart über-

Fig. 86. Bemaltes dorisches Säulenkapitäl. Fig. 87. Bemaltes dorisches Antenkapitäl.

schlagendes Glied, eine kleine Welle (Kymation), die mit dem Ornament eines Blätterschemas bemalt ist (Fig. 87). Unter diesem entspricht ein breites Band dem Halse der Säule.

Architrav. Auf dem Abakus ruht, hinter ihn zurücktretend, der Architrav oder das Epistylion (*f*). Dies ist ein gewaltiger, von einer Säulenaxe zur andern reichender Steinbalken, welcher in ungegliederter Form streng und bestimmt sein Wesen als Verbindung der Säulen und Unterlage des Oberbaues ausspricht. Nur metallne Schilder und vergoldete Weihinschriften pflegte man als leichteren Schmuck an ihm anzubringen; dagegen mag er in seiner Unterfläche als ausgespanntes Band durch ein aufgemaltes Schema von geflochtenen Bändern decorirt gewesen sein, wie denn in der römischen Kunst später solche Charakteristik plastisch ausgeführt wurde. Ein vortretendes
Fries. Plättchen oder schmales Band verknüpft den Architrav nach oben mit dem Friese (*hgh*) (auch Triglyphon genannt), der durch Bildwerk höhere Bedeutung erhält. Doch ist nicht die ganze Fläche des Frieses mit Sculpturen geschmückt, es wird dieselbe vielmehr durch aufrechtstehende, etwas vortretende viereckige Steinblöcke (*hh*), die mehr hoch als breit sind, in einzelne Felder getheilt. Diese Platten führen von der Eigenthümlichkeit, dass sie durch zwei ganze und an den Ecken durch zwei halbe Kanäle
Triglyphen. von scharfer Austiefung belebt werden, den Namen der Triglyphen (Dreischlitz).

*) Dies die Ansicht *Bötticher's*, der bei allen dorischen Kapitälen das ursprüngliche Vorhandensein einer solchen, durch Malerei bewirkten Charakteristik annimmt und sich dabei auf die plastische Ausbildung dieser Glieder durch die spätere römische Kunst beruft. Auch die Fläche des Abakus *a* nimmt er als mit dem Mäanderschema bemalt an. Spuren jener gemalten Blätter will er neuerdings am Theseustempel entdeckt haben. Vgl. Untersuchungen auf der Akropolis in *Erbkam's* Zeitschr. für Bauwesen [illegible], Seite [illegible].

Sie erscheinen als die Träger des Giebels, und ihre vertieften Streifen oder Furchen drücken in ähnlicher Weise wie die Canneluren der Säule die straffe Anspannung des Stützens aus. Die scharfe Ueberneigung der Furchen am oberen Ende heisst Scotia, und der über ihr befindliche Theil der Triglyphe ist ihr Kapitäl. Vorgedeutet ist indess diese Eintheilung des Frieses bereits im Architrav; denn ein schmales Bändchen, wie ein Riemen gestaltet, in der Breite der Triglyphe sich vor die Fläche legend, ist an der unteren Seite mit je sechs kleinen Pflöcken, die man als **Tropfen** bezeichnet, geschmückt. Will man sie als Nachahmung der Regentropfen erklären, die, in den Kanälen der Triglyphen niedergelaufen, hier hängen geblieben seien, so erscheint diese Deutung eben so spielend als unpassend. Die Anordnung der Triglyphen ist der Art, dass über jeder Säule und zwischen je zwei Säulen sich eine erhebt. Das ist es, was die Alten „monotriglyphischen Bau" nennen, im Gegensatz zum ditriglyphischen, wo über jedem Intercolumnium zwei Triglyphen (also drei Metopen) angeordnet sind, wie an dem mittlern Durchgang der athenischen Propyläen, am Stadium von Messene und manchen andern Gebäuden*). Nur auf den Ecken rückt die Triglyphe über die Mitte der Säule hinaus an's Ende der Reihe, und die dadurch eintretende Unregelmässigkeit wird durch etwas engere Säulenstellung und weiteren Abstand der Triglyphen ausgeglichen. Das zwischen den Triglyphen bleibende fast quadratische Feld (*g*) heisst **Metopon** (die Stirn). Es war bei alterthümlichen Monumenten offen und wurde durch hineingestellte Gefässe bisweilen geschmückt. Ohne Zweifel diente sie, wie selbst aus Vitruv's Worten hervorgeht, in jener Zeit, als der dorische Bau noch keinen Peripteros kannte, als Lichtöffnung. Durch die Form des Peripteros erst wurde sie in dieser Eigenschaft überflüssig. Bei allen vorhandenen Tempeln ist sie durch eine Steinplatte geschlossen, welche bisweilen nackt, bisweilen mit Reliefs geschmückt war. Hier fand also ein lebensvoller Wechsel von kräftig stützenden und bloss ausfüllenden Gliedern statt, die eine ihrem Wesen entsprechende künstlerische Behandlung zeigten. Metopen.

Das **Kranzgesims** (Geison), welches nach oben das Triglyphon begrenzt (*i*), besteht aus einer ausladenden hohen Platte, deren Form im rechten Winkel sich entschieden gegen die aufsteigende Richtung der unteren Glieder als Lagerndes zu erkennen gibt. Das Geison spannt sich von Axe zu Axe der Triglyphen als verknüpfendes Glied aus und trägt weit vorspringend und die unteren Theile vor dem Regen schützend den eben so weit vorgeschobenen Giebel des Daches. Die durch theilweise Aushöhlung entstandene, etwas abwärts geneigte untere Fläche erleichtert die Masse und ermöglicht ihr, bei geringem Auflager auf dem Gebälk, welches sie mit den nach der Cellawand gehenden Deckbalken theilen muss, die starke Ausladung. Die Unterfläche des Geison zeigt eine höchst charakteristische Verzierung. Viereckige Platten treten hervor, die man ungenau als **Dielenköpfe** (Mutuli), richtiger als **Viae** (weil sie die vorspringende Richtung des Geison andeuten) bezeichnet; eine über jeder Triglyphe; eine über jeder Metope. Die untere Fläche derselben ist durch dreimal sechs keilförmig gebildete Tropfen verziert, welche das frei Ueberhangende der Deckplatte treffend versinnlichen. Das **Dachgesims** oder Geison besteht aus derselben Platte (*i*), welche das Kranzgesims bildete; nur fehlen hier selbstredend die Viae mit ihren Tropfen. Ueber die obere Platte des Gesimses erhebt sich noch ein Glied von weich geschwungener Form, die **Rinnleiste** (Sima), hinter welcher sich das Regenwasser sammelt. Ihr Ende pflegt mit einem Löwenkopfe geziert zu sein, der durch ein Rohr das Wasser weit vom Gebäude hinweg niederschleudert. **Stirnziegel**, palmettenartig gebildet, erheben sich auf einer Platte an den Seiten und Firstziegel auf der Mitte des Giebels. Der **Giebel** selbst (das Tympanon), beim dorischen Kranzgesims. Giebel.

*) C. *Bötticher* nimmt als ursprüngliche Form des dorischen Frieses die „monotriglyphische" an, wo nämlich nur über jeder Säule eine Triglyphe gestanden haben soll. Hinter ihr ruhten die Balken der Decke auf dem Epistyl, so dass die ganze Last auch hier auf die Säule geworfen wurde. Beispiele solcher vermeintlichen Anordnung sind nirgends aufgefunden, auch spricht jene Stelle bei Vitruv (IV, cap. 3 § 1) keineswegs für diese Annahme, während dagegen die unzweifelhafte ursprüngliche Function der Metopen als Fensteröffnungen durch sie Bestätigung erhält. Mit Unrecht, wie mir scheint, greift *Semper* (Stil II. S. 401. Anm. 2.) die bekannte Stelle des *Euripides* (Iph. Taur. 113), welche letztere Thatsache bezeugt, als „theatralische Fiction" an. Gegen *Bötticher's* Auffassung vgl. besonders *Rud. Bergau* im Philologus XV. Jahrg. VII. S. 180 ff.

8*

Bau sehr niedrig, hat vor seiner hinter dem Gesims weit zurücktretenden Fläche, die aus aufrechtstehenden Platten gebildet ist, den erhabensten Bildschmuck des Gebäudes, Gruppen von Statuen, die sich auf den Mythos der betreffenden Gottheit beziehen.

Decke. Die **Decke** der Säulenhalle wird durch die hinter den Triglyphen und auf der Cellamauer aufliegenden Balken und das zwischen diesen eingespannte Füllwerk der Kalymmatien gebildet. Die Stirn der Balken ist also ursprünglich jedesmal nur hinter den Triglyphen liegend zu denken, mit denen zusammen sie die Oeffnung der Metopen bewirkten. Der Balken erhält an seiner Unterfläche durch ein aufgemaltes geflochtenes Band seine Charakteristik, nach oben aber seinen Abschluss durch ein Kymation (eine kleine Welle) sammt einer Platte. Auf das Gerüst dieser Balken und der Epistyle legt sich sodann als Verschluss die Kalymmatiendecke, einem ausgespannten Teppich vergleichbar. Diese Decke, aus einer kräftigen Platte bestehend, welche einerseits auf den Balken, andrerseits nach vorn hinter dem Gesims ruht, wird in quadratische Felder (Kalymmatia) reihenweise getheilt, deren jedes bandartig umsäumt ist. Zur grösseren Erleichterung der Decke erhalten die Felder eine Höhlung, in deren Vertiefung auf blauem Grund ein goldener Stern die Himmelsdecke sinnbildlich andeutet. Nach der innern Seite tritt anstatt der Triglyphen und Metopen, die nur für die Schauseite berechnet waren, ein gleichmässig aus grossen Steinbalken bestehender Fries ein, an manchen Denkmälern mit Reliefdarstellungen geschmückt, der auch hier mit dem Epistyl durch ein wie ein vortretendes Plättchen gestaltetes Band (Tänia) verknüpft wird. Im Innern der Cella herrscht dieselbe Form des Frieses. Ist der Tempel ein Peripteros, so hat er im Innern zwei Säulenportiken, die manchmal einen Umgang um den Mittelraum bilden. Die obere Portike, zu der man auf einer steinernen Treppe gelangt, besteht dann aus Säulen von kleineren Dimensionen.

Fig. 88. Dorische Deckenbildung.

Bemalung. Zu dieser plastischen Ausstattung kam, um den Eindruck des Tempels zu erhöhen, noch eine theilweise Bemalung mit verschiedenen Farben (**Polychromie**), die sich aber, wie es scheint, nur auf Fries, Gesims und den Giebel erstreckte. Diese prangten in lebhaftem Farbenschmuck, während das eigentliche Gerüst der tragenden Glieder — Säulen und Epistyl — im blendenden Glanze des weissen Marmors strahlte. Aus

Material. diesem Material liebte man die Tempel aufzuführen, und nur wo die Gelegenheit oder die Kosten zu seiner Beschaffung fehlten, behalf man sich mit geringeren Steinarten, die dann wohl mit polirtem Stuck bekleidet wurden. Die Triglyphen scheinen meistens blau gewesen zu sein, mit stärkerer Betonung der Furchen, die Metopen und das Giebelfeld zeigten dann als kräftigen Hintergrund für die marmornen Bildwerke ein entschiedenes Roth. Doch kommt auch hier wohl Blau vor oder auch gar keine Färhung. Am Theseustempel zu Athen, einem der edelsten Werke der Blüthezeit, sind sodann die Tropfen gleich dem Plättchen unter der Hängeplatte des Kranzgesimses roth, die Viae und das Riemchen unter den Triglyphen (gleich diesen selbst) blau. Der innere Fries, der sich an der Wand der Cella hinzog, hatte blauen Grund. Das Balkenwerk der Halle zeigte rothe Bemalung; die Vertiefungen der Kalymmatiendecke hatten azurblauen Grund mit roth und goldenen Sternen. Alle Glieder von geschwungenem Profil (die Kymatien) waren mit rundlichen und lanzetförmigen, dem Profil des Gliedes entsprechenden Blättern, die rechtwinklig gebildeten Platten dagegen mit Mäanderlinien bemalt, so dass in der Form der Decoration Grundform und Wesenheit des entsprechenden Gliedes schon ausgedrückt war. Ausserdem scheint an Akroterien und anderen Theilen eine schimmernde Vergoldung stattgefunden zu haben *). System der Polychromie

Fig. 89. Mäander.

Dies im Wesentlichen die äussere Erscheinung des dorischen Tempels. Sie trägt durchaus den Charakter des Ernstes, der Würde, der Feierlichkeit, welcher Spielendes, Unbedeutendes vermeidet, nur Bezeichnendes gibt und in der Form jedes Gliedes das Wesen und die bauliche Bestimmung desselben scharf ausprägt (vgl. Fig. 90). Charakter des dorischen Styls.

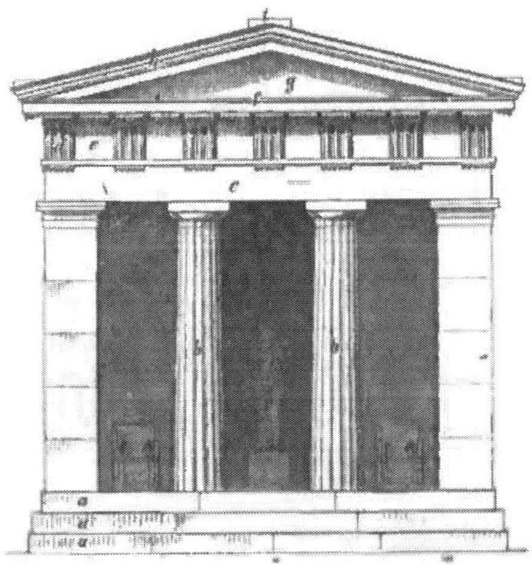

Fig. 90. Themistempel zu Rhamnus.

Dagegen zeigt sich aber auch in der strengen Abhängigkeit der Theile von einander eine Gebundenheit dieses Styles, die einer freieren, mannichfaltigeren Anwendung desselben hemmend im Wege steht. Die grösste Beschränkung legt namentlich das Tri-

*) Ueber die Bemalung der griechischen Architektur vergl. *Fr. Kugler's* Schrift über die antike Polychromie (Neuer Abdruck mit Zusätzen in: Kleine Schriften und Studien zur Kunstgeschichte von *Fr. Kugler*. I. Bd. Stuttgart 1853). Dagegen als Verfechter der Ansicht von der durchgängigen Bemalung der griechischen Architektur: *Hittorf*, Restitution du temple d'Empédocle à Sélinunte, ou l'architecture polychrome chez les Grecs. 2 Vols. 4. u. Fol. Paris 1851.

glyphen auf, weil die ganze Deckenbildung von seiner Eintheilung und durch diese wieder von der Säulenstellung abhängt. Schon die Alten klagten desshalb über das Unpraktische dieses Styles, und namentlich erzählt uns Vitruv*), dass *Hermogenes*, ein Architekt aus der Zeit Alexander des Grossen, aus dem Material, das er für einen in dorischem Styl auszuführenden Tempel schon bereit gehabt, einen ionischen Tempel des Bakchos erbaut habe. Starre Unabänderlichkeit ist, wie im Staat und der Sitte, auch im Bau der Dorer ausgesprochen. Dies ist ihre Grenze, aber zugleich ihre Grösse. So steht der Tempel da in edelster, männlicher Würde, eine herbe Keuschheit athmend, die, jeglicher Willkür abgesagt, als ein Gebilde tiefster Naturnothwendigkeit erscheint.

4. Der ionische Styl.

Säulenbasis. Von Grund auf unterscheidet sich vom dorischen der ionische Styl. Von dem gemeinsamen Stylobat steigen hier die Säulen, durch einen besonderen Fuss (die **Basis** oder **Spira**) vorbereitet, auf. Wurzelte die dorische Säule mit ihrem mächtigen, straffen Gliederbau in der gemeinsamen Platte des Unterbaues, ihr selbständiges Wesen dem strengen Gesetz des Ganzen opfernd, so bedarf ihre zarter gebaute ionische Schwester einer Vorrichtung, die, indem sie den Uebergang sanfter, allmählicher anbahnt, die Säule doch zugleich als ein selbständigeres Einzelwesen charakterisirt.

Ionische Basen. Deshalb erhält jede Säule für sich ihren besonderen **Plinthus**, die viereckige Platte, die den untern Theil der Basis ausmacht, und in welcher das einfach Rechtwinklige, das horizontal Lagernde des Untersatzes, jedoch mit besonderer Beziehung auf die einzelne Säule, noch lebendig ist. Den Uebergang zum kreisrunden Stamme bilden mehrere Glieder von runder Grundfläche, die sich auf den Plinthus legen. In Kleinasien, wo sich dieser Styl zuerst gestaltete, vollzieht sich der Uebergang in besonders nachdrücklicher Form (Fig. 91). Zwei scharf eingezogene Hohlkehlen (**Trochilus**), durch vortretende Plättchen, die als Astragale (Schnüre) zu erklären sind, mit einander und mit dem Plinthus verbunden, werden durch einen Wulst (**Torus**) von halbkreisförmigem Profil wie durch ein mächtiges Band mit dem Schaft der Säule verknüpft. Der Torus erhält oft eine den Cannelüren des Schaftes ähnliche, ebenfalls als Rhabdosis bei den Alten bezeichnete Gliederung, die aber selbstverständlich der horizontalen Lagerung dieses Gliedes entspricht und offenbar den Zweck hat, diese Wesenheit durchgreifend zu versinnlichen. So ist es am Tempel der Athena zu Priene (vergl. Fig. 95), wo der untere Theil des Torus wenigstens diese Profilirung zeigt; so findet man es auch bei attischen Monumenten, wie beim Tempel am Ilissus, beim Erechtheion u. a. Die spätere, reichere Entwicklung pflegte den Trochilus noch durch mehrere Astragale, den Torus durch plastische Ornamente nach Art geflochtener Bänder mit Blättern und Knospen zu schmücken.

Fig. 91. Ionische Basis vom Tempel des Apollo Didymaeos.

Attische Basis. In Attika, wo ionische und dorische Elemente, sich gegenseitig mildernd und mässigend, in glücklichster Weise mit einander verschmolzen, entstand auch für die Basis eine besondere Form, die man die **attische** nennt (Fig. 92). Sie behält nach Art des dorischen Styles für alle Säulen den gemeinsamen Plinthus bei, betont also ihre Einzelbedeutung minder scharf, indem sie nur die runden Glieder anwendet. Aber auch diese verändert sie in der Art, dass nur ein *Trochilus* sich dem Schafte unterlegt,

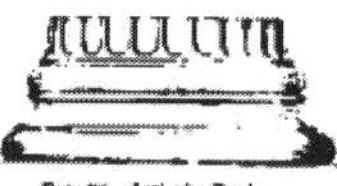

Fig. 92. Attische Basis.

*) Vitruv lib. IV, cap. 3. § 1.

jedoch mit diesem und dem Boden nach oben und unten durch je einen Torus verbunden, von denen der untere eine grössere Höhe und Ausladung hat als der obere. Auch hier verknüpfen Astragale als feine vortretende Plättchen die einzelnen Glieder unter einander. Zum Schutz der letzteren finden sich wie an der dorischen Säule die Schutzstege (Scamillen) sowohl unter der Basis als manchmal zwischen den einzelnen Gliedern.

Die nun aufsteigende Säule hat eine leichtere, schlankere Gestalt als die dorische, Säulen-stamm.
eine mässigere Verjüngung und eine leisere Anschwellung. Während die Länge des dorischen Säulenschaftes an den besten Monumenten noch nicht 6 unteren Durchmessern ($5^1/_2$—$5^3/_4$) gleich kam, erreicht die ionische Säule deren $8^1/_2$—$9^1/_2$. Auch der Abstand der Säulen, bei den dorischen Tempeln etwa gleich $1^1/_3$, wächst hier bis auf 2 Durchmesser. Diese schlankeren, graziöseren Verhältnisse geben der ionischen Säule einen weiblichen Charakter, dem männlichen der dorischen Säule gegenüber. Auch die Behandlung der Canneluren ist eine lebendiger bewegte. Waren an der dorischen Säule zwanzig Kanäle (an den ältesten Monumenten gar nur sechszehn), die in flacher Spannung mit den Kanten einander nahe berührten, so giebt es deren hier vierundzwanzig, die, tiefer und runder ausgehöhlt, einen breiteren Steg zwischen sich lassen. Die Formen sind also hier voller, weicher, weiblicher, bei der dorischen Säule straffer, kräftiger, männlicher. Auch enden die Kanäle kurz oberhalb der Basis und kurz unterhalb des Kapitäls in einer runden Höhlung, während sie dort mit der Säule aus dem Boden aufsteigen. An denselben Stellen, oben und unten, erweitert plötzlich die Säule ihren Durchmesser in einer starken Ausbiegung, die man unten den Anlauf, oben den Ablauf nennt.

Besonders eigenthümlich ist das Kapitäl, am weitesten verschieden von der Kapitäl.
Bildung des dorischen, obwohl es aus entsprechenden Theilen zusammengesetzt erscheint. Auch hier ist ein Echinus vorhanden, der durch sculpirte Ornamente, die sogenannten Eier, belebt und deshalb gewöhnlich als Eierstab bezeichnet wird. Besser erscheint es, ihn nach dem Zeugnisse Vitruv's als Kymation (d. h. kleine Welle) aufzufassen, die durch überfallende Blätter belebt wird. Verknüpft wird dieses Glied dem Säulenschafte durch einen Astragal, dem aufgereihte, plastisch dargestellte Perlen die Gestalt einer Perlenschnur verleihen. Auf den Echinus aber legt sich ein Polster, das, nach beiden Seiten weit ausladend, mit seinen zwischen vortretenden Säumen vertieften Kanälen sich zu Schnecken (Voluten) erweitert, die dann spiralförmig, von jenen Säumen eingefasst, sich zusammenziehen, bis sie zuletzt in einem Auge, das auch wohl durch eine Rosette ausgefüllt wird, enden. Den Raum zwischen Polster und Volute füllt in der Regel eine Blume aus. Dies Glied spricht in geistvoller, wenngleich schon etwas erkünstelter Weise seine Wirksamkeit aus: es ist, als habe der Architrav das elastische Glied, das ihn aufzunehmen bestimmt war, niedergedrückt, so dass es, auf den Seiten vorgequollen, mit elastischem Umschwung sich in sich selbst zusammenrollt. Es spricht daher ein mehr passives Verhalten aus, während der dorische Echinus ein actives Stützen bezeichnet. Auch hierin erkennt man den weiblichen und männlichen Charakter der beiden Style. Ueber der Volute bildet eine kleine, häufig durch ein Blattschema zierlich ornamentirte Welle den oberen Abschluss des Kapitäls. Die attischen Monumente unterscheiden sich von den ionischen durch die

Fig. 93. Ionisches Kapitäl.

Fig. 94. Seitenansicht des ionischen Kapitäls vom Athenatempel zu Priene.

bedeutendere Höhe und kräftigere Ausladung des Polsters und der Voluten. Die Seitenansicht des Kapitäls ist sehr verschieden von der vordern (vgl. Fig. 94). Man sieht unter der deckenden Welle nur das Polster, das nach beiden Enden sich herunterbiegt, in der Mitte aber unter seiner eingezogenen Rundung den Echinus mit seinem Blattornament blicken lässt. Ein Band in Gestalt einer Binde oder einer geflochtenen Schnur verknüpft in der Mitte die beiden Seiten des Polsters, so dass dasselbe also aus zwei neben einander gelegten Polstern zu bestehen scheint. Nur an den attisch-ionischen Monumenten fehlt dieses Band. Während also das dorische Kapitäl seine Beziehung nicht bloss zu der einen Richtung des Epistyls, sondern auch zu der kreuzenden der Deckbalken durch seine nach allen Seiten gleichartig entwickelte Gestalt aussprach, ist das ionische Kapitäl nur für das Epistyl berechnet. So reich und lebendig bewegt seine Form daher erscheint, so ist sie doch nicht ohne einen Anflug von willkürlicher Bildung, der am entschiedensten auf den Ecken der Säulenreihe hervortritt. Hier hätte das Kapitäl für die eine der beiden Seiten jedenfalls seine eigene Seitenansicht darbieten müssen, die, mit ihrer weichen Polsterbildung nicht für die äussere Wirkung berechnet, in einem unlöslichen Gegensatze zu den übrigen Kapitälen gestanden haben würde. Daher bequemte man sich hier zu einer Art von Täuschung, indem man demselben Kapitäl nach den Aussenseiten zwei Vorderansichten gab, so jedoch, dass die zusammenstossenden Voluten, wegen Mangel an Raum für ihre beiderseitige normale Entfaltung, sich nach vorn herauskrümmten und so verkürzt zusammentrafen. (Vgl. in Fig. 97 den Grundriss eines solchen Eckkapitäls mit den in Fig. 96 dargestellten einer normalen Kapitälbildung.) Diese Lösung hat etwas Unorganisches, Unwahres und bezeichnet also die schwache Stelle des Styles, lässt es aber zugleich als höchst wahrscheinlich hervortreten, dass auch der ionische Styl ursprünglich nur die Form des Templum in antis oder des Prostylos gekannt habe.

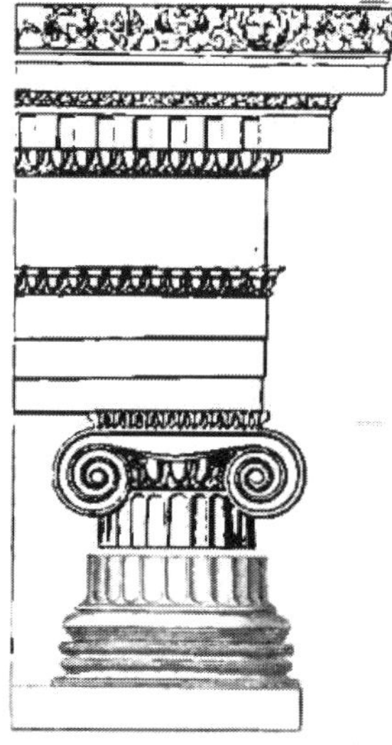

Fig. 95. Ionische Ordnung. Vom Athenatempel zu Priene.

Epistylion. Das Epistylion (vgl. Fig. 95), durch den Schutzsteg von der Deckplatte des Kapitäls getrennt, minder hoch als das dorische, wird meistens durch drei, bisweilen durch zwei über einander etwas vortretende Theile gebildet, die manchmal durch feine Perlenschnüre mit einander verknüpft werden. Diese Dreitheilung verstärkt den Charakter horizontaler Lagerung, festen Zusammenhalts und mildert zugleich den Eindruck des Massigen. In der Unteransicht erscheint das ionische Gebälk wie aus zwei neben einander liegenden Balken zusammengesetzt, eine Anordnung, die schon in der Zweitheilung des Kapitälpolsters angedeutet wurde. Im attisch-ionischen Style findet dies nicht statt. Ein mit einer krönenden Platte bedecktes Kymation, das durch Blattschemata plastisch belebt und durch eine Perlenschnur mit dem Epistyl verknüpft ist, grenzt

Fries. (Thrinkos.) letzteres vom Friese (oder Thrinkos) ab. Dieser kennt die dorische Triglyphen-Eintheilung nicht, bietet vielmehr in durchaus ungegliederter Fläche für Sculpturenschmuck einen bedeutsamen Hintergrund und wird dadurch zum **Zophoros** (Bildträger). Nach oben schliesst auch er mit einem durch die Perlenschnur angeknüpften kräftigen Kymation von geschwungenem Profil und entsprechendem Blattornament. Das **Geison** besteht hauptsächlich aus einer vortretenden Hängeplatte, die nicht so hoch ist wie die des dorischen Styls, und deren Unterfläche auch nicht wie dort abwärts geneigt und mit Mutulen und Tropfen besetzt ist. Statt dieser findet sich manchmal, um die Platte zu erleichtern und sie als Schwebendes zu bezeichnen, ein Schema von **Zahnschnitten** (oder Geisipodes) hinzu, d. h. von viereckigen, in kurzen Zwischenräumen neben einander gereihten Ausschnitten der Hängeplatte. Die attische Bauweise kennt die Zahnschnitte nicht, sondern es genügt bei den bescheideneren Dimensionen ihrer Denkmäler, das Geison nur in ganzer Länge etwas zu unterscheiden, so dass es in der geometrischen Ansicht (vgl. Fig. 95) mit seinem Vorsprunge das krönende Kymation des Zophorus verdeckt und nur die Perlenschnur desselben sichtbar werden lässt. Das Giebeldreieck, das höher gebildet wird als bei den dorischen Tem- Geison.

Fig. 96. Grundriss des normalen ionischen Kapitäls.

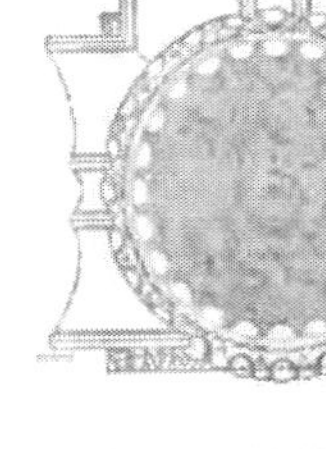

Fig. 97. Grundriss des ionischen Eckkapitäls.

peln, wird nach oben durch ein Geison von ähnlicher Ausladung und Ausbildung, nur ohne Zahnschnitte, begrenzt. Das Giebelfeld nimmt auch hier den Schmuck von Statuen auf. Die **Sima** zeigt in der ionischen wie in der attischen Bauweise nicht bloss einen ausgebauchten Bord, wie im dorischen, hinter dem sich das Regenwasser sammelt, sondern ladet oben mit einem Vorsprunge aus und erhält jenes geschwungene Profil, welches mit einem späteren unverständlichen Ausdruck als „Karnies“ gewöhnlich bezeichnet wird. Die Sima wird oft in etwas freier, willkürlicher Weise, wie bei Fig. 95 am Athenatempel zu Priene, durch Rankenwerk plastisch decorirt.

Die **Wandbildung** geschieht auf dieselbe Weise wie im dorischen Style, durch einzelne dichtgefugte Blöcke. Ein Austiefen und Bezeichnen der Fugen ist hier wie dort unzulässig, da die ganze Fläche als ein Ungetheiltes, Raumschliessendes bezeichnet werden soll. Dagegen hat, während die Wand im dorischen Style weder durch Kapitäl noch Basis als ein selbständiges Glied bezeichnet wurde, in der ionischen, und selbst in der attischen Bauweise die **Wand** sammt ihrer **Ante** eine Spira und (vergl. Fig. 99) am oberen Ende ein vollständiges Kapitäl. Letzteres besteht unter einer krönenden Platte in der Regel aus zwei durch Perlenschnüre verknüpften Wellen, deren obere das bewegtere Profil des sogenannten **lesbischen** Kymation, deren untere das Echinusprofil zeigt. Darunter folgt ein aus aufrechten Palmetten bestehender Hals, der wie ein Saum durch eine Perlenschnur der Wandfläche verknüpft erscheint. Diese Formen wurden an den frühesten attischen Denkmälern nur durch Malerei angedeutet, sind aber am Erechtheion bereits plastisch ausgeprägt. Wand.

Was endlich die **Deckenbildung** betrifft, so bietet sie gegen den dorischen Bau einen entschiedenen Fortschritt, bedingt durch die Beseitigung der Triglyphen. Abge- Decke.

sehen, dass dadurch die Sculptur einen geeigneteren Platz für ihre Entfaltung fand, da sie ihre Gedanken nicht ferner in schmalen Metopengruppen zusammenpressen, sondern in ununterbrochenem Zuge des Frieses ausbreiten durfte, fiel auch für die Balken der Decke die beschränkende Rücksicht auf die Triglyphen und weiterhin auf die Säulenstellung fort. Man legte der Balken so viele, als die Beschaffenheit des Materials erforderte, in frei gewählten Zwischenräumen auf die Blöcke des Frieses und gewann dadurch für die Entwicklung des Grundplanes einen viel freieren Spielraum (vgl. Fig. 100 u. 101). Die Balken wurden also ohne Rücksicht auf die Säulenaxen in frei gewählten gleichen Zwischenräumen vertheilt und die dadurch entstandenen Oeffnungen ganz wie beim dorischen Bau mit Kalymmatiendecken geschlossen. Die decorative Ausprägung der letzteren blieb dieselbe wie dort, indem die Lacunarien (die vertieften Felder) mit Sternen geschmückt wurden. Manchmal ging man in Erleichterung der Decke noch weiter, wenn man die Lacunarien ganz durchbrach und ihre Oeffnungen mit dünnen, ausgehöhlten Platten schloss. An der ganzen freieren Constructionsweise dieses Deckensystems erkennt man leicht den beweglicheren Sinn des Ioniers.

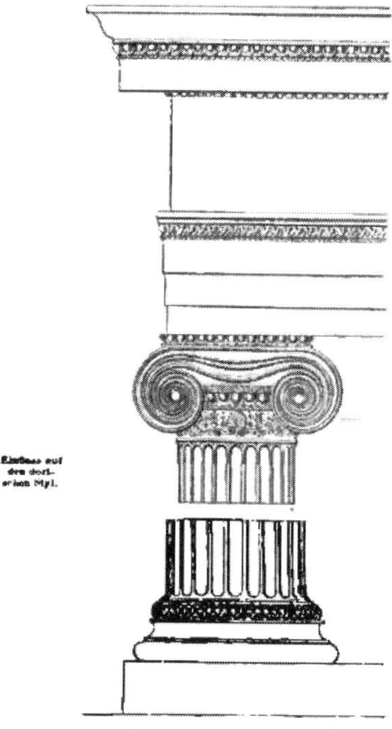

Fig. 98. Attische Ordnung. Von der Nordhalle des Erechtheions.

Einfluss auf den dorischen Styl.

Merkwürdig ist nun, dass dieser wichtige Fortschritt auch im dorischen Styl aufgenommen wurde, so dass man das Triglyphon zwar äusserlich als solches noch charakterisirte, in Wirklichkeit aber es als einen ununterbrochen fortlaufenden, aus starken Blöcken bestehenden Fries behandelte und nun das Gebälk vom Epistyl auf die Höhe des Frieses hinaufhob. In dieser Beschaffenheit zeigen es die sämmtlichen erhaltenen dorischen Monumente, was man namentlich bei den peripteralen Anlagen schon im Grundriss daraus erkennt, dass die betreffenden Säulen des Peristyls nicht normal auf die Anten des Tempels gerichtet sind.

Bemalung. Die Anwendung farbiger Zuthat an ionischen Monumenten scheint in dem Maasse allmählich zurückgetreten zu sein, wie die plastische Ausprägung der Bauglieder zunahm. Doch ist zu beachten, dass man selbst an den Voluten der Kapitäle Farbenspuren und in den Augen derselben Goldreste entdeckt hat. Ueberhaupt scheint die Vergoldung bei Werken ionischen Styls besonders bevorzugt, die malerische Ausstattung nur auf feines Hervorheben gewisser Hauptglieder beschränkt gewesen zu sein. Der Grund des Frieses und des Giebelfeldes, von welchem die Bildwerke sich abhoben, wird eine entschiedene Färbung gehabt haben.

Fig. 99. Kapitäl der Ante und Wand. Vom Erechtheion.

Charakter des ionischen Styls.

Werfen wir einen vergleichenden Blick auf die beiden Style zurück, so tritt dem strengen Ernst, der feierlichen Würde des Dorischen die heitere Anmuth, die milde Weichheit des Ionischen klar gegenüber (vgl. Fig. 102). Wir sahen, wie hier die Verhältnisse feiner, leichter, eleganter wurden. Besonders aber äusserte sich das Bestreben, den strengen Gegensatz der einzelnen Bauglieder, welchen der dorische Styl scharf hervorhob und in schlichtester Weise löste, in eine lebendig reiche Wechselwirkung aller Theile, in eine Stufenreihe feiner, leiser Uebergänge umzuwandeln, zugleich aber auch, durch die vollkommenste Ausbildung jedes Gliedes für sich, die Beziehung zum Ganzen weniger zwingend erscheinen zu lassen. Fehlte es hier nicht an Elementen, die dem Bereiche der Willkür entstammen, so war der Geist, der sie durchgebildet hatte, doch ein so edel und zart empfindender, dass im Reiz des Linienspiels jener Mangel vergessen wurde. Besonders aber

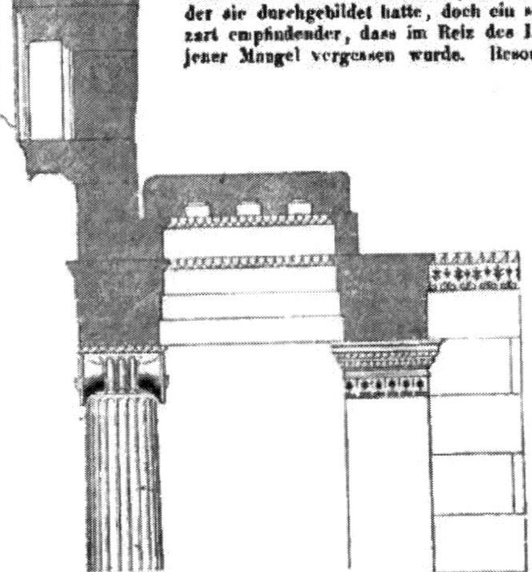

Fig. 100. Prostasis vom Niketempel zu Athen (Durchschnitt).

Fig. 101. Vom Nikétempel zu Athen (Grundriss).

ist jener bereits besprochene constructive Fortschritt hervorzuheben, der an die Stelle eines mühsam zu Stande gebrachten, den Grundplan starr beherrschenden Triglyphen-

Fig. 102. Ionischer Tempel.

frieses den undurchbrochenen Fries und mit ihm die Befreiung von einer lästigen Fessel setzte.

Korinthische Bauweise.

Die Eigenthümlichkeiten der **korinthischen Bauweise** sind mit wenig Worten zu bezeichnen. Während jene beiden Style gleich bedeutsam, gleich originell neben einander bestanden, erblühte der korinthische als Abart und Mischung aus beiden erst in späterer Zeit, und zwar in der prachtliebenden, reichen Handelsstadt, von der er den Namen trägt. Er ging aus einer mehr eklektischen Richtung hervor und gestaltete sich, da der Kreis der tektonischen Schöpfungen bei den Griechen abgeschlossen war, nicht mehr zu einem neuen baulichen Systeme, sondern brachte es nur zu neuen, reicheren Combinationen des bereits Vorhandenen. So berichtet denn auch Vitruv schon*), dass mit den korinthischen Säulen entweder ein dorischer oder ein ionischer Oberbau, jener

*) Vitruv, lib. IV, cap. 1, §. 2.

mit Triglyphen, dieser mit dem Zophorus und Zahnschnitten, verbunden werde, weil der korinthische Styl keine eigene Ordnung des Gebälks und der Bekrönung habe. Bezeichnend für das Wesen dieser spätgebornen Gattung ist denn auch, dass man ihre Erfindung auf eine bestimmte Persönlichkeit, den Bildner *Kallimachos* zurückzuführen pflegte. Jedenfalls ist der korinthische Styl erst erfunden, als die dorische und ionische Bauweise auf der Höhe ihrer Entwicklung angelangt waren, und die Beweglichkeit des hellenischen Kunstgeistes bereits von der idealen Richtung jener beiden Style zu einer realistischeren Ausdrucksweise hinstrebte. An Werken rein griechischer Kunst freilich finden wir ihn selten angewandt. Eins der edelsten Beispiele ist das Monument des Lysikrates zu Athen, um 334 v. Chr. errichtet. Ein halbes Jahrhundert früher trat indess der korinthische Styl schon den beiden älteren Bauweisen gleichberechtigt zur Seite, als um 380 v. Chr. *Skopas* beim Tempel der Athena Alea zu Tegea die oberen Portiken des Innern in korinthischer Ordnung errichtete, während an den unteren Säulen der dorische Styl und an dem äusseren Peristyl der ionische zur Anwendung kam. Jedenfalls musste eine Zeit der allmählichen Ausbildung dieser neuen Form vorhergegangen sein, ehe sie in so hervorragender Weise zur Anwendung kommen konnte, und man wird daher nicht fehlgreifen, wenn man die Epoche der aufs höchste gesteigerten, glanzvollen Bethätigung des nationalen Lebens, die nach Beendigung der Perserkriege etwa seit 450 v. Chr. eintrat, zugleich als den Zeitraum der Erfindung und Ausbildung des korinthischen Styles betrachtet.

Fig. 103. Vom Monument des Lysikrates.

Die Gestalt des Säulenschaftes und der Basis ist im Wesentlichen dem ionischen Styl entlehnt. Die Basis mit ihren charakteristischen Gliedern, zu denen aber selbst bei der attischen Form noch der Plinthus hinzukam, wird in der ionischen wie in der attisch-ionischen Gestalt aufgenommen und gern in allen Theilen mit sculpirten Bändern, Kränzen und verwandtem Ornament bedeckt. Der Schaft mit seinen vierundzwanzig tief und rund ausgehöhlten Canneluren gehört ebenfalls der ionischen Ordnung, nur ist hier der Abstand noch weiter, die Säule durch das hohe Kapitäl noch höher und schlanker, der Eindruck demnach noch lichter und freier. Mancherlei Willkürlichkeiten laufen indess bei der Bildung der Canneluren mit unter, z. B. dass sie manchmal in einer zugespitzten Blattform endigen, wie beim Monument des Lysikrates (Fig. 103). Säule.

Vorzugsweise bezeichnend ist die Form des **Kapitäls**. Während das dorische Kapitäl in einfachster, völlig naturgemässer Weise den Conflict zwischen dem stützen- Kapitäl.

den Säulenschaft und dem Epistyl ausprägte, während das ionische Kapitäl denselben Zweck in freierer Weise, mit einer Andeutung des vom Gebälk zurückwirkenden Druckes erfüllte, greift beim korinthischen Kapitäl der architektonische Genius zu noch freierer, reicherer Gestaltung, zu den Formen des Pflanzenreichs. Ein Astragal fasst oben die Kraft des Stammes zusammen und lässt das Kapitäl in der Gestalt eines geöffneten Blumenkelches emporsteigen. Bei den Griechen hat nun zwar in der besten Zeit die korinthische Kapitälbildung nicht jene stereotype Form gehabt, in welcher wir sie später bei den Römern kennen lernen; vielmehr ist der schaffenden Phantasie genug Spielraum gelassen, um durch Mannichfaltigkeit der Zusammensetzung der Lust nach bewegteren, reicheren Formen zu willfahren. Allen derartigen Bildungen ist aber zunächst die (an sich uralte) Form des Kelches oder des Kalathos (eines geflochtenen, offenen Korbes) gemeinsam. Dieser wird meistens mit zwei Blattkränzen umkleidet, und zwar so, dass von dem Astragal zuerst ein Kreis von acht Blättern des Akanthus (Bärenklau) aufsteigt, die mit ihren Spitzen zierlich überschlagend sich

Fig 104. Kapitäl vom Thurm der Winde.

kräftig aufgerichtet nach aussen biegen. Hinter diesen erhebt sich sodann eine zweite Reihe schilfartiger Blätter, welche, vom Abakus belastet, sich mit den Spitzen ebenfalls auswärts krümmen und auf solche Weise den Conflict zwischen einer schlanken Stütze und einer leichten Last klar versinnlichen. Ein Beispiel dieser einfacheren Art des korinthischen Kapitäls bieten die Säulen vom Thurm der Winde (Fig. 104). Mehrfach sind Kapitäle von dieser Gestalt aufgefunden worden, darunter auch solche, die zwischen den beiden Blattkränzen noch eine Reihe von Akanthusblättern einfügen. Aus den Zwischenräumen dieser Blätter erhebt sich eine zweite, ähnlich gestaltete Blattreihe. So weit herrscht noch das Runde der Grundform vor, jedoch bei schon vergrössertem Umfange. Nun aber beginnt der Uebergang in's Viereck in geistvoller Weise. Zwischen den oberen Blättern steigt je ein Blumenstengel auf, welcher unter dem Schutze zarter Deckblätter sich theilt, mit dem einen, schwächeren Stengel (dem Schnörkel, helix) sich nach der Mitte des Abakus emporwindet und dort eine fächerförmige Blume hervortreibt, mit dem andern zu einer kräftigen Volute anschwillt, die sich nach der Ecke des Abakus aufschwingt und dort von der Last schneckenartig umgebogen wird. So treffen auf den Ecken stets je zwei Voluten der benachbarten Kapitälseiten zusammen, wodurch der Uebergang in's Viereck vollkommen wird. Doch sind die Seiten des aufliegenden, mit geschwungenem Profil gezeichneten Abakus nicht geradlinig, sondern nach der Mitte, wo jene Blume hervorknospt, eingezogen, während seine spitzwinklig zusammenstossenden Ecken über dem Volutenpaar schräg abgeschnitten sind. Das schönste Beispiel dieser Art ist uns am Lysikratesdenkmal zu Athen (vgl. Fig. 103) aufbewahrt. Ein anderes, ebenfalls noch von griechischer Hand zeugend, wenngleich schon in schematischer Weise ausgeführt, hat man unter den Trümmern des Apollotempels bei Milet (Fig. 105) gefunden. Diese Kapitälform, die den Uebergang von der Säule zum Architrav in reichster Weise vermittelt, hat in der Folge die allgemeinste Verbreitung erfahren. Sie kehrt aus der Einseitigkeit der ionischen Kapitälform wieder zur allseitig gleich durchgeführten des dorischen Styles zurück und erweist sich also, ohne mühsame Umgestaltung, für jeden Standort der Säule zweckmässig. Von der idealen Sinnesart der griechischen Kunst weicht sie

Fig. 105. Kapitäl vom Tempel des Apollo Didymaeos bei Milet.

freilich in so fern ab, als sie die structive Wesenheit in durchaus realistischer Weise auszudrücken sucht, obwohl die Art, wie dies geschieht, das feine hellenische Schönheitsgefühl nicht verleugnen kann. Durch die freiere Nachahmung und Aufnahme von Naturformen, welche die korinthische Bauweise herbeiführte, kam man nun auch dazu, den Kreis der anwendbaren Formen zu erweitern, mancherlei allegorische Embleme, Köpfe, Thiere, hieratische und andere Attribute mit den übrigen Formen zu verbinden und so eine Fülle von geistreichen und edlen Gestaltungen hervorzurufen. Eins der schönsten Werke dieser Art ist das Antenkapitäl aus der Vorhalle des Tempels zu Eleusis (Fig. 106), das wir nach der Restauration Bötticher's geben.

Das Gebälk des **Architravs** ist nach dem Vorgange des ionischen dreifach getheilt, nur pflegen die feinen Astragale, welche die einzelnen Theile verknüpfen, hier reicher als Perlenschnüre oder gar mit Kymatien versehen zu sein. Der **Fries** ist

Architrav.

Fries.

gleich dem ionischen eine zusammenhängende Fläche, zur Aufnahme von Bildwerken bestimmt. Eben so wenig hat der korinthische Styl ursprünglich ein eigenthümlich gebildetes **Kranzgesims** gehabt. Bei den Griechen nahm man ohne Zweifel, wie das Monument des Lysikrates und der Thurm der Winde noch bezeugen, die Form des ionischen Geison mit den Zahnschnitten auf. Im Laufe der Zeit, besonders als die griechischen Formen in den Dienst der prachtliebenden Römer kamen, bildete man aber die Zahnschnitte zu schwereren, weiter ausladenden Mutuli (Kragsteinen oder Consolen) aus, die in geschwungener Form mit kräftigen Voluten enden und an deren Unterseite sich ein Akanthusblatt mit zierlich umgeschlagener Spitze legt (Fig. 107). Ist hierdurch wiederum in derberer, realerer Weise das Vorspringende des Gliedes charakterisirt, wie es beim dorischen Bau die Viae, beim ionischen die Zahnschnitte ausdrücken, so wird in den weiten Zwischenräumen der Kragsteine das Schwebende

Fig. 106. Antenkapitäl von Eleusis.

durch rosettenartig sculpirte Blumen versinnlicht. Dass man hier, wie an den Säulenkapitälen gerade das Akanthusblatt gewählt hat, lässt sich theils durch die kräftig zähe Beschaffenheit desselben, theils durch die anmuthige Zeichnung seines tief ausgebuchteten, fein gezahnten Blattrandes erklären. So schuf noch die letzte griechische Zeit das an edler Pracht unübertroffene herrlichste Kranzgesims der Welt. Bemerkenswerth ist aber, dass bei den auf griechischem Boden aufgeführten Bauten römischer Zeit, wie dem Bogen Hadrians zu Athen und dem Denkmal des Philopappus daselbst, kein besonders geformtes korinthisches Kranzgesims vorkommt, sondern einfach das attisch-römische gebraucht wird. — Die **Bemalung** der korinthischen Bauglieder wird wohl, bei dem bedeutenden Uebergewicht der Sculptur, noch mässiger gehandhabt worden sein, als an den ionischen Formen, da einer so vorwiegend nach realer Charakteristik strebenden Bauweise die idealere, bloss andeutende Art der Malerei nicht genügen konnte.

Neue Stylgedanken, neue Planformen oder Constructionsweisen haben wir also hier nicht gefunden. In der That war in dieser Hinsicht durch den dorischen und

Gesims. — Bemalung. — Charakter der korinthischen Ordnung.

ionischen Styl der innerhalb der griechischen Bildung mögliche Ideenkreis vollständig erschöpft. Daher konnte nur noch eine aus den Elementen Beider gemischte, bloss mit neuen Ornamentformen auftretende Bauweise hinzukommen, die aber gerade wegen ihres Eklekticismus, ihrer leichten Anwendbarkeit und ihrer glänzenden Ausstattung für die Folgezeit von hoher praktischer Bedeutung wurde.

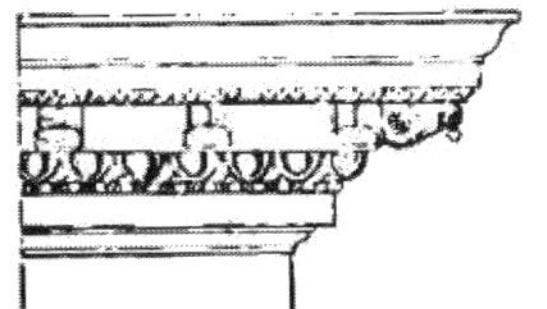

Fig. 107. Korinthisches Kranzgesims, Von der Vorhalle des Pantheon.

5. Die Epochen der griechischen Architektur.

Anfänge.

In dem Augenblicke, wo die Griechen aus dem zweifelhaften Dämmerscheine der mythischen Vorzeit in die Tageshelle geschichtlichen Daseins hervorschreiten, tritt uns auch das System ihrer Architektur als ein bereits fest geordnetes entgegen. Die ersten Keime desselben nachzuweisen ist uns versagt; ihre Urgeschichte hüllt sich in geheimnissvolles Dunkel. Was man unter der Bezeichnung kyklopischer Werke zusammenfasst, unterscheidet sich, wie oben bereits bemerkt wurde, so wesentlich von den Formen eigentlich griechischer Architektur, dass wir ihm nur eine untergeordnete Stelle in den allgemeinen Vorbemerkungen einräumen mochten.

Ursprung der griech. Architektur.

Wenn wir aber eine in's Einzelne gehende Geschichte der Entstehung der griechischen Bauweise vielleicht niemals erhalten werden, so lässt sich doch bei dem gegenwärtigen Stande der Forschung die Urheimath der hellenischen Formen mit Bestimmtheit in Asien und Aegypten erkennen. Nur darf man es freilich damit nicht so leicht nehmen, wie dies mehrfach geschehen ist, indem man den dorischen Styl schlechtweg in Aegypten, den ionischen in Assyrien fertig nachweisen zu können meinte. Andere nehmen an, die gesammte Formenwelt der griechischen Kunst sei schon im Orient und Aegypten vorhanden gewesen, und aus dem gemeinsamen Völkerbesitz, in welchem noch alle Elemente durch einander gemischt gewesen, haben die Griechen jene Scheidung vorgenommen, aus welcher die besonderen Style ihrer Architektur hervorgegangen seien. Was sich bis jetzt wirklich nachweisen lässt, ist Folgendes.

Älteste Reste.

Die Grundbestandtheile, aus welchen sich die griechische Baukunst entwickelt hat, leiten ihre Abkunft ohne Zweifel aus der uralten Kunst des Orients. Die acht- und sechzehneckige Säule, die wir in Beni-Hassan fanden, lässt sich auch in Griechenland nachweisen. Zu Trözen liegen noch jetzt die Trommeln von grossen, stark verjüngten achteckigen Säulen aus einem dunkeln basaltartigen Steine, vielleicht Ueberreste jenes Apollotempels, welchen Pausanias (II, 31, 6) das älteste aller ihm bekannten Heiligthümer nennt. In einem Gebirgsthale auf der Grenze von Lakonien sieht man ähnliche Bruchstücke achteckiger Marmorsäulen, die vermuthlich dem Tempel der Artemis zu Limnai (Pausan. III, 2, 6) angehörten. Säulen mit sechzehn Kanälen kommen in den noch erhaltenen Denkmälern, namentlich auf Sicilien, mehrfach vor. In den sicilischen Monumenten, wie auf den ältesten Vasenbildern findet man ferner als Hauptglied des Gesimses die ägyptische Hohlkehle mit dem Blätterkranz, wie sie auch in die assyrische und persische Kunst übergegangen war. Selbst die besondere Basis, welche der dorische Styl später den einzelnen Säulen entzog, kommt auf den ältesten Vasen bei Tempeldarstellungen noch vor. Aber sogar die urägyptische Denkmalform der Pyramide lässt sich in Griechenland nachweisen. Südlich von Argos haben sich die Reste der Pyramide von Kenchreae erhalten, ein Bau von 48 Fuss Länge zu 39 Fuss Breite, mit einem inneren Grabgemach, in welches ein mit übergekragten Steinen überdeckter Eingang führt. Aehnliche Denkmale hat Curtius noch an zwei anderen Orten im Peloponnes nachgewiesen. Pausanias erwähnt ebenfalls solcher Monumente, die er dem höchsten Alterthum zuschreibt, und die namentlich in Argolis getroffen wurden. Gerade diese Gebiete standen aber in alter Zeit, nach sagenhaft umgestalteter Ueberlieferung, mit Aegypten im Verkehr.

Einfluss Aegyptens. Ueberhaupt ist die frühere Annahme von der hermetischen Abgeschlossenheit Aegyptens zahlreichen Thatsachen gegenüber nicht mehr festzuhalten. Es darf wohl nicht mehr bezweifelt werden, dass die monumentale Behandlung des Steinbaues bei den Griechen gerade durch ägyptische Einwirkungen sich eingebürgert hat. Denn dass in ältesten Zeiten bei ihnen selbst die Heiligthümer in einem primitiven Holzbau ausgeführt waren, wie er Bergvölkern eigen ist, lässt sich aus zahlreichen Stellen der alten Autoren schliessen. Holzsäulen sah Pausanias noch als Reste uralter Tempel zu Olympia; ein Holzbau war das Heiligthum des Poseidon Hippios bei Mantinea; ein tempelartiger Holzbau, den man für das Grabmal des Oxylos ausgab, stand auf dem Markte zu Elis; aus Rebenholz bestanden die Säulen eines uralten Tempels der Juno zu Metapont in Unteritalien.*) Ueber den Styl dieser Werke erfahren wir nichts; aber gerade aus dem Schweigen unserer Quellen darf man vielleicht schliessen, dass derselbe nichts enthielt, was dem griechischen Beschauer als fremdartig auffallen konnte. In einem Falle erwähnt Pausanias ausdrücklich einer Holzsäule an einem dorischen Tempel: es war das Heraeon zu Elis, an dessen Opisthodom die eine der beiden Säulen aus Holz bestand. Bei einem andern Denkmal, jenem vom Tyrannen Myron um 650 erbauten Schatzhause zu Olympia, finden wir den dorischen und ionischen Styl in Verbindung mit der alten Erztechnik der Heroenzeit. Was endlich die Formen der ionischen Bauweise betrifft, so lassen sich ihre wesentlichen Elemente im höheren Alterthume Asiens, namentlich an den Denkmälern von Assyrien nachweisen. Das Volutenkapitäl, die Basis mit ihrem Wulst, die feinen Blattschemata der Ornamentik sind dort schon früh im Gebrauch und haben sich über das vordere Asien, die Küsten und Inseln bis nach Griechenland verbreitet.

Resultat. Holzbau und Metallbekleidung als uralte Techniken der vorderasiatischen Kunst lassen sich also in Griechenland schon im heroischen Zeitalter nachweisen. Wie gross dabei die Summe künstlerischer Formen war, wird schwer zu ermitteln sein. Doch hat die Ansicht viel für sich, dass eine gewisse Ueberladenheit spielender Details, die aus dem gesammten orientalischen Formenschatze den Griechen zufloss, der ältesten Kunst eigen war, und dass sich daraus erst nach der schärferen Sonderung der griechischen Stämme und unter dem Einfluss der Neugestaltung des gesammten Lebens nach der dorischen Wanderung jene klar bestimmten Style des Dorischen und Ionischen schieden, welche als Endergebniss einer Reihe von Entwicklungen von den Griechen zur Vollendung durchgeführt wurden. Ganz dasselbe Verhältniss findet auch an den Vasen statt, die von einer Ueberladung mit Ornamenten und Gestalten orientalischer Kunst allmählich zu einfacher Klarheit und maassvollem Schmuck sich umgestalten. Aus dem überlieferten Formenschatze altorientalischer Kunst ein neues höheres und reineres System der Architektur geschaffen zu haben, das ist und bleibt eins der unvergänglichen Verdienste des griechischen Geistes.

Erste Epoche.

Von der Solonischen Zeit bis auf Kimon.

(590 — 470 v. Chr.)

Charakter der ersten Epoche. In dieser Epoche finden wir die einzelnen Staaten bei den Griechen in der ersten Kraft und Frische der Entwicklung. Die Verhältnisse hatten noch einen durchweg einfachen Zuschnitt, und namentlich hielt sich das Privatleben in den Schranken einer bescheidenen Mässigkeit. Während sich aber jedes städtische Gemeinwesen individuell gestaltete und seinen Sondercharakter zu hoher Selbständigkeit entwickelte, fehlte es auch nicht an einem Anlass, der die einzelnen Staaten zu innigem Bündniss, zu gemeinsamer Kraftbethätigung aufrief. Das waren die Perserkriege, in welchen die

*) Pausan. V. 16. 1. V. 20. 6. VI. 19. 9. VIII. 10. 2. Plin. H. N. XIV. 2.

jungen Freistaaten die Anmassung eines barbarischen Despotismus siegreich zurückwiesen. Diese Kriege bilden den Mittelpunkt, von wo auf das ganze Leben der Griechen die Strahlen einer höheren Entwicklung sich ausbreiten. Eine ungemein rege Kunstthätigkeit spiegelt sofort diese geistigen Verhältnisse wieder, da nicht allein die von den Persern zerstörten Denkmäler zu erneuern waren, sondern auch das gesteigerte Selbstgefühl sich nur durch eine möglichst glänzende Art der Wiederherstellung zu genügen vermochte.

Charakter ihrer Bauwerke.

Der Charakter der Bauwerke dieser Epoche ist ein strenger, alterthümlich befangener. Es wird Bedeutendes erstrebt, aber man fühlt die Mühe und Anstrengung dieses Strebens. Der dorische Styl steht im Vordergrunde und erfährt sowohl im Mutterlande als auch in den westlichen Colonien Unter-Italiens (Gross-Griechenlands) und Siciliens eine ebenso häufige Uebung als charaktervolle Behandlung. Nur behält in jenen entlegenern Culturstätten eine besonders schwerfällige and herbe Auffassung des Styles noch in späterer Zeit die Oberhand, so dass man für diese Gegenden die Grenze der ersten Epoche um 50 Jahre weiter herunter, etwa in den Anfang des vierten Jahrhunderts vor Christo, rücken muss. Der ionische Styl dagegen wurde überwiegend in Kleinasien geübt, doch ist kein irgend erheblicher Rest davon, wie es scheint, auf uns gekommen. Bemerkenswerth finden wir jedoch, dass nach den Nachrichten der Alten die ersten Tempelbauten, von welchen wir erfahren, gleich in grossartigster Ausdehnung selbst schon in dipteraler Anlage aufgeführt werden. Von dem wahrscheinlich um die Mitte des sechsten Jahrb. erbauten grossen Tempel der Hera auf Samos sind nur einige Trümmer erhalten, an welchen die einfache Behandlung der ionischen Säulenbasis beachtenswerth ist. Es zeigt sich hier nämlich nur ein Trochilus, dieser obendrein sehr hoch und von geringer Einziehung, aber gleich dem darüber befindlichen Torus mit horizontalen Parallel-Rinnen bedeckt. Der Tempel wurde von *Rhoekos* und *Theodoros* aus Samos, die zugleich als berühmte Erzgiesser genannt werden, errichtet. Wenn er als ein dorischer Bau bezeichnet wird, so lässt sich das mit den aufgefundenen Formen nicht wohl in Einklang bringen. Der Tempel war 160 F. breit bei 344 F. Länge. — Das kolossalste aller griechischen Gebäude dagegen, der Artemistempel zu Ephesus, ein achtsäuliger Dipteros von 225 zu 425 Fuss, ist durch Herostrats wahnsinnige Ruhmsucht vernichtet und unter Alexander dem Gr. durch dessen Architekten *Deinokrates* wieder hergestellt worden. Später auf's Neue durch ein Erdbeben zerstört, musste er seine Trümmer zum Bau der Sophienkirche in Constantinopel hergeben. Ebenfalls um die Mitte des sechsten Jahrh. durch *Chersiphron* und dessen Sohn *Metagenes* begonnen, wurde er erst nach zwei Jahrhunderten durch die Baumeister *Demetrios* und *Paeonios* von Ephesus vollendet. Sowohl durch die ausserordentlichen mechanischen Hülfsmittel, mit denen man die Fundamentirung auf einem Sumpfboden angelegt und die riesigen Marmortrommeln zu den 60 Fuss hohen Säulen und den gegen 30 Fuss langen Gebälkblöcken bewegt und gehoben hatte, erwarb er die Bewunderung der gleichzeitigen Schriftsteller. Krösus soll monolithe Marmorsäulen dazu geschenkt, und alle kleinasiatischen Griechen sollen zum Baue beigesteuert haben. Ueberhaupt scheint die Theilnahme an solchen künstlerischen Unternehmungen so allgemein verbreitet gewesen zu sein, dass die Baumeister oft über ihre Bauführung, ihr Verfahren und ihre Grundsätze ausführliche Schriften veröffentlichten. So schrieb Theodorus über das Heraeon von Samos, so Chersiphron über das Artemision von Ephesos. Leider sind diese wichtigen Zeugnisse, die dem Römer Vitruv noch vorlagen, ohne Ausnahme verloren gegangen.

Ionischer. Heraeon auf Samos. Artemision zu Ephesus.

Dorischer Tempel zu Assos.

Der älteste noch vorhandene dorische Tempelrest scheint der an der Küste Kleinasiens zu Assos in Trümmern aufgefundene zu sein.*) In einem schwärzlich grauen Tuffstein ausgeführt, zeigt er stark verjüngte Säulen mit derber Anschwellung in etwas weiten Abständen, das Kapitäl mit kräftig ausladendem, straff angespanntem Echinus. Ein Fries scheint zwar durch die Regula (die ohne Tropfen ausgeführt ist) angedeutet, allein auffallend bleibt es, dass gegen das Grundgesetz griechischer Architektur, welches den

*) Texier, Descr. de l'Asie Mineure T. II, pl. 112 ff.

Hauptgliedern der Struktur keinen plastischen Schmuck enthält, die ganze Ausdehnung des Architravs mit Reliefbildwerken bedeckt ist. Wir dürfen dies wohl als orientalischen Einfluss ansehen, wie denn auch Inhalt und Styl der hochalterthümlichen, jetzt im Louvre befindlichen Reliefs noch Einflüsse der älteren asiatischen Kunst bekunden. Alterthümlichen Eindruck macht auch der merkwürdige Tempelrest zu Cadacchio auf Corcyra (Korfu), wo sechs dorische Säulen in auffallend weitem Abstand von 2½, in der Mitte sogar von 3 Durchmessern die Front eines Tempels bildeten. Es klingt darin eine der etruskischen Anordnung verwandte Auffassung nach.

Tempel zu Cadacchio.

Apollo-T. zu Delphi.

Im Uebrigen sind die berühmtesten dorischen Tempel jener Epoche grösstentheils spurlos untergegangen. Dahin gehörte der Tempel des Apollo zu Delphi, der zur Zeit der Pisistratiden, also in der zweiten Hälfte des sechsten Jahrh., nach einer Zerstörung durch Brand mit Beihülfe von ganz Griechenland, das durch freiwillige Beiträge zusteuerte, prächtiger als vorher erbaut wurde. Namentlich zeichnete sich das Priestergeschlecht der Alkmaeoniden, dem die Leitung des Baues oblag, dadurch aus, dass es statt des versprochenen Sandstein-Materiales den kostbaren parischen Marmor verwendete. Als Meister wird jedoch kein Athener, sondern *Spintharos* von Korinth genannt. Nicht minder berühmt war der Zeustempel zu Athen, der unter Pisistratus von den Baumeistern *Antistates, Kallaeschros, Antimachides* und *Porinos* in gewaltigen Dimensionen begonnen, nach Vertreibung der Pisistratiden jedoch unvollendet blieb, bis Antiochus Epiphanes ihn durch den Römer *Cossutius* als korinthischen Dipteros ausführen liess. Seine gänzliche Vollendung erfolgte sogar erst unter Hadrian. Der Unterbau, 354 Fuss lang bei 171 Fuss Breite, gehört noch der ursprünglichen Anlage. (Fig. 108.) Von geringerer Ausdehnung, aber nicht minder berühmt, war der ältere Parthenon auf der Akropolis, das sogenannte Hekatompedon („hundertfüssige"), der später durch die Perser zerstört und nach siegreicher Vertreibung derselben prächtiger wieder aufgebaut wurde. Es war ein dorischer Peripteros, von dem merkwürdige Bruchstücke, Säulentrommeln, Gebälkfragmente und Quadern neuerdings in der nördlichen Burgmauer zu Athen eingemauert gefunden worden sind. Der dorische Styl tritt völlig ausgebildet an diesen Ueberresten hervor. Unter den Stufen des jetzigen Parthenon hat man auch den Unterbau jenes älteren entdeckt und die Anordnung eines Peripteros von 8 zu 16 Säulen erkannt*.) Demnach hatte der ältere Tempel dieselbe Ausdehnung der Cella und ähnliche Anordnung des Peripteros, wie der jüngere; nur fehlte ihm der Opisthodomos. Die Säulentrommeln mit ihrer Ummantelung bewiesen, dass die letzte vollendende Hand nicht an den Bau gelegt war. Seine Formen sind in einem energischen Dorismus durchgebildet, wobei namentlich die Höhe des Gebälkes und der schlanke, schmale Schnitt der Triglyphen auffallen.

Zeus-Tempel zu Athen.

Aelterer Parthenon.

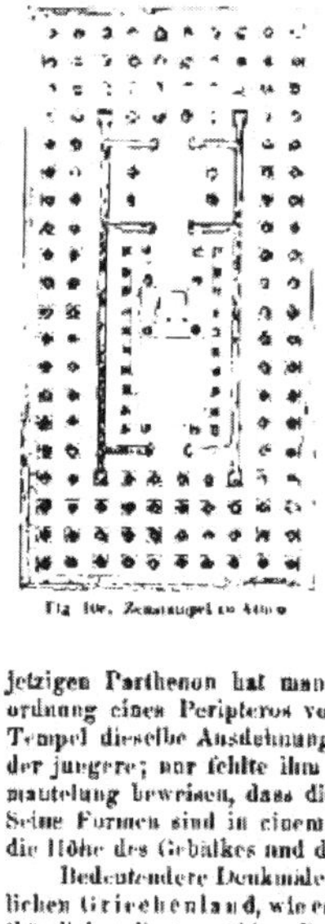

Fig. 108. Zeustempel zu Athen.

Reste in Griechenland. Korinth.

Bedeutendere Denkmäler aus dieser früheren Entwicklungsepoche sind im eigentlichen Griechenland, wie es scheint, nur in geringer Zahl vorhanden.**) Zu den alterthümlichen Resten zählen die Ruinen eines Tempels zu Korinth, wahrscheinlich der Pallas heilig und wohl der Frühzeit des fünften Jahrh. angehörend, von dem nur sieben Säulen des Peristyls sammt Theilen des Gebälks noch aufrecht stehen. Hier sind die Verhältnisse ungewöhnlich gedrückt, da der Säulenschaft kaum die Höhe von vier

*) Vgl. Ross in Gerhard's Arch. Ztg. 1862 No. 100 u. Taf. CLX. CLXI.

**) Antiquities of Ionia, published by the Society of Dilettanti. Fol. Vol. II. London 1797. — The unedited antiquities of Attica by the Society of Dilettanti. Fol. London 1817. — *Abel Blouet*, Expédition scientifique de Morée, ordonnée par le gouvernement français. 3 Vols. Fol. Paris 1831—38.

unteren Durchmessern hat. Der Echinus ist ebenfalls mit überstarker Ausladung gebildet, und der Hals hat drei Einschnitte (Fig. 109). Das Material ist ein mit trefflichem Stucküberzuge versehener Kalkstein. Dagegen zeigt der **Pallastempel zu Aegina**, dessen Bau gleich nach den Perserkriegen, also noch vor der Mitte des fünften Jahrh. stattfand, bereits eine wesentliche Umwandlung, eine Milderung der alterthümlich herben Formbildung. Er ist ein hypäthraler Peripteros von 6 zu 12 Säulen und bekundet auch durch seine keineswegs bedeutenden Verhältnisse von nur 45 Fuss Breite bei 94 Fuss Länge jenes Grundgesetz weiser Maassbeschränkung, das an den edelsten Werken griechischer Architektur vorherrscht. Die Säulenhöhe ist hier auf 5¼ Durchmesser gesteigert, und auch die Einzelformen, wenngleich noch streng, geben doch eine Milderung jener alterthümlich starren Bildungsweise zu erkennen. Die ehemalige Anordnung des Innern lässt sich aus zwei Reihen von 5 Säulen errathen, die den Raum der 21 Fuss weiten Cella in drei Schiffe theilten. Berühmt sind die wohlerhaltenen Statuengruppen der Giebelfelder, welche mit klarem Bezug auf die kaum beendeten Perserkriege Scenen aus dem Kampfe der Griechen gegen die Trojaner darstellen. Sie sind gleich dem Dach und dem Gesims aus Marmor gearbeitet, während die übrigen Theile aus Sandstein gebildet und mit einem feinen Stuck überzogen waren. — In naher Verwandtschaft zu diesem Werke steht der **Tempel der Themis zu Rhamnus**, in Attika gelegen. (Vgl. Fig. 90 auf S. 117.) Doch hat er nur zwei Säulen in antis. Seine in polygonem kyklopischem Werk erbauten Mauern hält man für den Rest eines älteren, vermuthlich von den Persern zerstörten Heiligthumes.

Pallas-Tempel zu Aegina.

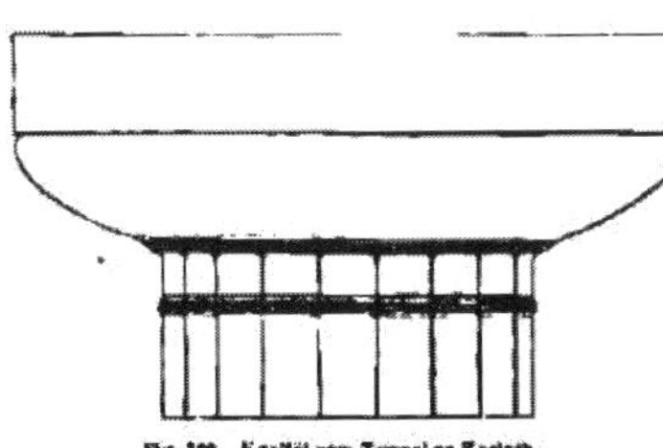

Fig. 109. Kapitäl vom Tempel zu Korinth.

Themis-Tempel zu Rhamnus.

Eine grössere Anzahl alterthümlicher Denkmäler gehört **Sicilien** und **Unter-Italien** an. Obwohl dieselben grösstentheils erst der späteren Zeit des 5. Jahrhunderts ihre Entstehung verdanken, besprechen wir sie hier im Zusammenhange, besonders da an ihnen die strengeren Formen der Frühzeit länger ihre Herrschaft behauptet haben. Auf Sicilien allein finden sich von über zwanzig Tempeln mehr oder minder bedeutende Reste, darunter Werke von kolossalem Umfange*). Sie legen mit ihrer gebrochenen Pracht Zeugniss ab von der Blüthe und Macht, zu welcher jene reichen griechischen Pflanzstädte sich im fünften Jahrh. aufschwangen, nachdem sie die Angriffe der Karthager im J. 480 siegreich zurückgeschlagen hatten. Fast allen sicilischen Monumenten ist die langgestreckte Anlage des Tempels, die Schmalheit der Cella und die Weite des äusseren Peristyls, der sich dem pseudodipterischen Verhältniss zuneigt, gemeinsam. Namentlich gilt dies von den ältesten Monumenten, die durch übertriebene Länge des Grundplans, übermässige Breite der umgebenden Halle und in Folge dessen auffällige Schmalheit der Cella sich bemerklich machen, während die späteren Denkmale sich weit mehr der regelmässigen Anlage der Werke im eigentlichen Griechenlande nähern. Sechzehn dieser Tempel haben eine peripterale Säulenhalle, und innerhalb derselben sind die meisten als T. in antis, drei in der Form des Prostylos, kein einziger als Amphiprostylos gestaltet. Das Material, ein grobkörniger Kalkstein, dem ein Stucküberzug gegeben wurde, scheint eine schwerere Detailbildung hier fast durchweg bedingt zu haben.

Reste in Sicilien.

*) Duca di *Serradifalco*, Domenico lo Faso Pietrasanta), Antichità della Sicilia. 5 Voll. Fol. Palermo 1834—42. — *J. Hittorf* et *L. Zanth*, Architecture antique de la Sicile. 1 Vol. Fol. Paris. (Denkmäler von Segesta und Selinunt). — *G. F. v. [illegible]*, Sicilien in Wort und Bild. 4. Leipzig [illegible].

Syrakus. Zu den alterthümlichsten Resten gehören die beiden ältesten Tempel von Syrakus, einer schon im 8. Jahrh. gegründeten Kolonie der Korinthier. Vom Tempel der Artemis auf der Insel Ortygia sind neuerdings ansehnliche Reste ausgegraben worden. Es war ein Peripteros mit 6 Säulen Front und von ausserordentlicher Länge (18 oder 19 Säulen). Die Vorhalle hatte noch eine zweite Säulenreihe, und hinter dieser schloss der Pronaos mit zwei Säulen in antis ab. Die stämmigen ungefähr 4½ Durchmesser hohen Säulen haben nur 16 Kanäle; die Kapitäle haben einen stark ausgebauchten, weit ausladenden Echinus und vier Heftbänder an dem etwas eingekehlten Halse. Der Abstand der Säulen ist so eng, dass er nicht ganz dem unteren Durchmesser gleich kommt, das mittlere Inter-Columnium ist aber beträchtlich weiter. Nach alledem dürfte der Tempel vielleicht noch älter sein, als der wahrscheinlich um 600 v. Chr. entstandene mittlere Burgtempel von Selinunt. Geringer, aber vielleicht ebenso alterthümlich sind die Reste des ausserhalb der Stadt gelegenen T. des olympischen Zeus, an welchem nur zwei Säulen mit sechzehn Kanälen ohne Kapitäle erhalten sind. Umfangreicher und wohl etwas jünger sind die Ueberreste des Athenetempels auf der Insel Ortygia, von welchem 22 Säulen in die heutige Kathedrale
Ortygia. verbaut worden sind. Es war ein Peripteros von 6 zu 14 Säulen, 70 Fuss breit bei 178 Fuss Länge. Auch hier sind die Säulen sehr gedrungen, nur 4¼ Durchmesser hoch, die Zwischenweite übertrifft kaum den untern Durchmesser und der Echinus des Kapitäls ist zwar straffer gebildet, aber ebenfalls stark vorspringend mit scharf profilirten Heftbändern und drei Einschnitten am Halse. Aus Ciceros verrinischen Reden wissen wir, dass dieser Tempel durch seine reichen Schätze die Raublust des berüchtigten Verres angelockt hatte. Von der Pracht des Baues giebt es eine Vorstellung, dass seine Thür aus Gold und Elfenbein gebildet war.

Selinunt. Zu Selinunt (Selinus) liegen allein sechs Peripteral-Tempel in Trümmern, drei in der Stadt (auf dem östlichen Hügel) und eben so viele auf der Burg (dem westlichen Hügel) an denen sich eine besonders schwere Behandlungsweise des dorischen Styles bemerklich macht. Kurz und stämmig sind die Säulen, mit übermässiger Verjüngung und Anschwellung; sehr weit ausladend, in fast horizontaler Linie vorspringend der Echinus, dessen Form durch eine Einbiegung des Säulenhalses noch schärfer heraustritt. Auch die kleineren Glieder, die Ringe des Halses, die Triglyphen und die Platten der Viae zeigen eine derbe Behandlung. Die Anstrengung der stützenden, die Wucht der getragenen Glieder ist noch zu hart, zu mühevoll ausgesprochen; es fehlt die leichte Anmuth, welche, indem sie die grössten Schwierigkeiten überwindet, den Schein eines reizenden Spieles anzunehmen weiss. Das älteste dieser Denkmäler scheint der mittlere Burgtempel, (vgl. den Grundriss Fig. 110) ein Peripteros, dessen Peristyl sich dem pseudodipterischen Verhältniss nähert. Bei 205 Fuss Länge und 75 Fuss Breite der Platform hat die Cella eine lichte Weite von nur 26 Fuss. Die Säulen der Prostasis haben nur sechzehn, die übrigen achtzehn Kanäle, die Viae über den Metopen sind nur halb so breit als die der Triglyphen, und so finden sich durchweg mannichfach abweichende Einzelheiten. Bemerkenswerth sind die alterthümlich befangenen Reliefs der Metopen, Herkules die Kerkopen bändigend und Perseus die Medusa tödtend, sowie Reste eines Viergespannes, jetzt sämmtlich im Museum zu Palermo. Der überaus primitive Styl dieser Sculpturen im Einklang mit den Formen der Architektur und die Erwägung, dass die Stadt im J. 627 v. Chr. gegründet worden, lassen schliessen, dass dieser Tempel vor 600 begonnen und nicht lange nachher vollendet worden sei. Die Anlage dieses Tempels wiederholt sich fast in allen Punkten am mittleren Stadttempel, nur bei etwas kleineren Maassen. Namentlich gilt dies von der abweichenden Anordnung der Säulenreihe der Prostasis, die wie dort sich als vollständige Halle quer vor die Cella und die Seitenhallen legt. Der nördliche Stadttempel, unter den sicilischen der grösste, ist ein Pseudodipteros von mächtigen Dimensionen; er misst 161 Fuss Breite bei 367 Fuss Länge. Dieser Tempel, vermuthlich ein Heiligthum des Zeus, war bei der Eroberung von Selinunt durch die Karthager im J. 409 noch nicht vollendet; seine Säulen sind auch später niemals fertig geworden, da ihnen fast durchgängig die Cannelirung fehlt. Sein Peristyl hat — der einzige unter allen sicilischen

Monumenten — acht Säulen in der Front; an den Langseiten stehen siebzehn Säulen. Abweichend erscheint auch, dass der mit zwei Säulen in antis gebildete Naos eine Prostasis von ungewöhnlicher Tiefe (vier Säulen Front und je zwei an jeder Seite) hat. Der *südliche Stadttempel* zeigt bei 87 Fuss Breite und 212 Fuss Länge die regelmässige Anlage eines hypäthralen Peripteros von 6 zu 14 Säulen, und seine Vorhalle öffnet sich wie das Posticum mit zwei Säulen in antis. Besondere Beachtung verdient, dass ausser dem Posticum noch ein besonderer Opisthodomos sich der langen und schmalen Cella anschliesst. Die Metopen waren durch Bildwerke (jetzt im Museum zu Palermo) ausgezeichnet, welche dem entwickelten Styl der Spätzeit des fünften Jahrhunderts angehören. Die Entstehungszeit des Baues wird daher nicht vor 450 anzusetzen sein. — Dieselbe Anordnung bei gleicher Säulenzahl, aber mässigeren Verhältnissen, 51 Fuss Breite bei 120 Fuss Länge, besitzt der *südliche Burgtempel*, wie es überhaupt bemerkenswerth ist, dass die Tempel der Burg, ausgenommen den nördlichen, mit den entsprechenden der Stadt in der Anlage, wenn auch nicht in den Verhältnissen übereinstimmen. Links vom Eingange der Cella ist ein Rest der Treppe zum Obergeschoss erhalten. — Endlich ist der *nördliche Burgtempel* zu nennen, ein Peripteros von 87 Fuss Breite und 183 Fuss Länge, von 6 zu 13 Säulen, die fast pseudodipterale Anordnung haben. Die Cella ist wieder äusserst schmal, die Prostasis hat die Eigenheit, dass die Anten der Wände als Dreiviertelsäulen gebildet sind. An der Rückseite hat dieser Tempel kein Posticum, sondern ein nach aussen geschlossenes, nur von der Cella zugängliches Gemach, ähnlich den beiden mittleren Tempeln auf Burg und Stadthügel. Die Formen dieses Gebäudes gehören zu den alterthümlicheren.

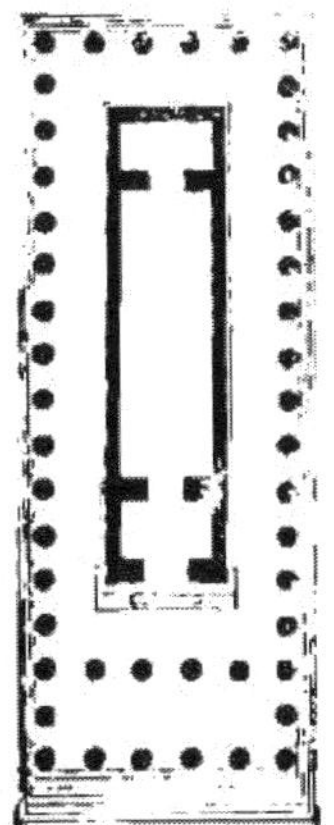

Fig. 110. Mittlerer Burgtempel zu Selinunt.

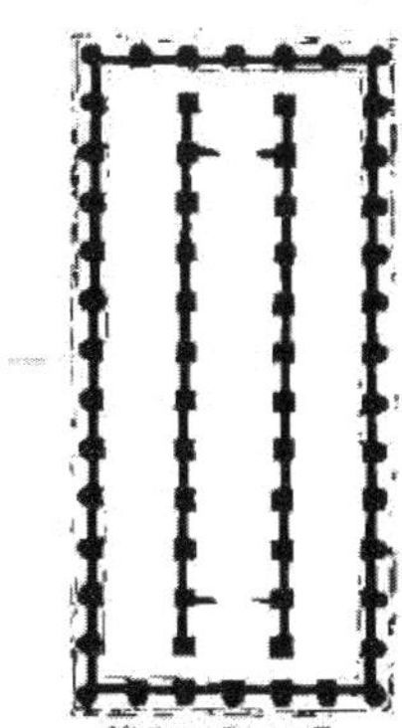

Fig. 111. Tempel des Zeus zu Agrigent.

Auch zu *Agrigent* (Akragas) sind Ueberreste mehrerer bedeutender Tempel erhalten, unter denen der des Olympischen Zeus, ein Pseudoperipteros von bedeutendem Umfang, 164 Fuss breit und 345 Fuss lang, bei nur 50 Fuss weiter Cella, besonderer Erwähnung verdient (Fig. 111). Gegen die Regel, nach welcher der Vorderseite der Tempel eine gerade Zahl von Säulen zukam, sind hier sieben Halbsäulen an der Giebelseite, verbunden mit der Umfassungsmauer der Cella. Im Innern trugen Wandpfeiler eine obere Galerie, auf welcher statt der Säulen eine Reihe alterthümlich stren- Agrigent.

ger Atlantenfiguren die Decke stützten. Die ganze so sehr abweichende Construction scheint durch die Beschaffenheit des nur in kleinen Blöcken brechenden Materiales bedingt. Der Tempel wird der zweiten Hälfte des fünften Jahrh. angehören, da er bei der Eroberung der Stadt durch die Karthager im J. 405 noch nicht ganz vollendet war, namentlich des Daches noch entbehrte.

Segesta.

Ein sehr schön erhaltener, aber niemals vollendeter Peripteros steht noch aufrecht zu Segesta, die Säulen uncannelirt, die Steinblöcke der Treppenstufen noch mit den Zapfen versehen, die man für den Transport stehen gelassen.

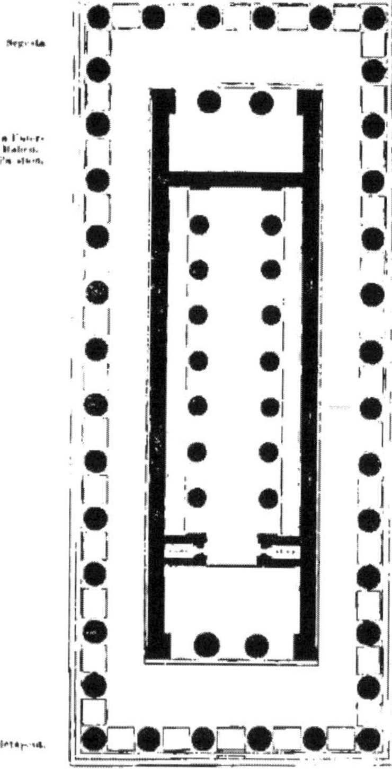

Fig. 112. Poseidonstempel zu Paestum (Grundriss).

Unter-Italien. Paestum.

Unter den Ueberresten Unter-Italiens (Gross-Griechenlands) sind die von Paestum (Poseidonia) die bedeutendsten*). Hier ist besonders der grössere, ein hypäthraler Peripteros, der sogenannte Poseidonstempel, (Fig. 112 u. 113) 193 bei 81 F., durch eine mit den sicilischen Monumenten im Allgemeinen übereinstimmende schwere, alterthümliche Bildungsweise ausgezeichnet, obwohl auch er erst dem Ausgange des fünften Jahrh. angehören wird. Er ist bemerkenswerth als das einzige unter den Monumenten des Alterthums, in welchem sich die oberen Säulen der inneren Cella erhalten haben. Dem auf S. 107 gegebenen Querschnitt, welcher die Erhöhung des Fussbodens der Cella zeigt, fügen wir nebenstehend unter Fig. 112 den Grundriss dieses wichtigen Denkmals bei. Die Treppen zwischen Pronaos und Cella beweisen, dass die beiden oberen Galerien nicht direct mit einander in Verbindung standen. Die 24 Kanäle der Säulen, die schweren Kapitäle und die Wiederholung des Einschnittes am Halse, die flachen, ohne Tropfen gebildeten Platten der Viae und Anderes zeugt von einem abweichenden Formensinne.

Metapont.

— Zu Metapont am Meerbusen von Tarent haben sich Reste von zwei dorischen Tempeln erhalten, deren Behandlung zum Theil den sicilischen Denkmalen entspricht**). Von dem einen, „tavola de' paladini" genannt, stehen noch 15 Säulen aufrecht, von ziemlich schlankem Verhältniss, gegen fünf untere Durchmesser hoch, der Echinus des Kapitäls in gebogener Linie stark aus-

*) Delagardette, Les ruines de Paestum ou Posidonia. Fol. Paris 1799.

**) Duc de Luynes, Metaponte. Fol. Paris.

ladend, mit zwei Ringen und einer kehlenartigen Einziehung des Halses. Der andere Tempel „Chiesa di Sansone", ist durch die schönen Reste einer ehemaligen, reich be-

Fig. 113. Innere Ansicht des grossen Tempels zu Paestum.

malten Bekleidung von gebranntem Thon bemerkenswerth. Schwarz, roth und gelb sind die Farben, aus denen sich die edlen Muster zusammensetzen.

Zweite Epoche.

Von Kimon bis zur Makedonischen Oberherrschaft.

(470—338 v. Chr.)

Nach den glücklich beendeten Perserkriegen entfaltete sich der Geist des Griechenthums zu seiner höchsten Blüthe. Im stolzen Bewusstsein jener Kraft und Bürgertugend, die den Sieg über unzählige Barbarenhorden errungen hatte, läuterte sich die alte Starrheit der Sitte zum edelsten, freiesten Selbstgefühl. Die einzelnen Staaten standen glücklich und mächtig da, innig verbunden durch Begeisterung für die nationale Grösse und durch die heiligen Spiele, deren Feier in dieser Zeit den höchsten Glanz erreichte. Besonders war es Athen, dem ein Gipfelpunkt des Daseins beschieden war, wie er nirgends in der Geschichte wiedergekehrt ist. Seine kluge Tapferkeit im Perserkriege hatte ihm die erste Stelle im Bunde der griechischen Staaten verschafft; Charakter der zweiten Epoche.

seine vermehrten Besitzungen, sein Handel gewährten ihm auch einen Reichthum, der es befähigte, in grossartigen Kunstunternehmungen bleibende Denkmale jener glanzvollen Stellung zu errichten. In der That bleibt Athen in dieser Periode der Mittelpunkt der Architektur-Thätigkeit, der klassische Boden, welcher die erhabensten, edel vollendeteten Werke hervortreiben sollte. Schon Themistokles hatte die Reihe dieser architektonischen Unternehmungen sogleich nach den glücklich beendeten Perserkriegen begonnen. Aber seine Werke trugen das Gepräge der blossen Nothwendigkeit und zugleich der durch die Bedrängniss der Zeiten gebotenen Hast. Vor Allem führte er die durch den wiederholten Einfall der Perser zerstörten Stadtmauern wieder auf und befestigte zugleich die Hafenstadt Peiräeus sammt der Burg Munychia. Was er angefangen, setzte Kimon in noch höherem Sinne und unter günstigeren Verhältnissen fort. Er führte nicht bloss den Gedanken des Themistokles aus, die Stadt Athen mit ihren Häfen durch das gewaltige Werk der „langen Mauern" zu einem geschlossenen Befestigungssystem zu verbinden — ein Bau, der erst unter Perikles völlig beendet wurde —, er umgab nicht nur die Akropolis an der Südseite mit einer Mauer, sondern er schmückte auch die Stadt mit glänzenden Denkmälern, zu deren Ausstattung er hauptsächlich die Maler Polygnot, Mikon und Panänos verwendete. So entstand eine prachtvolle Halle am nordwestlichen Ende des Marktes, in welcher er die Heldenthaten der Athener in Wandgemälden darstellen liess; so erhielt das alte Heiligthum der Dioskuren neuen Glanz; anderer Verschönerungen der Stadt durch Anpflanzung schattiger Spaziergänge nicht zu gedenken. Aus Kimon's Zeiten datiren der unten genauer zu besprechende Tempel des Theseus und der kleine, erst seit dem vorigen Jahrhundert verschwundene Tempel am Ilissos. — Durch die Weisheit des Perikles wurde sodann dem Staatsleben eine Richtung gegeben, in welcher das Element persönlicher Freiheit auf's Glücklichste mit der concentrirten Kraft einer monarchischen Herrschaft verschmolzen war. Perikles war Alleinherrscher Athens, weil er der höchste Ausdruck, die Spitze hellenischer Bildung war. Ihm stand bei seinen künstlerischen Unternehmungen Phidias zur Seite, dessen Name das Vollendetste bezeichnet, was der menschliche Geist in bildnerischem Schaffen hervorgebracht hat. So wurde das von Kimon begonnene Werk der Verschönerung Athens energisch fortgeführt und die Hauptstadt Attika's zu einem einzigen bewundernswerthen Kunstwerke umgewandelt. Die langen Mauern wurden vollendet, im Peiräeus die Strassen sammt dem Marktplatze regulirt und eine grosse Getreidehalle errichtet, in Athen sodann nicht bloss das Odeion für musische Wettkämpfe erbaut, sondern namentlich die Akropolis mit ihren Heiligthümern nach den Zerstörungen der Perserkriege glänzend wiederhergestellt. Zwar brach der durch Sparta's Nebenbuhlerschaft entfachte peloponnesische Krieg (431—404 v. Chr.) jener höchsten Entfaltung nur zu bald die Krone ab; aber in den künstlerischen Werken glüht das Feuer jener edelsten Formvollendung noch lange nach, verherrlicht noch immer die alten Götter, wenngleich sie dem Lande ihren kräftigen Schutz entzogen zu haben scheinen. Erst mit dem Sinken der griechischen Unabhängigkeit tritt auch in den Werken der Architektur ein Sinken entschieden auf.

Charakter ihrer Bauwerke.

Auch jetzt bleibt der dorische Styl noch vorwiegend in Anwendung. Aber seine Formen sind zu edelster Anmuth gemildert, und hier erst zeigt er sich in jener glücklichen Verschmelzung von dorischer Kraft und ionischer Grazie, welche den Bauwerken dieser Zeit den Stempel vollendeter Schönheit aufprägt. Die Verhältnisse werden schlanker, leichter, ohne darum an Würde zu verlieren. Der ängstlich befangene, schwerfällige Ausdruck mühsamen Stützens weicht einem elastischen, kühnen Aufstreben. In der Beziehung der tragenden Glieder zu den getragenen herrscht eine vollkommene Harmonie, und dieser Grundton klingt durch alle einzelnen Detailformen mit zauberhafter Schönheit hindurch. Aber auch der ionische Styl erfährt jetzt erst auf dem Boden Attika's einen Adel, eine Würde der Durchbildung, welche ihm nirgend anderswo in solchem Maasse zu Theil geworden ist. Er gewann aus dem Einwirkungen dorischer Elemente jene männlichere Kraft, welche seinen lieblicheren Formen den Charakter geisterfüllten Lebens verlieh.

Denkmäler zu Athen.

Wir haben mit den Monumenten von Athen zu beginnen*), und indem wir hier vor Allem den Parthenon, den der jungfräulichen Schutzgöttin Pallas Athene geweihten Prachttempel, erwähnen, wissen wir, dass wir von einer der höchsten Gestaltungen menschlichen Schöpfergeistes reden (Fig. 114 u. 115). Nach den Verheerungen durch die Perser, welche auch die Heiligthümer der Akropolis, der steilgelegenen Burg von Athen, betroffen hatten, war das Augenmerk der Athener darauf gerichtet, die nothwendigsten Nützlichkeitsbauten auszuführen, ihre Stadt aus dem Schutte neu erstehen zu lassen, und sie durch die berühmten langen Mauern, welche bis an den Hafen führten, zu befestigen.

Parthenon.

Erst Perikles konnte den Gedanken, den Festtempel der Schutzgöttin glänzender wieder zu errichten, zur That verwandeln. *Iktinos* und *Kallikrates* waren die Baumeister, welche nach etwa sechzehnjähriger Arbeit im J. 439 den Wunderbau vollendeten, dem *Phidias'* Meisterhand jenes berühmte aus Gold und Elfenbein zusammengesetzte Kolossalbild der Athene als kostbaren Inhalt schuf. Eine Säulenhalle von 8 zu 17 dorischen Säulen, deren unterer Durchmesser 6 Fuss 2 Zoll, deren Höhe 34 Fuss misst, umgibt den mächtigen Bau, der ausserdem an beiden Giebelseiten eine Vorhalle von 6 minder gewaltigen Säulen hat. Da die einzelnen Säulen kaum $1\frac{1}{2}$ Durchmesser von einander entfernt sind, so ergibt sich jene glückliche Wechselwirkung von Masse und Oeffnung, von Licht und Schatten, welche das Auge als wohlthuendster Rhythmus berührt. Die inneren Säulen der Vorhallen waren durch Gitter verbunden, welche für die in den Vorräumen aufgestellten Prachtgefässe die nöthige Sicherheit gewährten. In einer Breite von 101 Fuss und einer Länge von 227 Fuss erhebt sich der Tempel, bis zur Spitze des Giebels 65 Fuss hoch, wie ein strahlendes Weihgeschenk auf seiner dreistufigen Marmorterrasse, hoch über der Stadt schwebend, — eine sichtbare Gewähr des Schutzes der Göttin. Hier offenbart sich der dorische Styl in unvergleichlicher Hoheit und Vollendung. Die kolossalen Säulen, $5\frac{1}{2}$ Durchmesser hoch, streben in edler Schlankheit empor, von einem Kapitäl gekrönt, dessen Glieder das kräftigste und zugleich anmuthsvollste Leben athmen. Ein Anklingen an ionische Bil-

Fig. 114. Ansicht des Parthenon.

*) *J. Stuart* and *N. Revett*, The antiquities of Athens. 4 Voll. London 1762. — *Penrose*, Investigation of the principles of Athenian architecture. London. — *Beulé*, l'Acropole d'Athènes. Paris.

dungsweise verrathen die Perlenschnüre über den Triglyphen, so wie das mit Blättern sculpirte Kymation und die Perlenschnur unter den Kapitälen der Anten. Aehnlich verhält es sich mit den übrigen Gliedern, so dass noch jetzt in seiner Zerstörung der herrliche Bau das höchste Entzücken bei Allen hervorruft, die ihn zu schauen so glücklich waren. Dazu kommt der feine Goldton, mit welchem das im Marmor enthaltene Eisenoxyd im Laufe der Jahrhunderte das aus pentelischem Stein erbaute Denkmal angehaucht, und welcher bei manchen heutigen Forschern der Annahme von einer durchgängigen Uebermalung des griechischen Tempels scheinbare Bewährung gegeben hat. Die Anordnung des Innern, dessen Fussboden etwas höher liegt als der des Peristyls, war die eines hypäthralen Baues. Von der 63 Fuss breiten, 98 Fuss langen Cella wurde durch eine Wand ein hinterer Raum (Opisthodomos) abgetrennt. Der vordere, grössere Raum, die Cella, war durch zwei Reihen von Säulen getheilt, welche eine Galerie und ohne Zweifel eine zweite Säulenstellung trugen. Auf dieser ruhten die Flügel des Daches. Die Spuren in der Oberfläche des Stylobats haben ergeben, dass die unteren Säulen $3\frac{1}{2}$ Fuss Durchmesser und 16 Cannelüren hatten. So wurde ein breiter Mittelraum abgegrenzt, der im engeren Sinne den Namen des Parthenon führte, weil in ihm, durch das hypäthrale Oberlicht beleuchtet, die Kolossalstatue der Göttin thronte. Die Seitenhallen dagegen wurden nach ungefährer Länge Hekatompedon (der hundertfüssige Raum) genannt. Erst C. Bötticher's eben so scharfsinnige als gründliche Forschung hat über die Benutzung dieser verschiedenen Räume, so wie die Bedeutung des ganzen Baues das erwünschte Licht verbreitet. Demnach gehörte der Parthenon zur Klasse der Agonal- oder Festtempel, die, ohne religiöse Weihe, nur dem betreffenden Gott zur Ehre errichtet waren und mit der Feier der öffentlichen Spiele zusammenhingen. Er bewahrte die kostbaren Weihgeschenke der Göttin, er umschloss aber auch die zu den heiligen Festen erforderlichen Geräthe, unter dem Gewahrsam der vom Volk erwählten Schatzmeister. Sodann aber wurden in ihm Angesichts des thronenden Götterbildes, das die siegverleihende Nike trug, die Sieger jener feierlichen Spiele, der Panathenaeen, im Beisein der Obrigkeiten und der Gesandten befreundeter Staaten bekränzt, während von der oberen Galerie die Hymnen des Sängerchores herabtönten. Im Opisthodomos dagegen, dessen Decke durch vier Säulen getragen wurde, war der Staatsschatz niedergelegt, der dort von den Beamten des Volkes verwaltet wurde. Von den bewundernswürdigen Bildwerken, welche, unzweifelhaft unter Phidias' eigener Leitung entstanden, den Tempel schmückten, sind die bedeutendsten Reste auf uns gekommen, zum grössten Theil von Lord Elgin entführt und in das britische Museum gebracht. An den Friesen, welche die Wände der Cella umziehen, waren in fortlaufender Darstellung Scenen aus dem Festzuge der Panathenaeen, jener grossen, alle fünf Jahre wiederkehrenden Staats-Feierlichkeit, (nicht, wie Bötticher will, aus den vorbereitenden Uebungen zu diesem Zuge) angebracht. In den Metopen sah man die Kämpfe der Kyklopen und Giganten, in den Giebelfeldern Statuengruppen, die Geburt der Pallas und ihren Wett-

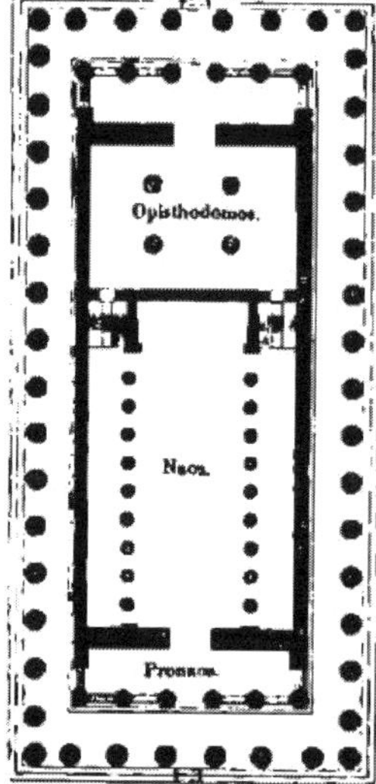

Fig 115. Grundriss des Parthenon.

kampf mit Poseidon enthaltend. Auch die Construction des Parthenon zeigt manches Besondere und beweist namentlich, mit welcher Sorgfalt und Umsicht auf alle Eigenheiten des Materiales geachtet wurde, um dem Baue die möglichste Dauerbarkeit zu sichern. So sind die Epistyle aus drei schmalen und hohen, neben einander liegenden Balken gebildet, so bestehen die Säulenschäfte aus zwölf durch metallene Dübel verbundenen, sorgfältig auf einander geschliffenen Trommeln. Der Bau, im Mittelalter zu einer Kirche der Gottesmutter umgewandelt, hatte denn auch im Wesentlichen unversehrt mehr als zwei Jahrtausende überdauert, als er im 17. Jahrh. durch die Kugeln der Venetianer den ersten Stoss der Zerstörung erfuhr. Eine Bombe, welche mitten auf das Dach fiel, zerschmetterte dasselbe und zerriss den herrlichen Bau in zwei Hälften. Neue schwere Verletzungen erfuhr er durch die Rohheit der Werkleute Lord Elgin's beim gewaltsamen Herausbrechen der Metopentafeln.

Recht verständlich in seiner Gesammterscheinung wird der Parthenon durch ein anderes, ihm im Aufbau und der Formenbehandlung nahe verwandtes Bauwerk, das, kaum halb so gross wie jener, an Adel der Durchbildung nicht hinter ihm bleibt. Es ist der Theseustempel zu Athen (Fig. 116). Das Mittelalter hatte ihn in eine Kirche zu Ehren St. Georgs umgewandelt, und der christliche Heilige rettete das Theseion.

Fig. 116 Grundriss des Theseustempels.

Fig. 117. Kapitäl vom Theseion zu Athen

Haus des heidnischen Heroen. Auch dieser nur 45 zu 104 Fuss messende Tempel ist ein Peripteros, jedoch mit nur sechs Säulen in der Front und dreizehn an jeder Seite. Auch hier begrüsst uns eine hohe Harmonie und Anmuth, die vielleicht den fast schon zu geistreich feinen Parthenon noch übertrifft. Namentlich sind die Kapitäle (Fig. 117) mit ihrem straffen Echinus und den vier Ringen von edelster Bildung, und so zeugen alle Details von einem feinen Verständniss der Form und ihres Wesens. Die Verhältnisse sind schlank und edel, leicht und würdig, doch nicht in dem Maasse wie dort. Zählte dort die Säulenhöhe $5^2/_3$ Durchmesser, so hat sie hier nur $5^1/_2$; war der Abstand dort gleich $1^1/_3$, so erweitert er sich hier auf $1^1/_2$; verhielt sich dort die Höhe des Gebäudes zur Länge wie 1 zu $3^1/_2$, so hat sie hier das Verhältniss von 1 zu $3^4/_6$. Diese Beziehungen der beiden Tempel erhalten vielleicht ihre Erklärung durch die Erbauungszeit des Theseions, das wahrscheinlich etwa zwanzig Jahre vor dem Parthenon noch unter Kimon entstand. Der Eindruck des Theseustempels, der durch seine vorzügliche Erhaltung bedeutend gewinnt, und dessen Zauber durch den goldbraunen Ton seines Marmorkörpers noch erhöht wird, ist, wenn auch minder gewaltig, doch noch anmuthiger als der des Parthenon. Glänzend war auch der Schmuck, mit welchem Plastik und Malerei wetteifernd den edlen Bau ausgestattet hatten, obwohl namentlich die Betheiligung der Bildnerei weit weniger ausgedehnt war als beim Parthenon. So waren nur im Westgiebel Sculpturgruppen angebracht, und auch die Metopen zeigen nur zum Theil plastische Decoration. Dieselbe beschränkt sich auf die zehn Metopen der Ostseite und die vier anstossenden der beiden Langseiten, welche Thaten des Herakles und des Theseus enthalten. Ausserdem sieht man an den Friesen des Pronaos und Opisthodomos Kentaurenkämpfe und andere kriegerische Scenen in lebensvollen Reliefs dargestellt. Ausserdem hatte die Cella Wandgemälde von Mikon's Hand erhalten, an den Langseiten die Amazonen- und die Kentaurenschlacht, auf der Rückwand Theseus, den von Minos in's Meer geworfenen Ring heraufholend.

Propylaeen. Wir kehren nun zur Akropolis zurück, um ein drittes in demselben Styl errichtetes Werk zu betrachten, das an Adel der Formbildung selbst dem Parthenon nicht zu weichen braucht, an Originalität der Grundlage ihn noch überbietet. Es ist das Prachtthor der **Propylaeen**. Die athenische Burg mit ihren Heiligthümern lag auf einem steil abschüssigen Felsen, der nur an der Westseite sich sanft abdacht. Rings von hohen Mauern umgeben, die das natürliche Bollwerk des Felsens noch verstärkten, heischte sie an diesem einzig zugänglichen Punkte ein Thor, das die zwiefache Bestimmung einer Befestigung und einer würdigen Vorbereitung auf die höchsten Nationalheiligthümer, die glorreichsten Kunst-Denkmäler, ausspreche. Auch diesen Bau veranlasste Perikles, und bereits ein Jahr nach Vollendung des Parthenons, 436, begann *Mnesikles* das Werk, das im J. 431 vollendet dastand. Am Fusse des Hügels schützten zwei Vertheidigungsthürme (vergl. Fig. 118), welche durch neuere Untersuchungen als Werk einer noch in antiker Zeit unternommenen Restauration nachgewiesen worden sind, den Aufgang*). Von hier führte eine prächtige Marmortreppe, in der Mitte mit Rücksicht auf Wagen und Pferde unterbrochen, zur Burg hinauf und mündete auf den mittleren Theil der Propylaeen, der das eigentliche Thor bildete. Zu beiden Seiten lehnten sich vorspringend zwei kleine niedrigere Flügel an, beide mit offenen Säulenhallen und einem Giebeldache geschmückt. Indem sie dem Nahenden die Flächen ihrer Seitenmauern darboten, bildeten sie gleichsam eine Fortsetzung der anstossenden Umfassungsmauern der Burg und prägten somit die festungsartige Bedeutung des Thores aus. Seinen festlichen Charakter dagegen als eines Prachtthores, das zu den herrlichen Denkmälern der Akropolis hinführen, sie würdig vorbereiten sollte, vertrat der hohe Mittelbau. Mit einer Halle von sechs dorischen Säulen und einem breiten Giebeldache öffnete er sich einem Tempel gleich nach aussen und nach innen. Doch der weite Abstand der beiden mittleren, welcher drei Metopen umfasst, zeigt sogleich, dass es sich hier nicht um einen Tempel, sondern um eine Eingangshalle handelt. In der Auffassung der Formen herrscht derselbe Sinn wie am Parthenon, nur dass gewisse feinere Glieder, die den Tempel schmücken, dem Thore versagt bleiben. Den Säulenabständen entsprechen die fünf in einer Querwand liegenden grossen Thore, deren mittleres, für die Wagen der Panathenaeenzüge angelegt, die übrigen an Höhe und Breite übertrifft. Die gegen 50 Fuss tiefe Eingangshalle ist durch eine doppelte Stellung von drei ionischen Säulen getheilt, welche den Zugang zum mittleren Thore weiter begrenzen. Diese Verbindung der beiden Style, des dorischen für die in männlicher Abwehr nach

Fig. 118. Propylaeen zu Athen

*) Vergl. *Beulé*, l'Acropole d'Athènes. Paris 1862.

aussen gerichteten Prostyle, des ionischen für die Theilung des inneren Raumes ist einer der eigenthümlichen Vorzüge dieses herrlichen Baues. Die höchste Bewunderung des Alterthums war die glänzende Felderdecke der Halle mit ihrer reichen plastischen und malerischen Ausschmückung und der kühnen, durch das treffliche Material ermöglichten Spannung der 17 und 20 Fuss langen Balken. Den Thürsturz des Hauptthores bildete ein Balken von 22½ Fuss Länge. Auf der restaurirten Ansicht (Fig. 119) sieht man über den Befestigungswerken das Prachtthor mit seinen beiden Seitengebäuden emporragen, davor zur Rechten auf hohem Unterbau den kleinen Tempel der Nike. Weit über alle diese Werke hinaus, ebenfalls zur Rechten, steigen über den breiten Stufen des Stylobates die Säulen sammt dem bildwerkgeschmückten Westgiebel des Parthenon empor, während in der Mitte des Bildes die kolossale Erzstatue der Athene von Phidias sichtbar wird, links aber im Hintergrunde, hart an den Rand des Felsen

Fig. 119. Restaurirte Ansicht der Akropolis.

vorgeschoben, die Westseite sammt der nördlichen Vorhalle des Erechtheions sich zeigt. Unten links am Fusse der Akropolis erkennt man einen Theil vom Theater des Bakchos*).

Ausser diesen vorwiegend in dorischem Styl ausgeführten Prachtwerken bietet die Akropolis zugleich die edelsten Beispiele attisch-ionischer Architektur. Zunächst ist der kleine Tempel der **Nike Apteros** (der ungeflügelten Siegesgöttin) zu erwähnen**), der auf einem Mauervorsprunge vor dem südlichen Seitenflügel der Propylaeen liegt (vgl. den Grundriss in Fig. 118, die Gebälkanordnung der Prostasis auf Seite 123 und 124). Aller Wahrscheinlichkeit nach liess Kimon ihn zur Feier seines

Ionischer.

Tempel der Nike Apteros.

---

*) Die durch *Penrose's* genaue Messungen zur Anschauung gebrachten Curven am Parthenon, Theseion und Olympieion zu Athen, welche zu der Annahme einer absichtlich aus optischen Gründen angelegten Krümmung des Unterbaues wie des Gebälks geführt haben, sind neuerdings durch *Bötticher* (a. a. O.) als Ergebnisse der ungleichen Setzung u. Zusammendrückung des aus porösem piräischem Stein aufgeführten Stereobates erklärt worden. Dagegen hat *Ziller*, in *Erbkam's* Bauzeitung 1865, S. 35 ff. gegründete Bedenken, gestützt auf eigene Untersuchungen, ausgesprochen, durch welche Bötticher's Erklärung wieder zweifelhaft geworden ist.

**) *L. Ross*, *E. Schaubert* und *Ch. Hansen*, Akropolis von Athen. 1. Abth.: Der Tempel der Nike Apteros. Fol. Berlin 1839.

am Eurymedon über die Perser im J. 469 erfochtenen Sieges aufführen, hier auf unbeschütztem Felsabhang in fast zu kühnem Uebermuthe vortretend, zum Zeichen, dass die Göttin des Sieges, der Flügel entkleidet, für immerdar bei den Athenern ihren Sitz aufgeschlagen habe. Es ist ein viersäuliger Amphiprostylos von winzigen Verhältnissen, etwa 18 Fuss breit und 27 Fuss lang, im Umfang einem mässigen Saale gleichkommend. Die Ausbildung der ionischen Formen ist hier noch eine schlichte, doch bereits vollkommen klare; das Kapitäl namentlich zeigt die Elemente des Ionischen in feiner, wenngleich einfacher Behandlung. In der Ornamentik tritt noch überwiegend die Bemalung an Stelle der plastischen Behandlung. Die Säulen, etwa $7^2/_3$ Durchmesser hoch, erheben sich noch nicht zur Schlankheit der späteren Werke: die Basis zeigt schon die attische Form, doch so, dass der untere Torus als schmales Band, der obere dagegen in beträchtlicher Stärke und mit parallelen Horizontalfurchen versehen gestaltet ist. Die lebendigen Friesreliefs, welche Kämpfe der Griechen mit den Barbaren darstellen, sind grossentheils erhalten. — Grosse Aehnlichkeit mit diesem hatte ein

Fig. [illegible]. Nord-westliche Ansicht des Erechtheion.

Tempel am Ilissos. anderes jetzt verschwundenes, zu Stuart's Zeiten noch vorhandenes kleines Heiligthum, der Tempel am Ilissos*). Ebenfalls als viersäuliger Amphiprostylos, $19^1/_2$ Fuss breit und $41^1/_2$ Fuss lang aufgeführt, verrieth er dieselbe einfache, nur etwas entschiedenere Formenbehandlung bei etwas schlankeren Verhältnissen, die in der Säulenhöhe sich bis auf $8^2/_3$ Durchmesser steigerten; das Epistyl war dagegen nach dorischer Art ungegliedert. Ohne Zweifel gehörte auch er noch der Zeit des Kimon an.

Erechtheion. Die höchste Anmuth dieses Styles entfaltete sich indess erst am Tempel der Pallas Polias, dem sogenannten Erechtheion, dem eigentlichen Stammheiligthume der Schutzgottheiten Attika's**). Hier bestand aus uralter Zeit eine Cultusstätte, welche die verehrtesten Heiligthümer der Stadt umschloss. Da war das alterthümliche Cultusbild der Athene, aus Holz geschnitzt und, wie die Sage erzählte, vom Himmel herabgefallen.

*) *Stuart and Revett*, Antiquities of Athens, pl. V ff.

**) Ausser *Stuart* und *Revett* vgl. *H. W. Inwood*, the Erechtheion at Athens. Fol. London 1827. — *A. F. von Quast*, das Erechtheion zu Athen etc. 4 u. Fol. Berlin 1840. — *F. Thiersch*, Schriften über das Erechtheion in den Abhandlungen der Königl. bayr. Akademie der Wissensch. — *Tetaz*, Mémoire explicatif et justificatif de la restauration de l'Erechtheion d'Athènes in der Revue archéologique. Bd. VIII. — *Bötticher*, in der Tektonik und seinen Untersuchungen etc.

Da war der heilige Oelbaum, den die Göttin im Wettkampfe mit Poseidon erschaffen; da war der Salzquell, den dieser mit seinem Dreizack aus dem Felsen hervorgerufen hatte. Der alte König Erechtheus, die Nymphe Pandrosos hatten hier ihre besonderen Heiligthümer. Auch in diesen Tempel hatten die Perser die Brandfackel geschleudert, allein er scheint nicht gänzlich zerstört worden zu sein, da man schon am folgenden Tage die Sühnopfer darin verrichten konnte. Gewiss ist, dass erst nach der Zeit des Perikles der Neubau in Angriff genommen wurde, und dass derselbe, laut zwei aufgefundenen, auf den Bau bezüglichen Inschriften im J. 409 noch nicht vollendet war. Die Schwierigkeit, auf einem ungleichen, steigenden Terrain so verschiedene Räume für die einzelnen Heiligthümer in einem Bauwerke zu vereinen, ist hier in so bewunderungswürdiger Weise gelöst, dass der kleine, nur 37 Fuss breite und 73 Fuss lange Tempel nicht allein als die originellste, sondern auch als eine der vollendetsten Schöpfungen der hellenischen Kunst erscheint.

Die Anlage.

Die östliche Vorhalle sammt der südlichen Seite ist bis zur Linie *dd* (im Grundriss Fig. 121) auf bedeutend höherem Terrain angelegt. Alles Uebrige hat ein viel tieferes Niveau des Bodens. Der Hauptkörper des Gebäudes besteht aus einer Cella *A*, vor welche nach Osten eine Vorhalle von sechs schlanken ionischen Säulen tritt. Dies war ohne Zweifel das Heiligthum der Athene Polias. Der westliche Theil wurde indess wie es scheint, durch eine Zwischenwand von jenem getrennt, deren Spuren

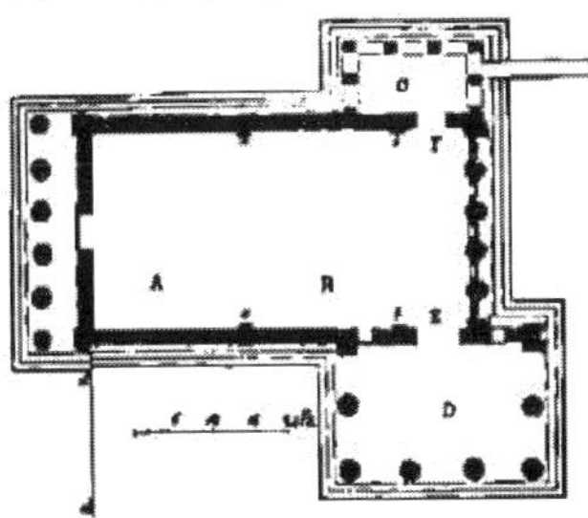

Fig. 121. Grundriss des Erechtheions.

im Mauerwerk bei *aa* noch sichtbar sind. Ob die Ansätze bei *bb* ebenfalls auf eine Zwischenwand oder (wahrscheinlicher) auf eine freie Stützenstellung deuten, welche den Raum *B* von der Durchgangshalle *EF* trennte, muss dahingestellt bleiben. An der westlichen Schlusswand sind, entsprechend den Säulen der Vorhalle, Halbsäulen mit der Mauer verbunden, zwischen welchen Fenster angeordnet waren, die dem westlichen Theile Licht spendeten. Vor seine Nordseite legt sich, breit vorspringend, eine Vorhalle *D*, die auf sechs zierlichen ionischen Säulen ruht, vier in der Fronte. Unter dem Boden dieser Vorhalle will man die Dreizackspur und die heilige Quelle entdeckt haben, zu welcher eine kleine Oeffnung in der Nordmauer führte. Südlich aber tritt ein kleiner Anbau *C* hervor, dessen Decke von 6 weiblichen Statuen, sogenannten Karyatiden, anstatt der Säulen, getragen wird (Fig. 122). Sie stehen auf einer gemeinsamen hohen Mauerbrüstung, durch welche an der östlichen Seite eine Oeffnung in den angrenzenden Theil des umhegten Tempelbezirks hinabführte. In der Cella der Athene Polias führen an den Wänden Treppenspuren in einen unterirdischen, durch kleine Fensteröffnungen erhellten Raum, der vermuthlich die Gräber des Erechtheus und anderer attischer Heroen umschloss. Die Bestimmung der einzelnen Räumlichkeiten nachzuweisen ist seit langer Zeit Gegenstand archäologischer Debatten, an welchen sich namentlich Fr. Thiersch, C. Bötticher und Tétaz betheiligt haben. Die gänzliche Zerstörung der ehemaligen inneren Einrichtung, der Umstand, dass das alte Heiligthum nach einander als christliche Kirche, als türkischer Harem und als Pulvermagazin gedient hat, und vielen Umwandlungen und Verstümmelungen unterworfen war, die Dunkelheit der Nachrichten bei den alten Schriftstellern lassen geringe Aussicht auf eine vollständige Lösung der Räthsel dieses merkwürdigen Baues. Im Wesentlichen haben jedoch Böttichers Anschauungen am meisten Wahrscheinlichkeit für sich.

Das Künstlerische.

Umfasst man, abgesehen von diesen Dunkelheiten der inneren Einrichtung, die ganze Anlage mit einem Blick, so wird man entzückt von der Harmonie der verschiedenartigen Theile, dem edlen Leben des Ganzen, der graziösen Entfaltung der Formen. Die nördliche Vorhalle, die niedriger liegt als der Hauptbau, wird vom reich geschmückten Dache desselben überragt, und die Karyatidenhalle, zu der man aus letzterem wieder mit mehreren Stufen aufsteigt, schmiegt sich in anmuthiger Bescheidenheit an seine südliche Seite. Der attisch-ionische Styl erscheint in diesem unvergleich-

Fig. 122. Karyatidenhalle vom Erechtheion.

lichen Bau in seiner reichsten Ausbildung, die fast schon über seinen eigentlichen Charakter leichter Zierlichkeit hinausgeht und ins Prunkende fällt. Die Verhältnisse sind leichter, schlanker, feiner als am Niketempel und selbst als beim Tempel am Ilissus. Besonders zeigen die Säulen der nördlichen Halle die höchste Zierlichkeit. Beträgt die Säulenhöhe der östlichen Vorhalle noch $8^{1}/_{3}$ Durchmesser, so erhebt sie sich hier (vgl. Fig. 120 auf S. 141) auf $9^{1}/_{2}$; ist dort die Zwischenweite gleich 2 Durchmessern, so hat sie hier 3; hat das Gebälk dort die Höhe von $2^{1}/_{2}$, so erreicht es hier kaum 2 Durchmesser. Dazu kommt an allen Theilen des ganzen Baues ein Reichthum, eine Feinheit der Ornamente, die nie wieder erreicht worden sind. Die Säulenbasen mit ihrer edlen attischen Form sind auf dem oberen Torus als geflochtene Bänder mit zarten Sculpirungen geschmückt. (Fig. 123.) Die Voluten der Kapitäle mit ihren doppelten Säumen sind vom graziösesten Schwung; am Echinus des Kapitäls pulst das innerste Leben des sanft gebogenen Profils in den überfallenden Blättern, die ihn bedecken; und endlich spriesst das ganze Kapitäl aus einem Kranze zierlicher, leis ausgemeisselter Palmetten hervor, die sich in reichem Gewinde um den Hals der Säule schlingen. (Fig. 123.) In ähnlichem Reichthum und gleicher Schönheit sind die Kapitäle der Anten und der Wände (vgl. Fig. 99 auf S. 123) durchgeführt. Den höchsten Glanz erreicht die nördliche Säulenhalle, in welcher auch die prachtvollste Thür des hellenischen Alterthumes in ihrer ganzen zierlichen Umrahmung erhalten ist. So haben die feinsten Zierden, die am Niketempel bloss durch Bemalung angedeutet waren, hier volles plastisches Leben gewonnen. Aber nicht zufrieden mit all diesem Reiz architektonischer Form, greift endlich an der südlichen Seitenhalle der Baumeister zum edelsten der organischen Gebilde und setzt die herrlichen Statuen untadelig schöner Jungfrauen an die Stelle der Säulen. In freier Würde schreiten sie einher, wie man die Blüthe athenischer Jugend bei dem grossen Festzuge erblicken mochte, und auf ihren Häuptern tragen sie, unter Vermittlung eines Kapitäls, dessen Echinus mit sculpirten Blättern bedeckt ist, die Decke des Gemaches. Hier ist das Gebälk in feinster Art behandelt, der Fries sammt dem lastenden Dache vermieden, damit die Mädchen das Ganze wie einen leichten Baldachin zu tragen scheinen. Statt dessen ist das Gesims mit einer Reihe ionischer Zahnschnitte besetzt und mit einem Kymation bekrönt. So athmet dieses glücklich gruppirte kleine Bauwerk die vollendetste Anmuth des attisch-ionischen Styles, die lebensvollste Blüthe seiner Formen, die überall den höchsten Ausdruck erstrebt, ohne jemals die feine Grenze zu überschreiten und in's Weichliche zu entarten. Auch der Fries aus dunklem eleusinischem Stein, der das Ganze wie ein Stirnband umflocht, war mit Marmorreliefs bedeckt, deren Bruchstücke aber ausser allem Zusammenhange sind, da die Figuren einzeln auf dem schwärzlichen Grund mit Klammern befestigt waren.

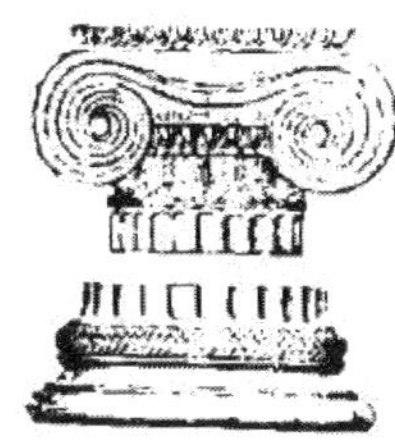

Fig. 123. Von der Nordhalle des Erechtheion.

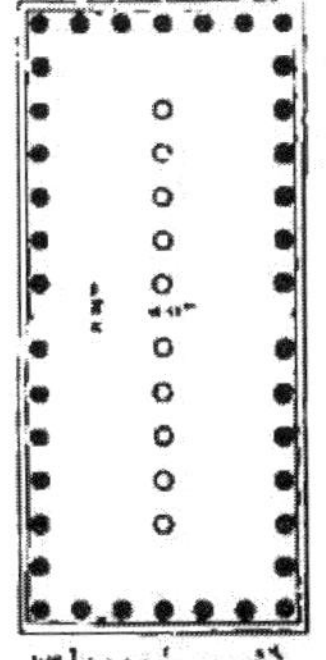

Fig. 124. Halle zu Thorikos.

Denkmäler an anderen Orten.

Diesen glanzvollsten Denkmälern reihen wir einige andere an, die, im übrigen Griechenland zerstreut, jenen in der Durchbildung des Styles sehr nahe kommen, ohne jedoch ihre Feinheit und Vollendung zu erreichen.*) Ein Verhältniss, welches man als Ergebniss provinzieller Einflüsse aufzufassen haben wird. Am nächsten steht den Werken der Akropolis der Tempel der Nemesis zu Rhamnus in Attika, ein dorischer Peripteros von geringen Dimensionen, 33 Fuss breit und 70 Fuss lang, bei sechs zu zwölf Säulen. Seine Detailformen geben denen des Parthenons an Anmuth nicht viel nach. Er ist indess, wie die nicht ausgeführten Canneluren der Säulen verrathen, unvollendet geblieben.

Tempel der Nemesis zu Rhamnus.

Auch im übrigen Attika wetteiferten die kleineren Städte unter einander, das von der Hauptstadt gegebene Beispiel nachzuahmen und sich mit Denkmälern zu schmücken, deren edle Gediegenheit zum Theil die Stürme der Zeiten überdauert hat. In **Thorikos** an der Ostküste Attika's sieht man die Reste eines merkwürdigen Gebäudes, das sich äusserlich als dorischer Peripteros zu erkennen giebt. (Fig. 124.) Aber die ungerade Zahl der Säulen an der Schmalseite (7 zu 14 umgeben

Thorikos.

*) Vergl. The unedited antiquities of Attika by the Society of Dilettanti. London. Fol.

den Bau), und die auffallende Weite des mittleren Intercolumniums der Langseite lassen vermuthen, dass wir es nicht mit einem Tempel, sondern einer Halle für den öffentlichen Verkehr zu thun haben, deren Eingänge in der Mitte der Langseiten lagen. Säulenfragmente, die im Innern zu Tage kamen, rühren vielleicht von einer Arkadenreihe her, welche der Länge nach das Gebäude theilte.*) Die äusseren Säulen zeigen die edle Bildung der attischen Schale, sind aber in den Canellirungen erst angefangen, also nie ganz vollendet worden.

Sunion.

Um dieselbe Zeit muss das benachbarte Sunion seinen Athenatempel sammt Propyläen erbaut haben, von welchem ansehnliche Reste noch aufrecht stehen. Das Propyläon bildet sich aus einer Halle von 46′ Tiefe bei 30′ F. Breite, die sich nach aussen und innen mit einem Portikus von zwei edlen dorischen Säulen zwischen Anten öffnet. Verwandten Formcharakter zeigt der Tempel, ein Peripteros von 6 Säulen Front, dessen Längenausdehnung nicht bestimmt werden kann. Auch hier herrscht dieselbe Feinheit der künstlerischen Behandlung, obwohl das Material ein grobkörniger gewöhnlicher Marmor ist. Dagegen hat man zu den Bildwerken des Frieses parischen Marmor verwendet. Eine auffallende alterthümliche Reminiscenz sind die 16 Kanäle der Säulenschäfte.

Tempel der Demeter zu Eleusis.

Ein Gebäude von merkwürdig abweichender Anlage war sodann der grosse Weihetempel (das Megaron) der Demeter zu Eleusis, welcher zur Feier der Mysterien bestimmt war, und dessen Anlage von *Iktinos*, dem Baumeister des Parthenon, herrührte. (Vgl. Fig. 128 bei A auf S. 154) Obwohl die vorhandenen Reste offenbar einem späteren Umbau angehören, folgen sie ohne Zweifel der ursprünglichen Anlage. Demnach war der Tempel ein quadratischer Bau von 166 Fuss 6 Zoll im Lichten, durch vier Reihen von je sieben dorischen Säulen in fünf Schiffe getheilt, die auffallender Weise in der Queraxe des Gebäudes sich erstrecken. *Koroebos* hatte die unteren Säulenstellungen errichtet. Auf ihnen erhoben sich obere Säulenreihen, welche über den Nebenschiffen Galerien bildeten und von *Metagenes* ausgeführt waren. Das Mittelschiff bei einer lichten Weite von 60 Fuss hatte ein Opaion, welches dem Bau das erforderliche Licht zuführte und bei der beträchtlichen Breite besondere Schwierigkeiten für die Construction darbieten mochte, die *Xenokles*, der Baumeister des Daches, jedoch zu lösen wusste. Später, um 318 v. Chr., liess Demetrius Phalereus dem Tempel eine Vorhalle von zwölf dorischen Säulen hinzufügen.

Tempel zu Bassae.

Wichtig wegen seiner eigenthümlichen Verbindung des dorischen und ionischen Styles erscheint der Tempel des Apollo Epikurios zu Bassae bei Phigalia in Arkadien, von *Iktinos*, dem Baumeister des Parthenons, um 430 erbaut. Es ist ein hypäthraler Peripteros, bei 47 Fuss Breite 125 Fuss lang, von sechs zu fünfzehn dorischen Säulen

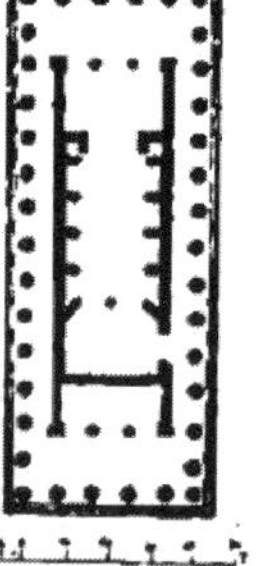

Fig. 134. Apollotempel zu Bassae.

Fig. 135. Kapitäl vom Apollotempel zu Bassae.

umgeben, deren Höhe gleich $5^2/_3$, deren Zwischenweite gleich $1^2/_5$ Durchmesser sehr edle Verhältnisse ergeben. Auffallend sind die drei Einschnitte am Halse der Säule,

*) Unverkennbar ist die Verwandtschaft mit der sogenannten Basilika von Paestum (vgl. Fig. 120).

während die besten attischen Monumente dieser Zeit nur einen Einschnitt zeigen. Dies sammt manchen anderen, besonderen Formen scheint anzudeuten, dass Iktinos zwar den Plan des Tempels entworfen, die Ausführung und die Leitung desselben aber anderen Händen anvertraut waren, die sich nicht frei von Provinzialismen hielten. Besonders eigenthümlich ist die Einrichtung des Hypäthrons (vgl. den Grundriss Fig. 125). Fünf Paar Wandpfeiler springen im Innern aus den Mauern der Cella weit vor und runden sich an ihrer Vorderseite zu Halbsäulen, welche ein originell und kräftig behandeltes ionisches Kapitäl krönt (Fig. 126). Diese tragen den mittleren Theil des Daches. Ganz seltsam endlich ist eine andere Säule geformt, von welcher man vermuthet hat, dass sie in der Cella hinter dem Bilde des Gottes gestanden habe. Vielleicht aber war sie selbständig aufgestellt und lediglich bestimmt, ein Weihgeschenk

Fig. 127. Mosaikboden aus dem Tempel von Olympia.

zu tragen. Sie zeigt ein Kapitäl, das als eine frühe Form des korinthischen zu betrachten ist, denn es hat die Kelchgestalt, einen Kranz von Akanthusblättern und eigenthümlich schwer gebildete Voluten auf den Ecken. Auch dieser Tempel erhielt als edelsten Schmuck eine plastische Ausstattung, von welcher der wichtigste Theil in den Ruinen gefunden und nach London ins britische Museum gebracht worden ist. Die ganze Cellenwand bekrönte nämlich ein Reliefsfries, welcher in lebensprühenden Compositionen die Amazonenschlacht und den Kampf mit den Kentauren, dazwischen die auf ihrem Wagen herbeieilenden Gottheiten Apollo und Artemis darstellen. Nur geringe Reste endlich sind vom Tempel des Zeus zu Olympia auf uns gekommen, der von *Libon* erbaut und gegen 435 vollendet wurde. Auch er war ein hypäthraler Peripteros dorischen Styls von bedeutenden Verhältnissen, bei denen die ungewöhnliche Schmalheit im Vergleich zur Längenrichtung auffällt (95 zu 230 Fuss nach Pausanias). Die Säulen, deren sechs in der Breite, vierzehn in der Länge ihn umgehen, sind von

Zeustempel zu Olympia.

edler Bildung, doch ebenfalls am Halse mit drei Einschnitten versehen. Auch hier wurde, nach dem Vorgange der attischen Denkmäler, die Plastik zur Ausschmückung und Vollendung herangezogen. Phidias schuf für die Cella das berühmte kolossale Goldelfenbeinbild des thronenden Zeus, das für sich schon mit seiner reichen Ausstattung ein Wunderwerk von Kunst und Pracht war. Für die Giebelfelder hatten des Phidias Schüler die Marmorgruppen gearbeitet, Alkamenes für das westliche die Schlacht zwischen Lapithen und Kentauren, Päonios am östlichen den Wettkampf des Pelops und Oenomaos, oder vielmehr die Vorbereitung zu demselben. Von diesen Werken ist bis jetzt Nichts aufgefunden worden; dagegen sind von den Metopenreliefs der Frontseite, welche die Thaten des Herakles darstellten, einige Fragmente entdeckt und in das Museum des Louvre gebracht worden. Wie prächtig die ganze Ausstattung des Tempels gewesen, beweist das Bruchstück des Mosaikfussbodens, welches in der Vorhalle gefunden wurde (Fig. 127.)

Neue Stadtanlagen. Noch in diese Epoche fallen sodann mehrere grossartige bauliche Unternehmungen, welche mit der Gründung neuer Städte zusammenhangen. In Ionien hatte man zuerst angefangen, bei solchen Anlagen nach einem festen Plane zu verfahren, die Strassenzüge geradlinig mit rechtwinkligen Durchschneidungen zu ordnen, die öffentlichen Plätze regelmässig anzulegen und mit Säulenhallen zu umgeben. Schon bei der Anlage des Peiräus kam diese höhere architektonische Gesetzmässigkeit zum Ausdruck; in bedeutenderer Weise noch bei Gründung der neuen Stadt Rhodos, 408 v. Chr. Das eigentliche Griechenland machte von diesen Errungenschaften zuerst umfassenderen Gebrauch, als nach des Epaminondas Sieg über die Lakedämonier bei Leuktra (371) der grosse thebanische Feldherr und Staatsmann die Gründung neuer Städte im Peloponnes beschloss. So entstand Megalopolis (die „grosse Stadt“), in elliptischer Form einen Umfang von funfzig Stadien beschreibend. Reste von den Denkmälern, namentlich dem Theater, das als das grösste aller griechischen Bühnengebäude berühmt war, sowie von der gewaltigen Stadtmauer mit ihren Thoren und Thürmen sind noch vorhanden. So entstand Messene, dessen Ruinen in bedeutender Ausdehnung von der Pracht dieser Städte zeugen; ich erinnere an das oben besprochene mit dorischen Säulenhallen geschmückte Stadion, an den korinthischen Tempel der Athena Limnatis und die aus schönem Quaderbau gefügten Stadtmauern mit zahlreichen runden und viereckigen Thürmen und stark verbollwerkten Thoren. Die künstlerische Ausstattung dieser Städte zeugt von dem ansehnlichen schöpferischen Vermögen, welches jene Zeit trotz ihrer politischen Zerrissenheit noch aufwenden konnte.

Dritte Epoche.

Von der macedonischen Oberherrschaft bis zur römischen Eroberung.

(338 — 146 v. Chr.)

Charakter der dritten Epoche. Schon der peloponnesische Krieg hatte bei den Griechen das ruhige Gleichmaass des Lebens verwirrt. Die alte Einigkeit war geschwunden, innere Zerwürfnisse griffen Platz, erneuerten und verschlimmerten sich, und in den dadurch hervorgerufenen Wechselfällen des Schicksals bemächtigte sich eine hastigere, leidenschaftlichere Bewegung der Gemüther und trieb sie an, weniger nach dauernden Zuständen als nach der Befriedigung augenblicklicher Gelüste zu streben. Diese innere Auflösung bahnte dem bald fremden Machthabern den Weg, zuerst durch überwiegenden Einfluss, endlich durch physische Unterjochung die alte Unabhängigkeit der Griechen zu brechen. Indess war die hellenische Cultur eine zu entwickelte, zu sehr allen übrigen Völkern überlegene, als dass sie nicht jene mächtigeren, aber ungebildeteren Nationen geistig sich unterthan gemacht hätte. Sie gewann daher einen viel breiteren Boden als sie jemals gehabt hatte, und wurde namentlich durch Alexanders Eroberungszüge bis in den fernsten Osten getragen. Aber schon daheim weichlicher, zugänglicher für Fremdes geworden, nahm sie besonders durch die Verbindung mit dem Orient manche Einflüsse auf, die ihr Wesen um ein Beträchtliches umgestalteten und dem klaren, reinen Charakter des Griechenthums eine Beimischung phantastischer, üppiger Elemente gaben.

Charakter ihrer Bauwerke.

Diese Beobachtung bewährt sich auch an den Werken der Architektur. Der dorische Styl gerieth in Vergessenheit oder wurde, wo er in einzelnen Fällen zur Anwendung kam, in einer schwächlichen und desshalb nüchternen Weise behandelt. Selbst wo er in treuer Nachahmung älterer Werke auftritt, verräth er in der Detailbildung, dass das feinere Verständniss der Formen einer schematisch unlebendigen Behandlung gewichen ist. Häufiger bedient man sich des ionischen Styles, doch weiss dieser sich nicht vor gewissen weichlichen asiatischen Formen, namentlich an der Basis der Säulen, zu verschliessen. Am meisten sagte aber den Griechen dieser Epoche die korinthische Bauweise zu. Ihre Formen gestatten die höchste Prachtentfaltung und bieten der Willkür einen grösseren Spielraum. Sie ist decorativer als jene einfacheren Gattungen und entspricht einer Sinnesrichtung, die zumeist auf bestechenden äusseren Reiz, auf einen gewissen Prunk ornamentaler Ausstattung ausgeht, am vollkommensten. Zudem sagte ihre grössere Schlankheit, ihre gefügige Schmiegsamkeit dem Streben nach möglichster Kolossalität, das dieser Zeit besonders eigen war, am meisten zu.

Gattungen der Denkmäler.

Im Einklange mit dem stylistischen Charakter stehen denn auch die Gattungen der Architektur, welchen man sich nunmehr vorwiegend zuneigte. Der Tempelbau tritt bedeutend zurück, und wo noch Tempel errichtet werden, geschieht dies nicht wie früher durch das Zusammenwirken des Volkes, sondern auf Geheiss eines Herrschers, der in solchen Bauten weniger den Göttern als vielmehr seiner eigenen, nicht selten selbst vergötterten Person ein Ehrenmal bezweckte. Da musste denn die Kolossalität der Anlage den Mangel feineren Kunstgefühls verdecken. Aber mit letzterem war auch die treffliche Technik der früheren Zeiten gewichen, und wohl zumeist diesem Umstande ist es zuzuschreiben, dass von den Bauwerken solcher Art kaum die spärlichsten Reste auf uns gekommen sind. Doch dürfen wir wohl in manchen Prachtanlagen und Prunkformen der späteren römischen Zeit die Fortsetzung und Vollendung dessen erkennen, was die Epoche der Diadochen bereits geschaffen hatte.

Prachtanlagen.

Dagegen brachten der Luxus und die Prachtliebe der Machthaber eine Menge anderer Gebäude hervor, wie sie die frühere, einfachere Zeit nicht gekannt hatte. Dahin gehören jene Prachtpaläste und jene kostbar geschmückten Residenzen, welche durch Alexander und seine Nachfolger in's Leben gerufen wurden; dahin jene Riesenschiffe mit grossen Sälen in mehreren Stockwerken, die mit einer mährchenhaften Ausstattung prunkvoll überladen waren, wie die Ptolemäer sie liebten; dahin der goldene kolossale Wagen, der die Leiche Alexanders von Babylon nach der Oasis des Jupiter Ammon zu führen bestimmt war; dahin namentlich auch der verschwenderisch ausgestattete Scheiterhaufen*), welchen Alexander nach orientalischer Sitte in Form einer Stufenpyramide seinem Liebling Hephästion in Babylon erbauen liess. *Deinokrates*, der bedeutendste unter den damaligen Architekten, hatte ihn entworfen und seine Ausführung durch zahlreiche Künstler überwacht. Dieses Prachtwerk begann mit einem backsteinernen Unterbau von einem Stadium im Quadrat, welcher dreissig Gemächer mit Decken aus Palmstämmen enthielt. Rings waren 240 goldene Schiffschnäbel mit kolossalen Statuen knieender Bogenschützen und stehender Krieger als Decoration angebracht. Das zweite Stockwerk war mit 15 Ellen hohen Fackeln geschmückt, welche, an der Handhabe mit goldenen Kränzen, an der Flamme mit aufsteigenden Adlern, an der Basis mit Drachen verziert waren, die ihre Köpfe gegen die Adler erheben. Das dritte Stockwerk bedeckten Bildwerke mit Thierjagden, das vierte zeigte in Gold eine Kentaurenschlacht, das fünfte abwechselnd goldene Löwen und Stiere. Auf dem obersten Theile waren Waffen der Macedonier und der von ihnen besiegten Barbaren aufgestellt, und den Gipfel krönten Statuen von Sirenen, welche hohl waren, um die Personen aufzunehmen, denen der Trauergesang oblag. Die Kosten des Ganzen, das 130 Ellen hoch war, beliefen sich auf 12,000 Talente (achtzehn Millionen Thaler). Wie hatte in diesem Denkmal die aus-

*) *Diodor*, XVII, 115.

schweifende Phantastik des Orients den edlen Formsinn griechischer Kunst und das Talent eines ausgezeichneten Architekten schon völlig unterjocht!

Neue Residenzen.

Nicht minder prachtvoll, aber weniger extravagant waren die Schöpfungen, welche den zahlreich neu gegründeten Residenzen der Herrscher angehörten. Zwar boten auch sie genügenden Anlass, den verschwenderischen Sinn dieser Epoche zu zeigen, aber ihre Entstehung beruhte doch meistens auf einer gesunden natürlichen Grundlage, und sie dienten nur dazu, jene Principien, die an den Stadtanlagen der vorigen Epoche zur Geltung gekommen waren, in grossartigerem Maassstabe zu verwirklichen. Das erste und in aller Folgezeit unübertroffene Beispiel gab Alexander selbst, indem er im Nildelta zwischen dem Landsee Mareotis und dem Meere die Stadt Alexandreia erbaute. Wahl des Platzes, wohldurchdachte Anlage und prachtvolle Ausstattung vereinigten sich, sie zu einem Wunder der Baukunst zu machen.

Alexandreia.

Deinokrates hatte die Anlage entworfen und die Ausführung geleitet; die Ptolemäer und selbst die römischen Kaiser fügten noch manches Prachtdenkmal hinzu. Abgesehen von der künstlerischen Ausstattung war sie schon durch die Rücksicht auf Gesundheit und Zweckmässigkeit ein Muster für alle ähnliche Unternehmungen. Ein System von Kanälen durchzog die ganze Stadt und führte das Nilwasser in die Cisternen der Häuser. Grossartig war die Anlage des Hafens und die Verbindung desselben mit dem See Mareotis, der den Nilschiffen als Hafen diente. Der auf der Insel Pharus errichtete Leuchthurm wurde bis auf den Namen Vorbild aller späteren Leuchthürme. In der ganzen Construction der Stadt war das Holz ausgeschlossen, und selbst die Privathäuser waren ganz aus Stein errichtet, mit gewölbten Stockwerken und terrassenartigen Platformen. In den grossen öffentlichen Gebäuden waren wahrscheinlich bereits alle jene kühnen Gewölbconstructionen zur Anwendung gekommen, die man in der Regel als Erfindung der Römerzeit gelten lässt. Der Hauptzug der Strassen ging südlich, um den von der See wehenden erfrischenden Nordwinden freien Durchzug zu lassen. Die 100 Fuss breite Hauptstrasse hatte eine Länge von 40 Stadien, d. h. einer deutschen Meile. Zu den Prachtgebäuden, die Alexander selbst noch errichtete, gehörten der Tempel Poseidons, das Theater sammt Stadium und Hippodrom, der höchste Gerichtshof und das Gymnasium, das mit seinen Säulenhallen die Länge eines Stadiums einnahm. Die königliche Burg machte ein Viertel der ganzen Stadt aus und wurde von den Ptolemäern stets erweitert und verschönert. Zu ihr gehörte die Soma, das grossartige Grabmal, welches Ptolemäus Soter für den Leichnam Alexanders errichtet hatte, ein tempelartiger Bau von grosser Pracht, von einem säulenumgebenen Vorhof eingefasst, der auch die Grabmäler der folgenden Könige umschloss. Ferner gehörte zur Burg das Museion mit seinen Säulenhallen, Versammlungssälen und der weltberühmten Bibliothek, eine gelehrte Akademie, deren Mitglieder unter einem Oberpriester in einer Art klösterlicher Gemeinschaft auf Kosten des Herrschers zusammen wohnten. Der eigentliche Palast der Könige bildete einen nicht minder bedeutenden Theil dieser mächtigen Anlage. Die Burg und die gesammte Stadt überragte aber das Panion, ein wahrscheinlich nach Art babylonisch-assyrischer Terrassenpyramiden erbauter künstlicher Hügel, zu dessen Spitze ein schneckenförmiger Gang führte, und dessen Inneres eine dem Pan geweihte Grotte enthielt. Von all diesen Prachtwerken ist kaum eine Spur übrig geblieben. Ebenso wenig von den anderen sieben Städten, welche Alexander in Babylonien, Persien und Indien gründete. Ein gleiches Schicksal hat die anderen von Alexanders Nachfolgern erbauten Städte getroffen, namentlich Antiochia am Orontes und Pergamon, die Residenz der Attaliden.

Bauten Hierons in Syrakus.

Aehnliche Prachtliebe entfaltete im äussersten Westen Hieron II von Syrakus (265—215 v. Chr.) Nach Angabe des Archimedes liess er ein Riesenschiff ausführen, das drei Stockwerke enthielt, im unteren ungeheuere Massen Getreide fasste, im mittleren prachtvoll ausgestattete Säle und Wohnräume barg und auf dem Verdeck ein Gymnasium mit Säulenhallen, schattigen Lauben und Spaziergängen, dazu noch zur Vertheidigung acht Thürme trug. Der inneren Pracht, die sich bis auf die Fussböden erstreckte — die Mosaiken derselben waren eine Illustration der Ilias — entsprach das Aeussere. Sechs Ellen hohe Atlanten umgaben in regelmässigen Zwischenräumen das Ganze und trugen den Triglyphenfries und die Balustrade. Hieron schickte das Schiff nach Alexandrien und schenkte es seinem Freunde Ptolemäos Philadelphos. Ausserdem errichtete Hieron einen gewaltigen Altar, vom Umfang eines Stadiums, 625 F. lang bei 72 Fuss Breite. Von dem Stufenbau desselben und dem dorischen Gebälk, das ihn krönte, sind noch Ueberreste vorhanden.

Privatbau.

Auch der bürgerliche Privatbau gestattete sich in dieser Epoche reichere Anlage und Ausstattung, die dem üppiger gewordenen Leben entsprach. Die Einrichtung der oft palastartigen Wohnhäuser nahm Alles auf, was in den verschiedenen Hauptsitzen des Luxus an künstlerischem Raffinement erfunden wurde. Dahin gehören unter Anderem die korinthischen Säle, deren reich geschmückte Wölbung auf korinthischen Säulenstellungen ruhte; dahin die kyzikenischen Säle, gegen Norden gerichtet und mit grossen Fenstern an beiden Seiten auf Garten- und Parkanlagen Ausblick gewährend; dahin endlich die ägyptischen Säle, mit doppelten Säulenreihen über einander, und mit seitlichem Oberlicht, dazu mit Terrassenanlagen im oberen Geschoss.

Denkmäler.

Von den erhaltenen Denkmälern werden wir nur wenige namhaft machen, da es genügen wird, für die verschiedenen Arten von Bauwerken ein bezeichnendes Beispiel aufzuführen. Unter den Tempeln dieser Zeit verdient zunächst der Tempel der Athena Alea zu Tegea erwähnt zu werden, obwohl keine Reste von ihm übrig sind. Allein er ist wichtig, weil er, vom Bildhauer *Skopas* im Anfange des vierten Jahrhunderts erbaut, an der Grenze dieser Epoche steht, die er gewissermassen einleitet. Denn wir erfahren, dass er von einer ionischen Säulenhalle umgeben war, im Innern aber eine dorische Ordnung und darüber eine korinthische hatte. Diese bewusste, consequent durchgeführte Verbindung der drei Ordnungen, namentlich die umfassendere Anwendung der korinthischen, ist als eine epochemachende Thatsache zu betrachten. Seine Giebelfelder waren mit plastischen Gruppen ausgestattet, von denen die östliche die Erlegung des kalydonischen Ebers, die westliche den Kampf des Achilles gegen Telephos darstellte. Von der Flauheit, mit welcher die dorischen Formen in dieser Zeit aufgefasst wurden, geben mehrere erhaltene Reste Zeugniss. Dahin gehört der Zeustempel zu Nemea im Peloponnes, ein Peripteros von 6 zu 13 Säulen; dahin der vor den Propylaeen des Demetertempels zu Eleusis errichtete Tempel der Artemis Propylaea (D in Fig. 128), ein Bau von geringen Verhältnissen, 21 Fuss breit und 40 Fuss lang, mit zwei Säulen in antis, von dem wir einen der schönen in Thon gebrannten Stirnziegel auf S. 106 unter Fig. 78 gegeben haben; dahin gehören auch die entschieden jüngeren äusseren Propylaeen zu Eleusis, die in der Grundanlage den Mittelbau der Propylaeen von Athen nachahmen, vermuthlich das um 150 v. Chr. unter Appius Pulcher erbaute Werk, ausgezeichnet durch seine vortreffliche Felderdecke. (C in Fig. 128.) Die Epistyle der dorischen Prostasis werden durch zwei verbundene Balken gebildet; die Balken der Decke sind auf 14 und an den Seiten auf 19 F. freischwebend. Ausser diesem äusseren Prachtbau gab es noch ein Inneres Propylaion (B in Fig. 128), durch zwei kräftige Pfeiler, vor welche je eine Säule tritt, dreifach getheilt. Der Styl ist ein der Epoche gegen Ende des vierten Jahrh. entsprechender ionischer; die Pfeiler waren mit reichen Kapitälen bekrönt, von denen ein Beispiel auf S. 128 unter Fig. 106 vorliegt. Sehr merkwürdig sind sodann die Reste eines seltsamen Baues auf der Insel Delos, den man als den im Alterthume berühmten „hörnernen Altar" bezeichnen zu dürfen glaubt. Es sind dorische Halbsäulen, mit Pilastern verbunden, letztere durch ein Kapitäl bekrönt, das durch den Vorderkörper zweier ruhender Stiere gebildet wird. (Fig. 129.) Ebenso ist anstatt der Triglyphen jedesmal ein Stierkopf angeordnet, ein Beweis, wie vollständig damals die ehemalige structive Wesenheit dieses Gliedes aus dem Bewusstsein verschwunden war, und zugleich wieder ein Zeichen von einer gewissen orientalischen Phantastik, welche damals in die griechische Architektur eindrang.

Tempel der Athena Alea zu Tegea.

Zeustempel zu Nemea.

Artemis-Tempel zu Eleusis.

Propylaeen zu Eleusis.

Reste auf Delos.

Demeter-Tempel zu Paestum.

Endlich wird man dem Anfang dieser Periode den sogenannten Tempel der Demeter zu Paestum zuweisen müssen (Fig. 130), der zwar manches Schwere in den Verhältnissen beibehalten hat, aber nicht allein durch Beimischung ionischer Formen, wie der blattgeschmückten Welle unter dem Friese, sondern auch durch missverstandene Behandlung gewisser Glieder sich als Werk der späteren Zeit zu erkennen gibt. So schliesst er auf den Ecken gegen alle Regeln dorischer Architektur mit einer halben Metope; so trennt er gleich manchen sicilischen Werken den Echinus vom

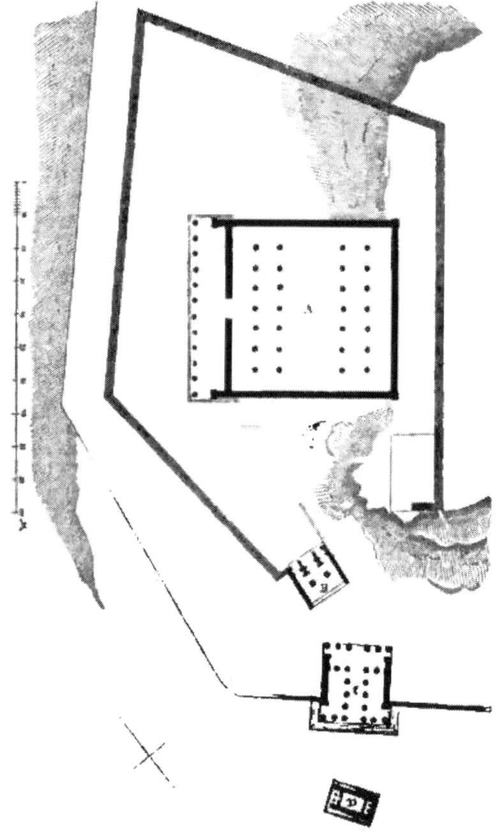

Fig. 129. Die Heiligthümer von Eleusis.

Säulenschafte durch eine mit Blättern decorirte Hohlkehle, die der Säule etwas Kraftloses, Gebrochenes gibt (Fig. 131). Nicht minder abweichend ist, dass die Säulen der

Vorhalle eine Basis zeigen und dass der Pronaos nach italischer Sitte durch drei Seiten einer Prostasis von je vier Säulen gebildet wird. Ebendaselbst gehört auch die sogenannte Basilika (Fig. 132) wohl dem letzten Jahrh. v. Chr. an. Auch dieser merkwürdige Bau bietet manches Abweichende in Anlage und Ausführung dar. Ein Peripteros von 9 zu 18 Säulen erinnert er auf den ersten Blick an die Stoa zu Thorikos mit ihren 7 zu 14 Säulen. Auch die in der Mittelaxe angeordnete Säulenreihe scheint dort ihr Analogon zu finden, dagegen ist an den Langseiten

Basilika zu Paestum.

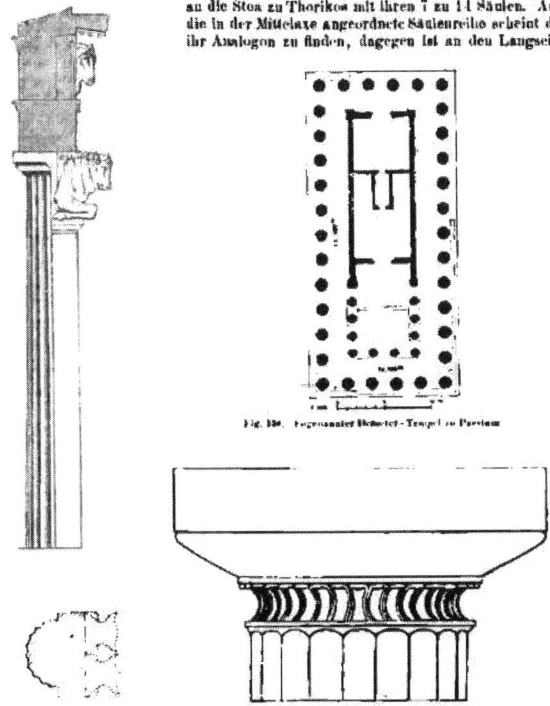

Fig. 130. Sogenannter Demeter-Tempel zu Paestum.

Fig. 129. Vom Altar zu Delos.

Fig. 131. Vom Tempel der Demeter zu Paestum.

nicht wie dort durch weiteren Abstand des mittleren Intercolumniums die Anlage von Eingängen angedeutet, sondern die Halle ununterbrochen in gleichmässigen Intervallen durchgeführt. Merkwürdig sind endlich im Innern die beiden antenartigen Pfeiler, die wunderlich genug eine Verjüngung zeigen und wahrscheinlich den Anfang von Säulenreihen (oder Langmauern?) bezeichnen. Möglicherweise haben wir es hier mit einem Doppeltempel zu thun, wofür auch die Orientirung zu sprechen scheint. Die Säulen haben ein ähnlich stämmiges, gedrungenes Verhältniss wie an den beiden

Tempeln von Paestum; ihr Echinus ist weit ausladend in rundlichem Profil, der Hals mit einer mannichfach ornamentirten Einkehlung; am Gebälk fällt der Mangel der Triglyphen auf.

Bauten Kleinasiens.

Für die ionische Bauweise geben uns die kleinasiatischen Bauwerke dieser Epoche*) die glänzendsten Beispiele des ohne Einwirkung des Dorismus in reinster Eigenthümlichkeit, wenngleich schon in einer gewissen Ueberfeinerung gehandhabten Styles. So zeigt ihn der in den Anfang dieser Epoche fallende, von Alexander dem Grossen geweihte Tempel der **Athena Polias zu Priene**.

Athena-Tempel zu Priene.

Von *Pytheos* um 340 erbaut, war der Tempel, dessen Ueberreste jetzt ein wirrer Trümmerhaufen, ein Peripteros von mässigen Dimensionen, 64 Fuss Breite bei 116 Fuss Länge, mit 6 zu 11 Säulen, wobei die überwiegende Breitenentwicklung auffällt. Die Details (vgl. Seite 120) sind in einem reichen, lebendig bewegten Ionismus behandelt, die Basis mit doppeltem Trochilus und einem zur Hälfte mit Rinnen versehenen Torus, das Kapitäl (dessen Seitenansicht unter Fig. 91 auf S. 119 gegeben ist) mit einfachem, gegen die attischen Denkmäler mässig gehaltenem Polster und wenig geschwungenem Kanale; die oberen Glieder in solcher, aber doch klar gesetzmässiger Durchbildung, nur an der Sima ein freier componirtes Rankengewinde in feiner Sculpirung.

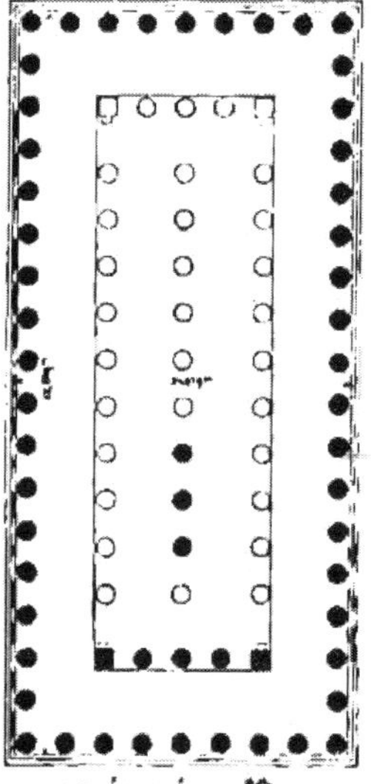

Fig. 122. Sogenannte Basilika zu Paestum.

Apollo-Tempel bei Milet.

Als ein Hauptwerk dieser Epoche glänzt der kolossale Hypäthral-Dipteros des **Apollo Didymaeos bei Milet**, von 10 zu 21 Säulen, 164 Fuss breit und 303 Fuss lang. Das ältere von den Persern zerstörte Heiligthum wurde im Anfang des vierten Jahrh. durch *Paeonios* von Ephesos und *Daphnis* von Milet mit höchstem Aufwand künstlerischer Mittel neu errichtet, doch kam der ausgedehnte Bau wohl erst spät, keinenfalls vor dem Ausgang des Jahrh. zur Vollendung. Seine äusseren Glieder haben eine minder klare und lebendige Bildung als jene zu Priene. An der Säulenbasis (vgl. Fig. 91 auf S. 118) ist der Torus von zu schwerer Rundung, zumal er ungegliedert blieb; von den Säulen des Peristyls stehen nur zwei sammt einem Stück Gebälk aufrecht, und eine dritte, einsam stehende, zeigt sich durch die Ummantelung als unvollendet. Der Architrav ist hier nur zweitheilig, dem Kanale des Säulenkapitäls fehlt — ein Zeichen sinkenden Formverständnisses — die elastische Senkung in der Mitte. Dagegen hat sich an den eigenthümlich angelegten Wandpfeilern der Cella eine Anzahl von Kapitälen erhalten, die zu den edelsten und glänzendsten Beispielen ionischer Antenkapitäle zu zählen sind und eine Fülle reizender Motive darbieten. An den Wänden, wo diese Bekrönung durchgeführt erscheint, ist sie mit den symbolischen, auf den Gott bezüglichen Gestalten von Greifen verbunden, die paarweise eine Lyra oder eine Blumenranke einschliessen. In der Nähe des Einganges sind statt der Pilaster Halbsäulen angeordnet, welche

*) Ionian antiquities by the Society of Dilettanti. 3 Vols. Fol. London. — Texier, Description de l'Asie Mineure. 3 Vols. Fol. Paris.

mit einem sehr edel und einfach behandelten korinthischen Kapitäl (vgl. Fig. 105 auf S. 127) versehen sind. Vielleicht soweit wir wissen das älteste griechische Beispiel, an welchem diese Form, nicht ohne eine Spur freierer Anordnung, in der nachmals stereotypisch wiederkehrenden Gestalt auftritt. Die ganze Pilasterstellung scheint übrigens auf eine besondere Einrichtung der Hypäthralanlage hinzudeuten.

Tempel des Bakchos zu Teos.

Aus der späteren Zeit des vierten Jahrh. stammt ferner der von *Hermogenes* erbaute Tempel des Bakchos zu Teos, ein achtsäuliger Peripteros, dessen Säulenkapitäle die etwas trockene Form des angesenkten Kanales zeigen, und an dem zugleich die attische Basis, verbunden mit dem ionischen Plinthos, auftritt. Diese Gestalt der Säulenbasis kommt um jene Zeit an den kleinasiatischen Denkmälern, wie es scheint, immer allgemeiner zur Geltung. Wir finden sie an dem ebenfalls von *Hermogenes* erbauten Tempel der Artemis zu Magnesia, einem der grössten Tempel Asiens, in pseudodipterischer Anlage 98 Fuss breit und 216 Fuss lang. An dem Polster der Kapitäle macht sich die etwas willkürliche plastische Decoration bemerklich. Eine reinere Behandlung der ionischen Formen tritt an einem kleinen, aus zwei Säulen in antis bestehenden Portikus hervor, der zu einem antiken Bade in Knidos gehört. Die Basis hat in wohlverstandener Form den doppelten Trochilus und darüber einen consequent gegliederten Torus. Die Säulenschäfte sind dagegen uncannelirt, die Kapitäle mit geradem Kanale, die Antenkapitäle mit einfach zierlichen Anthemien.

Tempel der Artemis zu Magnesia.

Portikus zu Knidos.

Tempel der Aphrodite zu Aphrodisias.

Mehrere der kleinasiatischen Denkmäler haben wie der Artemistempel zu Magnesia die Anlage eines Pseudodipteros; so der Tempel der Aphrodite zu Aphrodisias, ein stattlicher Bau von 8 zu 13 Säulen, der im Mittelalter zu einer Kirche umgewandelt wurde. Von seinen schlanken, $9\frac{1}{4}$ Durchmesser hohen Säulen hat sich eine gute Anzahl aufrecht erhalten, und selbst von dem Peribolus, welcher 200 Fuss bei 168 Fuss die Anlage des Heiligthums umgab, sind viele der korinthischen Säulen noch vorhanden. Auch hier zeigen die Basen der ionischen Säulen die attische Form, obendrein mit Verdoppelung des oberen Torus. So ist ferner der ziemlich gut erhaltene Tempel des Zeus zu Aizani ein Pseudodipteros von 8 zu 15 Säulen, 65 Fuss breit und 114 Fuss lang. Die monolithen Schäfte der Säulen haben das überschlanke Verhältniss von beinah 10 Durchmessern, die Details bekunden in der gesteigerten Willkürlichkeit ihrer Bildung die letzte Zeit selbständig hellenischer Kunstübung. So haben namentlich die Basen eine entschieden missverstandene Behandlung des ionischen Charakters.

Tempel des Zeus zu Aizani.

Mausoleum zu Halikarnass.

Von einem anderen kleinasiatischen Werke dieser Zeit, dem berühmten und von den Alten unter die Weltwunder gezählten Mausoleum zu Halikarnass, dem Grabmale des im J. 354 gestorbenen Königs Mausolus, von seiner Wittwe Artemisia errichtet, ist neuerdings durch Newtons Ausgrabungen bei Budrun der Unterbau sammt Theilen des Oberbaues soweit ermittelt worden, um daraus die Form des Ganzen im Wesentlichen wieder herstellen zu können. So viel erscheint sofort klar, dass in dem zu 140 F. Höhe sich erhebenden und von einer Quadriga gekrönten Denkmale die altasiatische pyramidale Tumulusform mit den Elementen der entwickelten griechischen Architektur zu einem grossartig imponirenden Ganzen verbunden war. Die berühmtesten Bildhauer der Zeit, wie *Skopas* und *Leochares*, waren bei der plastischen Ausschmückung betheiligt; als Architekten werden *Pytheos*, der Baumeister des Athenatempels zu Priene, und *Satyros* genannt. Ein von fünf Stufen umgebener Unterbau von 118 Fuss Länge bei $88\frac{1}{2}$ Fuss Breite enthielt die Grabkammer und trug eine von einer peripteralen ionischen Säulenhalle umschlossene Cella. An den Friesen dieser prachtvollen Halle von 11 zu 9 Säulen waren die Reliefs angeordnet, von denen beträchtliche Ueberreste in das britische Museum gebracht worden sind. Das Ganze krönte eine Pyramide von 24 Marmorstufen, welche auf ihrer Platform die Quadriga mit ebenfalls noch erhaltenem Kolossalbilde des Mausolus trug. Die ionischen Details des Säulenbaues haben am meisten Verwandtschaft mit denen des Athenatempels von Priene, bei welchem ja derselbe Pytheos als Architekt genannt wird. Die Basis zeigt den horizontal gerieften Torus über zwei scharf eingezogenen Kehlen; die Kapitäle haben etwas schwächlich gebildete Voluten; Architrav und Fries sind mit Kymatien bekrönt, und die Sima ist mit feinen Anthemien und Löwenköpfen, letztere für den Wasserausguss bedeckt. Rothe und blaue Farbenspuren haben sich an den Kymatien und in den Deckenfeldern vorgefunden.*)

Bauten zu Athen.

In Athen war es nicht mehr die tief gebrochene Volkskraft, sondern die Gunst auswärtiger Fürsten, durch welche auch in dieser Epoche noch einzelne grossartige Bauten ausgeführt wurden. Den Anfang machte Ptolemäos Philadelphos mit einem prachtvollen Gymnasion; sodann errichtete Attalos I im Kerameikos eine Halle, die zu Versammlungen wie zum Lustwandeln diente. Ebenso fügte Eumenes von Pergamon dem dionysischen Theater einen geräumigen Portikus hinzu, in welchem die Zuschauer bei schlechtem Wetter Zuflucht finden konnten.

Tempel des Zeus.

Endlich aber gehört hieher der mächtige Tempel des Zeus Olympios, den Antiochos Epiphanes in höchster Pracht als einen Dipteros von 10 Säulen in der Front und 20 an der Langseite in korinthischem Styl erbauen liess. Bezeichnend ist der Umstand, dass ein römischer Architekt, *Cossutius*, den Bau leitete (vg. S. 132 und Fig. 108).

Fig. 131. Vom Monument des Lysikrates in Athen.

Choragische Monumente.

Mehrere kleinere Denkmäler sind auf uns gekommen, die durch zierliche Anmuth sich hervorthun. Besonders sind hier die **choragischen Monumente** zu nennen, Werke, die von Privatpersonen errichtet wurden, um als Untersatz für einen Dreifuss zu dienen, den die Erbauer als Führer eines Chores in den öffentlichen musikalischen Wettkämpfen gewonnen hatten. Eine Strasse von Athen war mit solchen Denkmälern ganz besetzt und führte nach den Dreifüssen den Namen der Tripoden-Strasse. Oft trug bloss eine schlanke Säule den Siegespreis; manchmal aber wurde ihm ein ausgedehnterer Unterbau gegeben.

Monument des Lysikrates.

Ein besonders anmuthiges Werk dieser Art ist das Monument des **Lysikrates** zu Athen, für einen im J. 334 errungenen Sieg errichtet.**) Das 34 F. hohe, in pentelischem Marmor aufgeführte Denkmal besteht aus einem kreisrunden Bau, der auf einer hohen quadratischen Unterlage ruht. Sechs schlanke Halbsäulen mit eleganten korinthischen Kapitälen (siehe Fig. 130 u. Fig. 105 S. 125) umgeben den runden Theil und tragen ein ionisches Gebälk, dessen Fries die Reliefdarstellung vom Siege des Bakchos über die tyrrhenischen Seeräuber schmückt. Eine zierliche Palmettenbekrönung begrenzt das Gesims. Das Ganze ist von einem kuppelartig geformten Marmorblocke bedeckt, dessen obere Fläche mit schuppenartig in Gestalt von Dachziegeln angeord-

*) Vergl. C. T. Newton, A history of discoveries at Halicarnassus, Cnidus and Branchidae. London 1862. 1 Vol. 8 u. 1 Vol. Fol. Mit der Restauration des Architekten *Pullan*.

**) Vergl. die Aufnahme und Restauration von *Th. Hansen*, und den Aufsatz C. von *Lützow*'s in dessen Zeitschr. für bild. Kunst 1868.

neten Blättern ornamentirt ist. Aus der Mitte steigt, den Dreifuss zu tragen, ein Aufsatz empor, ungemein reich wie ein üppiges korinthisches Kapitäl mit Akanthusblättern behandelt. Viel einfachere Form, bedingt durch seine besondere Lage, zeigte das erst neuerdings zerstörte, wenige Jahre jüngere Monument des Thrasyllos, für einen im J. 320 errungenen Sieg aufgeführt. Monument des Thrasyllos. Eine Grotte an der Südseite der Akropolis, die den Dreifuss umschloss, musste hier künstlerisch behandelt werden. Dies geschah, indem man eine einfache dorische Pilasterstellung anordnete, die ein entsprechend gegliedertes Gebälk trug. Am Fries befanden sich statt der Triglyphen, in einer Anspielung an den errungenen Sieg, plastisch gearbeitete Lorbeerkränze, am Architrav aber eine Reihe von Tropfen. Nachmals, als dem Oberbau eine Statue des Bakchos aufgesetzt wurde, erhielt das Gebälk in der Mitte eine Unterstützung durch einen schlanken Pfeiler.

Aus der späteren Zeit griechischer Kunst ist endlich noch ein interessantes kleines Bauwerk zu Athen erhalten, das in seinen Details bereits ein theilweises Verschmelzen griechischer Formen mit ausländischen bekundet. Thurm der Winde. Dies ist der sogenannte Thurm der Winde oder das Horologium (die Uhr) des Andronikos von Kyrrhe. Es ist ein achteckiger thurmartiger Bau mit zwei kleinen von je zwei Säulen getragenen Vorhallen und einem halbrunden Ausbau. Oben unter dem Gesims sind die Gestalten der acht Winde in Relief angebracht, und ein eherner Triton auf dem Dache wies als Windfahne mit einem Stäbchen auf den jedesmal wehenden Wind hernieder. Darunter sind die Linien einer Sonnenuhr eingegraben. Die Säulenkapitäle, in Kelchform gebildet, zeigen unten einen Kranz von Akanthusblättern, darüber einen andern von schwertgeformten Schilfblättern (vgl. Fig. 104 auf S. 126). Mit diesem letzteren Denkmal steht eine Wasserleitung in Verbindung, die, durch eine Reihe von Rundbögen gebildet, der Uhr das nöthige Wasser zuführte. Diese Bögen sind aber keineswegs durch Keilsteine, sondern in ganzer Ausdehnung monolithisch hergestellt, je aus einem einzigen Marmorblock von 9 Fuss Länge, 4¾ Fuss Höhe und 2 Fuss Dicke. Charakterisirt sind sie als dreifach getheilter, gebogener Architrav, dessen Bekrönung eine kleine Welle mit einer Platte bildet. Die Pfeiler, von welchen die Bögen aufsteigen, zeigen dorische Antenkapitäle. Wir haben also hier ein merkwürdiges Beispiel, wie die Griechen die ihnen fremdartige Form des Bogens in der Zeit, als ihre schöpferisch-architektonische Kraft bereits erloschen war, gelegentlich rein decorativ auffassten und behandelten. Es ist damit die Grenze bezeichnet, welche ihrem baukünstlerischen Schaffen gesteckt war.

Werfen wir nun einen vergleichenden Rückblick auf den Entwicklungsgang der Architektur, soweit wir denselben bis jetzt betrachteten, um uns noch einmal klar vor Augen zu stellen, welchen Höhepunkt die Griechen darin bezeichnen. Vergleichender Rückblick. Zwei Völker aus der Reihe der bisher genannten dürfen wir als baugeschichtlich minder bedeutend bezeichnen. Es sind die Perser und die Mesopotamier. Nicht ohne eine massenhafte und in's Kolossale gehende Architektur, haben doch Beide keinen bedeutsamen Schritt in der Weiterentwicklung derselben gethan. Sie brachten es nur zu prachtvoll aufgethürmten, reich gruppirten, glänzend ausgestatteten Werken, die gleichwohl die consequente Entwicklung eines constructiven Gedankens, mithin auch die Darlegung und künstlerische Ausprägung eines ästhetischen Princips vermissen lassen. Das wichtigste Merkmal baulicher Construction, die Ueberdeckung der Räume, fehlt bei den Persern, oder ist doch im höheren Sinne bedeutungslos, da sie nicht über die Holzconstruction hinausging. In den assyrischen Palästen ist zwar neuerdings ein ausgedehnter Gewölbebau nachgewiesen worden; allein da derselbe zu keiner ästhetischen Ausprägung gelangte, blieb er für die nachfolgende Entwicklung ohne Einfluss. Auch über die alten Völker Kleinasiens lässt sich aus denselben Gründen nichts Günstigeres sagen; dennoch muss dem künstlerischen Schaffen der vorderasiatischen Völker, denen wir die Bewohner Mesopotamiens hinzufügen, die eine Bedeutung zugesprochen werden, dass eine Summe architektonischer Formen von ihnen entwickelt wurde, welehe durch die Griechen für die höchste Ausbildung der Baukunst nachmals verwerthet werden sollte. Wichtiger erscheinen die Inder und Aegypter. Beide haben einen grossartigen Tempelbau geschaffen, Beide den Steinbau mit flacher Bedeckung der Räume in imponirender Weise zur Anwendung gebracht. Aber die einseitige Begabung beider Völker liess es nicht zu einer harmonischen Durchbildung kommen. Die Einen taumeln in einer sinnverwirrenden Formensprache umher, in ungezügelter Willkür schweifend, die Andern vermögen sich aus einer gewissen nüchternen typischen Erstarrung nicht zu Schöpfungen lebendiger Freiheit zu erheben. Die Bauwerke Beider sind Aggregate, lose Vereinigungen mannichfacher Theile, zu denen sich immer neue Ansätze und Erweiterungen fügen liessen. Zugleich ist ihre architektonische Formensprache eine unklar stammelnde oder eine starr beschränkte, in äusserer Willkür dem Körper des Baues aufgeheftet, statt dass sie die naturgemässe, von innen heraussprieassende Blüthe desselben, der klare Ausdruck des inneren Wesens, sein sollte.

Erst der griechische Tempel steht, mit Beseitigung aller Willkür, als hoher, vollkommen abgeschlossener Organismus da. Sein constructiver Grundgedanke ist gerade Ueberdeckung mit Steinbalken, dasjenige Princip, welches bei aller ihm anhaftenden Beschränkung den unbestreitbaren Vorzug der grössten Einfachheit, des völlig Naturgemässen für sich hat. Indem er dasselbe zu seiner erdenklich höchsten Ausbildung führt, prägt er allen seinen Formen bis in die kleinsten Profile denselben Charakter schöner Einfachheit, Gesetzmässigkeit und Klarheit auf. Hier ist Nichts willkürlich hinzugethan; Alles wächst wie von einer Naturkraft getrieben aus dem edlen Gliederbau hervor. So ruht er in heitrer Würde, in stiller Befriedigung, breit hingelagert, als die Krone der schönheitprangenden Landschaft, die ihn umgibt. So erhebt er sich vor unserem Auge, in plastischer Geschlossenheit, leuchtend und klar, mit siegreicher Hoheit, wie jene Göttergestalten des alten Hellas.

ZWEITES KAPITEL.

Die etruskische Baukunst.

Geschichtliche Stellung. Die Griechen traten vom Schauplatze des geschichtlichen Lebens ab, um in der unterschiedlosen Masse des römischen Weltreiches aufzugehen. Aber sie gingen nicht darin unter. Obwohl unterjocht, prägten sie ihren Besiegern den Stempel ihrer Cultur siegreich auf. Besonders aber traten die Römer die Erbschaft dessen an, was jenes hochbegabte Volk in den bildenden Künsten hervorgebracht hatte, nicht allein indem sie die Fülle idealer Schöpfungen, mit welchen die griechischen Städte und Gebiete überreich prangten, als willkommene Kriegsbeute heimschleppten, um ihre Tempel und Paläste damit zu schmücken, sondern noch weit mehr, indem sie den Styl jener Kunst auf die eigene übertrugen. Aber es fehlte auch nicht an selbständigen einheimischen Elementen, namentlich in der Architektur, mit denen dann die griechischen Formen eine eigenthümliche Verbindung eingingen. Forschen wir nach dem Ursprung jener einheimisch italischen Kunstweise, so werden wir auf die Etrusker geführt, die demnach eine beachtenswerthe Zwischenstellung in der Geschichte der Kunst einnehmen. Nur aus der Kenntniss griechischer und etruskischer Architektur wird das Verständniss der römischen gewonnen.

Charakter des Volkes. Unter den alten Völkern Italiens nehmen die Etrusker eine höchst merkwürdige, in vieler Beziehung räthselhafte Stellung ein. Ihre frühesten Bauwerke zeigen eine unverkennbare Aehnlichkeit mit den sogenannten kyklopischen Denkmälern, die wir auf dem Boden Griechenlands verbreitet fanden. Selbst in ihren späteren Werken steht die Kunst der Etrusker dem Charakter jener alten Monumente nahe, so dass es scheint, als ob sie ihn zu einer höheren Entwicklung durchgeführt haben, während umgekehrt der Geist der eigentlich griechischen Kunst dem jener älteren gerade entgegengesetzt war. Auch im Charakter des etruskischen Volkes finden wir einen entschiedenen Gegensatz gegen den der Griechen. Erhob sich bei diesen Alles zur Höhe einer idealen Anschauung, so hafteten die Etrusker an einer einseitig verständigen, reflectirenden Sinnesweise. Diese spricht sich klar in der Gestalt ihres staatlichen Lebens aus. Der Trieb nach individueller Entwicklung, dies Erbtheil der abendländischen Völkerfamilie, war ihnen mit den Griechen gemeinsam und gab auch bei ihnen einer Anzahl von Städten das Leben, welche sich einer bürgerlich freien Verfassung erfreuten. Allein die Verbindung der einzelnen unter einander war einestheils nicht durch solche ideale Bande geknüpft wie bei den Griechen durch die gemeinsamen heiligen Spiele, entbehrte also jenes höheren begeisternden Schwunges; auf der anderen Seite aber war sie auch nicht so locker, nicht so sehr beeinträchtigt durch den Trieb nach persönlicher Selbständigkeit der Einzelstaaten wie dort, sondern streng und straff angezogen durch gesetzliche Bestimmungen, durch das Recht feierlicher Verträge. Die nüchtern verständige Richtung dieses Volkes, die weniger in einer idealen Begeisterung als vielmehr in deutlich vorgezeichneten Satzungen die Richtschnur des Lebens erblickte, muste dahin führen, dass der Rechtsbegriff, der bei den Griechen noch unbestimmt war, zum ersten Male scharf ausgeprägt wurde.

Verfassung.

Aristokratie.

Dazu kam, dass ein stark aristokratisches Element sich bei ihnen vorfand, dass die Macht und Herrschaft in den Händen einzelner bevorzugter Geschlechter lag. Die Gewalt derselben wurde noch dadurch vermehrt, dass sie auch die priesterliche Würde ausschliesslich bekleideten. Die religiösen Anschauungen der Etrusker beruhten aber, nicht unähnlich denen der alten Perser, auf einem scharf ausgeprägten Dualismus, der Annahme eines guten und eines bösen Principes. Auf den bildlichen Darstellungen ihrer Grabmäler sieht man stets einen weissen und einen schwarzen Genius, die sich um die Person des Verstorbenen zu streiten scheinen. Man merkt also, dass die Religion der Etrusker eine vorwiegend moralische, praktische Richtung hatte und von der poetisch-mythologischen der Griechen diametral verschieden war. Was sie von göttlichen Wesen verehrten, war mehr eine dürftige Umhüllung natürlicher Zustände und Vorgänge oder eine umgestaltete Uebertragung griechischer Sagen. Mit jener moralischen Richtung hing es zusammen, dass das Schicksal der Seele nach dem Tode die Etrusker tiefer bewegte als die Griechen, dass bei ihnen sich eine Belohnung und Bestrafung in einem anderen Leben vollständig ausbildete. Hierdurch erhielt ihr Wesen etwas Gedrücktes, Aengstliches, Befangenes, ihr Leben etwas Unfreies, Vorsichtiges, und ein stark ausgeprägter religiöser Aberglaube gesellte sich zu dem nüchtern Verständigen ihres Charakters.

Religion.

Familie.

Ist durch diese Richtung ein feuriger, idealer Aufschwung, wie die Griechen ihn besassen, zurückgedrängt, so zeigt sie sich den Beziehungen des Privatlebens günstiger. Wir finden denn auch die **Familie** bei den Etruskern vorwiegend betont, die hier ein Verbindungsglied zwischen dem Einzelnen und dem Staate bildet. Zum ersten Mal in der Geschichte sehen wir die Frauen aus dem Verhältniss orientalischer Unterwürfigkeit zu einer freieren, geachteteren Stellung im Leben gelangen. Dies in Verbindung mit einem gemüthlichen Zuge, der überhaupt das Leben durchweht, heimelt uns an, und ist vielleicht als das erste Anpochen nordischer Geistesrichtung zu betrachten.

Eklekticismus.

Noch mehr wird dieser Eindruck verstärkt durch einen gewissen eklektischen Hang, der die Etrusker geneigt machte, von fremden Völkern in Sitten und Einrichtungen Manches zu entlehnen. Ihre Verstandesrichtung war nicht wie bei anderen Völkern des Alterthums mit jener Art des Selbstbewusstseins gepaart, welche, wie bei den Aegyptern, Fremdes mit Schroffheit zurückwiess. Vielmehr führte ihr überlegendes, zergliederndes Wesen sie zum Aufnehmen dessen hin, was sie anderswo als gut und brauchbar erkannt hatten. So kamen sie, durch frühen Seeverkehr mit den

Völkern des Orients verbunden, zur Aufnahme von orientalischen Formen und Techniken und bilden in Architektur, Plastik und Malerei die Brücke zwischen dem Morgenland und dem Westen. Manche der von dort gewonnenen Elemente halten sie noch in ziemlich später Zeit fest, vermischen damit aber dann die Einflüsse der griechischen Cultur, die seit ihrer Blütheperiode über Italien wie über die Länder des Ostens sich unaufhaltsam verbreitete. So finden wir bei ihnen die Sagenkreise und Mythen der Griechen; so erkennen wir namentlich in ihrer Architektur eine gewisse, wenngleich umgestaltete Aufnahme griechischer Elemente.

Werke der Architektur.

Zu den alterthümlichsten Werken etruskischer Architektur*) gehören einige Städtemauern, welche nach Art der kyklopischen Werke Griechenlands aus grossen unregelmässig bearbeiteten polygonen Steinblöcken ohne eine Verbindung von Mörtel errichtet sind. Solcher Art sind die Mauern der Stadt Cossa. An anderen Orten dagegen, wie zu Volterra, Populonia, Fiesole, Cortona, zeigen die Steine horizontale Lagerung, jedoch keinen regelmässig wechselnden Fugenschnitt. Ausserdem gibt es gewisse gewölbartige Denkmäler, deren Form, durch Ueberkragung horizontaler Steinschichten gebildet, an die Anlage der griechischen Thesauren erinnert. Ein solches findet sich zu Rom im sogenannten Tullianum, dem unteren Gemache des Carcer Mamertinus. Mehrere unterirdische Werke der Art, wahrscheinlich Grabmäler, trifft man auch zu Tarquinii, Vulci und an anderen Orten. Dahin gehört auch das sogenannte Quellhaus zu Tusculum (Fig. 134). Von derselben Wölbungsart ist der Spitzbogen des Stadtthores von Arpino. Dagegen liegen auf der benachbarten Insel Sardinien freie, kegelförmige Bauten, die sogenannten Nuraghen, deren innere Gemächer, oft zu mehreren über einander angebracht, in derselben Weise durch vorkragende Steine zugewölbt sind. Diese letzteren Denkmäler rühren zwar schwerlich von den Etruskern her, allein sie sind als Zeugnisse einer ähnlichen Kunstrichtung und Culturstufe hier einzureihen.

Denkmäler pelasgischer Art.

Fig. 134 Quellhaus zu Tusculum.

Gewölbebau.

Wir nennen diese Denkmäler nur, um die ausgedehnte Herrschaft jenes Bausinnes zu veranschaulichen, den man mit dem Gesammtnamen des pelasgischen belegt. Wichtiger jedoch und vom nachhaltigsten Einfluss auf die fernere Entwicklung der Architektur ist die Thatsache, dass die Etrusker als die Verbreiter des eigentlichen Gewölbebaues, des durch keilförmige Steine gebildeten Bogens zu betrachten sind. Das Wesen dieses Bogens beruht darauf, dass die dicht an einander stossenden, durch Mörtel verbundenen Fugen der einzelnen Steine in der Verlängerung ebenso vieler Radien des dargestellten Halbkreisbogens liegen. Da jeder einzelne Stein das Bestreben hat, nach unten zu gleiten und die benachbarten zu verdrängen, so keilen sie sich gleichsam unlöslich in einander und verbinden sich mit Hülfe des Mörtels zu einer monolithen Masse. Wie hierbei namentlich die beiden untersten Steine, welche den Bogen tragen, und der obere, mittlere, der das System erst zum vollen Abschluss bringt (der Schlussstein), die wichtigste Stelle einnehmen, begreift sich leicht. Man sieht aber zugleich, wie bedeutsam diese Erfindung ist und wie scharfsinnige Combination sie voraussetzt. Dem einfachen, naiven Sinne lag sie um so ferner, je weniger

*) *W. Abeken*, Mittelitalien vor den Zeiten römischer Herrschaft, nach seinen Denkmälern dargestellt. 8. Stuttgart 1843. — *G. Micali*, Monumenti per servire alla storia degli antichi popoli italiani. Fol. Firenze 18[illegible]. — *Derselbe*, Monumenti inediti ad illustrazione della storia degli antichi popoli italiani. Fol. Firenze 1844. — *F. Inghirami*, Monumenti Etruschi o di etrusco nome. 10 Voll. 4. 1824. — *K. O. Müller*, Die Etrusker. Vergl. auch *Th. Mommsen*, Römische Geschichte. 1 Bd. 2 Aufl. Berlin 1856.

sie in der Natur vorgebildet, je weniger sie an der Wesenheit des Steines selbst haftet, je mehr sie Ergebniss einer künstlichen Rechnung ist. Desswegen kamen auch die Griechen nicht auf diese Constructionsweise, da sie, in allen Dingen schlicht der Natur folgend, auch in der Architektur den Stein nur seinen natürlichen Eigenschaften gemäss behandelten. Nur in ihrer ältesten pelasgischen Zeit finden sich vereinzelte Beispiele des gewölbten Bogens, den sie wie alles Uebrige aus der alten Kunst des Orients entlehnten. Denn nicht bloss in Backsteinbauten, sondern im wirklichen Quaderbau mit regelmässig bearbeiteten Keilsteinen haben wir dort Gewölbanlagen gefunden. Und selbst an den Thesauren, jenen Rundgebäuden pelasgischer Vorzeit, ist die Bedeutung des Keilschnittes erkannt und zur Anwendung gekommen, aber nicht in vertikaler, sondern in horizontaler Lage, um die einzelnen Steinringe gegen den von allen Seiten gleichmässig wirkenden Erddruck zu sichern.

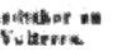

Stadtthor zu Volterra.

Mehrere gewölbte etruskische Bauten sind auf uns gekommen. Zunächst haben wir einige alte Stadtthore zu erwähnen, unter denen eins zu **Volterra** (Fig. 135), in enger Verbindung mit den bereits oben genannten Mauern der Stadt, das alterthümlichste sein mag. Am Schlusssteine und jederseits an dem untersten, unmittelbar dem Gesims aufliegenden Steine sind grosse, kräftig hervortretende Köpfe angebracht, welche eine bedeutsame Hervorhebung der Hauptmomente des Bogens bewirken.

Fig. 135. Thor zu Volterra.

Thore zu Perugia.

Auch zu **Perugia** haben sich zwei etruskische Thore erhalten, unter denen das eine, das sogenannte Thor des Augustus, eine spätere, reichere Behandlung verräth, die in eigenthümlicher Art gewisse Formen der dorischen Architektur aufgenommen hat. Ueber dem Bogen zieht sich nämlich ein Fries hin, der lebhaft an den jenes griechischen Styles erinnert, obschon statt der Triglyphen hier kurze dorisirende Pilaster, statt der Metopen runde Schilder ausgemeisselt sind. Ungleich bedeutender, ja wahrhaft grossartig erscheint der Gewölbebau jedoch an dem mächtigen Werke der unterirdischen Abzugskanäle zu Rom, die unter der Herrschaft der Tarquinischen Könige gegen Anfang des sechsten Jahrh. v. Chr. von Etruskern ausgeführt wurden. Sie hatten die Bestimmung, die Niederungen zwischen den Hügeln der Stadt trocken zu legen und die Unreinigkeiten abzuleiten. Daher vereinigen sich die verschiedenen Kanäle in einen Hauptkanal, die **Cloaca maxima**, welcher mit einer Breite von 20 Fuss in die Tiber mündet. Die Sicherheit und Kühnheit, mit welcher der Gewölbebau hier bei so beträchtlicher Spannweite durchgeführt ist, die Festigkeit, mit welcher derselbe nun seit mehr als zweitausend Jahren dem ungeheuern Gewicht, das auf ihm lastet, zu trotzen weiss, ist bewundernswerth.

Cloaca maxima zu Rom.

Tempelbau.

Charakteristisch ist indess, dass auch bei den Etruskern der **Tempelbau** die Wölbung noch unberücksichtigt liess. Zwar ist kein Beispiel einer solchen Anlage übrig geblieben, allein Vitruv gibt eine ausführliche Beschreibung vom System des etruskischen Tempels, und einige an Grabdenkmälern erhaltene Darstellungen von Façaden reichen hin, das Bild zu vervollständigen. Ohne Zweifel waren es directe griechische Einflüsse, welche im Wesentlichen den tuskischen Tempelbau bestimmten. Mit dem griechischen Tempel hatte der etruskische (vgl. Fig. 136 u. 137) die Aehnlichkeit, dass er aus einer säulengetragenen Vorhalle und einer Cella für das Götterbild bestand, und dass ein giebelförmiges Dach ihn bedeckte. Doch zeigt die Grundform schon eben so viele Unterschiede. War der griechische Tempel ein Rechteck, dessen Langseite ungefähr das Doppelte der Schmalseite maass, so näherte sich der Plan des etruskischen dem Quadrate, da die Tiefe sich zur Breite verhielt wie 6 zu 5. Umgab den griechischen in seiner vollendeten Form eine Säulenhalle auf allen Seiten, ihn zu einem plastischen Organismus entwickelnd, der sein Wesen überall in gleicher Ausprä-

Grundplan.

11

gung darlegte: so hatte der etruskische Tempel nur an der Vorderseite eine Säulenhalle (Anticum), die aber von bedeutender Tiefe war. Man theilte nämlich den ganzen Grundplan in zwei Hälften, von denen die vordere für die Halle, die hintere für die Cella (das Posticum) bestimmt wurde. Letztere bestand jedoch gewöhnlich aus drei neben einander liegenden, durch Zwischenmauern getrennten, von vorn durch je eine Thüröffnung zu betretenden Heiligthümern, deren mittleres in seiner Breite sich zu den seitlichen verhielt wie 4 zu 3. Die Halle hatte in ihrer Front vier Säulen, deren Stellung den Grenzmauern der Cellen, und zwar den Anten derselben, entsprach und also die drei Eingänge um so klarer bezeichnete, da hier auch die Stufen zum Tempel hinanführten. Hierdurch wurde nicht allein der weite Abstand der Säulen unter ein-

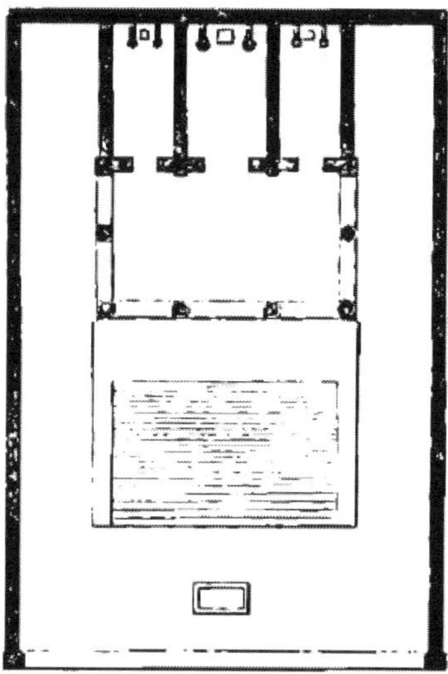

Fig. 156. Grundriss des etruskischen Tempels.

ander, sondern auch die grössere Zwischenweite des mittleren Paares bedingt. Zugleich aber war die Entfernung dieser Säulenreihe von der Cellenmauer so weit, dass zwischen der Ecksäule und der Ante auf jeder Seite noch eine Säule angeordnet werden musste. Nur bei den Tempeln, welche bloss eine Cella erforderten, wurde der sonst für die Nebencellen bestimmte Raum ebenfalls zur Halle gezogen und mit einer Säulenreihe ausgestattet. Die Rückseite des Tempels war dagegen stets in ganzer Breite durch eine Mauer geschlossen. Durch diese Anlage sprach sich, im scharfen Gegensatze gegen den griechischen Tempel, jene Zwiespältigkeit, die wir auch im Charakter des etruskischen Volkes bemerkten, bestimmt aus. Der äussere, materielle Zweck des Gebäudes legte sich mit einer unverhüllten Absichtlichkeit dar, unfähig seinem Erzeugniss den Stempel höherer, idealer Freiheit aufzuprägen. Endlich fehlte den etruskischen Tempeln auch die hypäthrale Anlage, die wir bei den grösseren griechischen antrafen.

Dass die bedeutende Zwischenweite der Säulen keinen steinernen Architravbau zuliess, liegt auf der Hand. Statt dessen blieb der etruskische Tempel beim **Holzbau** stehen, und für diesen gewinnt die Angabe wiederum etwas Bezeichnendes, dass die Holzbalken sammt dem auf ihnen ruhenden ziemlich steilen Giebeldache ungemein weit vorsprangen und so ein **Vordach von beträchtlicher Tiefe** bildeten. Ein eigentlicher Fries fehlte diesem Tempel. Statt dessen dienten die Querbalken, die vermuthlich consolenartig gestaltet waren. In späterer Zeit wurde jedoch ein Fries angeordnet, der nach Art des dorischen mit Triglyphen geschmückt wurde, jedoch in willkürlich decorirender Weise, so dass auf einen Säulenabstand etwa vier bis sechs Triglyphen

Fig. 136. Etruskischer Tempel.*)

kamen. Dem Giebelfelde gab man einen entsprechend leichteren Schmuck durch Bildwerke von gebranntem Thon. — Eine etwas reichere Gestaltung scheint dies Grundschema am Tempel des **Capitolinischen Juppiter** in Rom erfahren zu haben, der, bereits um 600 v. Chr. begonnen, drei Cellen für die capitolinischen Gottheiten Juppiter, Juno und Minerva enthielt. Er hatte vorn eine dreifache Säulenhalle und auf jeder Seite eine einfache, und war von so bedeutenden Dimensionen, dass er 800 Fuss im Umfang maass.

Die Säulen hatten eine Form, welche zwar entfernt an die des dorischen Styles Details.
erinnert, doch in der künstlerischen Wirkung von dieser sehr verschieden ist. Sie hatten, wie die bei Vulci in einem Grabhügel gefundenen Reste zeigen (Fig. 138), eine Basis von höchst ungeschickter Gestalt, deren Hauptglied aus einem schwerfälligen aus-

*) Fig. 136 und 137 nach G. Semper's Restauration; Deutsches Kunstblatt 1855, S. 75 ff.

gehauchten Wulst bestand, auf welchem eine schmale Platte lag. Da auf ältesten Vasenbildern auch die dorische Säule bisweilen eine besondere Basis zeigt, so hat man darin eine primitive, bei den Etruskern länger beibehaltene Form zu erkennen. Das Kapitäl dagegen umfasste alle Elemente des dorischen, aber in gänzlich abweichender Bildungsweise: die Platte war hoch, der Echinus breit ausladend, dabei doch schwächlich, ohne Elasticität der Linie, die Ringe endlich stumpf profilirt und um den Schaft der Säule statt um den Echinus gelegt. Endlich weicht die ganze Gestalt der Säule von der dorischen wesentlich ab, da die Länge ihres Schaftes sieben untere Durchmesser beträgt. Diese Schlankheit, in Verbindung mit den überaus weiten Abständen und der unkräftigen Bildung der Details, muss dem ganzen Bauwerk einen nüchternen, unlebendigen Ausdruck gegeben haben, der durch das hohe Dach noch verstärkt wurde. In der dorischen Architektur bot sich uns ein Ganzes, an welchem die einzelnen Glieder im wirksamsten, glücklichsten Wechselverhältniss zu einander standen, wo die Säulen mit ihren geringen Zwischenweiten den Anblick eines lebendigen Rhythmus gewährten, wo der auf ihnen ruhende Bau durch klare Profilirung und energische Schattenwirkung sich leicht und sicher von jenen abhob. Hier aber treten die Säulen, obendrein durch eine besondere Basis isolirt, zu weit von einander, um nicht den Eindruck des mühsam zu einem Zwecke Zusammengehaltenen hervorzurufen; das Dach wuchtet schwer auf ihnen und erscheint wie eine dem Unterbau aufgezwungene fremdartige Last. Mit einem Worte: im dorischen Bau die Einheit eines organischen Lebens, im etruskischen die Zwiespältigkeit einer mechanischen Zusammensetzung; dort die Sicherheit harmonisch verbundener Glieder, hier das Unbehülfliche angefügter Theile. Wir verstehen daher den Ausspruch Vitruv's, der diesen Tempel „niedrig, breit, gespreizt und schwerköpfig" nennt. Auf die innere Verwandtschaft dieser Bauform mit dem oben geschilderten Charakter des Volkes brauchen wir nur hinzudeuten *).

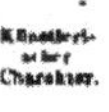

Künstlerischer Charakter.

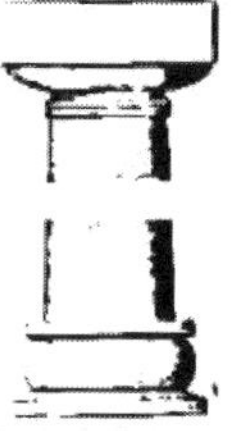

Fig. 138. Säule von der Cucumella zu Volci.

Felsgräber. Unter den erhaltenen Denkmälern nehmen die Grabmäler einen vorzüglichen Platz ein. Dies sind grösstentheils ausgedehnte unterirdische, in dem Gestein des Gebirges ausgehöhlte Räume, Grabkammern darstellend, deren meist gerade Decke auf viereckigen Pfeilern ruht. Selbst da, wo eine Wölbung ausgemeisselt ist, trägt diese die Andeutung hölzernen Sparrenwerkes. Dies, sowie die Wandgemälde in lebhaften Farben, mit welchen die Grabkammern geschmückt sind, erinnert an die Ausstattung altägyptischer Felsgräber. Eine besondere architektonische Wichtigkeit erlangen diejenigen von diesen Anlagen, welche da, wo sie zu Tage treten, mit einer dem schräg ansteigenden Felsen aufgemeisselten Façade geschmückt sind. Die einfachsten und wohl auch ältesten derselben (Fig. 139) enthalten nur eine Blendthür in der Mitte, verjüngt, mit Rundstabrahmen eingefasst, der am oberen Ende ohrenartige Vorsprünge hat. Der wirkliche Eingang ist dagegen in versteckter Weise am unteren Theile der Façade angebracht. Eine Reihe derb profilirter Glieder, aus Rundstäben, Platten, Wellen und Keh-

Fig. 139. Gräber von Castellaccio.

*) Ueber den etruskischen Tempel vergl. Vitruv lib. IV. cap. 7.

len wirksam zusammengesetzt, bildet den gesimsartigen Abschluss der Façade. Solche Façaden finden sich in ganzen Reihen dicht neben einander, Strassenzüge einer Todtenstadt bildend, durch felsgehauene Treppen getrennt, welche auf die Platform führen. Gräber dieser Art sieht man in den Nekropolen von Norchia und Castellaccio bei Viterbo (Orchia und Oxia.) Zwei von den Gräbern zu Norchia haben dagegen eine Behandlung der Façade, welche dem etruskischen Tempelbau, wie er unter griechischem Einflusse sich ausgebildet hat, nachgeahmt ist. Weite Säulenstellungen, jetzt zerstört, waren aus der Fläche herausgemeisselt, und mit Gebälken verbunden, welche mit Triglyphen und Zahnschnittfriesen ausgestattet sind. Die Triglyphen haben das Gepräge aufgehefteter Zierden, die mit der Construction nicht zusammenhangen. Die Gesimsplatte ist volutenartig an den Enden aufgerollt, und dort mit einem Kopfe geschmückt, über welchem ein Eck-Akroterion mit einem Thierbilde angeordnet ist. Bildwerke sind auch im Friese angedeutet; das Giebelgeison aber zeigt die aus der altorientalischen Kunst wohlbekannte Hohlkehle mit aufgerichtetem Blattkranz. Ohne diesen Façadenschmuck sind dagegen die Gräber von Bomarzo, Sutri, Toscanella und besonders in der Nekropole des alten Tarquinii, (Corneto).

Eine andere Form der Gräber schliesst die unterirdische Anlage aus und besteht aus einem mehr oder minder ausgedehnten, meistens kreisrunden Unterbau, der von niedriger Brüstungsmauer umschlossen wird, wie dies in einfachster Gestalt der unter dem Namen der Cucumella bekannte Grabhügel bei Volci zeigt, der über 200 Fuss im Durchmesser hat. In seiner Mitte erhebt sich ein viereckiger Thurm, neben ihm ein kegelförmiger Denkpfeiler, der vermuthlich sammt drei ähnlichen den mittleren Thurm umgab. Verwandter Anlage ist das bei Albano liegende Denkmal, das unbegründeter Weise als Grab der Horatier und Curiatier bezeichnet wird. Es trägt auf quadratischem Unterbau von 25 Fuss Breite und gleicher Höhe die Reste von fünf kegelförmigen Denkpfeilern, vier auf den Ecken, die einen mittleren, kräftigeren Kegel umgeben. Freigräber.

Sowohl dies tumulusartige Freigrab, als jenes façadengeschmückte Felsgrab gehören, wie wir gesehen haben, der alten Kunst des Orients an. Ohne Zweifel haben die Etrusker beide Anlagen von dort erhalten und dieselben während der ganzen Dauer ihrer selbständigen historischen Existenz festgehalten. Auch in den Details ihrer Architektur scheinen sie länger die asiatischen Formen bewahrt zu haben als die Griechen. Wie viel von jenen ältesten Einflüssen auf die Vermittlung der Phönizier kommt, wie viel etwa auf eigenen directen Verkehr mit dem Orient zu setzen ist, lässt sich kaum entscheiden. Fassen wir die Bedeutung der etruskischen Architektur für die geschichtliche Entwicklung der Baukunst zusammen, so finden wir in ästhetischer Beziehung einen Rückschritt gegen die griechische, zuerst ein Anlehnen an orientalische, dann ein schüchternes, missverstandenes Anklingen an gewisse hellenische Formen. Aber in constructiver Hinsicht bildet die umfassende Anwendung des Bogenbaues ein Element von so weitgreifender Wichtigkeit, dass hierdurch allein die Etrusker in der Geschichte der Architektur einen bedeutsamen Platz einnehmen. Indess blieb diese neue technische Errungenschaft, wie wir gesehen haben, nur auf dem Niveau praktischer Nützlichkeit, ohne sich zu künstlerischer Ausbildung zu erheben. Dies sollte erst von den Römern versucht, vom christlichen Mittelalter in glanzvollster Weise durchgeführt werden. Einflüsse des Orients. Geschichtliche Bedeutung.

DRITTES KAPITEL.

Die römische Baukunst.

1. Charakter des Volkes.

Charakter des Volkes.

Trat schon bei den Etruskern die eigentlich künstlerische Begabung in den Hintergrund, lehnten sie sich mit ihrer Culturentfaltung grossentheils an die Griechen an, so zeigt sich dies Verhältniss bei den Römern noch gesteigert. Ueberhaupt scheint in ihnen das Wesen der Etrusker nur seine consequentere, höhere Ausprägung erhalten zu haben. Hier wie dort ein Sinn, der sich vorzugsweise den äusseren Zwecken des Lebens, der Herrschaft und des Besitzes, hingibt, der diese aber mit einer seltenen Grossartigkeit der Intention zu verwirklichen weiss; zugleich jedoch ein Mangel an selbständigem, originalem künstlerischem Genie, der die Römer anfangs zu Schülern der Etrusker, später zu Nachahmern der Griechen macht. Wir finden, dass sie sich dieser Armuth selbst bewusst sind, ohne dieselbe zu beklagen. Denn ihrem herrschbegierigen Sinn erscheint es als die höchste Aufgabe des Daseins, die anderen Völker zu unterjochen, dem Erdkreis Gesetze vorzuschreiben. Mögen dann die Anderen kunstübend und gebildet sein; müssen sie doch mit ihren Geisteswerken das Leben der stolzen Sieger zieren, die von der Kunst Nichts verlangen, als dass sie die anmuthige Dienerin der Macht sei. Dies war die Grundanschauung, welche die Römer von der Kunst hatten. Es war ihnen wohl gegeben, die äussere Formschönheit der griechischen Werke zu erkennen und zu bewundern; aber es blieb ihnen versagt, die Kunst als die ideale Verklärung des Volksgeistes, als seine lebensvollste Erscheinungsform zu betrachten. Fassten sie doch Alles nach den Grundsätzen äusserer Zwecke, praktischer Rücksichten auf. Wie hätte ihnen die Kunst unter einem anderen Gesichtspunkte erscheinen sollen?

Die Staatsidee.

Das Ideal der Römer war ein ganz anderes: es war die Ausbildung des **Staates**. Der Orient hatte alle individuelle Freiheit in der monotonen Einheit des Despotismus erstarren lassen. Das Griechenthum hatte dagegen die Ausbildung einer grossen geschlossenen Staatseinheit der Entwicklung individuellen Lebens hintangesetzt, so dass seine einzelnen kleinen Staaten als Einzelwesen verschiedenster Art und Richtung einander gegenüber traten. Bei den Römern erst wird vermöge der geistigen Verwandtschaft, in der sie zu den Griechen stehen, neben der grossartigen Ausprägung der Staatsidee auch die Entwicklung persönlicher Selbständigkeit angestrebt. Diese zwiefache Tendenz hat sich in machtvoll consequenter Weise in ihrem höchst ausgebildeten Staats- und Privat-Rechte krystallisirt, einer Schöpfung, die für die Bestimmungen des praktischen Lebens dasselbe geworden ist, was die griechische Kunst für die Sphären idealen Schaffens: die noch heute gültige Grundlage.

Entwicklung des Individuums.

Allerdings waren die Römer noch nicht bestimmt, jene grosse Culturaufgabe ganz zu lösen; allein es war schon ein bedeutender Schritt gethan, wenn das Recht individueller Entwicklung neben dem Streben nach Concentration des Staats festgehalten wurde. War auch das Ideal einer durchgebildeten Persönlichkeit bei ihnen ein minder hohes als bei den Griechen, war es auch mehr mit den praktischen Richtungen des Lebens verwachsen, so schloss es dafür ein Element ehrenfester Mannhaftigkeit in sich, welches in dieser ehernen, weltbezwingenden Gewalt den Griechen fern lag. Alle Tugenden des Römers hatten daher einen gewissen rauhen Grundton, der, wenn auch mit verminderter Kraft, selbst durch die spätere Ueberfeinerung ihres Lebens noch hindurchklingt.

Kunstrichtung.

Ein Volk von so vorwiegend praktischer, verständiger Richtung wird unter den Künsten am meisten der Architektur sich zuwenden, in ihr Bedeutenderes leisten, als in den Schwesterkünsten. Hat doch sie selbst eine Zwischenstellung, die den materiellen Zwecken des Lebens eine ideale Verkörperung leiht. Bei einem solchen Volke wird sie daher nicht zu ihrer idealsten Gestalt gelangen; vielmehr wird hier jene andere Seite ihres Wesens, die praktische, den äusseren Zwecken des Lebens zugekehrte, stärker betont werden. So finden wir es in der That bei den Römern.

2. System der römischen Architektur.

Grundcharakter.

Bei den Etruskern wurden der Säulenbau und der Gewölbebau unabhängig von einander und ohne irgend eine höhere künstlerische Entwicklung geübt. Der Grundzug der römischen Architektur besteht nun darin, dass nicht allein der Säulenbau an sich in der von den Griechen überlieferten Ausbildung angenommen wird, sondern dass auch der den Etruskern entlehnte Gewölbebau in einer ungleich grossartigeren Weise zur Geltung kommt und behufs künstlerischer Gestaltung sich in selbständiger Art mit dem Säulenbau verbindet.

Säulenbau.

Was zunächst dieses letztere Element betrifft, so ist es nur als eine Fortsetzung des griechischen Säulenbaues, in dessen späterer Erscheinungsform zu betrachten, und es gelten ihm dieselben Bemerkungen, die wir über die griechische Architektur der letzten Epoche zu machen hatten. Wir finden auch hier, selbst wo der Säulenbau selbständig auftritt, vorzüglich das Bestreben nach kolossalen Dimensionen, welches, zumal an den Tempeln, einerseits dem Kern des Bauwerkes eine grössere Ausdehnung zu verleihen, anderntheils durch Häufung der umgebenden Säulenhallen imposanter zu wirken strebt. Nicht allein der Dipteros ist daher sehr im Gebrauch, sondern es wird derselbe, in Nachwirkung einer altitalischen Anlage, indem man auf die Anordnung der Vorhallen etruskischer Tempel zurückgeht, für die Vorderseite noch dahin umgestaltet, dass diese nicht selten eine Tiefe von drei bis vier Säulenstellungen gewinnt. Manchmal auch wird die Vorhalle ganz nach Art etruskischer Tempel gebildet, während die drei übrigen Seiten der Cella sich mit Halbsäulen in der Weise eines Pseudoperipteros umgeben (so am Tempel der Fortuna virilis, Fig. 140). Ueberhaupt wird der Grundplan der Tempel häufig dem des griechischen nachgebildet, obwohl auch manchmal die etruskische Form zur Geltung kommt, anderer Gestaltungen des Grundrisses, von denen später die Rede sein wird, zu geschweigen.

Tempel.

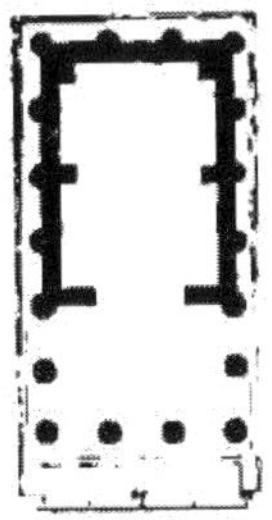

Fig. 140. Tempel der Fortuna virilis.

Säulenordnungen.

Der Styl dieses Säulenbaues schliesst sich ebenfalls dem spätgriechischen an. Wie dort wird auch hier von den einfacheren Formen, den dorischen und ionischen, mehr abgesehen, und wo sie zur Anwendung kommen, da geschieht dies in unerfreulich trockener, nüchterner Weise. Die römische Behandlung der dorischen Säule folgt der von den Etruskern angebahnten, indem sie die aus einem Wulst und aufliegenden Plättchen bestehende Basis festhält, auch wohl eine attische Basis anwendet, das Kapitäl in ähnlich energielosen Linien führt und dem Echinus oft jene Decoration einmeisselt, welche in manierirter Umbildung der griechischen Muster aus abwechselnden Eiern und Pfeilspitzen zu bestehen scheint. Ausserdem wird der Hals durch ein vorspringendes schmales Band abgeschlossen. Man nennt diese Form missbräuchlicher Weise wohl die toskanische. In dem ionischen Kapitäl spricht sich eine zu zarte, lebensvolle Anmuth aus, als dass sie in den Händen der derberen Römer nicht ihres eigentlichen Zaubers, der in dem beziehungsreichen Wechselverhältniss der Linien beruht, entkleidet werden sollte. Doch kommen manchmal beide Ordnungen, mit der korinthischen vereint, am Aeusseren grosser mehrstöckiger Gebäude vor, um dasselbe reicher zu gliedern. Da wird denn, in verständiger Rücksicht auf das Wesen der drei Ordnungen, der dorischen die untere, der leichteren, schlankeren ionischen die mittlere,

Dorische.

Ionische.

Korinthische. der üppig aufschiessenden korinthischen die obere Stellung eingeräumt. Letztere aber war es, auf die vorzugsweise der Geschmack der Römer sich hingewiesen fühlte. Durch ihre für alle Standpunkte gleich geeignete Form empfahl sie sich, wie schon oben gezeigt wurde, zur freiesten baulichen Verwendung; in ihrer mehr ornamentalen als streng constructiven Entfaltung entsprach sie dem Princip, nach welchem die Römer die Architektur mehr als eine tief nothwendige, ideale Aeusserung des Lebens auffassten; in ihrer reichen Pracht, die obendrein einer willkürlichen Behandlungsweise freieren Spielraum darbot, musste sie für eine Baukunst, die weltlicher Macht als Verherrlichung dienen sollte, die geeignetste erscheinen. Dazu kam, dass die römische Kunst das Blattwerk dieses Kapitäls (vgl. Fig. 141) voller, schwellender bildete als die griechische, die

Fig. 141. Vom Sonnentempel Aurelians (sogen. Frontispiz des Nero).

dasselbe feiner, zarter, zugespitzter behandelte. Dennoch blieb der römische Baugeist nicht bei ihr stehen; in dem Streben, für seine kolossaleren Werke ein Kapitäl zu finden, das reiche Zierlichkeit mit schwerer Pracht verbände, griff er zu der Auskunft, auf den unteren Theil des korinthischen Kapitäls anstatt der leicht elastischen Spiralstengel die breiten Voluten sammt dem Echinus des ionischen Kapitäls zu legen. So
Römisches Kapitäl. entstand das sogenannte Composit- oder römische Kapitäl (Fig. 142) eine Form, die nicht eben glücklich gewählt ist, da sie statt des lebendigen Aufspriessens der leichten Glieder einen unvermittelten Gegensatz zwischen den zarten Spitzen der aufrechtstehenden Akanthusblätter und dem schwer wuchtenden, horizontal aufliegenden Echinus sammt den Voluten zur Schau trägt. Von den Säulenbasen ist zu sagen, dass sie an den Prachtwerken römischer Architektur in einer den übrigen Theilen entsprechenden Fülle der Gliederung auftreten. Ausser der attischen Basis wird mit besonderer Vorliebe eine reichere Form angewandt, welche einen doppelten Trochilus nach unten wie nach oben mit je einem runden Wulst einschliesst und diesem mannichfachen Formenwechsel durch aufgemeisselte Blätter, Kränze und Flechtwerk noch freieres Leben, noch schlagendere Wirkung verleiht.

Vom Gebälk und den übrigen Gliedern des römischen Säulenbaues ist zu bemerken, dass sie ebenfalls am meisten dem Muster der korinthischen Ordnung folgen. Doch sind auch hier gewisse willkürliche Umgestaltungen zu erkennen. Die Glieder werden gehäuft, die Profile in vollerer Weise gebildet, die Consolen namentlich vielfach und mit reichster Decoration angewendet und selbst mit Zahnschnitten verbunden, wie Fig. 143 zeigt, Ornamente von mancherlei Art verschwendet und manchmal selbst zum Theil am Architrav angebracht. Der leitende Gesichtspunkt ist dabei nicht jene feine Rücksicht auf die Construction und die in ihr begründete Bedeutung der Glieder, die bei der griechischen Architektur allein maassgebend war, sondern lediglich die Erzielung eines äusseren Effects, der um so mehr gesteigert werden Gliederung.

Fig. 143. Vom Triumphbogen des Titus.

musste, je massenhafter sich die Architektur selbst entfaltete. Wo dagegen, besonders an mehrstöckigen Gebäuden, der dorische oder ionische Styl zur Anwendung kommt, da sieht man die Details nüchtern und ohne Verständniss ihres Wesens behandelt. Auch werden wohl mit dem bloss decorativ behandelten Triglyphenfries Zahnschnitte am Gesims verbunden (Fig. 144). Am augenfälligsten wird dies überhaupt beim dorischen Gebälk, wo die ursprüngliche Bedeutung der Triglyphen soweit verkannt ist, dass auf den Ecken, der mathematischen Gleichmässigkeit zu Liebe, die Triglyphe ebenfalls über die Mitte der Säule gestellt wird, so dass eine halbe Metope den Abschluss bildet (Fig. 145). In den Metopen liebt man übrigens Rosetten und Embleme verschiedener Art anzubringen.

Das wichtigste Grundelement der römischen Architektur ist der Gewölbebau. Gewölbebau.
Er ist, wie wir wissen, eine altitalische Erbschaft und wurde den Römern durch die Etrusker überliefert. Was nun die constructive Form des Bogens betrifft, so wurde diese von den Römern in keiner Weise verändert, sondern nur in ausgedehnterer Art und in grösserer Mannichfaltigkeit der Combinationen benutzt. Bei geschickter Anwendung bereits vorhandener Formen zeigt sich gerade hierin eine ausserordentliche

Gewandtheit und ein grosser Reichthum an Motiven. Durch die umfassendere Handhabung des Gewölbebaues wurde nun zunächst die Entfaltung einer grossartigen

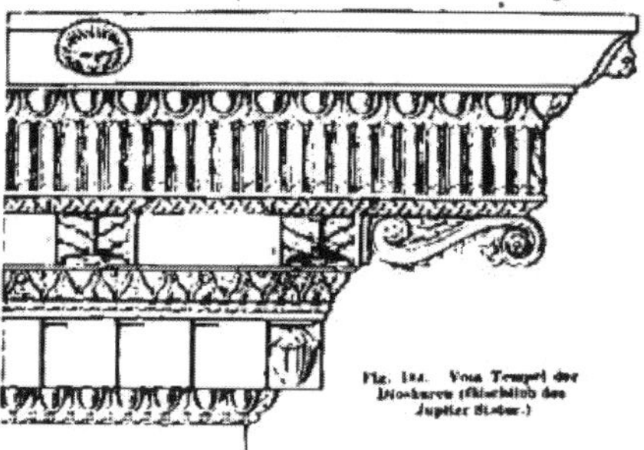

Fig. 140. Vom Tempel der Dioskuren (fälschlich des Jupiter Stator.)

Massen-Architektur begünstigt. Vermöge seiner bedeutenden Widerstandskraft gestattete der Bogen die Anordnung vieler Stockwerke selbst an den kolossalsten Ge-

10 20 30 centim.

Fig. 141. Römisch-dorischer Fries.

bäuden, und wurde zugleich wegen seiner lebendig bewegten Linie ein ästhetisch höchst wirksames Mittel für die reichere Gliederung des Aeusseren. Zugleich aber war nun eine bedeutendere Entwicklung der Innen-Architektur gestattet. Mit Hülfe der Wölbung liessen sich die ausgedehntesten Räumlichkeiten überdecken, ohne jener enggestellten Stützen zu bedürfen, welche die geradlinige Bedeckung erheischte. Für den rechtwinkligen Raum bot sich als geeignetste Wölbungsform das Tonnengewölbe, eine im Halbkreis geführte Verbindung zweier gegenüberliegender Wände. Diese Form gestattet zwar bereits eine ausgedehnte Räumlichkeit, hat aber den Nachtheil, dass sie in allen Punkten der beiden Seitenwände, auf denen der Bogen ruht, ein gleich kräftiges Widerlager fordert, da die Beschaffenheit des Bogens es mit sich bringt, dass seine keilförmigen Steine das Bestreben haben, die Stützpunkte nach beiden Seiten aus einander zu drängen. Sind diese stark genug, so erzeugt sich aber gerade durch den mächtigen Druck und Gegendruck ein äusserst fester, inniger Verband der Theile. Sodann wirkt das Tonnengewölbe in so fern beschränkend auf die Gestaltung der Mauern zurück, als es nur an beiden schmalen Seiten einen Schildbogen gestattet. So nennt man denjenigen halbkreisförmigen Theil der Schlusswand, der das Tonnengewölbe begrenzt. Endlich steht in künstlerischer Hinsicht die nur nach einer Richtung in Bewegung gesetzte Mauermasse in einem ungelösten Gegensatze zu der starren Ruhe der anderen.

Tonnengewölbe.

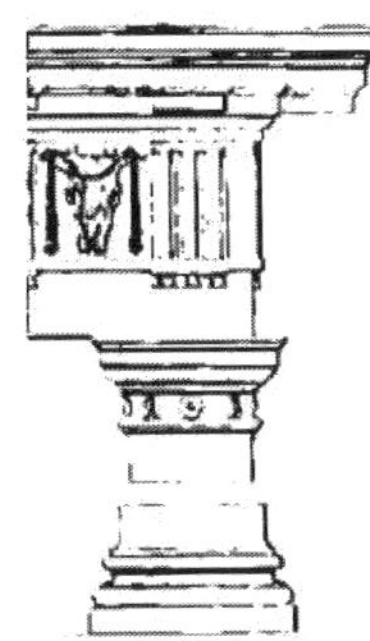

Fig. 145. Dorische Ordnung bei den Römern.

In jeder Hinsicht ist daher das Kreuzgewölbe als ein Fortschritt gegen jenes zu betrachten. Dieses entsteht, wenn ein quadratischer Raum in seinen beiden einander rechtwinklig schneidenden Axen von je einem Tonnengewölbe bedeckt wird. Denkt man sich die beiden gleichartigen Gewölbe in einander geschoben, so werden sie sich in zwei Linien schneiden, die kreuzweise mit diagonaler Richtung die schräg entgegengesetzten Ecken des Raumes verbinden. Diese Gewölbgraten (Nähte, Gurtungen) werden einen elliptischen Bogen beschreiben und vier Bogendreiecke einschliessen, welche man Kappen nennt. Das Kreuzgewölbe steigt also von vier Stützpunkten auf, so dass also nirgends eine horizontal abschliessende Wand erforderlich, vielmehr eine wechselvolle Belebung des ganzen Deckensystems bewirkt ist. Diesem ästhetischen Vorzug gesellt sich noch der constructive Vortheil, dass hier nicht mehr ganze Seiten, sondern nur die vier Stützpunkte als starke Widerlager zu behandeln sind, woraus ein Raumgewinn und eine Maueresparung hervorgeht.

Kreuzgewölbe.

Neben diesen Gewölbformen kommt als dritte in der römischen Architektur noch die Kuppel vor, d. h. eine halbirte hohle Kugel, welche einen kreisrunden Raum überdeckt. Ihre Construction wird durch horizontal gelagerte Schichten von Steinen gebildet, die vermöge ihres nach dem Mittelpunkt der Kugel gerichteten Keilschnittes die Wölbung nach den statischen Gesetzen des einfachen Halbkreisbogens bewirken. Ihre Last wuchtet in gleicher Weise auf allen Theilen des runden Mauercylinders (des Tambours), auf welchem sie ruht, und der demnach eine kräftig massenhafte Anlage erfordert. Auch für die halbkreisförmige Nische, mit welcher man rechtwinklige Räume an der einen Schmalseite zu schliessen liebte, wurde meistens eine Halbkuppel als Wölbung gewählt.

Kuppel.

Aber nicht bloss für die Ueberdeckung der Räume, sondern auch für die Gliederung der inneren Wandflächen erwies sich der Bogenbau wichtig. Man theilte die Mauermasse entweder durch flache Blendbögen, oder gab ihr durch ein System überwölbter Nischen eine durch energischeren Wechsel von Licht und Schatten bedeutungsvolle Behandlung und zugleich dem Raume mannichfache Erweiterung.

Behandlung der Wandflächen.

Doch war der Bogenbau allein für diese Art der Decoration und Massengliederung nicht ausreichend. Er bedurfte eines anderen Factors, der, was ihm an innerer, künstlerischer Durchbildung abging, ersetzte. Dazu wurde der *Säulenbau* ausersehen.

Verbindung von Säulenbau und Gewölbebau.

Dies nämlich ist der Punkt, wo die *Rückwirkung des Gewölbebaues* und des durch ihn getragenen Massencharakters der Architektur auf die Gestaltung des Säulenbaues am entschiedensten hervortritt. Wir haben demnach hier zunächst die Frage zu beantworten, in welcher Weise die Verbindung der beiden so verschiedenartigen Elemente stattgefunden habe. Da ist denn als Grundzug festzuhalten, dass jene Verbindung sich nur als eine lose, willkürliche zu erkennen gibt. Aus der Mauermasse unmittelbar entwickelt sich der Bogen, das Gewölbe, und nur in äusserlich decorirender Weise gesellen sich Säulenstellungen hinzu. Diese lehnen sich hülfebereit an die des Schmuckes bedürftige Wand, treten also als etwas Fremdes, willkürlich Herbeigeholtes hinzu. Aber sie kommen nicht allein: sie bringen die ganze Gebälkanlage, den Architrav sammt seinem Friese und Gesimse mit. Es legt sich demnach der bedeutsamste Theil der griechischen Architektur als einfassender Rahmen um die römische Bogenspannung, und über der Wölbung zeigt oft das Tympanon des hellenischen Tempelgiebels seine bildwerkgeschmückte Stirn.

Veränderungen der Säule.

Hieraus entspringen der Säule selbst manche Veränderungen. Es treten die Gesetze über die *Abstände der Säulen* ausser Kraft; vielmehr wird die Zusammenordnung eine willkürliche, da sie sich nach einem ausserhalb ihres Wesens liegenden Princip, nach der Spannweite des zu umrahmenden Bogens, sei es Thor, Fenster oder Nische, schmiegen muss. Dadurch wird das strenge architektonische Gesetz der *Reihe* aufgelöst, und das mehr malerische der *Gruppe* tritt an seine Stelle. Sodann erhält die Säule, da sie, vom gemeinsamen Unterbau der Tempelstufe losgerissen, einen Ersatz heischt, gewöhnlich einen viereckigen Würfel als Unterlage (*Postament*), durch den sie zwar wirksamer hervortritt, jedoch mit noch schärferer Betonung ihrer isolirten Stellung. Da sie aber hier nur noch als Decoration der Wandfläche gilt, so entspringt daraus eine andere Umgestaltung, welche ihr nur noch den Schein der Selbständigkeit lässt. Sie wird nämlich oft nur als *Halbsäule* oder rechtwinklig vortretender Mauerstreifen (*Pilaster*) gebildet, so jedoch, dass Basis, Cannelirung des Schaftes und Kapitäl die Formen der vollen Säule befolgen. Für den Pilaster wird dann das korinthische *Kapitäl* so umgestaltet, dass seine Ornamente sich einer geradlinigen, nicht einer runden Fläche anlegen. Für das ionische Kapitäl war nur die gebogene Form des Echinus in eine gerade zu verwandeln, und das dorische hatte bereits an den Anten Vorbild einer ähnlichen Behandlung gegeben. Was den *Schaft der Säule* betrifft, so ist zu erwähnen, dass derselbe in der römischen Architektur oft als nüchterner Cylinder ohne Cannelirungen, oder nur von oben zu zwei Dritteln seiner Länge cannelirt behandelt wird. Man mochte durch die beliebte Anwendung dunkler oder buntgesprenkelter Marmorarten, deren glänzenden Effect die Cannelirungen nicht zur Geltung kommen liessen, dazu verleitet werden. Jedenfalls gibt sich auch hierin der gröbere Sinn der Römer, der Mangel an Gefühl für das innere Leben der Glieder kund.

Andere Umgestaltungen.

Was aber unserem Auge am lebhaftesten das Lose, Unorganische dieser Verbindung des Säulen- und Gewölbebaues bemerklich macht, ist die Art, wie das *Gebälk* über den Säulen vortritt und neben ihnen im rechten Winkel zurückspringt, so dass dadurch würfelartige Mauerecken entstehen, die keinerlei constructiven Zweck haben und daher mit Recht *Verkröpfungen* genannt werden. Sie bringen das Müssige der ganzen Säulenordnung erst klar zu Tage, doch tragen auch sie, so sehr sie streng architektonischen Gesetzen widerstreben, dazu bei, den *malerischen Charakter* dieser Bauwerke zu verstärken. Manchmal zwar erhebt sich über dem Gebälk ein *Giebel*, jedoch eben so äusserlich dem Mauerkörper aufgelegt. Der Giebel überbietet an Höhe den des griechischen Tempels, indem er die etruskische Weise befolgt, und also auch seinerseits mehr dem schweren, massenhaften Charakter römischer Architektur gemäss ist. Hierher gehört noch die Erwähnung einer dem römischen Baue eigenthümlichen

Anordnung, zu welcher man durch das Missverhältniss der Säulenlänge zur Höhe des Baukörpers manchmal gedrängt wurde, der sogenannten **Attika**. Dies ist eine Ordnung kürzerer, gedrungener Pilaster, welche man oft auf das Gebälk einer vollständigen Säulenreihe stellt, um einen übrig bleibenden Wandtheil, der für eine volle Säulenordnung zu niedrig ist, zu decoriren. Dass endlich die **Gliederungen**, wie schon oben angedeutet, reicher, die Ornamente gehäufter, die Profile voller und derber gebildet werden, dass sich in allen diesen Einzelheiten das Bestreben nach Hervorbringung eines äusserlichen Effects verräth, ja dass selbst an den Mauerflächen durch tiefe Einschneidung und Abschrägung der **Quaderfugen**, ganz im Gegensatz mit griechischer Bauweise, zu Gunsten einer gesteigerten malerischen Wirkung der Charakter ruhig stetiger Raumumschliessung geopfert wird, kann man nun erst völlig verstehen, wenn man bedenkt, dass der Massencharakter dieser Architektur allerdings einer Steigerung und Häufung der decorativen Elemente bedurfte.

Spätere Combinationen.

Erst in der letzten Zeit der römischen Kunst kam man darauf, die Säulen unmittelbarer mit dem Bogen zu verbinden, so dass man die Gräten der Kreuzgewölbe von jenen aufsteigen liess. Aber selbst hier erwies sich wieder das starre Widerstreben der Säule gegen ein ihr fremdartiges Constructions-Element. Sie behielt auch jetzt ein Stück verkröpften Architravs bei, so dass jenes Grundgesetz horizontaler Lagerung, auf welches die Säule von ihrem griechischen Ursprung her hinwies, gleichsam mit seinem letzten Athemzuge noch gegen die widernatürliche Verbindung Einspruch erhob. Die decorative Charakteristik der Bögen und Gewölbe selbst trug ebenfalls immerfort die dem Deckensystem der Griechen entlehnte Form der Kassettirung und bei den Bögen die des geschwungenen, in der Regel nach ionischer Weise dreigetheilten Architravs, als Wahrzeichen vom Mangel der Fähigkeit, am äusseren Körper des Bogens die inneren Gesetze seiner Bildung künstlerisch auszuprägen.

Gattungen der Gebäude.

Haben wir in diesen Grundzügen, welche das Wesen der römischen Architektur ausmachen, überall die Abwesenheit eines wirklich schöpferischen Geistes erkannt, so ist dagegen nicht zu leugnen, dass die Römer das Gebiet dieser Kunst, wenn auch nicht vertieft, so doch bedeutend erweitert haben. Wie bei ihnen die Architektur recht eigentlich die Dienerin des Lebens wird, so eröffnet sich ihr ein unendlich weites Feld künstlerischer Thätigkeit. Nicht der **Tempel** allein ist es mehr, dem eine ideale Ausbildung gebührt, sondern die grossartige, vielgestaltige, reich verzweigte Existenz jenes Herrschervolkes erheischte für jede verschiedene Lebensäusserung den entsprechenden architektonischen Ausdruck. Das ausgebildete Rechtssystem erforderte eine Menge von **Basiliken**, die zugleich dem geschäftlichen Verkehr des Tages eine schirmende Stätte boten. Den Angelegenheiten des Staates diente das **Forum** mit seiner complicirten, grossartigen Gestaltung, um das sich Tempel, Basiliken und andere öffentliche Gebäude oft in imposanter Weise gruppirten. Die leidenschaftliche Lust des römischen Volkes an Schaudarstellungen aller Art rief die meistens riesenhaften Anlagen der **Theater, Circus, Amphitheater** hervor, die in der Folge immer prächtiger und verschwenderischer ausgestattet wurden, da das bewegliche Volk in der sinkenden Zeit römischer Grösse sich leicht das Herrscherjoch über den Nacken werfen liess, wenn nur sein Verlangen nach „Brod und Spielen" gesättigt war. Dem öffentlichen Vergnügen überhaupt waren die kolossalen Gebäude der **Thermen**, ursprünglich warme Bäder, geweiht, die Alles in sich fassen, was den Hang zum „süssen Nichtsthun" befriedigen mochte. Sodann brachte die Sitte, ausgezeichneten Personen Denkmäler zu errichten, die prächtig geschmückten **Triumphthore**, die **Ehrensäulen** hervor, denen sich **Grabmonumente** aller Art anreihten, manchmal in zierlichen Formen, manchmal kolossal aufgethürmt. In den **Palästen** der Kaiser vereinte sich mit dem Prunk höchsten Luxus zugleich die Würde und Majestät der Erscheinung, die dem römischen Leben überhaupt eigen war, und die aus drei Erdtheilen zusammengeraubten Schätze der Reichen und Vornehmen liessen um die Wette **Wohnhäuser** und **Villen** emporwachsen, die einander an Glanz und Grösse überboten. Geradezu unübertroffen stehen endlich die mächtigen **Nützlichkeitsbauten** da, mit welchen die Römer jeden ihrer Schritte bezeichneten, die **Brücken-** und **Wasserleitungen**, die oft in drei-, selbst vierfachen Bogenstellungen ein tiefes Thal, einen breiten Strom überspannen, die *Heerstrassen* und *Befestigungen* aller Art, mit welchen sie wie mit einem Netze ihr weites Reich bedeckten. Da ist kein Zweck des Lebens, der nicht seine architektonische Verkörperung gefunden hätte.

3. Uebersicht der geschichtlichen Entwicklung und der Denkmäler.

Epochen.

Es liegt im Wesen der römischen Architektur, dass sie im höheren Sinne keine *innere Entwicklungsgeschichte* hat. Sie übernahm bereits fertige Formen, die historisch *geworden* waren, und aus denen sie lediglich das künstliche Gerüst ihres Bausystems zusammensetzte. Daher können wir uns auf einige Andeutungen über den äusseren Verlauf, den jene Kunstrichtung genommen hat, beschränken. Aus der früheren Epoche der römischen Architektur, welche das Königthum und die ersten Zeiten der Republik umfasst, wissen wir nicht viel; von den ältesten, noch unter den Tarquiniern ausgeführten Arbeiten, jenen unterirdischen Abzugskanälen, war schon die Rede. Bedeutende Reste der Befestigungen jener Zeit, der *servianischen Mauer*, sind an verschiedenen Stellen, so in Vigna Barberini und auf dem Aventin, zu Tage getreten. Sie bestehen aus gewaltigen Tuffquadern, dem für die ältesten Bauten Roms allgemein angewandten Material. Auch von dem *servianischen Walle* sind neuerdings wieder Ueberreste in der Villa Negroni entdeckt worden. In die ersten Zeiten der Republik fällt sodann die Anlegung jener berühmten Heerstrasse, der *Via Appia*, so wie der Bau grossartiger *Wasserleitungen*. Auch das *Forum* der Stadt Rom erhielt damals bereits eine bedeutsame Anlage. Eine höhere Entwicklung begann gegen 150 v. Chr., als Griechenland römische Provinz geworden war. In jener Zeit wurden die ersten prachtvollen Tempel in Rom errichtet, so der *Tempel des Jupiter Stator*, ein Peripteros, und der *Tempel der Juno*, ein Prostylos von mehr etruskischer Grundform, beide aus der macedonischen Kriegsbeute des Metellus aufgeführt. Besonders aber gehört die erste grossartige Ausbildung der *Basiliken* in ihrer römischen Eigenthümlichkeit jener Zeit an. Diese frühere Epoche scheint bei der Aufnahme griechischer Kunstformen noch vorwiegend dem dorischen und ionischen Styl, freilich in der specifisch römischen Umwandlung, zugethan gewesen zu sein. Das beweist unter Anderem der grossartigste Ueberrest jener Epoche, die am nordwestlichen Ende des Forums sich erhebenden Mauern des alten von J. Lutatius Catulus erbauten *Tabulariums*, welches das römische Reichsarchiv enthielt. Auf bedeutenden Substructionen von Tuffquadern, von 35 Fuss Höhe, zieht sich eine jetzt bis auf eine einzige Oeffnung vermauerte, ehemals offene Arkade von elf mächtigen Bögen hin, die durch dorische Halbsäulen sammt entsprechendem Gebälk eingefasst werden. Eine breite wohlerhaltene Treppe führt zu dem anderen Geschosse herab, wo man die kräftigen Strebepfeiler sieht, auf welchen der gesammte Oberbau und der nach Michelangelo's Plänen errichtete Senatorenpalast ruht. Die unverwüstliche Gediegenheit der altrömischen Constructionen tritt vielleicht nirgends in so helles Licht wie hier, wo sie die Massen eines solchen Palastes zu tragen vermögen.

Früheste Arbeiten.

Sarkophag des Scipio.

Einer der merkwürdigsten Reste jener Zeit ist sodann der *Sarkophag* des *L. Cornelius Scipio*, mit dem Beinamen Barbatus, um 250 v. Chr. gearbeitet, in dem Familiengrabe dieses berühmten Geschlechts an der Via Appia gefunden und im Vaticanischen Museum aufbewahrt. Er hat einen dorischen Triglyphenfries, sogar noch mit richtiger Anordnung der Ecktriglyphe, in den Metopen sind Rosetten ausgemeisselt, das Gesims hat eine Zahnschnittreihe und wird auf den Ecken durch ein volutenartiges Akroterion bekrönt. Das Material dieses wichtigen Denkmals ist ein Tuffstein, der sogenannte Peperin, und es verdient bemerkt zu werden, dass dieser und der Travertin (ein Kalkstein) an den frührömischen Denkmälern ausschliesslich zur Anwendung kam, ehe der Marmor — seit der Eroberung Griechenlands — zur Herrschaft gelangte. Noch aus früheren Zeiten der Republik stammen die Ueberreste dreier dicht beisammen liegender Tempel, welche in die Kirche S. Niccolo in Carcere eingebaut sind. Der mittlere, zugleich der grösste unter ihnen, war ein ionischer Peripteros. Man glaubt in ihm den von M. Acilius Glabrio 191 v. Chr. in der Schlacht bei den Thermopylen gelobten Tempel der Pietas zu erkennen. Die Substructionen sind aus mächtigen Peperinquadern aufgeführt. Rechts von ihm liegt ein kleinerer ionischer Prostylos, vermuthlich der von Aulus Atilius Calatinus um 251 v. Chr. geweihte Tempel der Spes. Auf dem Dache des nördlichen Kirchenschiffes sieht man die aus Peperin und Travertin errichteten Mauern und Gebälke dieser Tempel. Am Tempel der Pietas ist nicht bloss der Architrav, sondern auch der Fries dreitheilig, mit einer Perlschnur am mittleren Streifen und dem sogenannten Eierstab am oberen Abschluss. Am Tempel der Spes ist das aus Platte, Karnies und Zahnschnitten bestehende Gesimse wohl erhalten. Auch sieht man die Klammern, welche ehemals eine bronzene Inschrift festgehalten zu haben scheinen. Der dritte Tempel, vielleicht der von Cn. Cornelius Cethegus 197 v. Chr. in der Schlacht gegen die insubrischen Gallier gelobte Tempel der Juno Sospita, war ein Peripteros, dessen dorische Travertinsäulen noch zum Theil erhalten sind. Zu den wichtigeren Resten aus den letzten Zeiten der Republik gehört sodann der kleine Tempel der Fortuna virilis, die beiden Tempel zu Tivoli, der Tempel des Hercules zu Cora, der mit dorischem nach Etruskerweise sehr weit gestelltem Prostylos versehen ist, endlich das Grabdenkmal der Caecilia Metella.

Tempel zu S. Niccolo in Carcere.

Gegen Ende dieser Epoche, besonders seit dem J. 60 v. Chr., wurden durch den gewaltigen Wetteifer, in welchem die hervorragendsten Männer um die Alleinherrschaft der Welt rangen, Werke grossartiger Anlage ins Leben gerufen, von denen freilich kaum Spuren auf uns gekommen sind. Verschwunden ist das riesige Theater, welches M. Scaurus im J. 58 baute, dessen Scena mit allem erdenklichen Aufwand von Prachtstoffen geschmückt war, und dessen Zuschauerraum 80,000 Menschen fasste; verschwunden das erste steinerne Theater, das Pompejus im J. 55 errichten liess, zwar nur für 40,000 Zuschauer eingerichtet, aber jedenfalls ein Zeugniss kühnen Baugeistes; verschwunden das ausgedehnte neue Forum, welches Cäsar erbaute und ausser anderen dazu gehörigen Anlagen mit einem in der Schlacht von Pharsalus gelobten Tempel der Venus Genetrix ausstattete.

Letzte Zeit der Republik.

Den Höhenpunkt ihrer Blüthe erlebte die Architektur bei den Römern unter Augustus' glücklicher Regierung (31 v. Chr. bis 14 n. Chr.). Prachtvolle Tempel entstanden, darunter der des Quirinus, ein Dipteros, der eigenthümlicher Weise in dorischem Styl ausgeführt war, sodann das Pantheon und die grossartigen Thermen des Agrippa, das Theater des Marcellus, das riesige Mausoleum (Grabdenkmal) des Augustus und viele andere Werke. Was uns aus dieser Zeit erhalten ist, zeichnet sich durch eine gewisse Harmonie und einfachen Adel der Verhältnisse vortheilhaft aus. *Vitruv*, dessen architektonisches Lehrbuch glücklicher Weise auf uns gekommen ist, gehörte ebenfalls der Augusteischen Epoche an.

Augusteische Periode.

Jene Blüthe erhielt sich eine lange Zeit, genährt durch die Prachtliebe und Baulust der Kaiser, auf fast gleicher Höhe. Zur Zeit des Titus scheinen gewisse römische Eigenthümlichkeiten schärfer in den Vordergrund zu treten, wie denn an seinem Triumphbogen (70 n. Chr.) zuerst das römische Kapitäl vorkommt. Charakteristisch für diese Epoche sind auch die Gebäude von Pompeji, an denen übrigens der dorische Styl, vielleicht zufolge griechischer Einflüsse von den süditalischen Colonien, vorwiegt. Auch das Colosseum, jenes grösste Amphitheater, verdankt Titus seine Vollendung. Besonders zeichnete sich sodann Trajan durch seine Bauthätigkeit aus, und sein neues Forum galt lange als das herrlichste Denkmal der bauprächtigen Stadt. Auch Hadrian war ein eifriger Gönner der Kunst, wenn auch vielleicht kein eben so glücklicher Förderer. Seine Tiburtinische Villa war gefüllt mit kostbaren Kunstwerken, und das ganze Reich trug grossartige Spuren seiner Baulust. Aber es lag theils etwas bunt Vermischendes, theils etwas Prunksüchtiges in seiner Kunstliebe, so dass der Luxus kostbarer Steinarten unter ihm einen besonders hohen Grad erreichte, nicht ohne Nachtheil für die Würde der Architektur.

Zeit des Titus.

Zeit des Trajan und Hadrian.

Verfall.

Vom Anfang des dritten Jahrh. nach Chr. bis zur Mitte des vierten bricht immer entschiedener der Verfall herein. Es macht sich ein unruhiges, unharmonisches Wesen in der Architektur geltend, und es ist als durchzucke bereits ihren Körper das Gefühl der nahen Auflösung. Die Bekanntschaft mit den asiatischen Völkern wirkte namentlich mit, die Formen phantastischer und üppiger zu gestalten. Die Verzierungen werden gehäuft, die Glieder mehr und mehr in bloss decorirender Weise angewendet, ja es bricht sogar eine phantastische Schweifung der Gesimse sich derart Bahn, dass man oft an Werke der spätesten Renaissance erinnert wird. Dies ist der erste Rococo, den die römische Architektur erlebt. Auch die Technik büsst ihre alte, lang bewahrte Sauberkeit ein und artet im vierten Jahrh. zu fast barbarischer Rohheit aus. Doch gibt es auch jetzt gewisse Elemente, die prophetisch auf eine künftige höhere Entwicklung der Architektur hindeuten. Dazu hat man die unmittelbare Verbindung von Säulen und Gewölben zu rechnen, die bereits oben Erwähnung fand.

Römerbauten im Orient.

Besonders ist es der Orient, dessen Prachtwerke aus der Spätzeit der römischen Architektur in glänzender Weise diese Richtung repräsentiren. In Kleinasien *) finden wir Tempel in entartetem korinthischem Style zu Knidos, Ephesus und Alabanda (Labranda), einen ionischen Tempel zu Aphrodisias, mit Portiken in korinthischem Styl, die den Tempelhof einschlossen, u. A. In ausschweifender Ueppigkeit entfaltete sich diese Architektur an den Römerbauten Syriens. Reichhaltige Ueberreste zu Palmyra (dem heutigen Tadmor)**) bezeugen die Blüthe dieser Stadt, die durch den Namen ihrer Königin Zenobia berühmt ward. Ein Tempel des Sonnengottes, (des syrischen Bal-Helios) 97 Fuss breit und 185 Fuss lang mit peripteraler Anordnung, einem Säulenvorhof und prächtigen Propylaeen, bildet hier den Mittelpunkt einer grossartigen Denkmälergruppe. Dazu kommen vierfache Säulenhallen, welche die Hauptstrassen der Stadt in einer Ausdehnung von viertehalbtausend Fuss begleiten, in reichem Wechsel von Denkmälern verschiedener Art, von Portalen und Triumphbögen unterbrochen. Wunderlich genug sind an den Säulenschäften Consolen angebracht zur Aufnahme von Bildwerken. Man kann in dieser unabsehbaren Trümmerwelt sich am besten eine Vorstellung machen von der untergegangenen Herrlichkeit der Residenzen Alexanders und seiner Nachfolger. Noch gewaltiger, aber auch noch entarteter in den Formen, erscheint der Tempel des Sonnengottes zu Heliopolis (dem heutigen Balbek)***), ein Peripteros von 155 zu 280 Fuss, mit Vorhöfen, Propylaeen und Säulenhallen; ausserdem ein kleinerer Tempel ähnlicher Form und ein Rundtempel, allesammt in der äussersten Willkür und Phantastik der Formbehandlung und Gliederbildung, so dass man hier den Geist der antiken Architektur in den letzten Zuckungen hinschwinden sieht. Aber wir gewinnen hier mehr als sonstwo eine Anschauung von der Grossartigkeit und Pracht derartiger Tempelanlagen der alten Welt (vgl. Fig. 146.) Nachdem man ein Propyläon durchschritten hat, gelangt man zu einer kolossalen Freitreppe von 161 Fuss Breite, die zu einer 234 Fuss langen, 30 Fuss tiefen Vorhalle A führt. Zwölf korinthische Säulen bilden den Eingang, zu beiden Seiten grenzen andere Säulenstellungen kürzere Flügel vom Mittelbau ab. Durch drei Pforten tritt man in den vorderen sechseckigen Vorhof B, der mit einem System von Gemächern umgeben ist, welche sich mit Arkaden nach innen öffnen. Die Längenaxe dieses Hofes misst 140, die Breite im Innern 180 Fuss. Von dort gelangt man durch ein gewaltiges Prachtthor, neben welchem zwei kleinere Pforten angebracht sind, in den zweiten Vorhof C, der ein ungeheueres Quadrat von 355 Fuss im Lichten bildet. An drei Seiten ist derselbe mit Säulenreihen eingefasst, welche sich auf verschiedene Gemächer und halbkreisförmige Exedren öffnen; an der vierten Seite erhebt sich der gewaltige Peripteraltempel D von 10 zu 19 kolossalen korinthischen Säulen. Ein zweiter Peripteros ist bei E angedeutet. Die Architektur hat hier einen Grad der Ueberladung erreicht, wie er später in den Denkmalen des Barock- und des Rococostyles sich wieder zeigt. Namentlich hat das Nischensystem, in welches die Wandflächen des Hofes aufgelöst

*) Ionian Antiquities. Vol II. c. III. — Texier, Description de l'Asie mineure.
**) R. Wood, Les ruines de Palmyre, autrement dit Tedmor au desert. Fol. Londres 1753.
***) R. Wood, Les ruines de Balbek, autrement dit Heliopolis dans la Célésyrie. Fol. Londres 1757.

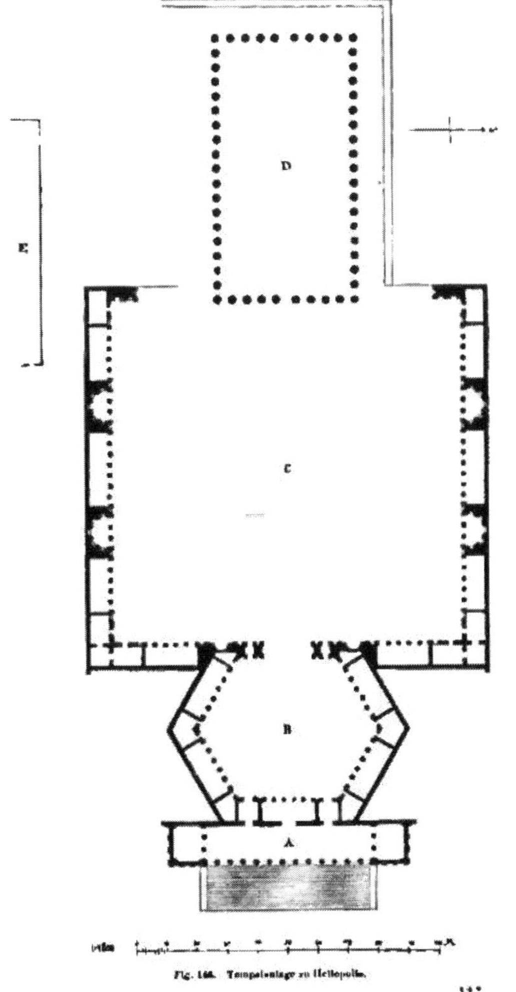

Fig. 166. Tempelanlage zu Heliopolis.

12*

sind, schon alle jene spielenden Decorationen, das Muschel- und Schnörkelwerk der Zopfzeit.

Denkmäler von Petra. Denselben Formcharakter tragen die Denkmäler, besonders die Grabmonumente der merkwürdigen Stadt Petra. Tief in die Gebirgsschluchten des peträischen Arabiens eingesprengt, grossentheils aus dem Felsen gearbeitet, stellen sie hochgethürmte

Fig. 147. Grab-Façade von Petra.

Façaden dar, die nach orientalischer Sitte eine Grabkammer bedeutsam zu schmücken bestimmt sind. In mehreren Geschossen über einander aufsteigend, scheinen sie der Decoration antiker Bühnengebäude nachgebildet. Eins der stattlichsten dieser phantastischen Werke (Fig. 147), das als Schatzhaus des Pharao (Khasne Pharao) gilt, zeigt ein unteres Stockwerk von korinthischen Säulen mit vorspringendem Gebälk und Giebel; darüber eine Attika, welche eine zweite Säulenstellung mit seltsam abgeschnittenen Halbgiebeln und kuppelförmigem Mittelbau trägt. Das untere Geschoss bildet zugleich den Eingang zur Grabkammer. Die Höhe des Ganzen erreicht fast 120 Fuss. Andere Grabfaçaden daselbst, in denen ebenfalls das orientalische Felsengrab sich mit spätrömischer Decoration verbindet, zeigen völlig barbarisirte Details. Wir haben in diesen Denkmälern die letzten Ausläufer derselben Richtung zu erkennen, welche in einer früheren Epoche an den Gräbern von Jerusalem zur Geltung kam. Die griechisch-römische Cultur kehrt in ihrer Altersschwäche wieder zu ihrer Wiege zurück.

Wenn wir im Folgenden nun die Gattungen der römischen Gebäude durchgehen Denkmäler.
und für jede einige charakteristische Beispiele geben, so glauben wir unserem Zwecke zu genügen, da eine selbst nur annähernd vollständige Aufzählung der Denkmäler nicht in unserem Plane liegt *).

Von den Tempeln, über deren Bau wir zahlreiche Nachrichten besitzen, sind Tempel.
zumeist nur geringe Reste der äusseren Säulenhallen stehen geblieben. Die meisten folgten der Anordnung des griechischen Tempels, wie der von Augustus erbaute T. des Capitolinischen Juppiter auf dem Capitol, von dem keine Spur übrig ist; der Tempel des Mars Ultor (irriger Weise gewöhnlich Tempel des Nerva genannt), ebenfalls aus Augustus' Zeit, von dessen Peristyl noch drei sehr schöne, gegen 50 Fuss hohe korinthische Säulen sammt Gebälk erhalten sind; der aus der besten Zeit stammende Tempel der Dioskuren am Forum, früher irrthümlich Tempel der Minerva, auch Tempel des Juppiter Stator benannt, von dem ebenfalls nur noch drei reich und prachtvoll gebildete Säulen sammt Gebälk stehen (vgl. das Kranzgesims desselben unter Fig. 143 auf S. 172). Andere zeigten den etruskischen Grundplan, indem sie nur eine tiefe Vorhalle von Säulen vor der kürzeren Cella besassen.

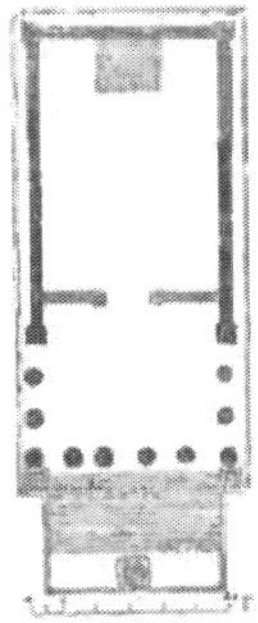

Fig. 148. Tempel des Antonius und der Faustina.

Fig. 149. Tempel zu Brescia.

So zu Rom der Tempel des Antonius und der Faustina (Fig. 148) in der Nähe des Forums, um 150 n. Chr. in reichem korinthischem Styl errichtet. Seine Säulen sind aus kostbarem Cipollin-Marmor, und daher uncannelirt. Am Friese sieht man Greifen paarweise um Kandelaber angeordnet. Die Umfassungsmauern aus Peperinquadern waren mit Marmorplatten bekleidet. Ferner zu Assisi ein Tempel ähnlicher Anlage von edler Durchbildung, jetzt die Kirche S. Maria della Minerva. Die schönen korinthischen Marmorsäulen mit ihren reich gegliederten Basen, den cannelirten Schäften und den zierlich geschnittenen Akanthusblättern der Kapitäle sind Zeugnisse der augusteischen Epoche. Aus derselben Zeit stammt der in den Dom zu Pozzuoli eingebaute korinthische Tempelrest, sowie zu Pola in Istrien ein Tempel des Augustus und der Roma, ebenfalls in glänzendem korinthischem Style. Eine dreifache Cella mit originell gebildeter ebenfalls dreifacher Vorhalle, deren mittlerer Theil bedeutend vorspringt, zeigt der Herkulestempel zu Brescia (Fig. 149). Seine Säulen haben korinthische

*) A. Desgodetz, Les édifices antiques de Rome. Fol. Paris 1682 (neue Ausg. 1779). — G. Piranesi, Le antichità Romane. 14 Tomi. Fol. Roma. — L. Canina, Gli edifizj di Roma antica. Fol. 1842. — G. Valadier, Raccolta delle più insigne fabbriche di Roma antica. Fol. Roma 1826. — E. Platner und C. Bunsen, Beschreibung der Stadt Rom. 5 Bde. 8. u. Fol. Stuttgart 1830. — J. Burckhardt, Der Cicerone. 8. Basel 1855, Zweite Aufl., Leipzig 1869.

Kapitäle und cannelirte Schäfte, deren Canneluren unten rohrartig ausgefüllt sind. Die Anlage an sanft aufsteigendem offenem Platze muss von prächtiger Wirkung gewesen sein. Noch Andere bekunden jene schon oben berührte Verschmelzung etruskischer und griechischer Anlage, die zu der Vorhalle an den anderen Seiten noch Halbsäulen hinzufügte, eine Mischgattung, die als Prostylos Pseudoperipteros zu bezeichnen ist. Solcher Art ist zu Rom der Tempel der Fortuna virilis (vgl. dessen Grundriss unter Fig. 140 auf S. 169), noch aus den Zeiten der Republik stammend, jetzt als Kirche S. Maria Egiziaca dienend, in schweren ionischen Formen mit besonders schwülstig missverstandenen Kapitälen, die künstlerische Decoration in Stuck ausgeführt; ferner zu Tivoli der Tempel der Sibylla, dessen Säulen den ionischen Styl zeigen; sodann der in den Chor des Doms zu Terracina eingebaut: prächtige Tempelrest, auf hohem marmorbekleidetem Unterbau, mit einem fein gearbeiteten Rankenfries zwischen

Fig. 150. Nimes, maison-carrée. (Baldinger.)

den cannelirten Säulen in halber Höhe, und marmornem Quaderwerk der Wände. Zu Nîmes in Frankreich der unter dem Namen „Maison carrée" bekannte Tempel (Fig. 150) in edel ausgebildetem korinthischem Styl, eines der reichsten und prachtvollsten Römerwerke diesseits der Alpen*), wahrscheinlich aus augusteischer Zeit. Ebenfalls von mehr italischer als griechischer Grundform scheint der kolossale Tempel des Sonnengottes gewesen zu sein, welchen Kaiser Aurelian um 270 n. Chr. aufführen liess, und dessen gewaltige Fragmente lange Zeit unter dem Namen „Frontispiz des Nero" bekannt waren (ein Kapitäl desselben unter Fig. 141 auf S. 170).

Rundtempel. Besonders charakteristisch für die römische Architektur und ihr vorzugsweise eigenthümlich sind die runden Tempel, die auf alt-italische Ueberlieferungen hinzudeuten scheinen, zumal da sie gewöhnlich einer ursprünglich italischen Gottheit, der Vesta, geweiht waren. Hier sind die Tempel dieser Göttin zu Rom und Tivoli zu

*) Clérisseau, Antiquités de la France. Fol.

nennen, ersterer von 20 schlanken, edel gebildeten korinthischen Säulen, letzterer von 18 etwas gedrungeneren Säulen derselben Gattung umgeben. Namentlich der Tempel zu Tivoli darf in seiner malerischen Wirkung als eine der anmuthigsten kleineren Schöpfungen römischer Architektur bezeichnet werden. Auf hohem Unterbau über steil abfallendem Felsabhang emporragend, hat der gegen 35 Fuss hohe Bau um so mehr Interesse, als in ihm eins der wenigen Denkmäler aus einer Frühepoche dieser Bauweise erhalten ist. Die kleine kreisförmige Cella (Fig. 151) erhält durch die Thür und zwei Fenster genügendes Licht. Die Details zeigen noch eine freiere Auffassung der griechischen Formen (vgl. Fig. 152), so namentlich am Kapitäl mit seinen krautartig compacten, krausen und derben Blättern, wenngleich manches, wie der gerad-

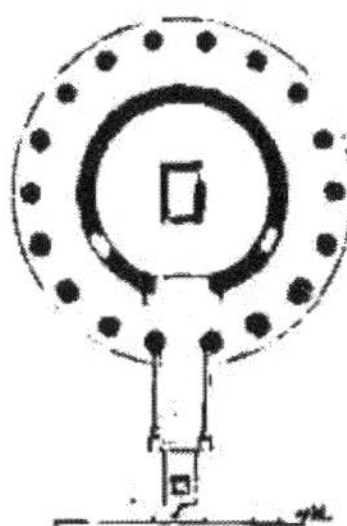

Fig. 151. Vesta-Tempel zu Tivoli.

Fig. 152. Vom Vesta-Tempel zu Tivoli.

linige An- und Ablauf der Canneluren und die Behandlung der attischen Basis schon nüchtern in specifisch römischer Umbildung erscheint. — Einen sehr merkwürdigen Rundtempel (Monopteros) hat Pozzuoli in seinem Tempel des Serapis aufzuweisen. Das Gebäude erhob sich, von korinthischen Säulen umgeben, vor welchen noch Postamente für Statuen sichtbar sind, innerhalb eines fast quadratischen Hofes von 115 zu 134 Fuss. Arkaden von Säulen aus den kostbarsten Marmorarten umzogen den Hof, an welchen eine Anzahl noch jetzt vorhandener und zum Gebrauch der reichlichen Thermenquellen dienender Cellen sich reihte. An der dem Eingange gegenüberliegenden Seite erweitert sich der Hofraum zu einer grossen Halbkreisnische, vor welcher noch jetzt drei kolossale Cipollinsäulen aufrecht stehen. Die ganze hoch malerische Anlage bezeugt in den wilden Trümmermassen, welche den marmornen Fussboden bedecken, die grosse ehemalige Pracht.

Eigenthümlich in hohem Grade gestaltete sich der Tempel da, wo er den Gewölbebau zu Hülfe nahm. Dies geschah manchmal mit Beibehaltung der allgemeinen Grundform, namentlich der rechtwinkligen Anlage. Das bedeutendste Werk dieser Art, überhaupt der kolossalste unter den römischen Tempeln, war der von Hadrian um 135 n. Chr. nach eigenem Plan erbaute Tempel der Venus und Roma zu Rom (Fig. 153). Aeusserlich erschien er als korinthischer Pseudodipteros von den mächtigsten Dimensionen, 333 Fuss lang und 160 Fuss breit, mit 10 gegen 6 Fuss im Durchmesser haltenden Säulen auf der Vorderseite. Durch einen geräumigen Vorhof, dessen 500 zu 300 Fuss messende Seiten von doppelter Säulenstellung eingefasst waren, erhielt er das Gepräge höchster Bedeutung. Im Innern zeigte er die originelle Anordnung zweier gleich grosser Cellen, die in der Mitte mit einer Halbkreisnische für das Götterbild zusammenstiessen. Die Nische war durch eine Halbkuppel, der übrige Cellenraum dagegen durch ein mächtiges mit Kassettirungen bedecktes Tonnen-

Gewölbte Tempel.

Tempel der Venus und Roma.

gewölbe geschlossen, die Gliederung der Wände wurde durch Mauernischen von abwechselnd halbrunder und rechteckiger Grundform bewirkt. Die Seitenmauern der Cellen, aus Backsteinen ausgeführt, die aussen mit weissem parischem innen mit buntem Marmor bekleidet waren, stehen sammt den grandiosen Nischen zum Theil als malerische Ruinen noch aufrecht.

Pantheon. Einer der imposantesten Reste römischer Architektur, vollständig erhalten wie kein anderer, ist das **Pantheon**. In der besten Zeit römischer Kunst, unter Augustus' Regierung im J. 26 v. Chr., von einem römischen Baumeister *Valerius* von Ostia aufgeführt, ist es als die grossartigste und eigenthümlichste Schöpfung jener Architektur zu betrachten. Es war ursprünglich ein zu den Thermen des Agrippa gehörender Nebenbau, zugleich als Tempel dem Jupiter Ultor geweiht. Ein mächtiger Mauercylinder, 132 Fuss im inneren Durchmesser, wird von einer vollständigen Kuppel bedeckt, deren Scheitelhöhe vom Boden gleich dem Durchmesser des Rundbaues ist. Diese rein

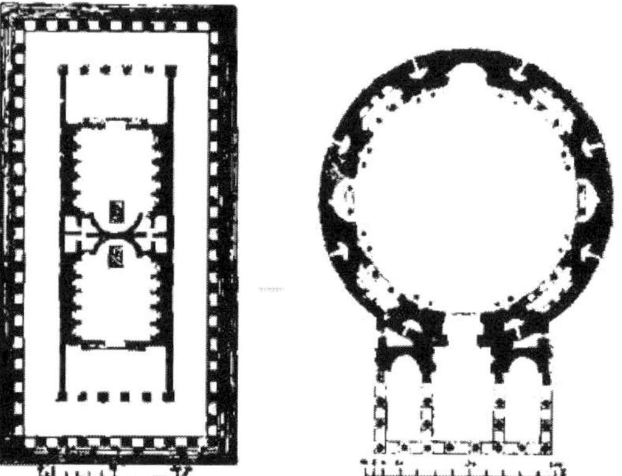

Fig. 153. Tempel der Venus und Roma. Fig. 154. Grundriss des Pantheons.

mathematischen Verhältnisse sind bezeichnend genug für den Geist der römischen Architektur. Die Wand ist im Innern durch acht Nischen, die abwechselnd theils halbrund theils rechtwinklig ausgetieft sind und mit ihren Halbkreisbögen in den runden Mauercylinder hineinschneiden, gegliedert. In der einen Nische liegt der Eingang, in den übrigen sieben standen auf Postamenten Götterbildnisse, die später christlichen Heiligen gewichen sind. Sechs dieser Nischen sind durch je zwei hineingestellte korinthische Säulen getheilt. Ueber den Nischen zieht sich eine Attika mit einer Pilasterstellung umher, von deren Gebälk sodann die mit Kassettirungen ausgestattete gewaltige Kuppel aufsteigt. Sie hat oben in der Mitte eine Oeffnung von 26 Fuss im Durchmesser, von welcher dem imposanten Raume ein mächtig concentrirendes, den Eindruck grossartiger Einfachheit verstärkendes Licht zuströmt. Aber nicht bloss der Sonne, sondern auch dem Regen steht der Zugang frei; um letzteren abzuführen, ist der Fussboden nach der Mitte hin vertieft und mit kleinen Oeffnungen versehen. Der reiche Bronceschmuck, der das Innere, namentlich die Kassetten der Kuppel, bedeckte, wurde im 17. Jahrh. geplündert, um für den geschmacklosen Altar der Peterskirche das Material zu liefern. Ein Portikus, der auf acht reich gebildeten korinthischen

Säulen ein Giebeldach trägt und dessen Tiefe durch acht andere Säulen in drei Schiffe getheilt wird, legt sich vor den Eingang. Auch abgesehen von den hässlichen Glockenthürmen, die man ihm zugesetzt hat, als man das Innere seiner kostbaren Ausstattung beraubte, tritt der geradlinige Bau nicht in eine organische Verbindung mit der runden Anlage des Hauptbaues. — Das Aeussere des kolossalen Gebäudes, aus Backsteinen aufgeführt und ehemals mit einem feinen Stuck verputzt, ist einfach und schmucklos. Nur drei kräftige Gesimse gliedern die monotone runde Masse, von denen das untere dem Gesims der inneren Säulenstellungen, das mittlere dem Hauptgesims entspricht, von wo die Kuppel aufsteigt, während das obere die Mauer ab-

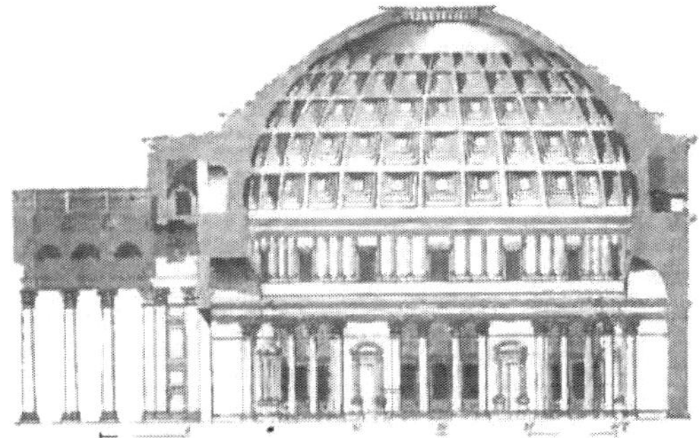

Fig. 165. Durchschnitt des Pantheons.

schliesst, die zur Verstärkung des Widerlagers und zur Verdeckung der für das Aeussere sonst gar zu schwer wirkenden Kuppelform höher hinaufgeführt ist.

Eine andere wichtige Gattung von Gebäuden, die bei den Römern eine selbständige Ausbildung erfuhr, waren die Basiliken*). Auch ihre Form war ursprünglich eine griechische, wie der Name andeutet, der vom Archon Basileus herrührt; aber die höhere bauliche Entwicklung derselben gehört der römischen Kunst an. So mannichfach ihr Grundplan auch variirte, so bestand er doch im Wesentlichen aus zwei Theilen, einem länglichen, durch Säulenhallen ringsum eingeschlossenen Raum, der dem Verkehr der Wechsler gleichsam als Börse diente, und einer sich an die eine Schmalseite anschliessenden, durch eine Halbkuppel überwölbten Halbkreisnische (Tribunal, oder Apsis), welche den Sitz für den Gerichtshof gebildet zu haben scheint. Jene Säulenhallen umgaben einen mit flacher Decke versehenen, in späterer Zeit sogar durch Kreuzgewölbe geschlossenen Raum, das Mittelschiff, um welches sich die schmaleren Seitenschiffe, eingeschlossen von Mauern mit rundbogigen Fenstern, herumzogen. Gewöhnlich entstanden auf diese Weise drei Schiffe, doch gab es auch fünfschiffige Basiliken, durch vier Säulenreihen getheilt, in welcher Form die Basilica Ulpia auf dem in eine Marmorplatte gravirten alten Plan von Rom angedeutet ist (vgl. den restaurirten Grundriss Fig. 158). Für die Seitenschiffe scheint es Regel gewesen zu sein, dass sie Galerien über sich hatten, behufs welcher Einrichtung auf der unteren Säulenstellung noch eine zweite angebracht war. Die Verwandtschaft dieser Anlagen mit der des griechischen Hypäthraltempels leuchtet ein. Die Prozesssucht des römischen Basiliken

*) F. v. Quast, Die Basilika der Alten. — A. C. A. Zestermann, Die antiken und christlichen Basiliken, nach ihrer Entstehung, Ausbildung und Beziehung zu einander dargestellt. 4. Leipzig 1847.

Volkes und der steigende Geschäftsverkehr der Weltstadt riefen eine Menge solcher Gebände hervor, die oft in bedeutenden Dimensionen und mit ungeheurem Prachtaufwand errichtet wurden. Ausserdem gab es auch Basiliken, d. h. basilikenartige Säle, in den Wohnhäusern und Palästen der Reichen, wie denn der gewaltige Palast der Flavier auf dem Palatinus eine solche Basilika enthält. Berühmt waren vor Allen die **Basilica Julia** aus der besten Zeit der römischen Architektur, von Cäsar begonnen und von Augustus vollendet. Sie nahm den grössten Theil der Südseite des Forums ein und ist mit ihrem prachtvollen Marmorfussboden grossentheils wieder aufgegraben. Travertinpfeiler begrenzten die fünf Schiffe und trugen das Dach. Ihr schräg gegenüber an der nördlichen Langseite des Forums lag die B. **Fulvia** und die mit ihr verbundene B. **Aemilia**, beide von Paullus Aemilius herrührend und von glänzendster Ausstattung. Von der oben bereits erwähnten B. **Ulpia**, dem glanzvollen Mittelpunkt des Trajanischen Forums, hat man bedeutende Bruchstücke der kolossalen Granitsäulen aufgefunden, welche die fünfschiffige Anlage des mächtigen Baues bildeten und die reich geschmückten Decken trugen. Der Architekt *Apollodoros* erbaute unter Trajan dies majestätische Gebäude, das unter allen ähnlichen Werken Roms das prachtvollste war. Erhalten ist eine kleinere Basilika zu **Pompeji** (Fig. 157),

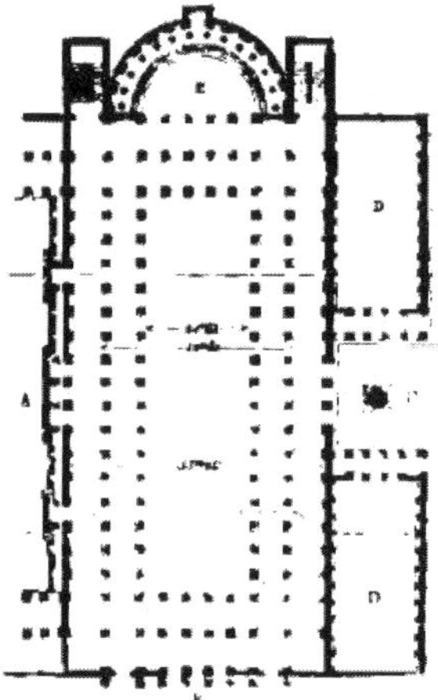

Fig. 156. Grundriss der Basilika Ulpia

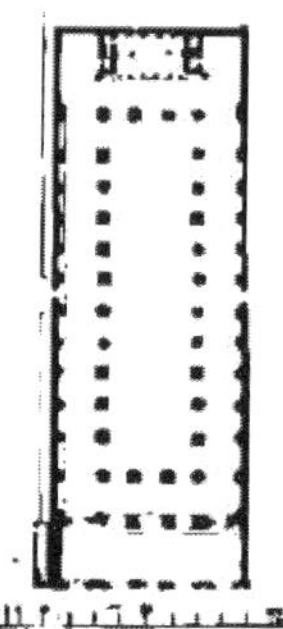
Fig. 157. Basilika zu Pompeji.

welche besonders durch die eigenthümliche Anordnung der rechtwinklig in den Bau hineingeschobenen Apsis auffällt. Andere Ueberreste von bedeutenderen Basiliken finden sich zu **Aquino**, **Palestrina** (dem Praeneste der Römer), **Palmyra**, **Pergamus**. Sodann aus der letzten Zeit der römischen Architektur ein Bauwerk, von welchem wichtige Reste erhalten sind, die B. des **Constantin** zu Rom, auch B. des Maxentius genannt (Fig. 158), weil dieser sie begonnen und erst Constantin sie beendet hat, auch wohl als „Friedenstempel" bezeichnet, weil sie an der Stelle des abgebrannten, von Vespasian erbauten Tempels des Friedens erbaut war. Ein merkwürdiger Bau, dessen Mittelschiff in der ausserordentlichen Breite von 77 Fuss von weitgespannten Kreuzgewölben auf Säulen bedeckt war, während die Seitenschiffe 48 Fuss weite Tonnengewölbe hatten und Pfeilermassen von 16 Fuss Stärke die Schiffe trennten. Die Gewölbe waren mit Kassetten bedeckt. Die unmittelbare Verbindung der Gewölbe mit den Säulen, welche letztere freilich an den Pfeilern ein ausreichendes Widerlager haben, ist eins jener letzten Momente in der Entwicklung der römischen Architektur, welches bereits die Fesseln antiker Formgesetze sprengt und auf eine später erfolgende weitere Entfaltung hinweist. Ebenfalls aus der letzten römischen Epoche, und zwar aus der Zeit Constantin's (Anfang des vierten Jahrh. n. Chr.), rührt die B. zu Trier, die neuerdings wieder hergestellt und für kirchliche Bestimmung eingerichtet ist. Sie besteht aus einem Langhause (Fig. 159), welches bei 170 Fuss Länge und der beträchtlichen Breite von 82 Fuss als ein einziger ungetheilter, durch flache Balkendecke geschlossener Raum erscheint. Zwei Reihen von Fenstern sind an den Langseiten und in der Apsis über einander angeordnet. Letztere öffnet sich in einem Bogen von 54 Fuss Spannung gegen das Schiff. Der ganze Bau ist aus Ziegeln aufgeführt.

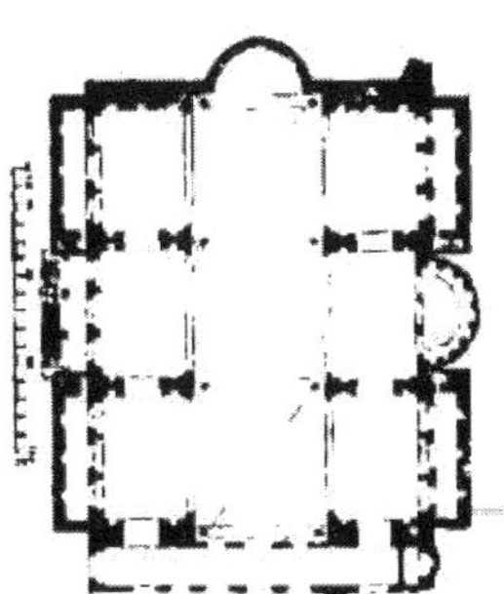

Fig. 158. Basilika des Constantin oder des Maxentius.

Fig. 159. Basilika zu Trier.

Seine Höhe ist so bedeutend, dass ein vierstöckiger Flügel des bischöflichen Palastes von ihm eingeschlossen wurde *).

Auch das **Forum** war eine Anlage, welche die Römer mit den Griechen gemein hatten, der sie aber ebenfalls eine grossartigere Durchführung gaben. Es waren dies die Plätze, wo das Volk zu seinen Berathungen und Versammlungen sich einfand, die Mittelpunkte des staatlichen Lebens. Sie waren meistens kostbar ausgestattet, mit Marmorplatten gepflastert, mit Bildwerken, Ehrensäulen, Triumphpforten geschmückt und rings von schattigen Säulenhallen umzogen, an welche sich dann in reicher Gruppirung die Tempel, die Basiliken und andere öffentliche Bauten anschlossen. In Rom überbot ein Kaiser den andern in Anlage solcher Prachtwerke, so dass die von Cäsar, Augustus, Domitian und Nerva erbauten Fora eine riesenhafte, zusammenhängende Gruppe der prunkvollsten Gebäude, Säulenhallen und Triumphthore bildeten. Dennoch übertraf das **Forum Trajanum** alle jene Werke durch die Kolossalität seiner Anlage und die Kostbarkeit der Ausstattung so weit, dass es als eins der höchsten Wunder der Welt angestaunt wurde. Und selbst dieser stolzen Anlage fügte **Hadrian** noch eine neue Reihe von Säulenhallen, Tempeln, Basiliken und Ehrendenkmälern hinzu. Wenig ist von diesen ungeheueren Werken erhalten; doch gibt das Forum von **Pompeji** in kleinem Maassstabe eine Vorstellung von der eigenthümlichen Beschaffenheit solcher Bauten **). Ausserdem gab es aber auch Fora für den gewöhnlichen Marktverkehr, so das F. boarium, F. olitorium, F. cupedinis u. A. Forum.

*) Vergl. C. Schmidt, Baudenkmale von Trier.
**) Abbildungen in Gailhabaud's Baudenkmälern.

Weg- und Wasserbauten.

Nicht minder wichtig sind die mächtigen Nützlichkeitsbauten, die Landstrassen, Brücken, Wasserleitungen, welche die Römer in allen Theilen ihres weiten Gebiets aufführten. Hier kam ihnen die Kunst des Wölbens recht eigentlich zu Statten, und ohne auf zierlicheren Schmuck Bedacht zu nehmen, zeigten sie durch die ungeheure, grossentheils noch jetzt der Zerstörung trotzende Gediegenheit und die in einfach imposanten Verhältnissen entworfene Anlage einen unübertroffenen Sinn für monumentale Wirkung. Der Aquäduct des Claudius, die jetzige Porta Maggiore in Rom, der ein Doppelthor und eine doppelte Wasserleitung bildet und aus der besten Zeit der römischen Architektur herrührt, der bei Volci, bei Segovia in Spanien, der gegen 185 Fuss hoch geführte Pont du Gard bei Nîmes, die berühmte Via Appia und eine grosse Menge anderer Reste dieser Art gehören hierher.

Befestigungsbauten.

Von den Befestigungsbauten der Römer giebt vor Allem die umfangreiche Stadtmauer Rom's eine bedeutende Vorstellung. Sie datirt fast in ihrer ganzen heutigen Ausdehnung aus der Zeit Aurelians (270 n. Chr.) und ist in etwas übereilter Weise und flüchtiger Technik aus Ziegeln gegen 50 Fuss hoch aufgeführt. Ueber 12 Fuss stark, öffnet sie sich nach innen mit grossen Bögen, welche einen Vertheidigungsgang enthalten, der durch Queröffnungen in den Bogenpfeilern sich bildet und mit den in regelmässigen Abständen angebrachten Thürmen in Verbindung steht. Die Thürme haben 12 F. Vorsprung und 21 F. Breite und waren mit einer zinnengekrönten Platform versehen, zu welcher Treppen im Innern heraufführten. Das Ganze ist immerhin ein Werk von bedeutendem Kraftaufwand. Sodann ist hier die Porta Nigra in Trier*) zu nennen, ein gewaltiger Quaderbau, durch Bogenstellungen gegliedert. Zwei breit gespannte, im Rundbogen gewölbte Thore öffnen sich in der Mitte, während die Ecken thurmartig im Halbkreise vorspringen. Pilaster- und Halbsäulenstellungen theilen die Mauerfläche in drei Geschosse mit rundbogigen Fensteröffnungen ab. Die Details sind von grosser Einfachheit und Derbheit. Das spätere Mittelalter hat aus dem Thor eine Kirche gemacht. Doppelthorig sind auch die beiden antiken Stadtthore zu Autun.

Theater.

Aber nicht bloss dem Ernst und dem Nutzen, auch der Heiterkeit des öffentlichen Lebens wurden die grossartigsten architektonischen Tummelplätze geschaffen. Vorzüglich war es die Lust der Römer an Spielen und Schaustellungen aller Art, welche befriedigt werden musste. Das Theater zunächst (Fig. 160) ahmte die Grundform des griechischen nach, sofern es aus einer erhöhten Bühne A (Scena) bestand, vor welcher sich im Halbkreise die Plätze für die Zuschauer C amphitheatralisch erhoben. Nur erhielt die Bühne hier eine bedeutendere Tiefe und wurde auf's Prachtvollste geschmückt, wie denn die ganze Anlage mit verschwenderischem Luxus ausgestattet zu werden pflegte; auch verlor der Raum B, der die Bühne von den Zuschauerplätzen trennte — die Orchestra — auf welcher sich bei den Griechen der Chor bewegte, seine Bedeutung und wurde zu Plätzen für ausgezeichnete Personen eingerichtet. Damit fiel die Nothwendigkeit fort, der Orchestra eine grössere Tiefe zu geben, weshalb die römi-

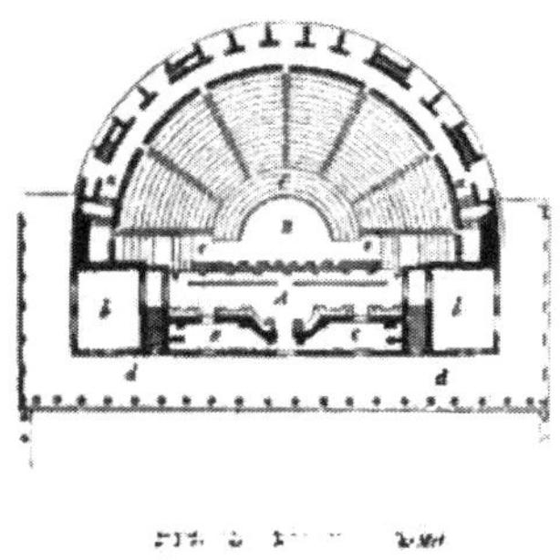

Fig. 160. Theater zu Herculaneum.

*) Früher von Einigen der constantinischen, von Andern der merovingischen Zeit zugeschrieben, neuerdings durch *F. Hübner*, auf Grund inschriftlicher Zeugnisse dem 1. Jahrh. n. Chr. zugewiesen. Vergl. Sitzungsberichte der Berl. Ak. d. Wissensch. Februar 1863. Aufnahme bei *C. W. Schmidt*, Denkmäler von Trier, Lief. V.

schen Theater hier über die Anlage eines halbkreisförmigen Planes nicht hinausgehen. Durch diese Disposition trat die Scena mit dem Zuschauerraume in unmittelbarere Verbindung, die dadurch noch stärker betont wurde, dass die auf beiden Seiten liegenden Zugänge zur Orchestra überwölbt und die Sitzplätze über ihnen fortgeführt wurden. Verschiedene Gänge (Praecinctiones) theilen die einzelnen Ränge wie beim grie-

Fig. 141 Kleines Theater von Pompeji. Nach Strack.

chischen Theater, und durch mehrere Treppenmündungen (Vomitoria) fand der Zugang zu den Plätzen statt. Den obersten Kreis bildet ein durchlaufender Corridor a, der mit den Treppenräumen in unmittelbarer Verbindung steht; darüber zogen sich oft schattige Säulenhallen als Abschluss hin. Die Scena A steht durch drei Thüren mit dem hinter ihr liegenden Raume c in Verbindung, und von hier aus gelangt man durch die Arkaden d in die den Schauspielern als Ankleidezimmer dienenden Seitenräumen b b. An die Rückseite des Bühnengebäudes schlossen sich oft prächtige Säulenhallen und Spaziergänge, in welchen die Zuschauer lustwandeln konnten. Endlich erheischten namentlich die amphitheatralisch aufsteigenden Sitzreihen, für welche die Griechen ein geeignetes ansteigendes Terrain auswählten, einen auf Bogen ruhenden Unterbau, da die Römer das ganze Theater auf ebenem Boden aufführten. Von der Wirkung eines solchen Theaters gibt Fig. 161 eine Vorstellung.

Noch 60 Jahre v. Chr. scheint man bloss hölzerne Theater gekannt zu haben, denn jenes des Marcus Aemilius Scaurus, welches damals aufgeführt wurde, war aus diesem Material, obwohl es die grösste Verschwendung in der Ausstattung damit verband. Die Scena, drei Stockwerke enthaltend, war mit dreihundert und sechzig Säulen geschmückt, die Wände mit Marmorplatten, vergoldeten Tafeln und — ein seltner Luxus — mit Glas bedeckt, und dazu kamen Gemälde, kostbare Teppiche und dreitausend eherne Statuen, die den für 80,000 Menschen berechneten Prachtbau aufs Glänzendste zierten. Man sieht indess, wie auch hier der Geschmack der Römer mehr auf Entfaltung blendenden Prunks als edler Schönheit gerichtet war. Bald darauf wurden jedoch steinerne Theater errichtet, die dann wegen ihrer ausgedehnten Anwendung von Gewölbsystemen architektonisch höchst bedeutsam sich gestalteten. In drei oder vier Stockwerken sich erhebend, die auf kräftigen Pfeilern und Bögen ruhten, bildeten diese Bauten im Innern eine Anzahl von Corridoren zur Verbindung der Räume und Aufnahme der Treppen. Nach aussen, wo sie sich mit Bogenstellungen öffneten, wurden sie durch Pilaster von dorischer, ionischer und korinthischer Ordnung gegliedert, welche durch Architrave verbunden waren. Da der ganze Raum oben offen war, wurden zum Schutz gegen Sonne und Regen mächtige Teppiche, an riesigen Mastbäumen befestigt, darüber ausgespannt. Auch diese Teppiche wurden ein Gegenstand des Luxus, indem man sie mit kostbar gewirkten Darstellungen schmückte. Manche Reste von Theatern sind uns erhalten; so in Rom die Aussenmauern vom Theater des Marcellus, (Fig. 162) in den Palast Orsini verbaut, zu Pompeji und Herculaneum, zu Orange in Frankreich, zu Catania und Taormina in Sicilien, letzteres von beträchtlicher Ausdehnung, 330 Fuss im Durchmesser; ein stattlicher Theaterrest zu Sessa, an welchem der trefflich erhaltene Stucküberzug der gewölbten Corridore auffällt; ein grossartiger und in edler Pracht durchgeführter Theaterbau zu Verona mit gewaltigen Marmorquadern und ionischen Halbsäulen, mit Resten der Treppen, Gänge und Sitzreihen; ferner in Kleinasien*) trefflich erhaltene, grossartig angelegte Theater zu Patara, Aspendus und Myra.

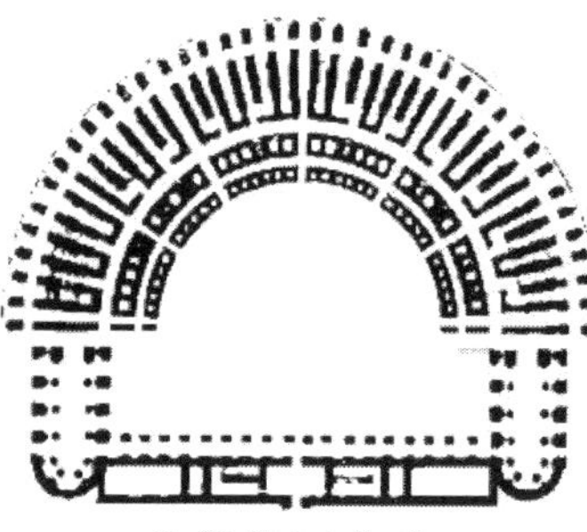

Fig. 162. Theater des Marcellus.

Amphitheater.

Aus dem Theater entwickelte sich, erzeugt durch die rohe Lust der Römer an blutigen Kampfspielen, das Amphitheater. Es bestand aus ähnlich aufsteigenden Sitzreihen für die Zuschauer, die sich aber in geschlossener elliptischer Rundung um den tief liegenden Kampfplatz — die Arena — herumzogen. Diese Bauten waren demnach noch grossartiger als die Theater, denen sie indess in Beziehung auf Decoration und Construction folgten. Das bedeutendste und berühmteste, das zugleich in mäch-

*) Siehe Texier, Description de l'Asie mineure. III. Bd.

tigen Ueberresten auf uns gekommen, ist das unter dem Namen des **Colosseums** bekannte **Flavische Amphitheater** zu Rom, (Fig. 163) von Vespasian begonnen und von Titus im Jahre 80 n. Chr. vollendet *). Bei einer Länge von 591, einer Breite von 508 und einer Höhe von 153 Fuss fasste es über 80,000 Zuschauer. Sein Bretterboden ruhte auf einem mächtigen Unterbau, der die Behälter der wilden Thiere und die Maschinerien für scenische Veränderungen aller Art enthielt. Die oberste Sitzreihe war durch eine stattliche Säulenhalle eingefasst (s. Fig. 164). Auch dieser ungeheure Raum wurde durch prachtvolle Teppiche überdeckt, die an Mastbäumen befestigt wurden. Nach aussen öffnen sich die drei unteren Stockwerke, durch Halbsäulen dorischer, ionischer und korinthischer Ordnung gegliedert, mit Bögen, die dem Ganzen bei aller Grösse eine lebendig reiche Wirkung verleihen. Ein viertes Stockwerk, in undurchbrochener Mauermasse, dem inneren Säulenkranze entsprechend, wird von korinthischen Pilastern geschmückt und zeigt ausserdem die Consolen, auf denen die

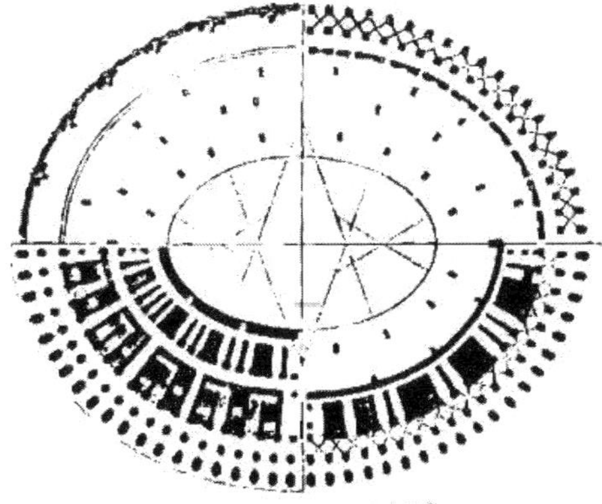

Fig. 163. Colosseum (Grundriss).

das Teppichzelt tragenden Mastbäume ruhten. Der ganze Riesenbau ist in seinen wichtigsten constructiven Theilen durchgehends aus wohlgefügten Quadern, das Uebrige aus Ziegeln aufgeführt. Obwohl drei der grössten Paläste Roms, Palazzo Farnese, P. Barberini und die Cancelleria, aus den Quadern des Colosseums aufgeführt sind, hat die Hälfte der äusseren Umfassungsmauer dazu hingereicht, und trotz aller Verunglimpfungen ist dieser Bau der gewaltigste Trümmerriese unter allen Römerdenkmalen. — Geringere Reste von Amphitheatern finden sich zu **Capua** und **Pozzuoli**, beide durch die gut erhaltenen Substructionen bemerkenswerth; ferner zu **Pompeji** und **Verona**, wo die schön erhaltenen Sitzreihen eine lebendige Anschauung der inneren Anlage gewähren; sodann zu **Pola** in Istrien und **Nîmes**, zu **Trier**, zu **Pergamus** in Kleinasien und an anderen Orten. Manchmal wurden die Amphitheater auch zu **Naumachien** ausgebildet, wo dann die Arena aus einem künstlichen See bestand, auf welchem ganze geschmückte Flotten Seetreffen lieferten.

*) Aufnahme bei *Desgodetz* und *Canina*. Vgl. *Gailhabaud*, Denkmäler, und *C. Fontana*, L'anfiteatro Flavio. Fol. 1725.

Circus.

Zu diesen Bauten gehört auch der Circus, ein Schauplatz für die Wettläufe der Wagen und Reiter. (Fig. 165.) Auch hier erhoben sich amphitheatralische Sitzreihen ringsum, doch erforderte die Bahn eine viel grössere Länge als Breite, wonach sich die Gestalt der ganzen Anlage richtete. In der Mitte der Bahn zog sich der Länge nach die Spina BB, eine breite, erhöhte Brustwehr, welche die Wettkämpfer in der rasenden Hast des Wagenkampfes umfahren mussten. Der Rücken der Spina war mit Bildwerken, besonders auch mit ägyptischen Obelisken geschmückt, und an beiden Enden erhoben sich die kegelförmigen Zielsteine (metae). An der einen Schmalseite war die Arena im Halbkreis geschlossen, und hatte hier in der Mitte ein hohes Portal unter den Sitzreihen, für den feierlichen Auszug der Sieger (porta triumphalis). Die

Fig. 164. Colosseum. Durchschnitt und Aufriss.

gegenüberliegende Seite, durch deren mittleres Portal die Wettfahrenden einzogen, enthielt die Carceres A (Ställe), eine Reihe von Standorten für die Wagen. Diese Carceres, auf beiden Endpunkten mit Thürmen eingeschlossen, bildeten im Grundriss den Abschnitt eines Bogens, dessen Mittelpunkt in dem rechts von der Meta befindlichen Theil der Rennbahn lag; denn von dort aus hatte der Lauf zu beginnen, so dass die Meta den Rennenden zur Linken blieb. Der Ehrenplatz für den Kaiser und seinen Hof (pulvinar) befand sich ungefähr an der Mitte der rechten Langseite. Schräg gegenüber hatte seinen Sitz der Prätor, der mit seinem Tuche (mappa) das Zeichen zum Anfang der Spiele gab. Ausgedehnte Reste einer solchen Anlage sind unfern Rom an der Via Appia in den als Circus des Maxentius bezeichneten Ruinen erhalten. Von einem anderen römischen Circus, dem des Sallust, glaubt man die Substructionen in der Vigna Barberini zu erkennen. Der bedeutendste Bau dieser Gattung war aber der C. maximus zu Rom, begonnen schon unter den Tarquiniern, später auf's Grossartigste erweitert durch Julius Cäsar, unter dem er 150,000 Menschen fasste, und noch später, nach Plinius' Bericht, gar mit 260,000 Sitzplätzen ausgestattet. Der riesige Bau erhob sich in drei Stockwerken, oben von Säulengalerien bekränzt, die den Zugang zu den Sitzen erleichterten. Die Rennbahn maass in der Breite 400, in der Länge 2100 Fuss. Das Gebäude ist fast spurlos verschwunden.

Von kaum minder kolossaler Anlage waren die **Thermen**, jene complicirten Prachtbauten, in welchen neben den mannichfaltigsten Einrichtungen zu kalten und warmen Bädern sich Räume für behaglichen Müssiggang und gesellige Vergnügungen aller Art gruppirten. Da waren mächtige Schwimmbassins, offene Höfe mit Säulenhallen für die Ringer, Säle für das Ballspiel, für freie Unterhaltung, Bibliotheken, ja selbst Gemäldesammlungen. Den Hauptraum bildete das sogenannte Ephebeum, das als gesellschaftlicher Versammlungsort diente. Diese labyrinthischen Bauten, die oft den Platz ganzer Stadtviertel einnahmen, wurden mit der erdenklichsten Pracht ausgestattet und mit kostbaren Kunstwerken, Bildsäulen, Hermen berühmter Männer, Sculpturgruppen, Gemälden geschmückt. Dass bei der Combination so mannichfaltiger Räume, unter denen manche von bedeutendem Umfang sein mussten, die Kunst des Wölbens eine wichtige Rolle spielte, leuchtet ein. Zwei Thermenanlagen, die in **Pompeji** aufgedeckt wurden, geben eine Vorstellung von der Anordnung solcher Gebäude in einer unbedeutenderen Provinzialstadt. Man unterscheidet die grössere, reicher ausgestattete Abtheilung des Männerbades von dem geringeren und kleineren Frauenbade. Am Eingange befindet sich ein Auskleidezimmer (apodyterium) mit Bänken an den Wänden ringsum. Die verschiedenen Räume für das Schwitzbad (caldarium), das laue Wannenbad (tepidarium) und das kalte Schwimmbad (frigidarium oder natatio mit einem grossen und tiefen Bassin, der piscina) lassen sich deutlich unterscheiden. Ebenso erkennt man noch die Vorrichtungen für Erwärmung des Wassers, der Wände und des Fussbodens, welch letzterer zu diesem Ende unterhöhlt war und auf kurzen Pfeilern ruhte (suspensura). Dies ist überhaupt die Art, in welcher die Römer in kälteren Gegenden ihre Wohnräume zu erwärmen pflegten. Beim Auskleidezimmer ist noch ein besonderes Gemach als elaeothesium angebracht, wo Salben, Oele und anderes Badegeräth unter Aufsicht des capsarius bewahrt wurde. — Rom besass unter Constantin fünfzehn Thermen. Die erheblichsten Ueberreste solcher Anlagen sind die Thermen des **Titus**, des **Caracalla** und des **Diocletian**; vom Pantheon, als einem Nebengebäude der Thermen des **Agrippa**, war bereits oben die Rede. Von den Thermen des Diocletian, in denen 3200 Personen zugleich baden konnten, ist der Hauptsaal noch erhalten und in die Kirche S. Maria degli angeli verwandelt. Seine Kreuzgewölbe ruhen auf acht Granitsäulen, deren Basen und Kapitäle, letztere theils korinthischer, theils römischer Ordnung, aus weissem Marmor bestehen. Ein Nebengebäude derselben Thermen von runder Grundform bildet die jetzige Kirche S. Bernardino. Sodann scheint auch der sogenannte Tempel der **Minerva Medica***) den Mittelpunkt einer Thermenanlage der späteren Cäsarenzeit gebildet zu haben. Es ist einer der merkwürdigsten Ueberreste, besonders durch die Art seiner Grundform und Construction, die einen zehnseitigen Kuppelraum mit eben so vielen anspringenden Halbkreisnischen zeigt. Die Kuppel, mit einer Spannweite von 75 Fuss, kommt von allen ähnlichen antiken Wölbungen der des Pantheon am nächsten. Ueber den Nischen durchbrechen grosse Rundbogenfenster die Mauer. Spuren von verschiedenen anstossenden Baulichkeiten sind noch zu erkennen.

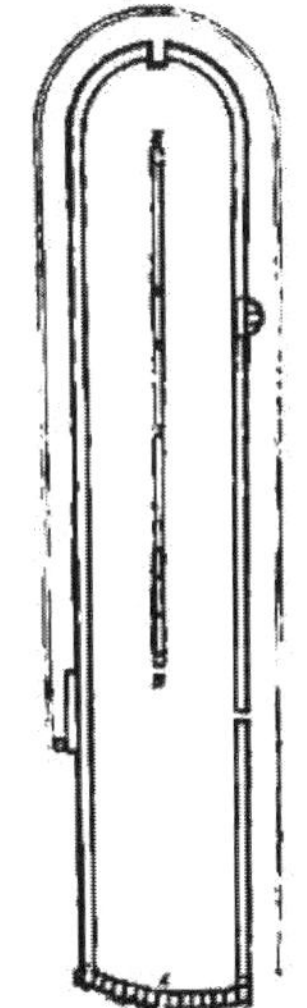

Fig. 165. Circus des Maxentius.

Thermen.

Thermen des Caracalla.

Die gewaltigsten Ueberreste, wild zerrissen wie ein zerklüftetes Felsgebirge,

*) Aufnahmen bei Canina. Vgl. auch C. E. Isabelle, Parallèle des salles rondes d'Italie antiques et modernes. Fol. Paris 1831.

ragen von den **Thermen** des Caracalla auf, welche Abel Blouet*) in einer trefflichen Restauration uns verständlich gemacht hat (vgl. den Grundriss Fig. 167). Das Gebäude bedeckte einen Flächenraum von 1200 Fuss im Quadrat und bestand aus einem äusseren und einem inneren Bau. Der äussere, diese ungeheure Fläche umziehende und einschliessende, enthielt an der Front und einem Theil der Seiten hinter einem Portikus einzelne Badezellen mit Auskleidezimmern, wo man ein Bad nehmen konnte, ohne an den übrigen Gewohnheiten des Thermenlebens sich zu betheiligen. Treppen führten auf mehreren Punkten zu einem oberen Geschoss, welches ebenfalls Badezellen enthielt. In der Mitte lag der Haupteingang, der in den ausgedehnten, mit Bäumen bepflanzten Garten führte. Räume mannichfacher Anlage und Bestimmung, wie wir sie oben andeuteten, in der Verlängerung des Umfassungsbaues und in zwei

Fig. 166. Saal aus den Thermen des Caracalla.

bogenförmigen Ausbauten desselben angebracht, öffneten sich gegen diesen Hof. An der Rückseite der gesammten Anlage befanden sich die Wasserreservoirs mit der Wasserleitung, welche dieselben speisste. Das Hauptgebäude nahm die Mitte des Ganzen ein und bestand aus einer Anzahl der grossartigsten Räume, in deren Anordnung Zweckmässigkeit und Mannichfaltigkeit, in deren Construction und Ausschmückung die drei bildenden Künste wetteiferten. Von der Pracht ihrer Ausstattung zeugen die Kolossalgruppe des farnesischen Stieres, des Herkules und der Flora in Neapel, welche hier gefunden wurden. Die Haupträume bilden ungeheure Säle wie *C*, mit seinen Nischen und Nebengemächern, wo das grosse Schwimmbassin sich befand; und *B*, an welchen kleinere Bassins stossen, wahrscheinlich das Caldarium, beide ehemals mit je drei weitgespannten Kreuzgewölben auf acht kolossalen Säulen bedeckt. Die beiden grossen Säle *A* mit ihren Nebengemächern und Exedren scheinen Sphäristerien, Räume zum Ballspiel, gewesen zu sein. Der runde Kuppelsaal *D* mag das Tepidarium enthalten haben. Von einem der grossen Säle gibt Fig. 166 eine restaurirte Ansicht. Ein Blick auf die ganze Anlage genügt, um die phantasievolle Mannichfaltigkeit in der Ausbildung des Grundrisses zu erkennen. Was die Römer mittelst der ausgedehnten

*) *A. Blouet*, Les Thermes de Caracalla. Fol. Paris.

Anwendung der Wölbekunst für die Gestaltung solcher Prachtgebäude geleistet haben, gehört unbedingt zu den bewundernswürdigsten Höhepunkten der architektonischen Entwicklung aller Zeiten. —

Eine andere Art öffentlicher Bauwerke waren die Ehrendenkmäler, welche durch Beschluss des Senats und der Volksversammlung den heimkehrenden Siegern oder überhaupt in späterer Zeit den Cäsaren errichtet wurden. Zumeist waren es prachtvolle Triumphthore, durch welche der siegreiche Feldherr seinen Einzug in die Stadt hielt, im Geleit seiner Kriegsbeute und der gefangenen Feinde als Vertreter der unterjochten Völker. Ein mittlerer, hoch und weit gespannter Bogen, meistens von zwei kleineren zur Seite begleitet, war das Motiv, welches durch Zuziehung prächtiger Säulenstellungen auf hohen Postamenten, mit reich vortretendem Gebälk, einer Attika mit der Weihungsinschrift oder einem Giebelfeld mit Bildwerken bedeutsam entfaltet wurde. Triumphbogen.

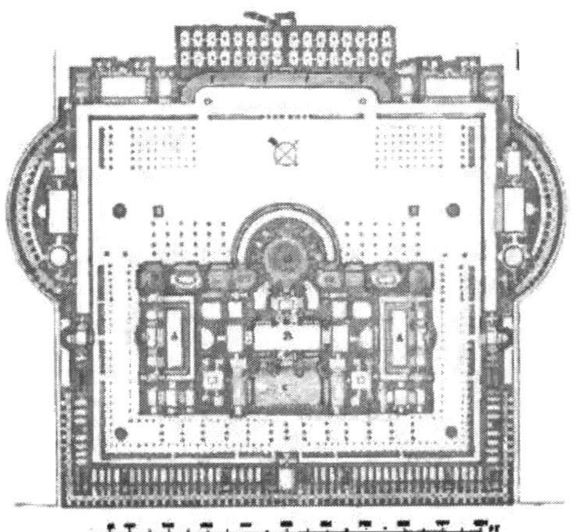

Fig. 167. Grundriss der Thermen des Caracalla.

Marmor-Reliefs, die sich auf die Thaten des Siegers beziehen, bekleiden die Flächen der inneren und äusseren Wände und verleihen den überaus stattlichen, imposanten Denkmälern den Reiz lebendiger Bilderschrift. Durch Adel und Anmuth der Verhältnisse ausgezeichnet ist zu Rom das Triumphthor des Titus, errichtet für den im J. 70 n. Chr. über die Juden erfochtenen Sieg (Fig. 168). Es hat nur einen Bogen und ist überhaupt ziemlich einfach, doch durch seine Sculpturen und das hier zuerst auftretende römische Kapitäl (vgl. Fig. 142 auf S. 171) von Bedeutung. Von verwandter Anlage erscheint der im J. 113 n. Chr. dem Kaiser Trajan wegen Wiederherstellung der Appischen Strasse geweihte Triumphbogen zu Benevent, aus parischem Marmor und von prachtvoller bildlicher Ausstattung. (Fig. 169). Ein anderer Trajansbogen, wegen Ausführung der Hafenanlage erbaut, findet sich zu Ancona. Einfache Bögen aus früherer Zeit sind die dem Augustus zu Susa, Rimini und Aosta errichteten, sämmtlich einthorige und in schlichter, fast sparsamer Behandlung. Zu Rom sind ferner die beiden reicheren, dreifach sich öffnenden Triumphpforten des Septimius Severus und des Constantin als grossartige Werke von würdiger Anlage und Ausführung zu nennen. Der letztere (Fig. 170) ist aus den Theilen eines früheren Trajanbo-

Fig. 168. Titusbogen zu Rom (Baldinger.)

gens errichtet, und der erstere in offenbarer Nachahmung desselben gearbeitet, aber schon mit unklar überladenem Reliefschmuck bedeckt. Der kleinere, dem Septimius

Fig. 169. Trajansbogen zu Benevent.

Severus am Ochsenmarkt errichtete Bogen der Goldschmiede leidet noch empfindlicher an diesem Fehler. Auch der unter dem Namen der „Porta de' Borsari" in Verona erhaltene Bogen zeigt die Formen der Spätzeit, namentlich Säulen mit spiralförmig cannelirten Schäften. — Ein mit einem grossartigen Brückenbau verbundener doppelter Triumphbogen des Trajan fand sich zu Alcantara in Spanien. Manche ähnliche Denkmäler sind an anderen Orten erhalten: zu Pola in Istrien ein schlichter Bogen aus dem 3. Jahrhundert, ein sehr reicher, prächtig decorirter, ebenfalls aus der Spätzeit, zu Orange*). Reste eines stattlichen Bogens sieht man ausserdem zu Rheims und, in reicher und eleganter Ausstattung, zu St. Remy im südlichen Frankreich. Aehnlicher Anlage sind dann auch die Janusbögen, offene Durchgangshallen auf Märkten und anderen Verkehrsplätzen, von meist quadratischer Grundform, und bisweilen auf jeder der vier Seiten mit einer Portalöffnung versehen

Fig. 176. Constantinsbogen, Rom. (Baldinger.)

und danach Janus quadrifrons („vierstirniger, vierköpfiger Janus“) genannt. So zu Rom ein Bogen auf dem ehemaligen Forum boarium (Ochsenmarkt), und ein anderer zu Thebessa (Theveste) in Afrika.

Hieran reihen sich dem Gedanken, nicht der Form nach die Ehrensäulen, kolossale einzeln stehende Säulen, welche das Standbild der gefeierten Cäsaren zu tragen hatten. Um ihren Schaft ziehen sich in spiralförmigen Windungen die reliefirten Darstellungen der Thaten des Siegers. In Rom ist die 92 Fuss hohe Säule des Trajan erhalten, ihrer Hauptform nach in dorischem Styl gebildet. Aehnlich daselbst die Säule des Marc Aurel, errichtet zu Ehren des Sieges über die Marcomannen, aus mächtigen Marmorblöcken zusammengesetzt, im Innern mit einer Wendeltreppe ver- Ehrensäulen.

*) Vergl. Caristie's Prachtwerk über den Triumphbogen zu Orange etc. Paris. Fol.

sehen, die auf die Höhe des Kapitäls führt, wo anstatt der Statue des Kaisers jetzt der h. Petrus thront. Von einer Säule des Antoninus Pius sieht man wenigstens im Vaticanischen Garten das reich geschmückte Postament; dagegen ist die Säule, welche dem Kaiser Phokas im Forum gesetzt wurde, einfach einem früheren Denkmal geraubt worden.

Grabmonumente. In die Reihe persönlicher Denkmäler gehören auch die Grabmonumente, die bei den Römern in verschiedenster Weise angelegt wurden. Gewöhnlich dienten als solche unterirdische gewölbte Kammern oder auch Felsenhöhlen, deren Aeusseres nach dem Vorbild etruskischer Gräber mit einer Façade geschmückt wurde. Jede Familie hatte ihr Grabmal, in welchem für jeden Aschenkrug eine besondere kleine Nische ausgetieft war. Man nannte diese Form der Grabmäler nach einer äusseren Aehnlichkeit **Columbarien.** Columbarien, Taubenhäuser. Ein solches Grabmal ist das an der Via Appia bei Rom aufgedeckte der Freigelassenen des Augustus, von welchem Fig. 171 den Durchschnitt giebt. Drei andere reichgeschmückte sieht man zu Rom in der Vigna Codini. Andere Grabdenkmäler bestanden aus gewölbten Kammern, welche die Sarkophage aufnahmen. Solcher Art sind die beiden von Fortunati an der Via Latina aufgedeckten, deren Wölbungen reichen Schmuck plastischer und malerischer Art zeigen. Namentlich das eine ganz in weissem Stuck decorirte (Fig. 172) ist ein Muster edler Flächengliederung; ganz schlicht dagegen das aus dem 3. Jahrh. vor Chr. stammende Grab der Scipionen an der Via Appia.

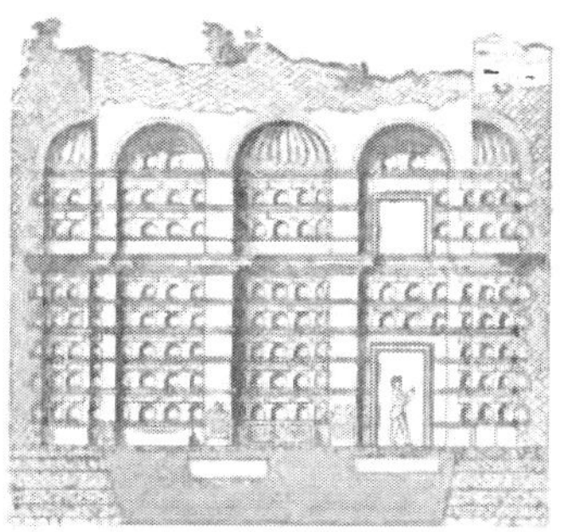

Fig. 171. Columbarium der Freigelassenen des Augustus.

Freigräber. Ausserdem aber führte der in allen Zweigen der Architektur herrschende Luxus die Vornehmen zur Errichtung freistehender Grabmäler, die dann in mannichfaltigster Art angelegt wurden. Einige hatten die Form eines Tempels, wie mehrere an der Via Latina gelegene und namentlich der sogenannte Tempel des deus rediculus, sämmtlich ganz in Backstein, selbst mit korinthischen Backsteinpilastern ausgestattet. Der untere Raum enthielt das Grabgemach, und darüber war im oberen Geschoss ein kapellenartiges Heiligthum angebracht. Andere waren thurmähnlich in pyramidalem Aufbau wie z. B. das äusserst zierliche Monument der Secundiner zu Igel bei Trier oder das elegante Denkmal zu St. Remy bei Arles, das wir in Abbildung beifügen (Fig. 173); andere ahmten die Gestalt der ägyptischen Pyramiden nach, so die des Cestius in Rom, die prächtigsten aber scheinen aus einem mächtigen thurmartigen Rundbau bestanden zu haben, der sich auf viereckigem Untersatz erhob, wie das Grabmal der **Grab der Cäc. Metella.** Plautier bei Tivoli und das der Cäcilia Metella, der Gattin des Crassus, bei Rom. Letzteres (Fig. 174) besteht aus einem hohen quadratischen Sockel, auf welchem sich ein cylindrischer Oberbau von über 80 Fuss Durchmesser erhebt. In derbem Quaderbau aufgeführt, schliesst es in einem kräftigen Gesims, unter dem sich ein Fries von Stierschädeln und Blumengewinden, als symbolische Hindeutung auf den Todtencultus, hinzieht. Eine quadratische Grundform, die sich in pyramidaler Verjüngung aufbaut, **Grabmal zu Agrigent.** zeigt das sogenannte Grabmal des Theron zu Agrigent*), ein Denkmal von einfach nachdrucksvoller Gestalt, im Quadrat 13 Fuss breit und 27 Fuss hoch, in den Formen noch überwiegend der auf Sicilien eingebürgerten griechisch-dorischen Weise angehö-

*) *Serradifalco*, Antichità di Sicilia.

rend, jedoch mit jener willkürlichen Beimischung anderer Elemente, die bereits auf die römische Epoche deutet. Noch entschiedener wird die pyramidale Form betont in dem Grabmal bei Mylasa in Kleinasien (Fig. 175*), welches durch eine phantastische Verwendung und Umgestaltung griechischer Glieder sich bemerklich macht. Grabmal bei Mylasa. Auch hier ein quadratischer Unterbau von 18 Fuss, der das eigentliche Grabmal in sich schloss.

Fig. 173. Gewölbdecoration aus einem Grabe an der Via Latina. (Mon. d. Inst.)

Auf diesem erhebt sich aber eine freie Pfeilerhalle, ein reiches Kassettendach in die Höhe tragend, das seinerseits wieder einem terrassenförmig-pyramidalen Aufbau zur Stütze dient. Das Ganze, ehemals ohne Zweifel gleich seinem prachtvollen Vorbilde, dem Mausoleum von Halikarnass, durch ein Bildwerk bekrönt, misst 30 Fuss Höhe.

*) Ionian Antiquities. Vol. II.

Kaiser-Mausoleum. Die ursprünglich römische Form erfuhr eine kolossale Ausbildung und eine gewisse Verschmelzung mit der Pyramidenform in den riesigen Mausoleen mehrerer Kaiser. So bestand das des Augustus aus einem in vier Absätzen aufsteigenden Rundbau, dessen unterer Durchmesser 315 Fuss betrug, und dessen Inneres in eine Menge einzelner gewölbter Grabkammern zerfiel. Die Terrassen waren mit Bäumen bepflanzt und auf der obersten Spitze glänzte die Kolossalstatue des Kaisers. Nur die Umfassungsmauern sind davon erhalten. Von dem Mausoleum des Hadrian, das in ähnlicher Anlage jenen Augusteischen Bau noch überbot, sind bedeutendere Reste übrig, da dieses Monument in die Engelsburg verwandelt wurde. Den unteren Theil bildet ein aus Travertin trefflich aufgeführter, quadratischer Unterbau von 300 Fuss, über welchem der ebenfalls noch vorhandene Cylinder von 235 Fuss Durchmesser sich erhebt. Dieser war von einer marmornen Säulenhalle umzogen, in deren Intercolumnien Statuen standen. Ueber ihm erhob sich ein jetzt verschwundener zweiter cylinderförmiger Bau von kleinerem Durchmesser, ebenso ausgestattet, und von seinem Kranzgesimse stieg das zeltförmige Dach empor, dessen Spitze der jetzt im vaticanischen Garten aufgestellte kolossale bronzene Pinienapfel krönte. Im Innern gelangt man noch jetzt vom Eingange aus durch einen mächtig hohen und breiten spiralförmig gewundenen Gang zu der im Centrum der Anlage erhaltenen Grabkammer von 28 Fuss Quadrat und 34 Fuss Höhe. Licht- und Luftschachte sind zur Ventilation der Räume angebracht. Dagegen ist von dem Septizonium des Septimius Severus

Fig. 173. Grabmal von St. Remy.

Fig. 174. Grabmal der Cäcilia Metella.

einem noch kolossaleren Bau, keine Spur mehr vorhanden. Derselbe scheint nach dem Vorgange babylonisch-assyrischer Stufenpyramiden aus sieben terrassenartig abgeschlossenen Stockwerken bestanden zu haben.

Grabmäler zu Pompeji. Die mannichfaltigsten Formen von Grabdenkmälern endlich haben sich zu Pompeji gefunden. Wie bei Rom vorzüglich an der Via Appia die Gräber sich erhoben, so hat auch hier eine bestimmte Gräberstrasse vor dem Herculaner Thore sich gebildet. Von der Form des einfachen Grabcippus, einer als Denktafel aufgerichteten Stele,

Fig. 175. Grabmal von Mylasa.

bis zu den reich und zierlich ausgestatteten grösseren Familienbegräbnissen begleitet eine reiche Zahl interessanter Denkmäler auf beiden Seiten die Strasse. Unter Fig.

Fig. 176. Grabmal des Calventius Quietus. Fig. 177. Hemicyclium.

176 und 177 geben wir Beispiele von der Verschiedenheit dieser Anlagen und dem mehr freundlichen als ernsten Sinn, der sich in ihnen ausspricht. Das Grab des

C. Calventius Quietus erhebt sich als reich decorirter Altar auf einem terrassenartigen Stufenbau. Dieser wird von einer quadratischen Umfassungsmauer eingeschlossen, welche an der Rückseite von einem Giebel bekrönt wird. Das ganze 18 Fuss im Quadrat messende Denkmal ist in Marmor ausgeführt und mit plastischen Ornamenten zierlich ausgestattet. Das andere Denkmal ward als halbkreisförmige Nische (Hemicyclium) gedacht, die dem Wanderer einen an der Wand sich hinziehenden Ruhesitz darbietet. Dabei ist das Grabmal in liebenswürdiger Sorgfalt so orientirt, dass es im Winter Sonne, im Sommer kühlenden Schatten hat und den freundlichsten Blick auf die Gegend und die gegenüber liegenden Denkmäler gewährt. In demselben Sinne ist die Decoration lachend und heiter behandelt, der Grund der Wölbung blau, die Muschel der Halbkuppel weiss, die Wandfelder roth mit goldigen Ornamenten und kleinen Thierfiguren.

Fig. 178. Hof im Hause des Actaeon zu Pompeji.

Wohngebäude. Endlich nahm auch die Privat-Architektur bei den Römern eine glänzendere Entfaltung für sich in Anspruch. Das Wohnhaus war ursprünglich zwar dem griechischen ziemlich verwandt; namentlich gruppirten sich auch hier die Gemächer um einen freien Hofraum, das Atrium, das nach etruskischer Weise (Atrium Tuscanicum) indess minder ausgedehnt war und anfänglich keine Säulenhalle enthielt. Doch zeigen die

zu Pompeji. Häuser von Pompeji, welches freilich griechischer Sitte näher steht, eine reichere Ausstattung jenes Raumes, namentlich ringsum eine Säulenstellung (Fig. 178), welche das vor-

zu Rom. springende Dach unterstützt. In Rom selbst, wo die zahlreiche Bevölkerung zur möglichsten Benutzung des Raumes zwang, erbauten reiche Speculanten Miethhäuser mit vielen Stockwerken — die sogenannten Insulae (Inseln) — deren Höhe schon August durch ein Gesetz auf 70 Fuss zu beschränken nöthig fand. Natürlich musste hier die Anlage der unserer Wohnhäuser ähnlicher, und namentlich für reichliche Beleuchtung durch Fenster gesorgt werden. An den mannichfachsten Einrichtungen des Luxus und der Bequemlichkeit fehlte es sodann nicht. Endlich entsprach es der freieren Stellung der Frauen, dass ihre Gemächer nicht so streng wie bei den Griechen von

Fig. 179. Haus des Pansa. Längendurchschnitt.

denen der Männer geschieden wurden. Daher finden wir auch im römischen Hause zwar eine ähnliche Anordnung der Räume wie im griechischen, nämlich zwei besondere hinter einander liegende Abtheilungen, jede um einen freien Hofraum gruppirt; aber während bei den Griechen die vordere als Männerwohnung, die hintere als Frauenwohnung diente, gilt bei den Römern die vordere, der Strasse zunächst liegende, dem öffentlichen Verkehr des Hausherrn mit seinen Clienten, die innere dagegen ist die eigentliche Familienwohnung. Gestalt und Verbindung der einzelnen Räume, vielfach den lokalen Bedingungen unterworfen, sind von mannichfach wechselnder Art; doch wird die normale Anlage des römischen Hauses am besten sich an einem Beispiele

Haus des Pansa. darstellen lassen, welches wie das Haus des Pansa zu Pompeji in seiner Anordnung als Prototyp eines grösseren antiken Privathauses zu fassen ist. Durch die von korinthischen Pilastern (vgl. Fig. 179) eingeschlossene Hausthür treten wir in das Vestibulum (*A* im Grundriss Fig. 180), so genannt, weil der Römer beim Ausgehen hier erst das Obergewand anlegte. Auf der Schwelle begrüsst uns ein in Mosaik ausgeführtes „Salve". Das einfache Atrium *B* nimmt uns auf, dessen nach innen geneigtes Dach mit seinem offenen Impluvium in Beziehung steht zu der in dem Fussboden angebrachten Vertiefung, dem Compluvium, wo das herabfallende Regenwasser sich sammelt. An das Atrium stossen unter *c* sechs kleine Schlafzimmer, welche ihr Licht durch die offenen, nur etwa mit Teppichen verschliessbaren Thüren empfangen. Auf beiden Seiten bei *D* erweitert sich durch die Flügel (Alae) das Atrium, und in seiner Tiefe tritt ein anderer Raum *C* hinzu, der gegen die innere Wohnung nur durch einen Vorhang abgegrenzt wurde, und als Repräsentationsraum die Ahnenbilder (tabulae) der Familie enthielt. Er hiess daher das Tablinum. *E* scheint die Bibliothek, *F* ein Schlafzimmer gewesen zu sein. Zwischen letzterem und dem Tablinum liegt der Gang (fauces), welcher die vorderen Räume mit der Familienwohnung verbindet. Er bringt uns in ein schönes, geräumiges, zwei Stufen höher liegendes Atrium *G*, von 46 Fuss

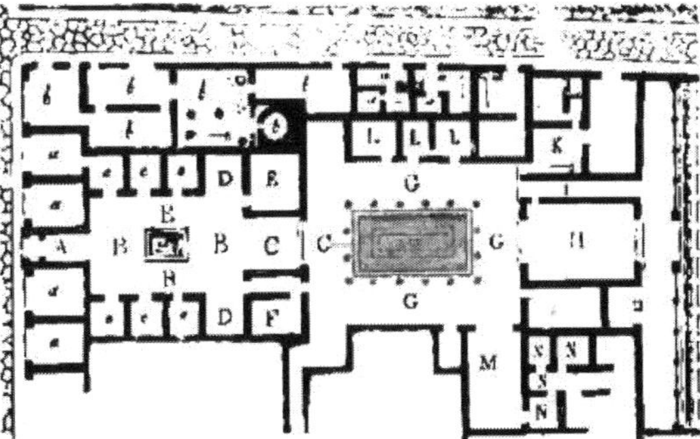

Fig. 180. Haus des Faun. Grundriss.

Breite und 64 Fuss Tiefe, dessen vorspringendes Dach auf einem Peristyl korinthischer Säulen ruht (vgl. den Durchschnitt). Durch einen Gang (posticum) kann man von hier auf die Nebenstrasse gelangen, ein Ausweg, der oft gewählt wurde, um lästigen Besuchen zu entgehen. Der offene Raum des Atriums wird in seiner ganzen Ausdehnung von 21 zu 36 Fuss von einem 6 Fuss tiefen Bassin (der Piscina) eingenommen, dessen Einfassungen mit Wasserpflanzen und Fischen zierlich bemalt sind. An dieses prächtige Peristyl stossen links wiederum kleine Schlafzimmer *L*, während rechts der Speisesaal oder das Triclinium *M* liegt. In der Hauptaxe des Hauses dagegen treten wir durch den breiten Eingang in den wieder um zwei Stufen erhöhten Hauptraum des Hauses, den Oecus *H*, welcher, 24 Fuss breit, 32 Fuss tief, einen geräumigen Saal darstellt, der durch die Aussicht nach vorn in das Peristyl mit seinem Wasserbassin und seiner reichgeschmückten Säulenhalle, nach hinten in den Garten den reizendsten Aufenthalt gewährte. Von hier wie vom Peristyl aus war durch den 5 Fuss breiten Gang *I* eine Verbindung mit dem Garten gegeben. Daneben sind *K* und die kleineren anstossenden Räume die Küche nebst einem Gemach zum Anrichten der Speisen. Man hat hier ausser vielen thönernen Geschirren noch den gemauerten Heerd, und auf demselben Holzkohlen gefunden. Die ganze Hinterfront des Hauses geht auf den Garten hinaus, der hier sich mit einer säulengetragenen Halle anschliesst. Dies waren die Räume, welche dem Eigenthümer des Hauses als Wohnung dienten, und zu denen im oberen Geschoss nur noch eine Anzahl von Zimmern, wahrscheinlich für die Sclaven, hinzukam. Da aber das Haus zugleich den ganzen Raum zwischen vier Strassen inne hatte, also eine Insula war, so hatten die übrigen Theile eine derartige Anlage, dass sie anderweitig vermiethet werden konnten. So sind denn an der Vorderseite und an der einen Langseite *a* mehrere Verkaufsläden, *N* dagegen an der anderen Langseite gehören einer Miethswohnung an. Das grösste Interesse gewähren jedoch die sechs mit *b* bezeichneten Räume, in welchen man eine Bäckerei und Mühle erkannt hat. Der runde Backofen, das Mühlenhaus mit den drei Mühlen, den Mehlbehältern, dem Wasserreservoir und dem Backtisch sind leicht zu erkennen, und in dem Eckraume, der auf zwei Strassen hinausliegt, hat man sich wahrscheinlich das Verkaufslokal zu denken. In diesem kurzen Ueberblick stellt sich uns das Wesentlichste der römischen Hausanlage dar. Die Mannichfaltigkeit der anderen zahlreichen Privatgebäude Pompeji's ist eben so anziehend als belehrend*).

Paläste Glänzender und freier gestaltete sich dieser Zweig der Architektur in den Palästen und Landhäusern der Vornehmen und namentlich der Kaiser. Schon Nero's „goldenes Haus" war ein Wunder von Pracht und Verschwendung; Hadrian's tiburtinische Villa, deren Trümmer massenhaft zerstreut liegen, war ein Compendium der verschiedensten Bau-Anlagen, namentlich der griechischen und ägyptischen, die der Kaiser auf seinen Reisen gesehen hatte und sich hier im Kleinen nachbilden liess.
in Rom. Ueber die Gestalt der Kaiserpaläste in Rom haben die seit einigen Jahren auf Befehl des französischen Kaisers durch P. Rosa geführten Ausgrabungen wichtige Aufschlüsse gebracht. Bis jetzt ist soviel festgestellt, dass die ausgedehnten Anlagen sich in zwei Hauptmassen theilen: die nach dem Capitol und Velabrum liegenden älteren Paläste des Tiberius und Caligula, und den vom Clivus Capitolinus nach dem Thal des Circus maximus sich erstreckenden, die frühere dortige Einsattlung überbrückenden Palast der Flavier. Zwischen beiden liegt ein freier Platz mit älteren Tempeln, nach dem Forum durch Baulichkeiten verbunden. Gegen das Velabrum schauen gewaltige Gewölbe, welche die Kaiserpaläste trugen. Die alte Thür des Palastes (vetus porta palatii) liegt im Atrium des flavischen Palastes, dessen Tablinum und Peristyl entdeckt wurde.

Palast der Flavier. Der Palast (Fig. 181) diente als öffentliches Gebäude für die Repräsentation. Seine Eintheilung entspricht der herkömmlichen des römischen Hauses, nur in gewaltig gesteigerten Dimensionen. Aus dem grossartigen Portikus, der denselben umzog, trat man zunächst in einen Saal A von 95 Fuss Breite bei 120 Länge, das Tablinum. Er diente als Audienzsaal und war mit verschwenderischer Pracht ausgestattet, die Wände ganz mit kostbarem Marmor bekleidet, und durch Nischen gegliedert, welche Basaltstatuen zwischen vortretenden Säulen enthielten. Von diesem mittleren Saale führen Verbindungen nach sämmtlichen benachbarten Räumen, links in das Lararium B, die Hauskapelle der Kaiser, rechts in die Basilika C, deren 45 Fuss weite Apsis ein erhöhtes Podium hat, welches durch zwei an der Rückseite angebrachte Treppen zugänglich war. Den Mittelpunkt des Palastes bildet sodann ein Peristyl mit Säulenstellungen von 160 zu 180 Fuss, das gleichfalls mit grösster Pracht ausgestattet war. An seiner rechten Seite ziehen sich kleinere Räume mit halbkreisförmigen Exedren hin, die unter einander und mit dem Atrium D in Verbindung stehen, in welches man direct von dem äusseren Portikus gelangte. Den Abschluss der ganzen Anlage in der Hauptaxe bildete ein Speisesaal E von 94 zu 106 Fuss, am oberen Ende mit einer Nische geschlossen, und rings mit Säulen eingefasst, zwischen welchen gewaltige Fenster sich gegen einen langen Raum F öffneten, der als Nymphäum mit Nischen und einem Springbrunnen in der Mitte ausgestattet war. Dieselbe Anlage war ohne Zweifel auch an der linken Seite, die jetzt noch von dem Terrain des anstossenden unzugänglichen Nonnenklosters bedeckt ist. Der Raum neben dem Nymphäum ist in spitzem Winkel abgeschlossen,

*) Ausser dem Hauptwerke von *Mazois*, Les ruines de Pompeji, 4 Vols. Fol. Paris 1824 vgl. die verdienstliche und sorgfältige Uebersicht in *J. Overbeck's* Pompeji. Zweite Aufl. Leipzig 1866.

weil dort in G der alte Tempel des Jupiter Victor in schiefer Stellung den neueren Bauten Einhalt that. — Reste einer wahrscheinlich kaiserlichen Jagdvilla, besonders durch reiche Mosaik-Fussböden ausgezeichnet, sind in Fliessem bei Trier erhalten, eine andere mit ähnlich glänzendem Schmuck ist in derselben Gegend bei Nennig Villen in Fliessem u. bei Nennig

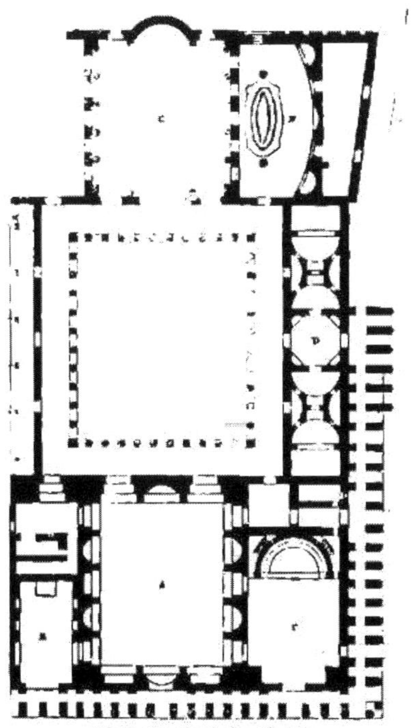

Fig. 181. Palast der Flavier. Grundriss.

aufgegraben worden, während in Trier selbst bedeutende Ueberreste eines Kaiserpalastes vorhanden sind*). Trier

Ebenfalls der spätesten Zeit der römischen Kunst gehört der Palast des Diocletian zu Spalato in Dalmatien (Salona) an**), den der Kaiser sich zum Mussesitz erbauen liess, als er im J. 305 die Regierung niederlegte. Er bildet ein Viereck von Spalato

*) C. W. Schmidt, Römische Baudenkmäler in Trier.

**) R. Adams, Ruins of the palace of the emperor Diocletian at Spalatro in Dalmatia. Fol. 1764. — L. F. Cassas, Voyage pittoresque de l'Istrie et de la Dalmatie, rédigé par J. Lavallée. Fol. Paris 1802.

705 Fuss Länge bei 600 Fuss Breite, ohne die Thürme 650 bei 520 Fuss, und umfasst eine ungemein mannichfaltige Menge der verschiedensten Prachträume. Sechzehn Thürme umgeben (vgl. den Grundriss Fig. 182) den gewaltigen Bau, die grössten von viereckiger Grundform auf den Ecken vorspringend. An der dem Hafen zugewandten Südseite, wo sich die Wohnung des Kaisers mit einer prachtvollen Colonnade von fünfzig Säulen gegen das Meer öffnete, finden sich keine weiteren Thürme. Dagegen ist jedes der drei Eingangsthore in der Mitte der übrigen Seiten mit zwei achteckigen Thürmen flankirt, und vor die Mitte der so entstandenen Abtheilungen legt sich abermals ein viereckiger Thurm. Das Hauptthor, die „goldene Pforte“, befindet sich an der Nordseite. Sein Sturz wird durch eine sinnreiche Construction nach Art der Gewölbe gebildet, die umgebenden Mauerflächen erhalten durch Säulenstellungen mit Bögen und Nischen eine durchaus äusserliche Decoration. Treten wir durch den Haupteingang ein, so befinden wir uns in einer mit Arkaden eingefassten Strasse, welche sich mit einer anderen im Centrum des Gebäudes schneidet. Das grosse Quartier zur Linken scheint der Leibgarde, das zur Rechten den Frauen zugehört zu haben. Weiter schreitend, gelangt man zu einem weiten freien Platz, der von Arkaden in der Strassenflucht getheilt wird. Rechts liegt ein um 15 Stufen erhöhter kleiner Tempel, den man dem Aesculap zuschreibt. Die vier Säulen seiner Vorhalle sind verschwunden, das kleine, mit einem Tonnengewölbe bedeckte Gebäude dient jetzt als Kapelle. Zur Linken erhebt sich ein interessanterer Bau, der Tempel des Juppiter, ein Kuppelbau, von 24 Säulen umgeben, aussen achteckig, innen rund mit Nischen und Wandsäulen in zwei Geschossen, $43\frac{1}{2}$ Fuss weit im Durchmesser, $46\frac{1}{2}$ Fuss hoch bis zum Anfang der Kuppel. Früher wurde die Cella nur durch die Thür erhellt; als man den Tempel jedoch zu einem christlichen Dom umwandelte, brach man Fenster hinein und entstellte das Gebäude durch Hinzufügung eines Glockenthurmes (Fig. 183). Im Centrum der ganzen Anlage fortschreitend, kommen wir endlich zu einem Säulenportikus, der in ein kreisrundes Vestibulum führt. An dieses stiess der grosse Hauptsaal, 98 Fuss lang, $77\frac{1}{2}$ Fuss breit, mit 2 Säulenreihen, welche das hohe Gewölbe trugen. Auf beiden Seiten des Saales waren die Palasträume völlig symmetrisch angelegt, alle aber standen mit der langen Säulengalerie, die sich nach aussen öffnet, in Verbindung. So entartet an diesem mächtigen Herrscherpalaste die Einzelformen schon erscheinen, so grossartig ist doch die Anordnung des Ganzen, so reich und malerisch seine Wirkung. Ausserdem sehen wir auch hier, wie aus dem Untergange der alten Formen bereits ein neues architektonisches Princip sich hervorzuringen beginnt, da eine unmittelbare Verbindung von Säulen und Bögen stattfindet (Fig. 181), was wir auch sonst an Werken der Spätzeit, an den Thermen Diocletians, der Constantinischen Basilika u. a. gefunden haben.

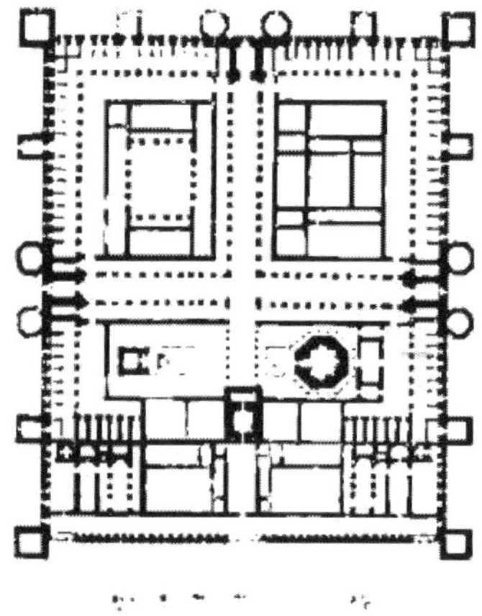

Fig. 182. Palast des Diocletian zu Spalato (Grundriss).

Von der Art, wie die Römer ihre Wohnungen auszuschmücken pflegten, geben die Städte **Pompeji** und **Herculanum** die mannichfachsten Beispiele*) (Fig. 185). Sämmtliche Zimmer sind mit Wandgemälden bedeckt, und zwar in der Weise, dass Wandmalerei

Fig. 184. Theilansicht vom Palast Diocletians zu Spalato.

die Fläche der Wand einen einfachen, entweder hellen oder dunklen Ton zeigt. In der Mitte ist ein kleines Feld ausgespart, das durch ein Gemälde geschmückt wird.

*) *W. Zahn*, Die schönsten Ornamente und Gemälde aus Herculanum, Pompeji und Stabiae. 3 Bde. Fol. Berlin 1828—1859. — *W. Ternite*, Wandgemälde aus Pompeji und Herculanum. Fol. Berlin.

Anmuthige Arabesken umschliessen und verbinden es mit der Wand, die auch ihrerseits oft durch derartige spielende Darstellungen eingerahmt erscheint. Den unteren Theil der Wand bildet ein meistens dunkel gefärbter Fuss. Die Bilder sind gewöhnlich klein, wie denn die Gemächer selbst nur geringe Dimensionen haben. Die Gemälde wurden auf den nassen oder trocknen Bewurf auf trefflich geglättetem Grunde ausgeführt. Neuerdings sind in Rom bei den Thermen des Caracalla in der Vigna Guidi, ebenso

Fig. 184. Von der Façade des Palastes zu Spalato.

in Trastevere gegenüber S. Crisogono, und endlich besonders auf dem Palatin durch die Rosa'schen Ausgrabungen ebenfalls ansehnliche Reste römischer Privathäuser mit glänzendem Wandschmuck und reichen Mosaikfussböden zu Tage gekommen.

4. Aesthetische Würdigung und geschichtliche Bedeutung der römischen Architektur.

Praktische Richtung.

Von jener idealen Höhe, welche die griechische Baukunst einnahm, mussten wir bei Betrachtung der römischen Architektur herabsteigen. Die griechische Baukunst führte uns aus den Bedürfnissen und Schranken des alltäglichen Lebens heraus; sie weilte in den freien, heiteren Gebieten, wo die ewigen Götter thronten. Daraus erwuchs ihr selbst jener Zauber freudiger Klarheit, hoher Selbstgenügsamkeit, der alle ihre Gebilde umspielt. Die römische vermochte eine ähnliche Höhe nicht zu halten; sie verliess jene ideale Stellung, um sich gerade unter die Bedingungen und Anforderungen des praktischen Lebens zu begeben. Hierin lag ihre Schranke, aber auch ihr Vorzug. Sie versperrte sich keinem Bedürfniss des Daseins, so gewöhnlich und alltäglich es sein mochte, und ohne das vergebliche Streben, auf diesem Gebiete organisch Durchgebildetes zu schaffen, lieh sie gleichwohl allen ihren Werken einen Abglanz griechischer Schönheit, der veredelnd das Erzeugniss gemeiner Nützlichkeit in die Sphäre künstlerischen Daseins erhob. Ohne jene geniale Schöpferkraft, die allein das Höchste hervorzubringen fähig ist, wussten die Römer in ihrem vorwiegend verständigen Sinne *zwar keine eigentlich neuen Formen zu schaffen, aber indem sie die alten Formen in neuer Weise verbanden, erzeugten sie ein neues System der Architektur*, das in grossartigster Weise sich auf jede Gattung von Gebäuden anwenden liess. In dieser Anwendung sind sie gross, vielleicht unübertroffen.

Zwiespältigkeit.

Allerdings kam dadurch eine gewisse Zwiespältigkeit in ihre Schöpfungen, die dem streng architektonischen Gesetze organischer Entfaltung widerstrebt. Die praktischen Bedürfnisse, mächtiger als der ästhetische Sinn, zwangen letzteren zu mancherlei Concessionen, und die mehr combinirende Art jener Architektur begnügte sich mit einer äusserlichen Zusammenfügung, da innere Entwicklung, völlige Verschmelzung der Elemente ausserhalb des Horizonts ihrer Fähigkeit lag. Solche Zwiespältigkeit lässt sich selbst in der Form des römischen Kapitäls nachweisen, besonders aber in der Verbindung des Säulenbaues mit dem Gewölbebau. Kein Wunder daher, dass in der römischen Architektur eine gewisse nüchterne Kälte der Empfindung sich bemerklich macht. Wir sahen auch, wie dies Verhältniss auf die Behandlung der Säulen selbst zurückwirkte. Bei den Griechen waren sie die Töchter des Hauses, die im innigsten Einklange mit den Gesetzen desselben ihr angestammtes Amt in schöner Freiheit ver-

Fig. 183. Wanddecoration aus Pompeji.

walteten. Bei den Römern scheinen sie erbeutete Sclavinnen, edelgeborene zwar, die aber durch den gezwungenen Dienst im fremden Hause, dessen Gesetze nicht die ihrigen, eine Trübung ihrer ursprünglichen Anmuth erfahren haben.

Durch diesen unorganischen Charakter büsste die römische Architektur die Strenge naturgemässer Gesetzlichkeit ein. Ihre Formen und Glieder sind nicht mehr die freien Blüthen einer schönen Nothwendigkeit, sondern die Ergebnisse verständiger Berechnung. In dieser Hinsicht wurde schon bemerkt, dass die römischen Gebäude einen mehr malerischen Charakter tragen. Das Malerische in der Architektur beruht aber eben nicht auf dem Hervorwachsen der Formen aus dem Wesen der Construction, nicht auf dem Gesetze, dass die Glieder durch ihre Bildungsweise ihre structive Bedeutung kundgeben sollen, sondern auf dem mehr äusserlichen Elemente der Gruppirung, eines solchen Wechsels der Formen, der möglichst reiche und mannichfaltige Gegensätze von Schatten und Licht begünstigt. Dies war für die Architektur ein neuer Gesichtspunkt, der denn auch die Kolossalmassen römischer Gebäude in einer

Malerischer Charakter.

dem Auge erfreulichen Weise belebte, ohne die Grossartigkeit des Totaleindrucks zu schwächen.

Durchbildung. Vergleicht man von hier aus diese Baukunst mit der ihrem Wesen am nächsten verwandten der Aegypter, so springt der hohe Vorzug der römischen, der eben in der Beherrschung der Massen, in ihrer verständig klaren Gliederung und in der lebensvollen Mannichfaltigkeit der Grundrissanlagen beruht, sogleich in die Augen. Dort war der Geist von der Materie unterjocht und vermochte ihr nur eine bunt schimmernde Farbenhülle überzuwerfen; hier durchdringt er den Stoff und zeigt ihn überall durchweht von seinem Walten. Dadurch nahm die römische Architektur den Charakter grösserer Selbständigkeit an, und wie unabhängig sie vom Boden war, erkennen wir Allgemeine Verbreitung. schon darin, dass sie ihre künstlerischen Formen von den Griechen entlehnte. Daher mussten wir auf den voraufgegangenen Stufen der Betrachtung die Architektur im Zusammenhange mit dem Charakter des jedesmaligen Landes auffassen, als dessen höchste, vergeistigte Blüthe sie erschien. Hier, wo ein verständiger Eklekticismus sie hervorrief, ist sie nicht mehr ein Product des Bodens, sondern des wählenden Geistes. Allerdings verlor sie dadurch an jener Wärme, welche durch das besondere nationale und religiöse Bewusstsein erzeugt wird; aber dafür schwang sie sich zur Weltherrschaft empor. Wohin die Römer drangen, dahin verpflanzten sie auch ihre Architektur; in allen Provinzen des Reiches, vom Rhein bis zu den Katarakten des Nil, von den Säulen des Herkules bis zu den Ufern des Euphrat, erhoben sich prachtvolle Städte mit Forum, Kapitol, Basiliken, Tempeln und Palästen, und die römischen Adler trugen die griechischen Formen über den ganzen bekannten Kreis der Erde. Vergleicht man dieses Verhältniss mit der grösseren Abgeschlossenheit, in welcher vorher jedes Volk seine eigene Kunst für sich ausbildete, so erkennt man sogleich, dass ein solcher Umschwung nicht möglich gewesen wäre, wenn nicht in jenen Formen das damalige Bewusstsein den allgemeingültigen Ausdruck gefunden hätte.

Resultat. In diesem Verhältniss liegt die tiefe Bedeutung der römischen Architektur für die Entwicklung der ganzen Kunst begründet. Nur ein praktisches Volk vermochte die idealen Formen der Griechen für den ganzen Umfang des Lebens zu gewinnen; nur ein weltbeherrschendes konnte sie der engbegrenzten Sphäre nationalen Daseins entrücken und ihnen die ganze Erde als Heimath und Wirkungskreis anweisen. Hierin tritt die römische Architektur mit Nothwendigkeit als Vorläuferin der christlich-mittelalterlichen auf, der sie eben so den Weg bahnen musste, wie die Weltherrschaft der Römer dem Christenthume den Weg bahnte.

DRITTES BUCH.

Uebergangsstufen.

ERSTES KAPITEL.

Die altchristliche Baukunst.

1. Vorbemerkung.

Verfall des Römerthums. Der Fall der antiken Welt hat Nichts mit dem Untergange eines einzelnen Volkes zu schaffen. Er bedeutet nicht den Sturz eines politischen Systems, sondern einer ganzen Weltanschauung. Daher ist er auch nicht aus äusseren, selbst nicht aus vereinzelten inneren Gründen zu erklären. Das antike Leben hatte seinen Kreislauf erfüllt, hatte auf allen Gebieten des Daseins seine Gestaltungskraft in umfassendster Weise geübt, hatte sein Wesen erschöpfend ausgesprochen. Daher musste es absterben, daher mussten alle Versuche, es noch einmal von innen heraus zu beleben, fruchtlos bleiben. Der alte Glaube, die alte Sitte war nur noch zum Schein vorhanden, und ihre völlige Auflockerung durchbrach selbst die äussere Hülle. In dem dadurch erzeugten Zustande tiefster Nichtbefriedigung, der jener antiken heitern Selbstgenügsamkeit schroff entgegengesetzt war, griff man nach den Formen und Gebräuchen aller fremden, namentlich asiatischer Religionen, um die Leere des eigenen Bewusstseins damit auszufüllen. Aber es blieb ein äusserliches Wesen, und in die Zweifelsucht, die Alles benagte, mischte sich in unerquicklicher Art ein neuer phantastischer Aberglaube.

Einwirkung des Orients. Wie jene innere Auflösung auf dem Gebiet architektonischen Schaffens zu Tage trat, haben wir schon oben erfahren. Besonders war auch hier die Einwirkung orientalisch-üppiger Formen von entscheidender Bedeutung, und wie die römische Sitte nicht kräftig genug mehr war, fremden störenden Einflüssen sich zu verschliessen, so konnte auch die Architektur der Umstrickung weichlich ausschweifender Elemente sich nicht erwehren. Die glanzvollen Römerbauten des Orients, namentlich jene oben erwähnten zu Balbek und Palmyra, liefern dafür zahlreiche Belege.

Christenthum und Islam. Ein so zermürbter Bau, wie der der antiken Welt, der bis in die tiefsten Grundvesten erschüttert war, vermochte eine neue Entwicklung nicht mehr zu tragen. Das Leben bedurfte eines neuen Fundaments, einer neuen Anschauung, wenn es zu einem neuen kräftigen Gebäude sich erheben sollte. Eine solche konnte nur in einer neuen Religion gefunden werden, und daher trat das Christenthum ausfüllend in die ungeheure Lücke des Bewusstseins. Allerdings wird auch der mit demselben parallel entstandene Islam hier zur Betrachtung kommen müssen, da er in verwandter Richtung an die Stelle des Alten, Hingesunkenen trat. Allein in der Culturentfaltung überhaupt, wie besonders in der Kunst, nimmt er doch nur eine untergeordnete Stellung ein, da er zu sehr in die phantastische Unklarheit des Orients anfing, um dem Geistesleben seine höchsten Blüthen entlocken zu können. Die Cultur wandelt stetigen Schrittes von Osten nach Westen, und so sind es jetzt die Völker des Abendlandes und das durch sie aufgenommene Christenthum, welche fortan die Träger der Entwicklung werden.

Neue Bildung. Aber ganz unmerklich und allmählich wand sich dieser neue Geist aus dem Schoosse des alten hervor. Im tieferen Geistesleben der Völker gibt es keine schroffen Sprünge wie in unseren Geschichtsbüchern, wo ein Abschnitt zwei Culturepochen mit einem Federstriche sondert. In allem inneren Leben ist ein ununterbrochener Zusammenhang wie im Reiche vegetativer Natur. Da keimen auch schon, während die alten Halme welken, still und verborgen die neuen Triebe hervor, und ehe noch jene sich ganz aufgelöst haben, überrascht uns bereits ein junges grünendes Leben. Dies allmähliche Wachsthum tritt in der Geschichte vielleicht nirgends klarer hervor, als gerade in dieser bedeutungsschweren Epoche. Wie die junge Welt sich schon mitten im Verfall der alten bemerken liess, so belauschten wir auch in der Architektur bereits die Elemente, welche zukunftverkündend auf eine neue Entwicklung hinwiesen.

Verhältniss der Architektur. Darum lässt sich auch für die Architektur eben so wenig wie für das Leben überhaupt hier ein scharfer Abschnitt machen, der in einem äusserlichen Factum seinen Markstein hätte. Weder Constantin's Erhebung des Christenthums zur Staatsreligion, noch die Trennung des weströmischen und oströmischen Reiches, noch endlich der Untergang des ersteren bildet einen solchen Wendepunkt. Vielmehr bedarf der neue Geist, bedarf das Christenthum noch immer der alten heidnischen Formen, und diese Uebergangsstellung behält die Architektur während dieses ganzen Zeitraumes. Denn sie ist jetzt nicht mehr Aufgabe eines Volkes, sondern der ganzen Menschheit. Eine durchgreifende Neugestaltung konnte sie erst erfahren, nachdem die Stürme der Völkerwanderung einerseits die zu mächtig imponirenden Zeugnisse antik-römischen Lebens zum grossen Theil zerstört, andrerseits frische Culturvölker auf den Vordergrund der Weltbühne geworfen hatten, die dem neuen Inhalt die neue Form zu schaffen vermochten. Gleichwohl erfuhr schon in der ersten Epoche die Architektur manche Umgestaltungen, die ihr inneres Wesen scharf berührten und für die Folgezeit zu wichtigen Momenten der Entwicklung wurden. Wie diese Kunstthätigkeit sich in zwei verschiedenen Richtungen entfaltete, deren Mittelpunkt Rom und die neugeschaffene Hauptstadt des oströmischen Reiches, Constantinopel, bilden, ist im Folgenden näher zu erörtern.

2. Der altchristliche Basilikenbau.

Anfänge. Während der ersten Zeiten des Druckes und der Verfolgung mussten die jungen christlichen Gemeinden heimlich in den Häusern der Begüterten unter ihnen, in den Katakomben oder an anderen verborgenen Orten zusammenkommen, um die stille Feier ihrer Liebesmahle zu begehen.

Katakomben. Die **Katakomben***) sind die unterirdischen Begräbnissplätze der ersten christlichen Jahrhunderte. Bis in das 5. Jahrh. hinein erhielt sich bei den Christen die aus dem hohen Alterthum stammende Sitte, ihre Angehörigen in unterirdischen Grüften beizusetzen. Man grub zu dem Ende ein ausgedehntes System von Gängen in den weichen schwärzlichen Tufstein, der sich in den meisten Gegenden unter den Hügeln Roms und der Campagna erstreckt. Meistens nur in einer Breite von zwei bis drei Fuss angelegt, so eng und niedrig, dass man oft nur mit Mühe hindurchschlüpft, ziehen sich diese dunklen Stollen, gelegentlich in mehreren Stockwerken über einander, meilenweit auf- und absteigend in der Erde hin, wie in einem Bergwerk. Auf beiden Seiten sind die Wände regelmässig zu schmalen, länglichen Oeffnungen erweitert, welche eben im Stande waren eine Leiche aufzunehmen. Diese Gräber wurden dann von vorn mit Marmorplatten geschlossen, welche den Namen des Verstorbenen sammt

*) Vergl. *Perret*, Les catacombes de Rome. Paris. Fol., besonders aber das neuere Hauptwerk von *de Rossi*, Roma sotterranea. 2 Vols.

frommen Anrufungen oder Gebeten enthalten. Bisweilen erweitern sich die engen Räume zu kleinen Kapellen, in welchen die Gräber der Bischöfe oder Märtyrer, auch wohl Familiengrüfte angebracht sind. Das Märtyrergrab wird durch einen dasselbe umrahmenden Triumphbogen bezeichnet. Geringe, bescheidene Wandmalereien pflegen solche Räume wohl zu schmücken, auch Spuren von Altären finden sich. Man erkennt daraus, dass nicht bloss an den Gedächtnisstagen der Verstorbenen, sondern zu den Zeiten der Verfolgung wohl auch in längerer Uebung hier Gottesdienst gehalten wurde. Von den vierzig im Alterthum gebrauchten Katakomben sind nur einige zwanzig bekannt. Die bedeutendsten unter ihnen sind die von S. Calisto, S. Agnese, S. Nereo ed Achilleo und S. Alessandro. Auch zu Neapel sieht man ähnliche Katakomben.

So wenig hier bereits von einer selbständigen Architektur die Rede sein kann, so ging doch der Gebrauch, über den Gräbern der Märtyrer das Opfer zu feiern, in den Kirchenbau über, indem man den Altar entweder über einem Märtyrergrabe errichtete oder Reliquien in ihm niederlegte. Als nämlich durch Constantin das Christenthum die staatliche Anerkennung erhalten hatte und dadurch zu einer ganz anderen Weltstellung gekommen war, richtete sich sofort die Thätigkeit auf Anlage angemessener Gebäude für den gemeinsamen Gottesdienst. Wie nun die ganze Kunsttechnik dieser Zeit noch auf antiker, wenn auch verkommener Ueberlieferung beruhte, so knüpfte man mit der Form des christlichen Gotteshauses auch an ein heidnisches Vorbild an. Dass der antike Tempel als solches nicht dienen konnte, lag in der Natur der Sache begründet. War er doch nur die enge Cella, welche den körperlich als anwesend gedachten, im Bilde dargestellten Gott und dessen Schätze und Weihgeschenke umschloss, während es bei dem christlichen Tempel darauf ankam, ein geräumiges, lichtes Gebäude zu schaffen, das die zur heiligen Opferfeier versammelte Gemeinde aufnehme. Kirchenbau.

Auf die Gestaltung des christlichen Gotteshauses scheinen aber verschiedene Einflüsse gewirkt zu haben. Früher nahm man meistens an, dass die antike Markt- und Gerichtsbasilika ohne Weiteres, mit gewissen Umgestaltungen, zur christlichen Basilika eingerichtet worden sei. Diese Ansicht lässt sich durch Nichts beweisen; wohl aber werden jene antiken Basiliken für die grossartigere Ausbildung des christlichen Gotteshauses manchen Anhaltspunkt geboten haben. Ursprünglich scheint allerdings, wie Weingärtner hervorhebt, die christliche Basilika ihre Grundform jenen Sälen (Oeci) des antiken Privathauses entnommen zu haben, in welchen die frühesten Versammlungen der Gemeinden stattfanden. Da Vitruv eine bestimmte Form des Oecus, die ägyptische, den Basiliken sehr ähnlich findet, so sieht man, dass in der That grössere Versammlungssäle bei den Alten, mochten sie den verschiedensten Zwecken dienen, in der Anlage meistens Verwandtschaft zeigten. Das Atrium des Privathauses mit seinem Wasserbehälter gibt eine weitere Parallele mit dem christlichen Gotteshause. Aber selbst die Einwirkung des antiken Hypäthraltempels mit seinen inneren Säulenreihen darf man für die Gestaltung der christlichen Basilika vielleicht nicht ganz abweisen. Da die ältesten Basiliken, die wir in Afrika finden werden, die Aspis noch nach innen hineinziehen, so unterstützt dies jene Ableitungen. Aber als es galt, den christlichen Basiliken die höchste Grossartigkeit der Anlage zu geben, da werden den Architekten jene imposanten antiken Gebäude, wie die Basilica Julia, Fulvia und vor Allem die Ulpia, ohne Zweifel einen wichtigen Anhaltspunkt gewährt haben. Freilich bedurfte auch die Form der antiken Basilika der durchgreifendsten Umgestaltungen, um den Anforderungen des neuen Geistes zu genügen, und man darf, wie es oft geschehen ist, die erfindende Thätigkeit dieser ersten christlichen Epoche nicht zu Gunsten der antik-römischen Baukunst zu gering anschlagen. Ein vergleichender Blick auf die christliche Basilika und ihr heidnisches Vorbild wird dies bestätigen*). Altchristliche Basilika.

*) Vergl. die oben erwähnte Schrift von *Zestermann*, Die antiken und altchristlichen Basiliken etc. Dagegen *J. A. Messmer*, Ueber den Ursprung, die Entwicklung und Bedeutung der Basilika in der christlichen Baukunst. Besonders aber neuerdings *W. Weingärtner*, der in seiner Schrift über Ursprung und Entwicklung des christl. Kirchengeb. (Leipzig 1858), obwohl ich mich nicht allen Ausführungen anschliessen kann, doch Entscheidendes für die Frage geleistet hat.

Plan der Basilika.

Im Allgemeinen bestand auch die christliche Basilika aus einem oblongen, rechtwinkligen Gebäude und einer vor die eine Schmalseite desselben gelegten halbkreisförmigen Nische. Aber während manche der grösseren antiken Basiliken wahrscheinlich einen unbedeckten Mittelraum hatten, der ringsum von Säulenhallen und über denselben sich hinziehenden Galerien eingeschlossen wurde und nur in loser Verbindung mit der richterlichen Nische stand, bietet die altchristliche Basilika vor allen Dingen einen hoch hinaufgeführten, mit einem Dachstuhle *völlig bedeckten Mittelraum*, der zwar an den beiden Langseiten die niedrigen Säulenhallen, oft mit ihrer oberen Galerie, beibehält, mit der Nische dagegen *durch Beseitigung der dortigen Säulenstellungen in unmittelbare Verbindung tritt*. Somit ist ein Bauwerk von durchaus neuem Charakter geschaffen. Was dort rings umschlossener Raum war, ist hier zu einem hohen *Mittelschiffe* mit niedrigen *Seitenschiffen* (*Abseiten*) geworden, und es ist ein bauliches System gewonnen, welches entschieden in der Längenrichtung fortleitet, bis es sein Ziel, die grosse Halbkreisnische, trifft. Diese (*Apsis*, *Concha*, *Tribuna* genannt) wird hierdurch bedeutsam für den ästhetischen Eindruck des Inneren, indem sie mit ihrem mächtigen Bogen das Mittelschiff in imponirender Weise schliesst. Häufig findet sich aber auch ein Querhaus (*Kreuzschiff*) angeordnet, welches in der vollen Höhe des Mittelschiffes sich zwischen dieses und die Apsis legt. Indem es sich einerseits an die grosse Halbkuppel der letzteren lehnt, öffnet es sich andrerseits mit einem mächtigen, bisweilen auf gewaltige Säulen gestellten Halbkreisbogen, dem sogenannten *Triumphbogen*, gegen das Mittelschiff. Auf die Abseiten dagegen mündet es mit je einer kleineren im Halbkreise geschlossenen Oeffnung. Meistens tritt das Kreuzschiff mit seiner Masse über die ganze Breite des Langhauses hinaus. — Der Zugang endlich blieb, wie bei den antiken Basiliken, an der der Nische gegenüberliegenden Schmalseite, wo meistens eine *Vorhalle* von der Höhe der Seitenschiffe sich vor die ganze Breite des Gebäudes legte, aus welcher in jedes Schiff besondere Eingänge führten. So stellte gleich dem Eintretenden die Hauptrichtung des Gebäudes sich klar vor Augen und lenkte den Blick auf den hohen Triumphbogen und durch ihn hinweg auf die Apsis hin (vgl. Fig. 157).

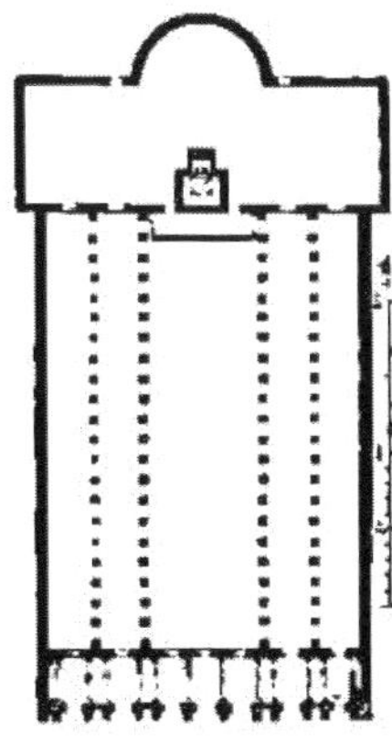

Fig. 156. Basilika S. Paul vor Rom.

Construction des Innern.

Die Säulenreihen, welche das Mittelschiff von den Seitenräumen trennten, hatten zugleich die ganze Last der oberen Schiffmauer zu tragen. Um sie zu dieser Function tauglich zu machen, kam man nun auf die bedeutende Neuerung, dass man die Säulen in etwas weiteren Abständen aufstellte und *statt des Architravs durch breite Halbkreisbögen* (*Archivolten*) verband, die unter einander ihren Seitenschub aufhoben und dem Oberbaue eine kräftige Stütze boten. Statt der ruhigen Einheit des antiken Architravs hatte man also die bewegte Vielheit einer Anzahl von gleichen Gliedern, die in sanfter Schwingung das Auge nach dem Zielpunkte des ganzen Gebäudes, der grossen Halbkreisnische, leiteten. Wo man dagegen den antiken Architrav beibehielt, da entlastete man ihn, wie an der Basilika S. *Prassede* zu Rom, durch flache Stichbögen (d. h. Bögen, die nicht einen Halbkreis, sondern ein kleines Segment des Kreises bilden), oder man stellte die Säulen in dichterer Reihe auf. — Bei manchen der grossen Basiliken ordnete man neben den beiden Säulenreihen noch zwei andere an, so dass jederseits zwei, im *Ganzen vier Seitenschiffe* das Mittelschiff einschliessen. Die Beibehaltung der oberen Galerien über den Seitenschiffen, die man mitunter, z. B. an S. Agnese, an den ältesten Theilen von S. Lorenzo und in der Kirche S. Quattro Coronati zu Rom, antrifft, ist im Allgemeinen eine Eigenthümlichkeit byzantinischer Bauweise, zum Zwecke einer nach der Sitte des Orients gebräuchlichen Isolirung des weiblichen Geschlechts.

Oberwand.

Ueber den schräg ansteigenden, an den Mittelbau gelehnten Pultdächern der Seitenschiffe erhob sich die Oberwand des Mittelschiffes zu bedeutender Höhe, in ihrem strengen Ernst durch keine architektonischen Glieder gemildert, nur durch eine Reihe von Fenstern jederseits durchbrochen. Diese waren anfangs hoch und weit, mit Halbkreisbögen überspannt, mit rechtwinklig gemauerter Laibung, zuerst durch dünne, durchbrochene Marmortafeln geschlossen, die, im Verein mit den Fen-

Fig. 187. Basilika S. Paul vor Rom.

stern in den Umfassungsmauern der Seitenschiffe, ein zwar reichliches, aber gedämpftes Licht dem Inneren zuführten. Erst in späteren Jahrhunderten erhielten diese Fenster allmählich kleinere Form. — Die Bedeckung sämmtlicher Räume, mit Ausschluss der mit einer Halbkuppel überwölbten Nische, wurde durch eine flache, mit verziertem Täfelwerke geschlossene Holzdecke bewirkt, über welcher sich die nicht sehr steil ansteigenden Dächer erhoben. Erst in späteren Zeiten einer dürftigeren Bauführung liess man diese Decken fort und zeigte die offene Balkenconstruction des Dachstuhls (vgl. Fig. 187).

Art der Durchbildung.

So grossartig nun die Basilika in ihren Hauptverhältnissen entworfen war, so fehlte doch jener Zeit zu sehr der feinere künstlerische Sinn, als dass es ihr hätte gelingen können, dies bauliche Gerüst auch im Einzelnen consequent auszubilden. Es kam zunächst auch in der That nicht hierauf an, sondern nur auf die Hauptsache, auf die Schöpfung einer neuen Architekturform, und für eine solche war eine

Zeit, die den Blick für das Detail verloren hatte und nur nach einer Gesammtconception suchte, welche für die neuen geistigen Bedürfnisse ein entsprechender Ausdruck sei, am besten geeignet. Es ist daher nicht zu verwundern, dass die Ausbildung der Basiliken sehr mangelhaft war. Man führte das Gebäude meistens in Ziegeln, zum Theil auch in Tufstein oder Quadern auf, jedoch in ziemlich nachlässiger Weise, die sich in späteren Jahrhunderten nur noch steigerte. Die Säulen entnahm man, besonders in Rom, den antiken Prachtgebäuden, welche in grosser Anzahl noch vorhanden waren. Daher lässt sich mit ziemlicher Gewissheit aus der grösseren Schönheit und Uebereinstimmung der Säulen das höhere Alter der Basiliken erkennen. Denn je früher dieselben errichtet wurden, desto grösser war noch die Auswahl unter den vorhandenen antiken Monumenten. Konnte man nicht genug gleichartige Säulen erhalten, was je später je öfter eintreten musste, so setzte man verschiedene in einer Reihe neben einander und machte sie auf völlig barbarische Weise dadurch gleich, dass man die zu langen verkürzte, die zu kurzen durch einen höhern Untersatz verlängerte. Daher wechseln auch in römischen Basiliken die verschiedenen Säulenordnungen der antiken Style manchmal in bunter Vermischung; doch ist die korinthische die häufigste, ohne Zweifel, weil man diese an den römischen Monumenten in der grössten Anzahl vorfand. Das korinthische Kapitäl ist auch, weil es bei seiner schlanken, reichen Form am besten aus dem runden Säulenschafte in die viereckige Archivolte überleitet, für diesen Zweck das geeignetste, obwohl auch hier der zu leicht gebildete Abakus keine glückliche Vermittlung mit dem breit vorstehenden Bogen abgab.

Neuer Constructionsgedanke. Ein wichtiger Fortschritt gegen die antik-römische Architektur liegt aber darin, dass die Säule selbst aus der müssigen Decorativstellung, die sie dort einnahm, befreit und einem neuen Berufe entgegengeführt wird. Die letzten Römerbauten, Werke wie die Constantinische Basilika und der Saal der Diocletiansthermen, waren darin schon mit einflussreichem Beispiel vorangeschritten. Die Säule ist nun wirklich wieder, was sie bei den Griechen gewesen war: stützendes, raumöffnendes Glied, nur dass ihre Stützfähigkeit in viel ernsthafterer Weise als dort in Anspruch genommen wird. Denn es war allerdings ein kühner Constructionsgedanke, die ganze Oberwand des Schiffes sammt dem Dachstuhle auf einer Säulenreihe aufzubauen, und über dieser wichtigen neuen That mag man es als unbedeutender betrachten, dass die Säule für ihre neue Function noch nicht die neue Gestalt zu gewinnen vermochte. Doch darf auch hierbei nicht vergessen werden, dass in den grossen antiken Basiliken, wie z. B. in der Ulpia, die Säulenstellungen in nicht minder nachdrücklicher Weise als Stützen der oberen Wände und des Dachstuhls zur Verwendung kamen. Von welcher Bedeutung aber schon im antiken Rom die Construction der Dachstühle war, erhellt aus dem von Agrippa aufgeführten Diribitorium, dessen Balken eine Länge von 100 Fuss hatten.

Ausschmückung. Auch im Uebrigen blieb man bei den gewonnenen Grundzügen des neuen Systems stehen, ohne die mächtigen Mauerflächen des Innern, die man bekommen hatte, streng architektonisch gliedern zu können. Der Mangel dieser Fähigkeit, vereint mit der Prachtliebe der Zeit, führte statt dessen zu einer reichen Ausschmückung des Innern mit Mosaiken oder Fresken, die zunächst die Nische und den Triumphbogen, sodann aber auch alle grösseren Flächen, besonders die hohen Oberwände des Mittelschiffes bedeckten. Die kolossalen Gestalten Christi, der Apostel und Märtyrer schauten, auf leuchtenden Goldgrund gemalt, auf die Gemeinde herab und gaben dem Innern eine höchst imponirende, harmonische Gesammtwirkung. Es war nicht ohne tiefere Bedeutung, dass, während der nach aussen gerichtete antike Tempel sich mit Sculpturen schmückte, die christliche Kirche, die anfangs nur eine Architektur des Innern kannte, die plastische Zierde vernachlässigte und nur mit der Malerei sich verband. Denn diese in ihrem Farbenglanze und der Beweglichkeit, mit welcher sie die tiefsten Gedankenbeziehungen, die innigsten Empfindungen darzustellen vermag, ist recht eigentlich die Kunst des Gemüthes, des Innern.

Würdigung der Basilika. Bei all diesem Mangel an Einzelgliederung steht die altchristliche Basilika als eine durchaus neue bauliche Conception da. Sie zeigt uns zum ersten Male in der geschichtlichen Entwicklungsreihe ein grossartig angelegtes, architektonisch gegliedertes Inneres. Auch die indischen Grotten und die ägyptischen Tempel gingen auf eine Innenarchitektur aus, allein diese war bei ihnen nichts als ein ziemlich regelloser Complex von Einzelheiten, die in monotoner Weise an einander gereiht waren. Ganz anders die christliche Basilika. Indem sie dem Mittelschiffe mehr als die doppelte Breite und Höhe der Seitenschiffe gab, bildete sie eine Gruppe innerer Räumlichkeiten, die sich durch die doppelte Lichtregion als zweistöckig zu erkennen gab und durch den dominirenden hochragenden Mittelbau die Hauptrichtung der ganzen Anlage deutlich betonte. Durch die Apsis aber, die beim Hinzukommen eines Querschiffes für die perspectivische Wirkung noch bedeutender hervorgehoben wurde, erhielt der ganze Bau einen imponirenden Schluss und Zielpunkt. So starr auch noch dabei die Mauern sich verhalten, so unberührt von der fortschreitenden Bewegung sie sich zeigen, so geben doch die Bögen der Säulenreihen eine lebendig pulsirende Linie und setzen der lastenden Masse einen elastischen Widerstand entgegen. In dieser schlichten Strenge, die beim Hinblick auf die Details selbst etwas Unbehülfliches verräth, ist der bedeutende Eindruck der Basilika begründet. Der Gedanke, der ihr zu Grunde liegt, erscheint höchst einfach: allein in allem künstlerischen Schaffen sind die einfachsten Gedanken zugleich die entwicklungsfähigsten: der Musiker bildet aus dem einfachsten Thema die herrlichste Symphonie, der Dichter aus der einfachsten Grundidee das ergreifendste Drama. Und dass der Gedanke der Basilika die Probe bestanden hat, werden wir im weiteren Verlaufe der geschichtlichen Betrachtung erfahren.

Das Aeussere.

So einseitig aber wandte sich die neue Richtung dem Innern zu, dass einstweilen für die Belebung des Aeusseren Nichts abfiel. Nach aussen trat die Basilika mit kahlen Mauermassen vor, nur unterbrochen durch die Fenster und Portale. Doch gab das mächtig aufragende Mittelschiff, dem sich dienend und abhängig die niederen Seitenschiffe anlehnten, im Verein mit dem hohen Querhause und der aus dessen ernster Mauerfläche vortretenden Nische, einen bei aller Anspruchslosigkeit würdevollen, bei aller Einfachheit grossartig imponirenden Eindruck. Im Gegensatze gegen alle früheren Tempelanlagen bezeugte auch das Aeussere der Basilika durch seine Eintheilung und seine doppelten Fensterreihen die zweistöckige Anlage, die Verbindung mehrerer verschiedenartiger Räume zu einer Einheit. — Die ziemlich hohen und breiten Thüren, die meistens durch bronzene Thorflügel geschlossen wurden, waren mit einem geraden Sturze überdeckt, den man durch einen darüber gezogenen Halbkreisbogen entlastete. Wo ein Vorhof fehlte, wurde diesem Portal eine kleine Vorhalle angesetzt, die auf zwei Säulen ruhte und gewöhnlich mit einem Kreuzgewölbe bedeckt wurde. Auch Vorhallen in der ganzen Breite des Langhauses kommen vor, z. B. an S. Lorenzo bei Rom.

Façade.

Im Gegensatz gegen die offenen, von Säulenstellungen umgebenen, durch plastische Werke geschmückten antiken Tempelfaçaden bot die Basilika eine geschlossene Façade dar, die nur durch das Portal oder die Vorhalle unterbrochen wurde und mit kolossalen Mosaikdarstellungen geschmückt zu werden pflegte. Das mit dem schrägen Dache aufsteigende Gesims, meistens in der spät-römischen Weise mit dünner Platte auf Consolen, oft auch ohne Consolen, bildete den Abschluss. Dazu fügte man einfach oder gedoppelt einen Fries, der zickzackartig durch Stromschichten von Backsteinen gebildet wird (Fig. 188.) Die Mauern waren meistens ohne Verputz in Backsteinen ausgeführt, die durch Schichtungen und Fenstereinfassungen in verschiedenfarbigen Ziegeln manchmal Abwechslung erhielten. Auch hierin erkennt man die Scheu der altchristlichen Architektur vor plastischer, die Vorliebe für malerische Ausschmückung.

Thurmbau.

Erst in späterer Zeit verband sich ein Thurmbau mit der Basilika, und zwar in der Weise, dass ein einfach viereckiger oder runder Glockenthurm, in seinen oberen Theilen mit rundbogig überwölbten Schallöffnungen versehen, dem Gebäude ganz äusserlich und ohne organische Verbindung zur Seite trat. Ein zierliches Beispiel dieser Art ist der viereckige Thurm von S. Maria in Cosmedin zu Rom (Fig. 189.) Ueber Alter und Entstehung der Kirchthürme ist viel Widerstreitendes behauptet worden. In neuerer Zeit hat man namentlich eine Zurückführung derselben auf die antiken Grabmäler und überhaupt eine Verbindung mit dem Gräberdienste beweisen wollen.*) Allein ein solcher Zusammenhang lässt sich nirgends rechtfertigen und es bleibt wohl das Einfachste und Richtigste, die Thürme von Anfang als Glockenthürme (Campanile) aufzufassen, die ursprünglich aus der Sitte, die Gemeinde durch das Zeichen der Glocke zum Gottesdienste zu rufen, hervorgegangen sind.**) Wo und wann dies zuerst geschehen ist, lässt sich schwerlich noch ermitteln; eine Sage will die Entstehung der Glocken (campana, nola) aus Campanien ableiten und mit dem Bischof Paulinus von Nola in Verbindung bringen. Zuerst scheint man die noch kleinen Glocken in leichten Thürmchen, vielleicht Dachreitern angebracht zu haben, bis die grösser gewordenen Glocken grosse und hohe Thurmbauten heischten. Vor dem

Fig. 188. Dachkranzgesimse aus S. Apollinare in Classe zu Ravenna und Tre Fontane bei Rom. (Hahn.)

7. Jahrhundert finden sich keine sicheren Erwähnungen von derartigen Thürmen; doch will Hübsch einige ravennatische Thürme, namentlich den bei S. Francesco noch dem beginnenden 6. Jahrh. zusprechen. Wir müssen das dahingestellt sein lassen.

Innere Einrichtung. Ehe wir an die Aufzählung der namhaftesten Basiliken gehen, haben wir noch Einiges über die innere Einrichtung der Basilika beizubringen. In dieser Hinsicht zerfiel das Gebäude in zwei Haupttheile: die meistens gegen Osten***) angelegte Apsis

Sanctuarium. sammt dem Kreuzschiffe, welcher Theil als Sanctuarium oder Presbyterium für den Altar und die Geistlichkeit bestimmt wurde, und das Langhaus, welches die Gemeinde aufnahm. In der Mitte der Nische stand der erhöhte Stuhl des Bischofs, um den sich an den Wänden die Sitze der höheren Geistlichkeit im Halbkreise hinzogen. Den Altar, welcher frei vor der Nische sich erhob, bildete ein Tisch, durch einen Baldachin (Ciborium) überbaut, dessen Vorhänge geschlossen und geöffnet werden konnten. Unter dem Presbyterium ist gewöhnlich eine kleine Gruft, die sogenannte Confessio, angeordnet, welche, in deutlicher Anknüpfung an die Katakomben, für den Sarkophag des Titelheiligen der Kirche bestimmt war. Den mittleren Raum des Kreuzschiffes wies man der niederen Geistlichkeit an, welche den Chorgesang auszuführen hatte,

*) H. Weingärtner, System des christlichen Thurmbaues. Göttingen 1860. Der Verf. nennt es „Wahnwitz, zu glauben, die Unterbringung der kuhschellenartigen Glöcklein könne jene mächtigen Thurmbauten der christlichen Kirchen herbeigeführt haben." Als ob die Thürme gleich so gross gewesen, und die Glocken stets so klein geblieben wären!

**) Vergl. die sorgfältige Arbeit von F. W. Unger „Zur Geschichte der Kirchthürme" in den Jahrb. des Ver. von Alterthums-freunden im Rheinl. Jahrg. XV. 1850.

***) Viele römische Basiliken, darunter einige der ältesten, haben die Apsis an der Westseite, den Eingang gegen Osten. So die alte Peterskirche, S. Giovanni in Laterano, S. Maria Maggiore, S. Alessio, S. Balbina, S. Cecilia, S. Cesareo, S. Clemente, S. Crisogono, S. Giov. e Paolo, der ältere Theil von S. Lorenzo, S. Maria in Domnica, S. Maria in Trastevere, S. Martino ai Monti, S. Nicolo in Carcere, S. Pietro in Montorio, S. Prassede, S. Pudentiana, S. S. Quattro Coronati, S. Saba. Mehrmals ist dabei die Lage und der alte Zug der Strassen massgebend gewesen. Die Ostung scheint erst allmählich den Sieg davongetragen zu haben.

wovon in der Folge der Ausdruck „Chor“ auf die Oertlichkeit übertragen wurde. Von den beiden Seitenflügeln des Kreuzschiffes hiess der eine, vornehme Männer und Mönche aufnehmende Senatorium; der andere, Matronaeum genannte, wurde angesehenen Frauen und Nonnen eingeräumt. Das ganze Sanctuarium wurde von dem für die Gemeinde bestimmten Langhause durch eine niedrige marmorne Mauerschranke getrennt, die an beiden Seiten mit einer erhöhten Kanzel (Ambo) verbunden war. Von der südlichen wurde dem Volke die Epistel, von der nördlichen das Evangelium vorgelesen.

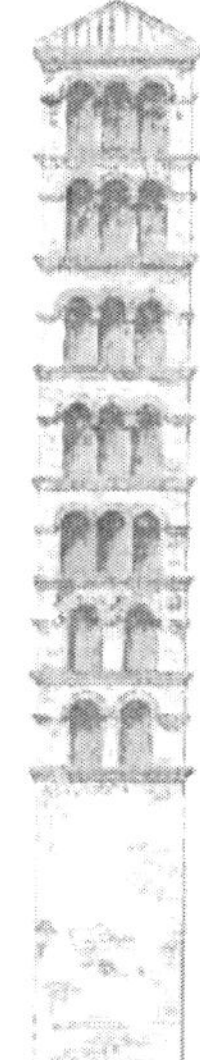

Fig. 189. Thurm von S. Maria in Cosmedin zu Rom.

Die Gemeinde theilte sich in das Langhaus und zwar so, dass die Männer die nördliche, die Frauen die südliche Hälfte einnahmen. War kein Querschiff vorhanden, so zog man, wie in S. Clemente zu Rom, den der Apsis zunächst liegenden Theil des Mittelschiffes zum Sanctuarium hinzu und schied ihn durch Schranken von den übrigen Theilen. Am westlichen Ende der Kirche grenzte man ebenfalls durch eine niedrige Brustwehr, die hier in der ganzen Breite des Innern hinlief, einen schmalen Raum ab, der wegen seiner Form oder Bestimmung den Namen Narthex (Rohr, Geissel) erhielt, denn er nahm die noch nicht zur Gemeinschaft der Kirche gehörenden Catechumenen auf, die nur zum Anhören der Epistel und des Evangeliums zugelassen und beim Beginn des heiligen Opfers entfernt wurden. Endlich legte sich oft an diese Seite der Basilika ein äusserer, von Säulenhallen rings umschlossener Vorhof (Atrium, Paradisus), in dessen Mitte ein Brunnen (Cantharus) stand, aus welchem man beim Eintreten — ähnlich wie beim griechischen Tempel — zum Zeichen innerer Reinigung sich besprengte. Während des Gottesdienstes hielten sich hier diejenigen auf, welche, aus der Kirche ausgestossen, öffentlich Busse thun mussten. Langhaus.

Am zahlreichsten finden sich die Basiliken in Rom selbst vor*). Unter den von Constantin erbauten zeichnete sich die alte Peterskirche durch ihre Grösse, fünfschiffige Anlage und reiche Ausschmückung aus. Wir geben unter Fig. 190 ihre Innenansicht und unter Fig. 191 ihren Grundriss, der sie mit ihrer Kreuzgestalt, dem geräumigen Atrium, den kleineren Nebengebäuden und — in punktirten Linien — dem Neronischen Circus, neben welchem sie erbaut wurde, vorführt. Ihre Säulenreihen zeigten noch das antike Gebälk statt der Bögen. Sie musste im 16. Jahrh. der kolossalen neuen Peterskirche weichen. Ebenfalls in constantinischer Zeit wurde, zu Ehren der Auffindung des Kreuzes Christi durch die Kaiserin Helena, in dem Palaste des Sessorium die Basilika S. Croce in Gerusalemme erbaut, deren ursprünglich zweistöckige Anlage trotz späterer durchgreifender Veränderungen Hübsch nachgewiesen hat. Auch die kleine Kirche S. Pudenziana gehört in der Grundanlage der constantinischen Zeit an. Ihr wurde später, etwa im 6. Jahrh., ein eleganter Glockenthurm hinzugefügt. Weiter ist die gewaltige dreischiffige Basilika S. Maria Maggiore mit ihren prächtigen Säulenreihen im Wesentlichen noch ein Werk des 4. Jahrh. In dem heutigen Pfeilerbau von S. Giovanni in Laterano lässt sich dagegen die ursprüngliche fünfschiffige Basilika der constantinischen Zeit nur noch aus der Gesammtform errathen. Auch die Paulskirche vor den Mauern Roms, die etwas später Basiliken zu Rom. S. Peter. S. Croce. S. Pudenziana. S. Maggiore. S. Giovanni. S. Paolo.

*) Hauptwerk über die römischen Basiliken *F. G. Gutensohn* und *J. M. Knapp*, Denkmale der christlichen Religion, oder Sammlung der ältesten Kirchen oder Basiliken. Fol. Rom 1822 ff. Dazu als Text *C. Bunsen*, Die Basiliken des christlichen Roms. 4. Rom, 1843. — *Seroux d'Agincourt*, Histoire de l'art etc. 6 Vols. Paris 1823. Deutsche Ausg. von *F. von Quast*, Berlin 1840. — *L. Canina*, Ricerche sull' architettura più propria dei tempj cristiani etc. Fol. Roma 1846. *J. Burckhardt*, Der Cicerone. 8. 2. Aufl. Leipzig 1869. Hauptwerk über die gesammte altchristliche Architektur *H. Hübsch*, die altchristlichen Kirchen etc. Karlsruhe 1863. gr. Fol.

unter Theodosius von 380 bis ca. 400 aufgeführt wurde, ist zerstört worden, da sie im J. 1823 durch einen Brand zu Grunde ging; doch ward sie jüngst mit Nachahmung der alten Anlage erneuert. Diese hatte ebenfalls ein fünfschiffiges Langhaus auf vier Reihen von je 20 korinthischen Säulen (vgl. Fig. 186 u. 187), die jedoch schon die Bogenverbindung haben, und ein mächtiges Kreuzschiff, das durch eine später eingesetzte Mauer seiner Länge nach getheilt wurde. Die Gesammtlänge dieses grossartigen Baues betrug 450, des Querhauses 240 Fuss, die Halbkuppel der Apsis hatte 81 Fuss Spannung, die Weite des Mittelschiffes betrug 77 Fuss, während der jetzige ungeheure S. Peter nur 70 Fuss Mittelschiffweite hat. Dem 5. Jahrh. gehört die edle
S. Sabina. dreischiffige Basilika S. Sabina auf dem Aventin, mit ihren 24 prächtigen korinthischen Marmorsäulen, die sämmtlich demselben antiken Gebäude entnommen sind. Das 44 Fuss weite Hauptschiff zeigt das mittlere Maass der römischen Basiliken. Wenig

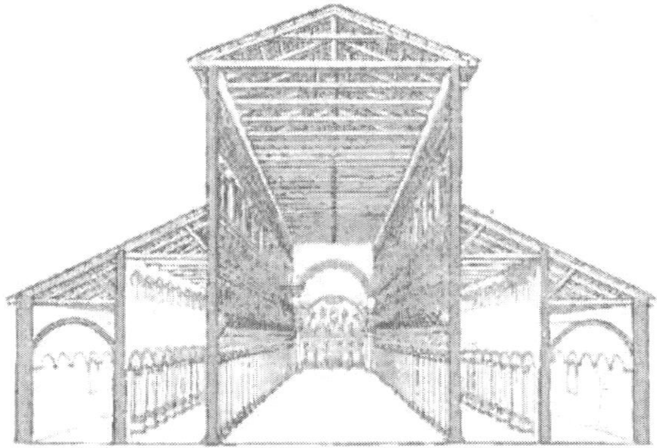

Fig. 190. Innenansicht der alten Peterskirche in Rom.

S. P. in Vincoli. jünger, um 450 entstanden, ist die stattliche Kirche S. Pietro in Vincoli, mit einem Mittelschiffe von 49½ Fuss Breite, das von 20 weissen Marmorsäulen mit dorischen Kapitälen eingeschlossen wird. Die Kreuzgewölbe des Querschiffes scheinen einer
S. Martino. späteren Zeit anzugehören. Sodann ist noch S. Martino ai Monti als mächtige dreischiffige Basilika mit 24 Marmorsäulen, die durch Architrave verbunden sind, zu erwähnen. Das Mittelschiff ist 41 Fuss breit, unter dem Chor befindet sich eine Confessio. Ueber 40 Treppenstufen gelangt man zu der älteren Unterkirche, einem wahrscheinlich antik-römischen Gewölbebau von drei Schiffen mit Pfeilern und Kreuzgewölben, an den Wänden mit Resten von Mosaiken und Fresken, am Fussboden mit einfachen Mosaiken aus weissen und schwarzen Steinen geschmückt. Andere römische Basiliken des fünften und der folgenden Jahrhunderte zeigen mehrere in Hinsicht auf die Säulenstellung und die Bedeckung des Mittelraumes eigenthümliche, neue Con-
S. Maria in Cosmedin. structionsmotive. So tritt bei S. Maria in Cosmedin aus dem 8. Jahrh. (vgl. Fig. 192), zwischen je drei der korinthischen Säulen ein breiter Pfeiler, um die Stützkraft zu verstärken. Die Dimensionen sind hier nur gering, das Mittelschiff hat nur 23 Fuss Breite, ein Querhaus fehlt gänzlich, dagegen ist eine kleine dreischiffige Krypta vorhanden, deren Wände fast nach Art der Columbarien rings mit Nischen versehen sind,

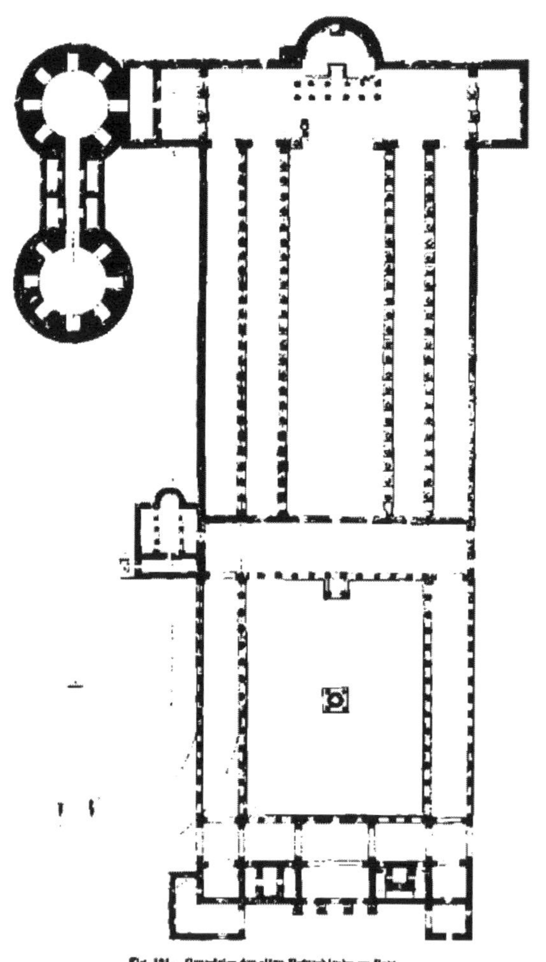

Fig. 191. Grundriss der alten Peterskirche zu Rom.
(1 Zoll = 100 Fuss.)

und deren Granitsäulen antikisirende Kapitäle zeigen; die Gesammtlänge der Kirche beträgt nicht über 105 F. Dieselbe Anordnung findet sich bei der dem 12. Jahrh. angehörenden Kirche S. Clemente, welche ebenfalls in weit kleinerem Maassstabe, 130 Fuss lang bei 35 Fuss Mittelschiffweite, dreischiffig und ohne Querhaus aufgeführt, aber durch die völlige Erhaltung ihrer alten Einrichtung, der Marmorschranken des Chors sammt den Ambonen, sowie der Marmor- und Mosaikbekleidung des Fussbodens, interessant ist. Auch hat sie ein ausgedehntes Atrium von quadratischer Anlage mit Säulenhallen. Unter der Kirche ist in den letzten Jahren eine viel ältere Kirche ausgegraben worden, die durch ihre prachtvollen Säulen und die das ganze Innere bedeckenden Wandgemälde bemerkenswerth ist.*) Bei der aus dem 9. Jahrh. stammenden Basilika S. Prassede (vgl. Fig. 193), wo die Säulen gerades, durch flache Bögen entlastetes Gebälk haben, springt nach je zweien derselben ein Pfeiler weit in's Mittelschiff vor und verbindet sich mit dem gegenüberstehenden durch einen grossen gemauer-

S. Clemente.

S. Prassede.

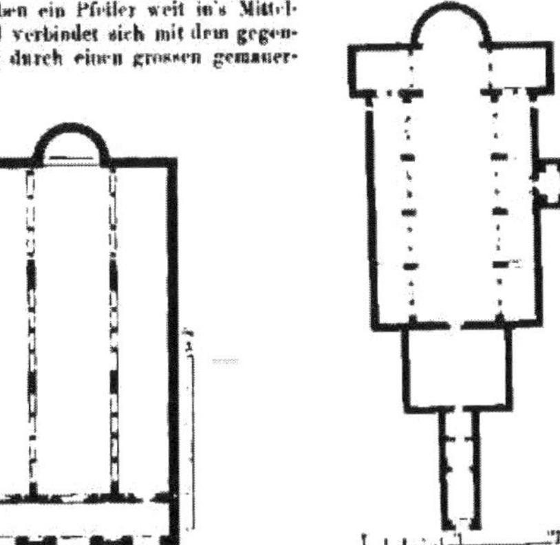

Fig. 192. S. Maria in Cosmedin. Fig. 194. S. Prassede.

ten Gurtbogen, welcher das Dach tragen hilft. Aus früherer Zeit sind endlich noch zwei römische Basiliken durch die über den Seitenschiffen angeordneten Emporen, eine Ausnahme bei den abendländischen Kirchen jener Zeit, bemerkenswerth. Sie liegen beide vor den Mauern der Stadt: S. Lorenzo, aus dem 6. Jahrh., nach Hübsch aus noch früherer Zeit datirend, die unteren Säulenreihen mit geradem Gebälk, die oberen mit Rundbögen verbunden, während der jetzige ausgedehnte Schiffbau in späterer Zeit ohne Emporen angefügt wurde; und S. Agnese, dem 7. Jahrh. angehörend, mit durchgeführtem Bogensystem bei ähnlich geringer Ausdehnung. Zu diesen gesellt sich noch die Kirche SS. Quattro Coronati, eine dreischiffige Basilika mit Emporen, deren ionische Granitsäulen mit einem Pfeiler wechseln.

S. Lorenzo.

S. Agnese.

S. Quattro.

Im übrigen Italien trifft der Basilikenbau meist ohne Querhaus, aber bisweilen in grossartig fünfschiffiger Anlage auf. Solcher Art ist die Kirche S. Frediano zu Lucca, deren äussere Seitenschiffe später vermauert worden sind, ursprünglich eine fünfschiffige Basilika mit 44 Säulen und einem Mittelschiff von 32 Fuss Weite bei überaus leich-

Basiliken im übrigen Italien. Lucca.

*) Ueber diese, sowie eine kleine aus dem 5. Jahrhundert rührende Basilika S. Stefano, die an der Via Latina neuerdings ausgegraben wurde, vergl. Nachrichten und Zeichnungen in meinem Reisebericht in den Mittheil. der Wiener Central-Commission, 1863, S. 199 ff.

ten freien Verhältnissen. Man hat auch hier fast lauter antike Reste benutzt; die schön gearbeiteten Basen aus weissem Marmor sind meist zu gross für die Schäfte, welche ebenfalls grossentheils antik, einige aus dunklem Marmor, andere aus weissem Marmor mit Cannelirungen sind. Auch die Kapitäle sind mehrentheils antik, und zwar korinthisch, von reicher feiner Arbeit, theils auch nachgeahmte und zwar in ziemlich freier Behandlung, z. B. ionische mit sehr hohen reich gegliederten Deckplatten. Eine dreischiffige Basilika altchristlicher Zeit ist S. Pietro zu Perugia, deren 40 Fuss breites Perugia.
Mittelschiff von 20 antiken ionischen Säulen eingeschlossen wird. Der Chor hat in gothischer Zeit einen Umbau erlitten. Fünfschiffig ist sodann der grossartige Dom von S. Maria maggiore bei Capua, dessen fünf Schiffe, 43 Fuss, 18 Fuss und 16 Fuss breit von 54 antiken Säulen, Ueberresten der alten Herrlichkeit Capua's, gebildet werden. Sämmtliche Schiffe enden ohne Querbau unmittelbar in Apsiden, von denen nur die mittlere später polygon umgestaltet ist, wie denn auch sämmtliche Schiffe nachträglich Gewölbe erhalten haben. Im benachbarten Capua ist der Dom zunächst durch Capua.
ein grosses Atrium von 16 antiken korinthischen Säulen ausgezeichnet. Das Innere, neuerdings prachtvoll restaurirt, zeigt sich als dreischiffige Basilika mit 24 Granitsäulen; deren neue Kapitäle reich vergoldet sind. Die Krypta unter dem Chor, von alterthümlicher Anlage, hat einen Umgang von 14 antiken Marmorsäulen mit korinthischen Kapitälen. Eine nicht minder alterthümliche Krypta sieht man in dem bei Nola liegenden Flecken Cimitile. Hier sind verschiedene antike Reste in ziemlich regelloser Weise zur Verwendung gekommen.

Eine in mancher Beziehung selbständige Entwicklung des Basilikenbaues findet Basiliken zu Ravenna.
man in den Monumenten von Ravenna*). Diese Stadt war zu grosser Blüthe gelangt, seitdem Honorius (404), aus Furcht vor dem Eindringen der nordischen Völker, seinen kaiserlichen Sitz von Rom hierher verlegt hatte. Als die Ostgothen dem weströmischen Reiche ein Ende machten, schlug auch ihr König Theodorich seit 493 seine Residenz hier auf, und als 539 die Eroberer den Heeren des byzantinischen Kaisers weichen mussten, wurde Ravenna der Sitz des Exarchen, welcher als Statthalter die italienischen Besitzungen des Reiches von Byzanz verwaltete. Diese lange Epoche des Glanzes musste auch auf die Architektur zurückwirken. Es galt hier eine neue Residenz mit prächtigen Gebäuden zu schmücken, zum Theil selbst eine neue Stadt anzubauen, da sich um den Hafen Ravenna's die sogenannte Classis als reiche Hafenstadt nach und nach erhoben hatte.

Diese ravennatischen Bauten unterscheiden sich in wesentlichen Punkten von den Eigenthümlichkeiten derselben.
römischen, obwohl sie zunächst von derselben Grundlage der Basilika ausgingen. Da aber hier nicht wie in Rom eine Menge antiker Reste zur Benutzung vorhanden war, so musste man in höherem Grade selbstthätig sein. Die Säulen wurden daher gleichmässig, und zwar aus prokonnesischem Marmor von der Insel Marmora, gebildet; sie erhielten das korinthische oder römische Kapitäl, aber mit einer strengeren, mehr antik-griechischen als römischen Behandlung des Blattwerkes, die freilich in der Behandlung des Einzelnen eine trockene Schärfe zeigt (Fig. 194). Andere Kapitäle, schon entschiedener byzantinisch, haben bloss die Glockenform, die mit einem conventionellen Rankenwerk mit gezahnten Blättern bedeckt wird (Fig. 195). Ausserdem legte man oft einen würfelartigen Aufsatz als Verstärkung des Abakus auf sie, von welchem der Bogen aufstieg (vgl. Fig. 195). Dies war ein durchaus neues Element, welches später genauer in's Auge zu fassen sein wird. Die Arkaden des Schiffes gewannen dadurch den Charakter leichteren und kräftigeren Aufsteigens, indem der Rundbogen durch den Aufsatz überhöht erschien. Ueberhaupt wurde die Form der Basilika regelmässiger und fester, und zwar ohne Querschiff, aber oft mit zwei kleineren Seitenapsiden ausgebildet und auch zuerst eine Gliederung des Aeusseren versucht. Man führte nämlich die Mauern mit stärkeren Wandpfeilern oder Lisenen (Liseen) auf und setzte

---

*) *F. A. Quast*, Die altchristlichen Bauwerke zu Ravenna vom 5. bis 9. Jahrhundert. Fol. Berlin 1842. Ausführlicher und umfassender sind die Untersuchungen in dem oben citirten Werke von *Hübsch*, sowie die Mittheilungen von *R. Rahn*, ein Besuch in Ravenna, in v. *Zahns* Jahrb. für Kunstwissensch. I., auch gesondert abgedruckt. Leipzig, 1869.

eine leichtere Füllung für die Fensterwand ein, wodurch nicht allein eine Entlastung, sondern auch eine rhythmische Bewegung hervorgebracht wurde. Verband man nun

Fig. 194. Kapitäl aus der Herkules-Basilika zu Ravenna. (Rahn.)

obendrein (Fig. 196), diese Lisenen am oberen Ende mit Blendbögen, so war eine deutliche Reminiscenz an die Säulenarkaden des Inneren gegeben und zugleich die erste Stufe des späteren **Bogenfrieses** erreicht. Endlich führte man neben der Basilika einen einfachen **runden Glockenthurm** auf, der jedoch noch ohne inneren Zusammenhang mit dem Baue stand. Die Thürme so wie die ganzen Aussenmauern der Kirchen wurden in Backsteinen errichtet.

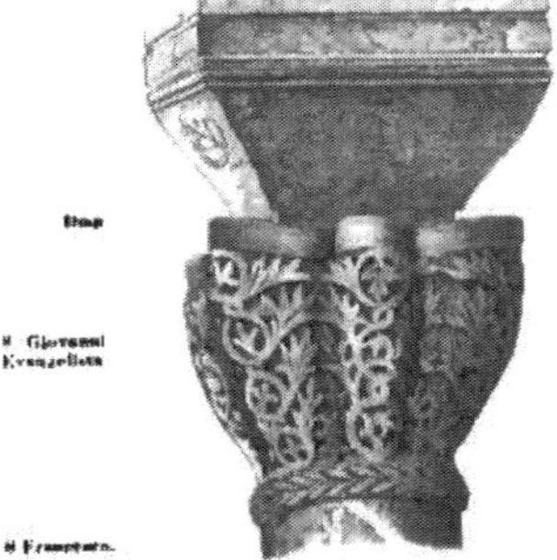

Fig. 195. Kapitäl von S. Vitale zu Ravenna. (Rahn.)

Dom

S. Giovanni Evangelista

S. Francesco.

Unter den Basiliken Ravenna's stand an Grösse und Alter der zu Anfang des 5. Jahrh. erbaute fünfschiffige **Dom** obenan, der im vorigen Jahrh. einen vollständigen Umbau erleiden musste. Um 425 wurde die Kirche **S. Giovanni Evangelista** erbaut, die mit ihren 24 prächtigen antiken Marmorsäulen trotz mancher Veränderungen noch erhalten ist. Ihre Apsis zeigt nach aussen die polygone Gestalt, welche fortan in allen ravennatischen Kirchen wiederkehrt. Aehnlich ist die Apsis der um dieselbe Zeit erbauten Peterskirche, jetzt **S. Francesco**, deren 24 Marmorsäulen vielleicht die ersten in altchristlicher Zeit entstandenen sind. Ueber ihrem antikisirenden Kapitäl tritt zum ersten Mal jener kämpferartige Aufsatz hervor, welcher zur Aufnahme der breiten Arkadenbögen nothwendig wurde, sobald man nicht mehr Säulen von genügender Stärke anwenden mochte. In die Regierungszeit Theodorichs († 526) fällt der Bau der prächtigen Kirche des h. Martin, jetzt S. Apollinare Nuovo (Fig. 197), die mit ihren 24 Marmorsäulen und dem glänzenden musivischen Schmuck ihrer Wände noch immer zu den feierlichsten Resten alt- S. Apollinare Nuovo.

Fig. 196. S. Apollinare in Classe.

christlicher Kunst gehört. Sie war die Hauptkirche der Arianer. Zugleich entstand in geringerer Anlage die Kirche S. Teodoro, eine kleinere dreischiffige Basilika, kurz darauf jedoch (534—549) die imposanteste der noch vorhandenen ravennatischen Basiliken, S. Apollinare in Classe, mit 45 Fuss breitem Mittelschiff, das von 24 Marmorsäulen eingefasst wird, deren Kapitäl eine schwülstige Umbildung des römischen Compositkapitäls zeigt und mit dem kämpferartigen Aufsatz versehen ist (Fig. 198). S. Teodoro. S. Apollinare in Classe.

Fig. 197. Aus S. Apollinare Nuovo zu Ravenna.

In unmittelbarer Einwirkung dieser Bauten erhob sich im 6. Jahrh. der Dom von Parenzo in Istrien, in dessen Säulenreihen und Gesammtanlage Hübsch noch den ersten Bau nachweist, während die Obermauern einer späteren Erneuerung angehören.*) Achtzehn Säulen mit dem ravennatischen Kämpferaufsatz trennen die drei Schiffe; die Apsis ist aussen polygon und zeigt gleich der Façade Reste von Mosaiken. Ein Atrium mit Säulenstellungen verbindet den Bau mit dem benachbarten Baptisterium. — Auch der Dom von Torcello mit seinen 18 Säulen von prokonnesischem Marmor und der trefflich erhaltenen inneren Ausstattung darf im Wesentlichen als ein unter ravennatischem Einfluss entstandenes Denkmal des 7. Jahrh. bezeichnet werden. Denn bei den späteren Reparaturen sind die ursprünglichen Säulen und andere Details ohne Zweifel wieder verwendet worden; die frei nachgebildeten korinthisirenden Kapitäle, die vielleicht von einem der zerstörten festländischen Monumente herübergeholt wurden, sprechen sogar eher für das 5. Jahrh., da sie am meisten der Säule des Marcian in Constantinopel zu vergleichen sind. Der Dom von Murano endlich ist eine erst dem 12. Jahrh. angehörende Basilika ähnlicher Art. — Dom zu Parenzo. Torcello. Murano.

*) Aufnahmen, ausser bei *Hübsch*, in dem Mittelalterl. Denkm. des österr. Staates (Stuttgart) und von *Lohde* in Erbkam's Zeitschrift für Bauwesen 1859.

15*

Aelteste Basiliken.

Gehen die ältesten christlichen Bauwerke Roms nicht über die constantinische Zeit zurück, während wir doch wissen, dass schon vor der diocletianischen Christenverfolgung über vierzig Basiliken in Rom entstanden waren, so haben sich auch in andern Gegenden einige Reste von Basiliken des 3. und beginnenden 4. Jahrh. erhalten, die uns eine Vorstellung von der Anlage der frühesten christlichen Gotteshäuser gewähren. Auf der Nordküste Afrika's und in Aegypten finden sich diese Bauten, freilich zumeist in zerstörtem Zustande, aber doch für die Anschauung der Grundformen hinreichend erhalten. Durchgängig in sehr bescheidenen Dimensionen errichtet, zeigen sie doch schon die fünfschiffige Anlage mit der dreischiffigen wechselnd; statt der Säulen stellt sich mehrfach ein schlichter Pfeilerbau ein; das Querschiff kommt noch nicht vor, und die Apsis ist in den rechtwinklig geschlossenen Bau eingeschoben.

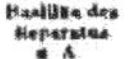

Basilika des Reparatus u. A.

So die Basilika des Reparatus bei Orléansville in Algerien, 326 erbaut, ein fünfschiffiger Pfeilerbau von nur 50 Fuss Gesammtbreite, über den Seitenschiffen wie es scheint ehemals mit Galerien versehen. Die Reste einer anderen ebenfalls fünfschiffigen Basilika von ähnlich geringen Dimensionen sieht man bei Tefaced. Hier bestehen die inneren Stützenreihen aus Säulen, die äusseren aus Pfeilern. Auch im Gebiet von Kyrene, auf den Oasen der libyschen Wüste und in Aegypten haben sich Reste ähnlicher Anlagen erhalten.

Fig. [illegible]. Aus S. Apollinare in Classe zu Ravenna.

Basiliken im Orient. Jerusalem.

Mit der constantinischen Epoche tritt dann der Basilikenbau auch im Orient mächtig und glanzvoll auf. Zu Jerusalem wurde von 326 — 331 die Kirche des heil. Grabes wie es scheint als grosse fünfschiffige Basilika mit antiken Säulen und Emporen über den Seitenschiffen erbaut; die reiche Ausstattung, die vergoldeten und bemalten Felderdecken werden höchlich gepriesen. Der Bau ist durch spätere Zerstörungen und Neubauten völlig verschwunden. Eine fünfschiffige Säulenbasilika derselben Zeit ohne Emporen, mit vier Reihen von je zwölf Säulen, die durch Architrave verbunden werden, ist die ebenfalls unter Constantin erbaute Muttergotteskirche zu Bethlehem,

Bethlehem.

die im Wesentlichen noch von der ersten Anlage herzurühren scheint.*) Die reichere Ausbildung des Chores und Querschiffes, welches letztere seine beiden Arme mit grossen Apsiden schliesst, gehört vielleicht erst einer im 6. Jahrh. unter Justinian eingetretenen Umgestaltung des Baues. Ein Bau von ähnlicher Pracht entstand ebenfalls

Tyrus.

unter Constantin in der Basilika von Tyrus, die jetzt verschwunden ist. Aus justinianischer Zeit hat sich dagegen noch ein bedeutender Bau in der grossartigen Kirche

*) Vergl. die Aufnahme in *M. de Vogüé*, Les églises de la terre sainte. Paris. 1860. 4.

der Verklärung auf Sinai erhalten. Es ist eine dreischiffige Basilika ohne Emporen mit weitem Mittelraum und ebenso weiter Apsis, die wie bei den afrikanischen Kirchen in den rechtwinklig geschlossenen Chor eingeschoben erscheint. Verschiedene altchristliche Basiliken sind sodann, in Moscheen verwandelt, in dem heutigen Salonichi (Thessalonica) vorhanden.*) So die grosse Basilika S. Demetrius, ein glänzender Bau vielleicht noch aus dem 5. Jahrh. Sie ist fünfschiffig, mit Emporen, das Mittelschiff 40 F. breit, die Länge im Innern 160 F., am Westende schliesst sich ein Narthex und davor ein Atrium an, der Chor wird durch eine grosse Halbkreisnische gebildet. Eigenthümlich ist die Anlage eines vollständigen Querschiffes, dessen Arme durch Arkaden von den sich rings um sie fortsetzenden Abseiten getrennt werden. Die Formbildung steht der antiken noch nahe, denn die unteren Säulenhallen haben meist frei korinthisirende, die oberen ionische Kapitäle mit den byzantinischen Kämpferaufsätzen, welche zum Theil mit Ranken und Blättern sculpirt, zum Theil einfach und nur durch ein Monogramm geschmückt sind. Ein weiteres Streben nach neuen Anordnungen offenbart sich darin, dass den unteren Arkadenreihen je nach der dritten oder vierten Säule Pfeiler eingefügt sind. Denselben Charakter hat eine andere dortige Kirche, jetzt Eski-Djuma genannt: eine dreischiffige Basilika mit Emporen, unten je 12 korinthisirende, oben ionische Säulen, überall mit dem bezeichnenden Kämpferaufsatz. Auch hier findet sich die der altchristlichen Zeit eigene Weiträumigkeit: das Mittelschiff hat 48 F. Breite bei 120 F. Länge, jedes Seitenschiff ist 22 F. breit, die Westseite ist durch einen Narthex abgeschlossen. Endlich besitzt auch Constantinopel in der um 463 erbauten Kirche des Studios eine dreischiffige Säulenbasilika, welche jedoch die für Byzanz bezeichnenden Emporen, wenn auch in erneuerter Gestalt, aufweist. Die untere Säulenstellung ist durch Architrave verbunden.

Sinai.

Salonichi.

Constantinopel.

3. Die Denkmäler Central-Syriens.

Eins der wichtigsten Kapitel altchristlicher Baukunst bildet die Denkmälergruppe, welche neuerdings Graf Melchior de Vogüé in den bis jetzt wenig betretenen Gegenden von Central-Syrien nachgewiesen hat. Auf einem Flächenraum von dreissig bis vierzig Quadratmeilen hat er bedeutende Ueberreste von über hundert Städten und kleineren Ortschaften angetroffen, welche in ihren Gebäuden fast vollständig erhaltene Zeugnisse von der Cultur der ersten christlichen Jahrhunderte uns vor Augen stellen.

Verbreitung der Denkmäler.

Als die Schaaren des Islam in das Land einbrachen, begann jener Zustand der Gesetzlosigkeit und Unsicherheit, unter welchem die blühenden Gefilde verödeten, die früher so dichte Bevölkerung sich zerstreute und allmählich verschwand. Kaum eine Hand ist seitdem, sei es um zu erhalten, sei es um zu zerstören, an die Denkmäler gelegt worden; verlassen, preisgegeben von ihren Bewohnern, haben sie in ihrer gediegenen Steinconstruction den Jahrhunderten getrotzt, und wenn nicht die Erschütterungen der in jenen Gegenden so häufigen Erdbeben manches Dach gestürzt, manche Mauer zerrissen, manche Säule zerbrochen hätten, so würde kaum eine Spur von Zerstörung zu beklagen sein. Diesem Zustande von Verlassenheit und Verödung, der so ergreifend mit dem Reichthum, dem Glanz und der monumentalen Gediegenheit der zahllosen Gebäude contrastirt, verdankt der heutige Forscher die Thatsache einer fast vollständigen Erhaltung von Denkmälern, wie sie in solcher Fülle und Eigenthümlichkeit der Boden der alten Welt kaum irgendwo noch darbietet.

Die Gegenden, welche Graf de Vogüé uns erschlossen hat**), bilden den inneren Theil von Syrien, der einerseits von den Küstenländern, andererseits von der Wüste begrenzt wird. Die Denkmäler liegen in zwei gesonderten Gruppen, von denen die südliche die Landschaft des Hauran, die alten Provinzen Auranitidis, Batanaea, Tra-

Zwei Gruppen.

*) Vergl. die Aufnahmen in Texier und Pullan, Byzantine architecture. London 1864. Fol.

**) Syrie centrale. Architecture civile et religieuse du Ier au VIIe Siècle, par le comte Melchior de Vogüé. Paris. Noblet et Baudry, 1865 ff.

chonitis und ein Stück von Ituraea umfasst, die nördliche von jenem Dreieck umschlossen wird, dessen Spitze die Städte Antiochien, Aleppo und Apamea bezeichnen. Die nördliche Gruppe bietet den grössten Reichthum an gleichartigen wohlerhaltenen Denkmälern; die südliche, die des Hauran, bewahrt die ältesten und originellsten Anfänge altchristlicher Kunst. Beginnen wir mit der letzteren.

Hauran Im Hauran hat die Natur den Architekten auf die einfachsten aber zugleich solidesten Hülfsmittel der Construction beschränkt. Indem sie in dem baumlosen Lande ihm das Holz zum Bauen verwehrte und nur das schwer zu bearbeitende Material des Granits darbot, zwang sie ihn zu einer überaus einfachen Construction, deren Hauptelement der Bogen ist. Reihen von Rundbögen, die bisweilen flachgedrückten Korbbögen ähnlich sehen, erheben sich in dichten Intervallen auf schmucklosen Pfeilern. Sie tragen auf emporgeführten Quermauern die grossen Steinplatten der Decke, welche in diesen holzarmen Gegenden zugleich die Rolle des Daches spielt. Häufig legt man, um die Zwischenräume etwas weiter nehmen zu können, weit vorragende Kragsteine über die Bögen, um ein besseres Auflager für die Deckplatten zu gewinnen. Wo engere Räume, seien es Nebenschiffe, Emporen oder untergeordnete Gemächer zu bedecken sind, bedarf es nicht einmal des Bogens; in solchen Fällen genügt es, die Kragsteine unmittelbar auf die Pfeiler zu legen und darüber die Deckplatten auszubreiten. Es versteht sich von selbst, dass dieses Constructionsprincip seine zwingende Rückwirkung auf die Planform dieser Gebäude ausübt. Sie bestehen aus lauter verhältnissmässig schmalen, oft lang gestreckten Räumen, ähnlich den galerieartigen Sälen der Paläste von Niniveh; nur dass die Umfassungsmauern mit Strebepfeilern verstärkt sind, die jedoch nicht nach aussen vorspringen, sondern nach antiker Sitte im Innern sich als stark vorspringende Wandpfeiler kund geben. Aus dem angewandten Material geht ferner auch die knappe, sparsame Ornamentik dieser Bauten hervor.

Wo es dagegen galt, grössere Räume zu bedecken, da griff man zum Kuppelgewölbe; da aber rechtwinklige Planformen dem einfachen Sinne dieses Landes vorzugsweise zusagten, so kam man früh auf die wichtige Neuerung, die Kuppel durch zwickelförmige Gewölbstücke, sogenannte Pendentivs, mit dem quadratischen Grundriss zu verbinden, eine Erfindung, die nachmals in dem grossartigsten Kuppelbau der altchristlichen Welt, der Sophienkirche zu Constantinopel, den Sieg über alle verwandten Kuppelconstructionen des classischen Alterthums davontragen sollte. Fügen wir noch hinzu, dass an all diesen Gebäuden nur wenige Fenster, und diese in der Regel an den schmalen Schlusswänden angebracht sind, so haben wir ein Gesammtbild dieser schlichten, verständigen, selbst etwas nüchternen, aber praktischen und dauerhaften Monumente, in denen derselbe Hang zum Empirischen, Rationalen vorherrscht, der die Theologen der antiochenischen Schule, einen Dorotheus und Lucianus, Eusebius von Emisa, Diodorus von Tarsus und Theodorus Mopsuestenus zu Vertretern einer strengkritischen, grammatisch-historischen Exegese machte.

Nördliche Gruppe. Ein anderes, aber nicht geringeres Interesse bieten die Denkmäler der nördlichen Gruppe. Hier erheben sich noch jetzt zahllose, wohl zusammenhängende, fast völlig erhaltene Zeugnisse des blühenden Zustandes, in welchem diese Provinzen sich während der ersten christlichen Jahrhunderte befanden, wo die Erbschaft der antiken Bildung, umgestaltet und neu verwendet im Geiste des jungen, lebenskräftig sich ausbreitenden Christenthums, in unvergleichlicher Fülle auf Schritt und Tritt das Erstaunen, die Bewunderung des Wanderers erregt. Schreitet er durch diese verödeten Strassen, die verlassenen Höfe, diese Säulenhallen, die der Weinstock ungehindert umrankt, so befällt ihn eine Empfindung, wie in den ausgestorbenen Strassen Pompeji's; er glaubt die Bewohner dieser trefflich erhaltenen Häuser jeden Augenblick zurückkehren zu sehen, so lebendig treten die Spuren ihres Waltens vor ihn hin. Und welch reges, künstlerisches Dasein entfaltet sich in diesen grossen, aus mächtigen Quadern errichteten Häusern, mit ihren Galerien, Terrassen und Balkonen, ihren Gärten mit steinernen Weinpergolen, ihren Pferdeställen, Kellern mit steinernen Weinbehältern, geräumigen unterirdischen Küchen und Weinkeltern — in diesen mit Portiken gesäumten Plätzen mit geschmackvollen Bädern und Versammlungshallen, mit Säulenkirchen, zierlichen Kapellen, weiten Klosteranlagen und zahlreichen prächtigen Grabdenkmälern! Und dass wir es hier ausschliesslich mit christlichen Denkmalen zu thun haben, das beweist das Kreuz, welches neben dem zahlreich variirten Monogramme Christi fast alle Portale bedeckt, das beweisen die häufigen Inschriften, die eine chronologische Kette vom zweiten bis zum sechsten Jahrhundert unserer Zeitrechnung bilden.

Die älteste Inschrift ist ein zu Qenawât, dem antiken Canatha, im Hauran aufgefundenes Decret des Königs Agrippa, welches gleichsam den Beginn des monumentalen Schaffens in diesen Gegenden bezeichnet, da es den Eingebornen ihre wilde Lebensweise verwirft und sie zu Werken einer höheren Cultur aufruft. Als frühestes Zeugniss christlichen Kuppelbaues wird eine Kapelle in Omm-es-Zeitun hervorgehoben, die als Datum ihrer Entstehung das Jahr 282 trägt. Die späteren Kirchen dieser Gruppe lassen bereits die Formen der Denkmäler von Constantinopel, von S. Sergius und Bacchus ahnen; so die Kirchen des h. Georg zu Esra vom Jahr 510 und die Kathedrale zu Bosra vom J. 512. In der nördlichen Gruppe begegnet uns zunächst eine Anzahl heidnischer Grabdenkmäler, die in den Felsen gearbeitet sind. Das früheste trägt das Datum den 6. April 130, das späteste den 3. März 324. Damit verschwinden die heidnischen Grabdenkmäler in diesen Gegenden. Das folgende Jahr bringt das erste ökumenische Concil von Nicäa und mit ihm den vollständigen Sieg und die Befestigung der neuen Lehre. Kurz darauf, im Jahr 331, erbaut in Refadi ein Christ Namens Thalasis sich ein Haus und lässt auf dessen Pforte sein Glaubensbekenntniss setzen. Das letzte Datum ist vom Jahre 565. Es bildet den Abschluss dieses reichen und anziehenden Kapitels der christlichen Baugeschichte. Kurz darauf hört jede Thätigkeit eines höher civilisirten Lebens auf. Die Christen ziehen sich vor den gewaltthätigen Schaaren des Islam in die benachbarten grösseren Städte zurück; das Land fällt der Verödung anheim, und seine zahlreichen christlichen Denkmäler gerathen in völlige Vergessenheit, aus welcher nach mehr als tausend Jahren der wissenschaftliche Eifer unserer Zeit sie wieder ans Licht ziehen sollte. Zeitstellung.

Versuchen wir nun, von der Anlage, der Construction und der künstlerischen Durchbildung dieser Monumente nach den vortrefflichen Aufnahmen, so weit sie uns bis jetzt vorliegen, ein genaueres Bild zu gewinnen. Die ältesten und zugleich originellsten Denkmäler finden wir in der Gruppe des Hauran. Dem zweiten und dritten Jahrhundert angehörend, sind sie zum Theil noch als heidnische zu betrachten. So vor Allem ein Gebäude zu Chaqqa, in welchem de Vogüé, ob mit Recht, bleibe dahin gestellt, eine antike Basilika vermuthet. Es ist ein dreischiffiger Bau, dessen Grundfläche ein ungefähr quadratisches Rechteck bildet. Eine Reihe von grossen Quergurtbögen, denen im Seitenschiff und der darüber liegenden Empore kleinere Bögen entsprechen, ruhen auf dicht gestellten Pfeilern, mit welchen in der Umfassungsmauer stark vorspringende Wandpfeiler correspondiren. In der Längenrichtung sind die Pfeiler durch niedrige Arkadenbögen verbunden, auf welchen die Fussböden und Balustraden der Emporen ruhen. Alles ist in dieser einfach derben und rationellen Architektur von Stein; auch die Decke des Mittelschiffes und der Emporen, die in gleicher Höhe liegen, sind durch grosse Steinplatten gebildet, welche auf kämpferartigen Kragsteinen auflagern. Die äusserste Vereinfachung des Basilikenschema's, welche sich selbst auf Beseitigung der Apsis erstreckt, hat auch die hohe Fensterwand des Mittelschiffes beseitigt. Statt der Fenster dienen die drei Thüren, die an der östlichen und westlichen Seite des Gebäudes angebracht sind. Auch die Decoration hält sich in den bescheidensten Grenzen: magere Pilaster an den Ecken, unten dorisirend, oben mit ionischen Kapitälen, antikisirendes Rahmenprofil an den Thüren, deren Sturz durch ein schon stark barbarisirtes Gesims, am Hauptportal auf Consolen ruhend, bekrönt wird, dazwischen kleine wunderliche Wandnischen, tabernakelartig von gekuppelten Zwergsäulchen eingerahmt, die einen Bogen und einen Giebel tragen, das ist der ganze decorative Apparat. Dass die antike Bauordnung hier schon in der Auflösung begriffen ist, erkennt man an der unmittelbaren Verbindung von Bogen und Säulen, an der Beseitigung der ganzen antiken Gebälkordnung. Denkmäler im Hauran.

Basiliken.

Dieser Styl geht nun auf die christlichen Bauwerke des Hauran mit geringen Umgestaltungen über. Die Basilika zu Tafkha (Fig. 199) ist ein Bau von ähnlicher Anlage, nur dass an der Ostseite eine Apsis in Form eines zusammengedrückten Halbkreises mit drei Fenstern als Altarraum hinzugefügt ist, und dass die Emporendecken nicht auf Arkadenbögen, sondern auf Kragsteinen ruhen. Wie diese Anordnung, so ist auch die ganze Durchbildung bis auf den äussersten Grad des Nothdürftigen, hart an die Grenzen des kunstlos Rohen zurückgeführt. Auch am Aeusseren findet sich keinerlei Schmuck, und selbst die Gesimse sind zu einer derb abgeschrägten Platte vereinfacht. Aber alle wesentlichen Elemente der christlichen Basilika, selbst ein am linken Flügel der Façade aufsteigender Thurm sind bereits vorhanden. Dasselbe schlichte System einer streng durchgeführten Steinconstruction kehrt an verschiedenen grösseren und kleineren Privatgebäuden wieder; so am Hause des Scheik zu Amrah, sowie an mehreren Häusern zu Duma und Chaqqa, bei welchen die ori-

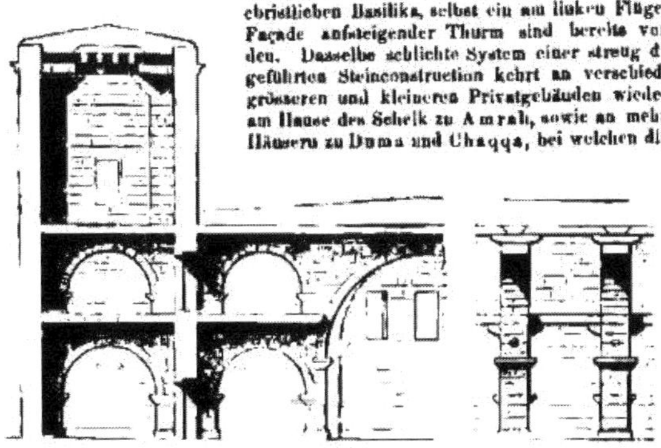

Fig. 199. Basilika von Tafkha. Durchschnitte.

ginelle Anordnung von breiten, sich selbst tragenden Steintreppen vorkommt, die an den Aussenseiten zum oberen Geschoss und zum flachen Dach emporführen. Reicher und zierlicher, noch im Geist antiker Kunst behandelt ist ein grösseres, von den Eingebornen „Kaisarieh" genanntes palastartiges Gebäude zu Chaqqa, bei welchem man nachträglich das Monogramm Christi und ein Kreuz an einem Fenstersturz hinzugefügt hat. Frühe Kuppelbauten der christlichen Zeit sind dagegen die kleinen Kapellen zu Chaqqa und zu Omm-es-Zeitun, die noch dem dritten Jahrhundert anzugehören scheinen. Diese Art von gottesdienstlichen Gebäuden, dort als Kalybé bezeichnet, besteht aus einem quadratischen kuppelgewölbten Raum, welcher sich auf eine stattliche Vorhalle öffnet. Letztere erhält ihr Licht durch einen hohen Portalbogen, neben welchem die Halle mit Seitenflügeln über die Breite des übrigen Gebäudes weit vorspringt. Wandnischen, bisweilen wie zu Chaqqa in zwei Geschossen, geben diesen ausgedehnten Façaden eine wirksame Gliederung.

Dass man an diesem in seiner strengen Knappheit durch locale Erfordernisse bedingten Style in der späteren Zeit nicht festhielt, sondern sich den anderwärts schon zu höherer Pracht ausgebildeten Kirchentypen anschloss, scheint eine Reihe von Denkmälern des vierten bis sechsten Jahrhunderts zu beweisen. Dahin gehören die beiden Kirchen zu Qennawât, bei welchen Säulenanlagen und Pfeilerbau noch in einander greifen; entschiedener aber die Kirche zu Suêideh, eine ansehnliche fünfschiffige Säulenbasilika, mit gegliederter Vorhalle und dreischiffigem Chor, der durch eine grosse Apsis und zwei kleinere, in der Mauerdicke ausgesparte Seitennischen bedeutsam abgeschlossen ist.

Die Centralanlage, für welche schon Constantin durch die Hauptkirche von Antiochia in diesen Gegenden das einflussreichste Vorbild geschaffen hatte, findet sich dann in mehreren Kirchen vom Anfange des sechsten Jahrhunderts, namentlich der Kirche von Esra. Nach inschriftlichem Zeugniss im Jahr 510 vollendet, ist sie eine Vorläuferin von S. Vitale zu Ravenna und S. Sergius und Bacchus zu Constantinopel, nur dass sie ihren Grundriss noch einfacher und klarer bildet. In einen quadratischen Raum ist ein Pfeilerachteck als hohes Mittelschiff hineingezeichnet, von niedrigen achteckigen Umgängen begleitet, deren Diagonalseiten sich in Nischen öffnen, welche die Ecken des Quadrates ausfüllen. Der Chor schliesst mit einer Halbkreisnische, die nach aussen dreiseitig gestaltet ist. Ob das jäh ansteigende konische Kuppelgewölbe seine ursprüngliche Form zeigt, müssen wir dahin gestellt sein lassen. Alle übrigen Räume sind in der diesen Gegenden eigenthümlichen Weise mit steinernen Platten auf stark vorspringenden Kragsteinen bedeckt.

Nördliche Gruppe.

Reicher und zusammenhängender als diese mehr vereinzelt dastehenden Werke ist die Kette von Monumenten, welche seit dem vierten Jahrhundert in der nördlichen Gruppe Syriens entstanden sind, und die wir desshalb einer näheren Betrachtung zu unterwerfen haben. Um mit den kirchlichen Denkmalen zu beginnen, so müssen wir zunächst constatiren, dass die Säulenbasilika in ihrer durchgebildeten Form fast ausschliesslich zur Herrschaft gelangt ist. Die Basilika tritt hier stets in der primitivsten und einfachsten Form dreischiffig ohne Querhaus auf. Ihre Säulenstellungen sind durch Arkadenbögen verbunden. Vor der westlichen Façade liegt in der Regel eine offene Säulenhalle, meist in der ganzen Breite der drei Schiffe, bisweilen auf das Mittelschiff beschränkt und, wie an der Kirche zu Turmanin, wohl auch mit Thürmen eingefasst. Der Chor ist fast immer als halbrunde Apsis vorgelegt, aber in der Regel wie an den ältesten afrikanischen Basiliken nach aussen rechtwinklig umschlossen, so dass seine Fenster, drei oder fünf, durch die ganze Dicke der Mauer geführt sind. Da nun in der Regel neben dem Chor zwei viereckige Räume angeordnet werden, so erhält die Kirche nach aussen die überaus schlichte Gestalt eines oblongen Rechtecks: abermals ein Beweis, wie stark in diesen Gegenden die Vorliebe für rationelle Einfachheit der Anlage vorherrscht. Zuweilen wie an den Kirchen zu Hâss und Behioh ist die Altarnische auch nach innen rechtwinklig gebildet, während in andern vereinzelten Fällen die Apsis auch nach aussen ihr Halbrund wie an den Kirchen zu Baquza und Qalb-Luzeh (Fig. 200) oder eine Polygonform wie zu Turmanin zeigt. Zur Bedeckung der Schiffräume hat man in diesen waldreicheren Gegenden hölzerne Balken benutzt, die dann schräg ansteigende Dächer mit sich brachten. So also ist die Basilikenform des Abendlandes in den wesentlichsten Punkten, selbst in dem Mangel der Emporen über den Seitenschiffen nachgebildet.

Säulenbasiliken.

Solche Säulenbasiliken finden sich aus dem 4. und 5. Jahrhundert zu Kherbet-Hâss, el Barah (in beiden Orten eine grosse Klosterkirche, hier mit zehn Säulenpaaren, und eine kleinere Nebenkirche), und zu Hâss mit sieben Säulenpaaren. An diesen Kirchen fällt, im Gegensatz zu den ersten Basilikenversuchen des Hauran, die reiche Anzahl der Fenster, die in dichten Reihen am Oberschiff und in den Seitenschiffen sich drängen, sowie die zierliche Ausbildung der ebenfalls zahlreichen Portale auf, denn ausser den drei Eingängen der Westseite hat in der Regel jedes Seitenschiff an seiner Langmauer noch zwei Pforten, die durch eine auf zwei Säulen ruhende Vorhalle vorbereitet werden. Säulenbasiliken des 6. Jahrhunderts sieht man sodann zu Deir Seta und Turmanin mit sechs, zu Baquza, Behioh und Kalat-Sema'n mit fünf, endlich noch eine am letztgenannten Orte mit vier Säulenpaaren.

Pfeilerbasiliken.

Ganz sporadisch, wie es scheint, kommt auch die Pfeilerbasilika vor, aber in origineller Ausbildung. Denn es werden nicht etwa die Pfeiler in dichter Arkadenreihe als Surrogate der Säule aufgestellt, wie mehrere frühere Basiliken Afrika's es zeigen, sondern in ganz weiten Abständen errichtet man kurze gedrungene Pfeiler, die mit kühngespannten Arkadenbögen verbunden werden. So ist die Anordnung in der Kirche zu Qalb Luzeh, während in der Kirche zu Rueiha auch Querbögen über das Mittelschiff ausgespannt sind. Diese Anlagen müssen in ihrem strengen constructiven Ernst und der freien, lichten Weite ihrer Durchblicke einen mächtigen Eindruck gewähren und würden auch unseren Baumeistern für einfache kirchliche Aufgaben, wo es darauf ankäme, mit sparsamen Mitteln eine bedeutende, feierliche Wirkung hervorzubringen, wohl zu empfehlen sein. Die Deckbalken dieser Kirchen finden ihr Auflager in einer Reihe von Consolen auf Wandsäulen, die wieder auf Consolen an der oberen Mittelschiffwand angeordnet sind.

Kuppelbauten. Einen Kuppelbau, ähnlich der Kirche zu Esra, finden wir in einer kleineren kirchlichen Anlage zu Kalat-Sema'n. Das Mittelschiff bildet ein Achteck, das in ein Quadrat eingebaut ist, dessen Diagonalseiten Ecknischen enthalten, während nach Osten die Hauptapsis vorspringt. Um diesen quadratischen Kern ziehen sich, ein grös-

Fig. 200. Kirche von Qalb-Lusch

seres Quadrat ausmachend, Säulenschiffe herum; ein Säulenporticus verbindet diese interessante Kirche mit einer dicht neben ihr liegenden Basilika, von welcher oben die Rede war. Eine Neigung zum Polygonbau legt auch die kleine Kirche zu Mudjeleia an den Tag, die mit Apsis und Säulenreihen basilikenartig beginnt, aber ihren kurzen Schiffbau polygon abschliesst.

Kalat-Sema'n. Weitaus der merkwürdigste und grossartigste Bau ist die imposante Klosterkirche des h. Simon Stylites, die den Mittelpunkt der ausgedehnten kirchlichen Anlagen des mehr erwähnten Kalat-Sema'n ausmacht. Die Kirche scheint ein Werk des 5. Jahrhunderts und entspricht in ihrer Anlage so sehr der Beschreibung, welche Procopius von der Apostelkirche, die Constantin in seiner Hauptstadt sich als Begräbnissstätte erbaut hatte, entwirft, dass wir sie für eine Nachbildung jenes älteren Baues halten müssen. Sie besteht aus vier ausgedehnten dreischiffigen Querarmen, die in Gestalt eines griechischen Kreuzes in gleicher Länge mit je sechs Säulenstellungen (nur der östliche Arm hat neun Säulenpaare) angelegt sind. Wo dieselben zusammenstossen, ergiebt sich ein imposanter achteckiger unbedeckter Centralraum, dessen Grenzen durch die Schlusspfeiler der Kreuzarme bestimmt werden. Die Nebenschiffe sind um die Diagonalseiten dieses Hauptraumes herumgeführt und durch eine kleine Apsis erweitert, die sich in die äusseren Winkel der zusammenstossenden Querarme hinausbaut. Als eine der originellsten, frühesten und bedeutendsten Verbindungen des Basilikenplanes mit der Centralform gebührt dieser merkwürdigen Kirche ein Ehrenplatz unter den grossen Denkmälern altchristlicher Kunst.

Blicken wir zurück, so haben wir eine ganze Reihe von Kirchen der ersten christlichen Jahrhunderte, wie wir sie in solchem Zusammenhang und solcher Reinheit, unberührt von späteren Umgestaltungen, nirgends mehr finden. Wir erhalten also ein Bild des stetigen Entwicklungsganges altchristlicher Baukunst, das nicht bloss für die kunstgeschichtliche Betrachtung, sondern selbst für die heutige Praxis manche Belehrung bietet. Der Werth dieser Werke beruht vor Allem auf der freien lebensvollen Verwendung und Umgestaltung der antiken Formen, die hier in einer so originellen Weise für die Bedürfnisse des christlichen Cultus verwerthet sind, dass man das Walten einer jugendfrischen Empfindung, eines neuen geistigen Inhalts in jeder Linie der Construction und der Ornamentik zu spüren glaubt. Eine Betrachtung der Einzelformen wird dies näher nachweisen. Stil dieser Werke.

Was zunächst das hochwichtige Element des Säulenbaues anlangt, so ist nicht zu verkennen, dass die antiken Formen sich einer energisch umbildenden Hand haben fügen müssen. Schon seit der constantinischen Zeit tritt jene freiere Umgestaltung des allgemein beliebten korinthischen Kapitäls auf, die in der Folge für die christliche Kunst noch lange Zeit hinaus typisch bleiben sollte. Unverkennbar ist aber, dass alles Blattwerk der östlichen Baugebiete, von Constantinopel bis tief hinein nach Syrien und bis zu den prächtigen Resten der goldenen Pforte zu Jerusalem, von jener feinen, scharfgezahnten Zeichnung des Akanthus ausgeht, die wir an den Werken griechischer Kunst seit Alexander finden. Wohl geht die zarte Eleganz dieses Blattwerks schon in den syrischen Denkmälern verloren und macht bald einer mehr trocknen, zuletzt sogar knöchernen Behandlung Platz, analog dem bald sich verknöchernden Wesen der griechischen Kirche; aber in den besseren Werken bleibt doch noch genug von hellenischem Adel zurück, gerade so viel als die Strenge altchristlicher Anschauung ertragen mochte. Das Wesen dieses Blattwerks, welches ohne Frage auf die Gestaltung der romanischen Ornamentik einen bedeutsamen Einfluss geübt hat, erscheint im bezeichnenden Gegensatze zu der weicheren volleren Formgebung, welche z. B. im südlichen und mittleren Frankreich diejenigen Kapitäle der romanischen Periode zeigen, welche nach antik römischen Mustern gearbeitet sind.

Neben dieser noch ziemlich bewusst antikisirenden Gestalt machen sich aber in den syrischen Bauten andere Kapitälbildungen geltend, die nur noch einen entfernteren Anklang an die Antike verrathen. Ihnen genügt die kelchartige Grundform, welche mit derberem Blattwerk, bisweilen ganz willkürlich mit ionisirenden Voluten, ja selbst mit schief umgebogenen Blättern, die wie vom Winde seitwärts bewegt erscheinen, umkleidet werden. Diese letztere originelle Spielart trifft man auch später an anderen Orten, z. B. an der prachtvollen Kanzel des Doms zu Salerno.

Den Säulen entsprechend werden die Ecken und Stirnseiten der Mauern als Pilaster ausgebildet, die durch ihr korinthisirendes Kapitäl und die Cannelirung des Schaftes auch ihrerseits Anklänge an die Zierlichkeit antiker Gliederungen verrathen. Ebenso erhält auch die Apsis in der Regel eine Pilasterumfassung, von welcher eine oft überaus prächtige Umrahmung des Bogens mit ornamentirten Gesimsbändern aufsteigt. Diese wie alle Gesimse des Innern und Aeussern lassen in ihrer Zusammensetzung noch die Grundelemente antiker Architektur: Abakus, geschweifte Wellenlinie, Rundstab und Hohlkehle erkennen; aber die Formen sind derber, die Profile stumpfer, minder tief ausgehöhlt, das Ganze massenhafter in der Wirkung und dadurch dem Charakter dieser Bauten trefflich entsprechend. An Portalen und andern ausgezeichneteren Stellen nehmen die wulstartigen und wellenförmigen Theile dieser Gesimse reichen Schmuck auf, der hauptsächlich in Blattgewinde besteht. Dieses hat entweder die reiche mannichfaltige Zeichnung des oben geschilderten Akanthus, oder es besteht aus einem mehr mageren vereinfachten Rankengewinde, welches nur spärliches Blattwerk hervortreibt. Hie und da stellt sich an Portalfüllungen und Gesimsen auch ein mehr naturalistisches Laubwerk ein, das namentlich dem Weinblatt nachgebildet wird. Hier erhält das Ornament also eine mehr christlich symbolische Bedeutung, die sich noch prägnanter ausspricht, wenn, wie es häufig geschieht, das Monogramm Christi sammt dem Kreuze, eine Vase mit Pfauen, oder ähnliche altchristliche Symbole in das Rankenwerk aufgenommen werden (Fig. 201). Zu all diesen Elementen der Ornamentik gesellen sich endlich noch rein geometrische Combinationen von verschlungenen Kreisen und andern linearen Spielen, die später in der arabischen Kunst zu einer überwiegenden Ausbildung gelangen sollten. Diese Verwandtschaft der altchristlichen Ornamentik mit der muhamedanischen wird nicht bloss durch äussere Uebertragung,

Fig. 201. Fries der Kirche zu Dana.

sondern mehr und tiefer noch durch die gemeinsame Abneigung gegen figürliche Plastik erklärt, welche den bildnerischen Sinn ausschliesslich zu vegetativen und geometrischen Formen hindrängte.

Das Aeussere dieser Bauten ist im Ganzen bei wirksamer Gesammtgliederung einfach und würdig. Ruhige Wandflächen, deren bester Schmuck ihre solide Quaderconstruction, werden von kräftigem Sockel und Dachgesimse, auch wohl noch von Pilastern eingefasst. Portale, zumeist mit geradem Sturz, bisweilen auch von weiter Bogenöffnung umschlossen, Fenster mit geradem Sturz oder im Rundbogen gewölbt, mit rechtwinklig eingeschnittener Laibung, durchbrechen die Flächen. Alles athmet, wenn auch in selbständiger Umbildung, noch den Geist antiker Kunst, und zwar nicht der römischen, sondern weit mehr der einfach edlen hellenischen. Daher auch die Abneigung gegen das Heranstreten der Apsis, die in den meisten Fällen rechtwinklig umkleidet wird, so dass der ganze Bau ein gestrecktes Rechteck bildet. Gleichwohl erhält die östliche und westliche Seite reichere Gliederung, namentlich durch rahmenartige Bänder, welche sich in ununterbrochenem Zuge um die Fenster und Portale schlingen und an beiden Enden in eine volutenförmige Schleife sich aufrollen. An einigen Kirchen — wir nennen die von Baquza, zu Turmanin und Qalb-Luzeh (vgl. Fig. 200) — ist aber die Apsis nach aussen völlig entwickelt und wird mit Wandsäulenstellungen gegliedert, die in zwei Ordnungen über einander angebracht sind, nur durch einen starken Abakus getrennt, die oberen Säulen als Stützen der Kragsteine des Gesimses verwendet. Dies ist eine Anordnung, die so auffallend an romanische Kirchen des 12. Jahrhunderts erinnert, dass wir dies einflussreiche Motiv als eine Erbschaft der altchristlichen Zeit anzuerkennen haben. Noch wirksamer gestaltet sich in einzelnen Fällen die Westfaçade dieser Kirchen, wenn wie zu Turmanin zwei Thürme eine mit weitem Bogen geöffnete Vorhalle, über welcher im oberen Geschoss eine Säulenloggia sich erhebt, einfassen (Fig. 202). Der Giebelabschluss der Thürme, die Arkaden mit ihrem Architrav, die ganze schlichte Gliederung, das alles muthet uns

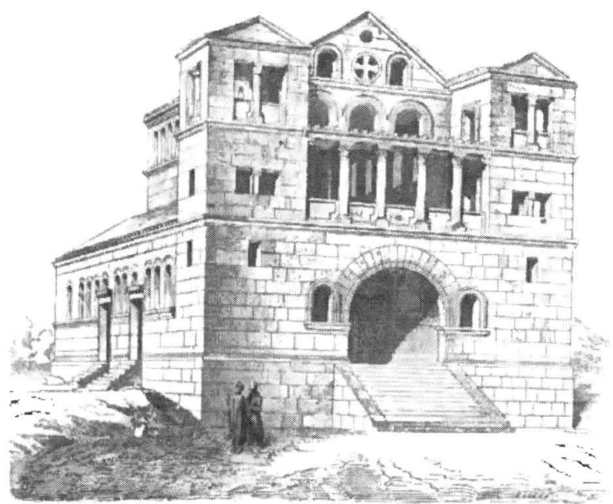

Fig. 202. Kirche zu Turmanin.

fast antik an, und doch ist das Ganze eine durchaus in christlichem Geist entworfene Schöpfung.

Noch anziehender werden diese Bauten, wenn wir sie im weiteren Zusammenhange mit ihren Umgebungen betrachten. Da finden wir ganze Complexe von baulichen Anlagen, als deren Mittelpunkt immer eine grössere Hauptkirche hervorragt. So zu Kherbet-Hâss, wo an die grosse Basilika mit ihrem Porticus und Vorhof sich eine Anzahl klösterlicher Baulichkeiten mit Säulenarkaden und mannichfachen Wohnräumen, mit einer kleinen Basilika und einer gewölbten Kapelle anschliessen. Noch umfangreicher ist die Gruppe von el Barah, wo die Hauptkirche an der Nordseite durch eine Kapelle, an der westlichen durch verschiedene Säulenhöfe, vor welche sich ein quadratisches arkadenumschlossenes Atrium legt, eingefasst wird. Eine zweite Kirche, durch eine schmale Gasse von jener getrennt, ist ebenfalls von sehr ansehnlichen Gebäuden mit Säulenhallen eingefasst. Am bedeutendsten gestalten sich aber

Klösterliche Anlagen.

die klösterlichen Anlagen von Kalat-Sema'n, wo ausser der imposanten Kirche des h. Simon Stylites noch zwei kleinere Basiliken und eine achteckige Kirche aus dem mannichfachen Complex von Gebäuden sich erheben. Aber auch stattliche Grabdenkmale erfüllen den geweihten Umkreis der Kirche, so namentlich zu Rueiha, wo einige der schönsten Gräber altchristlicher Zeit zu sehen sind.

Grabmäler

Diese Grabdenkmale sind noch jetzt in ausserordentlich grosser Anzahl erhalten. Theils der antik heidnischen, theils der christlichen Zeit angehörend, zeichnen sie sich durch die mannichfaltigsten Formen aus. Völlig antik ist das bedeutende Grabmal zu Sueideh, noch aus dem ersten Jahrhundert stammend, ein quadratischer mit dorischen Halbsäulen gegliederter Unterbau, über welchem sich eine Stufenpyramide erhob: eine altorientalische Form, deren Verbindung mit dem griechischen Säulenbau schon beim Mausoleum zu Halikarnass sich vollzogen hatte, und die auf dem Boden Palästina's anderweit durch die sogenannten Gräber des Absalon und Zacharias vertreten ist. Andere Gräber folgen derselben Anlage, jedoch mit der Modification, dass der Unterbau in der Regel in zwei Geschossen angelegt, an der Vorderseite oder rings umher mit Säulenstellungen unten und oben umzogen und durch eine steile Pyramide bekrönt ist, an deren einzelnen Quadern spitze Bossen stehen geblieben sind, so dass die Pyramide ganz wie gespickt erscheint. Solcher Art sind mehrere Gräber des 4. und 5. Jahrhunderts zu Dana, el Barah und Ḥâss, an letzterem Ort namentlich das Grab des Diogenes. Bisweilen ist der Unterbau nur mit Pilastern, dann aber in zwei oder gar drei Ordnungen eingefasst, so dass dieselben einen etwas verkrüppelten Charakter erhalten. Das Innere dieser Bauten ist bis in die Spitze der aus vorkragenden Steinschichten gebildeten Pyramide hinauf hohl. Andere Freigräber sind als kleine tempelartige Gebäude noch ganz in antiker Behandlungsweise aufgeführt. An der Vorderseite haben sie bisweilen eine offene Säulenhalle mit Anten, so dass der Blick ins Innere ganz frei ist. Ueber einem antikisirenden Gebälk erhebt sich der etwas steile Giebel des aus steinernen Platten bestehenden Daches, welches von Quergurtbögen im Innern getragen wird. Die grossen Steinsarkophage sind in schicklichen Abständen an den Wänden aufgestellt. Ein schönes Grab dieser Art sieht man in Kherbet-Ḥâss, ein kleineres in Serdjilla. Bei letzterem ist der Sarkophag in eine gruftartige Vertiefung eingelassen. In anderen Fällen, wie auf der schönen Villa zu el Barah, sieht man ein Rechteck von Säulen, durch ein Gebälk verbunden, auf welchem das steinerne Giebeldach ruht, ähnlich jenen spätägyptischen kleinen Säulenbauten, die man als Mammisi zu bezeichnen pflegt, und denen bloss das Giebeldach fehlt. Es ist also nur ein auf Säulen ruhendes Schutzdach für die Sarkophage, welche dem Blick von allen Seiten ausgesetzt sind. Endlich haben wir noch eine Gattung solcher Freigräber in jenen quadratischen Anlagen zu bezeichnen, welche, mit einem Kuppelgewölbe bedeckt, im Innern gewöhnlich durch einspringende Mauerecken kreuzförmig sich gestalten und dadurch in den Kreuzarmen Raum für die Aufstellung der Sarkophage gewähren. Das Aeussere erhält durch Pilaster und Giebelbau eine Reminiscenz an jene antikisirenden Anlagen. Solcher Art ist ein Grab zu Ḥâss mit zwei Geschossen, davon das untere ein Tonnengewölbe auf vorspringenden Wandpfeilern hat; ferner das originelle Grabmal des Bizzos zu Rueiha aus dem 6. Jahrhundert, welches einen Säulenvorbau für das Portal hat und über seinen Eckpilastern an Stelle des antiken Gebälkes eine ägyptisirende Hohlkehle zeigt.

Felsgräber

So mannichfaltig diese Gräberformen und so vielgestaltig innerhalb dieser Gattungen die Unterarten sind, so haben wir damit doch bei Weitem die Verschiedenartigkeit dieser reichen Gräberwelt nicht erschöpft. Es bleibt eine wichtige Gattung übrig, seit der altjüdischen Zeit in diesen Gegenden viel verbreitet und auch jetzt wieder in grösster Mannichfaltigkeit ausgebildet: die Felsgräber. Dieselben kommen, zum Theil noch dem Heidenthume angehörend, seit dem Beginn des 2. Jahrhunderts nachweislich vor und sind in ihren Formen nicht minder variirend als die Freigräber. Eine felsgehauene Treppe führt meistens zu einem kleinen Vorhof, von welchem aus man in die oft mit einer Vorhalle, einem Säulen- und Pfeilerporticus vorbereitete Grabkammer tritt. Diese ist oft kreuzförmig im Grundplan, so dass die Sarkophage in den zu ihrer Aufnahme gerade ausreichenden Kreuzarmen Platz finden. Die Façaden dieser Gräber sind mannichfach ausgebildet, bisweilen mit Säulen- oder Pfeilerportiken, die entweder horizontal mit antikisirendem Gesims schliessen oder mit einem Giebel bekrönt sind; manchmal begnügen sie sich mit Halbsäulen oder Wandpfeilern, die als Abbreviaturen von Vorhallen anzusehen sind und wohl auch mit dem Reliefbild eines Giebels die Nachahmung vervollständigen. Das früheste der datirten Gräber, am 27. April 134 für Tib. Claud. Sosandros in Bechindelaya vollendet, hat eine in trockenen Formen dorisirende Pfeilerhalle, inschriftbedeckten Architrav und einen mit Stierköpfen und Festons nach römischer Weise geschmückten Fries. Neben dem Grabe erhebt sich ein hoher Denkpfeiler, fast obeliskartig, am oberen Ende mit einer figürlichen Darstellung in flach vertiefter Nische. Aehnlich ist das am 20. Juli 195 für Emilius Reginus in Khatura ausgeführte Felsgrab, durch zwei schlanke, ein Gebälkstück tragende Säulen mit mageren dorischen Kapitälen bezeichnet. Auch das Grab des Isidoros, vom 9. October 222, ebendort, hat neben sich zwei hohe Pfeiler, die einen Architrav tragen. Das späthellenische Gepräge dieser Formen und ihre Verbindung mit dem altorientalischen Felsgrab gewährt wichtige Anhaltspunkte für die Vergleichung mit den bekannten Grabdenkmälern von Jerusalem. Eine Vorhalle von dorisirenden Säulen, in der Mitte mit einem Bogen, an den Seiten mit Gebälk verbunden, zeigt ein Felsgrab zu Erbey-Eh, das ebenfalls noch der frühen Zeit anzugehören scheint. Ueber dem Gebälk bildet eine ägyptische Hohlkehle den Abschluss. Ein anderes nicht minder frühes Grab zu Danaqfur ist mit noch ziemlich gut gebildeten ionischen Halbsäulen, die einen Giebel tragen, geschmückt. Eine vorspringende giebelgekrönte Halle auf korinthisirenden Säulen findet sich an einem Grabe zu Mudjelela. Andere Gräberportiken öffnen sich mit einem weiten Bogen. So zu Deir-Sambil ein Felsgrab vom Jahr 420, das zugleich wie manche dieser Grotten noch die schwere aus einer Steinplatte gearbeitete Thür aufweist, welche ehemals den Zugang verschloss. Auch an andern Gräbern haben sich solche Thüren erhalten, die ähnlich den an altjüdischen Felsgräbern befindlichen, oben und unten einen Zapfen haben, um welchen die Thür sich drehte. Diese interessanten Thüren haben nach antiken Vorbildern Rahmenprofile, an welchen selbst die vorspringenden Nagelköpfe als ornamentales Motiv nachgebildet sind. Dazu kommen christliche Embleme, das Kreuz und das Monogramm Christi, so dass der Ursprung dieser Grabdenkmale ganz unzweifelhaft wird. Auch steinerne Schranken finden sich in den letzterwähnten Gräbern, theils mit geometrischen Linien, die offenbar Gittern nachgebildet sind, theils mit Weinranken sculpirt.

Schliesslich haben wir auch den Wohnungen der Lebenden noch einen Blick zu schenken. Nicht bloss einzelne Häuser und Villen, sondern ganze Strassen und Stadttheile mit ihren grossentheils wohlerhaltenen Wohngebäuden werden uns vor Augen gestellt. Wir wandern über das dicht aus grossen Polygonen gefügte Pflaster dieser Gassen, die nach der Sitte des Südens, um der Sonne auszuweichen, eng und winklig angelegt sind. Nicht in regelrechten planmässig entworfenen Linien, sondern in mannichfachen Windungen, in vielfach gebrochenem und schiefem Laufe ziehen sie sich hin, eingeschlossen von den Aussenmauern der Häuser, die nach der Sitte des Orients nur mit der Pforte, nicht mit Fenstern sich gegen die Gasse öffnen. Man tritt durch die mit gewaltigem Sturz oder mit einem Bogen überdeckte Thür in einen meist unregelmässig angelegten länglich viereckigen Hof. Dieser ist nur auf einer Seite, bei Klostergebäuden auch wohl auf zweien, mit Portiken in zwei Geschossen eingefasst, hinter welchen die Wohnräume sich als eine Reihe mässig grosser Kammern hinziehen. Hatte das griechische und das römische Haus einen rings mit Säulenhallen umzogenen Hof, weil derselbe dort das Centrum der Anlage bildete, um welches sich die Wohnräume gleichmässig gruppirten, so wurde hier, wo nur an der einen Langseite, selten an zwei Seiten die Wohnung sich anschliesst, nur an diesen Stellen eine Arkade nothwendig. Diese Arkaden, meist von ziemlicher Tiefe, gewährten nicht allein in ihren bedeckten Hallen einen schattigen, im Winter sonnigen Platz, sondern sie hielten in der heissen Jahreszeit die Sonnenstrahlen von den hinter ihnen liegenden Zimmern

Privathäuser

ab. Kein Wunder daher, dass selbst an den kleinsten Häusern solche Hallen angebracht, ja dass sie mit Vorliebe behandelt und ebenso gediegen wie prächtig durchgeführt sind. Selten kommen im untern Geschoss schlichte Pfeilerreihen vor wie an einigen Häusern zu Baquza, zu Deir-Sema'n und an dem ansehnlichen Hause des Airamis zu Refadi, das am 13. August 510 vollendet wurde und nur in seinem Obergeschoss Säulenreihen mit steinerner Brustwehr hat. Noch seltener findet man ein rings von Hallen umgebenes Impluvium, wie an einem Hause zu Kokanaya. In der Regel sind in beiden Geschossen opulente Säulenreihen angebracht, die unteren bei grösserer Stockwerkhöhe bedeutend schlanker, die oberen gedrungener und ausserdem mit Balustraden aus Steinplatten versehen, beide durch horizontales Gebälk abgeschlossen, das im oberen Geschoss das geneigte Dach aufnimmt. Die Formen der Säulenkapitäle sind äusserst mannichfaltig, selten antikisirend, hie und da in dorischer Gliederung, meistens derb korinthisirend oder vielmehr kelchförmig mit freiem Blattwerk, selbst mit stark barbarisirten Voluten ausgestattet. Die Phantasie hat sich hier ziemlich fessellos ergehen dürfen, ausserdem ist wie immer der Laune auch des ungeschickten Architekten und des halb oder noch weniger gebildeten Bauherrn der unvermeidliche Spielraum geblieben. Was aber unter allen Umständen erfreut, ist die herrliche Structur in grossem Quaderwerk bei Steinbalken bis zu 10 Fuss Länge, die fast unverwüstliche Solidität der Technik und der freundliche Schmuck, der namentlich an den Portalen sich gern in allerlei Rankenwerk ergeht und sowohl am Thürsturz wie selbst an den Säulenkapitälen immer Gelegenheit findet, durch christliche Embleme, Monogramme und Zeichen mit allem Eifer sein Credo dem Eintretenden zuzurufen. Auch sonst hat ein frischer Lebensmuth sich in unverkennbaren Zügen ausgesprochen: an den Façaden treten manchmal auf Kragsteinen Balkone hervor; neben den Thüren und Fenstern, die auf die Arkaden hinausgehen, sind nicht selten zierliche kleine Nischen angebracht; bildnerischer Schmuck, meist Weinblätter, Akanthus, Vasen mit Pfauen, gelegentlich einmal ein mit ungeschickter aber wohlmeinender Hand skizzirtes Lamm, das Kreuzeszeichen auf dem Rücken tragend, gesellt sich dazu. Holz ist bei allen diesen Häusern nur zu den Dachstühlen verwendet, ganz ausgeschlossen wird es dagegen in der Gruppe des Hauran, wo, wie wir gesehen haben, die horizontalen Deckplatten des oberen Geschosses zugleich das Dach bilden.

In den meisten dieser Städte haben sich ganze Gruppen von Häusern erhalten. Ausser den schon angeführten Orten nennen wir Djebel Riha, Serdjilla, Mudjeleia, el Barah, Betursa, Bechulla, Erbeya, Dana. Fügen wir dazu die reich angelegte Villa zu el Barah und die Thermen von Mudjeleia und Serdjilla, so haben wir das Bild dieses reichen Culturlebens in seinen Hauptpunkten angedeutet.

4. Andere Bauanlagen.

Central-Anlagen.

Mit den Basilikenbauten ist der Reichthum altchristlicher Planformen noch nicht erschöpft. Wir finden vielmehr sowohl für grosse Gotteshäuser, als für kleinere Grabkirchen und Taufkapellen mannichfache Anlagen schon früh im Gebrauch, welche von der Basilika wesentlich abweichen. Am häufigsten sind es Rundbauten oder überhaupt Centralanlagen, welche meistentheils mit Kuppeln, bisweilen aber auch mit flachen Decken versehen wurden. Sie bilden eine um so wichtigere Gruppe, da sie den Ausgangspunkt für den byzantinischen Centralbau enthalten.

Grabmal der Helena.

Noch aus constantinischer Zeit stammt zunächst eine Reihe einfacher Rundbauten*), welche in directer Nachfolge römischer Kuppelrotunden entstanden sind und noch keinen neuen architektonischen Gedanken aussprechen. So das Grabmal der Helena, Constantins Mutter, einige Miglien vor Porta Maggiore in der Campagna vor Rom gelegen, heute unter dem Namen „Torre pignaterra" bekannt. Der Name entstand von

*) Vergl. die sorgfältige Uebersicht bei R. Rahn, Ueber den Ursprung und die Entwicklung des altchr. Central- und Kuppelbaues. Leipzig 1866.

den hohlen Töpfen, mit welchen die jetzt zerstörte Kuppel ausgeführt war. Der Bau stellt eine Rotunde dar von ansehnlichem Durchmesser, im Innern durch acht abwechselnd rechtwinklige und halbrunde Nischen gegliedert, darüber durch acht Rundbogenfenster erleuchtet. Später entstanden nach demselben einfachen Plane die beiden kleinen Kirchen, welche an der Südseite der alten Petersbasilika sich befanden (vgl. den Grundriss Fig. 191). Dieselbe einfache Grundform finden wir an einem anderen, gewiss aus constantinischer Zeit herrührenden Gebäude für die Zwecke einer Gemeindekirche verwendet: in S. Georg zu Salonichi*), einem Kuppelbau von 80 F. Durchmesser, dessen fast 20 F. dicke Mauern durch sieben rechtwinklige Nischen belebt werden, von denen die südliche und westliche die Portale enthalten, während eine achte breitere Oeffnung in den rechteckig vorgelegten und halbkreisförmig geschlossenen Chor mündet. Auch die prächtigen Mosaiken der Kuppel mit den kolossalen Heiligengestalten, welche betend die ausgebreiteten Arme erheben, gehören noch der ursprünglichen Bauzeit. Sodann ist das Baptisterium beim Dom zu Neapel ein Bau von ähnlicher primitiv altchristlicher Anlage, ausserdem ebenfalls durch höchst alterthümliche Mosaiken bemerkenswerth. Die Grundform des kleinen Gebäudes bildet ein Quadrat, über welchem vier Bogenzwickel oder Kappen zuerst einen ziemlich roh motivirten Uebergang ins Achteck, dann in die Kreisform der Kuppel bewirken.

S. Georg in Salonichi.

Bapt. zu Neapel.

Eine ganz neue Wendung tritt aber schon in constantinischer Zeit ein durch das Bestreben, den Raum durch Stützen zu theilen, den höheren Mittelbau nach dem Vorgang der Basiliken mit niedrigen Abseiten zu umgeben und dadurch den Gedanken der Centralanlage stärker zu betonen. So finden wir es zunächst in der Kirche S. Costanza bei Rom, der für die Tochter Constantins erbauten Grabkapelle, in welcher man früher irrig einen Tempel des Bacchus vermuthete (Fig. 203). Eine mit zwei Nischen geschlossene Vorhalle führt in einen Kuppelraum von 35 Fuss Durchmesser und 62 Fuss Scheitelhöhe, der von einem ungefähr halb so breiten und hohen tonnengewölbten Umgange umzogen wird. Zwei Reihen von je zwölf durch Architrave verbundenen Säulen mit schweren Compositakapitälen tragen auf breiten Bögen die mit Fenstern durchbrochene Oberwand. Die Umfassungsmauer wird durch Nischen belebt. Der altrömische Gedanke des Grabtholus erscheint hier in bedeutsamer Umprägung, die durch die Gewölbeconstruction bedingt wird. Aus derselben Zeit stammt der Hauptbau des Baptisteriums beim Lateran, dessen innere Säulenstellung, von antiken Gebäuden entlehnt, in dem kleinen achteckigen Bau einen von Seitenschiffen umzogenen hohen Mittelraum abgrenzt. Diese Säulen haben sämmtlich kostbare Porphyrschäfte und abwechselnd ionische und korinthische Kapitäle, durch reiche antike Architrave verbunden, auf welchen eine kürzere, obere Säulenstellung sich erhebt. Der Mittelbau, später noch beträchtlich erhöht und mit einer Kuppel abgeschlossen, muss schon ursprünglich eine bedeutende Höhe gehabt haben. Sein Boden wird durch ein tiefes Bassin, wie es für die ursprüngliche Form der Taufe, die „immersio" (das Untertauchen des ganzen Körpers) bedingt war, ausgefüllt. Eine Vorhalle, ähnlich der von S. Costanza in zwei Nischen endend, öffnet sich mit zwei prachtvollen antiken Porphyrsäulen. Die beiden kleinen anstossenden Kapellen gehören späterer Zeit. Die Centralform blieb fortan für die Baptisterien vorwiegend, weil sie den Zwecken der Taufhandlung am besten entsprach, indem sie rings für eine ansehnliche Zahl von Taufzeugen genügenden Raum darbot.

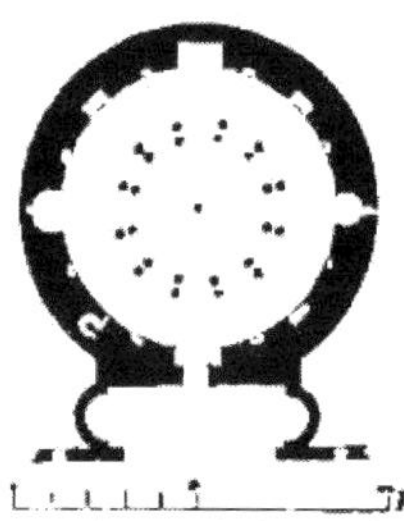

Fig. 203. Grabkapelle der Constantia.

S. Costanza in Rom.

Baptisterium des Lateran.

*) Vergl. Texier et Popplewell Pullan, Byzantine architecture. Taf. 29 ff.

Lübke, Geschichte d. Architektur. 4. Aufl. 16

Grössere Centralbauten.

Aber auch in Hauptkirchen von grossen Dimensionen brachte die constantinische Epoche bereits die Centralanlage zur Anwendung. So war die jetzt nicht mehr vorhandene Kirche, welche Constantin zu **Antiochia** erbauen liess, ein bedeutendes Achteck, mit Umgängen und Emporen, wobei nur ungewiss bleibt, ob der Mittelraum eine flache Decke oder eine Kuppel hatte. Neuerdings hat man es sodann wahrscheinlich machen wollen, dass in der Moschee des Felsendoms (Sachra) auf dem Tempelberg Moria zu **Jerusalem** die alte von Constantin errichtete heilige Grabkirche enthalten sei. Dass die innere Säulenstellung Spuren jener Zeit verriethe, wie Unger*) annahm, ist nach den neueren Aufnahmen de Vogüé's**) hinfällig geworden, da dieser den Bau dem 7. Jahrh. zuschreibt, wie denn auch die Anlage und die äussere Architektur der **goldenen Pforte** daselbst das Gepräge ungefähr derselben Epoche trägt und grosse Verwandtschaft mit den Denkmälern Centralsyriens zeigt.

Jerusalem.

S. Lorenzo in Mailand.

In grandioser Weise tritt nun die centrale Kuppelanlage an einem Gebäude auf, dessen genauere Kenntniss und Würdigung wir den gründlichen Untersuchungen von Hübsch verdanken. Dies ist **S. Lorenzo in Mailand**, dessen Anlage trotz einer im

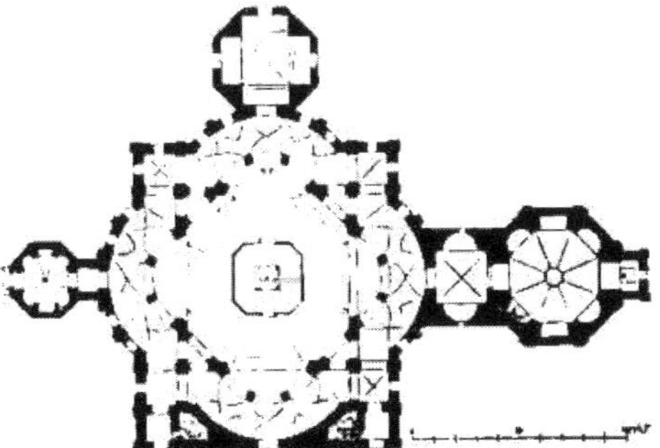

Fig. 104. S. Lorenzo zu Mailand.

16. Jahrh. erfolgten Umgestaltung der Kuppel in den Grundzügen noch die ursprüngliche zu sein scheint***). Eine gewaltige achteckige Kuppel von 75 Fuss Durchmesser und 120 Fuss Höhe ruht auf acht Pfeilern, zwischen welchen sich der Mittelraum in den Axenrichtungen in vier grossen Nischen mit Säulenstellungen erweitert, während vier andere Pfeiler mit den Trägern der Kuppel so verbunden sind, dass der Uebergang in eine quadratische Grundform gewonnen ist. Um diese inneren Räume ziehen sich Umgänge, und darüber Emporen, welche mit Säulenstellungen sich nach dem Mittelbau öffnen. Die Grossartigkeit der Anlage, welche Hübsch (ob mit Recht?) noch dem 4. Jahrh. zuweist, die Kühnheit der Wölbung und die reiche Gliederung der Planform lassen diesen Bau als einen der originalsten und wichtigsten der gesammten alt-

*) Vergl. *F. W. Unger*, die Bauten Constantins des Grossen am heil. Grabe zu Jerusalem. Göttingen 1863. In dieser gelehrten und sorgfältigen Untersuchung wird die dankenswerthe Arbeit *Fergusson's* (Essay on the ancient topogr. of Jerus. London 1847) über denselben Gegenstand zum Ausgangspunkt einer Darstellung gemacht, welche das allgemein als Grab Christi geltende Lokal für ein später untergeschobenes, das wahre Grab Christi dagegen im Felsendom des Moriaberges nachzuweisen sucht. Diese gründlichen Untersuchungen können nicht ohne Weiteres ignorirt werden, obwohl sie noch nicht alle topographischen und historischen Bedenken gehoben haben und selbst für das Kunstgeschichtliche weitere sachverständige Aufnahmen abzuwarten sein werden.

**) *De Vogüé*, Le temple de Jérusalem. Fol. Paris 1864.

***) Vergl. *Hübsch* altchristl. Kirchenbau und dazu die Recension von *L. Lohde* in Erbkam's Zeitschr. für Bauwesen. Jahrgang X und XII. Dass die von *Kugler* früher vermuthete antike Anlage des Gebäudes, trotz der vor dem Atrium erhaltenen antiken Säulenstellung nicht mehr zu halten ist, steht jetzt wohl ausser Frage.

christlichen Epoche erscheinen. Die drei mit ihm verbundenen kleineren Kapellen geben eine weitere Vorstellung von der reichen Mannichfaltigkeit altchristlicher Planformen. Oestlich liegt S. Ippolito, aussen achteckig, innen kreuzförmig mit einem mittleren Kreuzgewölbe, nördlich die kleinste von ihnen S. Sisto, aussen und innen achteckig mit abwechselnd geraden und halbkreisförmigen Wandnischen gegliedert, endlich südlich S. Aquilino, welche dieselbe Grundform in bedeutenderen Dimensionen bei 40 Fuss lichter Weite wiederholt und durch eine stattliche, nischengeschmückte Vorhalle mit der Kirche verbunden wird.

In Rom liefert sodann S. Stefano rotondo (Fig. 205) einen neuen Beweis von der Vielseitigkeit und Opulenz der Architektur jener Epoche. Unter Papst Simplicius (468—483) erbaut, zeigt diese gewaltige Kirche Dimensionen, welche nur mit denen von S. Paolo und S. Pietro verglichen werden können. Ein kreisförmiges Mittelschiff von 70 Fuss Weite wird durch 22 ionische Säulen von einem 30 Fuss weiten, niedrigen Umgang getrennt, der sich ursprünglich mit jetzt grösstentheils vermauerten Säulenstellungen gegen einen zweiten Umgang öffnete. Der letztere zerfiel in vier den Hauptaxen entsprechende grosse Räume, welche durch schmalere Gänge und Vorhallen verbunden waren. Auf den Architraven des inneren Säulenkreises erhebt sich zu beträchtlicher Höhe die cylindrische Mauer des Oberbaues mit ihren grossen Bogenfenstern und ihrer flachen Decke. Erst später ist der Mittelraum durch eine Querwand auf zwei kolossalen Säulen und zwei Pfeilern getheilt worden, und statt der zerstörten Pracht ihrer alten Mosaiken hat die Kirche geschmacklose Fresken mit Marterscenen erhalten. Der äussere Säulenkranz mit seinen Kämpferaufsätzen bezeugt ravennatischen Einfluss. — Verwandte Anlage und ähnliche Formen zeigt bei kleineren Verhältnissen die Kirche S. Angelo zu Perugia, ein runder, hoher Mittelbau von 46 Fuss Durchmesser, den 16 korinthische Säulen von einem sechzehnseitigen niederen Umgange trennen. Die jetzige Art der Bedeckung stammt von einem späteren Erneuerungsbau.

S. Stefano rotondo.

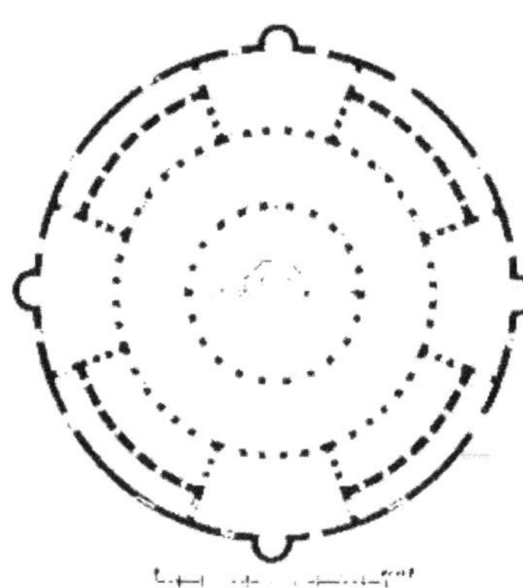

Fig. 205. Grundriss von S. Stefano rotondo zu Rom.

Perugia.

Eine Kuppelanlage bietet sodann das Baptisterium S. Maria maggiore bei Nocera (Fig. 206), dessen Anlage am meisten Verwandtschaft mit S. Costanza in Rom zeigt. Ein runder Mittelbau von 36 Fuss Durchmesser wird von 28 paarweis aufgestellten Säulen gegen einen niederen Umgang abgegrenzt, an welchen östlich eine Apsis, westlich eine Vorhalle mit vier Säulen sich lehnt. Die Besonderheiten der Construction, die steigenden Ringgewölbe des Umganges und die unter dem Dach versteckten Sporen und Strebebögen verleihen dem kleinen, wohl im 6. Jahrh. entstandenen Bau ein besonderes Interesse.

Nocera.

Der Spätzeit der altchristlichen Epoche, vielleicht dem 7. Jahrh., mag der Alte Dom von Brescia angehören. Es ist ein runder Kuppelbau von 62 Fuss Durchmesser auf acht rohen Pfeilern, deren Bögen sich gegen einen niedrigen Umgang mit

Brescia.

16*

Kreuzgewölben zwischen dreieckigen Kappen öffnen. Unter dem später umgestalteten und erweiterten Chor befindet sich eine dreischiffige Krypta, die mit drei Apsiden schliesst und sich nach Westen zu fünf Schiffen erweitert. Ihre Kreuzgewölbe ruhen auf acht freistehenden und zwei angelehnten Säulen mit theils antiken, theils nachgeahmten korinthischen Kapitälen. Der Bogenfries sammt den Lisenen am Aeusseren scheinen späterer Zeit anzugehören. Im Gegensatz zu diesem einfach strengen Bau

S. Fosca auf Torcello. haben wir schliesslich in der kleinen Kirche S. Fosca auf Torcello ein Monument von eben so zierlicher als origineller Gliederung des Raumes zu erwähnen. Eine Kuppel von 28 Fuss Spannung ruht in überaus kühner Construction von acht Säulen,

Fig. 204. S. Maria maggiore zu Nocera. Durchschnitt.

die mit vier einspringenden Mauerecken sich zu einem Quadrat zusammenschliessen. Kurze Kreuzarme mit Tonnengewölben, die sich östlich mit Säulenstellungen zu einem dreischiffigen Chor verlängern, geben eine leichte Andeutung des griechischen Kreuzes. Die Details des Innern entsprechen noch der altchristlichen Zeit, während die äussere Decoration der Apsis und die den Bau mit fünf Polygonseiten umfassende Vorhalle, — offenbar eine Nachahmung der von S. Marco — einer späteren Epoche, letztere wohl dem 11. Jahrh., angehören. Ohne Zweifel ist in diesem Bau byzantinischer Einfluss entscheidend gewesen; ähnlich wie auch die kleine Kirche S. Giacometto di

Venedig. Rialto in Venedig, ursprünglich gleichfalls ein Kuppelbau auf Säulen, und später in grossartigem Prachtstyl S. Marco ihn bekunden.

ZWEITES KAPITEL.

Die byzantinische Baukunst.

1. Vorbemerkung.

Römische Cultur-Elemente

Als das oströmische sich von dem abendländischen Reiche trennte (395 n. Chr.), dieses dem immer mächtigeren Andrängen der nordischen Völker und der inneren Auflösung überlassend, begann hier im äussersten Osten Europa's ein Culturleben von merkwürdiger Art. Byzanz war nicht wie Rom der Mittelpunkt einer altbegründeten Weltherrschaft, der Herd einer Bildung, deren Denkmäler in verschwenderischer Pracht in das verwilderte Leben der Gegenwart hineinragten. Hier war erst kürzlich eine neue Residenz auf neuem, von der Cultur fast unberührtem Boden geschaffen worden. Es galt also, diese mit dem Luxus auszustatten, an welchen die römischen Herrscher gewöhnt waren. Nicht allein die Einrichtungen des Lebens, die Grundzüge des Rechts und der Sitte, sondern auch die architektonische Ausprägung derselben wurden daher nach antik-römischem Vorbilde eingeführt. Hierdurch entstand ein Gegensatz zwischen der neuen Religion und den alten Formen des bürgerlichen und staatlichen Lebens, welcher sich um so schärfer ausbildete, je ruhiger und stetiger hier das Christenthum seine Herrschaft befestigen konnte. Denn während Italien im Laufe der nächsten Jahrhunderte der Tummelplatz der verheerendsten Kämpfe, der wilden Einfälle der germanischen Völker war, wussten die byzantinischen Kaiser die Angriffe der Barbaren theils durch Geldopfer abzukaufen und auf das weströmische Reich abzulenken, theils durch kräftige Feldherren zurückzuschlagen.

Das Christenthum

War durch diese Lage der Dinge der Entwicklung des neuen Staates hinlängliche Ruhe verbürgt, so erwies sich diese dennoch für die Neugestaltung keineswegs günstig, und am nachtheiligsten wurde sie für das Christenthum selbst. Da man den ganzen schwerfälligen Apparat des heidnischen Lebens, der nur noch aus Formen bestand, aus welchen die Seele längst entwichen war, auf den Boden des neuen Reiches verpflanzte, so vermochte das Christenthum nirgends den erfrischenden, regenerirenden Einfluss auf das Dasein zu gewinnen, der in seiner weltgeschichtlichen Aufgabe lag. In Rom, wo es den heftigen Leidenschaften roher, aber kindlicher Naturvölker entgegenzutreten hatte, erstarkte es gerade durch dieses beständige Kämpfen um die Existenz zu einem kräftigen Leben, indem es vorzüglich seinen sittlichen Inhalt ausbildete. In Byzanz, wo es einer abklingen, ergrauten Bildung sich gegenüber fand, musste es auf die conventionellen Formen derselben eingehen und brachte es nur zu einer verknöcherten Dogmatik, in welcher es allmählich erstarrte. So erschien es fast nur wie ein neuer Aberglauben, in welchem die Verderbtheit und Ruchlosigkeit der Menschen um so abschreckender sich zeigte, je mehr durch den Firniss höfischer Sitte die Niedrigkeit der Gesinnung hindurchschien.

Orientalische Einflüsse

Dazu kam noch ein wichtiger Umstand. Indem der Mittelpunkt des Reiches so weit nach Osten, an die Pforten Asiens rückte und sich auch geistig von dem beunruhigenden Westen abschloss, wurde den Einflüssen des Orients freier Zugang eröffnet. Waren nun diese schon in den letzten Zeiten des Römerreiches bis nach Rom gedrungen und hatten die Religionsformen, den Despotismus und die üppigen Trachten und Sitten Asiens daselbst eingeführt, um wie viel mehr mussten sie jetzt in dem viel näheren Byzanz einen empfänglichen Boden finden! Da aber dem bewegten, vielgestaltigen Leben des Abendlandes gegenüber der Orient auf die Einheit und Ruhe eines gleichmässigen Daseins gerichtet ist, so wurde dies immer mehr der Grundzug des byzantinischen Lebens, der sich in der Religion als dogmatische Starrheit, im Staate als unbeschränkter, grausamer Despotismus und im bürgerlichen Dasein als hohles, conventionelles Wesen ausprägte, hinter dessen Maske die Laster einer verderbten Civilisation sich zu verbergen suchten.

Geschichtl. Bedeutung des byzantin. Reiches. So unerfreulich nun das byzantinische Reich fast in allen seinen Erscheinungen ist, so hat es doch in seiner Mittelstellung zwischen dem Orient und Occident, in seiner durch Jahrhunderte fortdauernden, wenn auch ganz äusserlich erstarrten Cultur sehr wichtige Einflüsse auf die Entwicklung Europas gewonnen. Es hielt, den Gährungen der Völkerwanderungen gegenüber, das Beispiel einer grossen politischen Einheit aufrecht; es vererbte den Völkern des Abendlandes die Schätze griechischer Sprache und Poesie, die nachher beim Falle des byzantinischen Reiches für die Neugestaltung Europas von so wichtigem Einfluss wurden; es bewahrte manche Traditionen antiker Kunsttechnik, wenn auch in geistlos hergebrachter Behandlung; es schuf endlich ein System der Architektur — unbedingt die bedeutendste positive Leistung des byzantinischen Geistes — welches in manchem Betracht auch für die bauliche Entwicklung des Abendlandes Impulse gab.

2. Byzantinisches Bausystem.

Basilikenbau. Auch im byzantinischen Reiche war zunächst die Basilika der Ausgangspunkt der kirchlichen Architektur. Wie in Rom, so erbaute Constantin auch in seiner neuen Residenz und in anderen Städten seines Reiches mehrere Kirchen, die uns als flachgedeckte Basiliken bezeichnet werden, und von denen oben schon die Rede war.

Kuppelbau. Im Laufe des fünften Jahrh. bildete sich dagegen im oströmischen Reiche allmählich ein auf anderen Grundlagen beruhender Styl, den man als eigentlich byzantinischen aufzufassen hat*). Dieser ging von dem altrömischen Kuppelbaue aus. Zwar gab es, wie wir gesehen, auch in Italien gewisse kirchliche Gebäude, an welchen die Form der Kuppel vorherrschte. Allein diese Planbildungen blieben im Abendlande nur vereinzelt und für besondere Fälle in Gebrauch; die byzantinische Kunst erst wandte sie als Grundelement auf ihren gesammten Kirchenbau an.

Grundplan. Es wurde demnach ein erhöhter Mittelraum angenommen, in weiten Abständen von mächtigen Pfeilern eingeschlossen, welche durch hohe Bögen mit einander verbunden waren. Ueber diesen erhob sich die Wölbung der Kuppel. Meistens stieg sie von einem oberhalb der grossen Gurtbögen liegenden Gesimskranz auf, indem die zwischen diesem und den Bögen sich bildenden Felder durch Zwickel (Pendentivs), d. h. Gewölbfelder, die innerhalb eines sphärischen Dreiecks beschrieben sind, ausgefüllt wurden. Ringsum schlossen sich niedrige Seitenräume an, durch Säulenstellungen, die als Füllung in jene Hauptbögen eingelassen waren, mit dem Mittelraume in Verbindung gesetzt. Im Anfang scheint man für das Ganze die achteckige Grundform festgehalten zu haben. Das räumlich Beschränkende derselben führte jedoch später zu einer ungefähr quadratischen Anlage, welche man nach der Länge und der Breite durch erhöhte Mittelräume durchschnitt, in deren Kreuzung sich sodann die Hauptkuppel erhob. Hierdurch wurde aus der viereckigen Grundform ein Kreuz mit vier gleich langen Schenkeln, das sogenannte griechische, im Gegensatze zu dem lateinischen, dessen Hauptstamm verlängert ist, herausgehoben. Bei dieser complicirteren Form schlossen der mittleren Kuppel sich mächtige Halbkuppeln oder ganze Nebenkuppeln an. Für den Altarraum behielt man die grosse Halbkreisnische bei, ordnete aber gewöhnlich, durch rituale Bedürfnisse veranlasst, in den Seitenräumen kleinere Altarnischen an, die jedoch meistens nach aussen nicht hervortreten, da sie aus den dicken Mauern ausgespart waren. Die im Orient übliche strenge Sonderung der Geschlechter führte sodann die Anlage von Emporen über den niedrigen Seitenräumen herbei, welche gleich diesen durch Säulenstellungen sich gegen den Mittelraum öffne-

*) Eine ausführliche geschichtliche Darstellung der byzantin. Gesammtkunst, besonders auch der Architektur, giebt F. W. Unger in Ersch u. Gruber, Encyklopädie. I. Sect. LXXXIV S. 291—474 und LXXXV. S. 1—66.

ten. Endlich schloss sich an den westlichen Theil eine Vorhalle, welche, meistens mit kleineren Kuppeln überdeckt, die Aufgänge zu den Emporen und die Eingänge zu den unteren Räumen enthielt.

Auf diese Weise war ein Inneres geschaffen, welches bei aller Mannichfaltigkeit Centrale Anlage.
der Theile und der Gruppirung den Eindruck einer imposanten Einheit gewährte. Freilich bezog sich das Ganze nicht, wie bei der Basilika der Längenrichtung entsprechend, auf einen Schlusspunkt, sondern in concentrischer Weise auf einen mittleren Raum, der obendrein durch den Kranz der auf dem Krönungsgesims der Kuppel angebrachten Fenster ein verstärktes Licht erhielt und dadurch der Apsis ein noch schärferes Gegengewicht in der perspectivischen Erscheinung bereitete. Es war eine complicirte, künstliche Einheit der schlichten, natürlichen der Basilika gegenüber. Aber der Aufwand von wissenschaftlicher Erkenntniss, praktischer Erfahrung und technischen Mitteln war bei den Byzantinern ein ungleich grösserer, und diese Erfindung ist darum eine so wichtige, bedeutungsschwere, weil sie zuerst ein künstlich complicirtes System der Architektur in die Welt gebracht hat. Denn der Kuppelbau war zwar auch bei den Römern schon in grossartigen Dimensionen angewandt worden. Allein wenn man ein Gebäude, wie das Pantheon, mit den byzantinischen Hauptkirchen vergleicht, so springt der grosse constructive Fortschritt sogleich in die Augen. Dort ruhte die Kuppel auf einer ringsum aufgeführten Mauer von mächtiger Dicke, die auf allen Punkten ein angemessenes Widerlager bot. Hier dagegen ist der ungeheure Schub der Kuppel auf wenige Punkte — vier oder acht Pfeiler — geleitet und erhält durch angelehnte Neben- oder Halbkuppeln ein künstlich berechnetes Gegengewicht.

Auch in der Ausbildung des **Details** kamen neue Principien zur Geltung. Im Detailformen.
Anfange schloss man sich zwar ebenfalls den überlieferten Formen der antiken Kunst an, jedoch in einer von den römischen Arbeiten wesentlich verschiedenen Weise. Die

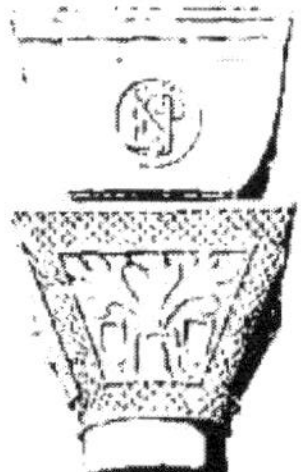

Fig. 207. Kapitäl von S. Vitale zu Ravenna.

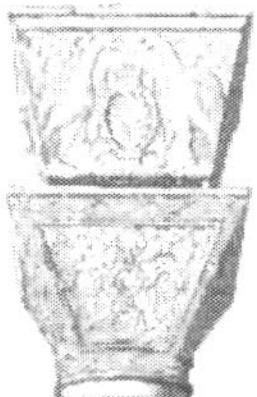

Fig. 208. Kapitäl von S. Vitale zu Ravenna.

in Byzanz gefertigten korinthischen Kapitäle aus jener Zeit unterscheiden sich von den schwülstigen spätrömischen durch eine feine, scharfe, zierliche Behandlung des Blattwerks, worin man das Nachwirken eines einheimisch griechischen Formgefühls erkennen kann. Als aber der byzantinische Styl in seiner Eigenthümlichkeit mehr und mehr hervortrat, bildete er auch, den veränderten Verhältnissen des Inneren entsprechend, die Details um. Man findet nun Composita-Kapitäle, an welchen die unteren Blattreihen mächtig heransschwellen, während die Voluten dagegen einschrumpfen, so dass die Gesammtform des Kapitäls eine ganz veränderte wird. Ein bemerkenswerthes Beispiel solcher Umbildung der antiken Form gewährt die **Säule des Marcian**, jetzt „Mädchenstein", Kis-taschi, genannt, welche zwischen 450 — 456 in **Constantinopel** errichtet wurde. Die eigentlich charakteristische Gestalt des byzantinischen Kapitäls ist dagegen die eines nach unten zusammengezogenen Würfels, dessen vier trapezartige Seiten mit einem in flachem Relief eingemeisselten, durchaus conventionellen Blattwerke bedeckt werden. Gewöhnlich umfasst ein in besonderen Mustern sculpirter Rand gleich einem Rahmen die einzelnen Seiten (vgl. Fig. 207—209). Hat dieses Kapitäl in seiner Form unstreitig etwas Ungefüges, so entspricht es eben dadurch und durch seinen compacteren Charakter recht wohl dem Wesen der byzantinischen Architektur, den mächtigen Kuppeln und den wuchtenden Bögen. Doch stieg der Bogen nicht unmittelbar vom Kapitäle auf; vielmehr erfand die byzantinische Kunst einen kräftigen, ebenfalls der würfelförmigen Gestalt sich nähernden kämpferartigen Aufsatz, der, gleichsam die Stelle des Abakus vertretend, den Bogen aufnahm. Seine Seiten blieben entweder frei oder wurden durch Namenszug oder andere rein ornamentale Reliefs bedeckt. Diese Kapitälform war es, deren wir bereits bei den Bauten von Ravenna gedachten.

Fig. 209. Kapitäl aus S. Michele in Affricisco zu Ravenna. (Rahn.)

Gliederungen.

Im Uebrigen ist die Detailbildung des byzantinischen Styles dürftig. Die beiden Stockwerke werden je durch ein Gesims, welches durch alle Haupttheile der Kirche sich fortsetzt, abgeschlossen, und zu ihnen kommt gewöhnlich noch ein drittes, über den Hauptbögen liegendes, von welchem die Kuppel aufsteigt. Die Gesimse und sonstige Gliederungen werden nach römischer Ueberlieferung geformt, das ganze Innere wird dagegen mit einem kostbaren Schmucke von Mosaiken auf Goldgrund oder von Fresken ausgestattet, wie denn auch zu den Säulen prachtvolle Marmorarten verwendet werden und ein an den Orient erinnernder prunkender Luxus von gemalten und musivischen Füllungen, Lineamenten und Friesen, sowie in den unteren Theilen eine Verkleidung von verschiedenfarbigem Marmor das Ganze überdeckt.

Das Aeussere.

Das Aeussere stieg wie bei der Basilika in zwei Absätzen auf, indem über die niedrigen Seitenräume der hohe Mittelraum emporragte. Doch waren die Seitenräume durch die doppelte Reihe von Fenstern und ein trennendes Gesims als zweistöckig bezeichnet. Die Mauern wurden von grosser Stärke meistens in Ziegelsteinen aufgeführt, und zwar gewöhnlich mit wechselnden Schichten von verschiedener Farbe. Die Fenster waren ähnlich denen der Basilika mit rechteckig gemauerter Wandung und oben mit einem Halbkreisbogen zugewölbt. Doch wird bei grösseren Fenstern eine Säule hineingestellt, die das Fenster in zwei von kleineren Bögen oberhalb geschlossene Theile zerlegt. Die Portale haben horizontalen Sturz und darüber einen denselben entlastenden Rundbogen. Am meisten charakteristisch für diesen Styl ist jedoch, dass die Kuppeln, ohne von einem besonderen Dache überdeckt zu sein, in ihrer runden Linie auch nach aussen hervortreten, und dass auch an Stellen, wo sonst ein Giebel angewendet zu werden pflegte, diese geschweifte Form beibehalten wird. Ein dem römischen Consolengesims nachgebildetes Kranzgesims trennt dann die ruhigen aufsteigenden Mauermassen von der Kuppel. Diese runden, weichen Linien, die mehr für den Innenbau geeignet sind, erinnern an den Orient mit seiner Vorliebe für schwellende, weichliche Formen, und stehen in einem fühlbaren Gegensatze gegen die streng geradlinigen Mauermassen. Uebrigens ist der Eindruck des Aeusseren neben dem Fremdartigen, welches die runden Bedachungen ihm geben, von schlichter, imponirender Würde.

Gründe für die Aufnahme des Kuppelbaues.

Vielleicht lag in dem Behagen, welches der Osten an complicirten Formen findet, ein Hauptgrund, warum im byzantinischen Reiche der Centralbau mit der Kuppel dem mit flacher Holzdecke versehenen Langhause der Basilika vorgezogen wurde. Das gekünstelte, auf einer raffinirten Technik beruhende Wölbungssystem harmonirte auch durchaus mit dem Charakter des oströmischen Staates. Sodann aber war ohne Zweifel der Mangel an Bauholz und der Reichthum an Mitteln im üppigen Byzanz ein wichtiger Grund für die Aufnahme des Kuppelbaues. Zudem mögen aber auch manche Verschiedenheiten der Liturgie, sowie die Sucht nach Rang- und Geschlechtsabsonderung zur Ausbildung des byzantinischen Grundplanes nicht wenig beigetragen haben.

3. Die Denkmäler und die historische Entwicklung.

Ravennatische Bauten. Baptisterium.

Eine hervorragende Stelle in der früheren Entwicklung des byzantischen Styles nehmen die Bauten von Ravenna ein*). Zunächst ist hier das Baptisterium der Kathedrale zu nennen, ein einfach achteckiger Bau ohne Umgänge. Das charakteristisch Neue an demselben besteht darin, dass durch eine Doppelstellung von Säulen an den Wänden eine zweistöckige Eintheilung angedeutet wird, und dass die von den Säulen jeder Seite aufsteigenden Halbkreisbögen durch einen grösseren, sie umfassenden Bogen zu einer Gruppe zusammengeschlossen werden, ein System, welches die römische Architektur nicht kannte. Glänzender Mosaikschmuck verbindet sich damit. Sodann ist die Grabkapelle der Galla Placidia (die jetzige Kirche S. Nazario e Celso), in der ersten Hälfte des 5. Jahrhunderts erbaut, von Wichtigkeit. Sie bildet ein Kreuz, dessen Flügel von Tonnengewölben bedeckt sind, dessen erhöhter Mittelraum von einer Kuppel überwölbt wird. In der Ausführung herrscht noch die antike Technik vor, und das Innere hat einen reichen Mosaikschmuck.

S. Nazario e Celso.

S. Vitale.

In voller Selbständigkeit entwickelt tritt der byzantinische Styl zuerst an der Kirche S. Vitale auf. Sie wurde von 526—547 unter griechischer Herrschaft durch *Julianus Argentarius*, der auch bei S. Apollinare in Classe die Oberleitung hatte, erbaut. Der ganze Bau bildet ein regelmässiges Achteck von 107 Fuss Durchmesser, mit einer westlichen, schief auf der Axe der Kirche stehenden Vorhalle, im Osten mit einer nach innen runden, nach aussen dreiseitigen Altarnische, mit welcher zwei runde Thürme in Verbindung gesetzt sind. Den Seiten der Umfassungsmauern entsprechend, erheben sich im Innern acht kräftige Pfeiler, durch breite Halbkreisbögen verbunden, auf welchen die Obermauer des Mittelraumes ruht. Von dieser steigt, durch kleine Zwickel vermittelt, die Kuppel auf, in ihren unteren Theilen durch acht grosse Rundbogenfenster, die durch ein Säulchen getheilt sind, erhellt. Die Construction dieser Kuppel von 54 Fuss Spannung ist besonders originell und leicht. Sie besteht nämlich aus länglichen den römischen Amphoren ähnlichen Töpfen, welche in der Fensterhöhe aufrecht stehend, die eine mit dem unteren spitzen Ende in den offenen Hals der andern gesteckt, von

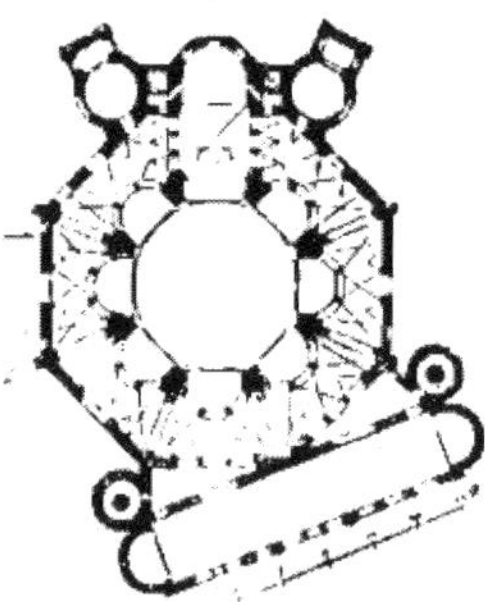

Fig. 216. S. Vitale in Ravenna. Grundriss.

*) Vergl. das oben citirte Werk von *Fr. v. Quast*, und die altchristlichen Kirchen von *H. Hübsch*.

da sie aber liegend und ähnlich in einander greifend, eine grosse, bis zum Scheitel der Kuppel reichende Spirallinie bilden. Diese von den Römern schon hin und wieder angewandte Construction, die vermöge der ausserordentlich verringerten Masse dem Gewölbe die grösste Leichtigkeit sichert, erscheint hier in höchster Ausbildung. Zwischen jene acht Pfeiler sind, mit Ausnahme der beiden, welche den Zugang zum Altar frei lassen mussten, in apsidenartiger Stellung je zwei Säulen angeordnet, welche, durch Bögen verbunden, noch eine obere ähnliche Säulenstellung tragen, auf deren Bögen eine Halbkuppel bis zum grossen Scheidbogen der Pfeiler ansteigt. Mit den unteren Arkaden öffnen sich die niedrigen Seitenräume, mit den oberen die auf denselben angebrachten Emporen gegen den Mittelraum. Die Seitengänge und die Emporen verbinden sich durch halbe Kuppelgewölbe und ein complicirtes Stichkappensystem*) mit den Pfeilern und Säulen. Nur zu dem Altar führt ein mit einem Kreuzgewölbe in der ganzen Höhe der Umgänge und Emporen bedeckter Raum, der mit diesen durch Säulenstellungen zusammenhängt. Die Seitenräume erhalten ihre Beleuchtung durch Fenster, die in den Umfassungswänden angebracht

Fig. 211. S. Vitale. Längendurchschnitt.

sind, während aus den acht Fenstern der Kuppel dem Mittelraume ein concentrirtes Oberlicht zu Theil wird. Die Kirche bietet in ihrer ganzen Erscheinung den Eindruck einer künstlichen, durch kluge Berechnung erzeugten, aber dennoch grossartigen Einheit, in welcher alle Theile sich auf das Centrum beziehen, das durch seine Höhe und Beleuchtung dominirend heraustritt**). Zugleich ist die Altarnische, obwohl der Anlage nach untergeordnet und auch durch die fehlende Beleuchtung in ein mystisches Halbdunkel gehüllt, auf geschickte Weise mit dem Mittelraume verbunden, so dass der Blick doch auch in der Hauptrichtung des Gebäudes nicht irren kann. Verstärkt wurde der imponirende Eindruck des Inneren durch die kostbare Ausstattung desselben. Die unteren Theile der Wände bis zu den Kämpferhöhen der Säulen waren gleich dem Fussboden mit Marmorplatten bekleidet, alle oberen Theile dagegen bis zum Scheitel der Kuppel prangten in reichen Mosaiken, theils grosse Figuren, Brustbilder in Medaillons, theils reich gemusterte Einfassungen der Hauptdarstellungen enthaltend. Diese bildnerische Ausschmückung, von welcher Fig. 211 eine Andeutung gibt, ist

*) Stichkappen nennt man kleinere Gewölbefelder (Kappen), welche in ein Tonnengewölbe einschneiden.

**) Ein Beispiel verwandter Anlagen lernen wir in S. Lorenzo zu Mailand kennen. Welche von diesen beiden Kirchen als die frühere auf die andere Einfluss geübt habe, ist schwerlich mit Bestimmtheit festzustellen.

Fig. 112. S. Vitale. Innenansicht.

nur zum Theil noch erhalten, aber selbst in den Resten von mächtiger, ächt monumentaler Wirkung. Die eigentlich architektonischen Details, in vorzüglicher Feinheit ausgemeisselt, zeigen durchaus den Stempel ausgeprägt byzantinischen Styles. Zwar haben die oberen Säulenreihen römische Compositakapitäle, aber alle übrigen sind mit dem schon oben beschriebenen trapezartigen Kapitäl versehen (vgl. Fig. 207 und 208 auf S. 217). Die stumpf gebildeten Basen der unteren sind durch eine in neueren Zeiten erfolgte Erhöhung des Fussbodens, bei der man jedoch das alte Marmorpflaster wieder benutzt hat, verdeckt. Auch das dreitheilige breite Fenster vor der Altarapsis im Sanctuarium, das man auf unserer Abbildung des Inneren Fig. 212 sieht, ist neuerer Zusatz, gleich den von Engeln getragenen Wappen, welche oben in der Kuppel die Zwickel verdecken, und den zwischen den Fenstern derselben angebrachten korinthischen Pilastern. Welch bedeutendes constructives Wissen, und welche technische Praxis sich an diesem wichtigen Denkmale kund gibt, beweist die künstliche Kuppelwölbung des Mittelraumes, beweist die complicirte Anlage des Ganzen, zumal die nischenartige Stellung der Säulenarkaden, wodurch der Seitenschub der Emporengewölbe auf die kräftigen Hauptpfeiler geworfen wurde. Das Äussere, einfach in Ziegelmauerwerk aufgeführt, ist nur dadurch bemerkenswerth, dass die Kuppel von einem Dache bedeckt wird, eine Anordnung, welche den Einfluss abendländischen Geistes und Klimas zu verrathen scheint.

Weitere Entwicklung. So bedeutsam indess die polygone Grundform hier durchgebildet war, so ungünstig erwies sie sich doch ihrer Ungewöhnlichkeit und räumlichen Beschränkung wegen für die Anlage grösserer Kirchen. Man griff daher bald zu einer viereckigen Anlage zurück, mit welcher man zuerst den achteckigen Mittelbau zu verbinden suchte. Solches zeigt die Kirche S. Sergius und Bacchus zu Constantinopel (Fig. 213)*). Bei einer quadratischen Gesammtanlage erhebt sich hier der mittlere Kuppelraum wie in S. Vitale auf acht Pfeilern mit zwischengestellten Säulenarkaden. Diese Kirche, bald nach 527 erbaut, scheint demnach ein Zwischenglied zwischen jenem ravennatischen Bauwerke und dem Hauptdenkmale der byzantinischen Kunst, der Sophienkirche in Constantinopel zu bilden.

S. Sergius u. Bacchus.

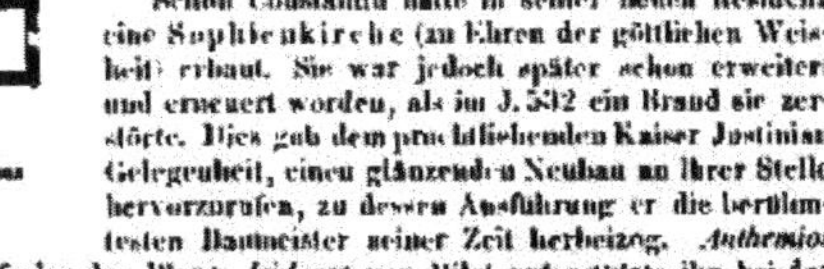

Fig. 213. S. Sergius u. Bacchus zu Constantinopel.

Sophienkirche. Schon Constantin hatte in seiner neuen Residenz eine Sophienkirche (zu Ehren der göttlichen Weisheit) erbaut. Sie war jedoch später schon erweitert und erneuert worden, als im J. 532 ein Brand sie zerstörte. Dies gab dem prachtliebenden Kaiser Justinian Gelegenheit, einen glänzenden Neubau an ihrer Stelle hervorzurufen, zu dessen Ausführung er die berühmtesten Baumeister seiner Zeit herbeizog. *Anthemios* von Tralles war der Erfinder des Plans, *Isidoros* von Milet unterstützte ihn bei der Ausführung. Mit allem Eifer wurde der Bau gefördert, so dass er bereits im J. 537 vollendet dastand. Als nach wenigen Jahren bei einem Erdbeben die Kuppel einstürzte, wurde sie sofort wieder hergestellt und ist in diesem Zustande, mit wenigen späteren Veränderungen, aber bekanntlich in eine Moschee verwandelt, noch jetzt erhalten.

Grundplan. Der mächtige Bau bildet in seiner Gesammtform (vergl. den Grundriss Fig. 214 und den Durchschnitt Fig. 215) ungefähr ein Quadrat von 252 Fuss Länge bei 228 Fuss Breite. Seinen erhöhten Mittelraum bedeckt die Kuppel, die jedoch nicht von acht, sondern von vier Pfeilern getragen wird. Diese, in einem quadratischen Abstande von etwa 110 Fuss errichtet, sind durch breite Gurtbögen mit einander verbunden,

*) Vergl. für diese und die folgenden Kirchen W. *Salzenberg*, Altchristliche Baudenkmale von Constantinopel vom V. bis XII. Jahrhundert. Fol. u. 4. Berlin 1854.

auf deren Scheitel ein Gesimskranz ruht. Von diesem steigt, unter Vermittlung von vier grossen Zwickeln, die Kuppel auf, jedoch nicht in halbkreisförmiger Erhebung, sondern in einem gedrückten Kreissegment, dessen Steigung etwa den sechsten Theil seiner Spannweite beträgt. Doch ist der Unterbau so hoch emporgeführt, dass der Scheitel der Kuppel etwa 170 Fuss über dem Fussboden sich erhebt und der gewaltige Höheneindruck besonders durch die hoch emporgeführten Pfeiler mit ihren imposanten Bögen bewirkt wird. Hierin beruht ein entscheidender Gegensatz gegen S. Vitale; denn dort stieg über den Pfeilerbögen erst eine senkrechte Oberwand auf, über welcher erst die Kuppel begann, während hier die Kuppelwölbung so unmittelbar über den Scheiteln der Bögen und zwar in so geringer Steigung beginnt, dass es den Eindruck gewährt, als fange sie schon am Fusspunkte der Bögen auf den Gesimsen der Pfeiler an, und als sei der von den Bögen umschriebene Raum nur aus ihr herausgeschnitten. Dieser Mittelraum erhält in der Längenaxe der Kirche, nach Osten und Westen, eine Erweiterung, in dem sich sowohl hier als dort eine mächtige Halbkuppel, die auf den entsprechenden beiden Pfeilern und zwei anderen, schwächeren ruht, an die Hauptkuppel anlehnt. Dadurch erhält das so begrenzte Mittelschiff im Grundriss die Form einer Ellipse, welcher auch die flache Kuppelwölbung entspricht. In die Halbkuppel schneiden sodann wieder drei kleinere, ebenfalls mit Halbkuppeln überwölbte Nischen, von denen die beiden seitlichen nach dem Vorbilde von S. Vitale auf doppelten, nach der Kreisform gestellten Säulenarkaden ruhen, während die mittlere an der Ostseite, mit einer Wand geschlossen, die Altarapsis bildet, und diejenige der Westseite durch die Wand der Vorhalle rechtwinklig abgeschlossen wird. Die doppelten Säulenreihen deuten schon auf die zweistöckige Anlage, welche in allen Nebenräumen durchgeführt ist. Zu diesem Ende sind die beiden Bögen, die nördlich und südlich den Mittelraum begrenzen, durch eine Wand geschlossen, welche ebenfalls von zwei über einander gestellten Säulenreihen gestützt wird. Das grosse Bogenfeld dieser beiden Seitenwände wird durch drei über einander angebrachte Fensterreihen erleuchtet; von den Arkaden öffnen sich die oberen auf die für die Frauen bestimmten Emporen (das Gynaeceum), die unteren auf die Nebenschiffe. Diese theilen sich durch vorspringende Pfeiler — die wohl bei der Restauration nach dem Erdbeben verstärkt worden sind — in drei vor jener Wiederherstellung vielleicht mehr zusammenhängende Räume, deren Gewölbe von Säulen getragen worden. Nach Westen schliesst sich in der ganzen Breite des Gebäudes eine gewölbte Vorhalle an, aus welcher man durch neun grosse Portale in das Innere und auf seitwärts angebrachten Treppen zu den Emporen gelangte. An diese Vorhalle stösst noch eine andere, schmalere, parallel mit ihr liegende Halle, der für die Büsser bestimmte Narthex, die wiederum die eine Langseite des grossen rechteckigen Vorhofes bildet, den wir mit seinem Weihbrunnen auch bei den grösseren Basiliken fanden.

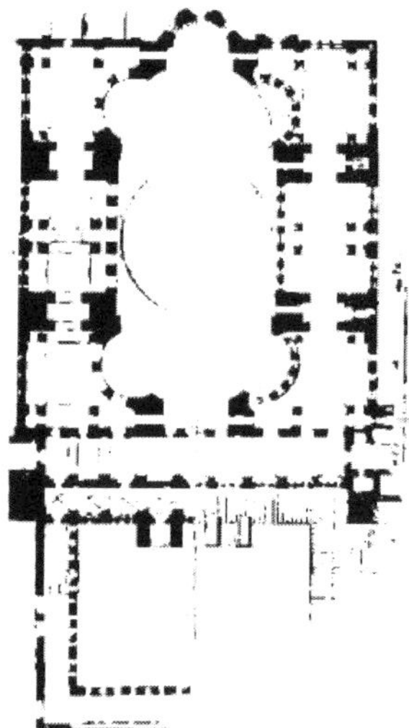

Fig. 104. Grundriss der Sophienkirche in Constantinopel.

Wir haben somit ein Ganzes vor Augen, welches allerdings der Länge nach aus drei Theilen, einem mittleren, dominirenden zwischen zwei untergeordneten Nebenräumen, besteht. Im Vergleich zu S. Vitale ist die concentrische Anlage hier also

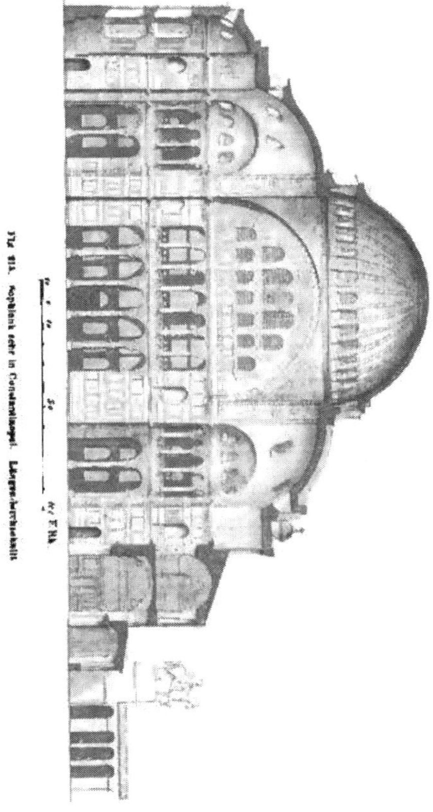

Fig. 113. Sophienkirche in Constantinopel. Längendurchschnitt.

wesentlich gemildert, was man als ein Zugeständniss an die schlichte Zweckmässigkeit der Basilika betrachten kann. Aber das Uebergewicht der centralen Kuppel besteht nichtsdestoweniger auch hier, und die auf dessen Grundlage erzeugte Einheit ist eine eben so schwerfällig-mechanische als raffinirt-künstliche. Die Apsis, der für das Allerheiligste bestimmte Raum, erscheint nur als ein Anhängsel des Anhängsels der Hauptkuppel, anstatt dass sie in der Basilika sofort als Ziel- und Knotenpunkt des ganzen Baues mächtig heraustritt. Zu bemerken ist übrigens, dass die beiden Seitennischen aus liturgischen Bedürfnissen entsprangen, da die eine (Prothesis) zu den Vorbereitungen des heiligen Opfers, die andere (Diakonikon) zu den Vorlesungen der Diakonen diente.

Ausschmückung

Die innere Ausschmückung bewegt sich in den Formen des durchgebildeten byzantinischen Styles. Kamen in S. Vitale noch römische Compositakapitäle vor, so zeigen dagegen die zahlreichen Kapitäle der Sophienkirche die derbe byzantinische Form in mannichfach wechselnder Decoration. Die Schäfte der hundert Säulen, welche man im Inneren zählt, sind aus edlen Marmorarten gemacht, die stumpf profilirten Basen bestehen hauptsächlich aus einem kräftigen Pfühl. Der durch die Menge von Säulen und Pfeilern scharf betonten Verticalgliederung stellt sich in den beiden Hauptgesimsen, welche, im ganzen Baue durchgehend, die beiden Geschosse bezeichnen, eine ruhig geschlossene Horizontalgliederung gegenüber. Sodann ist noch als letzte wagerechte Theilung das grosse Kranzgesims der Kuppel zu nennen. Den meisten Fleiss wandte man dem Schmuck der Wände und Pfeiler zu. Diese waren bis zur Empore durchaus mit edlen Steinen bekleidet. Porphyr, Alabaster, Jaspis und Marmor wetteiferten mit dem Schimmer der kostbaren Perlmutter. Aehnlich war auch der Fussboden mit mannichfach verschiedenen Steinarten ausgelegt. Die oberen Theile, besonders die Wölbungen der Nischen und die Kuppel, waren mit grossartigen Mosaikbildern auf Goldgrund bedeckt. Aus vierundzwanzig grossen Fenstern, die auf dem Kranzgesims der Kuppel sich erheben, fiel ein mächtiger Lichtstrom auf all die reiche Pracht, und sämmtliche Nebenräume, die Halbkuppeln, die Emporen, die Seitenschiffe, erhielten eine ihrer Bedeutung entsprechende Beleuchtung. Selbst die Altarnische empfing durch drei Fenster ein selbständiges Licht. Die Fenster selbst aber wurden wie bei den Basiliken mit dünnen, vielfach durchbrochenen Marmorplatten geschlossen.

Das Aeussere.

Das Aeussere, gegenwärtig durch Hinzufügung von Minarets und anderen türkischen Zusätzen entstellt (vgl. Fig. 216), erhob sich in ernsten, ruhigen Massen, nur durch die Fensteröffnungen und die den Stockwerken des Inneren entsprechenden Gesimse getheilt. Sehr charakteristisch zeigen sich dagegen die flachen Wölbungen der Kuppel und Halbkuppeln, welche, ohne ein besonderes Dach, nur mit Metallplatten bekleidet waren. Diese wellenförmigen, geringen Erhebungen geben dem Ganzen den Ausdruck des Schweren, Lastenden und zugleich den Stempel einer an den Orient erinnernden Phantastik. Von der Sorgfalt, welche man auf die Ausführung des Baues wandte, zeugt der Umstand, dass man die Ziegelsteine zu demselben aus einer besonders leichten Erde auf der Insel Rhodus fertigen liess, so dass diese Steine nach einer Nachricht fünfmal, nach einer anderen sogar zwölfmal leichter als gewöhnliche Ziegel waren.

Aesthetische Würdigung

Mit der Sophienkirche hatte die byzantinische Architektur den Höhepunkt ihrer Entwicklung erreicht. Dass die hier gewonnene Form dem ästhetischen Sinne von Byzanz am meisten entsprach, wurde bereits angedeutet. Aber auch in constructiver Hinsicht erwies sie sich als mustergültig. Nach langen Versuchen war hier das grossartigste Beispiel einer complicirten Gewölbanlage aufgestellt, die in ihrer Zusammensetzung von eben so grossem Scharfsinn als technischem Wissen zeugt. Die gewaltige Kuppel warf zunächst durch die vier grossen Gurtbögen den Druck auf die Hauptpfeiler. Von dort wurde er nach zwei Seiten auf die sich anlehnende Halbkuppel und deren Pfeiler gelenkt, wobei nach dem Vorgange von S. Vitale durch die Kreisstellung der Säulen diese leichteren Stützen entlastet wurden. Nach den beiden anderen Seiten wurde der Seitenschub der Kuppel durch die den Pfeilern entsprechenden Strebepfeiler der Umfassungsmauern aufgefangen, während die beiden Arkadenreihen für die Last der auf ihnen ruhenden Füllungswand hinreichten, und die Gewölbe der Emporen durch andere Säulen und zum Theil durch die Pfeiler gestützt wurden.

Veränderte Plananlagen.

Aber die hier gewonnene Anlage war zu complicirt, als dass sie zu directer Nachahmung hätte reizen können. So wusste man denn in anderen Fällen den basilikenartigen Langbau durch einfachere constructive Mittel mit dem Gewölbebau zu verbinden. Die Kirchen dieser Gattung haben ein durch stärkere und schwächere Pfeiler in drei Schiffe getheiltes Langhaus, dessen Mittelschiff durch eine von Tonnengewölben

Fig. 218. Sophienkirche in Constantinopel.

eingefasste Kuppel bedeckt wird, während die Seitenräume mit Kreuzgewölben versehen sind. An die Westseite legt sich eine bisweilen zweischiffige Vorhalle; der Chor dagegen wird durch eine grössere polygone oder runde Apsis zwischen zwei kleineren geschlossen, welche letztere sich mehrfach mit einem lebendig entwickelten

S. Sophia zu Salonichi.

Nischensystem des vorliegenden Raumes verbinden. Ein Hauptbeispiel dieser Gattung ist die Kathedrale von **Salonichi**, S. Sophia, deren Bau die Tradition noch auf Justinian zurückführen will, und die jedenfalls nicht viel jünger anzusetzen ist.*) Sie trägt durchaus das Gepräge jener Zeit, sowohl in ihrer Construction als dem reichen Mosaikschmuck ihres Innern. Um das Mittelschiff ziehen sich Abseiten mit Emporen, die an der Westseite im Narthex zusammentreffen. Die Dimensionen sind mässig: die Kuppel hat 34 F. Weite, der ganze Bau im Lichten 100 F. Breite, und mit dem Altarraum 126 F. Länge. Einen Uebergang zu dieser Gattung bildet die Kirche der h. **Irene** zu **Constantinopel**, sofern bei ihr zu der Hauptkuppel im Mittelschiffe noch eine kleinere elliptische tritt. Der Bau scheint aus dem 9. Jahrh. zu stammen. Einfacher und schärfer macht sich dagegen jener Grundriss bei einer Kirche zu **Myra**, der Clemenskirche zu **Ancyra** und einer Kirche im Thale des **Cassaba** in Kleinasien geltend.

S. Irene zu Constantinopel.

Andere Grundform.

Dagegen wird schon zu Justinian's Zeiten eine **andere Auffassung des Kirchenplanes** bemerklich, die von der Gestalt eines Kreuzes mit etwas verlängertem westlichem Arm ausgeht. Im Inneren ziehen sich parallele Säulenstellungen in den Kreuzarmen hin. Auf der Durchschneidung von Langhaus und Querarm erhebt sich eine Kuppel, zu welcher vier kleinere, auf den Enden der Kreuzflügel angebrachte hinzukommen. Dadurch wurde besonders für das Aeussere eine reichere Gruppirung erzielt. Diesen Grundriss zeigten die **Apostelkirche** zu **Constantinopel**, deren Anlage später auf S. Marco von Venedig übertragen werden sollte, und die des h. **Johannes** zu **Ephesus**. In der ebenfalls von Justinian erbauten Kirche der **Deipara** bei den **Blachernen** tritt uns abermals eine Umgestaltung des Grundplanes entgegen; denn soweit man aus den Beschreibungen der Zeitgenossen über diesen untergegangenen Bau urtheilen kann, war es eine grossartige Kreuzkirche auf Pfeilern, mit abgerundeten Querarmen, wobei die Marienkirche in Bethlehem als Vorbild gedient haben wird. Ein Rundbau mit Kuppel und äusserem niederm Umgang war die von demselben Kaiser gegründete Kirche des h. **Michael am Anaplus**, deren Grundform in geringeren Nachbildungen namentlich an kleinasiatischen Kirchen wiederholt wird. So in der Kirche zu **Derbe**, einem Rundbau mit vierzehnseitigem Umgang, und in der Kirche zu **Hierapolis**, wo der 56 Fuss weite Mittelraum ein von rundem Umgang umzogenes Achteck darstellt. Einen Rundbau ohne Umgang zeigt dagegen die Kirche zu **Antiphellus**.

Profanbauten.

Ohne von den nur aus den Beschreibungen der Schriftsteller bekannten ausserkirchlichen Bauten, den Palästen, Hallen, Wasserleitungen und Brücken, ausführlicher zu reden, von denen nur die interessanten Reste des **Hebdomon**, eines durch Kaiser Theophilus (829—842) errichteten Palastes, neuerdings veröffentlicht worden sind**), genüge die Bemerkung, dass an diesen Bauten die an den bereits erwähnten Hauptwerken betrachtete Richtung auf complicirte, künstlich construirte Anlagen und verschwenderische Pracht der Ausstattung ebenfalls zur Erscheinung kam. Wichtiger ist es dagegen, die Aenderungen und Umgestaltungen nachzuweisen, welche in der Zeit nach Justinian die byzantinische Architektur erfuhr.

Spätere Umgestaltungen des Styls.

Als Grundzug ist auch hier in's Auge zu fassen, dass in Beziehung auf die Hauptanlage und Construction an den einmal überlieferten Resultaten mit grosser Starrheit festgehalten wurde, ohne dass von einer lebenskräftigen Fortentwicklung ein Hauch zu spüren wäre. Nur die Ausstattung wurde allmählich kärglicher, sofern an die Stelle der kostbaren Steinarten blosse Mosaiken, und noch später Fresken traten; die wirklichen Veränderungen betreffen nur unwesentliche Punkte.

Kuppel.

Einer der wichtigsten ist wohl der, dass anstatt der flachen Kuppel eine höher gewölbte, meistens halbkugelförmige beliebt wurde. Da man diese ohne einen Gesimskranz auf den Mauercylinder setzte, und die von säulengetragenen Archivolten umfassten Fenster mit ihren Bögen unmittelbar in die Kuppel einschneiden liess, da man

*) *Texier et Popplewell Pullan*, Byzantine architecture. Taf. 33 ff.

**) Vergl. *W. Salzenberg*. Taf. XXXVII.

ferner an den unbedeckten Kuppeln festhielt, höchstens sie durch eine Ziegellage schützte, so ergab sich aus allen diesen Elementen ein für den späteren byzantinischen Bau sehr bezeichnendes Gepräge. Dazu kam noch, dass man mehrere Kuppeln anzuordnen liebte, entweder auf den vier Kreuzarmen oder auf den Ecken des Gebäudes, so dass diese mit der allemal höheren Mittelkuppel ein griechisches oder ein Andreaskreuz bildeten; dass man ferner auch die grossen Tonnengewölbe äusserlich hervortreten liess und durch entsprechend gebogene Giebel schloss, wodurch die runden Linien immer mehr überwiegend wurden. Alle diese Aenderungen berührten mehr das Aeussere als das Innere, wie es denn die Geschichte aller christlichen Baustyle mit sich bringt, dass die Durchbildung mit dem Inneren beginnt und mit dem Aeusseren aufhört.

Construction. Aufgeführt wurden diese Bauten in Ziegeln oder auch in schichtweise mit Ziegeln wechselnden Hausteinen, wobei man den Wechsel verschiedenfarbiger Schichten so-

Fig. 217 Kapitäl aus S. Marco zu Venedig.

wohl an den Bögen und Fenstereinfassungen wie an dem ganzen Mauerwerke liebte. Die Säulen zeigen nach wie vor plumpe Basen und die ungefüge Gestalt des trapezähnlichen Kapitäls. Bei der reicheren Ausführung des letzteren kommen manchmal noch antike Reminiscenzen vor, die Voluten, der Akanthus und Anderes, aber in ungemein dunkler, ungeschickter und missverstandener Behandlung, wie das Kapitäl aus der Marcuskirche zu Venedig (Fig. 217) deutlich beweist. Die Fenster, entweder einfach oder durch eine Säule getheilt, sind rundbogig überwölbt und oft von Arkaden umrahmt, welche auf Säulen ruhen. Die Gesimse sind meistens durch eine Reihe übereck gestellter Ziegelsteine gebildet.

Ein anziehendes Beispiel, an welchem fast alle erwähnten Merkmale sich finden, bietet die Kirche der Muttergottes (S. Theotokos) in Constantinopel. Unsere Abbildung (Fig. 218) zeigt sie von der Ostseite, wo die wie an den meisten späteren Bauten dieses Styles äusserlich polygone Altarapsis durch die von Säulen eingefassten Fenster und die über denselben die Wand durchbrechenden Nischen einen sehr zierlichen Eindruck macht. Ueber denselben erblickt man die Hauptkuppel und zu deren Seiten zwei von den drei auf der Vorhalle angeordneten niedrigeren Kuppeln. Sie alle haben die runde Gestalt und die in die Wölbung einschneidenden Fenster — Merkmale, welche die spätere byzantinische Architektur besonders kennzeichnen. Andere verwandte Bauten dieser Epoche bietet das denkmalreiche Salonichi. Die S. Theotokos. Salonichi

Fig. 218. Muttergotteskirche in Constantinopel.

Kirche S. Bardias vom J. 937 hat eine schlanke Kuppel über hohen, auf 4 Säulen von 12 F. Abstand ruhenden Bögen, Seitenschiffe mit Tonnengewölben und vier kleineren Kuppeln in den Ecken, drei Altarapsiden, die mittlere nach aussen polygon gestaltet, und endlich einen ausgedehnten Narthex, der jedoch nicht durch Kuppeln bezeichnet ist. Noch steiler entwickelt sich der Kuppelbau in der Apostelkirche, die bei ähnlicher Grundform den Narthex um alle drei Seiten der Kirche bis zum Chore fortführt und eine offene Vorhalle auf Pfeilern und zwischengestellten Säulen hinzufügt. Die vier Seitenkuppeln erheben sich hier auf den Ecken des Narthex. Denselben Styl zeigt auch die kleine Kirche S. Elias vom J. 1012, doch gestaltet sie ihren Grundplan abweichend vom Herkommen als mittleren Kuppelraum von 20 F. Durchmesser, welchem ein Chor und zwei Kreuzarme, sämmtlich mit äusserlich polygonen Halbkreisnischen, sich anfügen, während nach Westen ein dreischiffiger Narthex auf vier Säulen angeschlossen ist.

17*

In dieser Gestalt, ziemlich unberührt von den Einwirkungen abendländischer Kunst, überdauerte die byzantinische Architektur selbst den Fall des griechischen Kaiserthums und steht noch jetzt in jenen östlichen Gegenden in Uebung.

Geschichtliche Bedeutung des Styles.

Fragt man nun nach der **Bedeutung jenes Styles** und **seinem Werthe für die Gesammtentwicklung**, so wird man wieder auf den oben bereits angezogenen Vergleich mit der Basilika zurückzukommen haben. Beide Bauweisen, die mehr dem Abendlande angehörende Basilika und der byzantinische Centralbau, müssen in genauem Zusammenhange aufgefasst werden als Geschwister, die, aus dem Schoosse der altchristlichen Bildung hervorgegangen, unter verschiedenen äusseren und inneren Einflüssen sich sehr verschieden, fast entgegengesetzt entwickelt haben, und dennoch nur in ihrer Vereinigung unter einem gemeinsamen Punkte der Betrachtung den Geist jener Epoche in seiner ganzen Tiefe und Vielseitigkeit spiegeln. Steht der byzantinische Centralbau an Originalität der Conception und der Durchbildung, an technischem und constructivem Neugehalt, an Pracht der Ausstattung dem Basilikenbau unbedenklich voran, so hat doch jener wieder den unübertrefflichen Vorzug, das einfachste, anspruchloseste und zugleich dem praktischen Zweck wie der geistigen Bedeutung am nächsten kommende Princip gefunden zu haben. Trotz allen Aufwandes an Mitteln und Einsicht brachte der Centralbau mit grosser Mühe nur eine complicirte und unklare Grundform zu Stande, in welcher er, gleichsam mit Erschöpfung seiner ganzen Erfindungsgabe, unrettbar erstarrte. Die Basilika dagegen gab in jener schlichten Gestalt des mehrschiffigen, auf dem Altarraum hinführenden Langhauses dem frischen, schöpferischen Geiste der germanischen Völker eine jener Grundformen, welche eben wegen ihrer unbewussten Einfachheit den Keim reichster Entfaltung in sich tragen. Desshalb nahm die Architektur des Mittelalters in der Folge von den Byzantinern zwar wohl die treffliche Technik, die neuen Bereicherungen der Construction und in der Durchführung einige Einzelformen auf: aber das Gerüst, aus welchem sie ihre herrlichen Schöpfungen, wie aus dem Embryo einen lebenskräftigen Organismus, entwickelte, war die Basilika.

DRITTES KAPITEL.

Die altchristliche Baukunst bei den Germanen.

Die germanischen Völker.

Als nach den Stürmen der Völkerwanderung die germanischen Stämme in ihren neuen Wohnsitzen sich befestigten, fanden sie sich als culturlose, naturwüchsige Barbaren in Umgebungen, welche trotz aller Verheerungen mit mächtigen Zeugnissen antik-römischer Cultur und den ersten Leistungen altchristlicher Kunst angefüllt waren. Da sie in ihren Wäldern nur einen rohen Bedürfnissbau geübt hatten, so brachten sie kein neues architektonisches Element, wohl aber jugendliche Empfänglichkeit und vollkräftige Naturfrische mit. Sie verhielten sich daher den vorhandenen Schöpfungen gegenüber naiv aufnehmend und nachahmend. Aber gerade aus diesem jungfräulichen Boden des germanischen Volksgeistes sollte die Saat antiker Ueberlieferungen zu neuer, nie geahnter Herrlichkeit aufkeimen. Werden wir diesen Entwicklungsprozess in seinen einzelnen Stadien später zu verfolgen haben, so können wir hier einstweilen nur von den stammelnden Versuchen, in fremder Kunstsprache zu reden, berichten. So wenig wir auch Eigenthümliches, Neues finden, so hat doch andererseits die Energie, der rege Eifer, mit welchem die kindlich unentwickelten Völker sich einer durch ihre Pracht und Grösse überwältigenden Bildung hingeben, der unverdrossene Muth, mit welchem sie ihre ersten Schritte auf der Bahn höherer Cultur wagen, etwas Fesselndes.

Dass bei der Rohheit jener Naturvölker die Berührung mit den Resten einer abgelebten Cultur zuerst keine erfreuliche Mischung hervorzurufen vermochte, war natürlich. Die angeborene, durch die langen Kämpfe gesteigerte Wildheit des Sinnes entsprach wenig den ausgebildeten Formen römischer Sitte, Gesetze und Einrichtungen. Gleichwohl waren sie dem im Gährungsprozess seiner ersten Entwicklung befangenen nationalen Geiste die einzigen Vorbilder eines geordneten staatlichen und gesellschaftlichen Daseins. Dazu aber kam noch bei den in Italien eingedrungenen Völkerschaften das Berauschende einer üppig südlichen Natur, welches auf die ungebildeten Gemüther einen sinnbethörenden, vielfach verderblichen Einfluss übte. So ist es denn kein Wunder, dass das Christenthum nur in seiner äusserlichsten Form angenommen wurde, und dass das wilde, zügellose Leben in schneidendem Contraste gegen das religiöse Bekenntniss stand. Aehnlich verhielt es sich denn auch mit den Aeusserungen der künstlerischen Thätigkeit, so dass die ungefüge Art der Ausführung oft einen auffallenden Gegensatz zu den aus antiken Gebäuden geraubten Prachtstücken, den Säulen mit ihren Kapitälen und den Ornamenten, bildet. Mangelnde Cultur.

Die Ostgothen waren die ersten, welche vermöge ihrer Bildungsfähigkeit auf italienischem Boden eine Aneignung antiker Formen im Leben wie in der Kunst mit einem gewissen Erfolge versuchten. Besonders unter Theodorich's Herrschaft wird eine rege Bauthätigkeit bemerkbar. Was von seinen Werken noch vorhanden ist, ahmt durchaus den Charakter spätrömischer Architektur nach. So findet man an seinem Palaste zu Ravenna*), von dem ein geringer Theil sich in der Vorderfaçade des Franziskanerklosters erhalten hat, die Anordnung von Halbsäulen mit aufruhenden Blendbögen, wie am Palaste Diocletian's zu Spalato; nur sind die Einzelformen bereits roher, entarteter. So zeigen die Säulen der Blendarkaden derb nachgebildete korinthische Kapitäle, darüber den byzantinischen Kämpferaufsatz, mit christlichen Monogrammen oder starr behandelten Akanthusblättern geschmückt. Dieselbe Vergröberung antiker Formen erkennt man an den Pilasterkapitälen des Portales (Fig. 219.) Dagegen tritt im Säulenkapitäl der grossen Nische an der Façade (Fig. 220) mit dem schilfartigen Blattkranz ein Motiv auf, Ostgothen. Palast Theodorich's.

Fig. 219. Thürkapitäl am Palaste Theoderichs zu Ravenna. (Rahn.)

*) s. Quast, Ravenna Taf. VII. Dazu R. Rahn a. a. O.

welches wir aus der antiken Formenwelt nicht herzuleiten vermögen und daher wohl als germanisch ansprechen dürfen. Bedeutender für die Erkenntniss des Geistes seiner Bauunternehmungen ist sein **Grabmal** ebendaselbst, die heutige Kirche S. Maria della Rotonda*). Im Gegensatze gegen seine anderen Bauten, die nach dem Vorbilde der römischen Prachtwerke sehr reich geschmückt und mit Mosaiken bedeckt waren, erhebt sich dieses Denkmal in beabsichtigter Einfachheit, einen würdigen Eindruck gewährend. Auf einem zehneckigen Unterbau, welcher von zwei Gängen durchschnitten wird und vermuthlich in der Mitte den Sarkophag des Königs barg, ruht ein ebenfalls zehneckiges zweites Geschoss, zu welchem eine doppelte Freitreppe emporführte. Eine gewölbte Säulenhalle umgab ehemals das obere Stockwerk. Das Innere desselben, von runder Grundform, ist von einer über 30 Fuss im Durchmesser haltenden Kuppel bedeckt, die von einem einzigen ausgehöhlten Felsblock gebildet wird. Die Kühnheit, mit welcher eine so ungeheure Last aus den istrischen Steinbrüchen herbeigebracht und hier hinaufgehoben worden ist, erregt gerechtes Staunen. Die spärlichen Details dieses Bauwerkes, namentlich das mächtige Kranzgesims, zeigen eine kräftige, aber styllose Bildung, die indess doch auf antike Motive zurückzuführen sein wird. Gewiss gilt dies von den Consolen, welche den äusseren Umgang zu stützen bestimmt waren (Fig. 221); weniger von den gekuppelten Säulen dieses Umganges, deren Kapitäl mehr den byzantinischen Trapezkapitälen entspricht. (Fig. 222). Ganz selbständig erscheint dagegen das herzförmige Ornament am Portalpfosten (Fig. 223), und auch die Gesimsbänder (Fig. 224) zeigen

Grabmal Theoderichs.

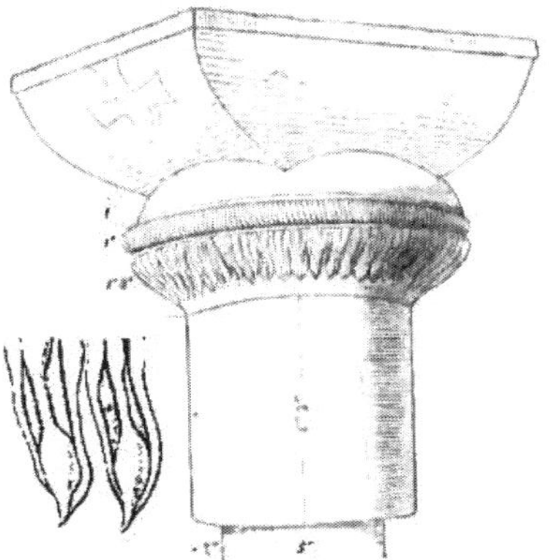

Fig. 220. Kapitäl von der Tribuna am Palaste Theoderichs zu Ravenna. (Hahn.)

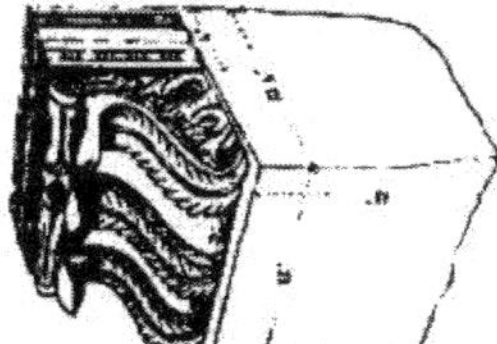

Fig. 221. Console vom Grabmal Theoderichs. (Hahn.)

Fig. 222. Doppelkapitäl vom Grabmal Theoderichs. (Hahn.)

*) Ebendaselbst.

eigenartigen Formensinn, wenn man in denselben nicht eher eine völlige Barbarisirung der Blattreihen antiker Kymatien zu erkennen hat. Noch spärlicher sind die Spuren künstlerischer Charakteristik an dem mächtigen Mauerrest, der auf steiler Höhe über Terracina emporragt, und den die Tradition wohl mit Recht als einen

Terracina.

Fig. 223. Vom Mausoleum Theodorichs. (Rahn.)

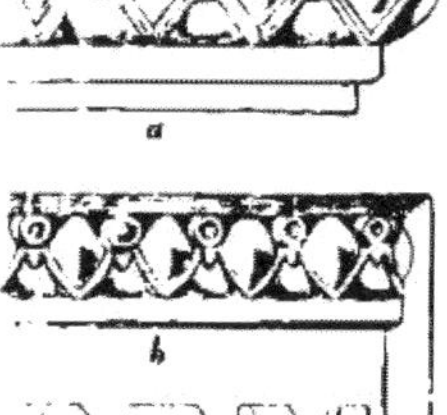

Fig. 224. Gesimse vom Mausoleum Theodorichs. (Rahn.)

Bau des grossen Ostgothenkönigs bezeichnet. Als festes Bollwerk beherrschte er den Engpass der Strasse, und gewährte zugleich einen entzückenden Fernblick über die Bucht von Terracina bis zum Golf von Neapel mit seinen Inselgruppen. Nur das untere Geschoss des Palastes ist erhalten, ein solider Bau aus sorgfältig gefügten Bruchsteinen, die einen netzartigen Anblick bieten. Seewärts ist die Façade durch einen Bogengang auf Pfeilern geöffnet, deren Gesims die antike Karniesform zeigt. Dahinter erstreckt sich parallel laufend ein tonnengewölbter Gang, der sein Licht durch kleine Bogenfenster von der offenen Halle aus erhält. Ueber diesem Unterbau erhob sich erst der eigentliche Palast. Zu den Resten dieser Frühzeit gehört sodann noch der Palazzo delle Torri zu Turin*), wahrscheinlich aus dem 8. Jahrh., ein Backsteinbau von mächtigen Verhältnissen, dessen Façade nach Art römischer Gebäude durch Bogenstellungen auf Pilastern von schlichter Bildung gegliedert wird. *Pal. d. Torri zu Turin.*

Auch ausserhalb Italiens verbreitete sich, Hand in Hand mit dem Christenthume, dieselbe Bauweise, die obendrein an den im Frankenreiche, im westlichen und südlichen Deutschland zahlreich vorhandenen Resten altrömischer Kunst nicht allein Vorbilder, sondern auch Baumaterial fand. Denn das bleibt auch im Norden der Grundzug der beginnenden Architektur, dass sie für ihre neuen Werke die Denkmäler antiker Kunst ungescheut in Contribution setzt. Dass bereits unter den Merowingern eine lebhafte Bauthätigkeit bestand, wissen wir durch die Nachrichten der Schriftsteller. Manches erzählen uns die Chronisten namentlich von den zahlreichen Kirchenbauten jener Jahrhunderte. Aus ihren Nachrichten geht hervor, dass im Allgemeinen der Basilikenbau am weitesten verbreitet war, und dass man behufs der künstlerischen Ausschmückung sich grossentheils auf die Reste antiker Denkmäler oder ihre Nachahmung beschränkte. Doch fehlt es auch nicht an Andeutungen, welche auf polygone Grundformen bei kirchlichen Gebäuden schliessen lassen. In Frankreich kann man manche vereinzelte Spuren aus jener Zeit nachweisen, welche eine Bestätigung der geschichtlichen Nachrichten geben. Das wichtigste Denkmal der vorkarolingischen Epoche ist im ganzen Norden unstreitig der Dom zu Trier**), dessen ursprüngliche Anlage (vgl. Fig. 225) sich aus den mannichfachen Umbauten und Erweiterungen der

Im Norden. — Kirchenbauten. — Dom zu Trier.

*) *F. Osten*, Die Bauwerke in der Lombardei vom 7. bis 14. Jahrh. Fol. Darmstadt. Vergl. auch *Cordero*, Dell' italiana architettura durante la dominazione Longobarda.
**) *C. W. Schmidt*, Denkmäler von Trier. Lief. II.

späteren Zeit klar herausschälen lässt. Er wurde vom Bischof Nicetius, der auch einen Palast von grosser Pracht aufführen liess, um 550 errichtet.*) Der ganze Bau bildete in imponirender, echt altchristlicher Einfachheit der Conception ein Quadrat von 120 Fuss, innerhalb dessen durch vier mächtige Säulen ein centrales Quadrat von 52 Fuss lichter Weite markirt wurde. Kühn gespannte Rundbögen verbanden diese der Länge nach unter einander und mit den entsprechend angeordneten Wandpilastern; sie trugen Mauern, auf welchen die Balken der flachen Holzdecke ruhten. Eine weite Apsis legte sich als Chor an den Mittelraum. Die aufgefundenen Spuren der Details zeigen eine schwerfällig rohe Nachahmung antik-römischer Formen.

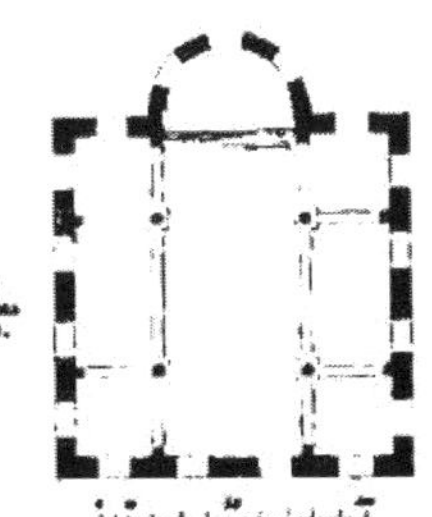
Fig. 225. Dom zu Trier in ursprünglicher Anlage.

Bauten Karl's des Grossen.

Von hoher Bedeutung sind sodann die Bauunternehmungen Karl's des Grossen. Wie sich durch dieses erhabenen Fürsten Einsicht und Energie das fränkische Reich zum Mittelpunkte des ganzen Culturlebens der germanischen Völker erhob, wie nach den Verwirrungen und Zerrüttungen der vorhergegangenen Zeiten sein gewaltiger Arm einen neuen Zustand der Dinge, ein neues Reich und eine neue Cultur hinstellte: so spiegelt auch die Architektur wieder diese Bedeutung seiner Zeit in klaren Zügen ab. Nicht genug, dass er unzählige Kirchen stiftete und durch seine Baumeister aufführen liess: er gab auch Gesetze zu ihrem Schutze und trug seinen Sendgrafen die Sorge für ihre Erhaltung und Sicherung auf. Seine neue Residenz Aachen schmückte er mit prachtvollen Gebäuden, so dass nach fünfhundert Jahren Petrarca auf seiner deutschen Reise über den Glanz des Forums mit seinem Theater, seinen Thermen und Aquaeducten in Staunen gerieth. Dort, so wie zu Ingelheim und Nymwegen, baute er herrliche Paläste, die mit ihren kostbaren Säulen und Malereien die Bewunderung der Zeitgenossen erregten.

Münster in Aachen.

Während von diesen Bauten kein Ueberrest auf uns gekommen ist, hat sich die kaiserliche Palastkapelle**), welche er in Aachen von 796—801 erbaute und mit seinem Schlosse in Verbindung setzte, im Wesentlichen erhalten. Sie ist als eins der wichtigsten Zeugnisse für die Kunstentwicklung jener Zeit zu betrachten. Was es heissen wollte, in einem fast culturlosen Lande einen solchen Prachtbau aufzuführen, kann man aus den Anstalten und Vorbereitungen abnehmen, die Karl zu diesem Ende traf. Von nah und fern berief er Bauverständige zur Entwerfung des Planes und zur Leitung des Unternehmens. Die Oberleitung hatte der Abt *Ansegis* von S. Vandrille bei Rouen. Kostbare Marmorplatten, Mosaiken und Säulen wurden von Trier, Rom und besonders dem kurz vorher verwüsteten Ravenna aus antiken Gebäuden herbeigebracht, und selbst die Quadersteine verschaffte man sich aus den Mauern von Verdun.

Auffallend ist, dass die Grundform seiner Kapelle (vgl. Fig. 226) sich dem byzantinischen Centralbau, und namentlich der Anlage von S. Vitale in Ravenna, nähert. Indess war ein Polygonbau für die Zwecke einer kaiserlichen Schlosskapelle wohl geeigneter als die Form der Basilika, eine Erklärung, die man vielleicht selbst für die Entstehung S. Vitale's so wie der Sophienkirche in Anspruch nehmen darf. Um einen achteckigen, durch kräftige Pfeiler mit Bogenverbindungen begrenzten Mittelbau von 48 Fuss Durchmesser ziehen sich in zwei Stockwerken, wie in S. Vitale, niedrige Umgänge. Diese sind hier sechzehnseitig und haben demnach in ihrem unteren Geschosse eine Decke von Kreuzgewölben und dreieckigen Wölbungen, deren Gurtbögen auf kräftige Wandpfeiler in der Umfassungsmauer sich stützen. Das obere Geschoss ist dagegen in sinnreicher Weise durch eine Art von halbirtem Tonnengewölbe ge-

*) *Hübsch*, Altchr. Kirchen, will ihn noch in constantinische Zeit setzen.
**) *F. Mertens*, Ueber die Karolingische Kaiserkapelle zu Aachen, in Förster's Allgem. Bauzeitung. 1840. — *Fr. Bock*, Archäologische Beschreibung der Münster- und Krönungskirche zu Aachen. 8. Aachen 1848.

schlossen, welches einen wirksamen Gegendruck gegen die hohe Kuppel ausübt. Nach dem Mittelraume öffnet sich der obere Umgang durch hohe, von den Pfeilern emporsteigende Rundbögen. In jeden derselben stellte man zwei Säulen, die unter einander und mit den Pfeilern durch kleinere Kreisbögen verbunden wurden. Da aber bei den einmal vorgefundenen Verhältnissen dieser Stützen dadurch die ganze Höhe der Oeffnung nicht ausgefüllt wurde, so half man sich, so gut es bei der beschränkten architektonischen Intelligenz gehen wollte. Man stellte nämlich auf das von den unteren Säulen getragene Mauerstück noch zwei obere Säulen, die nun freilich in sehr unschöner Weise mit ihrem Kapitälaufsatz unmittelbar unter die grosse Bogenöffnung stiessen. Diese Anordnung, die offenbar nur ein Nothbehelf war, zeugt am besten von der Rohheit des architektonischen Gefühls und dem Mangel an Erfindungsgabe. Man war noch so sehr an das vorhandene Material gefesselt, dass man sich noch nicht zu eigenen neuen Combinationen befreien konnte. Um so anerkennenswerther ist das constructive Geschick, welches sich in der Ueberwölbung der Seitenräume kund giebt, obwohl die eigentliche Technik der Ausführung ungenau und nachlässig ist. Ueber den oberen Arkaden steigt ein Mauercylinder mit acht rundbogigen Fenstern auf, und darüber wölbt sich, ohne trennendes Gesims, die Kuppel. Im Aeusseren ist der Bau an den Ecken durch doppelte, weit vortretende Pilaster mit römischen Kapitälen gegliedert, die in kräftiger Weise das Widerlager verstärken. Die Kuppel hat in neuerer Zeit eine Erhöhung und ein hoch ansteigendes Schutzdach erhalten. Gegen Osten schloss sich eine ebenfalls zweistöckige Altarnische an (auf unserer Abbildung durch hellere Schraffirung bemerkbar), die später durch einen hohen gothischen Chor verdrängt wurde. Gegenüber lag dagegen eine Vorhalle, die mit dem kaiserlichen Palast in Verbindung stand.

Fig. 226. Münster zu Aachen in ursprünglicher Anlage.

Von einer freien, selbstthätigen künstlerischen Durchbildung sind hier noch keine Spuren. Die Säulen waren sammt den Kapitälen grösstentheils antiken Gebäuden entlehnt, oder ohne feineres Verständniss denselben nachgeahmt. Die Schäfte waren, wie in den alten Basiliken Roms, von verschiedener Länge, welche man nach Möglichkeit durch höhere oder niedrigere Basen auszugleichen bemüht war. Ihre Pracht beruhte daher nur auf ihrem kostbaren Material, und man sieht darin eben deutlich, dass bei dem Glanze, welcher hier angestrebt wurde, ein feineres ästhetisches Gefühl noch keineswegs leitend war. Das Innere war mit Mosaiken ausgeschmückt, und von der hohen Kuppelwölbung leuchteten auf Goldgrund die Gestalten Christi und der 24 Aeltesten der Apokalypse. Die Oeffnung der oberen Galerie hatte bronzene Balustraden von zierlich durchbrochener Arbeit. Diese, sowie die drei bronzenen Flügelthüren des Hauptportales und der beiden Seiteneingänge, sind noch erhalten. In der Mitte des Achtecks lag eine unterirdische Gruft, in welcher auf weissem Marmorsessel, Scepter und Reichsapfel in den Händen, der grosse Kaiser sass. Künstlerischer Charakter.

Aus derselben Zeit stammt ohne Zweifel auch die originelle Vorhalle zu Lorsch*), eine zweistöckige Anlage, unten mit offenen Arkaden zwischen vorgelegten korinthisirenden Wandsäulen, oben mit Fenstern und einer ionisirenden Pilasterstellung, die ganzen Flächen mit rothem und weissem Marmor mosaikartig incrustirt. Möglich, dass *Eginhard*, der gelehrte Freund Karl's des Grossen, wie Kugler vermuthet hat, Urheber und Veranlasser des Baues war, dessen erstrebte Classicität damit wohl ihre Erklärung fände. Vorhalle zu Lorsch

In den übrigen Kirchenbauten der Karolingischen Zeit hielt man sich an die Basilikenanlage, die besonders für die klösterlichen Gotteshäuser — und an diesen ent- Basiliken

*) *G. Moller*, Denkmäler der deutschen Baukunst. Darmstadt 1821. I. Bd.

wickelte sich zunächst ausschliesslich der Styl der Architektur — am passendsten erschien. Glücklicher Weise hat sich aus jenen Tagen ein Grundriss erhalten, welcher für den Neubau der Abteikirche zu S. Gallen *) von einem Baumeister am Hofe Ludwig's des Frommen um das Jahr 820 entworfen wurde und noch auf der dortigen Bibliothek aufbewahrt wird. Hier zeigt sich die Form der flachgedeckten, dreischiffigen Basilika mit Säulenarkaden. Aber sie tritt bereits mit wesentlichen Zusätzen und Veränderungen auf. Als die wichtigste unter diesen erscheint es, dass am Westende der Kirche, der östlichen Hauptapsis gegenüber, eine zweite halbkreisförmige Nische angeordnet ist. Man erklärt diese Einrichtung aus dem ritualen Gebrauche, nach welchem der Chor der Mönche sich beim Gottesdienste, des alternirenden Chorgesanges wegen, in die beiden Tribünen vertheilte. Sodann ist die östliche Apsis durch eine Verlängerung des Mittelraumes und Anfügung eines Querschiffes als vollständiger Chor entwickelt, unter dessen erhöhtem Boden die Krypta liegt. Endlich stehen zu den Seiten der westlichen Nische zwei runde Thürme, jedoch in losem Zusammenhange mit dem Baue. — In ähnlicher Grundform mit zwei Chören und zwei Krypten entstand im Anfange des 9. Jahrh. die Salvatorkirche zu Fulda, von der freilich nur Nachrichten auf uns gekommen sind. Aber dieselbe bedeutsame Anlage ging auch auf den alten Dom zu Köln (vollendet 873) über. Eine Nachbildung des h. Grabes, wie sie während des ganzen Mittelalters vielfach ausgeführt wurde, ist aus jener Zeit noch in der Michaeliskirche zu Fulda erhalten, welche 822 vollendet wurde und im Wesentlichen die ursprüngliche Anlage noch jetzt zeigt.**) Ein runder Kuppelbau von 36 Fuss Durchmesser ruht auf acht stark verjüngten Säulen mit antikisirenden korinthischen Kapitälen, welche ein niederer Umgang umzieht. Die darunter befindliche Krypta hat in der Mitte eine schwerfällige Säule mit ionischem Kapitäl. Diese Art mühsamer Nachbildung antiker Formen ist ein unzweifelhaftes Zeugniss für das Alter der betreffenden Bauwerke. Demnach darf man ebenso die Vorhalle der Abteikirche zu Corvey in Westfalen (vom J. 885), sowie die Krypta der Wipertikirche zu Quedlinburg (10. Jahrh.) noch als Bauten vom Schluss dieser Epoche betrachten. An der Grenze derselben steht endlich noch die kleine dreischiffige Bartholomäuskapelle beim Dom zu Paderborn mit ihrem Kuppelgewölbe auf schlanken seltsam antikisirenden Säulen, welche Bischof Meinwerk im Anfang des 11. Jahrh. „durch griechische Werkleute" ausführen liess.

Kirche zu S. Gallen.

Dass ein Bau wie das Aachener Münster auch in der Folgezeit mehrfach zur Nachahmung reizte, beweisen die kleine wohlerhaltene, den Charakter der Mitte des 11. Jahrh. tragende Kirche zu Ottmarsheim im Elsass und der westliche Theil des Münsters zu Essen***), letzterer (noch aus dem 10. Jahrh. und in den Details durchaus antikisirend) namentlich dadurch interessant, dass er gewisse Umänderungen mit dem ursprünglichen Plane vornimmt, um sich als Nonnenchor mit einem Langhausbau zu verbinden. Ein Bruchstück stattlicher Art ist endlich noch in den westlichen Theilen von S. Pantaleon zu Köln erhalten, ohne Zweifel ein Rest der 980 geweihten Kirche, eine weiträumige Vorhalle mit einer Empore, die sich mit einem Bogen von 35 Fuss Spannweite gegen das Mittelschiff öffnet. Die spärlichen Details ahmen römische Formen nach, wie das unter Fig. 227 gegebene Pfeilergesims bezeugt.

K. zu Ottmarsheim u. zu Essen.

S. Pantaleon zu Köln.

Fig. 227. Von S. Pantaleon zu Köln.

Von der künstlerischen Durchführung dieser Bauten haben wir keine Anschauung mehr. Doch deutet das Aachener Münster, deuten vereinzelte andere Reste aus jener Zeit noch auf völlige Abhängigkeit von römischer Ueberlieferung. Byzantinische Einflüsse sind dagegen nirgends nachzuweisen; ja es verdient als beachtenswerthes Zeugniss hervorgehoben zu werden, dass jener Prachtbau des grossen Karl, obwohl er in seiner Grundform sich einem byzantinischen, wenngleich auf italienischem Boden liegenden Bauwerke anschloss, doch im Detail und der Gliederung keine Spur byzantinischen Ein-

Künstlerischer Charakter.

*) Im Facsimile herausgegeben von *F. Keller*, Bauriss des Klosters von St. Gallen vom Jahre 820. Zürich 1844.

**) *v. Dehn-Rotfelser*, Mittelalterliche Baudenkm. in Kurhessen. Kassel 1862 ff. IV. Heft. Fol.

***) Vergl. Aufnahmen und Bericht von *F. v. Quast* im ersten Jahrgange der Archäologischen Zeitschrift von *F. v. Quast* und *H. Otte*.

flusses verräth. Andererseits blickt aber auch noch keine Regung germanischen Geistes aus den Gliedern dieser Denkmäler hervor. Noch waren die Culturelemente jener Zeit in zu grosser Gährung begriffen; noch standen sich römische Tradition und germanisches Wesen zu unvermittelt und spröde gegenüber, um durch Verschmelzung neue Gestaltungen an's Licht fördern zu können. Zwar regt sich in den eben angedeuteten Veränderungen des Grundrisses der Basilika bereits ein zukunftverheissendes, frisches Schaffen: aber den wirklichen Prozess einer neuen künstlerischen Schöpfung werden wir erst in der folgenden Epoche zu betrachten haben.

ANHANG.

Die georgische und armenische Baukunst.

Die gebirgigen Länder des Kaukasus, vom Ostrande des schwarzen Meeres bis an das kaspische Meer, haben von jeher eine unselbständige Zwischenstellung eingenommen. Sowohl in politischer als in religiöser Beziehung waren sie von den grösseren Nachbarstaaten abhängig, und so kam es, dass, als ihre Völker schon früh — bereits seit dem vierten Jahrhundert — zum Christenthume übergetreten waren, auch ihre Architektur sich hauptsächlich an die byzantinische anlehnte. Doch nahmen sie, eben vermöge ihrer Zwischenstellung und ihrer geistigen Beweglichkeit auch anderweitige Formen, sowohl des Islam als auch des benachbarten persischen Landes auf, welche im Verein mit den durch die Rauhheit des Gebirges gebotenen Modificationen einen höchst eigenthümlichen Baustyl erzeugten.*) Land und Volk.

In Georgien scheint man sich näher an die byzantinische Bauweise angeschlossen zu haben, wie die Kirche zu Pitzunda, angeblich von Justinian selbst gegründet, beweist. Sie hat einen quadratischen Grundriss, aus welchem sich die höheren Theile in Form eines griechischen Kreuzes erheben, dessen Mitte eine Kuppel bildet. Sie hat ferner eine Vorhalle, eine Frauen-Empore, drei Altarnischen, rundbogig gewölbte, mit Marmorplatten geschlossene Fenster und ein mit Hausteinen und Ziegeln schichtweise wechselndes Mauerwerk. Ist dies Alles, ist die Bedeckung sämmtlicher Räume ausser der Kuppel mit Tonnengewölben byzantinisch, so fehlt es doch andererseits nicht an abweichenden Eigenschaften. Dahin gehört besonders, dass die Kuppel auf sehr hohem Tambour emporsteigt und in freierer Weise über dem Baue dominirt, sodann aber auch, dass sie gleich den übrigen Gewölben durch ein Dach von Steinziegeln bedeckt ist, eine Vorkehrung, zu welcher das rauhere Klima nöthigte. Bauten in Georgien.

Viel bedeutender und origineller gestalten sich die Abweichungen vom byzantinischen Style in Armenien. Die Kirchen bilden hier regelmässig ein längliches Rechteck, aus welchem sich in Kreuzform ein erhöhter Mittelbau emporhebt, aus dessen Mitte die Kuppel aufsteigt. Doch unterscheidet sich diese Kreuzgestalt bei der Kürze der Seitenflügel wesentlich von der griechischen. An die Kuppel schliessen sich vermittelst weiter Gurtbögen nach Osten und Westen vertiefte Nischen, von denen die erstere, den Altarraum, die letztere den Haupteingang bildet. Aber auch nach Süden und Norden legen sich Nischen, wenngleich von flacherer Gestalt, an den Mittelraum, welche Seiteneingänge enthalten. Alle diese Nischen gestalten sich nach aussen entweder selbständig polygon oder erhalten wenigstens durch tiefe und breite Ausschnitte, gleichsam kräftige Einkerbungen der rechtwinkligen Umfassungsmauer, eine Aehnlichkeit mit der Polygonform. Bei dieser Anlage sind die Mauern, obwohl an den vier Ecken des Mittelbaues durch kleinere Kuppeln durchbrochen, wie an dem vorstehenden Beispiel der Kirche der Bauten in Armenien.

*) Literatur. Das Hauptwerk von D. Grimm, Monuments d'architecture byzantine en Géorgie et en Arménie. St. Petersburg 1859 ff. Fol. geht seinem Abschluss entgegen, lässt jedoch den Text noch vermissen. — Vergl. dazu Texier, Description de l'Arménie etc. Tom. I. Fol. — Dubois de Montpéreux, Voyage autour du Caucase etc. Paris 1839. 4 Vols.

h. Ripsime zu Vagharschabad, sehr massenhaft behandelt, und die vier in den Ecken des Gebäudes liegenden niedrigeren Räume sind von dem Mittelbau fast gänzlich abgetrennt. Bei anderen Kirchen, wie an der Kathedrale von Ani (vgl. Fig. 229 und 230), sind die Mauern minder kräftig, und die Kuppel ruht auf vier Pfeilern, die dann mit inneren Strebepfeilern der Mauern durch Bögen verbunden sind. Die Kuppel, die sich auf hohem Mauercylinder erhebt, ist seltsamer Weise nicht sphärisch, sondern konisch gewölbt, indem die einzelnen Steinschichten etwas über einander vortreten, so dass der Mauercylinder an Stärke nach oben zunimmt. Alle Räume ausser der Kuppel sind mit Tonnengewölben bedeckt. Das Innere pflegt mit Wandgemälden ausgestattet zu sein.

Fig. 228. Kirche zu Vagharschabad.

Das Aeussere.

Am Aeusseren tritt die Kreuzform mit der hochaufragenden Kuppel um so energischer hervor, da auch hier alle Theile mit einem ziemlich spitz ansteigenden Steindache bedeckt sind und die Nebenräume sich mit schrägen Pultdächern an die Mauern des Mittelbaues anlehnen. Wesentlich abweichend vom byzantinischen Styl ist es sodann, dass der ganze Bau aus Quadern, wenn auch ohne genauen und regelmässigen Fugenschnitt, aufgeführt ist, und dass ihn ringsum eine Art von Sockel aus drei Stufen umgibt, die nur von den Portalen durchbrochen werden. Diese selbst sind niedrig, rundbogig geschlossen und mit flachen Archivolten umzogen, welche manchmal auf Halbsäulen ruhen. Die Fenster sind schmal, fast schiessschartenähnlich, zum Theil mit geradem Sturz, zum Theil rundbogig geschlossen, in den Giebelfeldern auch wohl kreisförmig. Eine seltsame Decoration geben dem Aeusseren die tief eingekerbten, muschelartigen Nischen zu den Seiten der Portale und der Apsis, welche meistens von einem auf Wandsäulen aufsteigenden flachen Bande umrahmt werden. Diese Anordnung ist zugleich als Motiv für die Decoration der übrigen Wandflächen benutzt worden. Um den ganzen Bau steigen nämlich von den Sockelstufen ähnliche, sehr flach gebildete Wandsäulen auf, welche durch Archivoltenbänder mit einander verbunden sind. Ein solcher Bogenkranz umgibt auch den hohen Mauercylinder der Kuppel.

Detailbildung.

Sonach gestaltet sich hier ein wohldurchdachter architektonischer Organismus in strenger Regelmässigkeit, wenn auch mit einigen seltsamen Formen. Die Detailbildung aber und die Profilirung der Glieder ist eine merkwürdig ängstliche, schwächliche. Die Wandsäulen sind nur rundliche Stäbe ohne kräftig markirte Schwellung und haben Basen und Consolen von ebenso unschöner als unkräftiger Form. Dieselben zeigen nämlich gewöhnlich die Gestalt plattgedrückter Kugeln mit wunderlich eingekerbten Ornamenten. Ebenso sind auch die Zierbänder, welche Portale, Fenster und Archivolten in reicher Anordnung umfassen und die Krönungsgesimse schmücken, nur flach, ohne kräftige Schattenwirkung, mit einem fein ausgemeisselten aber matten Ornament, von vielfach verschlungenen Linien bedeckt, hin und wieder mit vegetativen Elementen durchwebt. Dadurch wird diesen namentlich nach aussen verständig und klar disponirten Bauten ein nüchternes, markloses Wesen aufgeprägt. Das Innere, obwohl von künstlicher Composition und technischer Gewandtheit zeugend, behält doch mit seinen lastenden Tonnengewölben einen schwerfälligen Charakter und lässt in den meisten Fällen eine klar verständliche Gruppirung der Räume vermissen.

Denkmäler in Georgien.

Aus der Zahl der bis jetzt bekannten Denkmäler genüge es, die Bezeichnung der verschiedenen Hauptformen einige wenige Beispiele herauszuheben. In Georgien, ausser der schon genannten Kirche von Pitzunda, ist eines der bedeutendsten Werke

Gelathi

die Muttergotteskirche zu Gelathi, 1089 bis 1126 erbaut. Der längliche Grundriss zeigt im Westen eine Vorhalle in der Breite der Kirche, östlich drei Altarapsiden, die nach aussen sich polygon gestalten. Nördlich und südlich schliessen sich der Kirche niedere Kapellen an, welche östlich mit kleinen halbkreisförmigen Altarnischen enden. Die Haupträume des Baues sind schlank emporstrebend, die

Kuppel auf der Mitte hat eine elegante Form, und die Wandgliederung durch Lisenen und Bogenfries erinnert stark an abendländische Kunst. — Die Muttergotteskirche zu Achtala zeigt die herkömmliche Anlage eines dreischiffigen, fast quadratischen Baues mit einer Kuppel auf achteckigen Pfeilern, schmalen Seitenräumen und drei Apsiden, die nach aussen durch spitze Mauernischen getrennt sind. Völlig verwandt ist die Kirche von Cabene, nur dass hier die drei Apsiden im Innern durch Mauern getrennt werden, während sie dort verbunden waren. Ebenso die Kirche zu Safara, die jedoch viereckige Kuppelpfeiler hat, und deren Absiden in der rechtwinklig abgeschlossenen Mauer versteckt liegen. — Bedeutender und origineller entfaltet sich der Grundplan der Kirche zu Ala Werdi, wo an die Kuppel sich südlich und nördlich Halbkuppeln lehnen, die nach aussen jedoch nicht vortreten. Die drei Apsiden, nach aussen polygon, sind stattlich entwickelt und kräftig gegliedert; der westliche Arm ist etwas verlängert und durch gegliederte Pfeiler in drei Schiffe getheilt. Eine Vorhalle in

Achtala.
Cabene.
Safara.
Ala Werdi.

Fig. 279. Kathedrale zu Ani.

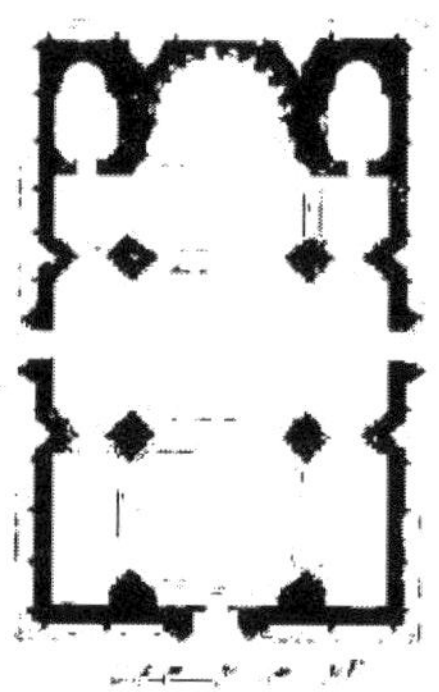
Fig. 280. Kathedrale zu Ani (Grundriss).

ganzer Breite der Kirche schliesst sich an. — Durchaus eigenthümlich bildet sodann die kleine Kirche zu Manglis ihren Grundplan. Das Schiff besteht aus drei grossen Halbnischen, die nach aussen ein Polygon bilden und im Innern von der Centralkuppel überragt werden. Westlich und südlich sind Vorhallen angeschlossen, von denen die letztere sich mit kleiner Kuppel und Apsis kapellenartig darstellt. Oestlich legt sich ein Chor mit breiter Hauptapsis und zwei schmalen Nebenapsiden vor, der mit einem Querbau sich dem Kuppelbau anfügt.

Manglis.

Von den Kirchen Armeniens ist in erster Linie die Klosterkirche zu Etschmiazin, dem armenischen Rom, zu nennen. Sie bildet ein grosses Quadrat, aus dessen Mitte auf vier Pfeilern die Kuppel sich erhebt. Die dadurch markirten Kreuzarme schliessen sämmtlich mit einer weiten Apsis, die nach aussen polygon vortritt und über ihrem Dache mit wunderlichen laternenartigen Kuppelthürmen bekrönt wird. An die Westseite legt sich ein thurmartiger Bau mit offener Vorhalle im Erdgeschoss. Das Innere ist in überreicher Weise mit Malereien geschmückt. — Dieselbe Anlage, aber in vereinfachter Weise, zeigt die Kirche zu Achpat; allein hier sind sämmtliche Räume überaus niedrig, die konisch ansteigende Kuppel ruht auf derben Rundsäulen, die

Armenien.
Etschmiazin.
Achpat.

Apsiden fehlen, und nur der schmal vorgelegte Chor ist mit einer unbedeutenden, in der Mauer versteckten Nische ausgestattet. — Originelle Anlage zeigt sodann in derselben Stadt das Grabdenkmal der Fürsten des Landes. An eine kleine Kuppelkirche, welche dem hier gebräuchlichsten Typus folgt, schliesst sich ein breiterer und grösserer Centralbau, der nach aussen als kreuzförmige Anlage sich markirt, im Inneren dagegen einen achteckigen Mittelraum bildet, von dessen Endpunkten acht Gewölbgurte aufsteigen, die auf ihrer Durchschneidung einen höheren Kuppelbau aufnehmen, der dann mit einer schlanken Laterne endet. — Die übrigen armenischen Kirchen wiederholen in der Regel die übliche Anlage eines von einer Kuppel bekrönten Langhauses.

Usunlar. So die Kirche zu Usunlar, die auf drei Seiten von einer niedrigen Vorhalle umgeben wird, welche sich an den beiden Seiten mit Pfeilerhallen öffnet. So auch an

Vagharschabad. einer Kirche zu Vagharschabad, wo die Vorhalle nur an der Westseite angeordnet ist, aber an den Seiten mit Flügeln über die Breite der Kirche hinausgreift und nach Westen drei weite Arkaden auf achteckigen Pfeilern hat. Von der Kirche der h. Ripsime zu Vagharschabad redeten wir schon unter Beifügung des Grundrisses. An ihr prägt sich der originelle Charakter der inneren Raumdisposition armenischer

Kathedrale von Ani. Kirchen besonders scharf und deutlich aus. Dagegen befolgt die im J. 1010 gegründete Kathedrale von Ani, von welcher wir den Grundriss und die westliche Ansicht beifügen, jene andere Anordnung, welche eine klarere Disposition des Inneren zulässt, da die Kuppel auf vier freistehenden Pfeilern ruht und die mit Tonnengewölben bedeckten Nebenräume in directerem Zusammenhange mit dem Mittelbau stehen. Neben den seitlichen Portalen und der Apsis sieht man hier die tief eingekerbten Aussennischen, die jedoch an der westlichen Façade fehlen. An den Stellen jener Nischen weicht die Mauer im Inneren gleichsam in Form von Pfeilern zurück, die mit den Mittelpfeilern durch Bögen mit zugespitztem Scheitel verbunden sind. Sämmtliche Pfeiler überraschen durch eine an abendländische Bauten erinnernde Zusammensetzung von Halbsäulen und rechtwinklig profilirten Gliedern. Es fragt sich daher, ob jenes frühe Datum nicht mit einem späteren zu vertauschen sein wird. — Am Chorraume ist die zierliche Belebung der inneren Wand durch einen Nischenkranz hervorzuheben; die beiden Nebenapsiden sind aus der Mauermasse ausgehöhlt, ohne nach aussen hervorzutreten. Am Aeusseren (vgl. Fig. 229) geben das von Säulchen eingeschlossene Portal, die Wandarkaden, das Rundfenster im westlichen Giebel, so wie der hochaufragende Kuppelbau, der sammt den übrigen Theilen ein Steindach hat, Anklänge an abendländische Geistesrichtung. — Noch möge eine kleinere Kirche zu Ani von abweichendem Grundriss Erwähnung finden. Es ist ein Kuppelraum auf kreisförmiger Grundlage, welche sich durch sechs an einander stossende Nischen erweitert. Nach aussen schliesen rechtwinklige Mauern die Nischen ein.

VIERTES BUCH.

Die mohamedanische Baukunst.

ERSTES KAPITEL.

Die Völker des Islam.

Geschichtliche Stellung.

Die christlichen Völker waren nicht die einzigen, welche sich der römischen Bautradition bemächtigten, um das Ueberlieferte in neuem Geiste fortzubilden. Ehe wir den weiteren Verlauf dieses wichtigen Entwicklungsprozesses ins Auge fassen können, haben wir die Aufmerksamkeit auf eine andere Völkergruppe zu lenken, welche, ebenfalls durch den Impuls eines neuen Religionssystems, in besonderer Weise an der Ausbildung der grossen Hinterlassenschaft antiker Architektur arbeitete. Nur mischten sich hier schon manche Elemente altchristlicher Bauweise, besonders in byzantinischer Fassung, hinzu, welche mit aufgenommen wurden und, in Gemeinschaft mit dem, was die Völker des Islam an eigenem geistigem Inhalt hinzuzufügen hatten, dieser Architektur einen höchst eigenthümlichen Mischcharakter aufprägten. So bildete sich ein besonderes bauliches System aus, vorwiegend den Ländern des Ostens angehörend, doch auch auf einigen Punkten keck zwischen die abendländisch-christliche Bauweise sich vordrängend, jedenfalls im Wesen und der äusseren Stellung streng von dieser geschieden, doch aber in der Folge, wie wir sehen werden, nicht ohne Einfluss auf eine bedeutsame Umgestaltung derselben. Wir schieben die Betrachtung dieses Styles wie eine Episode hier ein, obwohl derselbe uns in seinem weiteren Verlaufe über die Grenzen selbst des späteren Mittelalters hinausführen wird, da er in seinem weiten Gebiete selbständig neben den architektonischen Bestrebungen des christlichen Abendlandes hergegangen ist. Für kurze Zeit verlassen wir also den Hauptstrom geschichtlicher Entwicklung und folgen den anziehenden Windungen eines Seitenarmes, der freilich gar bald im Sande sich verläuft und der Stagnation verfällt.

Ausbreitung des Islam.

Als im J. 610 nach Chr. Mohamed sich zum Propheten Allah's aufwarf und in zündender Begeisterung das leicht erregbare Volk der Araber mit sich fortriss, war keine Macht vorhanden, welche dem Eroberungsdrange dieser kriegslustigen Massen mit Erfolg hätte Widerstand leisten können. Aegypten, die Nordküste Afrikas, Sicilien und Spanien, Syrien, Persien und Indien wurden von den Feldherren der Kalifen in unglaublich kurzer Frist unterworfen, so dass nach kaum hundert Jahren der Halbmond von der Südspitze Spaniens bis zu den Fluthen des Ganges herrschte.

Religion.

Das Geheimniss dieser wunderbar rapiden Erfolge lag grösstentheils im Wesen der Lehre Mohamed's begründet. In ihrem überwiegend sinnlich aufgefassten Monotheismus, in dem seltsamen Gemisch von strenger Unterwerfung und zügelloser Freiheit sagte sie den an Despotismus gewöhnten, aber phantastisch beweglichen Völkern des Orients vorzüglich zu. Schon im Charakter der Araber, und dem gemäss auch in der Lehre des Islam, verband sich das glühendste Leben einer rastlos schweifenden Einbildungskraft mit der Thätigkeit eines scharfen, grüblerischen und berechnenden Verstandes. In Folge dieser Contraste gestaltete sich bei den Mohamedanern einerseits ein ritterlich abenteuerndes Leben, welches in manchen Grundzügen an das des christlichen Mittelalters erinnert, andererseits eine hohe Blüthe der Cultur, besonders der Naturwissenschaften, Mathematik und der Dichtkunst, so wie der Pflege und Bebauung des Bodens. Man braucht nur an Spanien zu erinnern, welches unter der Herrschaft der Mauren ein glänzendes Culturleben entfaltete, und nach Vertreibung derselben immer tiefer in geistiges und materielles Elend versank. Es lagen also reiche Keime der Entwicklung in der Weltanschauung des Islam, und in der That predigt seine Lehre die schönsten Tugenden, die Tapferkeit, Aufrichtigkeit und Wahrheitsliebe, Gerechtigkeit, Treue und Mässigung — Eigenschaften, welche seinen Bekennern in hohem Grade eigen waren. Kein Wunder daher, dass diese Lehre eben sowohl dem naiven Naturgefühl uncivilisirter Völker, wie der vielgestaltigen Cultur des Orients zusagte. Für den weltgeschichtlichen Kreis, in welchem sie sich zu bewegen hatte, bot sie, gerade wie das römische Christenthum für den seinigen, eine reiche Fülle praktisch-sittlicher und desshalb culturfördernder Elemente dar, und erscheint dadurch der dogmatisch-finstern Starrheit der griechischen Kirche weit überlegen.

Künstlerische Anlage. Für die künstlerische Entwicklung des Mohamedanismus war aber ein anderer Umstand vorzüglich einflussreich. Als die Araber ihre Eroberungszüge antraten, waren sie gleich den Germanen, die über das Römerreich herfielen, ein Naturvolk, dem eine höhere Cultur noch fremd war. Es ergab sich daher als nothwendige, in der Geschichte auch anderwärts oft beobachtete Folge, dass sie von der Bildung derjenigen Länder, welche sie sich unterwarfen, unwillkürlich selber Momente in sich aufnahmen. Dies wurde durch den beweglichen, für äussere Eindrücke in hohem Grade empfänglichen Charakter der Araber ganz besonders begünstigt. Am meisten fand diese Aufnahme fremder Eigenthümlichkeiten auf dem Gebiete künstlerischen Schaffens statt. Da der Geist jenes unruhigen Volksstammes noch weniger als der der israelitischen Nation die gestaltenbildende Thätigkeit der Phantasie begünstigte, sondern die Visionen der schnell erregten Einbildungskraft in jähem Wechsel an einander vorüberjagte, ehe plastisches Erfassen und Ausbilden einer bestimmten Anschauung möglich war, so lag darin die Unfähigkeit für bildende Kunst enthalten. Das Verbot aller bildlichen Darstellung, welches der Koran ausspricht, war eine einfache Folge dieser Eigenthümlichkeit des Volkscharakters, wenngleich die Furcht vor dem Zurücksinken in die Vielgötterei des Heidenthums dabei mitbestimmend sein mochte. Gleichwohl erheischte der Cultus eine künstlerisch ausgeschmückte Stätte der gemeinsamen Gottesverehrung. Nichts war daher natürlicher, als dass man sich, in ähnlicher Weise, wie das junge Christenthum gethan, vorhandener Formen bediente, und einerseits aus den Resten altrömischer Werke, andererseits aus den bereits bestehenden christlichen Kirchen die architektonischen Bedürfnisse bestritt. Wie naiv man anfangs in dieser Beziehung verfuhr, beweist das Beispiel des Kalifen Omar, der nach der Einnahme von Damaskus die Basilika des h. Johannes den Mohamedanern und den Christen zu gemeinschaftlichem Gebrauch in der Art bestimmte, dass jene den östlichen Theil erhielten, während die Christen im Besitz des westlichen blieben. Für die Raumanlage waren die Erfordernisse des Cultus, dessen wichtigste Bestandtheile Gebete und Waschungen ausmachten, massgebend. Da das Gebäude also auch hier eine Menge der Gläubigen zu umfassen geeignet sein musste, so erklärt es sich dadurch schon, dass man in der Grundform den heidnischen Tempel eben so wenig nutzen konnte, wie das Christenthum es vermocht hatte. Vielmehr boten die christlichen Kirchen weit eher die geeigneten Räumlichkeiten dar, wesshalb der Islam in der Bildung des Grundrisses gewisse Einwirkungen, namentlich vom byzantinischen Bausystem aus, aufnahm. Wirklich wird auch vom Kalifen Walid berichtet, dass er auf seine Bitte vom griechischen Kaiser Baumeister zur Ausführung seiner Bauten erhielt. Wie verwandt aber auch die frühesten Moscheen mitunter den byzantinischen Kirchen sein mochten, in dem einen Punkte unterschieden sie sich von ihren christlichen Vorbildern auf's Bestimmteste: in der Verschmähung jeder bildlichen Darstellung, an welcher der Islam in seinen heiligen Gebäuden fast ohne Ausnahme festhielt.

Wie aber der Mohamedanismus ein Kind des Orients war und im Morgenlande seine weiteste Verbreitung erfuhr, so konnte es nicht fehlen, dass auch in seiner Architektur die orientalischen Elemente die vorherrschenden wurden. Daher ist ihr die Vorliebe für phantastisch geschweifte, üppig schwellende Formen, für das Spiel mit einer reichen Ornamentik vorzüglich eigen. Doch mischt sich in diesen Gesammtcharakter wieder ein besonderes Anknüpfen an die bereits vorgefundene Denkmälerwelt der einzelnen Länder, so dass unter dem allgemeinen Gesammttypus doch wieder viele charakteristische Besonderheiten sich bemerklich machen. Orientalische Elemente.

Aus diesen verschiedenen Factoren gestaltete sich im Laufe der Zeit durch Verschmelzung der Grund-Elemente ein selbständiger Baustyl, der, seit länger als einem Jahrtausend in den ausgedehnten Ländergebieten des Mohamedanismus herrschend, eine Menge prachtvoller und grossartiger Schöpfungen hervorgebracht hat und trotz einer gewissen Stabilität, die allen Gestaltungen des Orients anhaftet, bis auf den heutigen Tag eine nicht zu leugnende Lebensfähigkeit bekundet. Nur ist freilich dies Leben des Orients wesentlich verschieden von dem des Abendlandes, da jenes auf ewiger Ruhe, dieses auf ewiger Entwicklung, Umgestaltung, Erneuerung sich aufbaut. Umfang und Dauer.

ZWEITES KAPITEL.

Styl der mohamedanischen Baukunst.

Wie sich überall der höhere Styl der Architektur an den heiligen Gebäuden entfaltet, so fassen wir auch bei den Mohamedanern die Bauart ihrer Cultusstätten, der Moscheen, vornehmlich in's Auge. Da ergibt sich denn gleich bei der Betrachtung des Grundrisses, dass von einer feststehenden Form, aus welcher sich eine weitere Entwicklung hätte entspinnen können, nicht die Rede ist. Die Grundbedingungen, aus denen die Moschee sich aufbaut, sind ein grosser Hof für die vor der Andacht vorzunehmenden Waschungen, und eine Halle (Mihrab) für die Verrichtung der Gebete. In welcher Lage, in welchem Verhältniss diese Theile zu einander stehen sollen, darüber gibt es keine feste Regel. Nur die eine Vorschrift ist bindend, dass der betende Gläubige sich nach Mekka zu wenden hat, wesshalb eine kleinere Halle (Kiblah) zur Bezeichnung dieser Richtung angeordnet ist. In dem Gebäude muss sodann ein besonderer Ort ausgezeichnet werden, wo der Koran aufbewahrt wird; ferner ist eine Kanzel (Mimbar) nothwendig, von welcher herab die Priester zu den Gläubigen reden. Als dritten wesentlichen Theil verlangt die Moschee einen schlanken Thurm (Minaret), von welchem der Muezzin die Stunden des Gebets verkündigt. Moscheen.

So mannichfaltig die Art und Weise ist, in welcher diesen Forderungen genügt wird, so lassen sich die Moscheen doch auf zwei Grundformen zurückführen. Die eine besteht aus einem länglich viereckigen Hofe, der auf allen Seiten von bedeckten Säulengängen umgeben und durch hohe Mauern von der Aussenwelt abgesondert wird. Nach der einen Seite, wo die Halle des Gebets und das Heiligthum mit dem Koran liegen, pflegen vermehrte Säulenstellungen dem Gebäude eine grössere Tiefe zu geben. Doch sind die dadurch entstehenden, mit flacher Decke versehenen einzelnen Schiffe Verschiedene Grundpläne.

18*

sämmtlich von gleicher Höhe, unterscheiden sich also wesentlich von dem Charakter der altchristlichen Basiliken. In dem freien Hofe befindet sich ein durch einen kuppelartigen Bau überdeckter Brunnen für die heiligen Waschungen. Auch der Kern des Gebäudes wird, namentlich um die Stelle des Heiligthums oder das oft mit den Moscheen verbundene Grabmal des Erbauers zu bezeichnen, mit einzelnen Kuppeln bedeckt. Dazu kommt endlich ein oder mehrere, eben so willkürlich angebrachte Minarets, welche mit ihren feinen Spitzen sich unvermittelt aus der breit hingelagerten Masse der übrigen Theile sammt ihren schwerfälligen Kuppeln erheben. Die ganze Anlage hat also weder wie in den byzantinischen Kirchen einen Mittelpunkt, noch entwickelt sie sich in der Richtung nach einem Zielpunkte wie die Basiliken. Auch dadurch, dass die Halle des Gebets manchmal als ein besonderer Bau von beträchtlicherer Ausdehnung angefügt wird, erhält dieser einer organischen Entwicklung unfähige Grundplan keinerlei höhere Durchbildung. — Etwas anders verhält es sich mit der zweiten Grundform, welche sich offenbar, zumal da sie in den östlicheren Gegenden des Islam überwiegt, an byzantinische Vorbilder anlehnt. Hier ist die Masse des Gebäudes stets als ein wirklich organischer Körper behandelt, dessen Haupttheil durch eine Kuppelbedeckung bedeutsam hervorgehoben wird. Die Nebenräume, von denen sich die vorzüglich betonten bisweilen in einer dem griechischen Kreuz verwandten Anlage gestalten, pflegen ebenfalls gewölbt zu sein, und selbst der auch hier nicht fehlende Vorhof mit seinen Portiken zeigt eine aus kleinen Kuppeln gebildete Ueberdeckung. Auch hier werden mehrere, oft vier, ja sechs Minarets dem Aeusseren als besondere Zierde hinzugefügt. Aber auch bei dieser Grundform kommt es nicht zu einer consequenten, organischen Ausbildung, und das Gewirre der mancherlei verschiedenartigen Räumlichkeiten erinnert meistens an die regellose Anlage indischer Grottentempel.

Construction. So wenig wie die Grundanlage, bietet die Construction dieser Gebäude einen Fortschritt dar. Sie bleiben in dieser Hinsicht auf dem Standpunkte der altchristlichen Basiliken mit ihren flachen Holzdecken und der byzantinischen Kunst mit ihren Kuppelwölbungen stehen, nur dass sie in der Form der Kuppeln mancherlei neue (Kuppeln.) wunderliche Abartungen, — Spiele einer ruhelosen, müssig schweifenden Phantasie, einführen. So lieben sie namentlich eine gewisse bauchige Anschwellung der Kuppelwölbung, die sodann mit einer einwärts gekrümmten und am Ende wieder hinaufgeschweiften Linie, ganz in der Form dicker Zwiebeln, sich abschliesst. Ohne Zweifel beruhen diese schwülstigen, für das Aeussere orientalisch-mohamedanischer Bauten so bezeichnenden Formen auf einer Einwirkung jenes schon im indischen Pagodenbau zur Erscheinung gekommenen asiatischen Bausinnes.

Stalaktitengewölbe. Während diese wunderlich phantastischen Gestaltungen dem Aeusseren angehören, tritt im Inneren bei der Ueberwölbung der Räume eine nicht minder seltsame und überraschende Bildung auf. Dort werden nämlich die Wölbungen mit Vorliebe so ausgeführt, dass lauter kleine, aus Gyps geformte Kuppelstückchen, mit vortretenden Ecken, an einander gefügt sind und nach Art der Bienenzellen ein Ganzes ausmachen, welches, von oben mit seinen vielen vorspringenden Ecken und Spitzen herabhängend, diesen Wölbungen den Anschein von Tropfsteinbildungen gibt. Solche Stalaktitengewölbe, wie sie treffend genannt worden sind, finden sich nicht allein in Form von Zwickeln, um den Uebergang von den senkrechten Wänden zu der Bedeckung zu vermitteln, sondern ganze Kuppelwölbungen sind in dieser Weise ausgeführt. Diese der Construction wie dem Material nach höchst unsoliden Gewölbe, die durch prachtvolle Bemalung und Vergoldung geziert wurden, sind recht eigentlich der Ausdruck für die Willkür, die bei diesem Style das Grundgesetz der Architektur auszumachen scheint. Denn gewiss zeugt es von dem spielend-phantastischen Sinne, der jeden strengen organischen Zusammenhang aufzulösen strebt, wenn gerade da, wo jede andere Bauweise sich zu einer möglichst festen, zuverlässigen Construction zu erheben sucht, eine unsolide, aber glänzende Tändelei jeden Ernst vernichtet (vgl. Fig. 231).

Bogenformen. Dieselbe Wahrnehmung machen wir an den Formen des Bogens, welche in diesem Style zur Verwendung kommen. Selten, und zumeist nur in früheren Denk-

mälern, welche noch einen Nachklang antiker Bautraditionen spüren lassen, tritt der seiner
Construction und Gestalt nach einfach klare, verständliche **Rundbogen** auf. Wo man ihn Rundbogen.
anwendet, liebt man seine Schenkel nach unten zu verlängern (ihn zu stelzen), oder
seine Rundung mit Reihen von kleinen Auszackungen zu besetzen (vgl. Fig. 232). Schon
früh kommt der **Spitzbogen** auf, bereits im 9. Jahrh. mit Sicherheit an ägyptischen Denk- Spitzbogen.

Fig. 231. Alhambra. Abencerragen-Halle.

mälern nachzuweisen. Ueber die constructive Bedeutung dieser Form, die in der Folge die gewaltigste Umwälzung im Reiche der Architektur hervorrufen sollte, werden wir erst später zu reden haben, zumal da der mohamedanische Styl, seine constructive Bedeutung nicht im Entferntesten ahnend, ihn breit und schwer, also fast mehr lastend als tragend bildete. Sehr eigenthümlich erscheint sodann der **Hufeisenbogen**, eine Form, die ihre beiden Schenkel wieder zusammenkrümmt, also mehr als eine Hälfte des Kreisbogens ausmacht, und welcher sich ein pikant phantastischer Reiz nicht absprechen lässt. Durch die Zuspitzung des Bogenscheitels nach Art des Spitzbogens wird noch eine besondere Varietät, die man als spitzen Hufeisenbogen bezeichnen könnte, hervorgebracht. Ist diese Form vorzugsweise in den westlichen Ländern heimisch, so findet man in den orientalischen Bauten eine noch weit phantastischere Gestalt des Bogens. Diese entsteht, indem der Spitzbogen seine beiden Schenkel zuerst nach aussen krümmt, dann tief nach innen einzieht und mit dieser keck geschweiften Linie in der Spitze zusammen-

Fig. 232. Hufeisenbogen.

Fig. 233. Kielbogen.

Kielbogen. schiesst. Weniger constructiv geeignet als jene Formen, überrascht dieser Kielbogen, wie man ihn nach seiner Aehnlichkeit mit dem Bau des Schiffskieles benannt hat, durch seine kühne, phantastisch geschwungene Gestalt. Alle diese Formen

Zackenbogen. erhalten oft eine besonders charakteristische Ausprägung dadurch, dass der untere Rand des Bogens mit einer Reihe kleiner Halbkreise zackenartig besetzt wird, als ob die Franzen eines Teppichs luftig frei herabhingen.

Säulen. Gleichsam um jeden Gedanken an eine strenge Verbindung und Wechselbeziehung der Bauglieder im Keime zu ersticken, werden die Säulen, welche wie in der altchristlichen Architektur die Bögen stützen, so schlank, dünn und zerbrechlich wie möglich gebildet. Nur in älteren Bauten, bei denen zum Theil Säulen von antik-römischen Denkmälern genommen wurden, findet man strenge, kräftige Verhältnisse der Schäfte. Wo der mohamedanische Styl seine Eigenthümlichkeit vollständig durchgesetzt hat, da gestaltet er die Schäfte seiner Säulen unglaublich dünn, ordnet freilich manchmal zwei oder mehrere in ein Bündel zusammen, sucht aber auch darin durch Unregelmässigkeit die eben erlangte grössere Solidität wieder illusorisch zu machen. Der Fuss der Säulen besteht gewöhnlich aus einigen Ringen, doch kommen auch Säulen ohne alle Basis vor. In der Bildung des Kapitäls herrscht eine eben so grosse Willkür, indess haben sich gewisse Formen, zumal in den westlichen Ländern, entwickelt, welche ihrerseits gut mit dem Charakter schlanker Zierlichkeit, den das Uebrige hat, harmoniren. Die einfachere Form besteht aus einer jenseits des Säulenhalses sich fortsetzenden Verlängerung des Schaftes, die mit verschlungenen Bändern und anderen Ornamenten bedeckt ist. Sodann baucht sich der Körper des Kapitäls, mit einem neuen Muster decorirt, kräftig aus und bildet einen elastischen Uebergang zu dem aus einer Platte und Abschrägung bestehenden Abakus und von da zum aufruhenden Bogen. Eine reichere Form des Kapitäls (Fig. 234) geht von derselben Grundgestalt aus, weiss dieselbe aber durch mannichfaltigere decorative Zuthat stattlicher zu entwickeln.

Fig. 234. Arabisches Kapitäl. Alhambra.

Manchmal wird der Uebergang aus dem unteren Theile des Kapitäls in den oberen durch jene herauskragenden, reich ornamentirten Stalaktitengewölbe, sowie durch Säulchen und kleine Bögen vermittelt.

Ornament.

Wie die Säulen und die auf ihnen ruhenden Bögen nur äusserlich mit einander verbunden sind, ohne eine innere Beziehung zu einander aufzuweisen, so sind auch die Mauerflächen ohne alle architektonische Gliederung. Um diesen Mangel gleichsam zu verdecken, werden alle inneren Wände mit einem ausserordentlich brillanten Ornament überkleidet. Diese **Arabesken**, wie man sie nach ihren Erfindern, den Arabern, genannt hat, bewegen sich in einem mit feiner Berechnung herausgeklügelten Linienspiele, welches aus mathematischen Figuren (Fig. 235), oder aus einem streng typischen, keineswegs an bestimmte Natur-Vorbilder erinnernden Blattwerke (Fig. 236) zusammengesetzt wird. Es ist ein neckisches Verschlingen von Linien, die bald einander suchen, bald wieder aus einander fliehen, um neue Verbindungen einzugehen, welche ebenso schnell in rastlosem Weiterschweifen anderen Wechselbeziehungen Platz machen. Je strenger diesem Style die bildnerische Thätigkeit untersagt war, um so ausschliesslicher warf er sich auf diese Ornamentik, die recht eigentlich das geistige Wesen der Araber ausspricht. Denn von streng mathematischen Formen ausgehend und durch arithmetischen Calcül getragen, enthält sie doch zugleich das ganze feurig pulsirende Leben einer Phantasie, die nur kaleidoskopische Linien- und Farbenspiele zu erzeugen, keine Gestalten festzuhalten und plastisch abzurunden vermag. Diametral verschieden von der Ornamentik und der Decoration anderer Style, welche entweder die bauliche Wesenheit der betreffenden Theile in einer klaren Symbolik der Formen veranschaulichen oder in lebensvollen Gestalten einen besonderen Gedankeninhalt aussprechen, wirken die Arabesken, so viel Anmuthiges, Glänzendes, ja wahrhaft Schönes sie oft bieten, auf die Dauer doch durch die ewige Wiederkehr derselben noch so sinnreich verschlungenen Linien ermüdend. Man glaubt nicht in ernsten architektonischen Räumen zu sein; man meint noch in jenen mit bunten Teppichen ausgehängten Zelten zu weilen, welche in den Zeiten ihres kriegerischen Nomadenthums die Wohnstätte jener schweifenden Eroberer ausmachten. Als besonderer Schmuck, zumeist als Einfassung der Arabeskenfelder, kommen ringsum laufende Bänder mit Inschriften vor, deren Buchstaben zuerst in den strengen Zügen der sogenannten Kufischen Schrift, später in den kraus geschweiften Cursivbuchstaben ausgeführt wurden. Diese ganze Ornamentik, aus Gyps oder gebrannten Thonplatten zusammengefügt, prangt obendrein im Glanze lebhafter Farben und reicher Vergoldung, und erinnert durch ihren phantastischen und dabei doch harmonischen Zauber an die Märchen von Tausend und einer Nacht. Um die Totalwirkung solcher Wanddecorationen besser zu veranschaulichen, fügen wir auf Seite 281 unter Fig. 237 eine Ansicht vom Löwenhofe der Alhambra bei, welcher das zierliche, reich bewegte Spiel dieser graziösen Architektur in glänzender Entfaltung zeigt.

Fig. 235. Arabische Wandverzierung.

Das Aeussere.

So reich das Innere ausgestattet ist — und vornehmlich kommt dieser prächtige Schmuck in dem Heiligthum der Moscheen, und noch mehr in den Palästen und Lustschlössern der Herrscher und Vornehmen zur Anwendung — so gänzlich ohne alle Verzierung und Gliederung ist das Aeussere. Selbst Fenster und Thüren werden nur spärlich angebracht, und die monotone Mauermasse erhält höchstens durch eine Zinnenbekrönung und durch das weit vortretende schattende Dach einen kräftigen Abschluss. Dieselbe Anlage, die auf der Abgeschlossenheit des orientalischen Familienlebens beruht, wiederholt sich auch an den für Privatzwecke errichteten Gebäuden. Doch werden wir eine Gruppe von Bauwerken treffen, welche auch eine mehr künstlerische Durchbildung, eine lebendigere Gliederung des Aeusseren mit glücklichem Erfolg angestrebt haben. Bei diesen findet sich dann auch eine kräftigere Anlage des Ganzen, verbunden mit einem Pfeilerbau, der eine grossartig monumentale Wirkung erzeugt.

Fig. 230. Ornament aus der Alhambra.

Profanbauten.

In den Profanbauten, den Schlössern, Bädern, Wohnhäusern, gruppirt sich, der morgenländischen Sitte des nach aussen abgeschlossenen, nach innen sich in träumerischer Musse ergehenden Daseins gemäss, die ganze Anlage um einen mit Säulengängen umzogenen Hofraum. Springbrunnen verbreiten erfrischende Kühlung, die man unter dem Schatten des weit vorspringenden Daches mit Behagen geniessen kann. Am grossartigsten entfaltet sich diese Bauweise an den Karawanserai's, jenen ausgedehnten Herbergen des Morgenlandes, in welchen um einen geräumigen, mit Springbrunnen versehenen Hof eine Menge von Gemächern, Hallen und oft prachtvoll geschmückten Sälen sich reiht.

Mangel geschichtlicher Entwicklung.

Dass die mohamedanische Architektur keine innere Geschichte haben konnte, liegt in ihrem unorganischen Wesen schon begründet. Es fehlte ihr nicht bloss die feste Grundform, an welcher sich eine genetische Entwicklung hätte vollziehen können; es mangelte jenen Völkern auch an dem tieferen Sinne für architektonische Consequenz, ohne welche es kein Baustyl zu einer wahrhaften Fortbildung zu bringen vermag. Ihre schöpferische Genialität bewährte sich nicht an dem Kern, dem inneren Gerüste der Architektur, sondern nur an der Schale, dem äusserlich Decorativen. Auf diesem Gebiete ist allerdings Schönes und wahrhaft Bewunderungswerthes geleistet worden; doch blieb der Geist des Orients auch hierin, bei aller Beweglichkeit im Einzelnen, bei dem mit dem zunehmenden Luxus steigenden Reichthum der Ausstattung im Charakter wesentlich unverändert. Dagegen liefern die Umgestaltungen, mit welchen dieser Styl das von den unterjochten Völkern Aufgenommene sich aneignete, der Betrachtung manchen anziehenden Gesichtspunkt. Wir verfolgen desshalb die Thätigkeit der mohamedanischen Architektur in den verschiedenen Ländern nach ihren hervorragendsten Erzeugnissen.

Fig. 217. Löwenhof der Alhambra.

DRITTES KAPITEL.

Aeussere Verbreitung des mohamedanischen Styls.

I. In Syrien, Aegypten und Sicilien.

Syrische Bauten. In Syrien, welches die Schaaren der Araber zuerst erobernd überfielen, haben wir einige der frühesten Bauten des Islam zu suchen. Die angeblich vom Kalifen Omar gleich nach der im J. 637 erfolgten Eroberung der Stadt, in Wirklichkeit aber nach inschriftlichen Zeugnissen vom Kalifen Abdelmelek im J. 688 auf der Stelle des Salomonischen Tempels erbaute Moschee der Sachra zu Jerusalem ist eine der ältesten*). Wenn, wie wir wissen, noch der Nachfolger Omar's, der Kalif Walid, sich Baumeister von Constantinopel kommen liess, so ist wohl anzunehmen, dass auch diese Moschee von christlichen und zwar byzantinischen Architekten erbaut worden ist. Ihre Anlage weist deutlich auf solchen Ursprung hin (vgl. den Grundriss Fig. 238). Sie hat eine achteckige Grundform, im Innern durch zwei concentrische, aus Säulen und Pfeilern gemischte Kreise getheilt. Ueber dem Mittelraume, der den heiligen Fels mit der „edlen Höhle" umschliesst, steigt aus dem flachen Dache eine Kuppel von 93 Fuss Höhe empor. Auch die Säulen erinnern in der Form ihrer Kapitäle noch an römische Art. Sicher ist wohl, dass dieselben einem älteren Denkmale entnommen sind. Dagegen zeigen die Säulen des achteckigen Umganges den byzantinischen Kämpferaufsatz und unter den Bögen einen Architrav, dessen Profil denen der justinianischen Periode entspricht. Byzantinisch ist auch die verschwenderische Pracht der Ausstattung mit Mosaiken, welche ebenfalls grösstentheils der ersten Bauzeit angehören. Nur die Kuppel mit ihrem musivischen Schmuck datirt von einer Restauration, welche nach dem Erdbeben des Jahres 1022 nothwendig wurde. Nach der Einnahme durch die Kreuzfahrer in eine christliche Kirche umgewandelt, wurde sie sammt der Stadt durch Saladin dem Islam zurückerobert und 1187 mit neuer musivischer Decoration ausgestattet. Die Glasgemälde endlich stammen aus dem 16. Jahrh. Ein zweiter Bau, der sich auf der Höhe des Haram (der alten Tempelterrasse) erhebt, ist die ebenfalls

Sachra-Moschee zu Jerusalem.

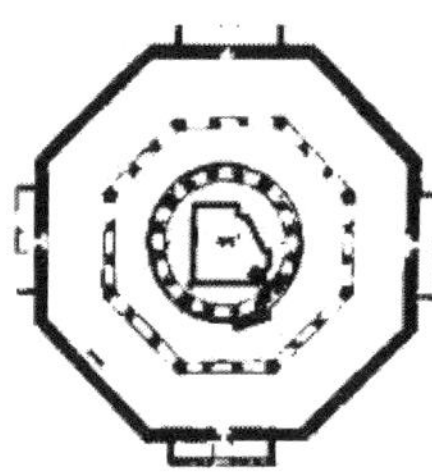

Fig. 238. Omar's Moschee zu Jerusalem.

Moschee el Aksa. von Abdelmelek erbaute Moschee el Aksa, eine siebenschiffige basilikenartige Anlage von 160 Fuss Breite und 280 Fuss Länge. Ihre Säulen scheinen grossentheils älteren Bauten, namentlich der von Justinian erbauten Kirche der Gottesmutter entlehnt zu sein; ja, de Vogüé ist der Ansicht, dass jene christliche Kirche in den drei mittleren Schiffen der Moschee enthalten sei. Die durchgezogenen Architravbalken erinnern an das Oktogon der Sachra, die überhöhten Spitzbögen sind ein echt mohamedanisches Element. — Damaskus. Dass in Damaskus auf Befehl des Kalifen Omar die Basilika des h. Johannes den Christen und Mohamedanern zu gemeinsamer Benutzung überwiesen wurde, fand bereits Erwähnung. Walid, der später die Christen ausschloss,

*) *Girault de Prangey*, Monuments arabes d'Egypte, de Syrie et d'Asie mineure. Paris. *Fergusson*, An essay on the ancient topography of Jerusalem. London 1847. *F. W. Unger*, Die Bauten Constantins am heil. Grabe. Göttingen 1863. *M. de Vogüé*, le temple de Jérusalem. Paris 1864. Fol.

errichtete auf ihr eine hochaufragende Kuppel, legte einen Vorhof mit Säulenhallen an ihre Façade und schmückte sie mit drei Minarets. — Um zu beweisen, wie schwankend in jener Zeit die Grundformen der Moscheen waren, fügen wir den beiden Beispielen als drittes, wiederum verschiedenes die ebenfalls von Walid errichtete Moschee zu Medina hinzu. Diese besteht nur aus einem Hofe, der auf drei Seiten von dreifachen, auf der vierten von zehnfachen Arkadenreihen umgeben wird.

Medina.

Zu einem festeren Style entwickelte sich die mohamedanische Architektur in Aegypten, welches schon unter Omar durch dessen Feldherrn Amru dem Islam unterworfen wurde. Der ernste, strenge Geist der alten Denkmäler des Landes hat offenbar einen imponirenden Eindruck auf die Eroberer gemacht und auf ihre baulichen Unternehmungen mancherlei Einfluss geübt. Was zunächst die Grundform der Moscheen betrifft, so folgt dieselbe regelmässig der Anlage eines von Arkaden umschlossenen Hofes. Die eine Seite der Hallen, von dem Uebrigen durch Gitter mit Thoren abgetrennt, hat eine grössere Tiefe. Auf der Mitte des Hofes erhebt sich ein von einer Kuppel überdachter Brunnen für die Waschungen. Die Minarets sind zum Theil rund, zum Theil polygon oder rund auf viereckigem Unterbau. Bemerkenswerth ist vorzüglich, dass die Architektur, ohne Zweifel unter dem Einfluss der altägyptischen Denkmäler, eine massenhaftere Anlage aufweist, die sich besonders in einem kräftigen Pfeilerbau und in der soliden Ausführung in Quadern kund gibt. Das würfelförmige Kapitäl, welches man bisweilen auf den Säulen antrifft, ist offenbar byzantinischer Abkunft. Sodann tritt die Form des Spitzbogens hier am frühesten auf und wird in einfach gemessener Weise angewandt. Auch die Kuppeln bescheiden sich mit einer schlichten oder etwas überhöhten runden Linie.

Aegypten.

Zu den ältesten Gebäuden gehört hier die im J. 643 gegründete Moschee des Amru in Alt-Kairo. Ihre Portiken ruhen auf antik-römischen Säulen, deren Kapitäle den byzantinischen Würfelaufsatz zeigen. Von diesem steigen die hufeisenförmigen, im Scheitel zugespitzten Bögen auf, die vielleicht erst einer Umänderung des 9. Jahrhunderts angehören. Den Spitzbogen findet man an der 885 gegründeten Moschee Ibn Tulun zu Kairo, deren Hof von drei Arkadenreihen, an der Seite des Heiligthums von fünfen, eingeschlossen wird. Ihre Bögen ruhen auf kräftigen viereckigen Pfeilern, welche die schöne Anordnung haben, dass sie an jeder Ecke sich mit einer Säule verbinden. Diese ansprechende Gliederung führte indess auch hier nicht zu einer weiteren Entwicklung. Ungemein reich und prachtvoll ausgestattet ist die Moschee des Sultan Hassan, 1356 erbaut, besonders aber durch eine von den übrigen ägyptischen Bauten ganz abweichende Grundform ausgezeichnet. Diese bildet nämlich ein Kreuz, indem nach vier Seiten sich grosse überdeckte Räume an den in der Mitte liegenden freien Hof anschliessen. Die Nische des Heiligthums, von einer hohen Kuppel überdeckt, liegt an der Stelle, welche in christlichen Kirchen der Altar einnimmt. Durch diese bedeutsame Anlage, so wie durch ihre glänzende Ausstattung, zeichnet sich diese Moschee vor den übrigen aus. Ihr Aeusseres entspricht durch kräftige Gesims- und Zinnenbekrönung, durch elegante Minarets und besonders durch einen prächtigen, mit einer Stalaktitenkuppel überwölbten Portalbau dem Charakter des Innern. Endlich ist hier noch die im J. 1415 errichtete Moschee el Moyed (Fig. 230) zu erwähnen, welche, wiederum der in Aegypten herkömmlichen Form folgend, von doppelten Arkaden umzogen wird, während die Seite des Heiligthums aus einem dreischiffigen Bau besteht. Die Arkaden derselben sind durch hochgespannte hufeisenförmige Bögen gebildet, und die flachen Holzdecken, welche den ganzen Raum überziehen, haben prächtige Bemalung und Vergoldung, und in den Ecken Stalaktitenkuppeln als Zwickel*). Die Kapitäle der Säulen sind grossentheils antiken Gebäuden entnommen.

Moschee in Alt-Kairo.

Moschee zu Kairo.

*) Wenn auf unserer Abbildung der Vergleich einer christlichen Basilika beim ersten Anblick sich aufdrängt, so hat man sich zu vergegenwärtigen, dass die perspectivische, durch die Bogenverbindungen angedeutete Richtung der Hallen keineswegs auf den Zielpunkt des Heiligthums hinläuft, sondern nur die Säulenreihen, die sich vor dem Heiligthume hinziehen und an beiden Endpunkten in die Arkaden der anderen Seiten übergehen, veranschaulicht.

Charakter des ägyptischen Bauens.

So bedeutsam auch in Aegypten die mohamedanische Architektur sich Angesichts der alten nationalen Denkmäler des Landes und der römischen Ueberreste zu gestalten begann, so blieb sie doch gleichsam beim ersten Anlauf stehen. Unvermögend, die erhaltenen Eindrücke, zu welchen noch byzantinische Einwirkungen kamen, zu einem Ganzen zu verschmelzen, verharrte sie in ihrem unbehülflichen, wenn auch imposanten Massenbau, liess die neuen Bogenformen unentwickelt, behalf sich bis in die spätesten Zeiten mit den erplünderten Fragmenten antik-römischer Gebäude und erstarrte in diesem Gemisch unverarbeiteter Formen.

Fig. 224. Moschee el Moyed zu Kairo.

Sicilien.

Im Laufe des 9. Jahrhunderts wurde auch Sicilien *), bis dahin unter der Botmässigkeit der byzantinischen Kaiser, dem Islam unterworfen. Unter arabischer Herrschaft erholte die gesegnete Insel sich bald von den Verheerungen des Krieges und erreichte im folgenden Jahrhunderte die höchste Stufe ihrer Blüthe, die ihren Ausdruck denn auch in architektonischen Schöpfungen gefunden hat. Leider sind dieselben bei der im 11. Jahrhundert erfolgten Eroberung der Insel durch die Normannen grösstentheils zerstört worden; nur zwei Schlösser haben sich erhalten, welche über den

*) *Girault de Prangey*, Essai sur l'architecture des Arabes et des Mores en Espagne, en Sicile et en Barbarie. 4. Paris 1841. — *H. Gally Knight*, Saracenic and Norman remains in Sicily. Fol. — *J. J. Hittorf* et *L. Zanth*, Architecture moderne de la Sicile. Fol. Paris 1835.

Styl dieser Bauweise einigen Aufschluss geben. Das wichtigere von beiden ist die Zisa, ein in der Nähe von Palermo gelegenes Lustschloss. Von länglich viereckiger Grundform, 112 Fuss bei 61 Fuss messend und an 90 Fuss hoch, auf den Seiten mit vortretenden Erkern versehen, imponirt das Gebäude nach aussen durch seine hohen, ernsten, durch Gesimsbänder in drei Stockwerke getheilten Mauern. Im Innern bildet ein hoher Saal mit Nischen und Springbrunnen, über welchem ehemals ein unbedeckter Hofraum sich befand, die Mitte. Die Bögen haben hier die Form eines schweren, gedrückten Spitzbogens. Kleiner als dieser Palast, aber noch zierlicher gebaut und etwas weiter entwickelt, ist das unfern von ihm gelegene Lustschloss der Kuba, inschriftlich zwar erst von dem Normannenherzog Wilhelm II. um 1180 errichtet, aber wesentlich in maurischer Weise behandelt. Von verwandter Grundform, in der Mitte ebenfalls mit einem prächtigen Saale ausgestattet, geht es gleichwohl in der Gliederung der Mauermassen von einem anderen Princip aus. Breite Flachnischen steigen nämlich auf, schliessen sich erst dicht unter dem Krönungsgesims in Spitzbögen zusammen und geben dadurch eine verticale Eintheilung der Mauerflächen. Innerhalb dieser Nischenfelder ist die Wand durch spitzbogige, in drei Geschossen sich wiederholende Fensteröffnungen durchbrochen. Die ernste Massenhaftigkeit, der gediegene Quaderbau und die Form des Bogens lassen in diesen Gebäuden eine Verwandtschaft mit den Denkmälern Aegyptens erkennen.

Zisa.

Kuba.

2. In Spanien.

Denkmäler in Spanien.

Die reiche pyrenäische Halbinsel, der von den Arabern bereits unterworfenen afrikanischen Küste so nahe gelegen, lockte den Unternehmungsgeist der Eroberer, die denn auch bereits im J. 710 hinüberdrangen und nach kurzem Kampfe die westgothische Herrschaft vernichteten. Unter Abderrhaman, dem letzten Sprösslinge des von den Abbassiden vertilgten Geschlechts der Moaviah, erhob sich hier ein unabhängiges maurisches Reich, welches bald zu hoher Blüthe gelangte. Wissenschaften, Poesie und Künste verherrlichten den Glanz des Hofes, und der fortgesetzte Kampf mit den Christen um den Besitz der Herrschaft verlieh dem Leben einen ritterlichen Geist und einen romantischen Zauber. Das reich gesegnete Land entwickelte unter dem Scepter der maurischen Fürsten die ganze Fülle seiner Kräfte, und übertraf in materiellem Wohlstand und geistiger Cultur bei Weitem die meisten christlichen Gebiete des Abendlandes. Erst mit dem Falle Granadas im J. 1492 ging das Reich der Araber hier zu Ende. Auch die architektonischen Denkmäler des Landes*), die in einigen wichtigen Resten noch erhalten sind, geben das Bild einer Entwicklung, wie sie sonst dem mohamedanischen Style fremd ist. Das Wesen abendländischen Geistes lässt sich in dieser Erscheinung nicht verkennen.

Moschee zu Cordova.

Das bedeutsamste Denkmal der ersten Bauperiode ist die unter Abderrhaman seit 786 begonnene Moschee zu Cordova**). Dieser grossartige Bau, an dessen Verschönerung und Vergrösserung die folgenden Jahrhunderte arbeiteten, wurde im J. 1236 nach Eroberung der Stadt in eine christliche Kirche verwandelt und erhielt einen in gothischem Styl angebauten Chor. Andere Veränderungen erlitt er im 16. Jahrh., doch haben alle diese Umgestaltungen die ursprüngliche Anlage nicht sonderlich zu verdunkeln vermocht. Die Moschee zeigt in ihrer Grundform eine Annäherung an die Bauweise der christlichen Basiliken. Ausser dem mit Arkaden umgebenen, durch hohe Mauern eingeschlossenen Vorhofe besteht ihr eigentlicher Kern aus einem für sich geschlossenen Gebäude von bedeutender Ausdehnung. Anfänglich theilten zehn Säulenreihen den Raum, in der Hauptrichtung von Norden nach Süden, in elf Schiffe, von denen das mittlere, in der Axe des Gebäudes liegende und auf die Halle des Gebets führende, eine grössere Breite hat. Später wurden an der östlichen Seite

*) *Girault de Prangey* a. a. O. *Alex. de Laborde*, Voyage pittoresque et historique de l'Espagne. 4 Vols. Fol. Paris 1806—20. — *Don G. Perez de Villa Amil*, España artística y monumental. 3 Vols. Fol. Paris 1842—44.
**) *J. Gailhabaud*, Denkm. der Baukunst. Bd. II.

noch acht Schiffe hinzugefügt, welche dem Ganzen allerdings die bedeutende Ausdehnung von neunzehn Schiffen gaben, aber die Symmetrie der Anlage zerstörten. Jede Arkadenreihe besteht aus 32 Säulen, so dass der perspectivische Durchblick einen ganzen Wald von Säulenstämmen zeigt. In der Längenrichtung sind diese Stützen durch hufeisenförmig eingezogene Bögen verbunden. Da aber bei der Kürze der

Fig. 240. Moschee zu Cordova.

meistentheils von antiken Gebäuden entnommenen Säulenschäfte die Schiffe zu niedrig geworden sein würden, so setzte man auf jede Säule noch einen kräftigen Mauerpfeiler (vgl. Fig. 240), von dessen oberem Theile man nach dem benachbarten ebenfalls einen Verbindungsbogen schlug. Auf den noch weiter emporgeführten Pfeilern ruhten sodann die Querbalken der Decke. Gleichwohl erreichte man damit nur eine Höhe von 34 Fuss, die gegen die bedeutende Flächenausdehnung des Baues (seine Länge beträgt ohne die 210 Fuss tiefe Vorhalle 410 Fuss, seine Breite 440 Fuss) gering erscheint. Die Decke, im 18. Jahrh. durch ein leichtes Tonnengewölbe verdrängt, wurde durch den offenen Dachstuhl gebildet, dessen Bretter gleich den Balken, durch welche man hindurchsah, in reicher Bemalung und Vergoldung glänzten. Im Uebrigen entbehrt das Innere eines weiteren Schmuckes, und nur die prachtvollen Marmorsäulen mit ihren römischen oder den römischen etwas roh nachgeahmten Kapitälen vervollständigen den Eindruck einer feierlich strengen Pracht.

Doch machen das mittlere Schiff, welches zur Kiblah hinführt, und noch mehr diese selbst, die im J. 965 vollendet wurde, in ihrer reicheren Ausschmückung eine Ausnahme davon und deuten zugleich auf einen beweglicheren Formensinn, eine gesteigerte Lust an decorativer Ausbildung, die den Beginn einer zweiten Bauperiode bezeichnen. Hier offenbart sich besonders in den Constructionen der Bögen ein phantastisch bewegtes Gefühl (vgl. die Ansicht des Inneren Fig. 240). Nicht allein, dass der einzelne Bogen in buntem Wechsel von weissen Steinen und reich verzierten rothen breiten Ziegeln aus mehreren, mit den Spitzen zusammenstossenden Kreistheilen besteht; auch in der Verbindung der Bögen unter einander herrscht ein kühnes Spiel der Laune. Zwischen die oberen Hufeisenbögen schlingen sich in seltsamer Durchschneidung reich decorirte Zackenbögen, die mit ihrem Fusse keck auf dem Scheitel der unteren Bögen ruhen. Der Wechsel des verschiedenfarbigen Materials, die reichen Durchbrechungen, welche sich mit denen der benachbarten Arkaden mannichfach verschieben, der Glanz eines üppigen Arabeskenspieles, welches hier die Wände und Bogenflächen bedeckt, verbinden sich zu einem märchenhaften Zauber. Denkt man dazu die prachtvolle ehemalige Ausstattung, die goldenen Flügelthüren, den aus gediegenen Silberplatten zusammengefügten Boden des Heiligthums, und über alles Das den Glanz jener zehntausend silbernen Lampen, mit welchen die Freigebigkeit der Erbauer diese Moschee ausgestattet hatten, so erhält man eine annähernde Vorstellung von der mystisch feierlichen Pracht, die hier den Sinn des Beschauers gefangen nahm.

Im scharfen Gegensatze gegen den Glanz des Inneren ist auch hier das Aeussere schmucklos und einfach gehalten. Die Mauern, zum Theil aus Ziegeln und Hausteinen, zum Theil aus einem unsoliden, aus Steinen, Kalk und Erde gemischten Material erbaut, erheben sich in kahler Einförmigkeit ohne alle Gliederung, nur durch kräftige Strebepfeiler verstärkt, die den einzelnen Arkadenreihen des Inneren als Widerlager dienen. Thüren und Fenster sind mit Hufeisenbögen überwölbt, die reichen Sculpturschmuck haben. Den Abschluss der imponirenden Mauermassen bildet eine Zinnenbekrönung, hinter welcher sich die Bedachung verbirgt. Diese besteht aus einem nicht hoch ansteigenden, mit Blei gedeckten Satteldache für jedes Schiff. Zwischen den einzelnen Dächern liegen die Regenrinnen. Ein Minaret fehlt dieser Moschee gänzlich.

Ein beachtenswerthes Zeugniss für ein weiteres Entwicklungsstadium der maurischen Architektur bietet ein wahrscheinlich im 11. Jahrh. ausgeführter Bautheil der Moschee, heute unter dem Namen der Kapelle Villa Viciosa bekannt. Er bildet ein längliches Viereck mit erhöhtem Boden und überwölbt mit einer prachtvoll bemalten und mit Holzschnitzereien bedeckten Kuppel. Nach beiden Seiten öffnet sie sich durch Arkaden aus Hufeisen- und Zackenbögen, welche auf antikisirenden Säulen ruhen. Der ganze Raum prangt im Schmuck reichster Vergoldung, Mosaiken und bemalter Gypsornamente, die den elegantesten arabischen Styl, aber unter byzantinischem Einfluss, zeigen. Es wird auch berichtet, dass byzantinische Arbeiter die Mosaiken ausgeführt haben.

Ebenfalls auf einer vorgerückten Stufe der Entwicklung stehen einige erhaltene Reste von Bauwerken in Sevilla. Am Dome, besonders an dem Theile des Aeusseren, welcher der „Orangenhof" genannt wird, lässt sich im Wesentlichen die Anlage der alten, seit 1172 erbauten Moschee erkennen. Die kahlen, durch Strebepfeiler verstärkten Mauern, mit ihrer Zinnenbekrönung, erinnern deutlich an die Moschee zu Cordova. Allein die Hufeisenbögen haben hier einen zugespitzten Scheitel und sind ausserdem mit jenen kleinen zackenförmigen Bögen besetzt. Ferner begegnen wir hier auf Bauten in Sevilla.

spanischem Boden zuerst einen Minaret, der sogenannten Giralda, erbaut im J. 1195 und nur in den oberen Theilen modernisirt. Dieser Minaret überrascht durch seine kräftige, von der sonstigen Schlankheit solcher Bauten sich auffallend unterscheidende Anlage. Er steigt viereckig auf und ist im Inneren so geräumig, dass eine selbst zum Hinaufreiten geeignete Wendeltreppe ohne Stufen bis zu der Platform führt, auf welcher sich an der Stelle des ursprünglichen ein später errichteter Aufsatz geringeren Durchmessers erhebt. Die zugespitzten und ausgezackten Bögen, die schlanken Säulchen der Fenster, die zierliche, in mancherlei Mustern behandelte Detaillirung des Aeusseren geben den Eindruck eines frei und anmuthig entwickelten Styles, der nach Abstreifung fremder Einwirkungen sich selbständiger gestaltet hat. Aehnlichen charakteristischen Eigenthümlichkeiten begegnet man auch an dem Alcazar, dem ehemaligen Palast der Herrscher von Sevilla.

Bauten von Granada.

Die Sevillanischen Denkmäler bilden den Uebergang von der ältesten Epoche spanisch-arabischer Architektur zu ihrer letzten, üppigsten Entfaltung, das Verbindungsglied zwischen der Moschee zu Cordova und den Bauten von Granada. Mitten in einer Provinz, die von der Natur mit den herrlichsten Reizen überschüttet und durch

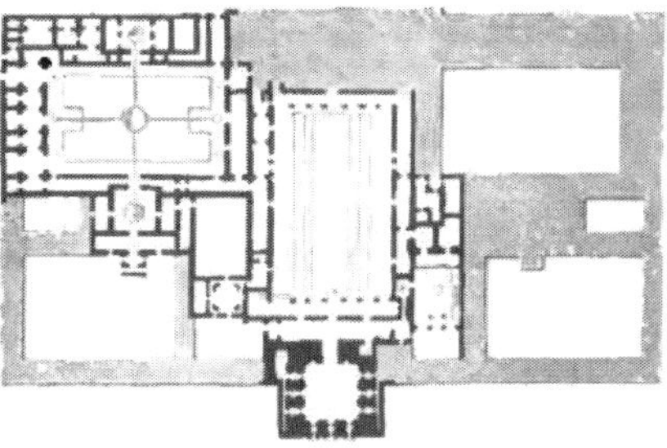

Fig. 241. Alhambra. Grundriss.

menschlichen Fleiss unter der Herrschaft weiser Fürsten in einen blühenden Garten verwandelt war, bot diese Stadt, nach dem Falle der übrigen Besitzungen, die letzte Zuflucht für die Mauren dar. Es war der Boden, der die höchste Entfaltung dieser eigenthümlichen Cultur, aber auch ihren Untergang sehen sollte. Auf dem steilen Hügel, welcher die Stadt überragt, erhebt sich das Kleinod maurischer Baukunst, die

Alhambra

Burg Alhambra*). Sie wurde im Laufe des 13. und 14. Jahrh. aufgeführt, und erhielt selbst im 15. Jahrh., kurz vor der Vernichtung der maurischen Herrschaft, noch Vergrösserungen. Unter Karl V. wurde ein Theil der Gebäude zerstört, um einen düsteren, unvollendet gebliebenen Palast zu weichen, den auf unserer Abbildung (Fig. 241) die hellere Schraffirung andeutet. Der grösste Theil des maurischen Schlosses ist dagegen wohl erhalten und zeugt von der hohen Vollendung, deren jener originelle Styl fähig war.

Anlage

Auch hier tritt uns das Grundgesetz maurischer Architektur, vermöge dessen das Aeussere ernst und schmucklos gehalten, das Innere dagegen in reichster Prachtentfaltung durchgeführt wurde, deutlich entgegen. Diese starren, mächtigen Mauermassen mit den kräftigen Thürmen haben einen kriegerischen, abwehrenden Charakter. Aber hineingetreten, ist man plötzlich wie von einem Zauberbann umfangen, geblendet fast

*) J. Goury and Owen Jones, Plans, elevations, sections and details of the Alhambra. 2 Vols. Fol. London 1842. — Gir. de Prangey, Souvenirs de Grenade et de l'Alhambra. Paris. Fol.

von der ungeahnten Herrlichkeit. Wie überall in den Bauten des Orients, gruppirt sich hier die ganze architektonische Anlage um offene, von Säulenhallen umgebene, mit Wasserbassins und Springbrunnen ausgestattete Höfe, an welche sich eine Menge kleinerer Räume, Zimmer, Corridore und Säle in bunter Anordnung reihen. Treten wir durch den an der Südseite liegenden Eingang — er ist auf unserer Abbildung nach oben gekehrt —, so gelangen wir in einen länglich viereckigen freien Hof, den Hof der Alberca, auch Hof der Bäder oder Myrthenhof genannt. Ein grosses, mit Myrthen eingefasstes Bassin hat ihm den doppelten Zunamen gegeben. Auf den beiden schmalen Seiten begrenzt ihn eine auf je sechs Säulen ruhende Halle, während auf den Langseiten die Mauern der Palastflügel ihn einschliessen. Ehe wir uns zu den inneren Räumen wenden, lenken wir unsere Schritte nach dem der Eingangshalle gegenüber an der Nordseite liegenden, thurmartig mit ungeheueren Mauern vorspringenden Theile. Er umfasst den prachtvollen „Saal der Gesandten“, einen grossen quadratischen Raum, den eine reich bemalte, aus Holz zusammengesetzte Kuppel bedeckt. Je drei grosse Fenster, deren Nischen in der gewaltigen Mauerdicke wie kleine Nebenzimmer erscheinen, erhellen auf drei Seiten den Raum und bieten die herrlichste Aussicht auf den Strom und sein liebliches Thal, die Stadt und die Kuppen der Sierra Nevada. Die an die westliche Langseite des Hofes stossenden Räume sind zerstört; dagegen sind die an die östliche Seite grenzenden Theile, welche die prachtvollsten Räume, die ehemalige Wohnung der königlichen Familie, umfassen, vortrefflich erhalten. Auch sie haben einen freien Hofraum zum Mittelpunkt, der jedoch kleiner als der Hof der Alberca ist und dessen Längenaxe im rechten Winkel auf die jenes ersten Hofes stösst. Es ist der berühmte Löwenhof. Ihn umzieht eine hohe, luftige Säulenhalle, deren zierliche Bögen auf schlanken, bald einzeln, bald zu zweien, bald zu drei oder vier stehenden Säulen ruhen. Auf beiden Schmalseiten springen die Säulenstellungen rechtwinklig vor und bilden Pavillons, in deren Mitte kleine Bassins sich befinden. Vier breite Wege durchschneiden den in eben so viele Rosen- und Oleanderbeete getheilten Hof und führen auf das in der Mitte stehende mächtige alabasterne Wasserbecken, das auf zwölf Löwen von schwarzem Marmor ruht. Diese streng stylisirten, düsteren Gestalten stehen in einem auffallenden Contraste zu der lichten Heiterkeit der umgebenden Räume, welche an ihnen eine wirkungsreiche Folie haben (vgl. Fig. 237 auf S. 281). Der Blick auf die Säulenhallen, die, besonders an den Pavillons, die reichste Perspective gewähren, bietet den Eindruck zierlichster Grazie, üppigsten Reichthums. Die Bögen meistens im Halbkreise geführt, aber auf Säulchen gestützt oder sonst überhöht und mit kleinen Spitzen filigranartig bekleidet, entsprechen dem gebrechlich schlanken Charakter der Säulen. Ja, sie erscheinen zwischen den Mauerstreifen, welche von den Säulen aufsteigen, um sich mit ähnlichen horizontalen Streifen zu einem Rahmen zu verbinden, nur als leichtes, mit brillanten Teppichmustern bedecktes Füllwerk. Das weit vorspringende Dach schliesst mit seinem breiten Schatten diese spielend phantastische Architektur wirksam und energisch ab. An die Nordseite des Löwenhofes grenzt die Halle der zwei Schwestern, aus mehreren verbundenen, kostbar geschmückten Frauengemächern bestehend; an die östliche Seite schliesst sich der sogenannte Saal des Gerichts, ein schmaler Gang mit reicher malerischer Ausstattung; an die südliche die Halle der Abencerragen, so genannt, weil auf Boabdil's Geheiss hier die Ritter jenes berühmten Geschlechts ermordet wurden. Dieser Saal (vergl. die Abbildung Fig. 231 auf S. 277) zeigt die glänzendste Entfaltung der maurischen Architektur. Seine Mitte bildet ein Bassin, welches mit dem Löwenbrunnen in Verbindung steht. Auf beiden Seiten hängt er durch Säulenstellungen mit niedrigeren Nebenhallen zusammen. Diese sind gleich allen übrigen Räumen mit Stalaktitenwölbungen versehen. Die Decke des hohen Mittelraumes ist sehr künstlich zusammengesetzt. Von einer oberen Galerie aus steigen auf schlanken Säulchen Stalaktitengewölbe zwickelartig empor, welche durch ihr mannichfaltiges Vorspringen einen Uebergang aus der viereckigen Grundform des Saales in eine polygone Form bewirken. Diese Anordnung wiederholt sich noch einmal in höherer Lage, worauf dann die Wölbung in jener bienenzellenartigen Weise sich zur Kuppel zusammenschliesst.

Details. Ueber all diese Prachträume hat nun die erfinderische Phantasie einen solchen Reichthum der Decoration ausgegossen, dass an Glanz, Zierlichkeit, Farbenpracht und harmonischer Gesammtwirkung vielleicht nichts sich mit Alhambra vergleichen darf. Von architektonischen Gliedern ist kaum mehr die Rede: Alles hat sich in das verschlungene Spiel der Arabesken aufgelöst, die sich selbst um Schaft und Kapitäl der Säulen winden. Diese erreichen in ihrer Bildung den höchsten Grad von Schlankheit, als wollten sie jede Erinnerung an die Festigkeit eines stützenden Gliedes verbannen. Ihre Schäfte sind meistens aus glänzend weissem Marmor, oft mit bunten Ornamentmustern bedeckt. Eine Kehle, mit dem Schaft durch einen Ring verknüpft, dient als Basis. Für so luftige Säulen durfte der Fuss nicht strenger und schwerer gebildet sein. Das Kapitäl, ebenfalls durch einen oder mehrere Ringe mit dem Stamme verbunden (vgl. Fig. 231 und S. 281), besteht aus einem unten abgerundeten Würfel, in welchem sich ein keck-elastisches Herausschwellen ankündigt. Farbige Ornamente umhüllen auch diese Theile. Sodann erhebt sich auf einem durch einige Glieder begrenzten Aufsatz der Oberbau in Gestalt von pilasterartigen Wandstreifen, zwischen welche die Bögen als Füllungen eingesetzt sind, um durch ihre zierlichen Spitzen, Stalaktiten oder Durchbrechungen den Charakter der Leichtigkeit noch zu verstärken. Auch hier ist also jedem Gedanken an constructive Bedeutung der Glieder vorgebeugt, so dass mit einer neckischen Caprice alle die Theile, welche in anderen Baustylen die Construction begründen und gleichsam das Knochengerüst der Architektur bilden, hier fast nur als Producte spielend willkürlicher Decoration auftreten.

Ornamentik. Die höchste Bedeutung dieser bezaubernden Architektur ruht in der Ornamentik. Alle Flächen, selbst die Säulen, Bögen und Gewölbe, sind mit Arabesken in reicher Farbenpracht bedeckt. Die Anordnung der Flächen ist übereinstimmend so, dass ein grosses Hauptfeld rings von breiten, mit goldenen Inschriften auf azurblauem Grund bedeckten Bändern eingefasst wird. Die Inschriften sind theils in strenger kufischer, theils in den leicht verschlungenen Charakteren der späteren Cursivschrift ausgeführt. Sie enthalten fromme Sprüche, aber auch Verse, poetische Lobpreisungen des Ortes, seiner Schönheit und seines Glanzes, Verherrlichungen des Fürsten. Ein drei bis vier Fuss hoher, ebenfalls mit Arabesken bedeckter Streifen bildet den durchlaufenden Sockel der Wand. Durch diese glückliche Theilung der Flächen, durch den Wechsel der Farben, welche in aufsteigender Richtung vom Einfacheren, Milderen zum Reicheren, Brillanteren fortschreiten, so wie durch den unübertrefflich feinen Sinn für Harmonie, ist eine rhythmische Bewegung, ein schönes Gleichgewicht in diese Architektur gekommen, so dass sie bei der üppigsten Pracht doch niemals den Eindruck des Schweren, Unharmonischen, Ueberladenen gibt. Gern überlässt man sich der berauschenden Wirkung dieser mit Recht „elfenartig" genannten Räume und vergisst darüber den Mangel architektonischer Strenge. Gesteigert wird der märchenhafte Reiz dieser Säle durch die weiten Perspectiven, welche auch ehemals nicht durch Thüren gehindert, höchstens durch Vorhänge unterbrochen waren, so dass das Ganze als ein einziger zusammenhängender Raum erscheint. Alles athmet hier den heitersten Genuss eines träumerisch poetischen Daseins, wie es nur unter südlicher Sonne sich gestaltet: hier wird labender Schatten, erquickende Kühlung in phantastisch geschmückten Räumen geboten, und beim Plätschern der Brunnen, beim Spielen des Sonnenlichts durch die Muster der durchbrochenen Bogengarnituren, beim Hauche köstlicher Wohlgerüche, musste wohl die Seele eingewiegt werden in romantisches Traumdämmern. Damit stimmt denn auch, was noch sonst von baulicher Einrichtung vorhanden ist. So erhalten die Marmorbäder mit ihren Wannen aus weissem Marmor ein mattes Halblicht durch die zellenartig durchbrochenen Kuppeln. So vereinigt namentlich das Mirador, das Toilettenzimmer der maurischen Fürstinnen, die höchste Pracht, den glänzendsten Luxus der Ausstattung mit der herrlichsten Lage und Aussicht auf das blühende Thal. Von hier aus hat man auch den schönsten Blick auf ein anderes, ebenfalls von den maurischen Herrschern auf einem gegenüber liegenden Felsen erbautes Lustschloss, Generalife. Die in demselben erhaltenen Räume zeugen von einer verwandten Anlage und Ausschmückung.

Bedeutung des spanisch-maurischen Styles.

Dies sind die wichtigsten der auf spanischem Boden erhaltenen maurischen Denkmäler. Sie zeigen eine Stufenreihe von Entwicklungen, wie sie sonst die mohamedanische Architektur nicht kennt. Welch ein Abstand von dem feierlichen Ernst der Moschee zu Cordova bis zu dem zierlichen Spiel von Alhambra! Dort war die Herrschaft antik-römischer Ueberlieferungen, vermischt mit einem dunklen Anklang an altchristliche Basilikenanlage, ausschliesslich in Geltung: hier tritt der maurische Styl in voller Eigenthümlichkeit hervor, nachdem er auch die Einflüsse byzantinischer Kunst, die ihn vorübergehend ebenfalls modificirten, überwunden hatte. In den Bauten von Sevilla sahen wir die ersten Regungen einer bewussteren Selbständigkeit, das Mittelglied zwischen der ersten und dritten Epoche. Dennoch ist selbst hier nicht in eigentlich architektonischem Sinne von Fortentwicklung die Rede. Weit entfernt, ein constructives Princip consequent durchzubilden und ihm eine entsprechende Formensprache zu schaffen, läuft die ganze Entwicklung doch zuletzt auf eine Verflüchtigung, eine Auflösung des streng architektonischen Elements in spielend-willkürliche Ornamentation hinaus. Damit steht denn auch das Unsolide der Bauweise, das sorglos bereitete Backsteinmaterial, die aus Holz, Gyps und Stuck zusammengepappte Wölbung in Verbindung. Sieht man aber von den ernsteren Forderungen der Architektur ab, wie es dieser Styl denn wirklich thut, so muss man gestehen, dass er das, was er geben will, in glänzendster, ja geradezu unübertrefflicher Art zu geben weiss.

3. In Indien, Persien und der Türkei.

Die Mohamedaner in Indien.

Mit dem Eintritt in den eigentlichen Orient verschwindet jener Hauch abendländischen Geistes, der in den Denkmälern Spaniens zu einer geschichtlichen Entwicklung geführt hatte. Gleichwohl begegnen wir auch hier architektonischen Leistungen, die zu den bedeutendsten des Islam gerechnet werden müssen. Vorzüglich ist dies in Indien der Fall. Wie überall, so nahm auch hier die mohamedanische Kunst in ihrer kosmopolitischen Schmiegsamkeit Einwirkungen von bereits vorhandenen Denkmälern des Landes in sich auf. Als gegen Ende des 12. Jahrh. die Schwärme der Mohamedaner Hindostan überfielen und hier auf dem Schauplatze uralter, hoch entwickelter Cultur ein neues Reich gründeten, konnte es nicht fehlen, dass die durch Kolossalität und Pracht gleich hervorragenden Bauwerke der Hindu einen tiefen Eindruck auf die wilden Eroberer machten. Bald wetteiferten sie mit dem Glanze jener alten Herrlichkeit, und ihre Hauptstadt Delhi erwuchs an Prachtpalästen, Moscheen und grossartigen Denkmälern zu einem Wunderwerke der Welt. Aber schon am Ende des 14. Jahrh. erlag das Reich den Anfällen der Mongolen, und das vielgepriesene Delhi ward in einen Schutthaufen verwandelt. Auf den Trümmern erhob sich ein neues Reich, die Herrschaft der Gross-Moguln, und unfern des verödeten Delhi entstand eine neue Hauptstadt, Agra, die bald ihre Vorgängerin an Grösse und Glanz noch übertraf.

Charakter der Denkmäler.

Während des sechshundertjährigen Bestehens jener Reiche hat sich eine Bauthätigkeit entfaltet, die an Umfang und Pracht der altindischen Architektur kaum weicht*). Vorzüglich charakteristisch ist an diesen Denkmälern das mächtige monumentale Gefühl, die Grossartigkeit der Gesammtanlage und die Gediegenheit des Materials — Eigenschaften, die ohne Zweifel auf einer Einwirkung Seitens jener älteren Denkmäler des Landes beruhen. Nur vor der wirren Phantastik jener Werke wusste sich der mohamedanische Styl im Ganzen wohl zu bewahren, wie denn überhaupt von einem Nachahmen nur im Einzelnen die Rede sein kann. In der Monumentalität der durchweg in mächtigen Quaderconstructionen aufgeführten Bauten liegt aber nicht der einzige Vorzug dieser Architektur, den sie obendrein mit der ägyptisch-mohamedanischen zu theilen hätte. Noch bedeutsamer vielleicht und jedenfalls ausschliesslicher ist bei den indisch-mohamedanischen Denkmälern die Eigenthümlichkeit, dass sie auch das Aeussere, welches die Araber sonst absichtlich unentwickelt liessen, reich und dem Inneren entsprechend durchzubilden pflegen. Die gewaltige

*) *L. v. Orlich*, Reise in Ostindien. 4. Leipzig 1845. — *Daniell*, Oriental scenery. London. — Ausserdem zahlreiche Holzschnittdarstellungen in *J. Fergusson*, Handbook of architecture. Vol. I. London 1855.

würfelförmige Masse des Baues wird durch Reihen von Bogenhallen, Fenstern oder Nischen lebendig gegliedert. Meistens ist es die Form des geschweiften Spitzbogens, des sogenannten Kielbogens (vgl. Fig. 233 auf S. 278), welche in diesen Bauten angewandt wird. Zwar ist er am weitesten von einer zweckmässigen Construction entfernt: allein die seltsame Phantastik seiner Form ist ein Zugeständniss, welches man dem Orient gern zu machen bereit ist, um so mehr, da die als kräftige Pfeiler behandelten Stützen wieder von einem verhältnissmässig bedeutenden Hange nach organischer Entwicklung zeugen. Eine rechtwinklige Umfassung von Mauerpfeilern pflegt die einzelnen Bögen einzurahmen. Den oberen Abschluss bilden kräftig vortretende Gesimse mit einem in Form von aufrechtstehenden Blättern behandelten Zinnenkranze. Auf der Mitte des Baues erhebt sich eine mächtige Kuppel, welche eine ausgebauchte, zwiebelförmige, nach oben geschweifte Gestalt zeigt. Manchmal treten noch mehrere solcher Kuppeln hinzu. In ihrer üppigschwellenden Form mag man Einwirkungen der phantastischen Hindubauten erkennen. Ausserdem werden die Ecken durch kräftige Minarets ausgezeichnet. Den Haupteingang überwölbt sehr wirkungsreich eine hohe, im Kielbogen weit gespannte Nische, die oft als besonderer, durch Minarets eingeschlossener Portalbau vortritt. Die Bedeckung der Räume wird meistens, vielleicht ebenfalls im Anschluss an altindische Architektur, durch gerades Gebälk bewirkt, womit der flache, mehr breit gespannte als steil ansteigende Kielbogen gut harmonirt. Die am Aeusseren schon reiche Ausstattung steigert sich im Inneren durch Anwendung kostbarer Steinarten und Mosaiken, leuchtende Farben und Vergoldungen zu wahrhaft verschwenderischer Pracht. So geben diese Bauten einen treuen Abglanz von der Macht und dem Reichthum jener Dynastien und zugleich von einem gewissen, bei aller Ueppigkeit klar verständigen Geiste ihrer Erbauer. Nirgends hat die mohamedanische Architektur in gleicher Weise wie hier einen rhythmisch entwickelten Aussenbau hervorgebracht, der durch seine Bogenstellungen, seine vielfach gegliederten Mauern in lebendige Wechselbeziehungen mit den luftigen Minarets und den üppig emporschwellenden Kuppeln tritt. Doch ist zu bemerken, dass auch hier zu einer tieferen organischen Durchbildung nicht geschritten wird, da schon die unconstructive Bogenform einer solchen nicht günstig war.

Kutab Minar. Unter den älteren Denkmälern ragt sowohl durch seine Grösse als seine ungewöhnliche Gestalt der Kutab Minar zu Delhi hervor. Dies ist ein über 240 Fuss hohes, thurmartiges Gebäude, welches von seinem Erbauer Kutab den Namen führt. In Form einer stark verjüngten riesigen Säule ragt es empor, mit Inschriften und rohrförmigen Cannelüren bedeckt, durch Gesimse und Galerien mit freien Umgängen in mehrere Absätze getheilt. Im Inneren führt eine Treppe hinauf bis zur obersten Abtheilung, welche vormals eine Kuppel krönte. Ein entfernter Anklang an die buddhistischen Tope's, und mehr wohl noch an die Siegessäulen der Buddhisten, doch wesentlich modificirt im Geiste mohamedanischer Auffassung, liegt dieser seltsamen Form wohl zu Grunde. Die Ausführung in rothem Granit zeugt von gewandter Technik.

Gattungen der Gebäude. Die Moscheen Indiens befolgen die Anlage eines viereckigen, von Arkaden eingeschlossenen Hofes. Die Seite des Heiligthums wird durch einen höheren Bautheil bezeichnet, dessen Zugänge jedoch durchaus offen sind. Die Paläste erheben sich mehrstöckig oft zu bedeutender Höhe und erhalten am Aeusseren durch die kräftig vorspringenden Eckthürme ein kühnes Gepräge, im Inneren durch überaus prachtvolle Ornamentation den Eindruck glänzender Macht. Mit besonderer Vorliebe haben sodann die Herrscher in der Errichtung grossartiger Grabdenkmäler gewetteifert, so dass ihre Mausoleen mit ihren Palästen an imposanter Anlage und verschwenderischer Ausstattung sich messen können. Diese Grabmäler erheben sich auf viereckiger, bisweilen auch polygoner Grundform in mächtiger Gestalt, die durch eine in der Mitte aufragende Kuppel und durch zahlreich angebrachte Minarets noch bedeutsamer wirkt. Weite Parkanlagen, die dem Volke geöffnet sind und durch Mauern mit Thürmen eingeschlossen zu werden pflegen, umgeben den Bau. Unter der Kuppel finden die Särge der Herrscher ihre Stelle. Die Ausstattung dieser Bauten ist äusserst kostbar.

Denkmäler.

Die höchste Blüthe dieser Architektur währte von der Mitte des 16. bis zur Mitte des 17. Jahrhunderts, so dass dieser Styl gerade zu derselben Zeit seine vollste Triebkraft entfaltete, als im christlichen Abendlande die Baukunst des Mittelalters hinwelkte. Schah Akbar der Grosse schmückte die von ihm gegründete Residenz **Agra** mit einer Reihe der prächtigsten Bauwerke. Unter diesen ist sein **Mausoleum zu Secundra** bei Agra ausgezeichnet. Abweichend von der diesen Monumenten eigenthümlichen Form steigt der mächtige granitne Bau in vier Stockwerken mit pyramidaler Verjüngung empor. Auf jedes Stockwerk führen Treppen; auf der Spitze des oberen steht anstatt der sonst gebräuchlichen Kuppel ein leerer Sarkophag. Offenbar hat bei die-

Mausoleum zu Secundra.

Fig. 242. Grosse Moschee zu Delhi.

ser Anlage die Form der buddhistischen Tope's dem Erbauer vorgeschwebt. Von grosser Pracht ist der **Palast Akbar's zu Agra**, in seiner geräumigen, vielgliedrigen Anlage und der verschwenderischen Ausschmückung mit Edelsteinen, Arabesken und schimmernden Mosaiken bewundernswerth. Nicht minder zeichnete sich der Enkel des grossen Akbar, Schah **Dschehan**, der ein neues Delhi erbaute, durch bedeutende Monumente aus. Unter den vierzig Moscheen, die er hier aufführen liess, verdient die **Grosse Moschee** (Fig. 242) mit ihren schlanken Kuppeln und der glanzvollen Ausstattung besondere Erwähnung. Nicht minder prachtvoll ist die ganz aus weissem Marmor erbaute **Perl-Moschee**. Hier finden wir, wie an den Denkmälern der westlichen Mohamedaner, den Schmuck goldener Inschriften auf azurblauem Grunde. Den höchsten Ruhm besitzt das von demselben Schah für seine geliebte Gemalin Nurdschehan errichtete Mausoleum, welchem die Bewunderung der Zeitgenossen den stolzen Namen **Taje Mahal**, d. h. „Wunder der Welt", gegeben hat.

Palast Akbar's.

Bauten Dschehan's.

An allen diesen Bauten rühmt man die Grossartigkeit der Conception, die Klarheit der Anlage, den Reichthum und den edlen Geschmack der Ausschmückung und die gediegene Solidität der Ausführung — Eigenschaften, welche der indisch-mohamedanischen Architektur einen hervorragenden Platz unter den Denkmälern des Islam anweisen. —

Persische Denkmäler.

In Persien entwickelte sich schon unter der Herrschaft der Abbasiden im 8. Jahrhundert die Baukunst zu grossem Glanze*). Unter dem Wechsel der Dynastien erhielt sich eine bedeutende architektonische Thätigkeit auch in den folgenden Jahrhunderten. Doch ist, wie es scheint, nur Geringfügiges davon erhalten. Die vorhandenen Denkmäler gehören grösstentheils erst dem Ausgang des 16. Jahrh., besonders der Regierung Schah Abbas des Grossen an. Unter diesem mächtigen Herrscher wurde Ispahan zur Residenz erhoben und mit einer Menge der glanzvollsten Gebäude geschmückt. Freilich hat sich dieser persische Styl nicht zur monumentalen Grossartigkeit des indischen erhoben. Zwar herrscht auch hier neben runden Bögen die Form des Kielbogens, der, auf Pfeilern ruhend, den Gebäuden nach aussen durch lange Arkaden und andere Oeffnungen ein belebtes Ansehen giebt. Allein die Masse des Gebäudes ist nicht zu so imposanter Form entwickelt, wie dort. Anstatt einer weiter durchgeführten Gliederung der Mauern schmückt man lieber das Aeussere mit buntem Farbenschimmer. Auch die Minarets, minder kräftig und viel mehr zum Schlanken, Zierlichen neigend, sind mit Malereien und glasirten Ziegeln bedeckt. Aehnlichen Schmuck haben die Kuppeln, die eine mit den indisch-mohamedanischen Kuppeln verwandte Schwingung zeigen. Aber die dort breit geschwellte Form ist hier zu einer schmächtigeren, schlankeren Gestalt verwandelt, so dass ihre Linie einer Birne zu vergleichen ist. Die hohe Portalnische, welche an jenen Monumenten so wirkungsvoll war, treffen wir auch hier, nur wird sie durch ein prachtvoll vergoldetes und bemaltes Stalaktitengewölbe geschlossen. Auch im Inneren wendet man, bei dem Holzmangel des Landes, diese Wölbungsform vorzugsweise an. In der Ausschmückung der Räume herrscht eine Vorliebe für helle, lebhafte Farben und kostbares Material. Besonders verdient hervorgehoben zu werden, dass die persischen Mohamedaner sich in ihrer heiter spielenden Ornamentik auch die Darstellung von Thieren und Menschen gestatten.

Palast zu Teheran.

Unter den Bauten dieses Styles nennen wir als die gepriesensten den prachtvollen Palast zu Teheran, in dessen glänzendem Empfangssaale der berühmte Thron des

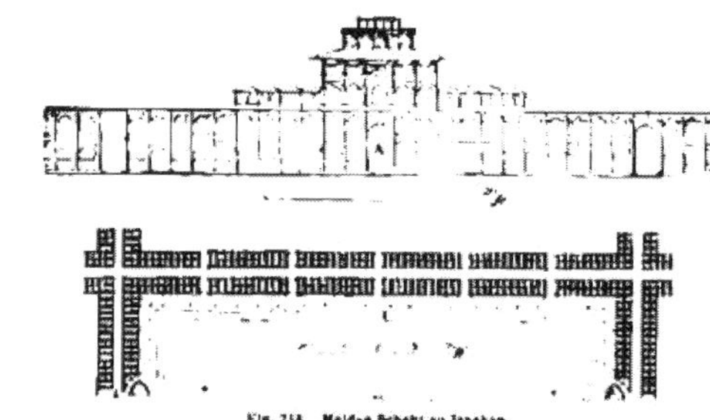

Fig. 213. Meidan Schahi zu Ispahan.

Bauten in Ispahan.

Schah auf Thier- und Menschengestalten sich erhebt. Sodann sind die umfangreichen Bauten zu erwähnen, welche Schah Abbas der Grosse in seiner Hauptstadt Ispahan

*) Ch. Texier, Description de l'Arménie, la Perse et la Mésopotamie. Fol. Paris 1842–47. Bd. II. — Coste et Flandin, Voyage en Perse. 6 Vols. Paris 1843–1854. — Ker Porter, Travels in Georgia, Persia etc. Vol. I.

anführte. Ein ganzer Platz von ausserordentlicher Ausdehnung, der Meidan Schahi, wurde u. A. mit prunkvollen Gebäuden von ihm angelegt. Glänzende Kaufhallen umgeben ihn, und Paläste, Moscheen und Prachtpforten steigen ringsum an den Seiten empor. Unsere Abbildung stellt einen Theil dieser mächtigen Anlage dar. Zu diesen Bauten kommen noch Karawanserai's, die durch geräumige Anlage, luftige Hallen und luxuriöse Ausstattung hervorragen.

In eigenthümlicher Weise gestalten sich die Grabdenkmäler, die man auch hier mit grosser Pracht, aber in einer räumlich beschränkteren Grundform anzulegen liebte. Die polygone Grundform scheint auch bei ihnen vorzuherrschen. So findet Grabmäler.

Fig. 244 Grabmal Abbas II. zu Ispahan.

man in Sultanieh ein achteckiges Mausoleum von glänzender Ausstattung, mit einer schlanken Kuppel überwölbt. Eben so zierlich angelegt als verschwenderisch geschmückt ist das Grabmal Abbas' II. zu Ispahan. Es besteht aus einem Zwölfeck, dessen Wände mit einem Sockel von Porphyrplatten und übrigens mit leuchtenden Arabesken geschmückt sind. Auch die gewölbte Decke strahlt von Azur und Gold. Die Fenster werden durch bemalte Krystalltafeln in Rahmen von gediegenem Silber gebildet. Die Mitte nimmt der einfache, von einem kostbaren Teppich verhüllte Sarkophag ein (vgl. Fig. 244).

Es bleibt noch übrig, einen Blick auf die türkische Architektur zu werfen, die ebenfalls den späteren Zeiten der mohamedanischen Kunst angehört. Bekannt ist, dass Mahmud II. nach der Eroberung von Constantinopel im J. 1453 die Sophienkirche zur Moschee einrichtete. So weit aber waren die Türken von einem eigenen Style Türkische Architektur.

entfernt, dass sie überhaupt die byzantinischen Formen adoptirten und ihre Bauten durch christliche Baumeister aufführen liessen. Demgemäss schliessen sich die türkischen Moscheen, deren man in Constantinopel allein über 300 zählt, dem Grundplan der Sophienkirche an. Eine grosse Mittelkuppel, welche gleich denen der spätbyzantinischen Werke höher ansteigt als die der Sophienkirche, erhebt sich, von Halbkuppeln begleitet über der Masse des Gebäudes. Oft treten auf den Ecken Seitenkuppeln hinzu, so wie auch die Vorhallen meistens mit Kuppelwölbungen bedeckt sind. Eine charakteristische Zugabe bilden nur die schlanken Minarets, die an den Ecken des Gebäudes aufsteigen. Auch die Sophienkirche erhielt diesen specifisch mohamedanischen Zusatz. Das Innere ist dadurch von dem der byzantinischen Bauten unterschieden, dass Arabesken und Inschriften die Wände bedecken, und dass die eigentlich bildende Kunst ausgeschlossen ist. So sind auch die figürlichen Darstellungen in der Sophienkirche verhüllt. Im Uebrigen plünderte man die zu diesem Zweck zerstörten byzantinischen Prachtbauten und stattete mit ihren kostbaren Säulen die neuen Denkmäler aus.

Moscheen zu Constantinopel. Unter den Moscheen zu Constantinopel*) macht sich die des Sultans Bajazet vom Ende des 15. Jahrh. durch den Glanz ihrer antiken Marmorfragmente bemerkbar. In ähnlicher Weise ist auch die Ausstattung der aus dem folgenden Jahrhundert stammenden Moschee Soliman des Zweiten beschafft worden. Bewundert wegen der Ausschmückung sämmtlicher inneren Räume mit persischem Porzellan ist die Moschee der Sultanin Valide aus dem 17. Jahrh. Alle anderen überbietet jedoch an verschwenderischem Glanz die Moschee Sultan Achmet's, deren Kuppel auf vier riesigen Säulen ruht, und deren Aeusseres durch sechs Minarets ausgezeichnet ist. Auch an ihr tritt eine byzantinisirende Anlage hervor. In den Palästen und den übrigen Profanbauten hat seit den letzten Jahrhunderten der abendländische Styl sich immer mehr Eingang verschafft, so dass auch hier von einer selbständig-türkischen Architektur kaum noch die Rede sein kann.

Schlussbetrachtung. Wir sahen die mohamedanische Architektur von byzantinischen Einwirkungen ausgehen und in ihren letzten Werken wieder dahin zurückkehren. Bot sie uns auch manche eben so glänzende, als originelle Schöpfungen dar, so liegt doch in jenem Umstande schon eine Kritik ihres Wesens. In der That vermochte sie sich, selbst da, wo sie in grossartig monumentaler Weise auftrat und uns durch klare Anordnung und opulente Ausstattung eine gewisse Bewunderung abnöthigte, wie vorzüglich in Indien, nicht zu einer consequenten Entwicklung zu erheben, weil es ihr an dem unerlässlichen klar ausgeprägten Grundgedanken mangelte. Deshalb schillert sie in den mannichfachsten Formen, assimilirt sich die Elemente der verschiedensten Style, gibt sich den Einwirkungen der einzelnen Länder und Bauweisen mit unglaublicher Elasticität hin, ohne in ihrem schwankenden Gange zu einem festen Schritte auf ein bestimmtes Ziel sich ermannen zu können. Ohne Zweifel wurde sie zu dieser Eigenthümlichkeit durch die rastlose Thätigkeit der Phantasie, die nur in Contrasten, nicht in organischer Durchführung eines Grundgedankens sich gefiel, verurtheilt. Daher hat denn dieser Styl in constructiver Hinsicht keine neue That vollbracht. Allerdings scheint er den Spitzbogen erfunden zu haben; aber er hat ihn nur als ein Spielzeug müssiger Laune anzuwenden vermocht. Nur aus dieser Sinnesrichtung erklärt es sich, dass der ganze Scharfsinn der Araber, anstatt sich in der Erfindung einer neuen Construction zu bewähren, in den phantastisch-brillanten Tändeleien der Stalaktitengewölbe sich versplittert. Bei alle dem ist nicht zu leugnen, dass dieser merkwürdige Styl das Wesen jenes Volkes und seiner religiösen Anschauungen in lebensvoller Weise ausspricht. Und wie die Religion des Islam sich den Bedingungen so verschiedenartiger Zonen und Stämme glücklich anpasste, so schmiegt sich auch der architektonische Styl dem Be-

*) *J. v. Hammer*, Constantinopolis und der Bosporos. — Travels of *Ali Bey*. II. Bd. — *Grelot*, Constantinople, u. A.

dürfniss und der Sinnesrichtung der einzelnen Länder des Islam, unter Bewahrung einer bestimmten Grundfärbung, auf geschickte Art an. Daher sehen wir hier zum erstenmal einen Baustyl, der seine Herrschaft über die verschiedensten Nationen und Gebiete erstreckte, ohne die Eigenthümlichkeiten der besonderen Gruppen zu vernichten.

ANHANG.

A. Russische Baukunst.

Charakter derselben.

Gleich der mohamedanischen ging auch die russische Architektur*) vorzüglich von byzantinischen Einwirkungen aus; gleich jener ist auch sie ihrem Wesen nach ein Product des Orients. Aber man würde sich irren, wollte man in ihr einen Hauch von dem liebenswürdigen, geistreichen Wesen suchen, welches jene überall in mannichfaltiger Weise zur Erscheinung gebracht hat. Es ist der Orientalismus in seiner geistlosesten, barbarischesten Form, byzantinischer Pomp in asiatischer Verwilderung, der in diesem Style zur Geltung kommt.

Kirchenanlagen.

Die Grundanlage, das griechische Kreuz, dessen Hauptpunkte durch Kuppeln hervorgehoben werden, ist auf Byzanz zurückzuführen. Von dorther empfing Russland auch gegen Ende des 10. Jahrh. unter Wladimir dem Grossen das Christenthum. Kiew und Nowgorod, die alten Hauptstädte des Landes, prangten mit kostbaren Kirchen. Denn auch hier war Reichthum und Prunk der Ausstattung der vornehmste Gesichtspunkt der Erbauer. *Inneres.* So verschwenderisch aber auch das Innere mit Mosaiken und dem blitzenden Schimmer edler Metalle geschmückt wird, so eng, düster und gedrückt ist gleichwohl der Eindruck desselben. Hier weht kein Athemzug eines freien Gedankens, einer erhöhten, begeisterten Empfindung. Der Despotismus, der selbst die Gewissen knechtet, lastet mit bleierner Schwere auf dieser Architektur und verbannt aus ihr Licht, Luft und freudiges Aufstreben. *Aeusseres.* Am Aeusseren aber feiert er in barbarisch-wilder Lust seine sinnlosen Orgien. Aus dem niedrig gedrückten Körper des Baues wuchern eine Unzahl von Thürmen und Kuppeln hervor, in den ausschweifendsten Formen sich gebahrend. Halbkugelig, eiförmig, ausgebaucht, birnenartig gewunden, bald kraus und hoch hinaufschiessend, bald schwerfällig breit hingedehnt, dabei mit bunten Farben und Vergoldung bedeckt, sehen sie nach Kugler's treffendem Vergleiche „einem Knäuel glitzernder Riesenpilze" ähnlich. So sind auch die übrigen Theile des Aeusseren mit barbarisch verwilderten Ornamenten in greller Bemalung vollständig bedeckt. Man begreift diesen Bauwerken gegenüber jene Geschichte vom Baumeister der der „schützenden Muttergottes" geweihten Kirche Wassilij Blagennoi zu Moskau, welchem Iwan Wassiljewitsch der Schreckliche die Augen ausstechen liess, damit er kein zweites Weltwunder baue.

Einfachere Anlagen.

Ehe es jedoch zu dieser üppigen Entartung kam, die man den spezifisch russischen Styl nennen darf, ist eine Reihe von Monumenten vorausgegangen, die noch ziemlich einfach die Elemente des späteren byzantinischen Styles mit seinen schlichten Grundrissanlagen und seinen schlanken Kuppeln wiederholen. Solcher Art ist die Kathedrale des h. Dimitri zu Wladimir an der Klasma: ein ungefähr quadratischer Bau, aus dessen Mitte eine Kuppel sich auf vier Pfeilern erhebt, und dessen Chor durch

*) Das Folgende beruht auf den Aufnahmen russischer Kirchen und Paläste in dem, leider nur mit russischem Text herausgegebenen Prachtwerke: Памятники древняго русскаго зодчества, (изд.) Федора Рихтера. Москва 1850 года.

drei Halbkreisnischen gebildet wird. Am Aeusseren fällt die Bogenform der Giebel und die reiche Decoration auf. Die Kirche des h. Georg in Orie w Palsk zeigt dagegen das griechische Kreuz mit einer Mittelkuppel auf vier Pfeilern und ähnlicher Anordnung des Chores. Die Decoration dieser Bauten bewegt sich dagegen in einer spielenden Arabeske, welche nach maurischer Art die Flächen überspinnt und aus byzantinischen, romanischen und orientalischen Motiven sich zusammensetzt. Die Kuppeln erhalten stets eine schlanke Erhebung und eine zwiebelförmig ausgebauchte, ganz in Gold strahlende Bedachung. An anderen Kirchen begnügt man sich nicht mit einer Kuppel, sondern fügt noch vier andere auf den Ecken des Baues hinzu, wie an der Usbenski'schen Kirche im Kreml zu Moskau, die aus drei gleich breiten, durch vier Rundpfeiler getrennten Schiffen besteht. Hier zeigt sich der wilde Formenwirrwarr des ächt russischen Styles. Denn während die Rundpfeiler des Innern, die gleich den Wänden mit Malereien überzogen sind, das rohe byzantinische Trapezkapitäl haben, sieht man am Aeusseren Blendgalerien auf Säulen, deren Schäfte wie im romanischen Styl mit Ringen geschmückt sind, und die Rundgiebel der Chorseite ruhen über den fünf Altarnischen auf cannelirten Säulen mit ionischen Kapitälen. — In blosse Spielerei arten die Kuppeln aus, wenn ihrer elf in kleinen Dimensionen, aber minaretartig schlank und mit lauter vergoldeten Zwiebeldächern und reich geschmückten Kreuzen über dem Dach aufsteigen, ohne mit der Construction des Innern zusammen zu hangen, wie an der „Kirche mit den goldnen Gittern" im Kreml zu Moskau, oder an der kleinen Nikolaikirche daselbst, wo das Innere ein niedriges Tonnengewölbe mit Stichkappen hat, das Dach aber gleichwohl mit fünf hohen Zwiebelkuppeln bekrönt ist. Das glitzernd Lustige, Kecke und Schlanke des Aeussern steht hier wie bei den übrigen ächt russischen Kirchen in bezeichnendem Gegensatze zu dem niedrigen, ängstlich gedrückten Innern. In den Formen des Aeusseren mischen sich Kielbögen, geschweifte Spitzbögen, Rundbögen mit allen erdenklichen Phantastereien des Orients. Einfachere Anlage, jedoch in späten, entarteten Formen findet man auch in der kleinen Marienkirche im Kreml, wo eine hohe Kuppel auf vier Pfeilern aus einem quadratischen Bau aufragt.

Reichere Ausbildung. Den Höhepunkt erreicht dieser Styl aber erst in jenen Kirchenbauten, die auch in der Grundrissbildung die einfach klare Anordnung byzantinischer Kirchen abstreifen und dafür zu den überschwänglichst complicirten Anlagen übergehen. Das Muster- und Prachtwerk dieser Art ist die schon genannte Kirche Wassilij Blagennoi. Der Hauptbau hat einen achteckigen Kuppelraum auf quadratischer Basis, an welche sich ein trapezförmiger Chor legt. Diesen Mittelbau, dessen Kuppel von einem zuckerhutförmigen Thurm-Monstrum überstiegen wird, umringen acht kleinere Kuppelbauten, vier davon in achteckiger Anlage, zwei in quadratischer, zwei endlich in schwer zu beschreibenden unregelmässigen Grundformen, wo schiefe Seiten und stumpfe Winkel eine grosse Rolle spielen. Verbunden wird dies wunderliche Conglomerat durch angebaute niedrige Hallen, bekrönt ist es von den tollsten Kuppelfratzen, die je ersonnen wurden, und die alle vom Mittelthurm überragt werden. In der überschwänglich reichen Decoration machen sich gewisse völlig barbarisirte Renaissancemotive seltsam breit. — Eine kleinere Nachahmung dieses Baues bietet die Kirche zu Djakow bei Moskau, wo ein grösserer polygoner Mittelbau von vier ähnlichen kleineren umgeben wird.

Das Wesen dieses spätrussischen Styles, dessen Glanzzeit in das 16. Jahrh. zu fallen scheint, besteht in der wilden Vermischung und Barbarisirung aller vorhandenen und erreichbaren Formen. Namentlich muss die Renaissance zu dieser orientalischen Verballhornung herhalten und die überreiche Decoration der Frührenaissance mischt sich mit den Motiven des beginnenden Barockstyls wie mit Elementen der gothischen und der mohamedanischen Bauweise. Ein Beispiel dieser Art liegt in dem Schloss Terem im Kreml zu Moskau vor, wo gebrochene Fenstergiebel, Doppelbogen auf freischwebender Mittelconsole, wulstig ausgebauchte Säulen und überschlanke Säulen mit unglaublich verschnörkelter und frisirter Rustica harmlos sich zusammengefunden haben. Hier ist das Ideal gewisser moderner Baurezepte, die einen „neuen Styl" zu schaffen versprachen, in naiver Barbarei erreicht. Und doch bildet wenigstens die prachtvolle Farbendecoration einen originellen Zusatz, der, wenn die Vorlagen treu sind, neben aller Tollheit der Formenwelt doch auch die Vorzüge der orientalischen Polychromie, in ebenso eigenthümlichen als glanzvollen Wirkungen zur Geltung bringt. —

Neuerdings hat indess auch in Russland die im gebildeten Europa herrschende modern-antikisirende Baukunst namentlich bei Profanwerken Eingang gefunden.

B. Walachische und serbische Baukunst.

Grenzgebiete des Orients und Occidents.

Je mehr es von Interesse ist, die Grenzgebiete des Orients und Occidents festzustellen, desto lebhafter haben wir es zu beklagen, dass uns über die Denkmäler der unteren Donauländer so wenig Berichte vorliegen. Nur so viel scheint aus dem Vorhandenen sich zu ergeben, dass, während Ungarn und Siebenbürgen dem Culturkreise des deutschen Mittelalters angehören, die Moldau, Walachei und die serbischen Gebiete sich nach Byzanz wenden. Für die Walachei haben wir wenigstens eine vorzügliche Publikation vor Augen, auf der das Folgende fusst.*)

Kirchen in Kurtea d'Argyisch.

Für die Zeiten vor der türkischen Eroberung muss die Hauptkirche der Stadt **Kurtea d'Argyisch** von Wichtigkeit sein, wenn sie wirklich von dem ersten walachischen Fürsten Radul Negru (1290—1314) herrührt. Es ist ein quadratischer Bau, in der Mitte von einer Kuppel auf Pfeilern überragt, an der östlichen, südlichen und nördlichen Seite mit Apsiden geschlossen. Dagegen lehnt sich an die Westseite eine Vorhalle in der ganzen Breite der Kirche, welche mit zwei kleineren Kuppeln geschmückt ist und ein offenes Atrium hat. Wechselnde Haustein- und Ziegelschichten bilden das Mauerwerk. — Eine kleinere Kirche derselben Stadt, die in Ruinen liegt, zeigt die Form einer einschiffigen Basilika mit westlichem Thurm und östlicher Apsis. Diese abweichende Anlage ist vielleicht durch fremden Einfluss zu erklären, wie denn wirklich die Kirche von der ungarischen Gemalin jenes Fürsten gestiftet worden sein soll.

Bischöfliche Klosterkirche daselbst.

Bedeutender erscheint die prachtvolle bischöfliche Klosterkirche, welche in der Nähe der Stadt **Kurtea d'Argyisch** sich erhebt. Von 1511—1526 ausgeführt, vereinigt sie byzantinische Anlage mit der phantastisch reichen mohamedanischen Ornamentik. In der verschwenderischen Anwendung geflochtener Bandverzierungen und Ranken spricht sich sogar eine Verwandtschaft mit den Kirchen Armeniens aus. Nur macht Alles hier einen kräftigeren Eindruck, weil die Hauptglieder ein nachdrücklicheres Relief haben. Die Kirche besteht aus zwei Theilen, welche durch zwei sehr schlanke Kuppeln äusserlich hervorgehoben werden. Die östliche Kuppel steigt mittelst eines hohen achteckigen Tambours über einem quadratischen Raume auf, der sich mit drei grossen, äusserlich polygonen Apsiden kreuzartig erweitert. An ihn stösst ein breiterer westlicher Bau, in dessen Mitte ein quadratischer Raum durch zwölf Säulen, auf welchen die zweite Kuppel sich erhebt, abgegrenzt wird. Die Seitenräume sind durch Tonnengewölbe gedeckt, nur auf den vorderen Ecken steigen noch zwei kleinere, aber ebenfalls schlanke Kuppeln auf. An den Säulenkapitälen sieht man die Stalaktiten des mohamedanischen Styles, die auch das äussere Kranzgesims decoriren.

*) L. Reissenberger im Jahrbuch der Wiener Centr. Comm. IV. Bd. S. 175 ff. mit trefflichen Abbildungen.

Das Innere hat reiche Ausstattung mit Wandgemälden, das Aeussere ist mit Bogenflächen, runden und viereckigen Schilden, Fenstereinfassungen und selbst an den Flächen der schlanken Kuppeltamboure mit einer überschwänglich reichen Ornamentik von geflochtenen Bändern und Pflanzenarabesken bedeckt, in welcher der mohamedanische Styl mit dem byzantinischen, der Islam mit dem Christenthum zu einer gewissen klassischen Phantastik und eleganten Grazie verschmilzt.

Serbien. In den Bauten des alten Serbien, über welche wir in neuester Zeit werthvolle Aufschlüsse erhalten haben*), spiegelt sich das kirchliche Verhältniss zu Byzanz nicht minder deutlich, doch dringen hier von dem benachbarten Dalmatien, namentlich von Ragusa, Einflüsse abendländischer und zwar italienischer Kunst bis in die Mitte des Landes vor, wo sie sich mit den byzantinischen kreuzen und mischen. Die alten Bauwerke Serbiens tragen im Wesentlichen das Gepräge der späteren byzantinischen Kunst, in welches sich einige Anklänge romanischen Styles und später auch vereinzelte decorative Formen der mohamedanischen Architektur mischen. Die Zeitstellung dieser Monumente ist eine verhältnissmässig späte und wenn bei einzelnen die Datirung bis in's 12. Jahrhundert hinaufsteigt, so dürfte dies schwerlich mit den Culturverhältnissen des Landes und den geschichtlichen Ueberlieferungen sich reimen. Erst im 13. Jahrhundert scheint die monumentale Kunst sich zur Bedeutung zu erheben, wie denn Kral Milutin (1275 bis 1321) als Förderer der Baukunst, ja selbst als Bauverständiger gepriesen wird. Den abendländischen Einfluss scheint besonders der gewaltige Czar Duschan (1336—1356) gefördert zu haben, dessen Hass gegen die Byzantiner sich in dreizehn Feldzügen, die ihn bis unter die Mauern von Constantinopel führten, Luft machte, und durch dessen Siege das serbische Reich zum Gipfel seiner Macht gelangte. Durch die Einführung byzantinischer Sitte und venezianischer Cultur suchte er sein Volk für eine höhere Civilisation zu gewinnen. Das Geschlecht der Nemanjiden, unter welchem Serbien sich zu Macht und Ansehen aufschwang, scheint überhaupt auch die Künste kräftig gefördert zu haben. Der Herrschergrundsatz der serbischen Fürsten ging dahin, das Land politisch unabhängig von Byzanz und religiös unabhängig von Rom zu erhalten. Dieser Grundzug ihres politischen Strebens hat auch in der Baukunst seinen Ausdruck gefunden.

Serbischer Kirchenbau. Der serbische Kirchenbau zeigt, ähnlich den meisten spätbyzantinischen Monumenten, einen grossen Reichthum an Structurformen bei auffallender Kleinheit der Gebäude. Der byzantinische Centralbau beherrscht ausschliesslich den Grundplan der Kirchen und zwar mit allen wesentlichen Umgestaltungen, welche jenes Architektursystem in seiner späteren Epoche annimmt. An die Stelle des griechischen Kreuzes tritt in der Regel ein der Basilika sich nähernder Grundriss, aber durch die grosse mittlere Kuppel, zu welcher oft auf den Ecken vier kleinere treten, wird der Centralgedanke betont. Die Kuppeln selbst erheben sich auf hohem Tambour zu jener schlanken Form, welche die spätere Architektur von Byzanz eingeführt hat. Wie dort liebt man beim Bau der Kirchen einen buntfarbigen Wechsel des Materials in Schichten von rothen Ziegeln und helleren Hausteinen. Vereinzelt kommt die Anwendung weissen Marmors vor, worin sich der Einfluss Italiens zu erkennen giebt. Ueber dem Narthex, welcher nach altchristlicher Weise keiner Kirche fehlt, erhebt sich bisweilen ein Glockenthurm in den Formen des romanischen Styles. Auch dies ein abendländischer Gedanke, der sogar nicht auf Italien, sondern wahrscheinlich auf deutsche durch Ungarn vermittelte Einflüsse hinweist. Bei den ältesten Kirchen Serbiens steht jedoch der Glockenthurm isolirt. Die Sculptur findet in diesen Bauten fast eben so wenig Eingang wie in den byzantinischen; namentlich begegnet man figürlichen Darstellungen nur ausnahmsweise. Dagegen macht sich an Portalen, Fenstern, Säulen eine decora-

*) Vergl. F. Kanitz, Serbien. Leipzig, 1868. gr. 8. und dess. Verf. Serbien's byzantinische Monumente. Wien, 1862.

tive Plastik oft in glänzender Weise geltend, deren Motive aus byzantinischem Laubwerk, romanischen Rankengewinden und maurischen Linearspielen sich zusammen setzt. Das Innere erhält sowohl an der Ikonostas, die das Allerheiligste des Chores vom Schiffe sondert, wie an sämmtlichen Wänden, Pfeilern, Nischen und Gewölben ausgedehnte Gemälde, die dem Inhalt wie der Form nach an Byzanz erinnern. Die Blüthe der serbischen Kunst scheint hauptsächlich dem 14. Jahrhundert, der Glanzepoche serbischer Unabhängigkeit, anzugehören. Mit dem 15. Jahrhundert bricht die Türkenherrschaft über diese Länder herein und vernichtet alle Keime eines selbständigen Culturlebens.

Pavlitza.

Den reinsten Typus altserbischer Architektur bietet die Kirche zu Pavlitza am Ibar, die noch dem 13. Jahrhundert angehören soll. Sie zeigt die Grundform des griechischen Kreuzes, auf dessen Mitte sich über vier Säulen durch Pendentifs vermittelt eine Kuppel erhebt, welcher auf dem Querschiff zwei andere zur Seite treten, während nach Osten und Westen sich Tonnengewölbe anschliessen, deren Halbkreis auch nach aussen sichtbar wird. Eine grosse Absis zwischen zwei kleineren schliesst den Chor, und auch an den Querschiffen treten Absiden hervor. Lisenen mit Bogenstellungen gliedern die achteckige Kuppel; Fenster und Thüren sind spärlich, schmal und hoch. Gerühmt wird die Schönheit der inneren Verhältnisse, welche auf der Schlankheit der überhöhten Bögen beruht. Die Säulenkapitäle zeigen eine gemischte Würfel- und Kelchform. Verwandte Anlage findet sich bei den im 14. Jahrhundert entstandenen Klosterkirchen von Manassia und Ravanitza, nur dass bei diesen die Hauptkuppel von vier auf den Enden der Kreuzarme sich erhebenden Nebenkuppeln umgeben wird, von der erstern bedeutend überragt. Die Querschiffe sind auch hier durch grosse Absiden geschlossen, die Hauptkuppel ruht auf vier kräftigen Pfeilern, und bei Manassia erhebt sich noch eine Kuppel über dem Narthex. Bogenfriese, Lisenen und Gesimse gliedern das Aeussere, während das Innere mit Fresken geschmückt ist. Aus der Kuppelwölbung blickt das gigantische Bild des Pantokrators herab, umgeben von Propheten, Aposteln, Märtyrern und andern Heiligen. Alle übrigen Flächen von den Sockeln bis zur Kuppel, von der Vorhalle bis zur Absis sind mit biblischen Scenen bedeckt. In Ravanitza sind diese Fresken grösstentheils zerstört, dagegen hat sich von der reichen meist aus linearen Ornamenten bestehenden Ausschmückung der Portale und Fenster manches erhalten.

Manassia u. Ravanitza.

Andere Grundform. Kirche zu Zischa.

Eine etwas modifizirte Grundform zeigt eine Anzahl von Kirchen, deren Vorbild die alte Krönungskirche der Nemanjiden zu Zischa zu sein scheint. Im Gegensatze zu den übrigen, im tiefen Waldesdunkel verborgenen Klöstern Serbiens erhebt sie sich auf einem Hügel in dem breiten schönen Thal des Ibar, der Sage nach, aber schwerlich in Wahrheit, aus dem 12. Jahrhundert stammend. Sie ist ein einschiffiger Kreuzbau, östlich mit einer Apsis geschlossen, auf der Vierung von einer Kuppel überragt, westlich mit zwei neben dem Schiff vorgelegten Kapellen und einem Narthex versehen. Das gediegene aus wechselnden Schichten bestehende Mauerwerk und die reiche plastische Decoration sind ebenso wie die Fresken des Innern durch eine neuere Restauration theils verdeckt und theils vernichtet. Eine grosse Darstellung der Himmelfahrt Mariä sieht man noch an der Westwand über dem Haupteingange. Diese einschiffige Anlage, bei welcher die Kuppel auf vortretenden inneren Strebepfeilern ruht, wiederholt sich im Wesentlichen an den Kirchen zu Semendria, Sveti Arandjel, Kamenitza und zu Kruschevatz, der jetzt zerstörten alten Königsstadt des Czar Lazar aus dem 14. Jahrhundert. Dieselbe Grundform zeigt auch die Klosterkirche von Studenitza, die „Czarska-Lavra“ (das kaiserliche Kloster), von allen serbischen Klöstern einst das grösste, prachtvollste und reichste. In einem romantischen Gebirgsthal fast zweitausend Fuss über dem Meeresspiegel gelegen, wurde es von dem Stifter der Nemandjidischen Dynastie, Stefan Nemandja, im Ausgange des 12. Jahrhunderts gegründet. Sollte die Kirche wirklich aus so früher Zeit herrühren, was indess stark zu bezweifeln ist, so wäre damit ein sehr frühzeitiger Einfluss Italiens bewiesen. Zwar entspricht der Grundplan dem der eben geschilderten Gruppe, denn über einem einschiffigen Langhaus mit Tonnengewölben, welche den Spitzbogen zeigen, erhebt sich auf vortretenden Mauerpfeilern

Andere Kirchen.

Studenitza.

eine Kuppel, ohne dass ein Kreuzschiff anders als durch zwei kleine kapellenartige Anbauten angedeutet wäre. Aber schon das Verlassen der einheimischen byzantinischen Technik, statt deren die Kirche einen gediegenen Quaderbau aus weissem Marmor zeigt, spricht für italienische Einflüsse. Auch der plastische Schmuck der Portale, welcher selbst zu bildlicher Darstellung der zwölf Apostel sich versteigt und damit ein elegant stylisirtes romanisches Laubwerk verbindet, das Relief eines thronenden Christus mit zwei anbetenden Engeln im Tympanon, das reiche Rankenwerk mit lebendigen Thierfiguren an der Archivolte, endlich die Löwen welche die Mittelsäulen des Hauptportales tragen, das Alles deutet auf Oberitalien. Ebenso die Decoration des Aeussern mit Lisenen und Bogenfriesen. Während man also im Grundriss der Landessitte treu blieb, legte man wahrscheinlich die technische Ausführung in die Hände von italienischen Werkleuten. Originell ist aber in der Grundrissbildung die dreischiffige Anlage des Chores, die sich in der Breite des einschiffigen Langhauses so vollzieht, dass durch zwei an die östliche Grenze des Kuppelraumes gestellte Pfeiler eine Theilung in drei Tonnengewölbe geschaffen wird, welche in eben so viele Apsiden auslaufen. An der Westseite dagegen schliesst sich in der ganzen Breite des Baues ein grosser Narthex mit Tonnengewölbe an. Die alten Fresken des Innern sind nach einer fast völligen Zerstörung neuerdings wieder hergestellt worden. Zugleich wurde die Ikonostas mit ihren drei Portalen und reichem Bilderschmuck erneuert.

Letzte Epoche. Die letzte Epoche einer nationalen serbischen Bauthätigkeit bezeichnen die Denkmäler der landschaftlich prächtigen Fruschka-Gora in Syrmien, dem bewaldeten Berglande auf dem linken Ufer der Donau, begrenzt von dieser, von Save und Drau. Auf einem Gebiete von etwa zwölf Meilen im Umfange liegen dort, in anmuthigen Thälern versteckt, zwölf Klöster, grösstentheils Stiftungen der Herrscher aus dem Hause der Brankowitsche. Sie sind im Wesentlichen den übrigen serbischen Bauten nachgebildet, und zwar findet sich die dreischiffige Anlage der zuerst besprochenen Gruppe bei den Klosterkirchen von Kruschedol, Jasak, Bukovatz, bei diesen beiden in besonders glücklichen Verhältnissen, und in der Pfarrkirche von Kamenitza bei Peterwardein; der einschiffige Grundriss der später erwähnten Anlagen dagegen in der Kirche von Beschenovo. Das Material dieser Kirchen besteht aus einem schönen Quaderbau und wechselnden Backsteinschichten; ein Glockenthurm fehlt der ursprünglichen Anlage, und der Kuppelbau ist stets auf die eine über der Vierung sich erhebende Centralkuppel beschränkt.

Seit der türkischen Invasion hat jede selbständige nationale Bauthätigkeit aufgehört. Von den ehemals zahlreichen Feudalschlössern und Befestigungen giebt nur noch die gewaltige Veste von Semendria ein Bild. Sie bezeichnet ein unregelmässiges Dreieck, nach der Donau mit eilf zinnengekrönten viereckigen Thürmen, nach den beiden andern mit fünf und vier gleichen Thürmen, die sämmtlich in regelmässigen Abständen sich über die Umfassungsmauer erheben und am Einfluss der Jezhava in die Donau in einen stumpfen wiederum von fünf Thürmen vertheidigten Zwinger zusammen laufen. Eine zweite Mauer mit Thürmen auf den Ecken und in der Mitte umschliesst die Citadelle.

(Margin note: Veste von Semendria.)

FÜNFTES BUCH.

Die christlich-mittelalterliche Baukunst.

ERSTES KAPITEL.

Charakter des Mittelalters.

Die germanischen Völker.

Nach dem Intermezzo des mohamedanischen Styles suchen wir nunmehr den Punkt auf, von welchem die Architektur fortan ihren stätigen Schritt bis zum Gipfel der Vollendung lenkt. Wir kehren also zu den germanischen Völkern des christlichen Abendlandes zurück, deren erste Versuche auf diesem Gebiete wir früher schon in's Auge fassten. Nur da, wo die höchsten Aufgaben der Culturentwicklung gelöst werden, fühlen wir auch diesmal den vollen Pulsschlag des architektonischen Lebens.

Neue Stellung der Architektur.

Das Bild, welches sich nun aufrollt, ist von allem bisher Erschauten so ausserordentlich verschieden, dass es hier doppelt Noth thut, den geschichtlichen Hintergrund, auf welchem es sich ausbreitet, mit einigen Strichen anzudeuten. Nachdem die alten Völker in strenger Absonderung ihren nationalen Charakter in selbständig verschiedenen Bildungsformen ausgeprägt, nachdem dann die Römer auch in der Kunst den Erdkreis, so weit ihre Adler drangen, ihrem herrschenden Gesetz unterworfen und in einer allgemein gültigen Form jede nationale Besonderheit erstickt hatten, hebt jetzt eine Epoche an, in welcher eine Menge mannichfach gearteter Völker von gleicher Grundlage aus die Entwicklung der Baukunst als ein gemeinsames Ziel des Strebens in grossartigster Weise zu erreichen sucht. Die antike Welt bot den Anblick von plastisch geschlossenen Architektur-Gruppen. Das Mittelalter gibt ein Architektur-Gemälde von unendlicher Tiefe der Perspective, von unerschöpflicher Mannichfaltigkeit der Bewegung.

Das Karolingische Reich.

Unter Karl des Grossen Herrschaft begrüssten wir die ersten lebenskräftigen Regungen germanischen Culturstrebens. Aber die römischen Traditionen wurden zu äusserlich, zu spröde erfasst; zu einer Verschmelzung der widerstreitenden Elemente kam es nicht. Der germanische Geist musste sich erst gleichsam auf sich selber besinnen und sich in Staat und Sitte neue, entsprechende Formen schaffen, ehe der Prozess einer künstlerischen Neugestaltung sich vollziehen konnte. Wie gross auch Karl's Verdienste um Begründung eines neuen Culturlebens waren, in staatlicher Hinsicht konnte er sich doch nicht von der Idee eines zu begründenden Weltreiches losreissen, welches nach dem Muster der alten Cäsarenherrschaft die Eigenthümlichkeiten der Nationen zu Gunsten einer centralisirten Einheit verwischt haben würde. Da war es der Freiheitssinn der germanischen Völker, der die kaum geschlossenen Bande bald nach des grossen Kaisers Tode trennte und der abendländischen Menschheit das Recht und die Möglichkeit individueller Entwicklung wiedergab. Der Zerfall des Karolingischen Reiches, die Scheidung in nationale Gruppen bezeichnet den Beginn des merkwürdigen Entwicklungsprozesses, den wir als den eigentlichen mittelalterlichen aufzufassen haben.

Zerstörung des Karolingischen Reichs.

Neue Völkergruppen. Hier springt nun zunächst ein entscheidender Gegensatz gegen die bisher betrachteten Culturepochen in's Auge. Nur der Mohamedanismus bot eine gewisse Verwandtschaft, jedoch auf einer niedrigeren, weil unfreieren Stufe. Wir sehen nämlich eine Anzahl von Völkergruppen sich neben einander entfalten, unterschieden durch Abstammung, Sprache und nationales Bewusstsein, vielfach in Gegensätze und Conflicte mit einander gerathend, dennoch an gemeinsamer Aufgabe, wie auf ein im Stillen gegebenes, allgemein anerkanntes Losungswort mit den edelsten Kräften arbeitend. Diese Aufgabe selbst war aber von Allem, was vordem erstrebt wurde, nicht minder unterschieden.

Verschiedene Elemente. Es war zum Theil ein Element innerer Wahlverwandtschaft, zum Theil das Uebergewicht einer höheren Cultur, vermöge dessen die germanische Welt den Lehren des Christenthums sich fügte. Gleichwohl war der Prozess der Umwandlung, der Verschmelzung des naturwüchsig nationalen Wesens mit den aufgedrungenen Lebensanschauungen ein so langsam fortschreitender, dass er streng genommen niemals zum völligen Abschluss kam, sondern der ganzen mittelalterlichen Epoche mit den Zügen beständigen inneren Kampfes und Ringens an der Stirn geschrieben steht. In allen Erscheinungen zeigt das Leben jener Zeit das Bild gewaltiger Gegensätze, die, während sie einander abstossen, sich doch zugleich auf's Innigste zu verbinden streben. In diesem ewigen Suchen und Fliehen liegt der letzte Grund der Tiefe und Reichhaltigkeit ihres Entwicklungsganges, liegt zugleich das Interesse, welches uns an diese merkwürdige Epoche stets von Neuem fesselt. Während wir es bei den Gestaltungen der antiken Welt mit einem in schönem Selbstgenügen ruhenden Sein zu thun hatten, weht uns hier der Athemzug eines ewig wechselvollen, rastlos nach Entwicklung ringenden Werdens an.

Das Christenthum. Bei den alten Völkern war die Religion ein naturgemässes Ergebniss, gleichsam die feinste Blüthe des heimischen Bodens. Sie stand in vollem Einklang mit der gesammten äusseren Existenz, wie mit dem inneren geistigen Leben. Daher in allen Erscheinungen der antiken Welt jene harmonische Ruhe, jene klare Geschlossenheit, die uns anblickt mit dem Lächeln seliger Kindheit. Ganz anders im Mittelalter. Die nationalen Götter, verdrängt durch den Gott des Christenthums, führen fortan nur als

Gegensatz gegen die Natur. Gespenster und böse Geister ein spukhaftes Dasein. Das Christenthum aber tritt sofort mit allen seinen Forderungen feindlich gegen die Natur des Menschen auf. Es erklärt dieselbe für sündhaft, verlangt eine geistige Wiedergeburt und verfolgt mit eiserner Consequenz alle ihre unbewachten Aeusserungen. Indem es nun dem Menschen das beständige Ankämpfen gegen jene natürlichen Eingebungen zur obersten Pflicht macht, reisst es ihn gewaltsam aus der Naivetät seines ursprünglichen Daseins heraus, erfüllt seine Seele mit dem Gefühl des Zwiespaltes und Widerstreites und hebt sie auf die einsame Höhe einer ätherischen Vergeistigung. Aber die Natur weicht nicht so leichten Kaufes aus ihrem angestammten Gebiete. Mag die christliche Lehre ihre Regungen als Einflüsterungen des Teufels brandmarken, sie findet doch in dem Organismus des Menschen zu mächtige Hebel, die sie fortwährend in Bewegung zu setzen nicht ermüdet. So entsteht im einzelnen Individuum, so entstand in den Völkern des Mittelalters jener gewaltige innere Widerstreit, jene tiefe Gährung, die durch alle Gestaltungen dieser Epoche hindurchklingt. Je ungebrochener aber in jenen Zeiten die Naturkraft der Völker war, um so schneidender musste sich der Gegensatz herausstellen. Die angeerbte Sitte trat in Conflict mit den Forderungen des Christenthums und hatte daher eben so wenig eine Stütze an diesem, wie dieses an ihr. Nimmt man dazu die Aeusserlichkeit, mit welcher kindlich unreife Nationen das geistig Dargebotene auffassen, so kann man sich über den schroffen Wechsel wilder Ausschweifung und demüthiger Zerknirschung, den das Mittelalter so häufig darbietet, nicht wundern. Selbst die

Die Kirche. Kirche, die sich doch als eigentliche Trägerin und Bewahrerin der Lehre hinstellte, vermochte sich dem Zwiespalt nicht zu entziehen. Wohl prägte sie im Laufe der Zeit das christliche Dogma zu einem grossartigen, in sich zusammenhängenden System aus: wohl suchte sie sich dem durch Gegensätze zerrissenen weltlichen Leben als ruhige, unveränderliche Einheit dominirend gegenüber zu stellen; aber wie sie in ihren einzelnen Gliedern doch eben nur aus Menschen bestand, in denen die Gewalt der Natur vielleicht nur um so energischer sich auflehnte, je schärfer bei ihnen die Anforderungen der Religion in's Fleisch schnitten, so erwuchs ihrer Gesammtheit aus dem Streben nach weltlicher Macht und Herrschaft mancherlei Streit und unheilige Trübung.

Der Staat.

Wie viel mehr musste jener Zwiespalt sich im staatlichen Leben geltend machen! Kam es hier doch geradezu darauf an, die Forderungen der christlichen Lehre auf die praktischen Verhältnisse des Daseins anzuwenden, ihre Kraft und Reinheit an den Zuständen materiellster Wirklichkeit zu erproben! Denn auf nichts Geringeres ging das höchste Streben des Mittelalters, als das Christenthum in allen Beziehungen des Lebens zur Herrschaft zu bringen, oder, wie man sich gern ausdrückte, das Reich Gottes auf Erden zu gründen. Aber diese ideale Forderung erfuhr einen hartnäckigen Widerstand an dem mannichfachen Streit realer Interessen. Hier, wo der Egoismus jedes Standes, jeder Gewalt an seiner Wurzel gefasst wurde, entbrannte überall der heftigste Kampf, mochte ihn die weltliche Macht gegen die kirchliche Anmassung weltlicher Herrschaft, mochten ihn die Fürsten gegen einander, die nach Autonomie ringenden Städte gegen die Fürsten, oder im Schoose der Städte die vom Regiment ausgeschlossenen Gemeinen gegen die Patrizier führen. Denn darin eben beruht eine Eigenthümlichkeit des Christenthums, dass alle jene widerstreitenden Bestrebungen aus ihm das Recht zu ihren Ansprüchen herleiten konnten, dass es eben sowohl die Freiheit der Menschen unter einander verkündigt, als es den Gehorsam gegen die Obrigkeit vorschreibt. Indem solchergestalt die Grenzen der Einzelbefugnisse nicht streng gezogen waren, erwuchs daraus einerseits ein beständiges Ringen und Bewegen, ein Anstreben der verschiedenen Gewalten gegen einander, welches dem Entwicklungsgange eine lebendige Spannung verlieh. Andererseits ergab sich daraus auch für den politischen Bildungsprozess ein eigenthümliches Verfahren. Das staatliche Leben prägte sich nämlich weit weniger in strengen Normen und Doctrinen aus, als es vielmehr durch die mitwirkende Thätigkeit seiner Theilnehmer in beständigem Fluss erhalten wurde, und namentlich in dem Herkommen und der mit dem Leben sich fortbildenden Sitte den kräftigsten Anhalt hatte.

Der Lehensstaat

Bezeichnend ist in dieser Hinsicht besonders der Lehensstaat, eine Schöpfung, die durchaus auf dem Boden mittelalterlicher Anschauung erwachsen ist. Er erscheint als ein durchaus künstliches Product, dessen Grund aber in dem Individualismus des germanischen Volksgeistes liegt. Der Staat beruht hier nicht auf einer natürlich gewordenen Gesammtverfassung unter festen Gesetzen, sondern auf dem persönlichen Gelöbniss und der Treue des freien Vasallen. „Die compacte Natureinheit der Völker verschwindet", wie Schnaase treffend sagt, „und an ihre Stelle tritt eine Masse persönlicher Verhältnisse; die Zufälligkeit der Verträge ersetzt die innere Nothwendigkeit, und der Staat stellt sich als ein luftiges Gerüst dar, das, von der grösseren Zahl der niederen Vasallen aufsteigend, durch schmalere Mittelstufen sich bis zu einer einheitlichen Spitze erhebt." Dieser künstlich complicirte Aufbau wiederholt sich in allen mittelalterlichen Lebensäusserungen, und vorzüglich, wie wir bald sehen werden, in den architektonischen Schöpfungen.

Corporationsgeist.

Bei jenem Vorwiegen der individuellen Richtung war es naturgemäss geboten, dass der Hang nach freien, genossenschaftlichen Verbindungen sich überall geltend machte. Er begann im geistlichen Stande mit dem Mönchswesen und gab dort zuerst das Bild geschlossener Vereinigungen zu gemeinsamen Zwecken und unter gemeinsamen Regeln. Am bezeichnendsten für das Mittelalter ist das Ritterthum, welches unter einer auf besonders ausgebildetes Ehrgefühl begründeten Verfassung einen durch die ganze Christenheit reichenden Bund darstellte, der die Führung der Waffen einem höheren sittlichen Gesetz unterwarf und also den kriegerischen Geist mit den Forderungen des Christenthums in Einklang zu bringen suchte. Ganz anderer Art waren in den Städten die Vereinigungen der Bürger nach ihren Gewerben in Zünfte, so wie die Bündnisse der Städte unter einander zu Schutz und Trutz. Denn hier galt es die Wahrung wohlerworbener materieller Interessen, die Erlangung neuer Rechte und Vergünstigungen, die Sicherung des Handels und Wandels. Wohin auch unser Blick

20*

fällt, überall trifft er auf festgeschlossene Corporationen, auf eine Masse kleinerer oder grösserer Gruppen, so dass die volle Breite des Lebens sich in eine unzählige Menge selbständiger, freier, jedoch durch bestimmte Verbände unter einander zusammengehaltener Glieder löst. Ueberall finden wir den Geist des Individualismus in seiner mächtigen, gruppenbildenden, isolirenden Thätigkeit, stets neu und unerschöpflich in seinen Gestaltungen. Aber diese Gruppen stehen dem tiefer Blickenden nicht lose und vereinzelt neben einander. Ein gemeinsames Bewusstsein, dasselbe Gesammtziel verbindet die scheinbar Getrennten nur um so inniger, und über das Gewirr luftig und kühn aufsteigender Glieder und Theile legt sich vor Allem in imposanter einheitlicher Ruhe wie ein schirmendes Dach die Kirche. Zugleich aber weht durch all dies trotzige Ringen, dies starke selbstkräftige Streben ein Hauch fast weiblicher Milde und Weichheit, der zwar eben sowohl im Geiste des Christenthums wie im Wesen der germanischen Völker begründet liegt, besonders aber aus dem Gegensatze des Bewusstseins gegen die Natur und den dadurch hervorgerufenen Schwankungen des Inneren seine Erklärung erhält. Hiermit steht die Hochachtung des Mittelalters gegen die Frauen, und als höchster idealer Ausdruck derselben die Verehrung der Gebenedeiten unter den Weibern, der Mariencultus, in inniger Verbindung.

Künstlerisches Streben.

Je weniger das Mittelalter in seinen mannichfachen Lebensäusserungen zu einem befriedigenden, festen Abschluss gelangte, je spröder sich unter dem Kampfe der geschilderten Gegensätze die verschiedenen Elemente zu einander verhielten, um so bedeutsamer gestaltete sich das architektonische Schaffen. Dass eine Zeit wie jene, voll subjectiven Gefühls, aber auch voll inneren Widerstreites, gerade in der Architektur am meisten Gelegenheit fand, ihrem kühnen aber dunklen Ringen einen Ausdruck zu geben, liegt nahe. Eine gleich bedeutende Entfaltung der bildenden Künste wurde gehindert durch die Naturfeindlichkeit des Mittelalters, durch den Mangel an ruhiger Geschlossenheit des Charakters und freier Klarheit des individuellen Bewusstseins. Alle diese Bedingungen, welche den bildenden Künsten nur ein streng von der Architektur bedingtes Leben gestatteten, erwiesen sich dagegen für diese nur förderlich.

Vorwiegen der Architektur.

Frei und unabhängig von den Gesetzen der organischen Naturgebilde wandelt sie ihren eigenen Weg nach eigenen Gesetzen und ist am meisten dazu angethan, dem dunklen, in's Allgemeine hinausstrebenden Drange ganzer Zeiten in mächtig ergreifender Weise zu genügen. In dem rastlosen Ringen des Mittelalters liegt nun aber der Grund, warum seine Architektur einen so weiten Entwicklungsraum durchmisst. Sie geht, wie die ganze Cultur jener Zeit, von den Traditionen der römischen Kunst aus, wandelt dieselben in durchaus selbständiger Weise um und gelangt endlich, unter freier Aufnahme und Verarbeitung fremder Einwirkungen, zu dem grossartigsten System, welches die Baugeschichte kennt.

Zwei Style.

Ihre beiden Style, der romanische und der gothische folgen daher einander in der Zeit und schliessen sich gegenseitig aus, während bei den Griechen der dorische und ionische Styl neben einander bestanden und nur die Eigenthümlichkeit der beiden Hauptstämme aussprachen. Dies Verhältniss beruht auf der verschiedenen Stellung der Architektur. Denn im Mittelalter wenden sich ihr im Verein die besten Kräfte der gesammten christlichen Völker zu, um die Lösung derselben Aufgabe je nach Vermögen zu fördern. Allerdings ist der Antheil der Einzelnen an der grossen Schöpfung der Zeit ein wesentlich verschiedener. Die wichtigste Stellung gebührt in erster Linie Deutschland und Frankreich, in zweiter Italien und England. Spanien ist minder bedeutend, und der skandinavische Norden schliesst sich theils Deutschland, theils England an. Das umfassendste Bild ist demnach reich an individuellen Zügen.

Ihr Gemeinsames.

Die gemeinsame Grundlage jedoch, auf welcher alle jene Nationen in ihren architektonischen Bestrebungen stehen, bildet die Basilika. Ihre im altchristlichen Styl gleichsam in kräftigen Umrissen skizzirte Grundgestalt weiter auszuführen und durchzubilden, war der dem romanischen und gothischen Styl gemeinsame Kernpunkt.

Ausbildung der Basilika.

In der altchristlichen Basilika waren die einzelnen Theile nur lose an einander gefügt. Das Gesetz antiker Formbildung hemmte noch wie eine lästige Fessel die freiere Bewegung. Das Mittelalter begann dieselbe immer entschiedener abzustreifen, dem Inneren

einen lebendigeren Zusammenhang, eine wirkungsvolle Wechselbeziehung der Theile zu geben, anstatt der mehr mechanischen Nebenordnung eine organische Gliederung zu erzeugen. Das Prinzip der Horizontallinie, welches wie ein Alp auf dem architektonischen Gedanken lastete, wurde durch eine Reihe erfolgreicher Umgestaltungen beseitigt und mit dem verticalen vertauscht. Auf diese Weise wurde ein wahrhaft organisch durchgebildeter, aus aufsteigenden Gliedern gruppirter Innenbau geschaffen, dessen wichtigstes Element die consequent durchgeführte Wölbung war. Wölbung
Auch das Aeussere erhielt nun, dem Inneren entsprechend, eine lebendige Gruppirung und würdige Ausbildung. Schon die altchristliche Basilika zeigte in ihrer zweistöckigen Anlage den Beginn einer Gliederung verschiedenartiger Theile. Für die mittelalterliche Kirche trat nunmehr als neues bedeutsames Moment der Thurmbau hinzu, Thurmbau.
der erst jetzt in organische Verbindung mit dem übrigen Gebäude trat und dadurch auch äusserlich die aufsteigende Bewegung zum Abschluss brachte.

Die ganze Baugeschichte des Mittelalters ist ein ununterbrochenes Ringen nach demselben Ziele. Schon der romanische Styl erreicht von seinem Grundprinzip aus eine Höhe und Vollendung des Systems, dass diese einzige architektonische That für eine Gesammtepoche als vollgültiges Gewicht in die Waagschale fallen würde. So rastlos ist aber das Mittelalter in seinem Ringen, dass es in einem völlig verschiedenen Styl, dem gothischen, auf ganz neue Weise noch einmal dieselbe Aufgabe einer überraschenden Lösung entgegenführt. Wir erkennen daraus eben auf's Klarste, wie der ganze Gedankengehalt jener Zeit in die Architektur sich ausströmte und in ihren Schöpfungen seine höchste künstlerische Verklärung fand.

ZWEITES KAPITEL.

Der romanische Styl.

1. Zeitverhältnisse.

Wir deuteten schon an, dass der Zerfall des Karolingischen Reiches den Ausgangspunkt der mittelalterlichen Entwicklung bilde. Ehe jedoch das Culturleben der einzelnen Völker eine feste äussere Basis gewinnen konnte, verging noch geraume Zeit. Verwirrung im 9. und 10. Jahrh.
Innere Parteiungen und Empörungen der trotzigen Vasallen zerfleischten die Reiche, während von aussen die räuberischen Schaaren der Normannen, Wenden und Ungarn fortwährend verheerend einfielen. Unter solchen Verhältnissen vermochte auch die Pflege der Architektur nicht sonderlich zu gedeihen. Zwar wurden eine Menge von frommen Stiftungen gemacht, Klöster gegründet, Kirchen erbaut und reich beschenkt; aber die wenigen Reste, welche aus dieser Frühzeit sich erhalten haben, bezeugen deutlich den rohen Zustand der Technik und des Kunstgefühls bei fortgesetztem, aber möglichst missverständigem Festhalten an den antiken Formen. Dagegen verdanken wir jenen dunklen Jahrhunderten unzweifelhaft etwas Bedeutendes: die Modificirung und Feststellung des Grundplans der Basilika nach Maassgabe der damaligen Cultusbedürfnisse. Die wesentlichen Neugestaltungen dieser Art fanden wir schon bei dem früher betrachteten Grundriss der Abteikirche zu St. Gallen aus dem 9. Jahrh.; beim Beginn unserer Epoche treten sie uns überall übereinstimmend entgegen.

Dieser Beginn datirt vom Anfang des 11. Jahrhunderts. Gegen Ende des 10. Jahrhunderts waren die abendländischen Völker in einen solchen Zustand der Entartung Wendepunkt um's J. 1000.
und Entfesselung versunken, dass das panische Entsetzen, mit welchem die damaligen Menschen dem Jahre Tausend als dem Zeitpunkte für den Untergang der Welt und

das göttliche Gericht entgegen sahen, durch das Bewusstsein der allgemeinen Verderbniss nur noch geschärft wurde. Als nun das gefürchtete Jahr abgelaufen war, ohne die Weltvernichtung zu bringen, athmete die gesammte christliche Welt, wie vom tiefsten Verderben befreit, dankbar auf. Der bangen Zerknirschung folgte jählings ein ungestümer Feuereifer, der sich in frommen Werken nicht genug zu thun wusste. Ueberall ging man an ein Niederreissen der alten Kirchen, um sie durch neue, prächtigere zu ersetzen. Mittlerweile hatten die schlimmsten äusseren und inneren Stürme sich ausgetobt. Die heidnischen Völkerschaften waren zurückgedrängt oder dem Christenthum unterworfen worden, die staatlichen Verhältnisse hatten sich gefestigt, die Gesellschaft fing an eine bestimmt ausgeprägte Physiognomie zu zeigen. So war denn der germanische Geist hinlänglich erstarkt, um auch in der Kunst seine eigene Sprache sich zu bilden. Diesem Entwicklungsprozess entsprang der romanische Styl.

Namen und Wesen des roman. Styles. Man hat demselben lange Zeit irrige Benennungen gegeben, unter welchen die Bezeichnung als „byzantinischer Styl" am beliebtesten und verbreitetsten war. Der gewöhnliche Sprachgebrauch pflegt noch immer jene Gebäude mit den ernsten Mauermassen, den kleinen, rundbogig geschlossenen Fenstern und dem „altfränkischen" Ansehen, wie man sich gern ausdrückt, als byzantinische darzustellen. Der romanische Styl ist aber grundverschieden von jener Bauart, die wir als wirklich byzantinische bereits kennen gelernt haben. Seine Benennung rechtfertigt sich aus seinem Wesen. Werden jene Sprachen, welche durch Verschmelzung der altrömischen mit germanischen Elementen in jener Epoche entstanden sind, in richtiger Bezeichnung dieses Verhältnisses „romanische" genannt, so muss dieser Ausdruck für den Baustyl, welcher sich auf der Basis antik-römischer Tradition, durch Befruchtung mit germanischem Geiste entfaltet hat, ebenfalls als der treffendste sich geltend machen. In der That ist die Analogie eine sehr genaue, nur mit dem äusseren Unterschiede, dass die Herrschaft der römischen Ueberlieferung in der Architektur selbst von den durchaus germanischen Nationen anerkannt und aufgenommen wurde, obwohl sie in der Entwicklung ihrer Sprache dieselbe auf's Entschiedenste zurückwiesen.

Germanisches Element. Dass aber das germanische Element das eigentlich schöpferische, die Entwicklung treibende Prinzip bei der Neugestaltung der Baukunst war, erhellt auf's Klarste aus einem flüchtigen geographischen Ueberblick. Dieser zeigt uns die lebendigste architektonische Thätigkeit bei den vorwiegend germanischen Völkern, den Deutschen, Nord-Franzosen, Engländern und den norditalienischen, stark germanisirten Stämmen. Der Kern Italiens, besonders Rom, verhält sich während dieser Epoche so gut wie indifferent gegen die neue Bewegung, und klammert sich an die dort übermächtige antike Tradition an, wo nicht etwa vereinzelte Einflüsse von Byzanz sich Bahn brechen. Allerdings werden wir auch in den Bauten der übrigen Länder byzantinische und selbst einzelne, durch die Kreuzzüge eingedrungene maurische Elemente antreffen; doch mischen sie sich hier nur in bescheidener Unterordnung in die volle und reiche Harmonie, ohne dieselbe zu stören. Darin aber beruht ein Hauptgrund für die Anziehungskraft, welche gerade der romanische Styl für den Betrachtenden hat, dass durch die gemeinsame Grundfärbung die nationalen Besonderheiten in ihren verschiedenen Schattirungen hindurchschimmern, dass der Kerngedanke des Styles in mannichfaltigster Weise variirt erscheint. Es ergibt sich daraus eine Lebensfülle, eine Frische und Beweglichkeit des Styles, die um so bemerkenswerther hervortritt, je ernster und strenger sein eigenstes Wesen ist.

Priesterlicher Charakter. Es verdient nämlich scharf hervorgehoben zu werden, dass der romanische Styl seinem Grundcharakter nach ein hieratischer ist. Auch in dieser Beziehung erscheint er als der treue Spiegel seiner Zeit. Einen hierarchischen Zuschnitt hatte das ganze Leben, und vielleicht um so mehr, je weniger im Anfang die weltliche Macht der Priesterschaft sich geltend machte. Doch fällt die höchste Aufgipfelung der päpstlichen Obergewalt unter Gregor VII. bereits in diese Zeit. Aber abgesehen von jenem mehr auf äussere Zwecke gerichteten Streben, war im Anfang dieser Epoche das Priesterthum ausschliesslich Träger der geistigen Bildung und der materiellen Cultur. Die
Bedeutung der Klöster. Klöster waren nicht allein die Pflanzstätten der Wissenschaft und Gesittung, die Herde

für jede künstlerische Thätigkeit; sie machten auch das Land urbar und schufen aus Wüsteneien fruchtbare, lachende Oasen. Jene Hinterwäldler des Mittelalters, die Mönche, waren daher auch die einzigen, in deren Händen sich die Pflege der Baukunst befand. Sie entwarfen für ihre Kirchen und Klosteranlagen die Risse und leiteten den Bau. Feste Schultraditionen entsprangen daraus, knüpften ihre Verbindungen von Kloster zu Kloster und wirkten dadurch, bei aller Einheit der Grundformen, zu der Mannichfaltigkeit der Gestaltungen mit. Wie sich um die grösseren Abteien bald Ansiedelungen sammelten und allmählich Städte heranwuchsen, so bildeten sich auch aus den Handwerkern, welche, im Klosterverbande lebend, den Mönchen bei der Ausführung der Bauten dienten, genossenschaftliche Verbindungen, aus denen in der Folge ohne Zweifel die Bauhütten hervorgingen. Erst gegen Ausgang der romanischen Epoche, wo die inzwischen zahlreich gegründeten Städte Macht und Reichthum zu entfalten begannen, dringt auch der Geist des Bürgerthums in diesen Styl ein und prägt bei selbständiger Anwendung desselben sein Wesen in mancher Umbildung und Neugestaltung aus.

Sprachen wir schon oben von der Rastlosigkeit, welche sich in allen Lebensäusserungen des Mittelalters kund gibt, so ist auf den romanischen Styl recht eigentlich diese Bezeichnung anzuwenden. Die ganze Epoche, welche er ausfüllt, und die etwa vom Jahre 1000 mehr als zwei Jahrhunderte umfasst, ist ein ununterbrochenes Ringen und Arbeiten des architektonischen Geistes. Fasst man die Fülle origineller Schöpfungen in's Auge, welche auf dem fruchtbaren Boden des romanischen Styls emporgeschossen sind, so erkennt man bei aller Strenge und Allgemeinheit des Grundcharakters doch zugleich eine unglaubliche Mannichfaltigkeit sowohl in den Combinationen des Ganzen, in der Zusammenordnung seiner Theile, als in der Construction und dem decorativen Element. Der romanische Styl hat in dieser Beziehung einen grossen Reichthum an individuellem Leben, welches aber durch das zu Grunde liegende allgemeine Gesetz in fester, unerschütterlicher Würde gehalten wird. Diese Mannichfaltigkeit aber und der fortwährende Gährungsprozess, in welchem jener Styl erscheint, so anziehend er für die Betrachtung ist, so schwierig macht er die Darstellung. Nur indem wir mit treuer Aufmerksamkeit dem Gange der Entwicklung nachschreiten, werden wir ein Bild der romanischen Architektur erhalten. Innere Mannichfaltigkeit.

2. Das romanische Bausystem.

Die architektonische Bewegung schreitet während der romanischen Epoche in den einzelnen Ländern so verschiedenartig vor, dass es beinahe unmöglich ist, eine feste geschichtliche Eintheilung aufzustellen. Nur so viel lässt sich im Allgemeinen vorausschicken, dass der Baustyl während des 11. Jahrh. durchweg noch eine gewisse Strenge und Einfachheit athmet, dass er im Laufe des 12. Jahrh. seine reichste und edelste Blüthe entfaltet, und gegen Ende dieses und im ersten Viertel des 13. Jahrh. zum Theil ausartet, zum Theil sich mit gewissen neuen Formen verbindet und ein buntes Gemisch verschiedenartiger Elemente darbietet. Im Uebrigen waltet, selbst innerhalb der einzelnen Phasen der Entwicklung, sowohl in constructiver als auch in decorativer Hinsicht eine grosse Mannichfaltigkeit der kleineren geographischen Sondergruppen und Schulen. Wir sind daher genöthigt, die wesentlich verschiedenen Hauptarten, in welcher der Styl seine architektonische Aufgabe fasste, nach einander zu betrachten, obwohl sie zeitweise zugleich neben einander in Geltung waren. Chronologisches.

a. Die flachgedeckte Basilika.

Dass der mittelalterliche Kirchenbau von der Form der altchristlichen Basilika ausgegangen, wurde bereits oben bemerkt. Doch sind die Umgestaltungen, welche jene Grundform erfuhr, sehr eingreifender Art. Selbst die Haupt-Dispositionen des Bau- Grundplan.

men, welche man beibehielt, wurden wenigstens auf eine feste Regel zurückgeführt. Chorbildung. Am entschiedensten änderte sich die Anlage des Chores. Man ging nämlich von dem grossen Quadrate, welches bei der Durchschneidung von Mittelschiff und Querhaus entstanden war (der Vierung, dem Kreuzesmittel, wie es genannt wird) aus, und verlängerte nach der Ostseite das Mittelschiff über die Vierung hinaus etwa um ein ähnliches Quadrat, welches mit der halbkreisförmigen Altarnische geschlossen wurde. Die Vierung wurde von den angrenzenden Theilen durch hohe, auf Pfeilern ruhende Halbkreisbögen (Gurtbögen) getrennt. Dieser ganze Raum bezeichnete als Chor den Sitz der Geistlichkeit. Sodann liess man das Querhaus so weit aus dem Körper des Langhauses vorspringen, dass seine beiden Arme ebenfalls je ein der Vierung entsprechendes Quadrat bildeten. Meistens liess man in diesen Kreuzflügeln an der Ostmauer kleinere Nischen für Nebenaltäre heraustreten, so dass hier gesonderte Kapellen entstanden. Was aber die Erscheinung dieser östlichen Theile vorzugsweise bedingt, ist die Krypta. Anlage einer Krypta unter denselben, welche in der älteren romanischen Zeit keiner bedeutenderen Kirche zu fehlen pflegt. Dies sind niedrige, auf Säulen gewölbte Räume, in welche man von der Oberkirche auf Treppen zu beiden Seiten hinabsteigt. Obwohl wir wissen, dass sie als Begräbnissstätten der Bischöfe, Aebte oder frommen Stifter dienten, dass man in ihnen die Gebeine der Heiligen aufbewahrte und an besonderen Altären zu bestimmten Zeiten das Messopfer verrichtete, so ist doch über den tieferen Grund ihrer Entstehung, so wie ihres Verschwindens in der Spätzeit der romanischen Epoche noch nichts Genügendes erforscht worden. Vielleicht hing Beides mit einer Aenderung in der äusseren Verehrungsweise der Reliquien zusammen; ihr Vorbild aber hatten die Krypten ohne Zweifel in der „Confessio“ der altchristlichen Basilika, wie diese das ihrige in den Grüften der Katakomben besass. In baulicher Beziehung sind die Krypten nicht allein durch die Wölbung, die sich zuerst an ihnen ausbildete, sondern auch durch die Rückwirkung auf die Gestalt des Chores von Wichtigkeit. Der Chor musste nämlich zu ihren Gunsten um eine Anzahl von Stufen über den Boden des Langhauses erhöht werden. Hierdurch wurde seine innige organische Verbindung mit den übrigen Gebäudetheilen gelockert, obwohl seine Erscheinung zugleich eine höhere Feierlichkeit und Würde gewann. Das geringste Maass der Krypten-Ausdehnung umfasst den Chor und die Apsis, manchmal wird aber auch die Vierung ganz oder theilweise hinzugezogen, und bisweilen dehnt sich die Krypta selbst unter den Seitenarmen des Querschiffes aus. Um diese östlichen Theile noch entschiedener von dem der Gemeinde bestimmten Langhause zu sondern und als vorzüglich geheiligten, priesterlichen Raum zu bezeichnen, wurde das Mittelquadrat durch niedrige Brüstungsmauern von den Kreuzarmen und dem Langhause getrennt.

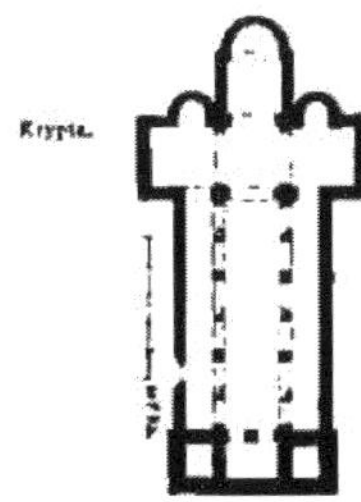

Fig. 315. Kirche zu Hecklingen. (Grundriss.)

Gegen das Mittelschiff öffnet sich die Vierung mit ihrem grossen Gurtbogen, der Langhaus. die Stelle des Triumphbogens in den altchristlichen Basiliken vertritt. Aber er stützt sich nicht wie dort auf zwei vorgestellte Säulen, sondern steigt von kräftigen Pfeilern auf, welche, der Anzahl der aufruhenden Bögen entsprechend, kreuzförmig gebildet sind. Von ihnen gehen nun auch die Arkadenreihen aus, welche das Mittelschiff von den Seitenschiffen trennen. Diese Arkaden ruhen mit ihren Bögen auf je einer Reihe von Säulen, deren Anzahl sich nach der beabsichtigten Länge des Mittelschiffes richtet. Sie erheben sich in weiten Abständen und einer den Verhältnissen der antiken Kunst ungefähr entsprechenden Höhe. Doch scheint die Säule, sei es wegen ihrer schwierigeren Bearbeitung und grösseren Kostspieligkeit, sei es wegen ihrer geringeren Tragfähigkeit, nicht lange allgemein geherrscht zu haben. Sehr bald tritt der Pfeiler an ihre Stelle, entweder indem er sie ganz verdrängt und aus der Säulenbasilika eine Pfeilerbasilika macht, oder indem er sich in die Säulenreihe alternirend, wie auf unserer Abbildung der Kirche zu Hecklingen, einschleicht. Manchmal wechselt der

Pfeiler selbst mit zwei Säulen, so dass er jedesmal die Stelle der dritten Stütze einnimmt. Diese Variationen, die wir schon in einigen altchristlichen Basiliken Roms antrafen, und die in der romanischen Epoche neben einander gefunden werden, modificiren bereits in lebendiger Weise den Eindruck des Mittelschiffes. Die reine Säulenreihe bot am meisten Gelegenheit für Anwendung mannichfacher Ornamentation, aber sie stand mit ihrem zierlichen, mehr weiblichen Charakter in einem fühlbaren Gegensatze gegen die ernsten Mauermassen. Die ausschliessliche Anwendung des Pfeilers

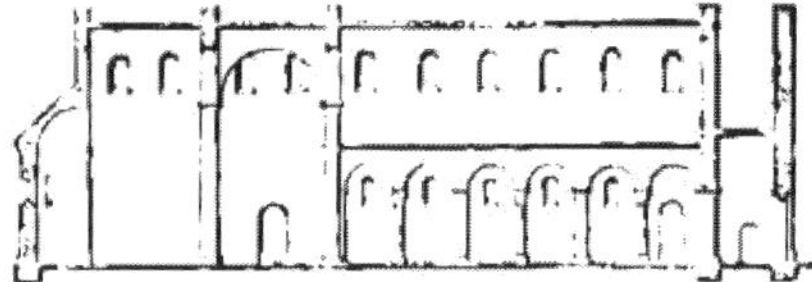

Fig. 246. Längendurchschnitt der romanischen Basilika.

gab einen zwar schlichten, schmucklosen Eindruck, harmonirte jedoch in ihrer männlicheren Kraft um so besser mit dem Uebrigen. Von anmuthiger Wirkung erwies sich der Wechsel von Säulen und Pfeilern, welcher zierlichen Schmuck mit kraftvoller Strenge paarte und dem Auge in derselben Weise rhythmisch wohlthat, wie ein trochäisches oder daktylisches Maass dem Ohre.

Die Oberwände des Mittelschiffes erheben sich in ansehnlicher Höhe, und zwar etwa 2 bis $2^{1}/_{2}$ mal so hoch als die Weite desselben. Sie werden von einer flachen Holzdecke geschlossen. Ziemlich dicht unter derselben durchbricht eine Reihe von Fenstern die Mauerfläche. Durch sie erhält das Mittelschiff eine selbständige, von oben einfallende Beleuchtung, während in den Umfassungsmauern der Seitenschiffe ebenfalls Lichtöffnungen zur Erhellung dieser Nebenräume liegen. Eigenthümlich ist, dass sich die Anordnung der Fenster nicht immer an die Anzahl der Arkadenbögen bindet, sondern gewöhnlich hinter derselben zurückbleibt. Gleich denen der altchristlichen Basiliken sind auch hier die Lichtöffnungen im Halbkreise gewölbt, allein da man sie nunmehr mit Glasscheiben ausfüllte, so bildete man sie viel kleiner. Auch gab man ihnen keine rechtwinklige Wandung, sondern liess dieselbe sich nach aussen und innen erweitern. Dadurch wurde nicht allein dem Lichte ein freierer Zugang, dem Regen nach aussen ein leichterer Abfluss verschafft, sondern die meistens mit Gemälden bedeckten inneren Laibungen boten sich dem Beschauer auch in günstigerer Ansicht dar. Uebrigens sind die Fenster der Seitenschiffe gewöhnlich kleiner als die des Mittelschiffes. Kreuzarme und Chor erhielten ebenfalls eine obere, die Apsiden eine untere Fenster-Region, und zwar zeigt die Hauptnische gewöhnlich drei, jede Seitennische nur ein Fenster. Mittelschiff.

Um die hohen Wandflächen des Mittelschiffes zu beleben und zugleich das untere, den Abseiten zugetheilte Stockwerk zu markiren, läuft in der Regel über den Arkadenbögen ein aus mehreren Gliedern zusammengesetztes, bisweilen reich sculpirtes Gesimsband hin. Dass sich dasselbe im Querhaus und Chor nicht fortsetzt, erklärt sich folgerichtig daraus, dass diese Theile keine niederen Seitenräume neben sich haben. Wo in einzelnen Fällen solche den Chor begleiten, da pflegt auch das Arkadengesims nicht zu fehlen. Bei einigen Kirchen hat man von diesem Gesims verticale Wandstreifen bis zu den Kämpfern und Kapitälen der Pfeiler oder Säulen herablaufen lassen, so dass jeder Arkadenbogen eine rechtwinklige Umrahmung besitzt (Fig. 247). Anderwärts, wo Pfeiler und Säulen wechseln, liess man wohl das Gesimsband ganz fort und bewirkte eine lebendige Gliederung dadurch, dass man von Pfeiler zu Pfeiler an der Wand einen blinden Rundbogen führte, der die beiden auf der zwischengestellten Säule zusammentreffenden Arkadenbögen umspannte (Fig. 248). Dies war ein ästhetischer Gliederung der Oberwand.

Fortschritt, durch welchen die Bogenform bedeutungsvoller hervortrat und das Gruppensystem der Arkadenreihe kräftiger betont wurde. Auch in constructiver Hinsicht hatte solche Anordnung ihre Vorzüge, da sie den unmittelbar auf die Säule

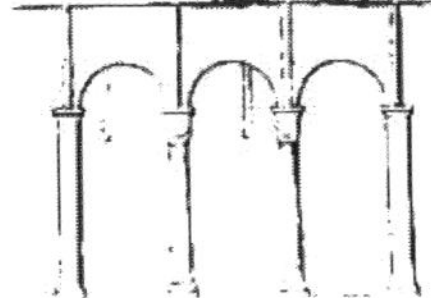

Fig. 247. Arkaden aus S. Godehard in Hildesheim.

Fig. 248. Arkaden aus Echternach.

drückenden Mauertheil verdünnte und zur Entlastung dieser schwächeren Stütze beitrug.

Thurmbau u. Empore.

Eine wichtige Neuerung zeigt sich an der Westseite der Kirche. Hier legen sich nämlich dicht vor das Ende der Seitenschiffe selbständige Thurmbauten, zuerst meistentheils von kreisrunder, bald jedoch, um eine innigere Verbindung mit dem Schiff der Kirche herbeizuführen, von quadrater Grundform. Zwischen beiden Thürmen ist sodann auch das Mittelschiff noch fortgeführt, jedoch in der Weise, dass der dadurch gewonnene Raum nach Art einer Vorhalle angelegt und durch einen Rundbogen oder, wie auf Abbildung Fig. 245, durch zwei auf einem Mittelpfeiler zusammentreffende Bögen mit dem Schiff in Verbindung gebracht wird. Bisweilen ordnete man über dieser Vorhalle eine **Loge** oder **Empore** an, welche ebenfalls durch einen zweiten Rundbogen sich gegen das Mittelschiff öffnete. Die Bestimmung dieser Emporen liegt noch im Dunkeln. Vielleicht dienten sie besonders ausgezeichneten Personen als Sitz beim Gottesdienste. In den Kirchen der Nonnenklöster bilden sie meistens den Raum für die abgesonderten Klosterfrauen, den sogenannten Nonnenchor, und haben einen hervorragenden Platz für die Aebtissin und meistens auch einen besonderen Altar. An's Westende legte man sodann auch gewöhnlich den Haupt-Eingang, von welchem aus man die ganze Anlage mit einem Blick umfasste. Neben-Eingänge wurden in den Seitenschiffen oder in den Giebelwänden der Kreuzarme angeordnet.

Bedeckung der Räume.

Sämmtliche Räume der Kirche wurden nun zunächst, mit Ausnahme der Krypta und der mit einer Halbkuppel eingewölbten Chornische, durch flache Balkendecken geschlossen. In dieser Hinsicht war also noch kein Fortschritt gegen die altchristliche Basilika gewonnen. Die aufstrebenden Mauern verhielten sich noch spröde gegen einander, ohne in lebendigere Wechselwirkung zu treten. Nur in den Arkadenbögen, in den vier grossen Hauptbögen der Vierung und der Oeffnung der Nische, so wie an Portalen und Fenstern, war ein lebhafteres Pulsiren des architektonischen Organismus zu bemerken. Aber er blieb nach den ersten Schritten schon stehen, und die Horizontallinien der Decken hielten die einzelnen Theile noch in starrer Sonderung fest.

Fig. 249. Querdurchschnitt der Basilika.

Detailbildung.

So streng demnach das antike Bildungsprinzip in dem ungegliederten Bogen und der horizontalen Bedeckung der Räume sich geltend machte, um so frischer kommt ein neues, germanisches Gefühl in der **Detailbildung** zum Vorschein. Doch fehlt es auch hier nicht an antiken Reminiscenzen, ja die Gliederung der Basen, Sockel, Gesimse beruht noch durchweg auf römischen Formen. Der Wulst, die Hohlkehle, die Platte sammt den schmaleren verbindenden Plättchen machen während der ganzen Dauer der romanischen Epoche die Grundelemente der Detailbildung aus. Die Form des sogenannten **Karnieses** (Fig. 250) ist besonders für die frühromanische Zeit bezeichnend, oft weit ausladend und nur, wie bei Fig. 250 *a*, von einer Platte bedeckt, oft auch steiler gebildet und von anderen Gliedern begleitet, wie bei Fig. 250 *b*. Aber in der Anwendung und Verbindung der Einzelglieder giebt sich doch ein selbständiges Gefühl kund. Dies beruht auf der richtigen Einsicht, dass für Bauwerke von so vorwiegend massenhaftem Charakter eine kräftigere Anordnung und derbere Behandlung der Gliederungen angemessen sei. Es werden demnach die Profile nicht allein voll und stark gebildet, sondern die Glieder auch gehäuft, und namentlich für die Basis noch Untersätze aus hohem Abakus und schräger Schmiege beliebt. Die Kämpfergesimse der Pfeiler und die übrigen Gesimsbänder haben bei sehr einfachen Bauten oft nur eine Platte sammt einer Schmiege (Fig. 251 *b*); gewöhnlich jedoch bestehen sie aus der umgekehrten attischen Basis (Fig. 251 *c*) oder auch aus anderen Verbindungen, wie deren unter *a* und *d* in nebenstehender Figur die am häufigsten vorkommenden dargestellt sind.

a *b*

Fig. 250. Quedlinburg. S. Wiperti. Cöln. S. Pantaleon. Karniesformen.

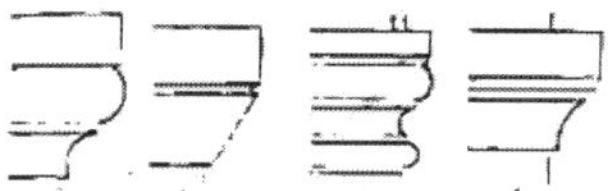

a *b* *c* *d*

Fig. 251. Petersberg. Querfurt. Paulinzelle. Gernrode. Kämpfergesimse.

Aber auch in ganz neuen Bildungen wusste die Zeit ihren eigenen Gestaltungstrieb auszusprechen. Dies betraf zunächst die Umänderung der attischen **Basis**. Wo man dieselbe an Sockeln oder Pfeilern anwandte, liess man die einfache Form bestehen, nur dass eine etwas stumpfe, hohe Behandlung der Frühzeit, eine volle, elastisch geschwungene der Blüthenepoche, eine flache, tief ausgekehlte und selbst unterhöhlte der Spätzeit anzugehören pflegt. Aber als Säulenfuss erhielt die attische Basis — wie es scheint um's Jahr 1100 — einen eigenthümlichen Zuwachs. Wo nämlich auf den vier Ecken der Platte der aufruhende Pfühl, seiner runden Grundform entsprechend, zurückwich, eine dreieckige Fläche frei lassend, da legt sich über den Pfühl ein wie ein Blatt, wie ein Knollen oder Klötzchen gestaltetes kleines Glied, die leere Fläche der Platte ausfüllend und also in lebendiger Weise eine Verbindung und einen allmählichen Uebergang von der runden Form zur eckigen bereitend. Dieses Eckblatt, welches ein unterscheidendes Merkmal romanischer Bauwerke ausmacht, wurde in verschiedenartiger Weise gebildet. Bald gestaltet es sich wie ein Knollen, eine starke Vogelzehe, ein Klötzchen, wie bei Fig. 252, wo zugleich der Unterschied der Pfeiler- und Säulenbasis sichtbar wird, bald ist es als Pflanzenblatt (vgl. Fig. 253) oder auch als Thier, Löwe, Vogel, und selbst als Menschenkopf oder kleinere menschliche Figur, ausgeführt; manchmal auch umfasst es in hülsenförmiger Gestalt einen Theil des runden Pfühles.

Säulenbasis.

Fig. 252. Pfeilerbasis aus der Kirche zu Laach.

Kapitälformen. Ganz neu und originell war endlich die Bildung des Kapitäls. Das korinthische Kapitäl mit seinen fein ausgezahnten Akanthusblättern war zu elegant für den derberen Formensinn, zu fremdartig für das sich immer kräftiger regende Gefühl jener Zeit. Zwar blieb man in Ländern, wo der Einfluss zahlreich erhaltener antiker Monumente massgebend war, wie im südlichen Frankreich, fortwährend bei der Nachahmung jener Bildungsweise. In anderen Gegenden aber kam man zu einer durchaus neuen Kapitälform, welche für den romanischen Styl bald eben so allgemein und bezeichnend wurde, wie das trapezförmige Kapitäl es für den byzantinischen war. Diese neue Form erwuchs aus demselben Bedürfniss, welchem jene byzantinische entsprungen war: der Nothwendigkeit, aus dem runden Säulenschaft mittelst einer kräftig entwickelten Form in die viereckige Bogenfaibung überzuleiten. Zu dem Ende schuf man ein Kapitäl, welches aus einem an den unteren Enden regelmässig abgerundeten Würfel zu bestehen scheint.

Würfelkapitäl. Es heisst demnach das kubische oder Würfelkapitäl. Indem man seine vertiealen Flächen durch Halbkreislinien umfasste, erlangte man Spielraum für die schmückende Hand der Sculptur, die denn auch durch Blatt- und Thierformen, bandartige Verschlingungen und ähnliche freie Gestaltungen dem Kapitäl eine reiche Zierde

Fig. 253. Säulenbasis aus dem Kreuzgange zu Laach.

Fig. 254. Würfelkapitäl.

verlieh. Doch legten sich diese Ornamente der übrigens unverändert bleibenden kräftigen Grundform nur als leichte Hülle auf, während das Blattwerk des korinthischen Kapitäls aus dem Inneren wie durch eine Naturkraft hervorspriesst. Die beiden unter Fig. 255 u. 256 abgebildeten Kapitäle geben interessante Beispiele solcher Verzierung. Sie zeigen auch, wie die kräftig aus Plinthe und schräger Schmiege gebildete, manchmal auch aus mehreren rundlichen Gliedern gleich den Kämpfergesimsen der Pfeiler zusammengesetzte Deckplatte des Kapitäls an ihren abgeschrägten Theilen (der Schmiege) oft ebenfalls mit Blattornamenten ausgestattet wird. Auch der runde Wulst, der das Kapitäl mit dem Säulenschaft verbindet, wird manchmal plastisch geschmückt. Die Würfelform tritt bereits im 11. Jahrh. auf und bleibt, in einfacherer oder reicherer Behandlung, durch die ganze Zeit des romanischen Styles in Uebung.

Andere Kapitälformen. Doch erscheinen neben ihr noch andere Bildungen, die ebenfalls den Uebergang aus der Säule in den Bogen in kräftiger Weise vermitteln. Eine vielfach angewandte Form ist die kelch- oder glockenartige, welche in schlankerem Wuchs sich ausbauchend emporstrebt, wie die reich durchgeführten Kapitäle der Kirche zu S. Ják in Ungarn (Fig. 257) zeigen. Andere Kapitäle wieder scheinen eine Verschmelzung des gedrungenen kubischen mit dem graziöseren kelchartigen zu erstreben, so das unter Fig. 258 mitgetheilte aus dem Kreuzgange der Abteikirche zu Laach. Man sieht hier zugleich, wie alle diese Spielarten in dem Bedürfniss nach reichem plastischem Schmuck zusammentreffen. Die Deckplatte ist an unserem Beispiel aus mehreren verschiedenen randlichen Gliedern zusammengesetzt. Endlich geht neben diesen Formen noch eine freie Umgestaltung des antiken korinthischen Kapitäls her, die jedoch in willkürlicher Weise bald dieses, bald jenes Motiv des Vorbildes besonders heraushebt und manchmal eben so ansprechend als originell umwandelt. Immer wird das Auge durch neue Formen überrascht. Ist der Erklärungsgrund für diese unerschöpfliche Mannichfaltigkeit unzweifelhaft einestheils in der regen, empfänglichen Phantasie der germa-

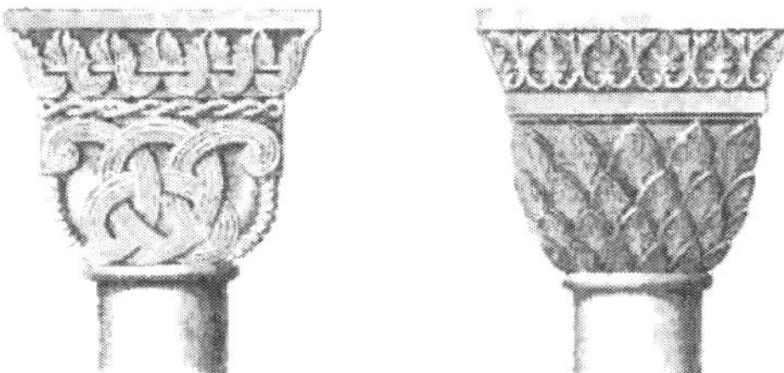

Fig. 253. und 254. Kapitäle aus S. Godehard in Hildesheim.

nischen Völker zu suchen, so lag andererseits in der Stellung der Säulen gleichsam eine innere Nöthigung zu dieser Ausbildung. Einmal gelöst aus ihrem antiken Architrav-Verbande, steht die Säule mehr vereinzelt da und spricht, obwohl in der Arkadenreihe leicht und frei sich zu den Schwestern gesellend, ihr Wesen weit kräftiger als ein individuelles, gesondertes aus. Dieses erhält dann durch die Verschiedenartigkeit des Kapitälschmuckes seine schärfere Ausprägung. Zuweilen wird dieser Individualis-

Fig. 255. Kapitäle aus S. Jak in Ungarn.

mus so weit getrieben, dass jede Seite desselben Kapitäls verschieden in ihrem plastischen Schmuck erscheint.

Ist das Säulenkapitäl die vorzüglichste Stelle für die Anbringung solcher Reliefornamente, so wird doch auch an anderen Gliedern eine ähnliche Decoration mit Vorliebe angewandt. Gleich der Deckplatte des Kapitäls findet sich oft an den Kämpfer- Anderes Ornament.

gesimsen der Pfeiler, so wie an den Gesimsbändern, namentlich den über den Arkaden des Schiffes hinlaufenden, eine reichere plastische Ausschmückung. Gewöhnlich besteht dieselbe aus verschlungenen Ranken mit Blattwerk, oder aus gewundenen, einem Flechtwerk ähnlichen Bändern (vgl. Fig. 259 — 260). Vorzüglich beliebt sind das Schachbrett und das Schuppen-Ornament, ersteres aus einem regelmässigen Wechsel vortretender und ausgetiefter kleiner Würfel oder Stäbe (bei *a* in Fig. 263 auf S. 319), letzteres aus über einander gereihten schuppenartigen Blättern bestehend (bei *c*), und in gewissen Gegenden ausserdem noch der Zickzack (bei *b* in derselben Figur). Auch die untere Fläche der Arkadenbögen wird bisweilen mit zierlich verschlungenem Arabeskenschema gefüllt, wie denn einzelne, besonders aufgestellte Säulen selbst an ihren Schäften manchmal einen eleganten Schmuck von Blatt- und Blumenverschlingungen zeigen.

Fig. 258. Kapitäl aus dem Kreuzgange zu Laach.

Charakter des Ornaments. Was den Charakter dieser gesammten Ornamentik betrifft, so ist derselbe von dem der antiken Monumente wesentlich verschieden. Wo das klassische Alterthum in der Bildung seiner baulichen Glieder sich zunächst nur von dem constructiven Gedanken, den sie ausdrücken sollten, leiten liess, indem es denselben in einer dem Gefühl verständlichen, aus dem inneren Wesen der Sache hervorgehenden Form darlegte; wo es bei einer möglichst reichen Ausbildung des Styles zu den naturgemässen Bildungen vegetativen Lebens griff, indem es die Gestalten eines höher organisirten Daseins nur

Fig. 259. Aus dem Kloster zu S. Gallen.

Fig. 260. Aus dem Kloster zu Fulda.

ausnahmsweise an dieser Stelle, der Regel nach vielmehr für sich gesondert, als Füllung leerer Flächen anwandte: bildet der romanische Styl seine Hauptglieder zwar ebenfalls

Fig. 261. Fries von der Stiftskirche zu Ellwangen.

ihrem structiven Wesen entsprechend, wenngleich in einer dem Charakter des Styls wohl angemessenen derberen Empfindung; aber wo er zu lebendigerer ornamentaler Ausstattung vorschreitet, da folgt er ganz anderen Gesetzen. Das Blattwerk und die
Vegetatives. Blumen, die er vorzugsweise anwendet, gehören nicht den Bildungen der natürlichen

Pflanzenwelt an. Wohl erinnern diese verschlungenen Ranken- und Blättergewinde im Allgemeinen an vegetatives Leben, aber fast niemals an ein bestimmtes, klar zu bezeichnendes. Die Formen sind durchweg verallgemeinert, architektonisch stylisirt,

Fig. 262. Fries von der Kirche zu Faurndau.

conventionell behandelt. Sie zeigen überall, dem Charakter des Styls trefflich entsprechend, eine kräftigere Zeichnung, eine vollere Körperlichkeit, als die Natur in ihren Gebilden darbietet. Auch werden die Blattrippen häufig mit den sogenannten Diamanten, kleinen runden, an einander gereihten Vertiefungen (vgl. Fig. 260 und folgende) besetzt. In der That würde ein fein durchgeführter Naturalismus nicht sonderlich zu der ganzen derben Formbildung, dem massenhaften Wesen dieser Architektur gestimmt haben, und wir müssen daher dieser Behandlungsweise, mochte sie nun aus der Scheu des frühen Mittelalters vor den Schöpfungen der Natur, oder aus dem richtigen Gefühl für das architektonisch Angemessene, oder aus beiden Ursachen, wie es wahrscheinlich ist, entspringen, ihre volle Berechtigung zugestehen.

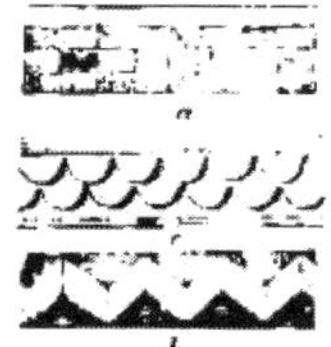

Fig. 261. Schachbrett-, Schuppen- und Zickzack-Ornament.

Ein anderes wichtiges Element bilden die auf dem Spiel geometrischer Linien beruhenden Verzierungen. Auch bei den maurischen Bauten trafen wir diese Gattung des Ornaments an, ja sie war dort das Ueberwiegende. Dennoch machen sich hier ebenfalls die grössten Verschiedenheiten beider Bauarten bemerklich. Der maurische Styl ist unerschöpflich in der Verbindung seiner geometrischen Zierformen, aber er bildet sie nicht plastisch aus. Sie gewinnen so zu sagen in der athemlosen Hast ihres Durcheinanderirrens und Verschlingens keine Körperlichkeit und erscheinen gleichsam nur als schattenhafte, farbenschillernde Gaukeleien einer rastlosen Phantasie. Der romanische Styl schliesst hier jene unerschöpfliche Mannichfaltigkeit, die aus sich selber stets neue Formen gebiert, mit ernstem Sinn aus. Er nimmt nur eine gewisse Reihe von derartigen Linien-Ornamenten auf, unter denen die Rautenform, das geflochtene Band, die Wellenlinie, der Zickzack (letzterer vorwiegend an normannischen Denkmälern) die gewöhnlichsten sind. Wie es ihm hierbei auf ruhigere, mehr körperliche Wirkung ankommt, so gibt er diesen Formen denn auch ein volleres, plastisches Leben, so dass sie mit ihrer vorquellenden Rundung und tiefen Auskehlung eine kräftige Wirkung erreichen. Endlich aber kommen auch Thier- und Menschenbildungen, vornehmlich an Kapitälen und Gesimsbändern, in gewissen Gegenden häufig vor. Diese sind zum Theil ausschliessend von ornamentaler Bedeutung, wie auch die glänzendere Ausbildung der antiken Kunst sie wohl ihren Kapitälen einzuverleiben sich gestattete; zum Theil ergehen sie sich in wunderlich-fratzenhaften Zusammensetzungen, einem Ausfluss des nordisch phantastischen Sinnes; noch andere geben in sogenannten historiirten Bildwerken eine Darstellung heiliger und auch wohl profaner Geschichten, die sich oft mit mancherlei symbolischen Elementen verbindet. In der Regel sind diese figürlichen Darstellungen die schwächeren Leistungen des Styls, nicht allein weil es ihm an der nöthigen individuellen Freiheit der Anschauung und am erforderlichen

Lineare.

Animalische.

Naturstudium gebrach, um solche Bildwerke genügend durchzuführen, sondern auch weil der beschränkte Platz an der Rundung eines Kapitäls oder einem schmalen Gesimsstreifen in hohem Grade ungünstig, ja unpassend für solche Werke war. An anderen Stellen, z. B. an den Brüstungsmauern, die der Vierung als Einfassung dienen, so wie an den Portalen (wovon später), wo es nur auf Darstellung ruhig statuarischer Würde ankam, wusste die romanische Sculptur grossartig stylisirte Bildwerke zu schaffen. Auf decorativem Gebiet bleiben die Pflanzenkapitäle ihre vorzüglichste Leistung, so dass man hierin Werke von Anmuth und Reichthum der Erfindung und bei kräftiger Gesammthaltung von grosser Gewandtheit und Feinheit der Durchführung antrifft.

Gesammteindruck des Inneren.

So überblicken wir nun das Innere der romanischen Kirche in seiner ganzen Ausdehnung, nach seinen verschiedenen Theilen, seinen architektonischen Gliederungen und deren Ausschmückung. Der Eindruck ist ein ernster, feierlich geschlossener. In gemessenem Rhythmus bewegen sich die Schwingungen der Arkadenbögen dem Ziel des inneren Raumes entgegen, begleitet von dem reichen Sculpturschmuck der Kapitäle, der um die strengen Formen sich lebensvoll schlingt, wie das erregte subjective Empfinden der Gemeinde um die festen Normen priesterlicher Satzung. Bei dem grossen Bogen der Vierung öffnet und erweitert sich plötzlich die Perspective, und das erhöhte Allerheiligste, umflossen vom Lichtglanz des Chors und der Querarme, ragt wie ein Mysterium ins niedere, erdenverwandte Leben hinein. Das feierliche Halbrund der Altarnische fasst wie in gemeinsamem Schlussaccord die einzelnen rhythmischen Bewegungen des Langhauses zusammen. Und diese Bewegungen selbst sind mässig, feierlich und eng begrenzt. Dicht über die Arkaden legt sich in strenger Linie das horizontale Gesims; über ihm steigen in unbelebter Masse die Oberwände auf, und die gerade Decke breitet sich schliesslich in starrer Bewegungslosigkeit über das Ganze, wie über dem vielgestaltigen Leben das ernste Gebot der Kirche herrscht. Wie aber die priesterliche Satzung sich mit den Grundlehren praktischer Moral verbindet und dadurch dem individuellen Gefühl in wärmerer, persönlicherer Weise näher tritt, so breitet sich auch über das ganze schlichte bauliche Gerüst, das in seinen Wandflächen und der lastenden Decke monoton erscheinen würde, ein buntes, reiches Leben aus, und es grüssen uns von ernstem Grunde die Gestalten der Propheten, Apostel und Märtyrer, die heiligen Geschichten des alten und neuen Bundes, und aus der geheimnissvollen Ferne der Apsis ragt, auf dem Regenbogen thronend, die Rechte feierlich erhoben und in der Linken das offene Buch des Lebens, mächtig vom Goldgrunde sich hebend, die Kolossalfigur des Welterlösers, um ihn die Evangelisten und Schutzpatrone der Kirche. Selbst die Holzdecken des Schiffes sind mit Gemälden geschmückt, wenngleich von solchen leicht zerstörbaren Werken nur selten Etwas erhalten ist. Auch die Bemalung der Wände hat in der Regel späterer Uebertünchung weichen müssen; aber unter der dicken Hülle sind die alten Gestalten noch vorhanden, und man braucht nur zu klopfen, so sprengen sie ihre Decke und treten wie gerufene Geister hervor, Zeugniss zu geben von dem Leben längst vergangener Zeiten.

Das Aeussere.

Haben wir Gestalt und Ausbildung des Inneren uns klar gemacht, so wenden wir nun unseren Blick dem Aeusseren zu, um zu erfahren, in wiefern dasselbe dem inneren Wesen des Baues entspricht. Die altchristliche Basilika hatte einen noch sehr unentwickelten Aussenbau und deutete bloss durch Gruppirung der Theile und doppelte Fensterreihe ihr zweistöckiges Innere an. Nur in den Bauten von Ravenna hatte man eine Belebung und Gliederung der Wandflächen versucht und einen, jedoch noch isolirt stehenden Glockenthurm hinzugefügt. Die durchgreifendste Neuerung des romanischen Styls bestand nun in der organischen Verbindung von Thurmbau und Kirche.

Thurmbau.

Das praktische Bedürfniss schien auf die Anlage eines einzigen Thurmes hinzuweisen, und in der That finden sich Kirchen, welche einen solchen an ihrer Westseite besitzen. Diese Anordnung erwies sich jedoch in künstlerischer Hinsicht keineswegs günstig: denn indem der Thurm sich vor das Mittelschiff legte und mit seiner Masse die ganze Höhe dieses wichtigsten Bautheiles verdeckte, liess er durch den Gegensatz die niedrigen Seitenschiffe nur noch unselbständiger erscheinen, und es entstand mehr ein Widerspruch als eine Gruppirung. Die künstlerisch maassgebenden Bauwerke jenes Styls haben deshalb meistens zwei westliche Thürme, welche sich in kräftiger Masse

Fig. [illegible]. Von der goldenen Pforte des Freiberger Doms

zu beiden Seiten des zwischen ihnen verlängerten Mittelschiffes erheben, die in demselben gipfelnde Höhenrichtung der Kirche zu einem noch höheren Punkte führen und die Hauptform des Baues klar hervortreten lassen. Häufig wurde allerdings die Klarheit der Façadenbildung wieder dadurch getrübt, dass man den die Thürme verbindenden Mauertheil höher emporführte und horizontal mit einem gegen das Mittelschiff geneigten Dache abschloss, so dass der Giebel des Langhauses verdeckt wurde. Jedenfalls war es aber eine bedeutsame Umgestaltung, den auch in ritualer Hinsicht überflüssig gewordenen Vorhof der altchristlichen Basilika zu beseitigen und der Kirche eine Façade zu geben, in welcher sich das Wesen des Baues imponirend aussprach. Auch der

Portalbau.

besondere Vorbau für den Eingang fiel fort und machte einem eigenthümlichen Portalbau Platz. Wie man aber bei den Fenstern bereits die rechtwinklige Wandung in eine abgeschrägte verwandelt hatte, so verfuhr man ähnlich mit der Ausbildung der Portale. Durch mehrere hinter einander folgende rechtwinklige Ausschnitte, in welche man dünne Säulen und auch wohl, im Wechsel mit ihnen, Statuen stellte, (Fig. 264) gewann man für die Laibung des Portals eine schräge, durch runde und eckige Glieder und durch kräftige Schattenwirkung lebendig bewegte Linie, die sich nach aussen erweiterte, so dass nach Schnaase's Ausdruck das Innere sich hier dem Herantretenden gleichsam einladend und ihn hineinziehend öffnete. Diese Gliederungen führte man nun auch in consequenter Weise an dem Rundbogen, mit welchem das Portal geschlossen wurde, durch, so dass auch hier ein Wechsel von Rundstäben und Mauerecken eine lebendige Wirkung gab. Da aber die eigentliche Oeffnung des Eingangs in der Regel durch einen horizontalen Thürsturz gebildet wurde, so entstand über diesem ein vom Rundbogen umrahmtes Feld (das Tympanon), welches man durch bedeutsame Reliefdarstellungen, meistens die Gestalt des thronenden Erlösers mit dem Buche des Lebens, begleitet von den Schutzheiligen der Kirche, zu schmücken pflegte. So war hier im kleinen Rund des Einganges bereits vorbildlich ausgesprochen, was im Zielpunkt der Kirche, in der grossen Altarnische, sich als Grundgedanke des Ganzen darstellen sollte, und den Zutritt zum heiligen Raume schirmte die Gestalt dessen, der sich als den einzigen Weg zum ewigen Leben selbst bezeichnet hatte.

Verschiedene Thurmanlagen.

Neben jener einfachsten und gewöhnlichsten von uns geschilderten Thurmanlage findet man an romanischen Kirchen auch noch andere Anordnungen der Thürme, und zwar gruppiren sich dieselben entweder am westlichen Ende der Kirche, oder um das Kreuzschiff und den Chorbau. Sehr häufig combiniren sich beide Systeme; doch auch hierin beobachtet man manche Verschiedenheiten. Es wurde nämlich in gewissen Gegenden früh schon auf der Vierung eine Kuppel errichtet, die sich nach aussen durch einen aus der Kreuzung von Langhaus und Querschiff aufsteigenden Thurm bemerklich machte. Ohne Zweifel hatten auf diese Anordnung die Vorbilder byzantinischer Bauweise, wie S. Vitale und das Aachener Münster, entschiedenen Einfluss, so dass man dieselbe als einen Versuch zur Verbindung von Centralanlage und Basilikenbau betrachten kann. Aber die künstlerische Gestaltung und Ausbildung war doch eine wesentlich verschiedene. Man führte den auf der Kuppel sich erhebenden Bautheil ziemlich hoch empor und gab ihm ein steil ansteigendes Dach, so dass er, mochte man ihn nun achteckig bilden wie in Deutschland, oder viereckig wie an den normannischen Bauten, mehr den Eindruck eines Thurmes als einer Kuppel gab. Um indess auf die dadurch bedeutsam hervorgehobene Kreuzung nicht ein unangemessenes Gewicht zu legen, zeigen die schöneren Bauten des Styls eine Verbindung des Kreuzthurmes mit den beiden Westthürmen, wobei jenem durch diese ein entsprechendes Gegengewicht bereitet wird.

Ausbildung des Aeussern.

Es muss der Einzelbetrachtung überlassen bleiben, auf die unzählig verschiedenen Thurm-Anordnungen hinzuweisen, in welchen der romanische Styl seine schon angedeutete Mannichfaltigkeit, seinen Reichthum an individuellen Besonderheiten ausspricht. Um jedoch ein Beispiel höchster Ausbildung und thurmreichster Pracht zu bieten, an welchem obendrein die sogleich zu erörternde Durchbildung des gesammten Aussenbaues klar zu erkennen ist, geben wir unter Fig. 265 den östlichen Aufriss der unfern des Rheins nicht weit von Andernach gelegenen Abteikirche Laach. Man hat den Blick auf die drei Chornischen. Die beiden kleineren treten aus der östlichen, in ruhiger Mauerfläche aufstrebenden Wand des Querschiffes hervor; die Hauptapsis lehnt sich an den Giebel des Chores. Diese Theile geben eine klare Vorstellung von der Behandlung der Mauerflächen im romanischen Style. Kräftige pilasterartige Streifen, vom gemeinsamen Sockel emporsteigend und bis dicht unter das Dach reichend, fassen nicht blos die Ecken ein (wie am Querschiff), sondern gliedern auch in bestimmten Abständen (wie an den kleineren Nischen und dem Unterbau der Hauptnische) die Mauerflächen. An den Haupttheilen wie am Querschiff werden diese Lisenen von einem Gesims unterbrochen, welches den zweistöckigen Bau andeutet. Unter dem Dache aber Lisenen.

Fig. 265. Abteikirche Laach. Oestlicher Aufriss.

quillt aus den Lisenen eine lebendige Bogenbewegung hervor, die sich in Gestalt des sogenannten Rundbogenfrieses entwickelt. Dieser besteht aus an einander gereihten kleinen Halbkreisbögen, die, mit ihren Schenkeln meistens auf kleinen Consolen aufsetzend, das Dachgesims begleiten. Von der verschiedenen einfacheren oder reicheren Zusammensetzung, derberen oder feineren, schlichteren oder mannichfaltigeren Profilirung dieses für die Aussenarchitektur romanischer Kirchen so vorzüglich bedeutsamen Gliedes theilen wir unter Fig. 266—268 entsprechende Beispiele mit. Man Bogenfries

21*

kann in den bewegten Formen dieses Frieses einen Anklang an die Arkadenbögen des Inneren erkennen, die ebenfalls die aufsteigenden Glieder verbinden. Wie aber dort die flache Decke sich über das Ganze als ruhiger horizontaler Abschluss breitete, so legt sich hier dicht über den Bogenfries das Dachgesims mit seiner kräftigen Gliede-

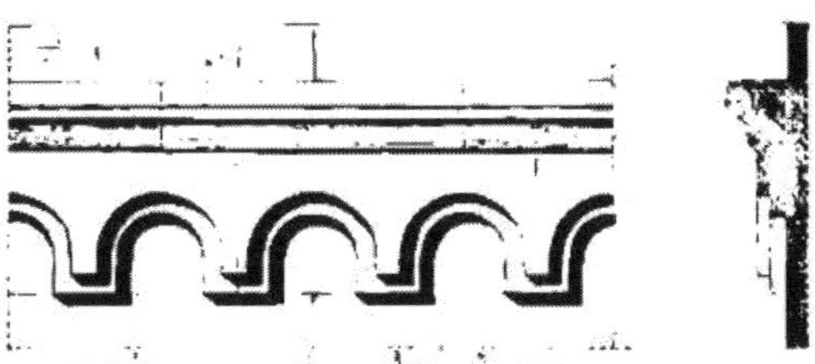

Fig. 260. Von der Kirche zu Schöngrabern. Unterer Fries der Langseite.

Fig. 261. Von der Kirche zu Schöngrabern. Oberer Fries der Langseite.

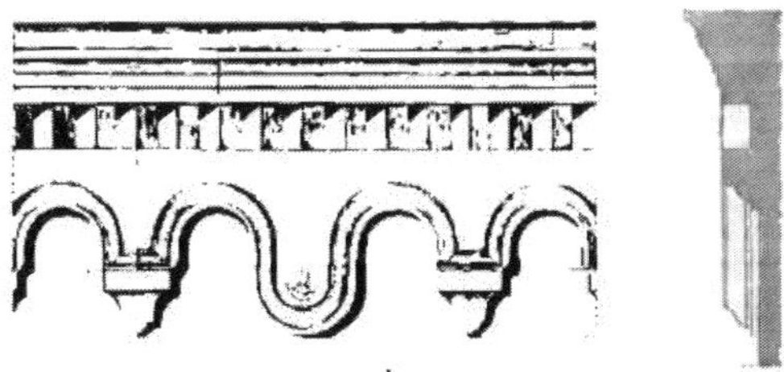

Fig. 262. Von der Kirche zu Schöngrabern. Fries der Apsis.

rung und reichen decorativen Behandlung. Eine reichere Ausstattung wendet man gern der grossen Chornische zu, um dieselbe auch äusserlich als besonders ausgezeichneten Raum erkennen zu lassen. Das Untergeschoss ist zwar auch an unserem Beispiel (vgl. Fig. 263) in angemessener Schmucklosigkeit gehalten. Nur Lisenen theilen die Fläche, in welcher die kleinen Fenster der Krypta eine Unterbrechung der Mauermasse geben. Das obere Geschoss, das dem hohen Chorbau entspricht, ist dagegen durch zwei Reihen über einander geordneter Wandsäulchen mit zierlichen Kapitälen reich belebt. Von der oberen Reihe schwingen sich in kräftigem Profil Blendbögen empor, die nicht allein die Flächen gliedern, sondern auch den Fenstern als Umrahmung dienen. Untergeordnet behandelt und von schwächerer Profilirung erscheinen die Bögen der unteren Reihe, welche neben den Säulen aufsteigen. Die Dachlinie wird hier durch ein Consolengesims ohne Bogenfries bezeichnet, eine Form, welche auf einer Nachwirkung antiker Einflüsse zu beruhen scheint. Wie man endlich an hervorragenden Stellen selbst die Fenster durch Einfassung mit kleinen Säulen auszeichnet und ihrer Laibung dadurch eine den Portalwänden nachgeahmte reichere Wirkung giebt, zeigen hier die Fenster des Querschiffes. Ein anderes Beispiel wirksamer Fensterumrahmung geben wir in einem Fenster der Kirche Notre Dame in Châlons unter Fig. 269.

Fig. 269. Fenster von Notre Dame in Châlons.

Behandlung der Thürme.

Besonders wichtig ist aber die gewählte Abbildung der Kirche zu Laach als Beispiel einer grossartig entwickelten Thurmanlage. Auf der Kreuzung erhebt sich ein achteckiger Kuppelthurm, zu welchem zwei schlanke viereckige Thürme in den Ecken von Querhaus und Chor hinzutreten. Im Hintergrunde ragt über der vorderen Gruppe ein kräftig aufstrebender viereckiger Westthurm empor, welchen in gemessenem Abstande zu beiden Seiten der Nebenschiffe zwei runde Thürme begleiten. Auch hierin giebt sich also ein System der Gruppirung zu erkennen, welches bei der perspectivischen Verschiebung von malerischem Reiz ist und durch rhythmische Bewegung sich auszeichnet. Denn wie der Kreuzthurm durch grössere Masse vor seinen schmalen Begleitern hervortritt, so erhebt sich der westliche Hauptthurm durch Massenhaftigkeit über die seinigen und durch bedeutende Höhenentfaltung über jenen. Auch an den Thürmen finden wir die Gliederung durch Lisenen, Bogenfriese, Gesimse und Blendbögen bewirkt, nur mit dem Unterschiede, dass hier mehrere Stockwerke durch Gesims und Bogenfries bezeichnet werden. Zugleich erhalten die oberen Theile durch Schallöffnungen, welche durch Säulchen getheilt und mit Rundbögen gewölbt sind, eine lebendige Schattenwirkung und eine Erleichterung der zwischen den kräftig behandelten Ecken liegenden Mauermasse. Um die dicke Mauer mit den dünnen Säulchen zu vermitteln, wird auf das Kapitäl ein sogenannter Kämpfer gesetzt, d. h. ein von schmaler Grundfläche des Kapitäls sich stark verbreiterndes Glied, das vielleicht dem byzantinischen Kapitälaufsatz seine Entstehung verdankt. Am Kreuzthurm bemerkt man über den Schalllöchern kleinere Oeffnungen in Gestalt eines sogenannten Vierblattes, welche der romanische Styl auch an Fenstern bisweilen anwendet. Die Bedachung der Thürme (der Helm) besteht aus einem ihrer Grundform entsprechenden, also vierseitigen oder polygonen Zeltdache. Nur der grosse westliche Thurm hat ein in romanischer Zeit häufig vorkommendes Dach besonderer Art, dessen Flächen verschobene Vierecke sind, welche, von Giebeldreiecken aufsteigend, in gemeinsamer Spitze gipfeln.

Seitenansicht.

Die Seitenansichten der romanischen Kirche treten unselbständig, in geringerer Bedeutung hervor und erscheinen beinahe nur als Verbindung zwischen Façade und Chorpartie. Doch giebt die Anlage des hohen, von einem ziemlich steilen Satteldach bedeckten Mittelschiffes, an welches sich die niedrigen Seitenschiffe mit ihren Pultdächern in bescheidener Abhängigkeit lehnen, einen klaren Einblick in die Anordnung des Inneren. Die Mauerflächen sind hier gewöhnlich ebenfalls durch Lisenen, die den inneren Arkadenstützen entsprechen, gegliedert. Manchmal kommen noch Blendbögen hinzu, welche dann die Beziehung auf das Innere mit seinen Arkaden noch schärfer betonen. Rundbogenfriese begleiten auch hier, unter kräftigem Hauptgesims, die Dachlinie, und die nicht grossen Fenster durchbrechen mit lebendiger Schattenwirkung die ruhigen Flächen. Die Giebel des Querhauses werden oft reicher ausgebildet, jedoch immer unter Anwendung der uns bereits bekannten Formen, und erhalten manchmal besondere Eingänge mit Portalen. Der Bogenfries steigt hier gewöhnlich auch mit dem Giebelgesims aufwärts, indem seine einzelnen Schenkel entweder mit der schrägen Dachlinie einen rechten Winkel bilden, oder ihre senkrechte Stellung behalten. In letzterem Falle verbinden sie sich manchmal mit Wandsäulchen, auf denen sie zu ruhen scheinen, ja diese Decorationsweise wird oft in spielender Wiederholung über das ganze Giebelfeld ausgedehnt. Irgend ein Portal, gewöhnlich das in der westlichen Hälfte eines Seitenschiffes liegende, wird als Haupteingang besonders hervorgehoben und erhält in der Regel eine kleine, von Mauern umschlossene, mit einem Dache bedeckte Vorhalle, welche **Paradies** genannt wird. Meistens stehen die Hauptkirchen, da sie einem Kloster angehören, mit anderen baulichen Anlagen in Verbindung, die sich gewöhnlich an eine der Langseiten anschliessen. In solchem Falle pflegt die gegenüber liegende, frei hervortretende Seite als die Schauseite reicher ausgestattet zu sein und auch das für die Gemeinde bestimmte Hauptportal zu haben. Ob diese Seite die südliche oder die nördliche ist, hängt von lokalen Bedingungen ab. Wenn man dagegen im Inneren manchmal die eine Seite reicher ausgeschmückt findet, als die andere, so scheint darin eine symbolische Beziehung verborgen zu sein.

Gesammteindruck des Aeusseren.

Der ganze Bau wurde unregelmässig in Bruchsteinen aufgeführt und erhielt meistens eine Verkleidung von schön bearbeiteten, sauber gefugten Quadern. Der höhere oder niedere Grad der technischen Ausbildung wurde allerdings durch mancherlei äussere Bedingungen, besonders auch durch das vorhandene Material bestimmt. Für die Gesimse und Sockel bediente man sich in mancherlei Verschiedenheit der Formen, die wir bereits bei Betrachtung des Inneren anführten. Wir fügen nur noch hinzu, dass alle Profile kräftig gebildet wurden, wie es dem Charakter solcher Massenbauten entsprach. Fassen wir demnach den Gesammteindruck dieser Bauwerke in's Auge, so stellen sie sich als wohlgegliederte, künstlerisch geordnete Schöpfungen dar, die nicht allein einen lebendigen Zusammenhang der Theile, sondern auch eine in's Einzelne durchgeführte Unterordnung derselben nach ihrer wesentlichen Bedeutung zeigen. Eine ruhige Massenwirkung herrscht vor, nur durch kleine Fensteröffnungen unterbrochen und durch wohlberechnete Glieder belebt. Der Eindruck ist ein feierlich imponirender, vornehmer, in ruhiger Würde mehr abweisender als anlockender. Nur an den Portalen öffnet sich in einladendem Entgegenkommen das Innere dem Aussenstehenden. Selbst die reichste Durchbildung, selbst die glänzendste Thurmentfaltung mildert zwar wohl den schlichten Ernst dieser Bauten, ohne jedoch ihre aristokratisch-priesterliche Würde zu mindern. Sie zeigt sich an ihnen nur im stolzen Pomp hierarchischen Machtgefühls. So geben sie ein Zeugniss vom Wesen ihrer Zeit, und es verdient demgemäss hier hervorgehoben zu werden, dass der reiche, hochgebildete Orden der Benedictiner die glänzendste Entfaltung dieses Styls getragen hat.

Malerischer Charakter.

Im Gegensatz gegen frühere Style zeigt nun aber das Aeussere der romanischen Kirche ein **malerisches, gruppenbildendes Element**, auf dessen tiefere Beziehung zum Charakter des Mittelalters wir hier nur andeutend zu verweisen haben. Der römische Styl hatte einen Anfang nach dieser Richtung der Architektur gemacht. Aber er stand noch in zu strenger Abhängigkeit von den künstlerischen Principien der griechischen Baukunst, als dass er darin weitere Schritte zu thun vermocht hätte. Daher kam er aus dem Gegensatz von Säulenbau und Gewölbebau nicht heraus, der sich denn gerade am Aeusseren in unheilbarer Zwittergestalt darstellte. Die altchristliche Basilika war gleich dem byzantinischen Centralbau ein bedeutsames Gruppensystem; aber das erstere verharrte in ziemlich roher Andeutung der Grundverhältnisse, das andere verwickelte sich in einem Mechanismus, dem der geistige Odem der Entwicklung ausging. Erst der romanische Styl entfaltete ein vielfach gruppirtes, aus Theilen von verschiedenartiger Bedeutung organisch zusammengesetztes Ganzes von klarer Gliederung und künstlerischer Ausbildung. Haben wir zur Erläuterung eins der reichsten Beispiele herbeigezogen, so geschah es nicht, weil wir den ästhetischen Vorzug einfacherer Anlagen (mit zwei Westthürmen, zu denen allenfalls ein Kreuzthurm hinzutritt) verkennen, sondern nur, weil an dem glänzenden Extrem die zu Grunde liegenden Bildungsgesetze am schärfsten hervorspringen.

b. Die gewölbte Basilika.

Ehe wir die Entwicklung des romanischen Gewölbebaues betrachten, ist noch einiger anderer Umgestaltungen des Planes zu gedenken, welche zwar bei der gewölbten wie bei der ungewölbten Basilika stattfinden, immerhin aber von kühnerer Anlage und Raumentfaltung zeugen. Dahin gehört zunächst eine reichere Planbildung des Chores. In einigen Kirchen wurden schon früh auch die Nebenschiffe jenseits der Vierung verlängert, so dass Seitenräume neben dem Chor entstanden, gewöhnlich mit diesem wie die Nebenschiffe mit dem mittleren Schiffe durch offene Arkaden verbunden, und in der Regel durch kleinere Nischen geschlossen, wie in der Kirche zu Hamersleben bei Magdeburg. Bekommen nun auch die Querarme noch ihre Apsiden, wie an den Kirchen zu Königslutter (Fig. 270) und zu Paulinzello, so ergibt sich für die östliche Ansicht ein ungemein reich entwickeltes Nischensystem. Noch bedeutsamere Anlage erhält der Chor, wenn die Seitenräume sich auch um die Apsis fortsetzen und einen vollständigen, niedrigeren Umgang bilden, der vom Mittelraum durch eine Säulenstellung getrennt wird, wie in S. Maria auf dem Capitol zu Köln (Fig. 271). Manchmal legen sich dann noch an den Chorumgang mehrere Nischen, welche zum Mittelpunkte des Chors eine radiante Stellung haben. Wie reich sich eine solche Anordnung macht, zeigt der unter Fig. 272 beigefügte Grundriss der S. Godehardskirche zu Hildesheim, wo zu den drei radianten Nischen noch zwei andere am Kreuzschiffe kommen. Im südlichen Frankreich ist die hier beschriebene Choranlage häufiger zu finden. Als eine aus dem Centralgedanken hervorgegangene, mit dem System des Langhausbaues nicht ganz übereinstimmende Veränderung erscheint es, wenn, wie in S. Martin und S. Aposteln zu Köln (Fig. 273), auch die Querarme statt mit einer Giebelwand mit einer Halbkreisnische enden. Den Gegensatz zu dieser überreichen Planform stellen gewisse Kirchen dar, die gegen das sonst übliche Herkommen sogar ihren Chor, anstatt mit einer Apsis, mit einer geraden Giebelwand schliessen. Diese nüchterne Form trifft man in England, in gewissen Gegenden Deutschlands, so wie besonders an Kirchen des Cisterzienserordens. Bei letzteren verbindet sie sich bisweilen mit einer mannichfachen Gruppirung von Nebenräumen, wie an der Abteikirche zu Loccum bei Minden.

Abweichende Planformen

Chor-anlagen.

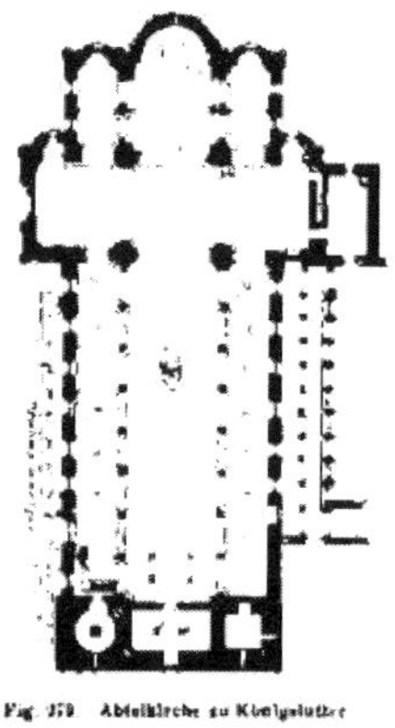

Fig. 270. Abteikirche zu Königslutter.

Andere Umgestaltungen des Grundplans betreffen den westlichen Theil der Kirche. Hier wird bisweilen die zwischen den Thürmen liegende Verlängerung des Mittelschiffes ebenfalls mit einer Nische geschlossen (wie bei Fig. 272) und der dadurch gewonnene Raum wohl als zweiter Chor ausgebildet. Schon bei der Klosterkirche zu S. Gallen besprachen wir eine solche doppelte Choranlage. In Kathedralen und grossen Abtei-

Westchore.

kirchen findet man diese reiche Anordnung häufiger, so in den Kathedralen zu Münster und zu Bamberg. Vielleicht war dort der zweite Chor für den Gottesdienst der Gemeinde bestimmt. Bisweilen wurde auch dieser Chor durch eine Krypta ausgezeichnet und erhöht. Noch grossartiger entfaltete sich die Anlage, wenn sich an den westlichen Chor in ähnlicher Weise wie an den östlichen ein Querhaus schloss, so dass die Kirche zwei Kreuzschiffe und zwei Chöre besass. Der eben genannte Dom zu Münster und die Abteikirche S. Michael zu Hildesheim (Fig. 274) sind in solcher Gestalt entwickelt. Meistens wurde aber das westliche Kreuzschiff in irgend einer Weise als untergeordnetes behandelt.

Gewölbe

Zeugen alle diese Veränderungen von dem beweglichen Bautriebe jener Zeit, so lassen die an mehreren Punkten, wie es scheint, selbständig und gleichzeitig auftretenden Bestrebungen nach einer Entwicklung des Gewölbebaues denselben in einem noch helleren Lichte erblicken. Schon seit der altchristlichen Epoche kannte und übte man die Wölbung, und an den erhaltenen Römerwerken hatte man genügende Beispiele einer bedeutsamen Wölbekunst. Auch in den flachgedeckten Kirchen war es herkömmlich, die Chornischen mit einer Halbkuppel, die Krypten mit Kreuzgewölben zu bedecken.

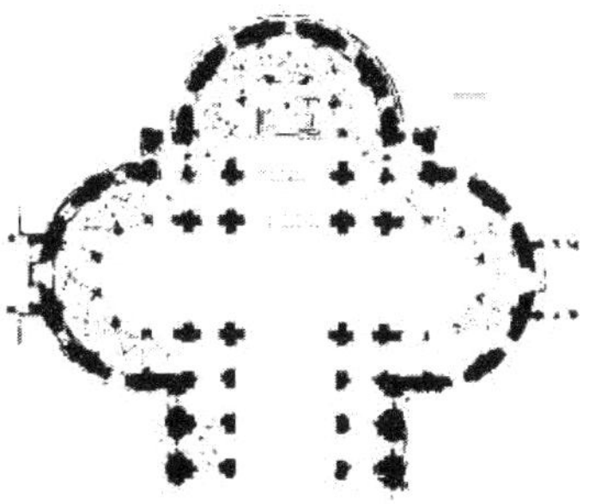

Fig. 271. S. Maria am Capitol zu Köln.

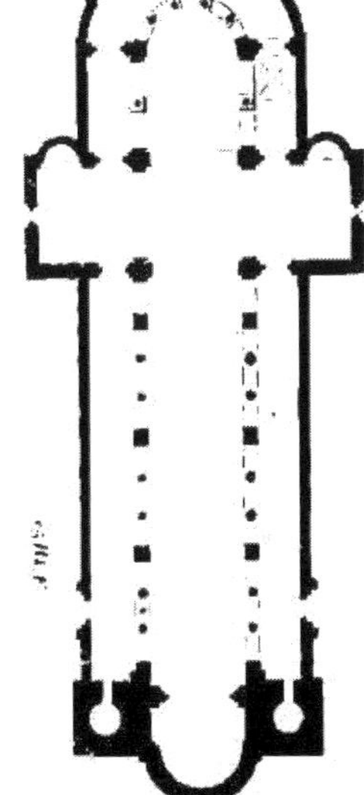

Fig. 272. S. Godehard zu Hildesheim.

Im südlichen Frankreich kam man schon früh dazu, das ganze Mittelschiff mit einem Tonnengewölbe, die Seitenschiffe mit ansteigenden gleichsam halbirten Tonnengewölben zu bedecken. Mancherlei Bedürfnisse und Wahrnehmungen führten bald auf eine ausgedehntere Anwendung der Gewölbanlage. Zunächst scheint man die Seitenschiffe gewölbt zu haben, um der Last der oberen Schiffsmauer kräftiger zu begegnen. Zu dem Ende legte man an die Rückseite der Arkadenträger Verstärkungen in Gestalt von Pilastern oder Halbsäulen (vergl. Fig. 275), wenn man nicht bei Umänderung einer schon bestehenden Anlage sich mit Kragsteinen begnügte. Diesen Stützen entsprechend, liess man in der Umfassungsmauer ähnliche Vorlagen heraustreten, welche mit den gegenüberstehenden Punkten durch ziemlich breite, aus regelmässigen Werkstücken errichtete Halbkreisbögen, Quergurte verbunden wurden. So erhielt man, den Abständen der Arkadenpfeiler entsprechend, eine Reihe von quadratischen Feldern, welche mit Kreuzgewölben bedeckt wurden. Eine bedeutendere Anwendung von dieser Wölbungsart machte man aber bald an den quadratischen Räumen des Chors und Querschiffes, indem man die Mauern verstärkte, die Pfeiler kräftiger emporführte und in die bereits vorhandenen grossen Gurtbögen Kreuzgewölbe einfügte. Man findet häufig romanische

Fig. 273. S. Apostoln zu Köln.

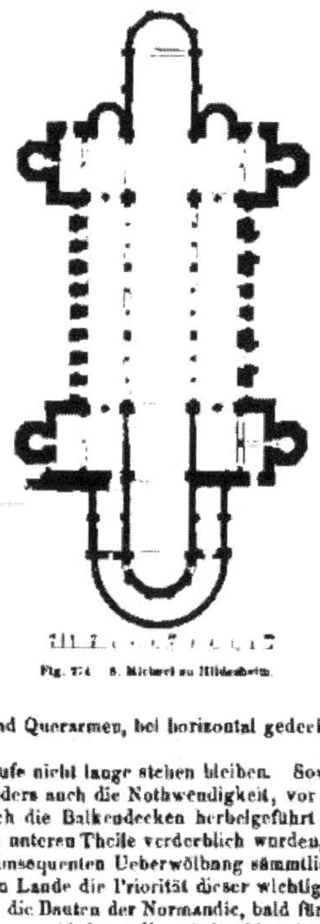

Fig. 274. S. Michael zu Hildesheim.

Kirchen mit gewölbten Seitenschiffen, Chor und Querarmen, bei horizontal gedecktem Mittelschiff.

Indess konnte man bei dieser Zwischenstufe nicht lange stehen bleiben. Sowohl das unbestimmte ästhetische Gefühl, als besonders auch die Nothwendigkeit, vor den häufigen verheerenden Bränden, welche durch die Balkendecken herbeigeführt und durch das Herabstürzen derselben auch für die unteren Theile verderblich wurden, die Kirchen sicher zu stellen, führte alsbald zur consequenten Ueberwölbung sämmtlicher Räume. Man hat vielfach gestritten, welchem Lande die Priorität dieser wichtigsten Neuerung zuzuschreiben sei, und sich bald für die Bauten der Normandie, bald für die mittelrheinischen, bald für die lombardischen entschieden. Es scheint hiermit aber wie mit manchen geistigen Errungenschaften und Erfindungen zu gehen, dass nämlich das gemeinsame Gefühl und dieselbe Nothwendigkeit auf verschiedenen Punkten zu gleicher Zeit selbständig dieselbe Erscheinung hervorrufen. Gewiss ist, dass bald nach der Mitte des 11. Jahrhunderts in mehreren Ländern gleichzeitig die gewölbte romanische Basilika auftritt nach dem System, welches wir nunmehr darzulegen haben. Entstehung des Gewölbebaues.

Wenn man die Basilika, so wie sie in romanischer Zeit sich bereits ausgebildet hatte, auch in ihrem Mittelschiff mit Gewölben versehen wollte, so wurden vorher Aenderung des Grundplanes.

einige Aenderungen des Grundplans erforderlich. Dass man die Säulenbasilika wegen der Schwäche der Arkadenstützen von vorn herein verwerfen musste, liegt auf der Hand. Nur der Pfeilerbau erwies sich günstig für die beabsichtigte Umwandlung.

Der Pfeiler. Wie nun überhaupt der Pfeiler als Arkadenträger dem germanischen Sinn allgemeiner zugesagt zu haben scheint, so hatte dieses wichtige Glied schon mehrfach eine feinere Ausbildung auch selbst in der flachen Basilika erfahren. Man hatte seine schwerfällige Masse bisweilen an den Ecken abgefas't, abgeschrägt oder auch ausgehöhlt (Fig. 277), manchmal auch in dieser Vertiefung eine schlanke Halbsäule oder Viertelsäule stehen lassen (Fig. 276), oder durch blosse Einkerbung ein ähnliches feines Glied von dem Pfeilerkern geschieden. Dadurch war dieser nicht allein anmuthig belebt, sondern die aufstrebende Tendenz auf neue, sinnreiche Weise ausgesprochen. Dass man ferner bei überwölbten Nebenschiffen der Rückseite des Pfeilers einen Pilaster oder eine Halbsäule vorgelegt hatte, wurde bereits bemerkt. Um nun auch für die Gewölbe des Mittelschiffes eine Stütze zu gewinnen, musste man an der Vorderseite ähnliche Verstärkungen anordnen. Aber nicht an jedem Pfeiler. Da man für das Kreuzgewölbe ungefähr quadratische Felder bedurfte, so war vielmehr nichts einfacher, als dass man je einen Arkadenpfeiler übersehlug und den folgenden für das Gewölbe ausbildete. Betrachtet man, wie in der vorstehenden Abbildung vom Dom zu Speyer (Fig. 278), nur den Grundriss einer so umgestalteten Basilika, so springt schon das gesteigerte rhythmische Verhältniss in's Auge. Das Mittelschiff hat nur halb so viel Gewölbjoche (Travéen) wie das einzelne Nebenschiff; das eine mittlere Kreuzgewölbe kommt indess an Flächenraum den vier seitlichen gleich. Alle Räume aber stehen in inniger Uebereinstimmung mit einander, wie ein Blick auf die Construction völlig klar darthut.

Fig. 275. Pfeiler mit Halbsäule aus der Kirche zu Laach.

Fig. 276. Kirche zu Hecklingen.

Fig. 277. Kirche zu Gernrode.

Construction. Es werden nämlich an den betreffenden Pfeilern Pilastervorlagen, gewöhnlich mit Halbsäulen verbunden, angeordnet, welche das Kämpfergesims durchbrechen und an der Oberwand sich bis etwa zu der Fensterhöhe fortsetzen. Dort schwingen sich aus ihren Kapitälen nach entgegengesetzten Richtungen kräftige Gurtbögen empor. Die einen, an der Wand sich hinziehend, bewegen sich in der Längenrichtung der Kirche, als Verbindung der auf einander folgenden Wandsäulen. Sie heissen Längengurte, Longitudinalgurte. Zugleich umrahmen sie als Schildbögen die einzelnen Wandfelder. Die anderen, die als Quergurte, Transversalgurte, die gegenüberliegenden

Stützen verbinden, theilen den Raum des Mittelschiffes in seine besonderen Gewölbfelder ab. Zwischen diese Gurtbögen, von ihnen gehalten und getragen, fügt sich das Kreuzgewölbe, in mächtiger Dicke manchmal bis zu zwei Fuss stark massiv gemauert. Indem nun die einzelnen Gewölbe mit ihrem Druck zum Theil gegen einander wirken, werfen sie durch ihre fortgesetzte Reihe den Schub einerseits auf die mächtige, meistens durch Thürme verstärkte westliche Schlussmauer, andererseits auf die kräftig entwickelten Eckpfeiler der Vierung und die Mauern von Querhaus und Chor. Um aber nach der anderen Richtung den Gewölben zu widerstehen, sind die Kreuzgewölbe der Seitenschiffe angeordnet und sämmtliche Mauern in beträchtlicher Stärke emporgeführt.

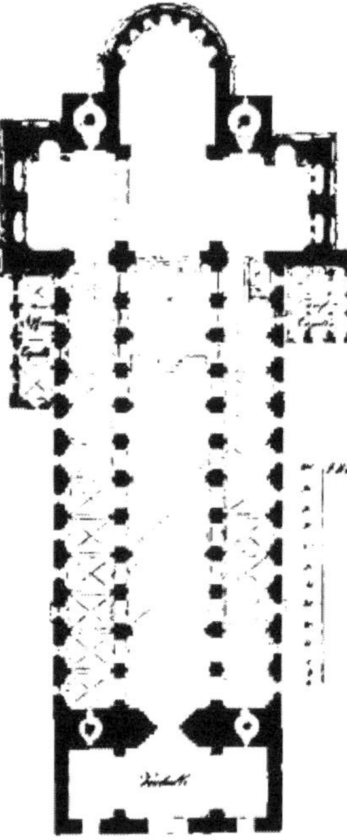

Fig. 278. Dom zu Speyer.

Eindruck.

Ueberblicken wir nun das Innere der Basilika, so sehen wir mit einem Male die Mängel beseitigt, welche der flachgedeckten romanischen Kirche anhafteten. Standen dort die Theile unvermittelt und spröde einander gegenüber, nur durch die horizontale Decke lose verbunden, so treten sie hier durch die flüssig gewordene, innewohnende architektonische Kraft in engste Verbindung mit einander. Das Vertikalprincip ist entwickelt, verschärft, nicht mehr auf die Arkaden beschränkt, sondern bis zum Gipfel des Baues emporgeführt.[*] Die Oberwände haben in diesem Sinn eine Gliederung erhalten, welche dem System der Wölbung entspricht. Endlich aber schwingt sich in freier Wechselbewegung, gleichsam durch Wahlverwandschaft getrieben, die aufstrebende Kraft empor, vertheilt sich nach allen Richtungen und stellt dadurch eine genaue Verbindung der einzelnen Theile her. Denn indem jeder besondere Pfeiler nicht allein mit seinem Gegenüber, sondern auch mit seinem Nachbar in der Reihe mit dessen Gegenüber (durch die Kreuzgräten) verbunden ist, erfüllt dasselbe Gesetz der Bogenbewegung alle Räume und spricht die Richtung nach der Chornische nicht mehr in starrer mechanischer, sondern in reich verschlungener, lebensvoller Weise aus.

Folgen für die übrigen Bautheile.

Diese glückliche Umgestaltung hat manche Aenderung im Gefolge. Der Arkadensims wird meist beseitigt, denn die Horizontale darf nicht mehr in ununterbrochenem Fluss die verticale Erhebung hemmen. Sie erscheint fortan nur untergeordnet, durch die Basen, Pfeilergesimse und Kapitäle vertreten. Diese werden nach wie vor in den üblichen Formen bald reicher, bald einfacher ausgeführt. Die Fenster erhalten ebenfalls eine veränderte Stellung. Da sie sich nach den Gewölbabtheilungen zu richten haben, so ordnet man bald in jede Schildbogenwand zwei Fenster dicht neben einander, so dass auch hier das Gesetz der Gruppirung sich geltend macht. Dieses Grundprincip tritt denn überhaupt in der gewölbten Basilika verschärfter hervor. Der Wechsel von schwächeren, bloss zum Tragen der Arkadenverbindung dienenden Pfeilern mit den stärkeren Stützen der oberen Gewölbe erinnert lebhaft daran, und so rasch auch in den Seitenschiffen die Bewegung der Gewölbe pulsirt, so ernst, gemessen und feierlich schreitet sie im Hauptschiff ihrem Ziel entgegen. Noch ist hinzuzufügen, dass auch die Gewölbe in reicheren Kirchen ganz mit Gemälden ausgeschmückt wurden, wie der Dom zu Braunschweig sie noch jetzt zeigt.

Galerien

Fig. [illegible]. Romanisches Gewölbesystem.

Einer eigenthümlichen, in gewissen Gegenden auftretenden Anordnung haben wir ferner hier zu gedenken. Es ist die Anlage von oberen Geschossen, Galerien oder Emporen, über den Seitenschiffen, die sich ebenfalls mit Bogenstellungen gegen den Mittelraum öffneten. Sie mögen wie die in der Mauerdicke liegenden Apsiden, die man bisweilen findet, durch byzantinische Einflüsse entstanden und durch das Bedürfniss möglichster Raumerweiterung eingeführt worden sein.

Das Aeussere.

Auf die Gestaltung des Aeusseren wirkt die Aufnahme des Gewölbes nicht wesentlich zurück. Nur an der Gruppirung der Fenster gibt sich der innere Organismus deutlich zu erkennen, obgleich auch dies Merkmal nicht untrüglich ist, da öfters bereits flach gedeckte oder anfänglich für solche Bedeckung errichtete Kirchen mit Beibehaltung der Mauern nachträglich eingewölbt worden sind. Sodann aber erschien es wünschenswerth, die Lisenen, welche den inneren Gewölbstützen entsprachen, kräftiger und in besonders sorgfältiger Fugenbehandlung auszubilden, um an diesen vorzüglich gefährdeten Stellen das wirksamste Widerlager zu erzeugen. Endlich ist noch einer Anordnung zu erwähnen, die man in gewissen Gegenden, namentlich in Italien und am Rhein, ausschliesslich findet. Dies sind offene, auf einfachen oder gekuppelten Zwergsäulen mit kleinen Rundbögen ruhende Galerien, welche dicht unter dem Dachgesims sich an der Apsis und anderen ausgezeichneten Theilen der Kirche hinziehen. Sie bieten einen zwischen Gewölbe und Dach liegenden Umgang, der mit seinen Säulchen und der lebhaften Schattenwirkung dem Gebäude zu anziehendem Schmuck gereicht. Zugleich wird der obere Theil der Mauer, der nichts als das Gesims und den Dachstuhl zu tragen hat, durch diese Vorrichtung erleichtert und drückt mit geringerer Last auf die unteren, dem Gewölbe zum Widerlager dienenden Theile.

Bedeutung der gewölbten Basilika.

Man kann die Erfindung der gewölbten Basilika in ihrer Bedeutung nicht zu hoch anschlagen. Abgesehen von den Entwicklungen, welche sie, wie wir später sehen werden, im Gefolge hatte, stellt sie selbst einen nach den Principien des romanischen Styls in sich vollendeten Organismus dar. Der Rundbogen hat die Horizontallinie völlig überwunden; an den Oeffnungen, den Bögen, den Gewölben herrscht er ausschliesslich. Er hat einen rhythmisch gegliederten Innenbau geschaffen, dessen Theile in inniger Verbindung, in reger Wechselbeziehung stehen. An den für die Construction bedeutsamsten Punkten entfaltet sich aus dem architektonischen Gerüst das Ornament als anmuthige Blüthe. Es ist kräftig und reich behandelt, mit voller Zeichnung und Modellirung, wie es dem Massenverhältniss des Baues wohl entspricht. Freilich ist der Bogen selbst noch schwer und ungegliedert und erinnert mit wenigen Ausnahmen, wo er sich bereits mit Rundstäben verbindet, an seine südliche Heimath; freilich werden Sockel, Basen und Gesimse noch aus Gliedern zusammengesetzt, welche aus antiker Bildung geschöpft sind. Ist aber hier die letzte Consequenz der Bogenbildung noch nicht erreicht, so stimmen diese Einzelheiten dafür um so besser zu den Grundformen der Construction, die ja ebenfalls aus antiken Quellen fliessen. Eben diese Construction, dies geschlossene System der Wölbung, ist und bleibt eine bedeutende That der Meister jenes Styles. Wie richtig ihr Blick, wie glücklich ihr Griff dabei war, wird sich bei Betrachtung der Einzelgruppen noch ergeben, wenn wir auf manche schwer-

Fig. [illegible]. Theil vom Längendurchschnitt des Doms zu Speyer.

fällige, abweichende Bestrebungen stossen werden, die demselben Ziele, aber nicht mit derselben Klarheit und Einsicht sich zuwenden.

c. Der sogenannte Uebergangsstyl.

In den Grundzügen, welche wir in den letzten Abschnitten zu zeichnen versuchten, beharrte der romanische Styl bis weit über die Mitte des 12. Jahrh. Um diese Zeit machen sich innerhalb des romanischen Formgebiets Erscheinungen bemerklich, die in gewissem Grade die Reinheit und Strenge des Styls verwischen und an die Stelle seiner bei aller Mannichfaltigkeit im Einzelnen doch imposanten Ruhe ein unruhiges Schwanken und selbst ein zweckloses Spiel mit Gliederungen und Constructions-Elementen setzen. Grundanlage, Aufbau und Eintheilung der Räume bleiben zwar im Auftreten desselben

Wesentlichen dieselben, allein es macht sich das Bestreben nach grösserer Leichtigkeit und Schlankheit, nach lebendigerer Theilung der Massen geltend, und zu den auf den höchsten Grad des Reichthums und der Zierlichkeit entwickelten Formen des alten Styls gesellt sich als fremdartig neues Element der Spitzbogen.

Ursachen.

Diese Erscheinung, die in Deutschland die weiteste Verbreitung und die längste Dauer erlebte, findet ihre Erklärung im Geiste jener Zeit. Es waren die Tage der höchsten Blüthe des Mittelalters angebrochen. Eine wunderbare Begeisterung hatte schon mehrmals die Völker des christlichen Abendlandes zu jenen märchenhaften

Kreuzzüge.

Ritterfahrten der Kreuzzüge angetrieben, welche das altersschwache Byzanz mit Staunen und das ungestüme Sarazenenthum bald mit Schrecken erfüllten. Frankreich, das Land des glänzendsten Ritterthums, hatte den Impuls zu jenen Zügen gegeben; die anderen Länder, namentlich Deutschland, schlossen sich nur zögernd und allmählich an. Denn kein Volk konnte sich von der allgemeinen Regung absperren, die wie eine gewaltige Gährung die Geister ergriff und alle Verhältnisse des Lebens von Grund aus

Entwicklung der Städte.

umzukehren drohte. Inzwischen hatte dieses Leben selbst längst eine ganz andere Gestalt gewonnen. Zahlreiche Städte waren unter dem Schutz fürstlicher Privilegien entstanden, hatten durch Handel und Gewerbfleiss sich zu Reichthum und Ansehen erhoben und sich auf eine hohe Stufe der Macht emporgeschwungen. Diese städtischen Republiken des Mittelalters übten zu jener Zeit ein Regiment von vorwiegend aristokratischer Färbung, gestützt auf eine Anzahl alter, bevorrechteter Patrizierfamilien. Hinter Mauer und Graben trotzten die mannhaften, waffengeübten Bürger selbst fürstlicher Gewalt und standen, durch weit verzweigte Bündnisse, besonders durch die Hansa, gesichert, als gefürchtete Macht da.

Einfluss des Orients.

Einerseits auf den Handelswegen, andererseits durch die Kreuzzüge, lernten nun die Völker des Abendlandes die Sitten, Gebräuche und besonders die Bauweise der Mohamedaner kennen. In Sicilien waren die Normannen sogar schon im 11. Jahrh. mit diesen in Conflict gerathen, hatten auf den Trümmern ihrer gestürzten Herrschaft ein eigenes Reich errichtet und in ihren architektonischen Leistungen sich sofort den dorther empfangenen Einflüssen hingegeben. Je tiefer aber das Gefühl der Zeit im Innersten erregt war, um so lebendiger musste es auch in den künstlerischen Unter-

Folgen derselben.

nehmungen sich darthun. In Frankreich, dem Lande der Initiative und der Neuerungssucht, entstand aus jenen Anregungen und diesem gewaltigen geistigen Gähren in kurzer Frist ein ganz neuer Architekturstyl, der gothische. In Deutschland aber, wo das zähe Festhalten am Ueberlieferten eben so wohl in einer Treue der Gesinnung, wie in einer gewissen Schwerfälligkeit des Wesens als charakteristischer Nationalzug begründet liegt, blieb man lange bei derjenigen Umgestaltung der romanischen Bauweise

Name und Charakteristik.

stehen, welche mit dem Namen des Uebergangsstyles bezeichnet wird. Dieser Ausdruck ist angegriffen worden, weil man die gedachten Erscheinungen nicht als geschlossenen Styl dem romanischen und gothischen gegenüberstellen könne, und weil er zu der irrigen Meinung leicht verführe, als ob der romanische Styl durch diese „Uebergänge" hindurch seine Umwandlung zur Gothik bewerkstelligt habe. Man hat deshalb mancherlei andere Benennungen als Spätromanischer, Nachromanischer u. dgl. vorgeschlagen. Am bezeichnendsten könnte man ihn vielleicht Romanischer Spitzbogenstyl nennen, da in diesem Ausdruck das Wesentliche seines Inhalts gegeben ist. Allein das Kürzeste und Zweckmässigste dürfte sein, es bei dem einmal üblich gewordenen Namen bewenden zu lassen, wenn man nur festhält, dass er nicht einen inneren Uebergang vom romanischen zum gothischen, sondern nur die üppige, zum Theil entartete, immerhin aber prächtige Nachblüthe des romanischen Styls bezeichnet.

Spitzbogen.

Das hervorstechendste Merkmal der Uebergangsbauten ist nun der Spitzbogen. Wir fanden seine Form schon in der Frühzeit der ägyptisch-mohamedanischen Architektur, doch ohne tiefere constructive Bedeutung. Auch jetzt nimmt er zunächst eine vorwiegend decorative Stellung ein und erscheint bald an diesem, bald an jenem Theile der Bauwerke. Wie die architektonische Entwicklung im Mittelalter stets vom Inneren ausgeht, so findet man die neue Bogenform zuerst im Inneren von Gebäuden, deren Aeusseres noch durchweg romanische Bildung athmet. So erscheint er z. B. an den

Arkaden offenbar nur, um eine Abwechslung der Formen zu gewähren, indess Wölbungen und Fenster noch rundbogig sind. Auch kommt es vor, dass die östlichen Theile, bei denen man den Bau zu beginnen pflegte, noch den Rundbogen zeigen, während das in derselben Bauepoche enstandene Langhaus den mittlerweile wahrscheinlich in Aufnahme gekommenen Spitzbogen hat, wie an der Pfarrkirche zu Büren bei Paderborn. Bei anderen Gelegenheiten ergab sich die neue Form durch eine besondere Nothwendigkeit. Wollte man nämlich Stützen von verschiedener Abstandsweite durch gleich hohe Bögen verbinden, so musste zwischen den engeren Stützen, wofern man nicht den Rundbogen überhöhte, ein Spitzbogen angewandt werden. So findet er sich in der Marienberg-

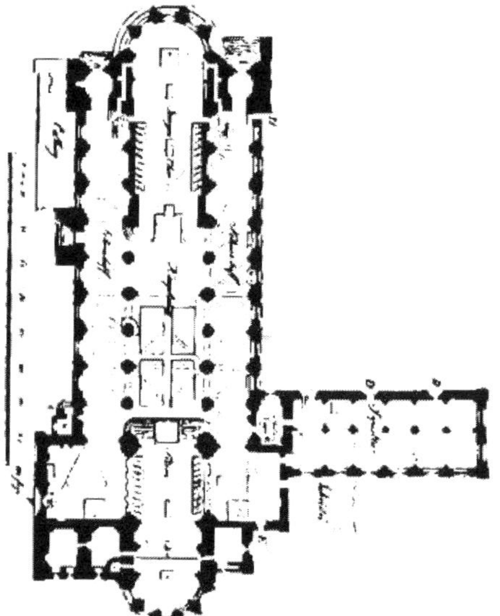

Fig. [illegible]. Dom zu Bamberg

kirche zu Helmstädt, wo die dem Kreuzschiff angrenzende Pfeilerstellung der Arkaden enger ist als die der übrigen, und daher den zugespitzten Bogen zeigt.

Gewölbe.

Auf ähnliche Weise mochte zunächst auch am Gewölbe diese Bogenform sich eindrängen. Sobald man nichtquadratische, längliche Felder einwölben wollte, ohne den Rundbogen ganz aufzugeben, kam man dazu, die engere Säulenstellung spitzbogig zu verbinden, um mit dem über den weiteren Abständen errichteten Rundbogen gleiche Scheitelhöhe zu erreichen. Man findet dies Verhältniss z. B. in den Seitenschiffen der Johanniskirche zu Billerbeck bei Münster. War man erst so weit, so ergab sich eine consequente Aufnahme des Spitzbogens bei der Wölbung um so leichter, als man dadurch auch für die Anordnung des Grundrisses grössere Freiheit gewann. In der rein romanisch gewölbten Basilika beherrschte der Rundbogen auf's Strengste die Bildung des Planschemas, da man für alle Gewölbfelder eine möglichst quadratische Form haben musste. Sobald man den Spitzbogen einführte, war eine freiere Bewegung auch für die Bildung des Grundrisses gestattet. Eine Folge davon war denn auch, dass man mit der Ueberwölbung der Querflügel eine Neuerung vornahm, wie sie unter Fig. 281 der Grundriss des **Bamberger Doms** darstellt. Indem man nämlich von den Seitenarmen des Querschiffes die Partie, welche die Perspective des Nebenschiffes einfach fortsetzt, durch ein Kreuzgewölbe überdeckte, und dem übrig bleibenden Raum ebenfalls ein gesondertes Gewölbe gab, brachte man einen innigeren Zusammenhang in diese Theile.

Spätroman. Gewölbebau.

Im Allgemeinen ist jedoch festzuhalten, dass der romanische Spitzbogen in statischer Hinsicht sich vom Rundbogen kaum unterscheidet, da er keine bedeutende Steigung und oft einen so unmerklich erhöhten Scheitel hat, dass man ihn sehr leicht mit dem Rundbogen verwechselt. Wenn man aber auch die Quergurte nicht erheblich erhöhte, so kam es dagegen immer mehr in Gebrauch, die Scheitel der Kreuzgewölbe sehr hoch hinaufzuziehen, so dass die Durchschnitte durch die Mitte des Gewölbes nicht mehr eine gerade, sondern eine gekrümmte Linie ergeben (vgl. Fig. 283). Die Construction der Gewölbe blieb aber meistentheils dieselbe schwerfällig lastende, bei welcher die Kappen ganz aus mächtigen Bruchsteinen höchst massiv ausgeführt wurden. In manchen Gegenden jedoch, wo man ein leichteres Material, z. B. den porösen Tuffstein, besass, mauerte man, wahrscheinlich durch das Vorbild des gothischen Styles angeregt, die Gewölbkappen aus diesem Material möglichst leicht, und liess sie nicht allein an den Quergurten, sondern auch an kräftigen, von Hausteinen sorgfältig zusammengesetzten Kreuzrippen (**Diagonalrippen**) eine Stütze finden. Man bildete in der Regel solche Rippen in der Form von einfachen, oder doppelten Rundstäben. Diese Einrichtung wirkte, wie es scheint, sofort auf andere Bauwerke zurück, so dass man selbst da, wo die Kappen nach wie vor in schwerster Masse aufgeführt wurden, solche Kreuzrippen ihnen vorlegte, deren Steine in die Wölbung ein wenig eingebunden wurden. Hier sank also die constructive Bedeutung des neuen Gliedes zur bloss decorativen herab und zog dann auch eine weitere spielende Ausbildung nach sich. Man brachte nämlich tellerförmige grosse Schilder mit Sculpturschmuck an den Rundstäben in gewissen Abständen an und liess die Rippen selbst in einem oft als reiche Rosette gestalteten **Schlusssteine** zusammentreffen.

Aber man ging noch weiter. Die beschriebene Ausbildung des Gewölbes hatte unmittelbar eine weitere Entwicklung des Pfeilers zur Folge gehabt. Hatte die doppelte Bestimmung als Arkadenträger und Gewölbestütze schon vorher ihm eine Kreuzgestalt gegeben, so bereicherte man dieselbe dadurch, dass man in die Ecken schlanke Säulchen ordnete (Fig. 282), welche, nur leicht an seinen Kern gelegt, ebenfalls keine wesentlich tragende Kraft hatten, gleichwohl aber als scheinbare Stützen der Kreuzrippen behandelt wurden. Um ihre gar zu grosse Schlankheit für's Auge zu mildern, manchmal auch um ihnen einen festeren Halt zu schaffen, erhielten sie oft in halber Höhe oder in mehreren Abständen ringförmige Umfassungen. Auch für die Quergurte und die Arkadenbögen, vor welche man gern kräftige Halbrundstäbe legte, hatte man am Pfeiler entsprechende Vorlagen in Gestalt von Halb- oder Dreiviertelsäulen angeordnet. Das Verlangen nach weiterer Gliederung und Theilung der Gewölbflächen liess nun auch vor die zwischengestellten Arkadenpfeiler bisweilen Halbsäulen treten, welche sich oberhalb des Pfeilerkämpfers weiter an der Oberwand fortsetzen und von ihren Kapitälen ebenfalls Gewölbrippen aufsteigen liessen, so dass nunmehr ein sechstheiliges Gewölbe entstanden war. So zeigt es das Schiff des Doms zu **Limburg**, von dem wir unter Fig. 283 die Darstellung eines Gewölbjoches beifügen.

Fig. 282. Romanischer Pfeiler.

Bezweckten alle diese Neuerungen eine lebendigere Gliederung der Massen, so war es natürlich, dass dasselbe Streben auch an anderen Theilen des Baues, ja am Grundriss selbst sich durchsetzte. In dieser Hinsicht fiel es denn bald auf, dass die Chornische mit ihrer ruhigen Halbkreislinie und Halbkuppel im Gegensatz gegen die Richtung der neuen Bauweise stand. Man brach daher, wozu schon byzantinische Kirchen, bisweilen selbst in rein romanischen Bauten, Anlass gegeben hatten, die Rundung des Chores in eine polygone Linie, und erhielt dadurch gegliederte Mauerflächen. Diesen musste nun auch die Wölbung entsprechen, weshalb in den Ecken Halbsäulen emporgeführt wurden, von denen mehrere Gewölbrippen bis zum gemeinsamen Schlusspunkt aufstiegen, wie es auf unserer Abbildung des Grundrisses vom Bamberger Dom (Fig. 251) am Peterschor sichtbar wird. Dies war ein entschiedener Fortschritt, denn der streng romanische Styl hatte, wenn er das Aeussere der Chornische polygon bildete, das Innere doch in der halbrunden Gestalt gelassen. Auch die Krypten wurden bei neu zu begründenden Kirchen nicht ferner angelegt. Wo sie sich in Uebergangsbauten finden, werden sie älteren Bauepochen angehören. Alles strebte empor, in's Lichte, Freie. Die dunkle, niedrige Gruftkirche stimmte nicht mehr zu dieser Richtung.

Fig. 283. Dom St. Georg zu Limburg.

Alle diese Umgestaltungen des Inneren findet man häufig an Bauwerken vor, deren Aeusseres noch durchaus rundbogige Formen zeigt. Bald aber ergreift der Geist des Umgestaltens auch die bis jetzt noch unberührt gebliebenen Theile des Baues, die nach aussen sich bemerkbar machen. Am erfolgreichsten erwies sich hier die Ausbildung der Fenster. In der gewölbten romanischen Basilika fanden wir schon Fenstergruppen, indem man jeder Schildwand zwei Lichtöffnungen zuzutheilen liebte. Jetzt behielt man diese Anordnung zunächst bei, begann jedoch den Schluss der Fenster spitzbogig zu machen und ihnen überhaupt eine bedeutendere Höhe zu geben. Aber noch blieb zu viel todte Mauermasse übrig, und gerade auf Belebung, Durchbrechung derselben war man bedacht. Man kam daher bald darauf, je drei Fenster zusammen zu ordnen, rund oder spitz geschlossene, von denen meistens das mittlere höher hinaufreicht. Sind dieselben nahe an einander gerückt, so umfasst man sie wohl mit Säulen, die dann als Bogen sich fortsetzen und eine völlige Umrahmung der Fenstergruppe bilden. Die zu grosse Schaftlänge der Säulchen pflegt man durch Ringe zu mildern, wie die Abbildung der Kapelle zu

Aeusseres

Fenster.

Fig. 284. Kapelle zu Kirkstall.

Kirkstead und Fig. 285 zeigen. Verwandte Gruppirung, nur mit runder Ueberwölbung, finden wir am Langhaus des Doms zu Münster, von dem Fig. 285 eine Fenstergruppe darstellt. In schlichterer Weise, aber mit entschieden spitzbogigem Schluss sind die Fenster der Kirche zu Riddagshausen (Fig. 286) gehalten. Noch freier verfährt man da, wo zwei Fenster zusammengeordnet und durch Bogeneinfassung zu einem System abgeschlossen werden, wie bei S. Gereon in Köln (Fig. 287), wo dann die obere Fläche durch ein kleines Dreiblatt- oder Rundfenster durchbrochen wird. Ferner bildete man in dieser Zeit aus den früher einfacheren Kreisfenstern brillante Rosen oder Radfenster, grosse kreis-

Fig. 285. Dom zu Münster.

Fig. 286. Kirche zu Riddagshausen.

runde Oeffnungen, die durch speichenartige, in der Mitte zusammentreffende Rundstäbe in viele Theile zerlegt werden (Fig. 288). Am häufigsten werden sie über dem Westportal, sodann aber auch an den Kreuzschiffgiebeln angebracht. In manchen Gegenden findet man selbst halbirte Radfenster, Fenster in Fächerform (Fig. 289) und noch andere auffallende Bildungen.

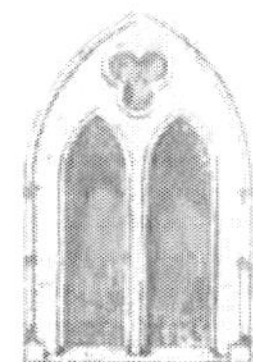

Fig. 287. S. Gereon zu Köln.

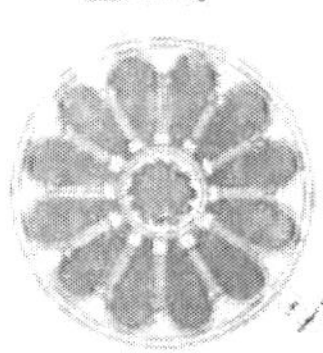

Fig. 288. S. Zeno in Verona.

Fig. 289. S. Quirin zu Neuss.

Portale. An den Portalen beharrt diese Zeit bei jener reichen Entwicklung, welche schon der Blüthenepoche des romanischen Styls eigenthümlich war. Doch werden die Säulchen schlanker gebildet, die Ornamente gehäuft, selbst die Schäfte gerippt, cannellirt oder mit anderen Verzierungen bedeckt, besonders aber durch Ringe ausgezeichnet. Aber auch an wesentlicheren Umgestaltungen fehlt es nicht. Dahin gehört vornehmlich, dass die Ueberwölbung des Portals häufig spitzbogig wird, oder dass andere seltsame Formen in Anwendung kommen, die ohne Zweifel durch maurische Einflüsse entstanden sind. Es findet sich nämlich an Portalen, Galerien oder decorativen Bogenstellungen, dass die Linie des Bogens gebrochen, aus drei Kreistheilen zusammengesetzt wird,

Kleeblattbogen. wodurch der Fig. 290 unter *a* abgebildete runde Dreiblatt- oder Kleeblattbogen entsteht. Setzt man einen Bogen in ähnlicher Weise aus vier Kreistheilen zusammen, deren beide mittlere an einander stossen, so hat man den ebenfalls häufig angetroffenen spitzen Kleeblattbogen (Fig. 290 unter *b*). An der beigefügten Darstellung des Portals einer Kapelle zu Heilsbronn bei Nürnberg (Fig. 293) sieht man die Anwendung des runden Dreiblattbogens, die schlanken, mit Ringen versehenen Säulchen und überhaupt die glanzvolle Decorationskunst jenes Styles. Andere, noch entschiedenere Nachklänge maurischer Bauweise treten mehr vereinzelt auf. So findet man in einigen Bauwerken dieser Zeit den **Hufeisenbogen** jenes Styls an den Gurten der Gewölbe angewandt, Hufeisenbogen.

Fig. 290. Dreiblatt- oder Kleeblattbögen.

Fig. 291. Krypta zu Göllingen.

wie in der Krypta zu **Göllingen** (vergl. Fig. 291), und selbst die phantastischen Zackenbögen der mohamedanischen Architektur, jene mit kleinen Halbkreisen spitzenartig besetzten Gurte, trifft man in der Schlosskapelle zu **Freiburg** an der Unstrut (Fig. 292) und in der Vorhalle von S. Andreas zu **Köln**. Diese Formen legen ein sprechendes Zeugniss ab für die Unruhe, den Drang nach Neuem, Mannichfaltigem, der selbst unconstructive Elemente nicht verschmähte, wie er ja auch Glieder der Construction zu müssigen Spielen der Decoration zu verwenden sich nicht gescheut hatte.

Fig. 292. Schlosskapelle zu Freiburg.

Auch die **Gesimse** werden nun ausgestaltet, und zwar ebenfalls in mannichfachster Weise. Häufig verwandeln sich die kleinen Rundbögen derselben in spitze oder runde Kleeblattformen, die sodann in kräftiger und reicher Profilirung durchgebildet werden. Aber auch andere Formen kommen vor. Der einfache Spitzbogen wird häufig an den Gesimsen angewandt und dadurch ein Spitzbogenfries hervorgebracht. Auf unserer Abbildung der zum Theil zerstörten Westfront der Abteikirche zu **Croyland** in England (Fig. 294) gibt der auf den unteren Säulchen ruhende Fries ein Beispiel dieser Form. Endlich kommen auch verschlungene Rundbögen vor, deren Schenkel sich kreuzen, so dass spitzbogige Figuren entstehen. Auch diese Gestalt des Frieses findet man auf eben erwähnter Abbildung wiedergegeben. Im Uebrigen bleiben auch für die Gliederung des Aeusseren die im romanischen Styl herrschenden Gesetze in Kraft, und wir treffen Lisenen, Wandsäulchen, Blendbögen und Galerien in reicher Mannichfaltigkeit. Nur an den **Thürmen** bemerkt man ein schlankeres Aufstreben, was namentlich an den steileren Dachhelmen sich kund gibt, und eine lebendigere Gruppirung, so dass auf den Ecken eines kräftigen Hauptthurmes sich kleine Seitenthürmchen aus dem Kern lösen und die aufsteigende Mittelspitze begleiten. Gesimse. Thürme.

Was nun im Einzelnen die **Detailbildung** dieser Bauten betrifft, so beruht auch sie noch wesentlich auf den Grundzügen entwickelter romanischer Architektur. Aber wenn auch die Elemente dieselben bleiben, ihre Behandlung ist doch eine andere und zeugt von einer anderen Gefühlsrichtung. An Basen und Sockeln herrscht noch immer die eckblattgezierte attische Basis, aber ihre Glieder werden nicht mehr so hoch und straff, sondern flacher, weicher, tiefer ausgekehlt gebildet, so dass die Pfühle zusammengedrückt erscheinen und die Hohlkehle eine nach unten vertiefte Rinne darstellt (vgl. Fig. 295). Das Eckblatt wird dadurch ebenfalls flacher, breiter und meistentheils in reicher Pflanzenform behandelt. Ein ähnliches Verhältniss bemerkt man an allen Detailbildung.

22*

übrigen Gliedern, besonders an Gesimsbändern und Kämpfergesimsen. Hier findet eine immer reichere Zusammensetzung Statt, so dass scharf vorspringende mit tief ausgekehlten Stäben wechseln, wodurch eine äusserst lebendige Schattenwirkung erreicht wird. In derselben Weise werden auch die Laibungen der Fenster und die Portalwände behandelt, wie denn überall ein quellendes, sprudelndes architektonisches Leben sich hervordrängt. In der Bildung der Stützen erreicht dies Streben seinen höchsten Aus-

Fig. [illegible]. Portal zu Heilsbronn.

druck. Die Säulen, die man auf mannichfaltigste Weise mit dem Pfeilerkern verbindet, werden so sehr gehäuft, dass sie diesen selbst oft gänzlich verdecken. Gewöhnlich aber sucht man die Pfeilermasse dadurch inniger mit den um sie gruppirten Säulen zu verbinden, dass man die Kapitäle der letzteren mit ihrem reichen Blattschmuck als
Ornament Gesimsband um den ganzen Bündelpfeiler herumführt. Das Ornament selbst erreicht oft den höchsten Grad von Schönheit und Eleganz (vgl. Fig. 296), indem es nicht allein die romanischen Motive entwickelt und steigert, sondern auch manche fremde, namentlich maurische Elemente sich anzueignen weiss. Besonders wird auch hier zufolge

der äusserst glänzenden Technik, die inzwischen sich ausgebildet hatte, das Blattwerk immer tiefer unterhöhlt, so dass es in plastischer Fülle aus dem Kern des Kapitäls sich hervorringt. Ein für die letzte Uebergangsepoche vorzüglich charakteristisches Kapitäl ist das öfter vorkommende Motiv eines schlanken Kelches, welchen in zwei Reihen über einander an langen Stengeln sitzende Blatt- oder Blumenknospen bekleiden, wie bei Fig. 297 auf nächster Seite. Statt der Knospen treten zuweilen auch in phantastischer Umbildung Thier- oder Menschenköpfe ein, wie Fig. 298 sie zeigt.

Fig. 29[illegible]. Abteikirche zu Croyland.

Farben.

Mit der reichen Gliederung und Decoration hing auf's Innigste der **Farbenschmuck** zusammen, den man den Kirchen nach wie vor zu geben nicht unterliess. Dieser bestand nicht allein aus den figürlichen Darstellungen heiliger Personen und Geschichten, sondern auch aus einer Bemalung der Glieder und Ornamente, der Säulen, Kapitäle, Gesimse, Gewölbrippen. So hob man durch helle Färbung die Arabesken der Säulenkapitäle von den dunkel gehaltenen Gründen ab; so wusste man auch die Constructionsglieder, namentlich die Rippen, durch wirksame Bemalung lebendiger hervortreten zu lassen. In dieser polychromen Ausstattung beobachtet die romanische Kunst ein bestimmtes **Gesetz rhythmischen Wechsels**, das in der Gliederbildung und Ornamentik uns schon entgegengetreten ist. Die Hauptfarben sind roth und blau mit hinzugefügter Vergoldung. Man findet diese Farben nur bei reicheren Gliederungen so verwendet, dass z. B. an demselben Bündelpfeiler die Säulenkapitäle blaue Ornamente auf rothem Grunde haben, während die Kapitäle der dazwischen liegenden Pfeilerecken rothe Ornamente auf blauem Grunde zeigen. Umgekehrt wird dann das Verhältniss an dem gegenüberliegenden Pfeiler durchgeführt, so dass das symmetrisch Entsprechende sich in seinem Farbenschmuck nicht entspricht, sondern gerade durch den im bunten Wechsel der Bemalung doch rasch wieder aufgehobenen Gegensatz das Auge reizt und anzieht. So zeigt es sich unter Anderm noch deutlich in der kleinen zierlichen Kirche zu **Faurndau** in Schwaben. Dies Prinzip beherrscht, mit gewissen Wandlungen, die ganze mittelalterliche Polychromie.

Fig. 29[illegible]. Kirche zu Gelnhausen.

Consolen und Verkröpfungen.

Noch ist einer besonderen Eigenthümlichkeit dieser Bauweise zu gedenken, die freilich weniger von Schönheitsgefühl als von einem Geiste der Unruhe und Beweglichkeit zeugt. Man findet nämlich sehr häufig in Werken der Uebergangszeit ein plötzliches Abbrechen der Säulen und Pilaster in halber Höhe, so dass sie oben aus der Wand herauszuwachsen scheinen. Dort verkröpfen sich diese Vorlagen dann plötzlich und bezeichnen die Stelle ihres Aufhörens durch consolenartige Glieder, die, wenn auch manchmal reich profilirt und ornamentirt, doch einen mehr pikanten als schönen Eindruck geben, ohne für die durch sie empfindlich verletzte organische Gliederung der Mauerflächen Ersatz bieten zu können. Allerdings ist Raumgewinn und Materialersparniss wohl der tiefere Grund solcher Anordnung. Zwei Beispiele derartiger Consolenbildungen aus der Kirche zu **Gelnhausen** unter Fig. 299 und 300 gewähren zugleich eine Anschauung von der reich und scharf profilirten Bildung der Deckplatten.

Gesammtcharakter.

Fassen wir die Gesammterscheinung dieser Bauwerke in's Auge, so tritt die Verschiedenartigkeit ihrer inneren Bestandtheile lebendig zu Tage. Die alten romanischen Traditionen sind in ihren Grundlagen noch unangetastet: das Wesentliche der Raumtheilung, des Aufbaues, der Gesammtgliederung ist bewahrt. Aber durch den architektonischen Organismus zuckt ein neues, fremdartiges Leben, das zunächst an allen minder bedeutenden Punkten hervorbricht, dann immer weiter um sich greift und seine hastigen, wirksamen, unruhigen Formen immer kühner zu Tage bringt. Es sind zwei ganz verschiedene Richtungen, die sich auf gemeinsamem Gebiet begegnen. Der alte priesterliche Geist, als dessen Ausdruck wir den romanischen Styl kennen lernten, prägt dem Leben noch immer seine Gesetze auf; aber der Inhalt dieses Lebens ist ein ganz anderer geworden. Die Städte fühlen sich in ihrer Macht, und das Bürgerthum, wenn auch im Inneren keineswegs priesterfeindlich, hat doch die Formen des Daseins nach eignem Geiste umgeschaffen. Das subjective Gefühl der Laien bricht überall durch die Starrheit des allgemeinen Dogmas hervor, aber es bleibt doch wesentlich durch dasselbe gebunden, und so erhält die Bewegung einen gemischten Charakter. Dies entspricht gerade dem damaligen Zustande des deutschen Lebens, welches zu jener Zeit im

Fig. 286. Kapitäl aus der Klosterkirche zu [illegible].

Bürgerthume seine glänzendste Erscheinung sah. Nimmt man noch hinzu, dass auch die Baukunst eine freiere Stellung erlangt hatte, dass sie nicht mehr ausschliesslich in den Händen der Klostergeistlichkeit lag, sondern dass in jener Epoche weltliche Meister

Fig. 287. Dom zu Magdeburg.

Fig. 288. Kirche zu [illegible].

aller Orten hervortraten, und grosse Bauunternehmungen aus dem begeisterten Selbstgefühl der Städte entsprangen: so wird Entstehung und Wesen des Uebergangsstyles hinreichend veranschaulicht sein. Diese Bauepoche währte nun in der geschilderten Weise bis gegen die Mitte des 13. Jahrh., ja in manchen Gegenden in die zweite Hälfte dieses Jahrhunderts hinein, um welche Zeit sie, wie wir später sehen werden, vom gothischen Styl verdrängt wurde.

Fig. 299 und 300. Consolen aus der Kirche zu Gelnhausen.

d. Abweichende Anlagen und Profanbauten.

Zu den von der Basilikenform abweichenden Bauwerken haben wir zunächst die einfachen Dorfkirchen zu rechnen, die meistentheils nur einschiffig und ohne Querschiff sind. Manchmal besteht die ganze Anlage nur aus einem rechtwinkligen Raume, an welchen sich östlich ein schmaleres Rechteck für den Chor, westlich ein viereckiger Thurm schliesst. Der Chor hat in der Regel seine Apsis, doch fehlt auch diese mitunter. Andere Anlagen nehmen das Kreuzschiff noch hinzu, wieder andere entbehren dieses, haben aber die niedrigen Seitenschiffe, die mit oder ohne Apsis schliessen. In allen diesen Fällen pflegt nur ein Thurm, und zwar im Westen der Kirche angeordnet zu sein. Doch kommen auch einschiffige Bauten vor, die auf den verstärkten Chormauern, offenbar der Ersparniss halber, den Thurm aufsteigen lassen. Als Muster zierlicher Ausbildung einer kleinen Dorfkirchen-Anlage fügen wir die Kirche zu Idensen bei Minden im Grundriss und dem Längenaufriss bei (Fig. 301 u. 302). Sie zeigt bei einfacher Planform einen originell entwickelten Chor, dem sich ein Querhaus anschliesst, und in der westlichen Thurmhalle eine wahrscheinlich zum Privatgebrauch des bischöflichen Stifters bestimmte obere Kapelle, welche durch doppelte Bogenöffnungen mit der unteren Kirche zusammenhängt. — Endlich trifft man auch zweischiffige Kirchen von geringerer Dimension, in welchen das Langhaus durch eine Reihe von Säulen oder Pfeilern in zwei gleich hohe und breite Schiffe getheilt wird. Dorfkirchen.

Ausserdem gibt es eine Anzahl kleinerer kirchlicher Bauwerke, zum Theil als Grabkapellen errichtet, welche auf die kreisrunde oder polygone Grundform zurückgehen. Diese Anordnung, ohne Zweifel nach dem Muster altchristlicher Grabkirchen gebildet, bot die Gelegenheit mannichfaltiger Ausbildung und zierlicher Ausstattung einer beschränkten Räumlichkeit. Der ganze Raum wurde dann entweder als ein ungetheilter behandelt und mit einer Kuppel bedeckt, oder es wurde durch innere Säulen- Rundbauten.

stellungen ein niedrigerer Umgang (bisweilen selbst zwei Umgänge) von dem höheren Mittelbau getrennt. Für den Altar ist in der Regel eine Apsis vorgelegt. Diese Planform wurde bisweilen durch Anfügung von gleichschenkligen Kreuzarmen zur Gestalt eines griechischen Kreuzes erweitert, wobei altchristliche Bauten, wie die Grabkapelle der Galla

Fig. 301. Kirche zu Idensen. Aeusseres.

Placidia vorgeschwebt haben mögen. Hier ist auch an die in Oesterreich zahlreich vorkommenden Karner (Todtenkapellen auf Kirchhöfen) zu erinnern. Ferner gehören

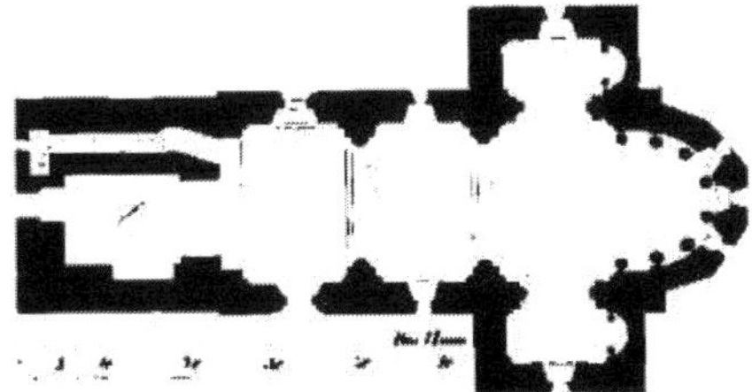

Fig. 302. Kirche zu Idensen. Grundriss.

dahin die Baptisterien, welche namentlich in Italien immer noch als polygone oder runde Anlagen, mit mannichfacher Anwendung der Wölbekunst errichtet werden.

Doppelkapelle. Eine andere sehr originelle Bauanlage treffen wir in romanischer Zeit mehrmals, und zwar vorzüglich in Deutschland, an. Es sind die sogenannten Doppelkapellen, die man namentlich auf Burgen findet, aber auch sonst in der Nähe grösserer kirchlicher Gebäude, wie die Gotthardskapelle beim Dom zu Mainz, oder ganz für sich selbständig wie die Doppelkirche zu Schwarz-Rheindorf. Bei diesen Bauten sind zwei Kapellen von derselben Grundrissform über einander angelegt, durch das dazwischen sich erhebende Gewölbe der unteren und den Fussboden der oberen getrennt; zugleich aber verbunden durch eine in demselben gelassene Oeffnung, welche den oben Weilenden gestattete, an dem in der unteren Kapelle gehaltenen Gottesdienste Theil zu nehmen. Der obere Raum pflegt schlanker gebildet und zierlicher geschmückt zu sein. Die untere Kapelle ist in mehreren Fällen als Grabstätte des Erbauers angelegt, und dies mag überhaupt die Veranlassung zu solchen Bauten abgegeben haben.*) Beispiele von besonders stattlichen Anlagen dieser Art sind auf den Burgen zu Eger, Nürnberg, Freiburg an der Unstrut, Landsberg u. a. Zur besseren Verdeutlichung geben wir von der Kapelle zu Eger die Ansicht des oberen und unteren Geschosses; letzteres (Fig. 304) mit seinen kurzen gedrungenen Säulen und einfachen Rundbogengewölben unterscheidet sich als das Tragende, Belastete charakteristisch von dem ersteren (Fig. 303), dessen schlanke Säulen und spitzbogige Rippengewölbe luftig und keck aufsteigen.

Fig. 303. Obere Kapelle zu Eger.

Hallenkirchen

Nicht so sehr im Grundplane, aber dafür desto entschiedener im Aufbau weicht eine andere Art der Kirchenanlage von der herrschenden Basilikenform ab. Sie bildet ihr Langhaus wie jene dreischiffig aus, verwirft aber die verschiedene Höhe der einzelnen Theile. Von den Pfeilern oder Säulen steigen nach der Längenrichtung Gurtbögen auf, welche die Schiffe von einander scheiden (Scheidebögen). Indem nun die Gewölbe der Schiffe von gleicher Höhe sind, verschwindet die Obermauer des mittleren mit ihrer besonderen Beleuchtung; die Umfassungsmauern werden höher emporgeführt, ihre Fenster, welche das ganze Innere erhellen sollen, länger gebildet und somit ein Raum von einfacher, klar verständlicher Anordnung hervorgebracht. Nach aussen schwindet ebenfalls die zweistöckige Anlage; über die ganze Breite des Gebäudes legt sich ein einziges Dach, welches jedoch bisweilen, um die ungünstige Form der hohen Seitenflächen zu vermeiden, mit besonderen Giebeln für die einzelnen Gewölbabtheilungen versehen wird. Vorbilder für diese Anlage hatte man an den Kapitelsälen der Klöster. Man übertrug sie überall bald auf kleinere Kapellen und Versammlungsräume anderer Art. Nur in gewissen Gegenden, namentlich in Westfalen, gewann diese einfache, mehr verständige als phantasievolle Bauweise eine so allgemeine Verbreitung bei der Anlage der Kirchen, dass sie die Basilikenform beinahe verdrängte. Dort lässt sich denn auch ein Entwicklungsgang derselben nachweisen. Zunächst findet man daselbst Kirchen mit gleich hohen Schiffen, welche gleichwohl den Wechsel kräftigerer

Fig. 304. Untere Kapelle zu Eger.

*) Vergl. W. Kreispörtner, System des christlichen Thurmbaues, (Göttingen 1860), der an das Grabmal des Theoderich erinnert.

und schwächerer Stützen, wie ihn die gewölbte Basilika erforderte und herausgebildet hatte, beibehalten. Ein Beispiel solcher Anordnung ist die kleine Kirche **S. Servatius** zu **Münster**, von der wir einen Längendurchschnitt des Schiffes zur Veranschaulichung des Gesagten beifügen (Fig. 305). Nur durch Anwendung des Spitzbogens liessen sich die aus dieser Anlage erwachsenden Schwierigkeiten der Ueberwölbung so verschiedenartiger Räume lösen; und in der That ist es die Uebergangszeit, welche in ihrem rastlosen Streben nach Umgestaltung diese neue Form zu entwickeln sucht. Die Zwischenstütze wird deshalb bald beseitigt, die Ueberwölbung der schmaleren Seitenschiffe in verschiedenster Weise, besonders auch durch Anwendung von **halben Kreuzgewölben**, ausgeführt, bis endlich ein veränderter Grundplan aus diesen Schwankungen hervorgeht. Die Seitenschiffe werden nun fast auf die Breite des Mittelschiffes erweitert, gleich diesem mit Kreuzgewölben bedeckt, und dadurch der Kirche ein veränderter, mehr **hallenartiger** Charakter gegeben. Wie diese Form vorzugsweise an städtischen Kirchen benutzt wird, während in denselben Gegenden zu gleicher Zeit die reicher abgestufte, aufgegipfelte, der aristokratischen Gliederung der Gesellschaft zu vergleichende Basilika an Kathedralen und Abteikirchen fast ausschliesslich zur Anwendung kommt, so lässt sich mit der nivellirenden, die exclusive Bedeutung des Mittelschiffes verwischenden Tendenz der **Hallenkirche** jene bereits mächtig sich regende Richtung der städtischen Gemeinen nach Beseitigung der patrizischen Alleinherrschaft treffend vergleichen. Und auch diese Bewegungen des politischen Lebens gehören wesentlich dem deutschen Boden.

Fig. 305. S. Servatius zu Münster.

Klosterbaulichkeiten. Kehren wir noch einmal zu den klösterlichen Herden der Architektur zurück, so finden wir, dass die Kirchen der Abteien, Stifter und Klöster keineswegs so isolirt für sich lagen, wie wir sie der Betrachtung unterwerfen mussten. Das Gruppenbildende der mittelalterlichen Baukunst tritt auch hier wieder deutlich hervor. Im Gegensatz zum antiken Tempel, der in einsamer Herrlichkeit wie ein plastisches Gebilde aufragte, erhebt sich die mittelalterliche Kirche in der Regel aus einer Umgebung mannichfach gestalteter Baulichkeiten, mit denen sie eine malerische Gruppe ausmacht. Schon die
Sakristei. **Sakristei**, die sich meistens der Nordseite des Chores anlehnt, gibt sich als ein solcher, die strenge Symmetrie aufhebender, mehr die malerische Erscheinung fördernder Anbau zu erkennen. Wichtiger für die architektonische Gestaltung sind die
Kreuzgänge. **Kreuzgänge** (auch Umgänge genannt), welche in der Regel an der nördlichen oder südlichen Seite der Kirche liegen, mit dem betreffenden Kreuzflügel und Nebenschiffe durch Eingänge in Verbindung stehen und, ähnlich wie die freien Hofanlagen des Orients und des klassischen Alterthumes, den verbindenden Mittelpunkt zwischen der Kirche und den übrigen Klosterbaulichkeiten abgeben. Es sind bedeckte Hallen, meistens mit Kreuzgewölben versehen, im Viereck einen Garten oder Begräbnissplatz umschliessend. Sie dienten selbst als Begräbnissplätze, ausserdem den Mönchen als Erholungsgänge, als Plätze stiller Betrachtung, bei feierlichen Aufzügen auch wohl als Prozessionsweg. Nach dem freien Mittelraume öffnen sie sich durch Arkaden, welche, auf Säulen ruhend, anziehende Durchsichten gestatten und die Architektur mit der vegetativen Umgebung freundlich verbinden. An den mehrfach gekuppelten Säulen entfaltet sich in diesen Bauten oft die romanische Ornamentik zu reichster Fülle. (Vgl. unsere Abbildung des Kreuzganges der Kathedrale zu **Arles** Fig. 306.) Bisweilen sind diese Kreuzgänge durch Säulenstellungen sogar in zwei Schiffe getheilt, wie zu **Königslutter**. Ausserdem bedurfte jedes Kloster eine Menge anderer, verschiedenartiger
Refectorium. Räumlichkeiten, unter welchen das **Refectorium**, auch **Remter** (der Speisesaal), und

der **Kapitelsaal** (der Ort für die Berathungen des Convents) besonders sorgfältiger Ausbildung sich erfreuten. Endlich wurde der ganze Complex sammt den umgebenden Kapitelsaal

Fig. 306. Kreuzgang der Kathedrale zu Arles.

Oekonomie-Gebänden und Hofräumen durch eine Umfassungsmauer umschlossen, die an englischen Abteien oft festungsmässig durchgeführt und mit einem Zinnenkranze

Maulbronn.

gekrönt ist. In Deutschland ist die Anlage des ehemaligen Cisterzienserklosters **Maulbronn***) in Würtemberg eine der umfangreichsten und besterhaltenen, weshalb wir einen Grundplan der architektonisch wichtigen Theile desselben unter Fig. 307 beifügen. Aus einer geräumigen, mit schönen Kreuzgewölben versehenen Vorhalle, dem sogenannten Paradies, *a* gelangt man von der Westseite in die ursprünglich dreischiffige, später durch ein zweites südliches Nebenschiff erweiterte Kirche, deren Schiff *b* vom Chore *d* durch einen noch aus romanischer Zeit datirenden Lettner *c* geschieden wird. Der Chor schliesst nach Art vieler Cisterzienserbauten**) rechtwinklig und rechtwinklig sind auch die drei Kapellen, welche den Querarmen sich vorlegen. Die Klostergebäude dehnen sich hier nördlich von der Kirche aus, indem sie sich um einen fast quadratischen Kreuzgang *e* gruppiren, an dessen nördlichem Flügel ein zierliches polygon gestaltetes Brunnenhaus *f* mit einem Springbrunnen und schönen Glasgemälden vorspringt. Aus dem prächtigen Refectorium *h*, dem sogenannten „Rebenthal", hat man einen herrlichen Durchblick auf die Kreuzgänge, das Brunnenhaus und die darüberhinausragenden Mauern der Kirche. Ein älteres Refectorium *g* schliesst sich westlich dem Kreuzgange an; es bildet einen langen Saal, dessen Kreuzgewölbe von sieben gekuppelten romanischen Säulen getragen werden. In derselben Axe liegt ein ebenfalls gewölbter Keller *i*, welcher wiederum an die Kirche stösst, und in den man aus einem gewölbten Gange gelangt. Dieser verbindet die westliche Vorhalle mit den westlichen Theilen der Klostergebäude, die jedoch modernisirt sind. Zugleich findet auch eine Corridorverbindung nach den Kreuzgängen Statt. Eine zweite ausgedehnte Kelleranlage ist weiter östlich gelegen und mit *k* bezeichnet. An sie stösst ein Gemach *l*, welches wahrscheinlich als Geisselkammer diente. Einer der wichtigsten Räume ist sodann das Kapitelhaus *m* mit seiner polygonen, ostwärts schauenden Altarapsis *n*, mit den Kreuzgängen durch breite Fenster verbunden, welche besonders nach dem Brunnenhause hin herrliche Durchblicke gewähren. Von hier führt eine breite, mit reichen Netzgewölben geschmückte Galerie, das sogenannte Parlatorium, nach dem Herrenhause *o*, welches die Wohnung des Abtes enthielt. Oekonomiegebäude und mächtige Umfassungsmauern mit Thürmen sind ebenfalls noch vorhanden.

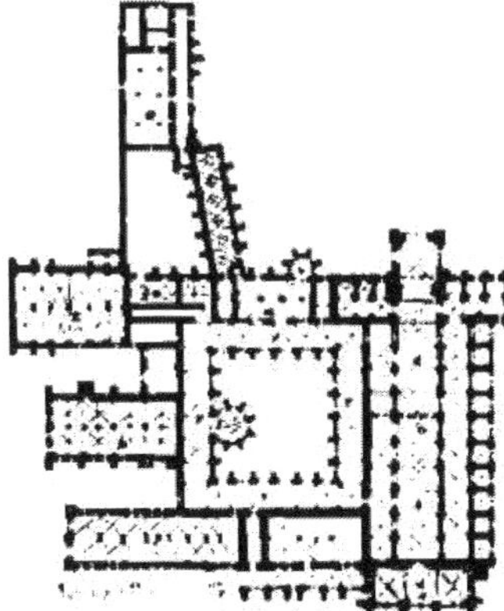

Fig. 307. Cisterzienserkloster Maulbronn.

Profan-Architektur.

Die **Profan-Architektur** ist in romanischer Zeit noch vorwiegend einfach. Der Ritter hatte bei Errichtung seiner **Burg** mehr die Sicherheit als die künstlerische Ausschmückung im Auge. Doch haben sich aus jener Epoche einzelne bedeutende Reste erhalten, welche auch in dieser Hinsicht von stattlicher Wirkung sind. Unter den älteren Dichtungen gewährt besonders das Nibelungenlied reiche Anschauungen der

*) Tüchtige Aufnahmen in *F. Eisenlohr*, Mittelalterl. Bauwerke im südwestl. Deutschland. Heft I. Fol. Carlsruhe 1853. — Vergl. *H. Klunzinger*, Artistische Beschreibung der vormaligen Cisterzienser-Abtei Maulbronn. 3. Stuttgart 1849.

**) Ueber die Anlage der Cisterzienserklöster vergl. *R. Dohme*, die Kirchen des Cisterzienserordens in Deutschland. Leipzig 1869.

Palastanlagen romanischer Zeit. Theilweise erhalten, geben die grossartige Burg S. Ulrich bei Colmar, die Wartburg*), das Schloss zu Münzenberg**) so wie die Kaiserpaläste in Goslar und Gelnhausen***) Beispiele solcher Bauten.

In Deutschland†) knüpfen die frühesten Befestigungen an die aus der Römerzeit herrührenden Castelle an; aber seit der karolingischen Epoche entwickelt sich daraus ein selbständiger Burgenbau, der freilich zunächst nur die Sicherheit, keineswegs schon die Behaglichkeit oder den Schmuck des Lebens ins Auge fasst. Die Burgen werden auf steilen Gebirgskuppen angelegt und mit festen Mauern umzogen, welche der Linie des Abhanges folgen. Innerhalb dieser Einfassung erhebt sich in der Regel ein steinerner Wartthurm, der den Mittelpunkt der Anlage und die letzte Zuflucht und

Deutsche Burgen bis ins XI. Jahrh.

Fig. 108. Burg Steinsberg.

Vertheidigungslinie der Bewohner bildet. Dieser Hauptthurm (Bergfried), viereckig oder rund, seltener polygon, zu welchem sich bald andere Thürme gesellen, wird manchmal ausgedehnt genug angelegt, um als Wohnraum zu dienen; in andern Fällen erhebt sich neben ihm das zuerst einfach hölzerne, später steinerne Wohngebäude. Dazu kommen endlich die Wirthschaftsräume, Stallungen und was sonst zu einem grösseren Haushalt gehört. Der Zugang zum Thurme liegt nicht zu ebener Erde, sondern im ersten Stock und steht in der Regel mit dem Wohngebäude durch eine hölzerne Brücke in Verbindung, welche rasch zerstört werden konnte, nachdem sie den Rückzug vermittelt hatte. Endlich wurde der innere Schlosshof durch einen Mauer-

*) *L. Puttrich*, Denkmale der Baukunst des Mittelalters in Sachsen. Abth. I, Bd. II. Mittelalterliche Bauwerke im Grossherzogthum S. Weimar-Eisenach. Leipzig. 1847.

**) *E. Gladbach*, Denkm. der deutsch. Baukunst, begonnen von *G. Moller*. Bd. III. Fol. Darmstadt.

***) *E. Gladbach* a. a. O.

†) Vergl. das verdienstliche Werk von *G. H. Krieg von Hochfelden*, Gesch. der Militär-Archit. in Deutschland. Stuttgart. 1859. 8., dem wir unsere Abbildungen entlehnen.

abschnitt in zwei Theile zerlegt, um auch dadurch die Vertheidigung zu erleichtern. Alle diese Eigenschaften zeigt u. A. die Burg Steinsberg, zwischen Speier und Oehringen gelegen, und in ihrem Kern noch auf römischer Anlage fussend. (Fig. 308). In verwandter Weise beruht auch die Kyburg bei Winterthur noch auf einer Befestigung der Römerzeit. Der Eingang zur Burg wurde durch einen starken Thurm, bisweilen wie in Komburg bei Schwäbisch Hall durch zwei flankirende Thürme vertheidigt, zwischen welchen sich über dem Thorweg eine Galerie hinzieht. Auf diesen Thorthürmen war gewöhnlich eine dem h. Michael als dem Vorkämpfer geweihte Kapelle angebracht, wie man in Komburg noch sieht. Manche Verschiedenheiten wurden durch die Bedingungen des Terrains veranlasst. Die Burg Hohenrhätien, an der bei Chur nach Italien führenden Hauptstrasse, besitzt drei Thürme, welche nach einander erobert werden mussten, wenn man sich in Besitz des wichtigen Punktes setzen wollte. Die Ebersteinburg bei Baden-Baden besteht aus einem noch aus der Römerzeit herrührenden Hauptthurm und mehreren Gebäuden, welche sich an die Ringmauern anlehnen. Die gegen Ende des 11. Jahrh. erbaute Habsburg im Aargau hat ausser dem mächtigen viereckigen Hauptthurm noch einen zweiten Thurm und ein an denselben stossendes Wohngebäude.

Weitere Entwickelung. Im Laufe des zwölften Jahrhunderts entwickeln sich aus diesen Grundzügen die stattlicher angelegten, reicher ausgebildeten Burgen, deren besterhaltenes neuerdings mit grossem Aufwand wieder hergestelltes Beispiel die Wartburg ist. Auf einer langgestreckten schmalen Kuppe, deren Rand die Umfassungsmauer folgt, ist die Anlage von Nord nach Süd ausgeführt (Fig. 309.) Wir finden hier alle Elemente des ausgebildeten deutschen Burgenbaues dieser Epoche. Vor dem Eingange, der durch eine Zugbrücke (5) und einen Thurm (6) gesichert ist, lag ein später durch eine spitzwinklige Lunette verdrängter befestigter Zwinger, der als Propugnaculum diente. In der Mitte des Hofes erhob sich der Hauptthurm, welcher das Ganze in zwei leicht zu vertheidigende Theile abschnitt. Die Nebengebäude (13 und 15), der Ziehbrunnen (11), der südliche Thurm (12) sind minder wichtig als das Landgrafenhaus (10), das als Herrenhaus (Palas) den Kern der Anlage bildete und mit aller Kunst und Pracht der Zeit ausgestattet war. Eine Freitreppe führt zu seinem ersten Stockwerk hinauf; in diesem wie in den beiden oberen Geschossen ziehen sich offene Galerien auf gekuppelten Säulen an der Façade hin, welche bei einem Angriff zur Vertheidigung des Hauses dienten. Von diesen Gängen aus gelangt man in die Haupträume: zunächst in die Wohn- und Schlafzimmer (Kemenate) und die Kapelle, im obern Geschoss aber in den prachtvollen 33 F. breiten, 120 F. langen Saal. Aehnliche Anlage und verwandte Ausstattung finden wir an den Palästen Kaiser Friedrichs I. zu Gelnhausen, Wimpfen und Eger, sowie an den Burgen zu Seligenstadt und zu Münzenberg. Weitere Reste solcher Burganlagen sind die Lobdeburg bei Jena, die Kästenburg in Rhein-

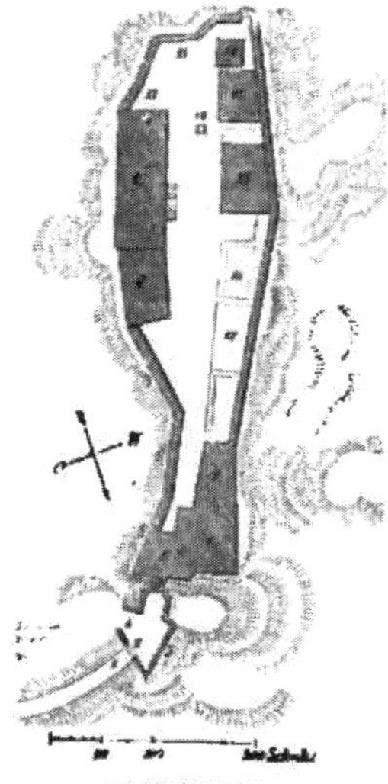
Fig. 309. Wartburg.

baiern, der **Trifels** und die **Niederburg** bei Rüdesheim. Zu den künstlerisch bedeutsamsten Resten solcher Burgen gehören die auf denselben befindlichen Kapellen, die in Deutschland häufig als **Doppelkapellen** sich gestalten (vergl. oben S. 341.) Sie bilden in der Regel einen für sich gesonderten Theil der Anlage wie die prächtigen Kapellen der Burgen zu **Eger**, **Nürnberg**, des Kaiserpalastes zu **Goslar**, der Burg zu **Vianden** im Luxemburgischen, oder sie sind auch in dem Hauptbau selbst angebracht, wie zu **Steinfurt** im Münsterlande. Eins der besterhaltenen Beispiele mittelalterlichen Burgenbaues ist Schloss **Chillon** am Genfer See*), mit seinem befestigten Thorweg, den gewaltigen gewölbten Kellern und dem alles überragenden Hauptthurme, der den Schlosshof in zwei Theile sondert. Auch die an der Umfassungsmauer vorspringenden Thürme, welche nach dem Vorbilde römischer Stadtbefestigungen wieder in Aufnahme kamen, sind hier völlig erhalten.

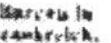
Burgen in Frankreich.

In **Frankreich****) knüpft sich die höhere Entwicklung des Burgenbaues an das Auftreten der Normannen. Als verwegene Eroberer sich festsetzend, siegreich weiter um sich greifend, begründeten sie mit rücksichtsloser Energie ein geordnetes Staatswesen, zu dessen Sicherung sie in ausgedehntem Maasse der befestigten Schlösser bedurften. Ihre Burgen entwickeln sich meistens in der Form eines gewaltigen, in der Regel viereckigen Thurmes, **Donjon**, welcher in bedeutendem Umfang und mehreren Stockwerken, gegen 70 F. breit und über 100 F. hoch aufgeführt wird, hinreichend um seinen Insassen zur Wohnung und zur Vertheidigung zu dienen. Dieser Donjon wird durch einen Graben und Wall noch mehr geschützt, und ähnliche Vertheidigungswerke fügt man bisweilen in mehreren Abschnitten hinzu. Neben diesem einthürmigen Burgsystem kommt aber auch ein mehrthürmiges vor, bei welchem man sich nach der Beschaffenheit des Ortes mannichfache Gruppirung gestattete. Beispiele von Donjons sind mehrfach erhalten; so der gewaltige von **Beaugency** an der Loire, bei 72 zu 62 F. Grundfläche ursprünglich 125 F. hoch aufsteigend und noch jetzt 115 F. hoch. Das Erdgeschoss hat eine auf Pfeilern ruhende Wölbung, darüber sind noch vier Stockwerke angebracht, deren Balkendecken von Säulen gestützt werden. In der Dicke der Mauer liegt die Treppe, welche die Stockwerke verbindet und bis in das Erdgeschoss hinabführt, während der Eingang zum Donjon im ersten Stockwerk liegt. Aehnliche Anlage zeigt der Donjon von **Loches** (Fig. 310), der bei 76 F. zu 42 F. Grundfläche 120 F. hoch ist und ebenfalls vier Stockwerke besitzt. Ausserdem hat er die später häufig nachgeahmte Eigenthümlichkeit eines besonderen Vorbaues, in welchem sich die Treppe zum ersten Stockwerk und darüber die Kapelle befindet. Alle diese Bauten waren zur Vertheidigung mit einem Zinnenkranz und oberen Umgang abgeschlossen, der nach aussen auf Consolen vortrat. Sie enthielten alle wesentlichen Erfordernisse zum Wohnen: ein Erdgeschoss, Vorrathsräume und den Ziehbrunnen, im ersten Stock den grossen Versammlungssaal, in den obern Stockwerken Wohnräume und Schlafzimmer, und selbst in den vertieften und erweiterten Fensternischen fanden sich in den gegen 12

Fig. 310. Burg Loches.

*) Aufnahme von *Adler* in *Erbkam's* Zeitschr. für Bauwesen, 1860.

**) *de Caumont*, cours d'antiq. monum. V. Archit. militaire et civile. *Viollet-le-Duc*, dictionnaire s. v. Architecture militaire; château, donjon, tour. Vergl. auch *Krieg v. Hochfelden*, a. a. O.

Fuss dicken Mauern noch Schlafstätten angebracht. Auch die Verbindungstreppe der einzelnen Stockwerke unter einander lag in der Dicke der Mauern. Neben diesen Donjons kommen auch mehrthürmige Burganlagen vor, meistens auf ebenem Boden errichtet. Ihre Umfassungsmauern sind durch Thürme sowie durch Wall und Graben vertheidigt; auch das Thor hat zwei flankirende Thürme zu seinem Schutz. Solche Burgen sieht man in der Normandie zu Lillebonne und zu Conrey. Die weitere Entwicklung im 12. Jahrh. gibt den Burgen auch hier grössere Ausdehnung, mannichfaltigere Befestigungen, und verlegt die Wohnräume in besondere Gebäude, während die Donjons zur blossen Vertheidigung als letzte Zuflucht dienen. Ein Beispiel dieser Art giebt die Burg zu Arques bei Dieppe (Fig. 311.) Hier ist der Donjon *A* dicht an die südliche Seite der Umfassungsmauer gerückt, die durch eine Reihe von kleineren Thürmen vertheidigt wird. Ein Graben *B* umzieht in einiger Entfernung die ganze Burg. Dem südlichen Eingang, der bei *G* in einem halbrunden Thurme liegt, ist ein nördlicher bei *D* entgegengesetzt, welcher durch die beiden Thürme *I K* flankirt wird. Vor diesem Thore wurde später noch ein Propugnaculum *L* mit zwei weiteren Thürmen angebaut. Die Donjons dieser späteren Burgen erhalten eine elegantere Ausbildung, meistens einen runden Grundriss oder gar die Form eines Vierblattes wie der zu Etampes, reichere Gliederung und seit dem Ende des 12. Jahrh. einen hölzernen, seit dem Ende des 13. einen steinernen Umgang mit Zinnen und Giesslöchern zur Vertheidigung.

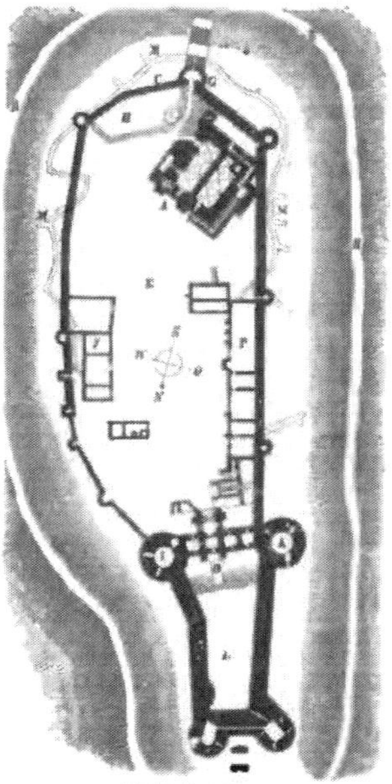

Fig. 311. Burg Arques.

Burgen in England. Nach England*) brachten die Normannen das von ihnen schon ausgebildete System der Burganlagen, welches sich in einem feindlich gesinnten eroberten Lande als das passendste empfehlen musste. Sie legten überall gewaltige Donjons (Keep-tower) an, in London allein drei, in York zwei, welche ihnen als leicht zu vertheidigende Stützpunkte dienten. Diese Donjons, ähnlich massig und ungeschlacht wie jene der Normandie, steigen in der Regel von viereckiger Grundform auf und enthalten alle Vorrichtungen zum Wohnen und zur Vertheidigung. Nur ausnahmsweise finden sich runde Thürme. Solcher Art ist der Donjon von Hedingham in Essex (Fig. 312.) Er bildet ein Rechteck von 62 zu 55 F., hat über dem gewölbten Erdgeschoss vier weitere Stockwerke, und einen viereckigen Treppenthurm, welcher noch um ein Geschoss höher, bis zu 100 F. emporsteigt. Der Zugang zum Thurm liegt auch hier im ersten Stock. Die Thür und die Fenster sind im Rundbogen geschlossen, theils mit Zickzacks nach

*) Britton, Archit. antiq. of great Britain. London 18[illegible].

normannischer Weise verziert. Die 14 F. dicken Mauern enthalten schmale längliche Schlafstätten, welche mit den Fensternischen in Verbindung stehen (Fig. 313.) Das zweite und dritte Stockwerk zeigen dieselbe Einrichtung, nur dass die Fenster in letzterem gekuppelt sind. Der Quere nach theilte den Raum ein weitgespannter Rundbogen, auf welchem die Decke des dritten Stockwerkes ruhte. Dieses bildete nämlich mit dem zweiten gewöhnlich einen einzigen mächtigen Saal, und nur in Belagerungszeiten konnte man eine Zwischendecke einziehen, für deren Balkenlager die Oeffnungen vorhanden sind (Fig. 314.) Aehnliche Grundform, aber bequemere Einrichtung und reichere Ausstattung finden wir beim Donjon von Rochester. Er bildet ein Quadrat von 70 F., vor welches sich wie zu Loches an der Nordseite ein Anbau legt, der in jedem Stockwerk eine Art Vorhalle enthält. Auf ihn mündet auch die steinerne Freitreppe, welche in den ersten Stock hinaufführt. Wendeltreppen und Gänge in der Dicke der 12 F. starken Mauern vermitteln die Verbindung der vier Geschosse. Diese hatten sämmtlich hölzerne Balkendecken und waren mit Ausnahme des zweiten Stockwerks, das einen einzigen 30 F. hohen Saal bildete, durch eine Quermauer in zwei längliche Gemächer getheilt, an welche sich in der Dicke der Mauern kleine Schlafstätten schlossen. Der Saal hat anstatt der Trennungsmauer zwei mächtige normannische Rundsäulen und einen mittleren viereckigen Pfeiler mit Halbsäulen, auf deren Arkaden die Balkendecke ruhte. Eine weitere Verbesserung war die, dass man bei dem Thore das bis dahin nicht im Gebrauch gewesene Fallgatter anwendete. Noch reichere Durchbildung des Grundrisses, sowohl zu grösserer Wohnlichkeit als höherer Prachtentfaltung bietet sodann der gegen das Ende der romanischen Epoche ausgeführte Donjon von Rising-Castle in Norfolk, mit welchem die Entwicklung ihren Abschluss erreicht. Hier machen die Wendeltreppen schon äusserlich sich als vorspringende Eckthürme bemerklich; die Wohnräume sind zahlreicher, die Verbindungen bequemer, und ohne der Festigkeit Abbruch zu thun, ist eine grössere Sparsamkeit im Material und zugleich höhere Schönheit und Eleganz erzielt. Später kündigen sich die friedlicher

Fig. 312. Burg Hedingham.

Fig. 313. Hedingham. II. Stock.

gewordenen Zustände dadurch an, dass man die festen Donjons verlässt und fortan jene offenen „Hallen" baut, welche bis auf den heutigen Tag die ländlichen Wohnsitze der englischen Aristokratie bilden.

Fig. 314. Hedingham. Inneres.

Städtische Gebäude.

In den Städten fing man an, die Rathhäuser und andere für öffentliche Zwecke errichtete Gebäude bedeutsamer anzulegen und reicher auszustatten, und selbst das bürgerliche Wohnhaus begann an den Vorzügen künstlerischer Ausschmückung Theil zu nehmen. Einzelne romanische Wohnhäuser haben sich in Trier und Köln erhalten; mehrere finden sich zu Cluny*) in Frankreich, und einen seltenen Reichthum frühmittelalterlicher Privatarchitektur bewahrt Goslar. Die decorativen Elemente, so wie die gesammte Art der Gliederung entlehnte man dem kirchlichen Style, nur dass manche Motive eine durch die praktischen Bedingungen gebotene Umänderung erfuhren, wie denn z. B. die Fenster der Wohnhäuser meistens mit horizontalem Sturz gebildet wurden. Doch kommen bisweilen Façaden vor, die einem consequent nach Analogie kirchlicher Bauten gegliederten Fenstersystem Raum geben, freilich erst am Schluss der Epoche. Dieser Art ist das schöne Haus der Rue St. Martin in Amiens (Fig. 315), welches um 1240 entstanden sein mag und in der Art des Uebergangsstyles an den gekuppelten Fenstern schon den Spitzbogen hat, während die Umfassungs- und Entlastungsbögen der Fenstergruppen noch den Rundbogen und flachen Stichbogen zeigen. Ein ganz merkwürdiger Rest vom Ende des 10. Jahrh. ist das sogenannte Haus des Crescentius in Rom, von welchem noch später die Rede sein wird: eins der seltenen Ueberbleibsel aus Roms feudaler Zeit, wo die mächtigen Barone inmitten der Stadt sich in thurmartigen Castellen verschanzten und von da aus ihre Fehden ausfochten. Ein solcher Wohnthurm, nach Analogie der nordischen Donjons, ist dies Gebäude, zugleich ein sprechender Beweis von dem tiefgesunkenen Zustande künstlerischer Fähigkeit.

3. Die äussere Verbreitung.

a. In Deutschland.**)

Schwierigkeit der Zeitrechnung.

Schon früh fand die regelmässige Ausbildung der flachgedeckten romanischen Basilika in Deutschland weite Verbreitung. Wenn man sich auch bei den Werken dieser Epoche

*) A. Verdier et F. Cattois, Architecture civile et domestique. 4. Paris.
**) H. Otte, Gesch. der deutschen Baukunst. Lief. 1. u. 2. Leipzig 1861 u. 1862.

besonders sorgfältig hüten muss, überlieferte Nachrichten von frühzeitigen Bauten auf die vorhandenen, meistens einem späteren Umbau zuzuschreibenden Denkmäler anzu-

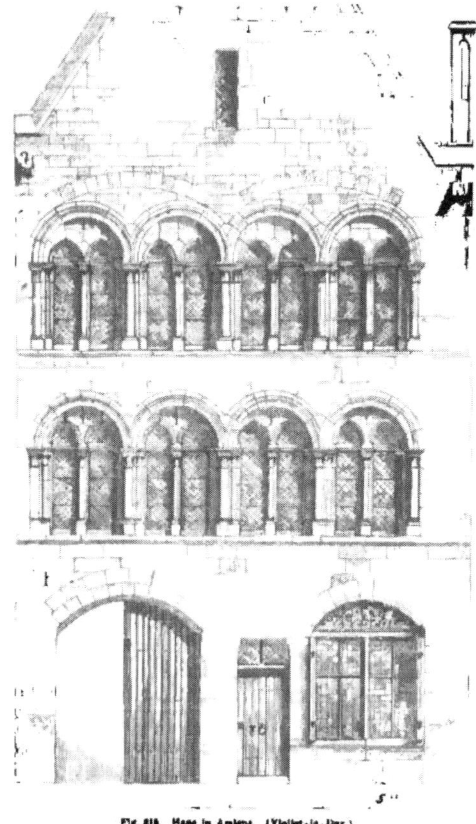

Fig. 818. Haus in Amiens. (Viollet-le-Duc.)

wenden, so ist doch oft in einem jüngeren Baue ein Rest der älteren Anlage, namentlich der Thürme und der Umfassungsmauern, so wie der Krypta, erhalten worden, wie man denn im Mittelalter das Brauchbare vorhandener älterer Bautheile bei der Neugestaltung zu verwenden liebte. Hieraus entspringen die grossen Schwierigkeiten, welche sich für die Zeitbestimmungen besonders frühmittelalterlicher Bauten ergeben. In Deutschland knüpfen sich die ersten in selbständigem Geiste ausgeführten künstlerischen Unternehmungen an die glanzvolle Regierungszeit der sächsischen Kaiser. Wir haben ihre Werke daher zunächst in den

Sächsischen Ländern

Sächsische Bauten.

aufzusuchen*). Hier tritt zu Anfang des 11. Jahrh. die flachgedeckte Basilika bereits mit ihren wesentlichen Merkmalen auf. Sie hat das Querschiff, manchmal kaum erst über die Breite des Langhauses vortretend, den auf einer Krypta erhöhten Chor mit der Apsis, die westlichen Thürme mit Vorhalle und Empore. Ihre Arkaden ruhen meistens auf wechselnden Pfeilern und Säulen, und zwar bald mit zwei, bald mit einer Säule zwischen den einfach gebildeten Pfeilern. Nicht minder zahlreich ist die Pfeilerbasilika vertreten; nur ausnahmsweise kommt dagegen die Säulenbasilika vor. Die Kapitäle zeigen zunächst ungeschickte antikisirende Ornamente, dann erhalten sie die Würfelform, auf deren Grundlage eine lebendige, bisweilen elegante decorative Entwicklung beginnt. Die Kirchenanlage behält hier bis in die Spätzeit des Styles einen ernsten, würdigen Charakter, der sich weniger auf reiche malerische Entfaltung des Aeusseren, als auf consequente Durchbildung des Inneren richtet. Dem entspricht auch die Thurmanlage, die nur ausnahmsweise sich überreich gestaltet, während in der Regel die Kirche mit den beiden Façadenthürmen, zu denen manchmal noch ein Thurm auf der Kreuzung tritt, sich begnügt.

Kirche zu Gernrode.

Eine der ältesten und einfachsten Anlagen ist die Stiftskirche zu Gernrode am Harz, im Wesentlichen wohl noch der im J. 961 gegründete Bau (Grundriss unter Fig. 316; Kämpfergesims bei *d* unter Fig. 251, S. 315, Pfeiler unter Fig. 277, S. 330). Sie hat ein Mittelschiff von sehr hohen Verhältnissen, durch Pfeiler, die je mit einer Säule wechseln, von den Abseiten getrennt. Die Kapitäle zeigen etwas dunkle, ungeschickte Anklänge an antike Motive; die Basen sind ohne Eckblatt. Der unmerklich über das Langhaus vorspringende Querbau mit seinen Apsiden, die runden Westthürme, zwischen welchen eine zweite Nische auf einer Krypta sich befindet, endlich deutliche Spuren von offenen Emporen über den Seitenschiffen, einer für diese Frühzeit in Deutschland sonst unerhörten Erscheinung, prägen dem im Aeusseren sehr einfachen, spärlich gegliederten Denkmale einen höchst eigenthümlichen Charakter auf.

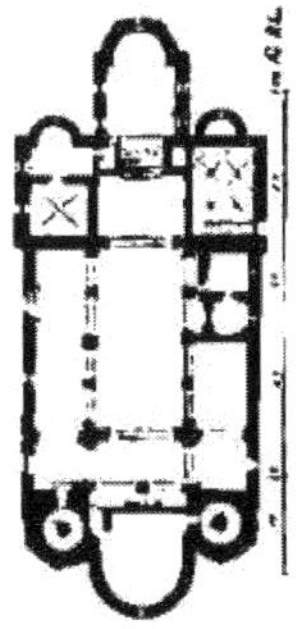

Fig. 316. Kirche zu Gernrode.

Kirche zu Quedlinburg.

Von naher Verwandtschaft sowohl in der Anlage als auch in der Ausbildung ist die von Kaiser Heinrich I. gestiftete Schlosskirche des nur eine Meile entfernten Quedlinburg, besonders durch eine ausgedehnte Krypta bemerkenswerth. Hier wechseln je zwei Säulen mit einem Pfeiler; die Ornamentation folgt im Allgemeinen antiken Reminiscenzen, jedoch in mannichfaltigerer und eleganterer Ausführung.

Kirche zu Frose.

Dieselbe Behandlung der Arkaden zeigt die ebenfalls in jener Gegend liegende Kirche zu Frose; an ihr tritt das Querschiff nicht über das Langhaus vor und entbehrt auch der Seitennischen. Dagegen findet man an der im J. 1080 gegründeten, 1121 eingeweihten Klosterkirche zu

Kloster zu Huysburg.

Huysburg**) bei Halberstadt den Pfeiler mit einer Säule wechselnd und dabei jene lebendige, oben bereits erwähnte Gliederung der Obermauer des Schiffes durch einen

*) Hauptwerk das bereits citirte von L. Puttrich, Leipzig 1836—1842, sammt seinem Anhang: Systematische Darstellung der Entwicklung der Baukunst in den obersächsischen Ländern vom 10. bis 15. Jahrh. — F. Kugler und E. F. Ranke, Die Schlosskirche zu Quedlinburg und die verwandten Kirchen der Umgegend. Berlin 1838. Neuer Abdruck in Kugler's Kleinen Schriften und Studien zur Kunstgeschichte I. Bd. Stuttgart 1853.

**) Zeitschrift für Bauwesen, von G. Erbkam, Jahrgang 1851. Berlin. Fol. u. 4.

von Pfeiler zu Pfeiler geschlagenen Blendbogen, der je zwei Arkadenbögen umfasst. Dieselbe Anordnung der Stützen zeigte der in neuerer Zeit abgetragene, aber in ausführlichen Aufnahmen erhaltene Dom zu Goslar*), die glänzende Stiftung Kaiser Heinrichs III., 1050 eingeweiht, später mit einer prächtigen Vorhalle versehen, welche noch vorhanden ist. Wichtig als frühzeitige Pfeilerbasilika ist sodann die benachbarte **Liebfrauenkirche zu Halberstadt** (1135—46 erbaut), ausserdem durch ihre alten Wandmalereien und die merkwürdigen Sculpturen der Chorbrüstung, so wie durch ihre vier stattlichen Thürme (zwei westliche und zwei zur Seite des Chores) hervorragend.

Liebfrauenkirche zu Halberstadt.

Als Beispiel einer in Sachsen nur ausnahmsweise vorkommenden reinen Säulenanlage nennen wir die Klosterkirche zu **Hamersleben**, 1112 gestiftet, aber wahrscheinlich erst um die Mitte des Jahrh. erbaut, durch stattlichen Chor- und Thurmbau, reiche Ornamentik und selbständige Sculpturwerke ausgezeichnet.

Kirche zu Hamersleben.

Der höchste Glanz und Adel romanischer Decoration entfaltet sich endlich an der **goldenen Pforte zu Freiberg** im Erzgebirge, der letzten romanischen Bauepoche angehörend (Fig. 261 auf S. 321).

Kirche zu Freiberg.

Kirchen in Hildesheim.

Von grosser Bedeutung sind mehrere Kirchen **Hildesheim's****), das schon um das Jahr 1000 unter dem kunstgeübten Bischof Bernward eine lebendige künstlerische Thätigkeit sah. Die Kirche auf dem **Moritzberge**, wenn gleich modernisirt, ist eine wohl noch aus demselben Jahrh. stammende Säulenbasilika.

S. Moritz.

Nicht später scheint auch der **Dom** zu sein (1061 gegründet), der im Innern das System des mit zwei Säulen wechselnden Pfeilers befolgt und am Aeusseren durch Anlage eines breiten Westthurmes und eines Thurmes auf der Kreuzung von stattlicher Wirkung erscheint.

Dom.

Das grossartigste Beispiel dieses Styles bietet aber die von Bernward selbst gegründete und mit seinem ganzen Vermögen dotirte Benedictiner-Abteikirche **S. Michael**, eine der glänzendsten Schöpfungen streng romanischer Baukunst.

S. Michael.

Im J. 1001 gegründet, 1033 eingeweiht, wurde sie 1162 durch Brand zerstört und nach einem Neubau 1184 abermals geweiht. Sie folgt der Arkadenbildung des Doms, nur mit ungleich reicherer Ausstattung, wie auch ihre Gesammtanlage von grandioser Pracht ist (Fig. 274 S. 329). Vor ihrer gegenwärtigen Verstümmelung war sie nämlich mit zwei Querschiffen, zwei Chören und einer Krypta versehen und durch sechs Thürme, zwei auf den Kreuzesmitteln und vier an den Giebeln der Querarme, geschmückt. Im Inneren sind nicht allein Kapitäle, Archivolten, Säulenbasen mit Sculpturen bedeckt: auch die Chorschranken haben plastische Werke von hohem kunstgeschichtlichem Werth, und die weite Holzdecke des Mittelschiffes hat — als das einzige Beispiel diesseits der Alpen — ihre prachtvollen alten Malereien fast vollständig bewahrt***). Aehnlich reiche Decoration findet man endlich an der Stiftskirche **S. Godehard**, vom J. 1133, deren originellen Grundriss wir auf S. 328 gegeben haben, und von deren mannichfaltiger Ornamentik die auf S. 317 abgebildeten beiden Kapitäle eine Andeutung gewähren. Auch hier sind zwei Säulen zwischen die Pfeiler gestellt, wie die Abbildung der Arkaden, Fig. 247 auf S. 314, veranschaulicht; das Abweichende der Anlage beruht aber auf der Anordnung eines Chorumganges mit Kapellen. Zwischen den beiden Westthürmen tritt ebenfalls eine Apsis vor; auf der Kreuzung erhebt sich ein dritter Thurm.

S. Godehard.

Unter den verwandten Basiliken-Anlagen dieser geographischen Gruppe heben wir noch die Klosterkirche zu **Hecklingen** hervor, gegen 1130 erbaut, in deren Arkaden der Pfeiler mit einer Säule wechselt, und deren Grundriss wir wegen seiner regelmässigen Anordnung auf S. 312 vorbildlich mittheilten. Von ihren zierlich entwickelten Pfeilern gibt Fig. 276 auf S. 330 ein Beispiel.

Klosterk. zu Hecklingen.

In wie später Zeit diese Gegenden noch an der flachgedeckten Basilika festhielten, beweist die 1184 geweihte Kirche zu **Wechselburg**, ein reiner Pfeilerbau von edler Durchbildung und mit wichtigen Sculpturwerken ausgestattet.

Kirche zu Wechselburg.

Erst im Laufe des 12. Jahrh. scheint in diesen Ländern die Ueberwölbung der Kirchen in Aufnahme gekommen zu sein, von der man in anderen Gegenden bereits im

Gewölbte Basiliken.

*) *H. W. Mithoff*, Archiv für Niedersachs. Kunstg. III Abth. Kunstw. in Goslar. Fol. Hannover 1857.

**) Die mittelalterlichen Baudenkmäler Niedersachsens, herausgegeben von dem Architekten- und Ingenieur-Verein zu Hannover. gr. 4. Hannover. 1856.

***) Herausgegeben durch Dr. *Kratz*, in Farbendruck von *Storch* und *Kramer*. Berlin 1857.

11. Jahrh. bedeutsame Spuren antrifft. Eins der frühesten Beispiele mag die im J. 1135 von Kaiser Lothar gegründete Benedictiner-Abteikirche **Königslutter** sein (Fig. 270). Nach aussen durch drei stattliche Thürme, reich entwickelten Chorbau und prächtige Portale, davon das eine mit seinen Säulen auf zwei mächtigen Löwenfiguren ruht, imponirend, zeigt die Kirche im Inneren bedeutende Verhältnisse und würdige Ausstattung. Aber nur Chor und Kreuzschiff haben romanische Gewölbe, und das erst später eingewölbte Langhaus war ursprünglich als schlichte flach gedeckte Pfeilerbasilika entwickelt. Besonders reich sind die als zweischiffige Hallen angelegten Kreuzgänge aus der letzten romanischen Epoche.

Kirche zu Königslutter.

Dom zu Braunschweig.

Der benachbarte **Dom zu Braunschweig***), das Denkmal Heinrichs des Löwen vom J. 1171, vertritt dagegen den durchgeführten Gewölbebau bei reiner Pfeilerstellung in den Arkaden (vergl. den Grundriss Fig. 317, der die in gothischer Zeit hinzugefügten beiden äusseren Nebenschiffe durch hellere Schraffirung auszeichnet). Der bedeutende Bau gibt durch seine neuentdeckten Gewölbemalereien ein Beispiel von der reichen farbigen Ausschmückung solcher Werke. Diese Entwicklung, die sich auf die Pfeilerbasilika stützte, wirkte denn auch bisweilen auf die anderen Grundformen zurück. So erhielt genau um dieselbe Zeit (1172) die Stiftskirche zu **Gandersheim**, ein mit zwei Säulen wechselnder Pfeilerbau, seine Wölbung, und die Gewölbe der nach demselben System angelegten Stiftskirche zu **Wunstorf** werden ohne Zweifel derselben Epoche zuzuschreiben sein.

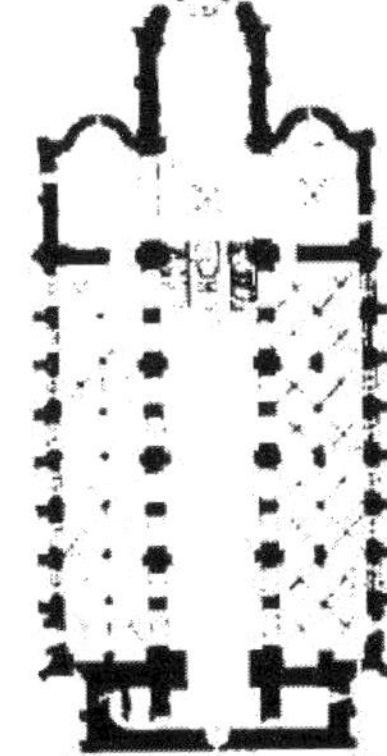
Fig. 317. Dom zu Braunschweig.

Kirche zu Gandersheim und zu Wunstorf.

Uebergangsbauten.

K. Neuwerk zu Goslar.

Zu einer höheren Entfaltung, aus welcher Werke von grosser Bedeutung hervorgingen, kam die gewölbte Basilika auch hier durch Aufnahme des Spitzbogens. Bei streng romanischer Planform zeigt die Kirche des Klosters **Neuwerk** zu **Goslar**, begonnen gegen Ausgang des 12. Jahrh., eine ungemein reiche und zierliche Pfeilergliederung, bei welcher selbst einige übermüthig spielende Wunderlichkeiten vorkommen, und ein consequent durchgeführtes Rippensystem. Besonders schmuckvoll ist das Aeussere der Apsis ausgestattet. Sodann gehören hierher zwei durch eben so grossartige als originelle Anlage ausgezeichnete Cisterzienser-Klosterkirchen, die den Uebergangsstyl in seiner ganzen Entschiedenheit durchgeführt haben. Die in den Jahren 1240—1250 erbaute Abteikirche zu **Loccum****) bei Minden zeigt eine strenge Behandlung des Uebergangsstyles, einfache Gliederung der Pfeiler mittelst feiner, an den Ecken durch Einkerbung entstandener Säulchen und Kreuzgewölbe mit Rippen. Die Fenster sind durchweg paarweise angeordnet, in den östlichen Theilen noch rundbogig, im Schiff bereits gleich den Gewölben spitzbogig. Der geradlinig geschlossene Chor hat in origineller Anlage jederseits zwei neben einander liegende, die übrige Breite der Querschiffarme deckende Kapellen mit Apsiden in der Dicke der Mauer. Entwickelter noch ist die im Jahr 1275 eingeweihte Abteikirche zu **Riddagshausen** bei Braunschweig***). Hier ist Alles spitzbogig, der westliche Theil des Schiffes sogar schon mit Aufnahme gothischer Elemente; die Pfeiler haben Halbsäulen und Ecksäulen

Kirche zu Loccum.

Kirche zu Riddagshausen.

*) Vergl. *C. Schiller*, Die mittelalterliche Architektur Braunschweigs und seiner nächsten Umgebungen. 8. Braunschweig 1852. (Mit Grundrissen.)

**) Aufnahmen von *Hase* im Notizblatt des Architekten-Vereins zu Hannover. — Vergl. auch *W. Lübke*, Die mittelalterliche Kunst in Westfalen. 8 und Fol. Leipzig. 1853.

***) Zeitschrift für Bauwesen von *G. Erbkam*. Berlin. 1851. Vergl. *C. Schiller* a. a. O.

als Vorlagen, die Gewölbe durchweg Rippen, und die Fenster sind in Gruppen zu Dreien geordnet. Merkwürdig ist die Fortsetzung der Seitenschiffe als Umgang um den geradlinig schliessenden Chor, und der Kranz niedriger viereckiger Kapellen, der wieder den Chorumgang begleitet (vergl. Fig. 318 und 319). Dies gibt dem Aeusseren mit seinen drei Chordächern den Charakter terrassenförmig pyramidalen Aufsteigens. Beide Kirchen haben nur einen kleinen Glockenthurm auf der Kreuzung.

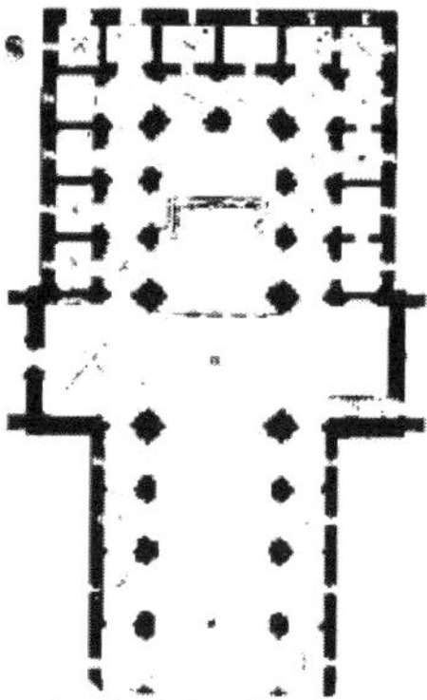

Fig. 318. Kirche zu Riddagshausen.

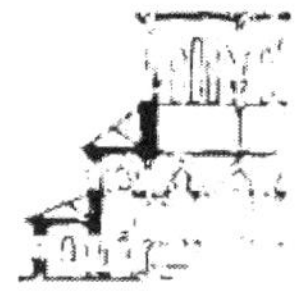

Fig. 319. Kirche zu Riddagshausen. Längendurchschnitt des Chors.

In Thüringen und Franken*), den mitteldeutschen Ländern, finden wir manche Merkmale der sächsischen Bauten, die Mannichfaltigkeit der Arkadenbildung und überhaupt der inneren Raumentfaltung und Ausstattung bei würdig und ernst behandeltem Aeusseren wieder. Neben der überwiegend angewandten Pfeileranlage kommt die reine Säulenbasilika häufiger vor, der mit Säulen wechselnde Pfeilerbau seltener. Während nun auch hier die flachgedeckte Basilika sich lange Zeit herrschend erhält, tritt ihr nicht ein so consequent wie dort sich entfaltender Gewölbebau zur Seite und erst die Uebergangszeit überrascht mit spitzbogig ausgeführten Bauwerken von hervorragender Bedeutung. Mitteldeutsche Bauten.

Als Säulenbasilika von grossartigen Verhältnissen bei einfacher ja strenger Durchführung ist die als malerische Ruine vorhandene Klosterkirche zu Paulinzelle, mitten im Thüringer Walde, zu nennen. Im J. 1106 gegründet, hat sie schlichte Würfelkapitäle und rechtwinklige Umfassungen der Arkadenbögen, einen Chor mit Abseiten und fünf Nischen. (Ein Kämpfergesims von ihr auf S. 315 unter Fig. 251.) So ist auch die Klosterkirche zu Heilsbronn bei Nürnberg**), von der wir auf S. 340 die Abbildung des in spätromanischem Style durchgeführten Portales einer dazu gehörigen Kapelle mittheilten, eine stattliche Säulenbasilika. Aehnliche Anordnung findet man in S. Jakob zu Bamberg, bis gegen 1110 erbaut, mit Würfelkapitälen und kräftigen attischen Basen ohne Eckblatt. Ungewöhnlicher Weise liegt hier das Querschiff im Westen. Dagegen ist die 1121 geweihte Kirche S. Michael daselbst eine Pfeilerbasilika, ursprünglich gleich jener flach gedeckt. In Würzburg erscheint der Dom trotz späterer Umgestaltungen und Modernisirung als eine ursprünglich flachgedeckte Anlage mit schlichten, kräftigen Pfeilern. Der Westbau mit seinen beiden Thürmen, dem überaus einfachen, nur von Pfeilern eingefassten Portal, dem schmucklosen und

Kirche zu Paulinzelle

Kirche zu Heilsbronn.

Kirchen zu Bamberg.

Dom zu Würzburg.

*) Vergl. die betreffenden Abtheilungen des citirten Werkes von *Puttrich*.

**) Alterthümer und Kunstdenkmale des Erlauchten Hauses Hohenzollern. Herausgegeben von *Rudolph Freiherrn von Stillfried*. Neue Folge. Fol. Berlin 1856.

geringen Mauerwerk ist ein Werk des 11. Jahrh., welches bei der äusseren Gesammtbreite von 63 Fuss eine viel kleinere Anlage auch des ehemaligen Schiffbaues voraussetzen lässt. Daran fügte man noch im Ausgang desselben oder im Beginn des 12. Jahrh. eine grossartige Pfeilerbasilika von 98 Fuss innerer Breite, wovon 44 Fuss allein auf das Mittelschiff kommen. Ein geräumiges Querschiff mit Apsiden und ein ebenfalls mit einer Apsis geschlossener Chor, zu dessen Seiten man gegen Ende der romanischen Epoche zwei zierliche Thürme aufführte, schliessen den noch jetzt höchst grandios wirkenden Bau ab. Je mehr er im Innern verzopft ist, um so schöner hat sich am Aeusseren die strenge und edle Wandgliederung erhalten. Eine spitzbogige

Kirchen zu Crailsheim.

Säulenbasilika ist die Johanniskirche zu Crailsheim, dagegen zeigt die Kirche zu

Weinsberg.

Weinsberg den in diesen Gegenden seltenen Wechsel von Pfeiler und Säule bei ebenfalls schon spitzbogigem Arkadenbau. Mit manchen schwäbischen Kirchen hat sie den geradlinigen Chorschluss und die über dem Chor aufsteigende Thurmanlage gemein, wie denn in Grenzgebieten solche Mischungen sich kreuzender Einflüsse

Würzburg.

bezeichnend sind. Ein schlichter Pfeilerbau ist ferner zu Würzburg die Schottenkirche, während der in den sächsischen Gegenden oft vorkommende Wechsel von Säulen und Pfeilern sich an S. Burkard daselbst findet.

Kirchen zu Komburg.

Genau dasselbe System der Aussenarchitektur wie der Dom zu Würzburg zeigt die kleine Klosterkirche S. Gilgen bei Komburg in der Nähe von Schwäbisch-Hall. Das Innere ist ein derber Säulenbau, der um 1100 ausgeführt sein mag, mit schweren Würfelkapitälen und steilen, stumpf profilirten attischen Basen, die das Eckblatt noch nicht kennen und auf runder Plinthe ruhen. Komburg selbst besitzt die grossartige Anlage einer auf steiler Höhe thronenden befestigten Benediktinerabtei des Mittelalters, obwohl die Kirche, mit Ausnahme der drei Thürme, einem Renaissancebau weichen musste. Ein Kreuzgang, der sich der Westseite anschloss, ist ebenfalls verschwunden; dagegen besteht noch eine originelle sechseckige Kapelle, deren unteres Geschoss einen Durchgang bildet, sowie der von zwei Thürmen flankirte Eingang des Klosters, mit zierlicher romanischer Galerie.

In Thüringen zeichnet sich, der Spätzeit des romanischen Styles angehörend, durch sehr elegante Pfeilerbildung und eben so anmuthige als stattliche Verhältnisse

Kirche zu Thalbürgel.

die Kirche zu Thalbürgel aus. Alle ihre Pfeiler sind auf's Zierlichste mit Säulchen besetzt, deren Profilirungen auch die Arkadenbögen begleiten und eine lebensvolle Gliederung derselben bewirken. Die Thürme erheben sich hier wie zu Hamersleben dicht an den Querarmen über den beginnenden Seitenschiffen. Als ebenfalls flachgedeckte Pfeilerbasilika mit spitzbogig aufgeführten Arkaden ist endlich die etwa um 1200

Kirche zu Memleben.

erbaute Kirche des Klosters Memleben zu nennen.

Gewölbte Anlagen.

An der Entwicklung des Gewölbebaues scheinen, wie schon bemerkt, diese Gegenden sich nicht eben selbständig betheiligt zu haben, obwohl sie nicht zögerten, sich die anderwärts gewonnenen Resultate frisch anzueignen. Dies geschah aber in bedeutsamer Weise erst in der Uebergangszeit. Ein bemerkenswerthes Beispiel bietet die

Arnstadt.

Liebfrauenkirche zu Arnstadt, eine Basilika mit gegliederten Pfeilern und Rundbogenarkaden, und über den Seitenschiffen mit einer in diesen Gegenden vereinzelten Emporenanlage. Der Westbau zeigt zwei elegant entwickelte in's Achteck übergehende

Dom zu Naumburg.

Thürme. Bedeutender ist das Langhaus und Querschiff des Doms zu Naumburg, ohne Zweifel erst im 13. Jahrh. ausgeführt, und nach einer alten Nachricht im Jahre 1242 eingeweiht (Fig. 320.) Imponirende Verhältnisse, consequent durchgeführte Spitzbogenwölbung mit Rippen, reich entwickelte Pfeiler und kräftige Arkaden ebenfalls im Spitzbogen, während die Fenster noch den Rundbogen zeigen, bedingen die hervorragende Stellung dieses Bauwerkes. Zwei Thürme schliessen den östlichen, und eben so viele den westlichen Chor ein. Die Chöre selbst stammen aus gothischer Epoche, der westliche aus den Jahren 1249—1272, der östliche aus dem 14. Jahrh.

Kirche zu Ebrach.

Hierher gehört sodann die Cisterzienserkirche Ebrach in Franken (Fig. 321), erst 1285 geweiht, mit jener breiten Choranlage, die wir in Riddagshausen fanden, wo der geradlinige Mittelbau von niedrigen Umgängen und in zweiter Reihe von viereckigen Kapellen umzogen wird. Das Schiff zeigt bereits ein Strebesystem neben rundbogigen Fenstern, der Westbau enthält gothische Elemente. Ebenfalls im 13. Jahrh. erhielt die Stiftskirche zu Aschaffenburg an ihr einfaches, flachgedecktes Pfeilerschiff den prachtvollen Emporenbau sammt dem reichen Portal und den nördlich anstossenden Kreuzgängen. Dazu kam ein geräumiges Atrium, zu welchem eine grossartige doppelte Freitreppe (in der Renaissancezeit erneuert) emporführt, eine Anlage von so hohem malerischem Reiz, wie sie diesseits der Alpen vielleicht nirgends wieder erreicht worden ist. An der Pfarrkirche daselbst verdient der elegante Thurm mit schlanker Steinpyramide aus vorgerückter Uebergangszeit Beachtung. Die höchste Spitze der Entwicklung bezeichnet endlich der Dom zu Bamberg, eine der vollendetsten Schöpfungen der gesammten mittelalterlichen Epoche, dessen Grundriss wir auf S. 335 gaben. Auch hier herrscht an Portalen und Fenstern noch der Rundbogen, wenngleich in reichster Ausbildung, indess die Rippengewölbe des Inneren spitzbogig auf ungemein schön entwickelten Pfeilern durchgeführt sind. Den grossartigen Verhältnissen entspricht die harmonische Durchführung, die glänzende Ausstattung.

Kirche zu Aschaffenburg.

Dom zu Bamberg.

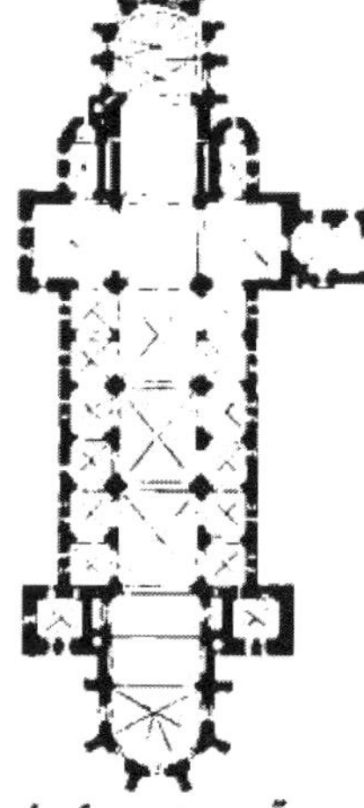

Fig. 320. Dom zu Naumburg.

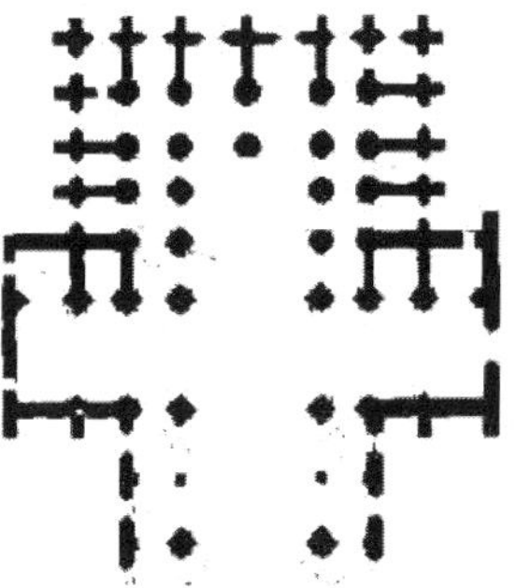

Fig. 321. Grundriss von Ebrach. (Nach v. Quast.)

Ueber die Anlage der doppelten Chöre sprachen wir schon; seltsam ist indess, dass, wie auch an S. Jakob zu Bamberg, das Querschiff im Westen liegt und die Haupteingänge östlich angebracht sind, ein Zugeständniss, das wohl durch die Lage der Stadt hervorgerufen wurde. Um die reiche Ausbildung des Aeusseren zu veranschaulichen, geben wir unter Fig. 322 eine Ansicht von der Ostseite, die den polygonen Chor mit seiner reichen Fensterarchitektur und Säulengalerie, die stattliche Thurmanlage mit den Portalen zeigt. Die westlichen Thürme stammen aus etwas späterer Zeit.

In den Rheinlanden*)

tritt uns wieder eine in hohem Grade selbständige und bedeutende Gestaltung der romanischen Architektur entgegen. Hier war es die glückliche Lage, der länderver-

Charakter der rheinischen Werke.

*) *Boisserée*, Denkmale der Baukunst am Niederrhein. Fol. München 1833. — *G. Moller*, Denkmäler der deutschen

bindende Strom, welcher städtische Blüthe und Reichthum früh entfaltete und zur Regsamkeit des Handels und Wandels antrieb, kurz die Gesammtheit günstiger Natur-

Fig. 279. Dom zu Bamberg.

Baukunst. Fol. Darmstadt 1831, I. und II. Bd. — *Gladbach*, Fortsetzung von *Moller's* Denkmälern. Bd. III. Darmstadt. — *Geier* und *Görz*, Denkmäler romanischer Baukunst am Rhein. Fol. Frankfurt a. M. 1846. — Reichhaltige Notizen, mit Detailzeichnungen in *Fr. Kugler's* Rheinreise vom Jahr 1841, in den Kl. Schriften und Studien zur Kunstgeschichte. Bd. II. Stuttgart 1854. — *Fr. Bock*, Rheinlands Baudenkmale des Mittelalters. 8. Köln u. Neuss. 1869 ff. — *Derselbe*, Das monumentale Rheinland. gr. Fol. ebenda.

bedingungen, denen ein wichtiger Einfluss auf die Ausbildung der Bauthätigkeit zuzuschreiben ist. In der früheren Zeit machen sich die Reminiscenzen antiker Baukunst, die durch zahlreiche Römerwerke lebendig erhalten wurden, überwiegend bemerkbar. Der sogenannte Karnies, das Consolengesims, die korinthisirenden Kapitälformen gehören dahin, während die beliebte Anwendung verschiedenfarbigen Materials, die dem Mauerwerke einen angenehmen Wechsel verleiht, an altchristliche Elemente erinnert. Doch bald schon macht sich auch hier germanische Gefühlsweise Luft und spricht sich in den Würfelkapitälen und der Umgestaltung des Grundrisses vernehmlich aus. In letzterer Beziehung zeigen die rheinischen Bauwerke eine Mannichfaltigkeit, einen Reichthum an Compositionsgedanken, dass sie hierin unerreicht dastehen. Diese reichere Entfaltung der Planform beruht hauptsächlich auf dem Bestreben, die Kreuzanlage in bedeutsamerer Weise, vorzüglich durch Aufnahme der Kuppel, zu entwickeln. Mögen byzantinische Vorbilder einen Anstoss dazu gegeben haben, so war doch die Auffassung und Durchführung dieser Idee durchaus eigenthümlich. Sie stützte sich aber auf eine consequentere Anwendung des Gewölbebaues. Dieser tritt wirklich an den rheinischen Bauten, vermuthlich unter Begünstigung des leichten Tuffstein-Materials, bereits gegen Mitte des 11. Jahrh., wie es scheint früher als sonstwo in Deutschland, und höchst wahrscheinlich ganz selbständig auf. Indem man nun auf der Vierung des Kreuzes eine Kuppel emporführte, sie mit einer Gruppe von Thürmen umgab oder sie selbst nach aussen als mächtigen Thurm ausbildete, ja sogar die Kreuzarme bisweilen halbkreisförmig oder polygon schloss, gewann man eine ungemein stattliche, höchst malerische Anlage und manche originelle Combination. Die Richtung auf das Malerische blieb nun auch dabei nicht stehen, sondern unterwarf sich die ganze äussere Durchführung. Ein besonderer Eifer regte sich dadurch für die Ausschmückung des Aeusseren, an welchem die reichen, zierlichen Säulengalerien des Chors und Querschiffes, ja bisweilen auch des Langhauses, als vorzüglich charakteristisches Merkmal hervortreten. Diese Richtung steigerte sich noch an den Uebergangsbauten, so dass diese unter Anwendung mannichfacher phantastischer Formen und einer glänzenden Ornamentik bisweilen eine überaus reiche Erscheinung gewinnen. Das Ornament selbst aber hat nur in seltenen Fällen jene geschmackvolle Ausbildung, jene Grazie und Ideenfülle der späteren sächsischen Bauten. Als eigenthümlichen Zusatz erhalten die späteren Kirchen dieser Gruppe oft eine Empore über den Seitenschiffen, die sich mit Bogenstellungen gegen den Mittelraum öffnet.

Flachgedeckte Kirchen findet man hier verhältnissmässig selten. Gewöhnlich wurden solche Anlagen schon in romanischer Zeit mit Gewölben nachträglich versehen. Meistens haben sie entweder reine Pfeileranlage oder Säulenstellungen; die Mischformen kommen nur vereinzelt vor. Eine der grossartigsten Säulenbasiliken war die jetzt in Trümmern liegende Klosterkirche zu Limburg in der Pfalz. Von Kaiser Konrad II. im J. 1030 gegründet, wurde sie im J. 1042 eingeweiht. Noch jetzt bemerkt man an den äusserst schlicht behandelten Säulen mit ihren steilen attischen Basen und strengen Würfelkapitälen, an den hohen Mauern des Querschiffes mit seinen Apsiden und dem geradlinig geschlossenen Chor die bedeutenden Verhältnisse des Baues. Die lichte Breite des Mittelschiffes misst 38 Fuss, die Höhe desselben 74 Fuss, Dimensionen, die das gewöhnliche Maass der deutschen Kirchen dieses Styles weit hinter sich lassen. Auch von der Krypta sind noch Spuren vorhanden. Am westlichen Ende erhob sich ein eigenthümlicher Emporenbau neben zwei runden Treppenthürmen. Sodann ist die Kirche zu Höchst bei Frankfurt als Säulenbau mit streng korinthisirenden, ohne Zweifel sehr alterthümlichen Kapitälen zu bezeichnen. In Köln zeigt sich S. Georg, um 1067 vollendet, als eine ursprünglich flachgedeckte Basilika mit derb behandelten Würfelkapitälen, der sich westlich ein quadratischer mit reicher Nischenarchitektur und entwickeltem spätromanischem Gewölbe versehener Anbau, vermuthlich eine Taufkapelle, anschliesst. Selbst in der letzten romanischen Epoche findet sich noch ein Säulenbau mit spitzbogig gebildeten Arkaden, die Kirche zu Merzig an der Saar. Als vereinzelte Beispiele vom Wechsel des Pfeilers mit der Säule ist vorzüglich die

Flachgedeckte Basiliken.

Kirche zu Limburg.

Kirche zu Höchst. S. Georg in Köln.

Kirche zu Merzig.

Kirche zu Echternach.

Kirche zu Echternach bei Trier, geweiht im J. 1031, namhaft zu machen *). Auffallend durch ihre leichten, anmuthigen Verhältnisse, die schön gebildeten korinthisirenden Kapitäle, den Eierstab am Arkadengesimse, zeichnet sich die Kirche auch durch jene an einigen sächsischen Denkmalen bemerkte Umspannung je zweier Arkadenbögen durch einen von den Pfeilern aufsteigenden Blendbogen aus (vergl. Fig. 248 auf S. 311).

Kirche zu Roth.

In der Kirche zu Roth an der Our findet sich dasselbe Verhältniss, nur dass hier die Arkaden selbst schon spitzbogig sind, während ihre Umfassung noch den Rundbogen zeigt. Von der grossen Anzahl reiner Pfeilerbasiliken nennen wir die

Kirche zu Lorsch. Kirchen zu Koblenz.

Kirche zu Lorsch unfern Worms, von welcher nur noch Theile erhalten sind, aus dem Ende des 11. Jahrh.; ferner S. Florin zu Koblenz, im ersten Viertel des 12. Jahrh. erbaut, aber mit zweithürmiger Westfaçade, deren primitive Pilasterarchitektur sicher noch auf das 11. Jahrh. deutet; eben daselbst mit reicher entwickelten, durch vier Halbsäulen belebten Pfeilern S. Castor von 1157—1208, mit späterer Ueberwölbung, die Façade mit ihren beiden Thürmen und halbrunden Treppenthürmen noch älter als die von S. Florin; die Gliederung auch hier noch nicht durch Lisenen, sondern durch Pilaster mit roh und ungeschickt antikisirenden Kapitälen bewirkt; die Säulchen in den Schallöffnungen mit unentwickelten Würfelkapitälen und schräg gespannten Kämpfern; das Alles sicherlich vom Anfang des 11. wenn nicht noch aus dem 10. Jahrh., nur das oberste Stockwerk im 12. Jahrh. hinzugefügt; ebendort sodann die Liebfrauenkirche, ein Gewölbebau mit Emporen aus spätromanischer Zeit, in gothischer Epoche neugewölbt, die Westfaçade mit ihren Thürmen in durchgebildeter Lisenenarchitektur

Kirchen zu Köln.

behandelt; in Köln endlich die verbauten Kirchen S. Johann Baptist und S. Ursula. Weiter sodann kommt die grossartige Umgestaltung in Betracht, welche Erzbischof Poppo im 11. Jahrh. bis nach 1047 mit dem aus altchristlicher Zeit datirenden (vergl.

Dom von Trier.

S. 263) Dom von Trier vornahm, indem er den Bau nach Westen beträchtlich verlängerte und dort mit einer Apsis über einer Krypta schloss. Diese Façade mit ihren streng antikisirenden Pilastern, ihren beiden Thürmen sammt angelehnten runden Treppenthürmen ist ein werthvoller Bau der frühromanischen Epoche. Dazu kam seit der Mitte des 12 Jahrh. ein neuer Umbau, der die östlichen Theile und das Schiff betraf und letzteres zu einem Gewölbebau in den Formen des Uebergangsstyles umschuf. Ebenfalls im 11. Jahrh. (inschriftlich 1051) erhielt die Stiftskirche zu Essen (vergl. S.

Essen.

266) ihre stattliche Krypta auf spielend decorirten Pfeilern, und an der Westseite ein Atrium mit doppelter Säulenreihe, welches zu einer alten später gothisch umgebauten Taufkapelle führte.

Gewölbebau.

S. Marien zu Köln.

Wie die bereits erwähnte stattlichere Entfaltung des Grundrisses zu ausgedehnterer Anwendung des Gewölbebaues führte, erkennt man deutlich an S. Marien im Capitol zu Köln, einem Baue, der in seiner wahrhaft grossartigen Conception die Kraft und Frische einer jugendlichen Zeit athmet. Der Kern dieses Werkes mit Ausnahme der späteren Mittelschiffgewölbe und damit verbundener Ueberhöhung, zeigt noch denselben Bau, der im J. 1049 durch Papst Leo XI. die Weihe empfing. Ursprünglich war das Mittelschiff flach gedeckt, so dass die späteren Gewölbe auf Pilastern ruhen, die über den Kämpfern der Pfeiler auf Consolen aufsetzen. Aber an die Rückseite der schlichten Pfeiler lehnen sich Halbsäulen, und ähnliche, diesen entsprechend, treten aus der Umfassungsmauer. Sie tragen die offenbar von der ersten Anlage herrührenden Kreuzgewölbe der Seitenschiffe. Noch unerlässlicher wurde aber die Wölbung an den östlichen Theilen, auf deren Anordnung wir schon oben hindeuteten (vergl. Fig. 271 auf S. 328). Chor und Querarme, im Halbkreise endend, werden von Umgängen begleitet, mit denen sie durch Säulenstellungen zusammenhängen. Die Umgänge sind mit Kreuzgewölben bedeckt, indess an die Hauptkuppel der Nischen sich hohe Tonnengewölbe für die rechtwinkligen Mittelräume schliessen. Bei dieser ausgedehnten und complicirten Construction ist alles Detail ungemein primitiv und streng. Die stark verjüngten Säulen haben steile attische Basen ohne Eckblatt, und ihre Kapitäle stossen mit ihrer massigen Würfelform ohne Hals unmittelbar auf den

*) C. W. Schmidt's Baudenkmale von Trier.

Schaft. Auch das Aeussere ist sehr schlicht, nur durch ein Consolengesims und am Chor durch Pfeilerarkaden gegliedert. Westlich schliesst sich eine Vorhalle mit zwei Geschossen an. Zwei andere Kirchen Kölns nehmen das Motiv der Chor- und Kreuzschiff-Bildung von S. Marien auf, gestalten es jedoch in freier, selbständiger Weise um. S. Aposteln, in der Grundanlage noch aus dem 11. Jahrh., erneuert und reicher ausgeführt in spätromanischer Zeit, gewölbt 1219 *), bildet Chor und Kreuzarme ebenfalls mit rundem Schluss (vergl. Fig. 273 auf S. 329), aber kürzer zusammengedrängt, ohne Umgänge, dagegen mit einer Kuppel auf dem Kreuze, so dass der Centralgedanke hier besonders stark überwiegt. Auch am Aeusseren, das mit Galerien und Arkaden S. Aposteln zu Köln.

Fig. 283. Apostelkirche zu Köln

in glänzender Weise geschmückt ist, spricht sich diese Richtung durch die achteckige Kuppel, aus deren Dache ein laternenartiger Aufsatz mit Lichtöffnungen und nach byzantinischen Vorbildern rund gestaltetem Schluss aufsteigt, deutlich aus. (Fig. 323). Zwei fast miniaretartig schlanke polygone Thürme, zwischen Chor- und Querarmen angelegt, begleiten die Kuppel. Das Langhaus mit seiner Ueberwölbung, westlichem Querhause und viereckigem Glockenthurme, in der Anlage alt, der Ausbildung spätromanisch, ist schlichter behandelt. Wiederum anders gestaltet sich derselbe Grundplan an der Abteikirche Gross S. Martin. Zwar ist auch hier der östliche Bau S. Martin zu Köln.
zusammengedrängt, ohne Umgänge, in seinen drei Armen rund geschlossen, aber auf

*) Ennen und Eckertz, Quellen zur Gesch. der Stadt Köln 1863 II. Nr. 65.

der Kreuzung erhebt sich mit hochragendem Helme ein gewaltiger viereckiger Kuppelthurm, den vier schlanke Polygonthürmchen, an seine Ecken gelehnt, begleiten. Das Streben nach Erleichterung und Ersparung der Mauermassen bringt hier wie an den übrigen Kirchen dieser Gruppe die häufig angewandten Wandnischen, die oberen Chorumgänge, die äusseren Säulengalerien unter dem Dachgesims, die Emporen über den Seitenschiffen sammt den Triforien hervor. Die Ausführung dieses stattlichen Baues reicht zum Theil in die späte Uebergangszeit hinein.

Mittelrhein. Bauten. In wesentlich verschiedener, selbständiger Auffassung tritt zu gleicher Zeit der Gewölbebau in den mittelrheinischen Gegenden auf. Hier wird zwar ebenfalls in

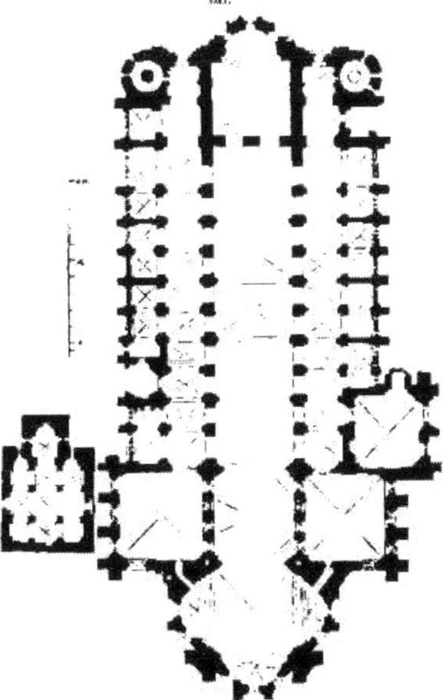

Fig. 334. Dom zu Mainz.

bedeutsamer Weise die Vierung durch Kuppelanlage hervorgehoben, aber die Ausbildung des gewölbten Langhauses hält damit gleichen Schritt und gelangt zu hoher organischer Durchführung. Diese Umgestaltung geht auch hier durchweg von der Pfeilerbasilika aus, aber über die Zeit dieser folgenschweren Neuerung herrschen

Dom zu Mainz. noch immer verschiedene Meinungen, die sich zwischen dem Beginn oder der Mitte des 12. Jahrh. theilen*). Der Dom zu Mainz, mit doppelten Chören und westlichem

*) Vergl. die scharfsinnige Untersuchung von *F. v. Quast* über die drei mittelrheinischen Dome zu Mainz, Speyer und Worms. 8. Berlin 1853. (Mit Zeichnungen.) Dagegen die Ausführung *C. Schnaase's* im 4. Bande seiner Geschichte der bildenden Künste. Sodann *Kugler* in seinen pfälzischen Studien im D. Kunstblatt vom J. 1854, wieder abgedruckt im II. Bande der Kl. Schriften zur Kunstgeschichte. Endlich *Hübsch* (über Speyer) in seinen altchristl. Kirchen.

Fig. [illegible]. Dom zu Mainz. [illegible].

Querschiff, zwei Kuppeln und je zwei Thürmen zu den Seiten der Chöre (siehe den Grundriss Fig. 321) erlitt mehrere Brände, bis er, wahrscheinlich nach dem Brande des Jahres 1081, bis gegen 1136 neu aufgeführt und vermuthlich mit Gewölben ver-

Fig. 328. Dom zu Speyer. Westseite.

sehen wurde. Die gegenwärtigen spitzbogigen Gewölbe gehören gleich dem westlichen Querhause dem dreizehnten Jahrhundert an. Die Dimensionen sind höchst bedeutend. Die schlanken, eng gestellten Arkadenpfeiler haben an ihren Rückseiten Halbsäulen für die Gewölbe der Seitenschiffe; an der Vorderseite dagegen hat nur einer um den andern die für die Gewölbe des Mittelschiffes bestimmte Vorlage. Zugleich steigen von den Kämpfern sämmtlicher Pfeiler Pilaster auf, welche mit Durchbrechung des Arkadengesimses, an der Oberwand Flachnischen bilden, über welchen die beiden Fenster liegen. So ist das Verticalprincip in eben so consequenter als energischer Weise durchgeführt, und die Wandfläche in diesem Sinne auf's lebendigste gegliedert.

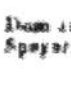
Dom zu Speyer.

Einen weiteren Fortschritt auf dieser Bahn bezeichnet der Dom zu Speyer*). Dieser, im J. 1030 als Pfeilerbasilika von kolossalsten Verhältnissen (das Mittelschiff hat eine Breite von 44 Fuss, der ganze Bau eine Gesammtlänge von 418 Fuss) durch Kaiser Konrad II., den wir schon als Erbauer der Klosterkirche zu Limburg kennen lernten, begonnen, wurde, wie man bisher annahm, nach dem Vorgange des Mainzer Domes, vermuthlich nach dem Brande von 1137 oder von 1159, eingewölbt. Nach

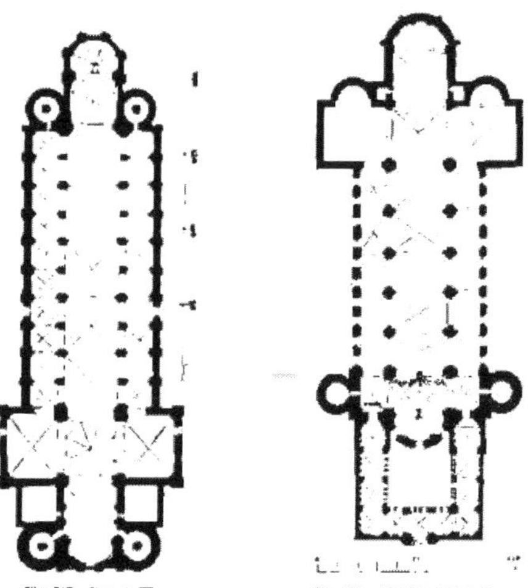

Fig. 327. Dom zu Worms.

Fig. 328. Abteikirche Laach.

dem technischen Zeugnisse von Hübsch wird man jedoch wohl annehmen müssen, dass der gewaltige Bau von Anfang an auf Gewölbe berechnet war. Hier legt sich vor jeden Pfeiler auch an der Vorderseite (man vergl. den Grundriss auf S. 331) eine Halbsäule, welche sammt dem aufsteigenden Pilaster den Blendbögen zur Stütze dient. Diese selbst (vergl. Fig. 250 auf S. 333) streben höher empor und sind als Einfassung um die Fenster gezogen, so dass diese in den innigsten organischen Verband mit den klar entwickelten Mauerflächen treten. Ueber ihnen in der Schildwand liegt aber noch ein kleineres Fenster, welches sich auf die Galerie öffnet, die mit ihren Zwergsäulchen sich um alle oberen Theile des mächtigen Bauwerkes zieht. Etwas unorganisch erscheint es, dass die als Gewölbträger bestimmten Wandsäulen in halber Höhe ein zweites Kapitäl haben. Der Chor erhebt sich auf einer sehr umfangreichen Krypta hoch über den Boden des Schiffes. Das Innere der Apsis ist durch nischenartige Mauerblenden lebendig gegliedert. An die Kuppel schliessen sich zwei viereckige

*) Aufnahmen bei Geier und Görz a. a. O.

Thürme zu den Seiten des Chores. Die ehemalige westliche Vorhalle war ein Zusatz der Zeit von 1772—1784, wo eine völlige Wiederherstellung des durch die Mordbrennerbanden König Ludwigs XIV. von Frankreich im Jahre 1689 sammt der Stadt eingeäscherten Domes ausgeführt wurde. Neuerdings hat durch die freigebige Sorgfalt Ludwigs I. von Bayern der Dom eine vollständige Ausschmückung mit Fresken erhalten, und in jüngster Zeit ist eine stylgemässe Wiederherstellung der Vorhalle sammt der Façade (Fig. 326) nach den Plänen von H. Hübsch vollendet worden.

Dom zu Worms. Am Dom zu Worms endlich *), von dessen erster Weihung im J. 1110 nur die unteren Theile der Westthürme rühren, dessen übriger Körper, mit Ausschluss des Westchores und der Gewölbe aus dem 13. Jahrh., dem im J. 1181 beendeten Bau angehört, zeigt sich eine nachbildende Aufnahme des Systems jener beiden benachbarten Dome. (Vgl. den Grundriss Fig. 327). Die Gewölbträger steigen hier als Bündelsäulen auf, um welche sich das Arkadengesims mit einer Verkröpfung fortsetzt; von den Arkadenpfeilern erheben sich wie in Mainz blosse Pilaster, welche wie in Speyer die Fenster umschliessen. Unterhalb dieser sind die Wandflächen in etwas willkürlicher Art durch blinde Fensternischen decorirt. Stattlich ist die Anlage zweier Chöre mit Kuppelbauten und zwei begleitenden Rundthürmen; ein Querschiff ist dagegen nur im Osten vorhanden. Der perspectivische Eindruck des Innern ist von überraschender Schönheit, besonders gehoben durch die Naturfarbe des rothen Sandsteines **). Die Ornamentik an diesen Bauwerken ist, soweit sie die älteren Theile betrifft, höchst einfach und selbst roh: steile attische Basen, schlichte Gesimsbänder, oft nur aus Platte und Schmiege bestehend, schwerfällig strenge Würfelkapitäle. In späterer Zeit entwickelt sich ein grösserer Reichthum, eine Aufnahme antiker Formen und Gliederungen, ohne jedoch zu einer feineren Durchbildung zu führen. Das Material dieser Bauten ist ein rother Sandstein.

Fig. 329. Kirche zu Laach. Aus d. Ostchor.

Abteikirche zu Laach. In mancher Beziehung mit den betrachteten Denkmälern verwandt, und doch in anderen wichtigen Punkten wieder durchaus selbständig, erscheint die Abteikirche Laach, von 1093 bis 1156 mit verschiedenen Unterbrechungen erbaut ***). Von der thürmereichen, höchst bedeutsamen Entfaltung des Aeusseren haben wir unter Beifügung der östlichen Ansicht schon (S. 323) gesprochen. Das Innere ist dadurch vorzugsweise merkwürdig, dass es, von der Anordnung der bis jetzt betrachteten gewölbten Basiliken gänzlich abweichend, dem Mittelschiff so viel Gewölbe gibt wie dem Seitenschiffe (vgl. den Grundriss Fig. 328). Die Pfeiler sind nämlich sämmtlich gleich gebildet, in weiteren Abständen errichtet, so dass die Gewölbefelder eine längliche Form haben. Bei hoher Schönheit und edler Klarheit der Verhältnisse sind die Details einfach, aber kräftig entwickelt. Wie dieselben, bei der Krypta und dem hohen Ostchor beginnend und nach Westen fortschreitend, von strengen zu freieren Formen übergehen,

*) G. Moller a. a. O.

**) Die Ausmalung solcher Bauten, wie die jüngste Restaurationswuth sie liebt, ist meistens von bedenklichen Folgen. Der Dom zu Speyer hat durch seine Gemälde an architektonischer Schönheit nicht gewonnen; der Dom zu Mainz ist freilich fast noch übler mitgenommen worden.

***) Geier und Görz a. a. O.

erkennt man leicht an dem unter Fig. 329 beigefügten Detail, mit welchem die früher unter Fig 252 u. 275 gegebenen zu vergleichen sind. Ausserdem theilten wir unter Fig. 253 u. 258 Details aus dem schönen Kreuzgange mit, der sammt der westlichen Nische etwas jüngerer Zeit gehört. Als durchaus originelles Bauwerk ist noch die Kirche zu Schwarz-Rheindorf bei Bonn zu nennen, vom Erzbischof Afnold von Köln gestiftet und 1151 geweiht*). Als eine zum dortigen Nonnenkloster gehörige Doppelkirche hat sie zwei durch eine achteckige Oeffnung im Gewölbe verbundene Geschosse, von ursprünglich centraler Grundform, die offenbar auf byzantinische Vorbilder hinweist und erst später durch Anfügung eines Langhauses die jetzige Gestalt erhielt. Wir geben den Grundriss der ursprünglichen Anlage (Fig. 330) und den Querdurchschnitt (Fig. 331). Ein kräftiger Thurm erhebt sich auf der Kuppel, zierliche Säulengalerien umziehen den ganzen Bau, dessen Inneres durch ausgezeichnete, kürzlich entdeckte Wandmalereien geschmückt war.

Kirche zu Schwarz-Rheindorf.

Uebergangsbauten.

In der Uebergangsepoche steigerte sich das auf malerische Anordnung und lebendige Ausschmückung gerichtete Streben gerade in diesen Gegenden unter dem Einfluss eines wunderbar rührigen Baueifers zu glänzendster Blüthe, die jedoch vielfach mit bunten, willkürlichen und übertriebenen Elementen sich paart. Diese Tendenz währte bis in die zweite Hälfte des 13. Jahrh., indess an manchen Orten der gothische Styl sich bereits neben die heimische Bauweise eindrängt.

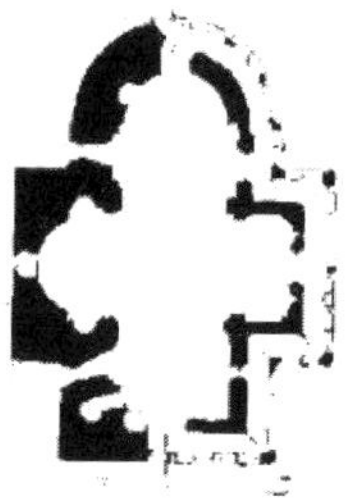

Fig. 330. Doppelkirche zu Schwarz-Rheindorf.

Fig. 331. Doppelkirche zu Schwarz-Rheindorf.

Die Kirche S. Quirin zu Neuss, seit 1209 durch einen Baumeister *Wolbero* ausgeführt, verbindet kräftige, bedeutsame Gesammtanlage mit überreicher, spielender Decoration, in welcher die buntesten Formen des niederrheinisch-romanischen Styles (man vergl. das Fenster auf S. 338) mit spitzbogigen sich mischen. Die Querarme sind nach dem Vorbild der Hauptkirchen Kölns im Halbkreis geschlossen, und auf der Kreuzung ein schlanker, achteckiger Kuppelthurm emporgeführt. Der Westbau gestaltet sich als kolossaler zweiter Querbau, aus dessen hochragendem Dach ein massenhafter viereckiger Glockenthurm aufsteigt. Ueber den Seitenschiffen ziehen sich als zweites Stockwerk ausgedehnte Emporen hin, die auf unserer Abbildung, Fig. 332,

S. Quirin zu Neuss.

*) Die Doppelkirche zu Schwarz-Rheindorf, aufgenommen, auf Stein gezeichnet und beschrieben von *A. Simons*. 8. u. Fol. Bonn 1846; eine unserer gründlichsten Monographien.

21*

einem Stück vom Längendurchschnitt des Langhauses, mit ihren schlanken Säulen und den seltsamen Fensterformen sich zeigen. In hohem Grade eigenthümlich war Kirche zu Heisterbach. die in neuerer Zeit muthwillig zerstörte Kirche des Cisterzienserklosters Heisterbach, dessen Chorruine noch jetzt in einem Thalgrunde des Siebengebirges versteckt liegt. Von 1202 bis 1233 errichtet, zeichnete sie sich durch jene Einfachheit und Strenge aus, welche die Kirchen dieses Ordens charakterisirt, bot aber desshalb ein um so interessanteres Beispiel von einer schlichteren, durch originelle Composition hervorragenden Anlage. Ein System von Wandnischen, wie es an der Chorapsis des Doms zu

Fig. 332. S. Quirin zu Neuss.

Fig. 333. Abteikirche zu Heisterbach.

Speyer und an Kölnischen Bauten gefunden wird, belebte die Seitenräume des Inneren, die sich als Umgänge auch um den Chor fortsetzten und dort unter gemeinsamer Umfassungsmauer einen Kapellenkranz erhielten (s. den Grundriss Fig 333). Aber jene Nischen waren zugleich von constructivem Werth, denn sie bildeten ein nach innen gezogenes Strebesystem, welches denn auch an der Chorapsis durch schwere Strebebögen seine Bedeutung noch klarer aussprach, wie der Längendurchschnitt des Chores (Fig. 334) darlegt. Die Formen waren hier sehr einfach; der Rundbogen herrschte zum Theil noch vor. Am Aeusseren zeigte nur die westliche Façade den Spitzbogen, im Inneren hatten nur die Quergurte dieselbe Bogenform, wie es die längliche Form der Gewölbabtheilungen forderte. Die complicirten Kappengewölbe der Seitenschiffe, bedingt durch die höheren Scheitel der Arkaden des Schiffes und die niedrigeren Schildbögen der Umfassungsmauer, bildeten für sich allein schon ein Strebewerk. Auf dem Kreuz erhob sich nach Art der Cisterzienser nur ein kleiner Glockenthurm. Verhältnissmässig S. Kunibert zu Köln. einfach ist auch die 1248 geweihte Kirche S. Kunibert zu Köln, mit vorwiegendem Rundbogen, welcher im westlichen Querschiff dem Spitzbogen weicht. Das östliche Kreuzschiff, gleich der Apsis durch Nischen gegliedert, hat nur geringe Ausladung. Derselben Spätzeit gehört die Durchführung der stattlichen viertbürmigen Pfarrkirche zu Andernach an, obgleich Ueberreste eines älteren Baues nicht zu verkennen sind. Die Nebenschiffe haben die ausgebildete rheinische Emporanlage über sich. Elegante Ausbildung im entwickelten Uebergangsstyle zeigt die Peterskirche zu Bacharach, ein kleinerer Bau, aber durch lebensvolle Gliederung der Pfeiler und Gewölbe sowie durch ihre Emporen und über denselben sich hinziehende Blendarkaden von hohem Reiz*). Der kräftige Westthurm ist festungsartig mit einem Zinnenkranz

Pfarrkirche zu Andernach

Bacharach

Fig. 316. Abteikirche Heisterbach.

bekrönt, zwei runde Treppenthürme fassen die Chorapsis ein. Nicht minder zierlich ist die Pfarrkirche zu Boppard, deren Arkaden noch aus dem 12. Jahrh. stammen, während in der ersten Hälfte des 13. Jahrh. ein Gewölbebau das Ganze umgestaltete. Neben dem Chor erheben sich zwei Thürme, die Façade dagegen ist thurmlos.

Boppard

Münster zu Bonn.

Durch stattliches Aeussere und grossartige Disposition des Inneren gleich anziehend ist das Münster zu Bonn (vergl. die nordöstliche Ansicht desselben unter Fig. 335). Der Chor mit der Krypta trägt noch die Spuren einer streng romanischen, wenngleich reich entwickelten Anlage. Die Gliederung der Apsis, die unter dem Dachgesims von zierlicher Säulengalerie bekrönt wird, erinnert lebhaft an die Laacher Kirche; die beiden Chorthürme sind ungemein glänzend, aber im reinen Rundbogen ausgeführt. An den Kreuzflügeln jedoch, die bereits polygon geschlossen sind, so wie an dem

*) Gerk. Rheinl. Baudenkmale Lief. 1.

mächtigen achteckigen Thurm der Vierung, macht sich der Uebergangscharakter geltend. Die Verhältnisse neigen entschiedener zum Schlanken, überreich Gegliederten. Eine der wichtigsten Neuerungen macht sich endlich am Langhause bemerklich, offenbar durch Bekanntschaft mit frühgothischen Bauten Frankreichs veranlasst. Es sind

Fig. 315. Münster zu Bonn.

die noch streng und schwer behandelten Strebebögen, welche man vom Dach des niedrigen Seitenschiffes zur hohen Obermauer des Mittelschiffes aufsteigen sieht. An den sehr schlanken Seitenschiffen bemerkt man die für die niederrheinische Architektur jener Zeit so bezeichnenden fächerförmigen Fenster; am Oberschiff eine spitzbogige Säulengalerie. Im Inneren steigt das Mittelschiff frei und kühn empor, von spitzbogigen Gewölben auf reich gegliederten Pfeilern bedeckt. Ueber den Arkaden durchbricht eine zierliche Galerie die Obermauer, und darüber erheben sich die spitzbogigen Fenster. Eine Apsis schliesst im Westen das Schiff. Dasselbe bedeutsame Motiv der äusseren Strebebögen findet man in noch kühnerer Entfaltung an einem der originellsten Bauwerke, S. Gereon zu Köln, wieder. An einen älteren, langgestreckten Chorbau, (Gereon zu Köln.) der mit einer Apsis neben zwei viereckigen Thürmen ausgestattet ist, schliesst sich ein von 1212 bis 1227 errichtetes Schiff von bedeutenden Dimensionen und seltener Grundform (s. den Grundriss Fig. 336). Es bildet nämlich ein Zehneck, das mit zwei gegenüber liegenden längeren Seiten der Chorbreite sich anpasst. Acht halbrunde Kapellen sind als niedriger Umgang angeordnet, über welchem eine mit zierlichen Säulenstellungen gegen das Innere sich öffnende Empore liegt. Darüber steigt die Oberwand auf, getheilt durch lange, paarweise gruppirte Spitzbogenfenster (Abbildung

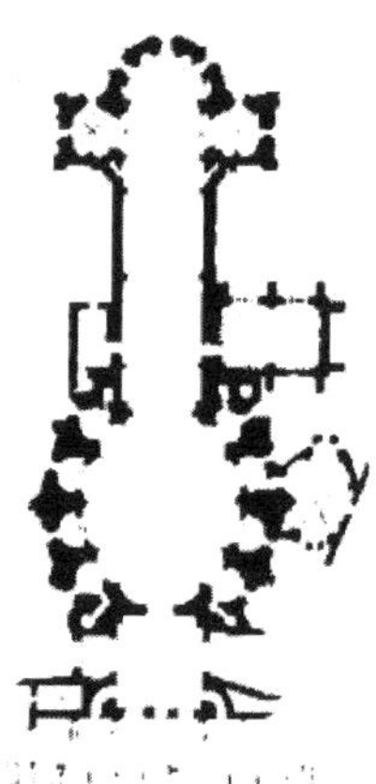

Fig. 336. S. Gereon zu Köln. Grundriss

Fig. 337. S. Gereon zu Köln. Westl. Aufriss

auf S. 338) und die Bündelsäulen, auf welchen die Rippen des kuppelartigen Gewölbes ruhen. Am Aeusseren, das wir durch eine Darstellung des westlichen Aufrisses in Fig. 337 vorführen, sind Strebebögen vom Dach des Umganges nach dem Mittelbau geschlagen, der mit einem zehnseitigen Zeltdache geschlossen und durch eine Säulengalerie ausgezeichnet wird. Noch eine grosse Anzahl kirchlicher Gebäude bezeugt die staunenswerthe Bauthätigkeit, welche gerade diese mittelrheinischen Gebiete zu einem wahrhaft klassischen Boden für die Erkenntniss der grossen Kunstbewegung der spätromanischen Epoche macht. Wir nennen nur noch die Abteikirche zu Brauweiler, (Brauweiler.) welche mit Beibehaltung älterer Theile, namentlich der Krypta vom J. 1061, gegen Ausgang der romanischen Epoche erneuert und mit drei stattlichen viereckigen Thürmen an der Westseite versehen wurde. Auch der Capitelsaal ist ein schönes Beispiel eleganter spätromanischer Architektur. Besonders aber die grossartige Abteikirche zu Werden, (Werden.) nicht bloss durch eine eigenthümliche, noch antikisirende Krypta von 1059 bemerkenswerth, sondern im Uebrigen eine der edelsten Schöpfungen des Uebergangsstyles, mit spitzbogigen Arkaden, klar entwickelten spitzbogigen Emporen und durchgebildeten Rippengewölben*). Auch die völlig aufgedeckte, ebenso werthvolle als prächtige polychrome Bemalung ihrer architektonischen Theile verdient Beachtung. Der Bau ist ausserdem ein denkwürdiger Beweis von beharrlichem Festhalten am romanischen Styl, der den Deutschen des 13. Jahrh. eine Herzenssache gewesen zu sein scheint: 1275 ist das Datum der Einweihung.

Kirche in Enkenbach. Unter den mittelrheinischen Bauwerken gehört hierher noch die zierliche Klosterkirche von Enkenbach in der Pfalz, mit geradlinigem Chorschluss, Kreuzschiff und kurzem Schiffbau, dessen Gewölbgurte auf gegliederten Pfeilern zwischen stämmigen Säulen ruhen.**) Die Westseite schmückt ein reiches Portal mit elegantem Rankengewinde im Bogenfelde. Eine mächtige Anlage desselben Styles ist die Kirche von Otterberg. Otterberg bei Kaiserslautern, durch polygonen Chor und spitzbogige Gewölbe sammt Strebewerk, sowie die prächtige Rose an der Westseite der gothischen Richtung schon nahe tretend.***) Den geradlinigen Chorschluss hat die Kirche zu Enserstbal, Enserthal. die nur in ihren östlichen Theilen sammt Querschiff erhalten ist. Sodann die Kirche zu Gelnhausen, Gelnhausen. welcher um 1230 etwa an das flachgedeckte einfache Langhaus mit schlichtem viereckigem Thurm ein polygoner Chorbau mit schlanken Ziergiebeln, flankirt von zwei eleganten Thürmen und überragt von einem stattlichen achteckigen Kuppelthurm im Uebergangsstyle angebaut wurde. Von den Details gaben wir auf S. 341 und S. 343 Proben. Aus derselben geographischen Gruppe Dom zu Limburg. nennen wir endlich noch den Dom zu Limburg an der Lahn, erbaut zwischen 1213 und 1242, eine der imposantesten Denkmale rheinischer Uebergangs-Architektur. Das klar gegliederte Innere, welches wir durch den Grundriss (Fig. 338) und Querdurchschnitt (Fig. 339) veranschaulichen, hat nicht allein vollständige Emporen über den Seitenschiffen und dem Chorumgange, die sich mit eleganten Säulenstellungen nach innen öffnen, sondern über denselben noch durchlaufende Galerien (sogenannte Triforien), welche nicht allein die lebendigste Gliederung, sondern auch eine wesentliche Erleichterung der Mauermassen bewirken. (Auf S. 337 haben wir durch ein Stück des Längendurchschnitts diese reiche Anordnung verdeutlicht.) Die Arkadentheilung, die Anlage der Mittelschiffgewölbe erinnert noch durchaus an die Disposition der gewölbten Basilika; aber von dem mittleren Arkadenpfeiler steigt, auf einer Console ruhend, noch eine Wandsäule empor, die in eine Gewölbrippe übergeht, so dass sechstheilige Gewölbe entstehen. Am Aeusseren sind ebenfalls Strebebögen angewandt. Der glänzende Prunk dieses Styls ist durch die überreiche Gliederung und Verzierung, so wie die Menge der Thürme an diesem Bauwerke auf die höchste Spitze getrieben. Ausser den beiden gewaltigen viereckigen Westthürmen erhebt sich auf der Kreuzung ein hoher achteckiger Kuppelthurm mit schlankem Helm, wozu an den Giebeln jedes Kreuzarmes noch zwei viereckige Flankenthürmchen kommen, so dass die Siebenzahl voll ist.

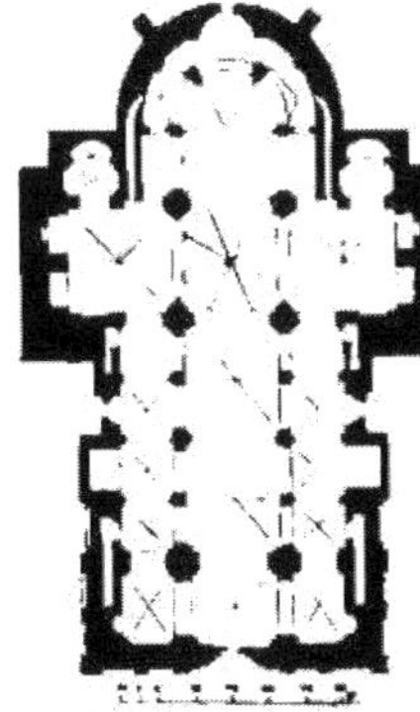

Fig. 338. Dom zu Limburg.

Bauten in Belgien. Hier sind denn auch die Bauten Belgiens †) anzuschliessen, die in unmittelbarer Abhängigkeit von den niederrheinischen Denkmalen stehen. Die majestätische Kathe-

*) *Stüler* und *Lohde* in Erbkam's Zeitschr. Bd. XII, auch separat erschienen.

**) Aufnahmen in *Sighart's* Gesch. d. bild. K. im Königreich Bayern. München 1862. S. 245 ff.

***) Vergl. *Gladbach* a. a. O.

†) *Schayes*, Histoire de l'architecture en Belgique. 8. 4 Vols.

drale von Tournay*) (Fig. 240) bezeichnet schon durch ihre im Halbkreis mit Umgängen geschlossenen Kreuzarme eine Beziehung zur Kapitolskirche von Köln. Auch die vielthürmige Pracht des Aeusseren, wo vier gewaltige Thürme an den Kreuzarmen den mittleren Kuppelthurm umgeben, während zwei runde Treppenthürme die Façade einfassen, erinnert an rheinische Gewohnheiten. Das Langhaus, seit 1146 langsam aufgeführt, ist in seinem Mittelschiff flach gedeckt und wird von Seitenschiffen und Emporen umschlossen, die beide auf reich gegliederten Pfeilern ruhen und mit Kreuzgewölben versehen sind. Unerschöpflich reich sind die eleganten Kapitäle dieser mit Säulen verbundenen Pfeiler. Ein kleines Triforium öffnet sich über den Emporen dann erst folgen die rundbogigen Fenster. Die Kreuzarme zeigen ganz andere Verhältnisse, überschlanke Säulen, dann niedrigere Emporen, endlich eine horizontal Tournay.

Fig. 389. Dom zu Limburg. Querdurchschnitt.

gedeckte Galerie und gegliederte Rippengewölbe. Hierin, sowie in den derberen, schlichteren Details kündigt sich schon der Einfluss der französischen Gothik an, die dann später in dem glänzenden Chorbau siegreich sich durchsetzt. Von den übrigen Kirchen in Tournay ist S. Jacques ein Bau der Uebergangszeit mit spitzbogigen Arkaden und Triforien, erstere auf Rundpfeilern, dabei aber mit ursprünglich flacher Decke. Der Westthurm erinnert an den Kuppelthurm von Gross S. Martin in Köln. Verwandter Art ist S. Madeleine, ebenfalls eine spitzbogige flachgedeckte Basilika. Eine höchst originelle Anlage zeigt die kleine Kirche S. Quentin, deren einschiffiges Langhaus mit zwei Diagonal-Apsiden sich gegen das Kreuzschiff erweitert, während der Chor mit einem Umgang und drei radianten Kapellen nach französischer Weise ausgebildet ist. Den streng romanischen Styl vertritt die Kirche zu Hertogenrade

*) *Du Mortier*, Mélanges d'histoire et d'archéologie (études Tournaisiennes). Fasc. 3 et 4 Tournay. 5.

Rolduc. (Rolduc), deren Chor und Querschiff der Grundform von S. Martin in Köln verwandt erscheint. Eine ausgedehnte Krypta zieht sich unter der ganzen Anlage hin. Zu den originellsten und reichsten Bauten der Spätzeit gehört endlich die 1221 vollendete Ruremonde. Liebfrauenkirche zu Ruremonde*), in welcher rheinische Einflüsse sich wieder mit französischen verbinden. Denn die östlichen Theile folgen der Anlage von S. Aposteln zu Köln, jedoch mit polygon ausgebildeten Kreuzarmen, wie etwa das Bonner Münster sie zeigt. Aber an den Chor schliessen sich nach französischer Sitte drei radiante Kapellen. Das System des Schiffes mit seinen grossen Kreuzgewölben auf ziemlich einfachen Pfeilern, mit den niedrigen, von Emporen begleiteten Seitenschiffen erinnert wieder an rheinische Formen. Ebenso der Kuppelthurm, welchem sich zwei schlanke Chorthürme anschliessen. Endlich entfaltet sich, ähnlich wie an der Kirche zu Neuss, der westliche Theil zu einem imposanten, von einem viereckigen Thurm überragten zweiten Querbau. Auch die Gliederung durch gruppirte Fenster, Bogenfriese und offene Säulengalerien weist nach dem Rheine hin. Es sind die letzten bedeutenden Einwirkungen, welche Deutschland auf diese Gebiete ausgeübt hat. Mit dem Sinken der deutschen Kaisermacht und dem Aufblühen Frankreichs wendet sich dies Zwitterland dem westlichen Einfluss zu.

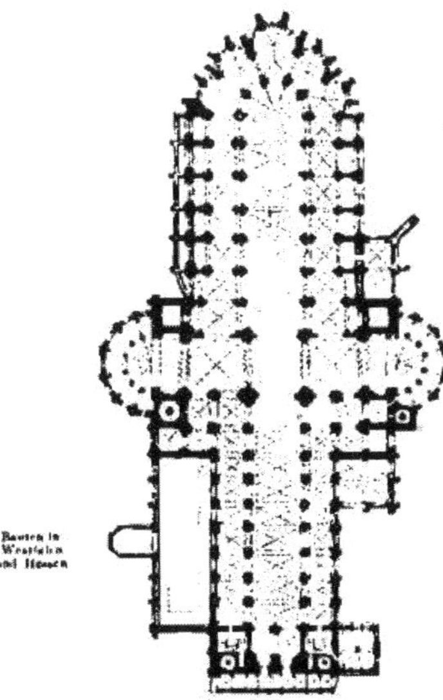

Fig. 390. Kathedrale von Tournay. (1 Zoll = 100 Fuss.)

In Westfalen und Hessen,

Bauten in Westfalen und Hessen. Binnenländern, welche weder durch einen Strom belebt wurden, noch durch einen bedeutsamen Mittelpunkt hervorragten, gestaltete sich der romanische Styl in anspruchsloserer Weise. Die hessischen Denkmäler sind nur vereinzelt bekannt, weshalb unsere Charakteristik die Bauwerke Westfalens vorzugsweise in's Auge fasst**). Einflüsse vom Rhein, sowie von den angrenzenden sächsischen und thüringischen Ländern kreuzten sich hier gleichsam auf neutralem Gebiet, wurden aber in der Folge doch in eigenthümlicher Weise verschmolzen und selbständig verarbeitet. Charakteristisch ist das seltene Vorkommen von flachgedeckten Basiliken, so wie das Ueberwiegen des Pfeilerbaues. Die Gewölbanlage wurde hier vermuthlich durch einen vom Rheine her gegebenen Anstoss eingebürgert, aber sie verband sich in origineller Weise, namentlich in Westfalen, am liebsten mit jener Basilikenform, welche einen Wechsel von Pfeiler und Säule zeigt. Dabei bildete sich an Kirchen von geringen Dimensionen eine anmuthige Variation des Grundrisses. Es treten nämlich zwei schlanke, durch Basis und Deckplatte verbundene Säulen in der Breitenrichtung neben einander, um die Laibung des

*) Aufnahme im Beffroi, 1863, livr. 4.

**) W. Lübke, Die mittelalterliche Kunst in Westfalen. 8. und Fol. Leipzig 1853. — Aufnahmen ausserdem in C. Schimmel, Westfalens Denkmäler alter Baukunst. Fol. Münster.

Arkadenbogens aufzunehmen, was eine zierliche Wirkung hervorbringt. Am Chor ist die etwas nüchterne Anordnung eines geradlinigen Schlusses bei fehlender Apsis beliebt. Die Ausführung ist mässig, das Ornament einfach, ohne grossen Wechsel; selbst der Arkadensims fehlt in der Regel. Das Aeussere zeigt sich besonders schlicht, Bogenfriese, Lisenen, Blendbögen vermisst man fast durchweg, und erst in später Uebergangszeit erwacht ein Streben nach Gliederung der Aussenmauern; selbst die Thurmanlage beschränkt sich meistens, sogar bei bedeutenden Kirchen, auf einen kräftigen Westthurm.

Von Säulenbasiliken hat sich in Westfalen nur eine, die Stiftskirche zu Neuenheerse bei Paderborn, gefunden, und selbst von dieser ist nur das nördliche Seitenschiff unberührt erhalten. Die Säulen haben schlichte, streng gebildete Würfelkapitäle. Das Seitenschiff ist auf Consolen gewölbt, das Mittelschiff war ohne Zweifel flach gedeckt; der geradlinig schliessende Chor ist über einer ausgedehnten Krypta erhöht. Ein viereckiger Thurm, an welchen sich zwei runde Treppenthürmchen lehnen, erhebt sich am Westende. In Hessen ist die in Trümmern liegende Kirche zu Hersfeld eine geräumige Säulenbasilika, seit 1038 nach einem Brande in bedeutenden Dimensionen erneuert, aber erst 1144 geweiht. An den lang vorgeschobenen Chor, dessen Krypta schon 1040 vollendet war, stösst ein Querschiff, das bei 40 Fuss Breite die ungewöhnliche Länge von 173 Fuss misst. Eben so lang erstreckt sich, durch acht Säulenpaare getrennt, das dreischiffige Langhaus mit seinen Westthürmen, die eine vorspringende Halle sammt Empore einfassen. — Als flachgedeckter Pfeilerbau ist die Kirche zu Konradsdorf*) im Nidderthale zu nennen, als grossartige, consequent gewölbte Pfeilerbasilika die Cisterzienserklosterkirche zu Arnsburg, mit besonders klarem Grundplan, geradem Chorschluss mit niedrigem Umgang und kleiner Apsis an demselben, die Gewölbe in den östlichen Theilen rundbogig, in den westlichen bereits mit spitzbogiger Anlage. Ein stattlicher Gewölbebau der Uebergangsepoche ist die Stiftskirche zu Fritzlar**), die in ihren Westthürmen und der Krypta noch Reste eines frühromanischen Baues enthält. Der Schiffbau mit seinen hochbusigen Spitzbogengewölben auf reich gegliederten Pfeilern zwischen schwächeren Arkadenpfeilern entspricht den ersten Jahrzehnten des 13. Jahrhunderts. Die Umrahmung zweier Arkaden durch einen grösseren Bogen ist ein Motiv, das in Westfalen uns mehrfach wiederkehren wird. In Westfalen haben wir zunächst mehrere flachgedeckte Pfeilerbauten. Die Kirche des Klosters Fischbeck, die der Frühzeit des 12. Jahrhunderts angehören dürfte, zeigt eine rohe, ungefüge Technik beim Streben nach einer stattlicheren Entfaltung. Der mit einer Apsis geschlossene Chor hat eine Krypta. Die westliche Façade ist in ganzer Breite als schwerfälliger, aber imponirender Thurmbau aufgeführt. Auch die Prämonstratenser-Abteikirche Kappenberg, bald nach 1122

Pfeilerbasiliken

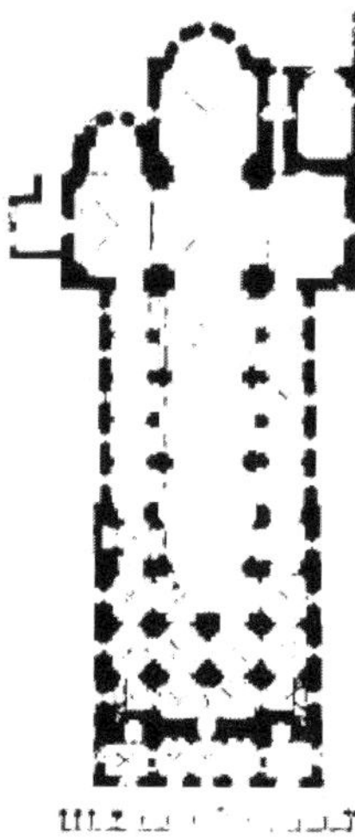

Fig. 341 Dom zu Soest. Grundriss.

*) Für die hessischen Bauten vergl. *Gladbach's* Fortsetzung von Moller's Denkmälern.

**) Trefflich publicirt in den Mittelalterl. Baudenkm. in Kurhessen. 2. Lief. bearb. von *F. Hoffmann* und *H. von Dehn-Rotfelser*. Fol. Kassel 1841.

gebaut, hat im Wesentlichen verwandte Anlage bei grosser Einfachheit der Ausführung und mangelndem Thurmbau. Das Schiff ist in gothischer Zeit eingewölbt worden. Endlich ist die Abteikirche zu Freckenhorst, im J. 1129 eingeweiht, hier zu erwähnen, die bei höchst schmuckloser und ungeschickter Behandlung doch durch eine reichere Thurmanlage sich auszeichnet. Ausser dem viereckigen Westthurm mit seinen beiden runden Treppenthürmchen erheben sich zwei viereckige Thürme noch an den Seiten des Chores. Den Uebergang zur gewölbten Pfeilerbasilika bildet der Dom zu Soest, dessen Chor und Kreuzarme gleich den Seitenschiffen noch in romanischer Zeit gewölbt wurden, während das Mittelschiff ohne Zweifel auf eine flache Decke angelegt war, die indess auch wohl noch in romanischer Zeit einem Gewölbe wich (Fig. 341). Im Westen erhebt sich aus etwas späterer Zeit ein grossartiger Vorhallenbau auf fein gegliederten Pfeilern, in eine innere und äussere Halle sich theilend. Die innere führt mit zwei breiten, bequemen Treppen zu einer Empore, die sich auch noch über einen Theil der Seitenschiffe hinzieht. Die äussere bildet stattliche Pfeilerarkaden, über welchen der imposante viereckige Thurm aufsteigt. Sein schlanker, von vier kleineren Spitzen begleiteter Helm und die Formen seiner Blendbögen deuten bereits auf die Uebergangszeit.

Dom zu Soest.

Gewölbebau in Westfalen.

Nach der Mitte des 12. Jahrh. greift auch in Westfalen der Gewölbebau immer mehr Platz, und zwar mit völliger Verdrängung der flachen Decke. Ja, was von flachgedeckten Bauten aus früherer Zeit vorhanden war, wurde mit der Wölbung versehen, wie die Pfeilerbasilika S. Kilian zu Höxter. Ein Beispiel von consequent entwickelter Gewölbanlage auf einfachstem Pfeilerbau bietet sodann die Kirche zu Brenken bei Paderborn. In mancher Beziehung merkwürdig erscheint ferner die Marienkirche zu Dortmund durch ihre reich mit freistehenden Säulchen und Halbsäulen bekleideten Pfeiler und die Bedeckung des Mittelschiffes mit hohen Kuppelgewölben auf spitzbogigen Quergurten. Diese bei den streng romanischen Formen des Uebrigen auffallende Form ergab sich hier neben rundbogigen Längengurten durch die unquadratische Anlage des Gewölbfeldes von selbst. Weit verbreiteter ist in dieser Epoche die Anwendung des Gewölbes beim Wechsel von Pfeilern und Säulen in den Arkaden. Die Kilianskirche zu Lügde erscheint unter den frühesten Werken dieser Art, bei kleinen Verhältnissen, roher Ausführung und seltsam ungeschickter Ornamentirung interessant. Klarer und edler entfaltet sich, bei noch vorherrschender Einfachheit des Sinnes, die Durchbildung an der Petrikirche zu Soest, wo ein ausgedehnter innerer Emporen- und Vorhallenbau, nach dem Muster des Doms, hier aber auf Säulen ruhend und in späterer Zeit noch über den Seitenschiffen fortgeführt, als besondere Zuthat sich dem System des Baues anfügt. Sodann ist jener eigentlich westfälischen Einrichtung der Arkaden, bei durchgeführter Ueberwölbung, zu gedenken, welche an die Stelle einer kräftigen Säule zwei verbundene schlanke Säulchen treten lässt. Der Chor dieser Kirchen ist in der Regel gerade geschlossen, das Kreuzschiff fehlt meistens. So an den Kirchen zu Boke, Hörste, Verne, Delbrück bei Paderborn; dagegen hat die Kirche zu Opherdicke bei Dortmund eine nach aussen polygone Halbkreisnische und ein Kreuzschiff, aber nur ein Seitenschiff, die benachbarte Kirche zu Bölc eine Apsis ohne Kreuzschiff, und nur an der Nordseite Doppelsäulen, an der Südseite kräftige einzelne Säulen.

Uebergangsbau in Westfalen.

Erst in der Uebergangszeit entfaltet sich die Architektur in Westfalen zu reicherer Blüthe, erst jetzt wird namentlich das bisher fast völlig schmucklos behandelte Aeussere in angemessener Weise gegliedert und ausgebildet. Doch bleibt die Construction des Gewölbes durchweg die schwerfällig romanische; wo sich Kreuzrippen finden, sind dieselben nur spielend-decorativ vorgelegt. Eins der imposantesten Bauwerke dieser Epoche, welches mit Benutzung älterer Theile umgestaltet wurde, ist der Dom zu Osnabrück. Die mächtigen, eng gestellten reich gegliederten Pfeiler sind je nach ihrer Bedeutung als blosse Arkadenstützen oder Gewölbträger behandelt. Die Arkadenverbindungen und die Gewölbe sind spitzbogig, doch werden erstere paarweise durch einen flachen Rundbogen eingerahmt. Auf der Vierung erhebt sich eine hohe Kuppel mit achteckigem Thurme. Um den gerade geschlossenen Chor ziehen sich

Dom zu Osnabrück.

Umgänge aus gothischer Zeit; von den beiden Westthürmen ist der südliche ebenfalls später in ungeschickter Weise umgebaut worden. Das Langhaus hat eine ungemein klare Gliederung durch Lisenen und Blendbögen. Ungleich freier, lebendiger stellt sich die Architektur des Doms zu Münster dar, welcher nach einem Brande des J. 1197 von 1225—1261 neu aufgeführt wurde. An ihm tritt eine Einwirkung gothischer Bauwerke auf's Klarste hervor. Der fünfseitig geschlossene Chor, um welchen sich niedrige Umgänge fortsetzen (vergl. den Grundriss Fig. 342), die lebensvolle Gliederung der Flächen und Gewölbe, die Anordnung einer oberen Galerie in der Mauerdicke auf luftigen Säulchen, die reiche Gliederung der Pfeiler, die Decoration der Rippen, das Alles spricht dafür. Der Spitzbogen ist hier durchgeführt, nur an den Quergurten des Chors und an sämmtlichen Fensteröffnungen herrscht noch der Rundbogen. Die bedeutsame Anlage zweier Querschiffe und eines mit zwei mächtigen Thürmen verbundenen Westchores steigert noch die Grossartigkeit des Baues. Am Aeusseren des Schiffes tritt schon der Strebepfeiler neben einer romanischen Gliederung der Flächen durch Blendbögen auf. Die Dimensionen gehören zu den bedeutendsten dieser Epoche, namentlich die Weite des Mittelschiffes von 43 Fuss, mehr als die Hälfte der nur 75 Fuss betragenden Scheitelhöhe.

Dom zu Münster.

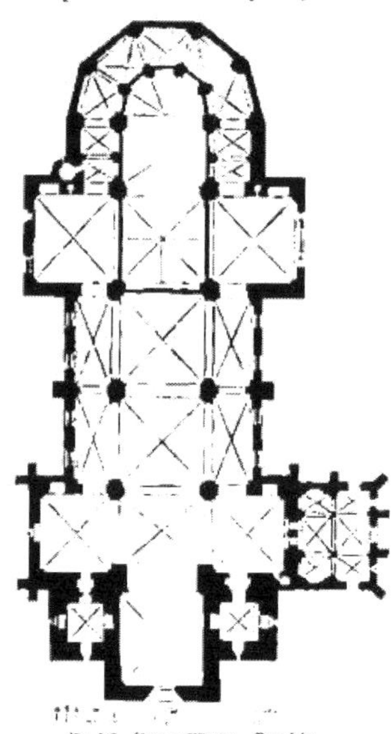

Fig. 342. Dom zu Münster. Grundriss.

In S. Reinoldi zu Dortmund endlich spricht sich eine noch entschiedenere Neugestaltung aus, die selbst die Arkadenstellung der Pfeiler aufgibt und dem Mittelschiff bei weiteren Pfeilerabständen (20 Fuss bei einer Mittelschiffbreite von 43 Fuss) die gleiche Anzahl von Gewölben mit den Seitenschiffen zutheilt. Letztere sind sehr hoch empor geführt, nämlich 38 Fuss, während das Mittelschiff nur 60 F. Höhe hat, so dass in der Oberwand bloss für breite fächerförmige Fenster Platz bleibt. Der Chor ist in reichem spätgothischem Style, der kräftige Westthurm gehört noch jüngerer Zeit an. Von der zierlichen Entwicklung des Decorativen, welche in der letzten romanischen Epoche, namentlich in der Münsterschen Diözese herrschte, gewährt die unter Fig. 343 beigefügte Abbildung des Portals der Jakobikirche zu Koesfeld eine Anschauung. Die elegant ausgearbeiteten Ornamente verrathen einen gewandten Meissel, und die hinzukommende bunte Bemalung der Glieder verleiht den architektonischen Formen ein gesteigertes Leben. — Hieher gehört denn auch der Dom zu Bremen *), dessen Kern aus einer grossartigen Pfeilerbasilika des 11. Jahrh. mit doppelter Choranlage und zwei Krypten besteht. Der geradlinige Chorschluss mit drei Wandnischen in der Mauerdicke entspricht der westfälischen Sitte; die acht Pfeilerpaare, welche das 35 Fuss breite Mittelschiff begrenzen, zeigen

S. Reinoldi zu Dortmund.

*) Vergl. die Notizen in *Kugler's* Kl. Schriften, II, 640 ff. u. die Monographie von *H. A. Müller*, der Dom zu Bremen. Bremen 1861.

die primitivste Form, sind aber in spätromanischer Epoche behufs vollständiger Ueberwölbung des Baues mit Vorlagen versehen worden. Zwei viereckige Thürme schliessen den westlichen, ebenfalls rechtwinkligen Chor ein.

Westfäl. Hallenkirchen. Inzwischen hatte sich schon während der Herrschaft des Rundbogens eine merkwürdige Richtung neben jener geschilderten in der westfälischen Architektur Bahn gebrochen, welche auf eine völlige Umgestaltung des Basilikenschemas, auf Anlage von gleich hohen Schiffen bei gleichen Gewölbtheilungen, ausging. Man nennt diese neue Form am bezeichnendsten Hallenkirche. Diese Bewegung lässt sich schrittweise in ihren einzelnen Stadien verfolgen. Zuerst behielt man die Stützenstellung von der gewölbten Basilika bei, so dass im Grundriss beide Anlagen sich nicht unterscheiden. Nur beseitigte man die Oberwand und führte dafür die zwischenliegenden Arkadenstützen höher hinauf. Das Mittelschiff verlor dadurch die frühere exclusive Höhe, mit ihr die selbständige Beleuchtung; die Seitenschiffe kamen dem mittleren an Höhe nahe, und erhielten in den höheren Umfassungsmauern grössere und zahlreichere Lichtöffnungen. Für die mittlere Stütze wandte man entweder einen schlankeren Pfeiler oder eine Säule an. Das Dach bedeckte in ungetheilter Masse die drei Schiffe, und fand in kräftigen, oberhalb der Gewölbe auf den Arkadenträgern ruhenden Pfeilern eine vermehrte Stützung. Eine solche Schiffanlage bei noch vollständig herrschendem Rundbogen bietet die Kirche zu Derne bei Dortmund. Die Verschiedenartigkeit der Stützenabstände musste aber bald dem Spitzbogen hier den Zugang verschaffen, und so finden wir ihn bei den übrigen Bauten dieser Art, aus deren Zahl wir nur die Johanniskirche zu Billerbeck wegen ihrer klaren, gesetzmässigen Durchführung und überaus reichen Ausstattung hervorheben wollen. Ihre Gewölbe haben gleich mehreren dieser Kirchen eine besonders zierliche, wenngleich spielende Art der Decoration, nämlich eine Gliederung durch Zierrippen in acht Theile. Auf diesem Punkte blieb man aber nicht stehen. Man beseitigte die überflüssig gewordene Zwischenstütze, die noch zu sehr an die Basilika erinnerte, und gerieth nun freilich in die Nothwendigkeit, sehr verschiedenartig angelegte Räume mit Gewölben zu versehen. Bei der noch mangelnden Uebung fing man frisch an zu versuchen, und kam auf diesem Wege zu verschiedenartigen, mitunter höchst seltsamen Ergebnissen. So erhielt man in der Marienkirche zur Höhe in Soest muschelartige, halbirten Kreuzgewölben ähnliche Wölbungen. In anderen Kirchen half man sich dadurch, dass man den Seitenschiffen Tonnengewölbe gab, die sich der Länge nach mit einschneidenden Stichkappen von Pfeiler zu Pfeiler schwangen, wie an der Kirche zu Balve. Jetzt erst wagte man den

Fig. 113. Vom Portal der Jakobikirche zu Koesfeld.

letzten, entscheidenden Schritt, der den schwankenden Versuchen ein Ziel setzte und der neuen Hallenkirche eine feste Regel gab. Hatte man dem Mittelschiff den Vorzug grösserer Höhe genommen, so nahm man ihm auch den der grösseren Weite, indem man die Seitenschiffe fast zu gleicher Breite mit jenem ausdehnte. Nun hatte man eine Anzahl von ungefähr gleichartigen Gewölbfeldern, die sich in verwandter, harmonischer Weise bedecken liessen. An die Stelle der reichen Mannichfaltigkeit der gewölbten Basilika war eine einfachere Anlage getreten; selbst der dort vielfach abgestufte Wechsel der Beleuchtung war hier gemindert, so dass das Ganze weniger einen phantasievollen, ritterlichen, als verständig klaren, bürgerlichen Eindruck gewährte. Zu bedeutsamer Wirkung erhebt sich bisweilen diese Anordnung in grösseren Kirchen, wie im Dom zu Paderborn (Fig. 341) und dem Münster zu Herford; zu anmuthiger Zierlichkeit, unter Mitwirkung einer blühenden Ornamentik, in der Kirche zu Methler, welche obendrein den glänzendsten Schmuck von Malereien an Wänden und Gewölben zeigt. Alle diese Richtungen verleihen der westfälischen Architektur jener Epoche den Charakter vielseitigsten Strebens und anziehender Mannichfaltigkeit.

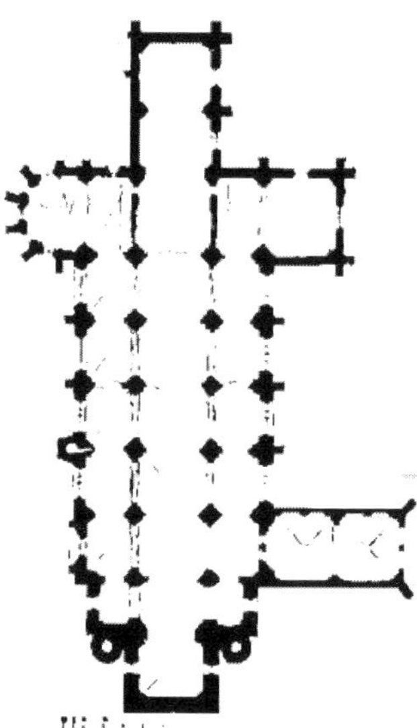

Fig. 341. Dom zu Paderborn.

Im südlichen Deutschland,

zunächst in den schwäbischen und alemannischen Gebieten*), wozu auch die deutsche Schweiz gehört, begegnen wir den allgemein herrschenden Merkmalen des deutsch-romanischen Basilikenbaues, jedoch in mannichfach abweichender Auffassung und Behandlung. Zunächst ist zu bemerken, dass die Basilika hier überall gern in einfachster Form auftritt, dass namentlich die Säulenbasilika häufiger vorkommt, womit es vielleicht zusammenhängt, dass ein so consequent fortschreitender Gewölbebau, wie er in Sachsen, den Rheinlanden und Westfalen sich geltend machte, hier nicht gefunden wird. Die anderwärts gewonnenen Resultate weiss man dagegen auch hier mit Geschick, und manchmal mit besonderer Pracht der Ausstattung, sich anzueignen. In der Decoration herrscht ein diesen Gegenden besonders eigenthümlicher Styl, der sich in phantastischen Ungeheuerlichkeiten, verschrobenen Thier- und Menschenbildungen, symbolisch-historischen Darstellungen mit eben so viel Behagen als Unge- Süddeutsche Bauten.

*) Ueber die schwäbischen Kirchen s. Dr. *H. Merz* im Kunstblatt 1843, No. 67 ff. und die Verhandlungen des Vereins für Kunst und Alterthum in Ulm und Oberschwaben. Ulm 1844. — Ausserdem gründliche Aufnahmen von Architekt *Beisbarth* in *Heideloff's* schwäb. Denkmalern. Text von *Fr. Müller* 4. o. Fol. Stuttgart. — *C. F. Leins*, Denkschrift zur Feier der Einweihung des neuen Geb. der k. polytechn. Schule zu Stuttgart. Stuttgart 1864. 4.

schick ergeht, daneben aber in dem rein Ornamentalen zu einer oft überraschenden Anmuth der Erfindung und Feinheit der Ausführung gelangt. Was die Grundform betrifft, so herrscht die einfachste Form der dreischiffigen Basilika vor; vollständige Querschiffe wie an der Klosterkirche zu Alpirsbach und der Stiftskirche zu Ellwangen gehören zu den seltensten Ausnahmen. Manchmal geht die Anspruchslosigkeit der Anlage so weit, dass der Chor geradlinig schliesst und dann häufig wie zu Oberstenfeld als Unterbau für den Thurm dient. Die drei Schiffe enden entweder in derselben Linie wie an der Kirche zu Sindelfingen, wo die drei Apsiden eine dicht zusammenhängende Gruppe bilden; oder der Hauptchor gestaltet sich durch Verlängerung des Mittelschiffes wie zu Brenz, Faurndau, Rottweil, Denkendorf, Neckarthailfingen, wobei die beiden letzteren Beispiele geradlinige Abschlüsse zeigen, die nur in Neckarthailfingen im Innern als Apsiden gestaltet sind. Die Thürme werden in der Regel an der Façade, bisweilen zu zweien, häufiger als einzelner Westthurm angeordnet, der indess wohl wie zu Brenz von zwei kleineren runden Treppenthürmen begleitet ist. Selten kommen mehrere Thürme vor, wie z. B. zu Ellwangen, wo zu dem Westthurm sich an der Ostseite zwischen Chor und Kreuzarmen zwei reich entwickelte Thürme gesellen.

Säulenbasiliken. Ueberwiegend herrscht die flache Säulenbasilika am Oberrhein in den schwäbisch-alemannischen Gegenden. So am Dom zu Konstanz, einer nach 1052 errichteten Basilika von grossartigem Maassstab, mit einem 36 Fuss weiten Mittelschiff und $20^1/_3$ Fuss breiten Seitenschiffen. Die sechzehn Säulen von kühner Höhe, mit starker Verjüngung und Entasis auf steilen attischen Basen mit primitivem Eckblatt und mit originell behandelten achteckigen Kapitälen scheinen wirklich noch dem 11. Jahrh. zu gehören. Querschiff und Chor sind in einfachster Anlage, ohne jeden Apsidenbau gebildet, eine Form, die in diesen Gegenden, namentlich auch in der Schweiz sehr beliebt erscheint. Entschieden primitiver, von strengem, einfachem Gepräge ist das Münster zu Schaffhausen, ebenfalls mit geradem Chorschluss, aber mit Abseiten und am Querschiff mit kleinen Apsiden in der Mauer. Das 30 Fuss breite Mittelschiff wird durch einen Pfeiler und sechs Säulen jederseits vom Nebenschiff getrennt. Das Verhältniss der Säulen ist derb, die steile attische Basis zeigt ein noch in der ersten Entwicklung begriffenes Eckblatt; das Kapitäl hat schlichte Würfelform mit einer Platte und Schmiege. Der Glockenthurm, wie oftmals in der Schweiz isolirt an der Nordseite des Chores errichtet, hat fast noch primitivere Gesimsformen und Säulenkapitäle. Auch der Kreuzgang zeigt die einfachen Würfelkapitäle frühromanischer Zeit. — Aelter als alle diese Bauten, überhaupt eins der frühesten Werke romanischen Styles in Deutschland ist die kleine Kirche zu Oberzell auf der Insel Reichenau im Bodensee. Dies lachende Eiland trägt nicht weniger als drei Denkmale romanischer Zeit, unter welchen der kleine Bau von Oberzell wohl den Vorrang an Alterthümlichkeit behauptet. Es ist eine winzige Basilika, deren Langhaus von drei Säulen jederseits getheilt wird. Auf den stark verjüngten stämmigen Schäften erheben sich Kapitäle der unbeholfensten Gestalt, die noch nicht einmal bis zur Würfelform sich entwickelt haben, aber eine Vorstufe derselben bezeichnen. Nicht minder roh scheinen die Basen. Während die Seitenschiffe in kleinen Apsiden enden, die aus der Mauer ausgespart sind, legt sich vor das Mittelschiff ein aus zwei ungefähr quadratischen Theilen bestehender, später überwölbter Chor, dessen westlicher Theil den Thurm trägt, und unter dessen östlicher Hälfte eine Krypta mit Tonnengewölben und Stichkappen auf vier ähnlich rohen Säulen liegt. Man darf diese ganze Bauanlage mit Bestimmtheit noch dem 10. Jahrh. zusprechen.*) Durch einen gabelförmig getheilten tonnengewölbten Gang ist die Krypta mit der Oberkirche verbunden. Merkwürdiger Weise liegt eine Apsis nur an der Westseite des Schiffes, umfasst von einer Vorhalle, deren gekuppelte Fenster das Gepräge der Frühzeit des 11. Jahrh. tragen, während das in der

*) Adler (in der Zeitschr. für Bauw. 1869) schreibt die östlichen Theile, für welche er die ursprüngliche Anlage eines Kreuzschiffes mit abgerundeten Armen nachweist, dem Ende des 9. Jahrh. zu. Meine auf eigener Untersuchung beruhende Zeitbestimmung der Kirchen auf der Reichenau glaubt er ignoriren zu dürfen.

Apsis befindliche Fenster ein Säulchen mit unbeholfen korinthisirendem Kapitäl zeigt. Die Aussenwand der Apsis ist mit einem hochalterthümlichen Wandgemälde des unter Heiligen thronenden, zum jüngsten Gericht erscheinenden Christus geschmückt. Der ersten Hälfte des 12. Jahrh. darf man sodann die ebenfalls kleine Säulenbasilika zu Unterzell auf Reichenau zuschreiben. Die Basen und Kapitäle der acht Säulen sind auffallend platt gedrückt in conventionell romanischen Formen. Die drei Schiffe enden in Apsiden, welche nach Aussen wieder nicht vortreten. Zwei Thürme liegen an der Ostseite, eine Vorhalle ist westlich angebracht und führt zu einem Portal, dessen Säulen rohe, aber entwickelte Würfelkapitäle und steile attische Basen noch ohne Eckblatt zeigen.*) Säulenbasiliken sind ferner weiter abwärts am Rhein die spätromanische Abteikirche zu Schwarzach unfern der Eisenbahnstation Bühl gelegen, ein stattlicher Bau mit reich entwickeltem Chor, der mit seinen Nebenräumen durch drei Apsiden geschlossen wird; im würtembergischen Theile Schwabens die kleinen Kirchen von Brenz und Neckarthailfingen, die Klosterkirche des h. Aurelius zu Hirsau, sowie die Pfarrkirche zu Faurndau mit höchst eleganten Bogenfriesen an den Apsiden, im Innern mit geschmackvoll ornamentirten Würfelkapitälen und reich diamantirten Blätterfriesen, wovon Fig. 262 auf S. 319 ein Beispiel giebt; endlich im Schwarzwalde die grossartige Klosterkirche von Alpirsbach, die durch originelle Chorbildung und vollständig entwickeltes Kreuzschiff, am westlichen Ende durch eine mit Pfeilerarkaden geöffnete Vorhalle sich auszeichnet. Wie lange diese Bauweise sich in Uebung erhielt, beweist die Stiftskirche zu Oberstenfeld bei Marbach (Fig. 345), welche bereits den Spitzbogen an den Arkaden zeigt. Sie hat ausserdem das Eigene, dass ihr Chor, wie mehrfach in diesen Gegenden, geradlinig schliesst und den Unterbau des Thurmes bildet, während sich unter ihm eine Krypta ausdehnt. Die östlichen Theile waren ursprünglich gewölbt, und zwar auf Pfeilern, zwischen welchen die Arkadenstützen einmal als Säulen, einmal als Pfeiler behandelt sind. So bildet sie den Uebergang zu den Pfeilerbasiliken.

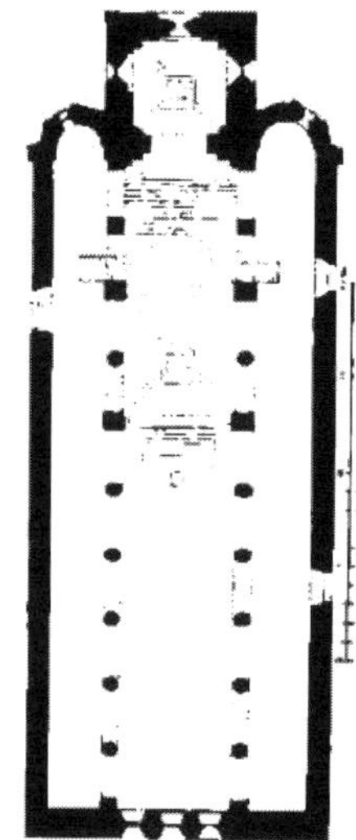

Fig. 345. Kirche von Oberstenfeld.

Der Pfeilerbau, minder verbreitet, hat doch auch in diesen Gegenden seine einzelnen Beispiele. Das früheste möchte wohl die Hauptkirche der Insel Reichenau, das Münster zu Mittelzell sein, wenn es auch nicht gerade der im J. 816 ausgeführte Bau ist**) Die stattliche Kirche hat zwei Querschiffe, wozu das Vorbild wohl aus dem benachbarten S. Gallen kam. Oestlich hat in gothischer Zeit ein polygoner Chor den alten, vielleicht geradlinig geschlossenen Chor verdrängt. Der Anfang des 32 Fuss breiten Mittelschiffes wird durch Seitenmauern als ehemals zum Chor gehörend bezeichnet. Dann folgen fünf weite Arkaden auf vier Pfeilern, deren Kämpfer an den beiden östlichen mit seltsamen flachen Zickzacks und Blumen etwa im Styl der frühen Miniaturen geschmückt sind, während die übrigen bei einer späteren Bauveränderung ein conventionell romanisches Profil erhalten haben, das an einem der älteren Pfeiler Pfeilerbasiliken.

*) Adler weist für die östlichen Theile von Unterzell eine frühere Entstehungszeit nach, für welche er die Jahre [illegible] vorschlägt.

**) Aufnahmen in Hübsch, altchristl. Kirchen Taf. 49 und in Erbkam's Zeitschrift a. a. O.

sogar mit Stuck halb über die alten Verzierungen hingezogen ist. Die sehr breiten Seitenschiffe erweitern sich gegen das westliche Querhaus bis zu 21 Fuss 9 Zoll, so dass dort wie an S. Michael zu Hildesheim eine Säule (an der Nordseite ist es ein später eingesetzter Pfeiler) mit primitivem Laubkapitäl als Zwischenstütze eintritt. Eine Apsis, die durch den einfach strengen Mittelthurm maskirt wird, schliesst sich gen Westen an; zwei Vorhallen führen beiderseits neben dem Thurm in die alten Portale des Querhauses. Die Bögen sind hier mit verschiedenfarbig wechselnden Steinen gemauert. In das 11. Jahrhundert gehört der Bau jedenfalls, wenn er nicht noch etwas früher fällt*). Eine sehr alterthümliche Pfeilerbasilika von roher Anlage, auf einer geräumigen Krypta, später vielfach umgebaut und verändert, ist der Dom zu Augsburg, dessen früheste Theile wohl noch vom Ausgang des 10. und dem Beginn des 11. Jahrh. datiren. Wenigstens scheint dies von der westlichen Krypta gelten zu dürfen, deren Säulenkapitäle zum Theil jene rohe, in der Kirche zu Oberzell vorkommende Trapezform zeigen. Die weiten Arkaden des 38 Fuss breiten Mittelschiffes ruhen auf einfachen Pfeilern, deren Fuss und Kämpfer aus Platte und Schmiege besteht. Ebenfalls dem 11. Jahrh. gehört die schlichte Pfeilerbasilika zu Lorch, deren Querschiff jedoch einen späteren Umbau erlitten hat. Schlichten Pfeilerbau zeigt die kleine Kirche in der Altstadt Rottweil, fein gegliederte Pfeiler dagegen die

Fig. 346. Fries von der Kirche zum Denkendorf.

Kirche zu Sindelfingen, die mit ihren durch drei Apsiden geschlossenen Schiffen, ohne selbständig ausgebildeten Chorbau und mit isolirt gestelltem Glockenthurm, eine auffallende Reminiszenz an altchristliche Basilikenanlagen bietet. Entwickelten Pfeilerbau hat auch die Johanniskirche zu Gmünd, im Innern zwar ganz verzopft, am Aeusseren aber durch reiche plastische Decoration und den neben dem Chor isolirt errichteten eleganten Thurm bemerkenswerth. Das Gepräge des entwickelten Styles trägt die einfache Cisterzienserkirche Bebenhausen bei Tübingen**), und in der Schweiz die demselben Orden angehörende Kirche zu Wettingen bei Baden. Reiche Choranlage bei geradlinigem Schluss zeigt die Cisterzienserkirche Maulbronn, deren Seitenschiffe indess bereits die Wölbung haben (Abbildung des Grundplans auf S. 348 unter Fig 307). Spitzbogige Pfeilerbasiliken sind die Stiftskirche zu Tiefenbronn und die Klosterkirche zum heil. Grab zu Denkendorf im Würtembergischen, von der wir unter Fig. 346 einen, aus Band- und Blattverschlingungen gebildeten Fries bringen, wozu man das auf S. 342 befindliche ausgezeichnet schöne Kapitäl vergleiche. Zu den bedeutendsten romanischen Bauten gehört sodann die Stiftskirche zu Ellwangen, (Fig. 347) welche in ihrer Grundform so sehr von den süddeutschen Anlagen abweicht, dass man einen Einfluss aus den sächsischen Gegenden annehmen muss. Sie bildet nämlich den Chor mit Abseiten und fügt zu den drei Apsiden des Chorschlusses noch zwei Apsiden auf den weit ausladenden Kreuzarmen, an welche sich östlich ausserdem zwei Thürme legen. Es entsteht also eine Planform, die mit Kirchen wie Königslutter, Paulinzelle und anderen sächsisch-thüringischen Bauten mehr als mit den schwäbischen gemein hat. Dazu kommt eine ansehnliche Empore über der westlichen Vorhalle, und

*) Adler stellt nach eingehenderer Untersuchung, als sie mir vergönnt war, die Bauepoche so: Seitenschiffmauern u. Säule im nördl. Seitenschiff 964—971; südl. u. westl. Querschiff mit Thurm, Apsis u. Vorhallen 1030—1046; Arkaden und Chorschranken 1175—1210.

**) Aufnahmen von Leibnitz in den Supplem. zur Kunst des Mittelalters in Schwaben. Stuttgart. Fol.

die vollständige Einwölbung des ganzen Innern, das durch seine gegliederten Pfeiler von vorn herein auf Wölbung berechnet erscheint. Vermauerte Bogenöffnungen über den Arkaden deuten auf einen ehemaligen Laufgang in den Mauern des Mittelschiffs. Das Innere ist leider in der Zopfzeit modernisirt worden, das Aeussere aber bewahrt noch das charaktervolle Gepräge eines Baues aus der Blüthezeit des 12. Jahrhunderts.

Unter den Bauten der Uebergangszeit ist als eins der bedeutendsten Denkmäler das **Münster zu Basel** zu nennen, dessen Schiff mit Ausnahme späterer Zusätze dem Anfang des 13. Jahrh. zuzuschreiben sein wird. Unsere Abbildung Fig. 318 veranschaulicht den Grundriss mit Fortlassung der später zugesetzten, durch eine punktirte Linie angedeuteten äussersten Seitenschiffe*). Die ungewöhnliche Breite des Mittelschiffes, 42 Fuss im Lichten, die durch den Gegensatz der ungemein schmalen Ab- Uebergangsbau.

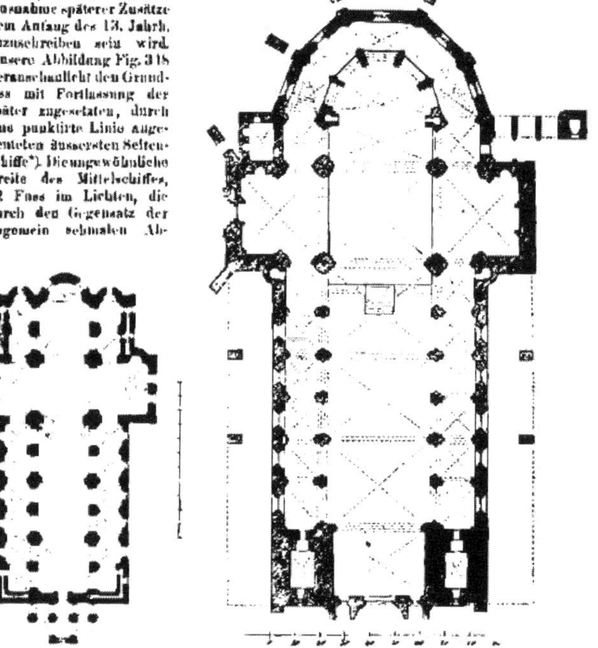

Fig. 317. Kirche zu Ellwangen. Fig. 318. Münster zu Basel.

seiten von nur 11 Fuss noch gesteigert wird, bedingt die grossartige räumliche Wirkung, die durch den fünfseitigen Chor mit vollständigem, niedrigem Umgang — ein an deutschen Bauten selten vorkommendes Motiv — ihren würdigen Abschluss erhält. Die folgende Abbildung Fig. 319 lässt die strenge, aber consequente Au-

*) Beide Abbildungen verdanke ich der Güte meines Freundes, des Herrn Ch. Riggenbach, in Basel, des Wiederherstellers der alten Münsterkirche, welcher eine auf sorgfältigste Studien und gründliche Aufnahmen gestützte Monographie über den wichtigen Bau vorbereitet hat, die nach seinem zu frühen Hinscheiden hoffentlich doch noch an's Licht treten wird.

26*

lage einer Ueberwölbung in allen charakteristischen Einzelheiten erkennen, zeigt bei spitzbogigen Arkaden noch halbkreisförmige Triforienöffnungen und ebenfalls rundbogige Fenster, paarweise in jeder Schildwand angeordnet. Die Gewölbe sind erst nach dem Erdbeben vom J. 1356 in gothischer Constructionsweise erneuert. Eine reiche, aber noch ungemein strenge Ornamentation verbindet sich mit dem architektonischen Gliederbau. Mit noch grösserem Glanz tritt dieselbe an den Sculpturen,

Fig. 240. Münster zu Basel. System des Langhauses.

Friesen und Kapitälen des Kreuzganges beim Grossen Münster zu Zürich hervor, während das Münster selbst ein energisch und klar durchgeführter romanischer Gewölbebau, mit flach geschlossenem Chor über einer Krypta, mit Emporen über den Seitenschiffen und zwei in den oberen Geschossen erneuerten Westthürmen, ist. Von verwandtem Stylgefühl zeugt die Liebfrauenkirche zu Neufchâtel, ein eleganter Bau mit entwickelten Pfeilern und Rippengewölben, schwach angedeutetem Querschiff und drei östlichen Apsiden. Auch das Querschiff des Münsters zu Freiburg im Breisgau gehört hierher. Die rundbogigen Fenster, die reiche Form der Rosen in den Quergiebeln, die gegliederten Pfeiler mit den glänzend decorirten Kapitälen und die breiten Gurte der Gewölbe lassen einen Bau der entwickelten Uebergangszeit erkennen.

Bauten im Elsass. — *Ottmarsheim.* — *Kapelle zu Neuweiler.* — *Hagenau.*

Reich an Denkmalen romanischen Styles ist das Elsass*), dessen obere Gegenden schon früh eine bedeutende Entwicklung des Gewölbes aufnehmen. Sie geben sich in ihren Bauten durch manche Eigenheiten als Sprösslinge des in ihrem ehemaligen Bischofssitze Basel so edel durchgebildeten Styles zu erkennen, während die Monumente des unteren Elsass anfangs eine derbere schwerere Formbehandlung zeigen. Von der Kirche zu Ottmarsheim**), die in den strengen Formen des 11. Jahrh. das Münster zu Aachen nachbildet, war schon oben die Rede (s. S. 266). Im unteren Elsass ist als ein derselben Zeit angehöriger Bau die nicht minder merkwürdige Doppelkapelle zu nennen, welche an die Ostseite der Peter- und Paulskirche zu Neuweiler stösst***). Der untere Raum, ehemals von der Chormitte aus zugänglich, ist kryptenartig mit Kreuzgewölben auf Säulen mit schlichtem Würfelkapitäl und eckblattloser, steiler attischer Basis gestaltet. Die obere Kapelle ist eine kleine flachgedeckte Basilika mit drei Apsiden. Ihre Säulenkapitäle haben phantastisch verschlungene Flechtwerke mit Drachenköpfen, ganz nach Art irischer Miniaturen. Denselben Schmuck zeigen die Vorderseiten der drei Altäre, doch tritt hier bereits eine bestimmte in romanischem Stylgefühl durchgeführte Umprägung der Motive hervor. — Eine Säulenbasilika strenger Anlage und in bedeutenden Dimensionen ist die Georgskirche zu Hagenau, an deren dreischiffiges Langhaus in gothischer Zeit ein Chor sammt Querschiff gefügt wurde. Neun Säulenpaare von schweren gedrungenen Verhältnissen fast ohne alle Verjüngung trennen die Schiffe. Die östlichen Säulen haben steile attische Basen, die folgenden bilden ihre Basis minder steil und fügen ein derbes Eckblatt hinzu. Diese geben auch der einfachen klar entwickelten Würfelform des Kapitäles schräge Seitenflächen. Alles dies weist auf die Frühzeit des 12. Jahrh. — Säulen und Pfeiler im Wechsel zeigen die kleinen Kirchen von Surburg im unteren und von Lautenbach im oberen Elsass.

Andlau.

Zu den alterthümlichsten Resten gehören sodann die älteren Theile der stattlichen Abteikirche von Andlau. Dieser Bau wurde im 17. Jahrh., mit Beibehaltung romanischer Anlage und Formen zu einer grossartigen, durchgängig mit Emporen versehenen Gewölbkirche umgestaltet. Aber schon die alte Kirche muss Emporen gehabt haben, wie die breiten Wendeltreppen neben dem Westthurme beweisen. Das untere Thurmgeschoss bildet eine kreuzgewölbte Vorhalle, mit einem inneren Portal, das mit phantastischen Sculpturen in einem plumpen und stumpfen Reliefstyl geschmückt ist. Andere Reliefriese ähnlicher Art umziehen von aussen den Thurm, dessen ganzes Gepräge auf den Anfang des 12. Jahrh. deutet. Die ausgedehnte Krypta, die gleich dem Chor geradlinig schliesst, ist durch zwei Pfeiler in eine östliche und westliche Hälfte getheilt. Säulen und an den Wänden Halbsäulen, stark verjüngt, mit eckblattlosen, steilen attischen Basen und kräftigen Würfelkapitälen sammt Platte und Schmiege tragen die einfachen Kreuzgewölbe. Diese Theile dürften noch dem 11. Jahrh. angehören.

Gewölbebau. Murbach. — *St. Jean des Choux. Rosheim.*

Den Gewölbebau vertritt als eins der ersten derartigen Monumente die in strengem Adel durchgeführte Klosterkirche zu Murbach (Fig. 350), in einem anmuthigen Waldthale bei Gebweiler gelegen. Das Langhaus derselben ist zerstört, der Chor aber, flach geschlossen, mit Seitenkapellen und einem Querschiff, über welchem zwei Thürme aufragen, gehört durch Eigenthümlichkeit der Anlage und Klarheit der Gliederung zu den bedeutsamsten Werken, welche die erste Hälfte des 12. Jahrh. in Deutschland geschaffen hat. Die übrigen Gewölbkirchen des Elsass treten in den Formen der spätromanischen Zeit auf. So die sehr rohe, schlichte Pfeilerbasilika St. Jean des Choux bei Neuweiler, dreischiffig mit drei Apsiden ohne Querhaus; so besonders die elegant und reich durchgeführte Kirche zu Rosheim, eine normale, mit

*) Vergl. meinen Aufsatz in Förster's allgemeiner Bauzeit. 1845, mit Zeichnungen von G. Lasius.

**) Aufnahme in Isabelle, Edifices et Dômes circulaires.

***) Aufgen. in Viollet-le-Duc's Dictionnaire de l'architecture française II p. 452. fg.

Kreuzschiff und Apsiden nach deutscher Weise ausgestattete Anlage, bei welcher derbe Säulen mit gegliederten Pfeilern wechseln und der Rundbogen, auch in den Gewölben, noch die Oberhand behält. Die Façade ist thurmlos, aber auf der Kreuzung erhebt sich ein in seinen unteren Theilen noch romanischer Thurm im Achteck. Eine Stufe

Fig. 250. Kirche zu Murbach.

entwickelter, mit spitzbogigen Arkaden und einer in späterer Zeit umgebauten Empore

Schletstadt. über den Seitenschiffen zeigt sich die Fideskirche in Schletstadt, die nur durch die schwerfällige Derbheit und Unbeholfenheit der Formen den Schein eines höheren Alters gewinnt. Sie gehört der Spätzeit des 12. Jahrh. an, wie schon die Gliederung der Pfeiler durch Halbsäulen und die Gewölbrippen beweisen würden. Mit den Pfeilern wechseln auch hier leichtere Stützen, die aus vier verbundenen Halbsäulen

gebildet sind. Zu dem achteckigen Thurm auf der Vierung kommen noch zwei Westthürme, zwischen welchen eine hübsch angelegte tonnengewölbte Vorhalle sich befindet. Dass diese Vorhallen im Elsass besonders beliebt waren, beweist noch die aus der Frühzeit des 12. Jahrh. datirende, grossartig entwickelte Vorhalle der Kirche zu Maursmünster (Marmoutier)*), die mit ihrer strengen und energischen Behandlung Maursmünster.
und den drei Thürmen einen bedeutenden Eindruck macht. In spätester Fassung romanischer Zeit, schon mit dem Spitzbogen vermischt, kehrt ein solcher Vorhallenbau an der Kirche zu Gebweiler wieder, wo der Wechsel stärkerer und schwächerer Gebweiler

Fig 351. Chor der Kirche zu Pfaffenheim.

Pfeiler besonders reich und klar durchgebildet auftritt und an Arkaden wie Gewölben der Spitzbogen zur vollen Herrschaft gelangt. Den hier fehlenden Chor, der einem gothischen Bau hat weichen müssen, wie denn auch zwei gothische Seitenschiffe noch angebaut wurden, kann man sich von der Kirche des benachbarten Pfaffenheim, wo die- Pfaffenheim.
ser Theil allein verschont blieb, zur Ergänzung hinzufügen (Fig 351). Die polygone Apsis mit Bogenfriesen und einer Galerie von Blendsäulen spricht den spätromanischen Styl besonders zierlich und elegant aus. Der gleichen Entwicklungsepoche gehören sodann die östlichen Theile des Münsters zu Strassburg**) und der Stephanskirche da- Strassburg.
selbst, in deren Anlage — die Apsiden stossen unmittelbar an das Querschiff — eine

*) Aufnahmen in Gailhabaud, Denkm. Bd. II.

**) Eingehende Darstellung der baugeschichtlichen Verhältnisse dieser Theile in meinem Aufsatz „Zwei deutsche Münster" in Westermann's Monatsheften. 1862.

primitive altchristliche Auffassung nachklingt. Aus dem vollen Uebergangsstyl in die strenge frühgothische Bauweise wächst sodann dieser Styl in der Peter- und Pauls-
Neuweiler. kirche zu Neuweiler, einem merkwürdigen Bau von fast seltsamer überströmender Energie der Gliederbildung und Ornamentik, die, von den östlichen nach den westlichen Theilen fortschreitend, in das Frühgothische allmählich übergeht. Ein schlichterer Bau der Uebergangszeit ist endlich ebendort die protestantische Pfarrkirche, die auf dem Querschiff wieder den im Elsass so beliebten Thurm, aber diesmal viereckig und an der Façade zwei runde Treppenthürme aufweist. Das Innere mit seinen spitzbogigen Arkaden ist äusserst roh und derb in den Formen, eng und schwer in den Verhältnissen.

Bauten in Baiern. Tritt uns somit am ganzen Laufe des Rheins eine rege architektonische Entwicklung entgegen, so halten die altbairischen Lande*) gleich den schwäbischen in einer gewissen Zähigkeit lange Zeit an den einfachsten Formen, wie die flachgedeckte Pfeilerbasilika sie mit sich brachte, fest. Erst spät und dann noch vereinzelt kommt man hier zu einer Aufnahme des Gewölbebaues. Für die romanische Frühzeit enthält
Regensburg. Regensburg**) eine Anzahl wichtiger Denkmale, denen im Laufe des 11. Jahrh. ein streng klassisches, antikisirendes Gepräge anhaftet. Eine schlichte, flachgedeckte Basilika mit fünf Pfeilerpaaren einfachster Form, mit Doppelchören und westlichem Kreuzschiff, so wie mit einem isolirt stehenden Thurme ist die Stiftskirche Obermünster, deren Anlage noch vom J. 1010 stammt. Verwandte Planform, aber in grossartigeren Verhältnissen mit einem gegen 40 Fuss breiten Mittelschiff kehrt an der Abteikirche S. Emmeram wieder. Es ist eine Pfeilerbasilika mit zwei Chören und Krypten; der Ostchor endet in drei Apsiden, der rechtwinklig schliessende Westchor leitet ein weites Querschiff ein. Ist das Schiff einem zopfigen Umbau erlegen, so zeigen die westlichen Theile noch die Spuren des 11. Jahrhunderts. Namentlich gilt dies von dem an der Nordseite des Querhauses anstossenden Doppelportal, welches inschriftlich bald nach 1049 entstanden sein muss. Aber auch der Querbau selbst und mehr noch die westliche Krypta mit ihren Wandnischen und Säulen verrathen den Styl jener Zeit. Im 12. Jahrh. wurde dann die grossartige nördliche Vorhalle in derbem Pfeilerbau angefügt, an diese dann im 13. Jahrh. eine reiche Portalanlage. — Kleinere Gebäude jener Frühzeit sind die Krypta des heil. Erhard und der originelle Gewölbebau der Stephanskapelle beim Dom, des sogenannten „alten Domes". Dem 12. Jahrh. gehört dagegen die Allerheiligenkapelle beim Dom, ein in Centralform zierlich angelegtes Grabkirchlein. Der zweiten Hälfte desselben Jahrhunderts (etwa 1150—80) darf man mit Bestimmtheit die Kirche des Schottenklosters S. Jakob zuschreiben. Da auch hier die Schiffe ohne Kreuzanlage östlich mit drei Apsiden schliessen, so hat man zur Unterscheidung dem Chore vier Pfeilerpaare, dem Schiff dagegen sechs weitere Arkaden auf Säulen gegeben. Dagegen schliesst sich westlich ein nicht erheblich aus der Mauerflucht des Langhauses vortretendes Querhaus mit einer Empore an. Das Hauptportal an der Nordseite ist durch den wüsten phantastischen Spuk seiner bildnerischen Ausschmückung bemerkenswerth.

Ausser Regensburg lassen sich keine hervorragenden Denkmale in den altbairischen Gegenden aufweisen. Eine flachgedeckte Basilika ohne Querschiff, mit drei
Petersberg. Apsiden und mit Wechsel von Pfeilern und Säulen ist die Klosterkirche am Peters-
Chammünster. berg bei Dachau, 1100 errichtet. Aehnlich scheint die Kirche von Chammünster.
Füssen. Zu den ältesten Werken gehört die merkwürdige Krypta des h. Magnus in Füssen,
Pfeilerbasil. des 12. Jahrh. schon durch ihre Tonnengewölbe als hochalterthümlich bezeichnet. Seit dem 12. Jahrh. scheint in den bairischen Bauten das Kreuzschiff in regelmässiger Anlage häufiger zu werden. So an der Kirche zu Windberg, einem ursprünglich flachgedeckten Pfeilerbau, der Kirche von Biburg und besonders an dem stattlichen Bau von S. Peter in Straubing. Dagegen sind andere Kirchen dieser Zeit wieder ohne Kreuzschiff, wie der Dom zu Freising, durch seine grossartige, reich geschmückte Krypta ausge-

*) *Sighart*, die mittelalt. Kunst in der Erzdiöcese München-Freising. 8. Freising 1855. Derselbe, Gesch. d. bild. Künste im Königr. Bayern. 8. München 1862.
**) *F. v. Quast's* Aufsatz im D. Kunstbl. von *F. Eggers* 1852.

zeichnet. Ferner die Kirchen von Isen, Ilmmünster und Steingaden, sämmtlich schlichte Pfeilerbauten, die beiden ersteren mit Krypten. Eine ursprünglich flachgedeckte grossartige Pfeilerbasilika ist S. Zeno bei Reichenhall, und ähnlich, nur in geringeren Dimensionen die Kirche von Berchtesgaden. Den Wechsel von Säulen und Pfeiler hat dagegen die Pfarrkirche in Reichenhall, ausserdem durch eine Empore bemerkenswerth. Endlich tritt an S. Michael zu Altenstadt bei Schongau*) auch der Gewölbebau in klarer, strenger Durchbildung auf. Die Spätzeit des romanischen Styles ist in diesen Gegenden minder reich vertreten. Doch mögen die originelle Kapelle der Trausnitz bei Landshut und die glänzende Prachtanlage des Kreuzganges an S. Emmeram zu Regensburg, letzterer schon im Uebergange zur Gothik, hervorgehoben werden.

In den österreichischen Ländern**),

mit Ausnahme des Küstenlandes, welches seine eigene Kunstweise entwickelt und in der Uebersicht denn auch zu Italien gehört, stehen alle Gebietstheile unter dem Einfluss deutscher Kunstübung, und selbst auf Slaven, Romanen und Ungarn erstreckt sich die Herrschaft deutsch-romanischen Styles. Doch scheint keine feste Schultradition sich hierher fortgepflanzt, sondern nur in sporadischer Weise von verschiedenen Punkten eine Einwirkung stattgefunden zu haben. Wir finden in der reichlich gepflegten, vorwiegend phantastischen Ornamentation denselben Grundzug, den wir in den Schulen des südwestlichen Deutschlands und der Schweiz angetroffen hatten, aber wir werden zugleich gelegentlich durch auffallende Anklänge an sächsische Bauten überrascht; daneben mischt sich in den südlichen Gegenden mancher Einfluss der lombardischen Bauweise, besonders in der Anlage und Ausbildung der Portale, ein. Bei der Planform zeigt sich wieder darin etwas Gemeinsames mit süddeutschen Anlagen, dass das Kreuzschiff häufig fortgelassen wird und die drei Schiffe in gleicher Linie mit drei Apsiden schliessen. Damit fällt denn auch eine reichere Thurmentfaltung fort, und nur in einer alten Abbildung der ehemaligen Domkirche zu Salzburg erkennen wir ein östliches Kreuzschiff mit zwei Treppenthürmen an den Giebelseiten und einem achteckigen Kuppelthurm auf der Vierung, daneben dann die beiden Westthürme. Mit letzteren müssen sich sogar die bedeutenderen Kirchen in der Regel begnügen. Eine höhere Entwicklung der Architektur scheint überhaupt erst seit 1150 begonnen zu haben, und diesem späten Anfange entspricht das lange Festhalten an romanischen Formen, das wir in der Umgestaltung des sogenannten Uebergangsstyles bis tief in die zweite Hälfte des 13. Jahrh. verfolgen können. Ohne also im Ganzen und Grossen neue Gedanken und Conceptionen zu entwickeln, nehmen die österreichischen Länder die anderwärts ausgeprägten Formen auf und fügen ihnen lediglich in der bildnerischen Belebung einen Schmuck hinzu, der allerdings eine seltene Fülle und Beweglichkeit der Phantasie verräth und bisweilen Schöpfungen von vollendeter Durchbildung, von unübertroffener Schönheit des Details hervorbringt, welche freilich mit der Rohheit und Phantastik der figürlichen Darstellungen an denselben Werken in schreiendem Gegensatze steht. Diese Wendung lässt sich etwa seit dem J. 1200 wahrnehmen und gibt sich auch in der Aufnahme des ganzen im deutschen Uebergangsstyl herrschenden Constructions-Systems kund.

*) Aufnahme in *E. Förster's* Denkm. Deutsch. Baukunst.

**) *F. Fürst Lichnowsky*, Denkmäler der Baukunst und Bildnerei des Mittelalters in Oesterreich. 1817. — *Ernst* und *Oescher*, Baudenkmale des Mittelalters im Erzherzogthum Oesterreich. 1846. — Auf diese beiden unvollendet gebliebenen Werke ist erst in neuester Zeit eine Reihe von Publicationen gefolgt, hauptsächlich durch die Thätigkeit der k. k. Centralcommission für Erforschung und Erhaltung der Denkmäler hervorgerufen, in denen eine umfassendere Durchforschung der österreichischen Denkmäler angestrebt wird. Es sind die Mittheilungen der k. k. Centralcommission etc., redigirt von *K. Weiss*, später *A. v. Perger* und *Karl Lind*, (Jahrg. 1856—1870), und das Jahrbuch der k. k. Centralcommission (1856—1861), letzteres von *G. Heider* redigirt. Daran schliesst sich das Prachtwerk: Mittelalterliche Kunstdenkmale des österr. Kaiserstaates, herausgeg. von *G. Heider*, *R. v. Eitelberger* und *J. Hieser*. Stuttgart 1856 ff. 4. 2 Bde. — Beiträge zur Gesch. Böhmens. Abth. III Bd. II. die Kaiserburg zu Eger, aufgen. und beschr. von *Bernh. Grueber*. Prag u. Leipzig 1864. — Abbild. der Baualterth. in Böhmen, herausgeg. von *Anton Philipp Schmidt*. Heft I. Prag 1863.

Kreuzgang
des Klosters
Nonnberg.

Zu den in Oesterreich sehr seltenen Resten frühromanischer Zeit gehört der interessante, wahrscheinlich noch aus der zweiten Hälfte des 11. Jahrh. herrührende Kreuzgang des Benedictinerinnenklosters Nonnberg zu Salzburg. Das Düstere des Eindrucks, die sehr schweren massigen Formen, die abnorme Gestalt der Säulenbasis als umgestürzten Würfelkapitäls, die primitiven Kreuzgewölbe deuten auf eine noch unentwickelte Epoche der Bauthätigkeit. Wir geben unter Fig. 352 eine Abbil-

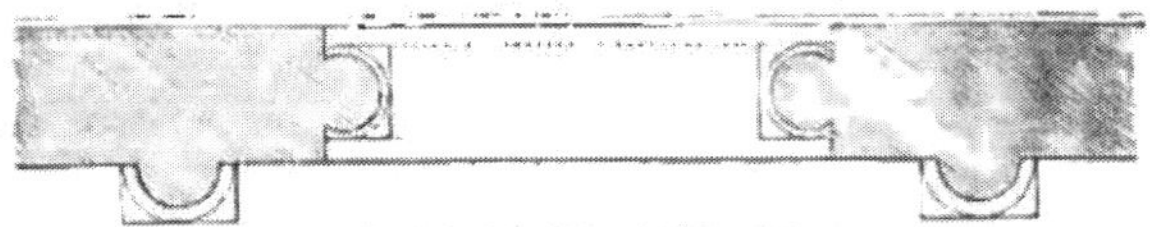

Fig. 352. Kreuzgang des Klosters Nonnberg in Salzburg.

dung der merkwürdigen Anlage, die unter allen deutschen Kreuzgängen wohl das höchste Alter beanspruchen darf. Auch das in verwandter Constructionsweise ausgeführte Kapitelhaus und die westliche Vorhalle der Kirche sind frühromanische Reste. Die übrigen bis jetzt bekannten rein romanischen Bauten Oesterreichs gehören in's 12. Jahrhundert, und zwar überwiegend in die zweite Hälfte desselben. Auffallender Weise scheint die Form der Säulenbasilika, die wir im südwestlichen Deutschland so oft trafen, in den österreichischen Ländern gar nicht vorzukommen, und selbst von der gemischten Anordnung wechselnder Säulen und Pfeiler finden sich so vereinzelte

Beispiele, dass auch diese Anlage sich als eine fremdartige verräth. Dahin gehört S. Peter in Salzburg, im Wesentlichen vielleicht noch die nach dem Brande von 1127 errichtete Kirche, deren Grundriss (Fig. 353) trotz späterer Veränderungen den ehemaligen Wechsel von zwei Säulen und einem Pfeiler deutlich erkennen lässt. Das Schiff, ursprünglich flach gedeckt, wird von gewölbten Seitenschiffen eingeschlossen, verbindet sich im Westen mit einem viereckigen Hauptthurme, östlich dagegen mit einem wenig ausladenden Querschiffe, dessen Vierung eine Kuppel trägt, und an welches sich der kurze, später umgestaltete Altarraum mit rechteckigem Schlusse schlicht anfügt. Erinnert hier die Anordnung der Arkaden am meisten an sächsische Vorbilder, so ist dies noch entschiedener bei dem erst nach 1145 erbauten Dom zu Seccau (Fig. 354) der Fall, dessen Arkaden einen noch reicheren Wechsel in der Gestalt der Stützen zeigen und obendrein mit jener rechtwinkligen Umrahmung versehen sind, welche wir an S. Godehard in Hildesheim (vergl. Fig. 247 auf S. 314) kennen gelernt haben. Doch ist die Basilikenanlage durch Fortlassen des Kreuzschiffes wesentlich vereinfacht, und auch die Detailbehandlung beschränkt sich auf die Formen der attischen Basis mit dem Eckknollen, des wenig verzierten Würfelkapitäls, und im Aeusseren auf den schlichten Rundbogen- und Würfelfries. In diese Reihe gehört sodann noch S. Georg auf dem Hradschin zu Prag, eine stark verbaute kleine Basilika mit Säulenkrypta und ziemlich roher Ausführung, ehemals im Mittelschiff ebenfalls flach gedeckt, über den Seitenschiffen aber mit Emporen versehen, deren halbirte Tonnengewölbe auf gewisse südfranzösische Bauten hinzuweisen scheinen. Die Thürme stehen hier am östlichen Ende neben den Seitenschiffen, gleichsam als Kreuzarme.

S. Peter zu Salzburg.

S. Georg zu Prag.

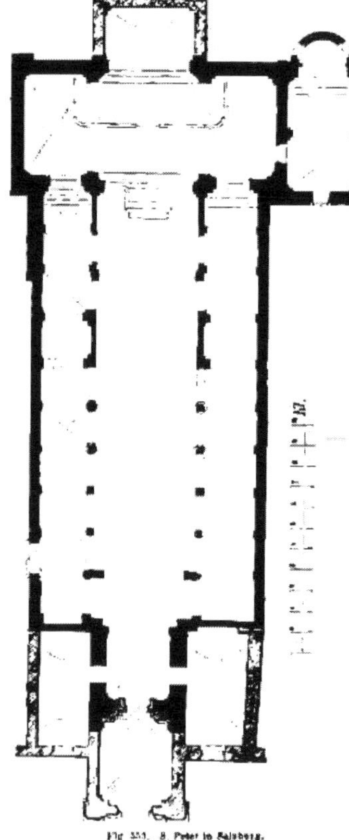

Fig. 353. S. Peter in Salzburg.

Gewöhnliche Anlagen.

In überwiegender Mehrzahl ist die Pfeilerbasilika zur Anwendung gekommen, und zwar zunächst mit flachgedecktem Mittelschiff. So zeigte es ursprünglich der Dom zu Gurk in Kärnthen, dessen Hauptdispositionen in naher Verwandtschaft mit dem Dom zu Seccau stehen, denn auch hier endet das Langhaus ohne hervortretendes Kreuzschiff mit drei Apsiden, auch hier schliessen zwei westliche Thürme eine Vorhalle mit reich gegliedertem inneren Portale ein. Dagegen besitzt dieser einfache Bau an seiner hundertsäuligen Marmorkrypta ein prachtvolles Unicum seiner Art. Die Bauzeit fällt in die zweite Hälfte des 12. Jahrh. Eine höchst normale Anlage ist sodann die Stiftskirche S. Paul im Lavantthal (ebenfalls in Kärnthen), mit zwei Thürmen und Vorhalle, östlichem Kreuzschiff und drei Apsiden, an Pfeilern und Bögen mit vorgelegten Halbsäulen gegliedert. Einfache Pfeilerbasiliken der Kärnthener Baugruppe finden wir ferner in der Prämonstratenserkirche zu Griventhal mit geradlinigem Schluss des Chors und seiner Abseiten; in der Benedictiner-Klosterkirche zu Milstat*), einem ursprünglich flach gedeckten Bau ohne Kreuzschiff; sodann in der Stiftskirche zu Eberndorf mit ausgedehnter Krypta unter Chor und Kreuzschiff, und in der Cistercienserkirche zu Viktring bei Klagenfurt, einem Bau mit Kreuzschiff, doch ohne Krypta, der bei entschiedenen Uebergangsformen ursprünglich ein flachgedecktes Mittelschiff hatte. So soll auch die Stiftskirche zu Seitenstetten trotz ihrer Modernisirung die Spuren einer Pfeilerbasilika zeigen, und endlich hat Böhmen in der grossen Prämonstratenserkirche zu Mühlhausen (Milevsko) eine ähnliche Anlage aufzuweisen. Unter den ungarischen Kirchen gehören hierher die Kirche zu Felsö-Oers und der Dom zu Fünfkirchen, ein stattlicher Bau mit vier Thürmen, ohne Kreuzschiff, mit drei Apsiden am Ende des dreischiffigen Langhauses und einer Krypta in der ganzen Breite der Anlage.

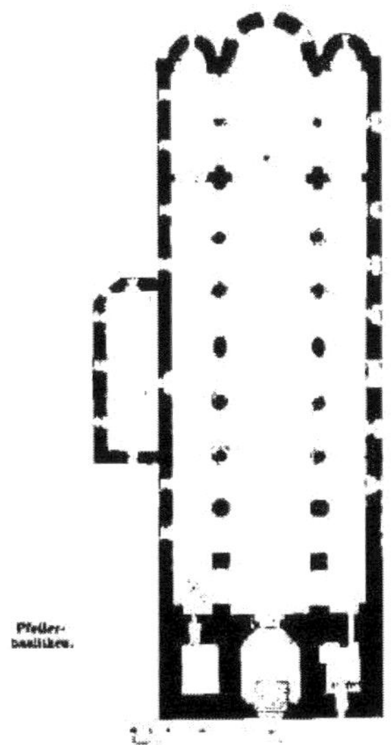

Fig. 354. Dom zu Seccau.

Pfeilerbasiliken.

In der Regel nahm man indess die vollständige Wölbung der drei Schiffe und den damit verbundenen, durch vorgelegte Halbsäulen gegliederten Pfeiler auf. Doch scheint diese vollendete Ausbildung der romanischen Basilika erst um 1200 allgemeiner in Oesterreich eingedrungen zu sein, wenngleich hier wie überall die Cistercienser der Bewegung den ersten Impuls gaben, und die grossartige Abteikirche Heiligenkreuz in consequent durchgeführter rundbogiger Wölbung, obschon mit ungemein schlichter, fast nüchterner Formenbehandlung, bereits 1187 vollendet war. Die Kirche, deren Gesammtlänge sich auf 255 Fuss beläuft, gehört zu den bedeutendsten österreichischen Bauten dieser Zeit und erhielt nachmals durch die grossartige Erweiterung des Chores eine imposante Innenwirkung. Den Rundbogen hat ferner in allen Theilen die interessante Kirche zu Deutsch-Altenburg vom J. 1213. Das Langhaus der Franziskanerkirche zu Salzburg (Fig. 355) ist dagegen ein ungemein klar entwickelter Bau der entschiedenen Uebergangsepoche, der schon in der Pfeilerbildung die conse-

*) Aufnahmen von Milstat und S. Paul gibt Freiherr v. Ankershofen im Jahrb. d. Centr. Comm. Wien, 1860.

quent durchgeführte Anlage mit reich gegliederten Gurten, spitzbogigen Arkaden und Gewölben anzeigt. Fenster und Portale sind jedoch noch im Rundbogen geschlossen, die Details einfach und selbst plump, mit Ausnahme eines prachtvollen Südportals, wahrscheinlich einem ehemaligen Kreuzschiffe angehörig, in Reichthum und Schönheit der Ornamente, Schlankheit der Verhältnisse, farbigem Wechsel der Steinlagen sich von der übrigen Behandlung so unterscheidend, dass man an italienische Arbeit denken muss. Der Chor ist ein durch Originalität und Grossartigkeit der Anlage ausgezeichnetes Werk der späteren Gothik. Hierher gehört auch die Stiftskirche zu Inichen in Tyrol eine entwickelte Anlage mit Krypta und Kreuzschiff, mit reicher Ornamentation, namentlich drei ansehnlichen Portalen ausgestattet, darunter das westliche nach lombardischer Bauweise einen Vorbau hatte, dessen Säulen ehemals auf Löwen ruhten. Diese offenbar aus Italien stammende Portalanlage fand sich ehemals auch am Dom zu Salzburg. Auch in Böhmen gibt es einige bedeutende Bauten dieser Zeit, so die grosse, 1197 begonnene Collegiatkirche zu Tepl, 264 Fuss lang mit zwei Westthürmen, Kreuzschiff und drei Apsiden, die mittlere aus dem Zehneck geschlossen; ähnlich, wie es scheint, und nicht minder stattlich die Kirche zu Tismitz, ebenfalls mit drei Apsiden und zwei Westthürmen.

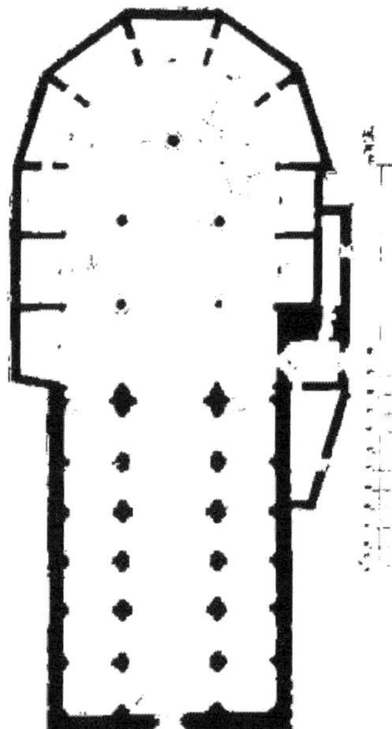

Fig. 355. Franziskanerkirche zu Salzburg.

Am bedeutendsten ohne Zweifel entfaltete sich dieser Styl in den rein deutschen Provinzen, namentlich Niederösterreich. Hier tritt uns in der grossartigen Cisterzienser-Abteikirche zu Lilienfeld eine der glänzendsten Leistungen des deutschen Uebergangsstyles entgegen. Von der ausgedehnten Klosteranlage ist die Kirche sammt den Kreuzgängen und dem Kapitelsaal aus dieser Zeit erhalten. Erstere, von 1202 bis 1220 erbaut, zeigt schon im Grundriss die originelle Bedeutsamkeit, welche den meisten Bauten dieses Ordens eigen ist. Der Chor, ursprünglich, wie der Grundriss (Fig. 356) zeigt, polygon geschlossen, wurde nachmals durch einen imposanten quadratischen Hallenbau erweitert. Die achteckige Pfeilerform dieser Theile so wie die seltsam barocken Consolen an deren oberem Ende, endlich die unorganische Anfügung dieser Theile scheint dafür zu sprechen, dass dieselben erst nach Vollendung des ganzen Baues hinzugefügt worden sind, um die Wirkung des Chores zu steigern. Das Kreuzschiff erhält ebenfalls durch Nebenhallen eine erhöhte Bedeutung. An den Gewölben wie an den Arkaden des Schiffes ist der Spitzbogen consequent durchgeführt, an den Chorarkaden dagegen herrscht noch der Rundbogen, der auch an sämmtlichen Fenstern und Bogenfriesen sich findet. Die Profilirung der Gewölbrippen hat im

Lilienfeld.

Schiff bereits gothische Formen, wie denn auch der ganze Grundplan hier mit den schmalen Gewölbjochen die quadratische Gliederung der Basilika aufgibt und gothischer Anlage sich zuneigt. Die Dimensionen sind höchst bedeutend, die ganze Kirche 264 Fuss lang, das Mittelschiff, bei 29 Fuss Breite 78 Fuss hoch, verräth schon die schlank aufstrebende Tendenz. Auch das Aeussere überbietet in seiner reichen und klaren Gliederung die sonst so einfache Bauweise dieses Ordens. Ein wahrhaft verschwenderischer Reichthum ist aber an dem Kreuzgange entfaltet, der mit seiner regelmässigen Anlage, dem zierlichen, leider modernisirten Brunnenhaus, der reichen Ornamentation, den vollendet schönen Bogenöffnungen sammt dem Schmuck von über 400 Säulen aus rothem Marmor eins der glänzendsten Beispiele klösterlicher Prachtarchitektur bildet.

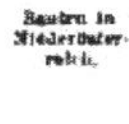
Bauten in Nieder-Oesterreich.

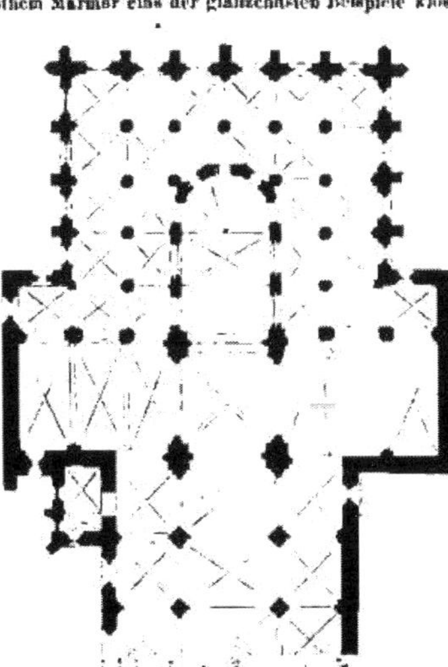
Fig. 384. Cisterzienserabteikirche Lilienfeld.

An ihn schliesst sich der kaum minder bedeutende Kreuzgang zu Heiligenkreuz, dessen Bogen- und Gewölbstützen ebenfalls in mannichfaltigster Art mit 390 schlanken Säulen decorirt sind. Eine dritte bedeutende Kreuzgang-Anlage der Uebergangszeit aus den Jahren 1205 — 1217 findet sich in dem ebenfalls Nieder-Oesterreich angehörenden Cisterzienserstift Zwetl. In diese Epoche gehören ferner die Collegiatkirche zu Ardacker vom Jahre 1230, deren modernisirten Schiff die spitzbogigen Arkaden und die abgeschrägten romanischen Pfeiler zeigt; die mehrfach umgebaute Stiftskirche S. Pölten, ohne Querschiff mit drei Apsiden und zwei Westthürmen; Façade, Querschiff und Chor der Kirche zu Klosterneuburg, welche auch eine reiche und schöne Kreuganganlage im vollendeten Uebergangsstyle besitzt; dann die Stiftskirche zu Neustadt mit Schiff und Thürmen, ein grossartiger Bau dieser Epoche, spitzbogig in den Gewölben, bei rundbogigem Schluss der Fenster und Portale; endlich in Wien selbst die durch ungemein edle Ornamentik, klar entwickelte Pfeiler- und Gewölbanlage und bedeutsames Querschiff ausgezeichnete Michaeliskirche, so wie die Façade und das Westportal (die sogenannte Riesenpforte) am Stephansdome, wo die glanzvoll edle Decoration in merkwürdigem Contrast mit der ungeschickten Phantastik der figürlichen Darstellungen steht.

Bauten in Mähren.

Zu den glänzendsten Leistungen des Uebergangsstyles stellt auch Mähren zwei vorzügliche Werke. Das eine ist die Klosterkirche zu Tischnowitz, in der Gesammtform als klar entwickelter Gewölbebau auf Pfeilern, mit Kreuzschiff und drei polygonen Apsiden auftretend. Die Gliederung verräth schon directe Einflüsse der Gothik; in der üppigen Ornamentik des Hauptportales, das an Reichthum der Phantasie und Eleganz der Formen seines Gleichen sucht, begegnen sich die romanischen Laubmotive mit den gothischen. Ein Kreuzgang in demselben Style fügt sich der Nordseite an*). Ungefähr dieselbe Stufe der Ausbildung bezeichnet die Benedictiner-Klosterkirche zu Trebitsch**), die namentlich durch höchst eigenthümliche Polygongewölbe in den Chorpartien wie in der westlichen Vorhalle neue constructive Bestrebungen bezeugt. Eine Krypta zieht sich, für diese Spätzeit eine seltene Ausnahme, unter dem Chore hin (Fig. 357); das nördliche Hauptportal gehört zu den glanzvollsten dieses Styles.

Fig. 407. Kirche zu Trebitsch. Querschnitt.

Bauten in Ungarn.

Eine geschlossene Gruppe bilden sodann die ungarischen Bauten. Sie folgen in Anlage, Construction und Detailbildung im Wesentlichen dem romanischen Style Deutschlands, haben am Aeusseren, an Portalen, Fenstern und Bogenfriesen den Rundbogen, im Inneren dagegen an den Gewölben meistens den Spitzbogen und in der Gestaltung des Grundrisses, übereinstimmend damit, die schmalere Anlage der Gewölbefelder bei gleicher Zahl der Joche im Mittelschiff und den Abseiten, wie wir sie in Lilienfeld fanden. Das Kreuzschiff ist bis jetzt unter allen ungarischen Bauten romanischer Zeit nur an der Kirche zu Ocza bei Pesth gefunden worden; alle übrigen Anlagen haben den gleichmässigen Schluss der drei Schiffe durch Apsiden, von denen die mittlere bisweilen um ein Geringes vorgeschoben wird. An der Westseite erheben sich in der Regel zwei stattliche Thürme mit steinernen Pyramidendächern; zwischen ihnen öffnet sich die Vorhalle durch einen weiten Bogen gegen das Mittelschiff, dessen

*) Wocel im Jahrbuch der Central-Commission 1859.

**) Heider in den Mittelalt. Kunstdenkm. d. österr. Kaiserstaates. Stuttgart. II. Bd.

geringe Längenausdehnung dadurch etwas vergrössert ist. In der Ornamentation entfalten die ungarischen Bauten den höchsten Reichthum und bisweilen eine seltene Schönheit und Originalität. Zu den wichtigsten Denkmälern dieser Gruppe, die ihre Verbreitung in den Gegenden zwischen Drau und Donau findet, gehört die auf steiler Anhöhe gelegene Benedictinerabtei **Martinsberg**, im 13. Jahrh. neu hergestellt und 1222 eingeweiht, ein Bau in entwickelten Uebergangsformen, mit reich gegliederten Pfeilern und Arkaden und consequent durchgeführtem Spitzbogen; der rechtwinklige Schluss des Chores und eine ausgedehnte Kryptenanlage sind bemerkenswerth. Dahin ferner die Kirche zu **Lébeny** (Leiden), deren Aeusseres eine ansprechend klare Glie-

Fig. 358. Kirche zu Lebeny. Chorseite.

derung zeigt, und bei der die Anlage der drei Apsiden (vergl. Fig. 358) nach dem in Ungarn herkömmlichen Brauche durchgeführt erscheint; dahin der Dom zu **Weszprim**, die jetzt zerstörte Kirche von **Nagy Károly**, und die grösstentheils in Trümmern liegende Kirche zu **Zsámbék**, deren Grundriss (Fig. 359) die normale Anlage dieser ungarischen Bauten darlegt, und deren Construction schon dem Gothischen sich nähert. Den höchsten Glanz entfaltet diese Architekturschule an der Stiftskirche **S. Ják**, die in der Gliederung des Aeusseren und der reichen Decoration, von der wir auf S. 317 Beispiele gegeben, alle anderen überbietet, namentlich aber eins der prachtvollsten Portale besitzt, die der romanische Styl hervorgebracht hat.

Bauten in Siebenbürgen.

Im entschiedenen Gegensatz zu der reichen Ausbildung der ungarischen Kirchen stehen die kleinen, schmucklosen, selbst rohen Bauten Siebenbürgens, die indess, wenngleich mit beträchtlichen Beschränkungen, die wesentlichen Merkmale des romanischen Styles zeigen. So die Kirche zu **Michelsberg**, von der wir unter Fig. 360 u. 361 den Grundriss und Längendurchschnitt beifügen; sie hat ein flachgedecktes Mittelschiff, tonnengewölbte Abseiten und auf dem Chorquadrat ein Kreuzgewölbe; an der Façade ist eine mit dem Portal verbundene zierliche Flächengliederung durch Blendbögen auf Wandsäulchen bewirkt worden. Viele dieser kleinen Bauten sind zugleich als Vertheidigungswerke auf steilen Hügeln, mit Mauern und Zinnen umgeben, aufgeführt, was sich aus der vorgeschobenen Lage dieser Grenzlande deutscher Cultur erklärt. Das einzige reicher durchgeführte Denkmal dieser Gegenden ist der Dom zu Karlsburg, ein entwickelter romanischer Gewölbebau der Schlussepoche, in Pfeilergliederung und manchen Einzelheiten der Decoration dem Dom zu Naumburg zu vergleichen*).

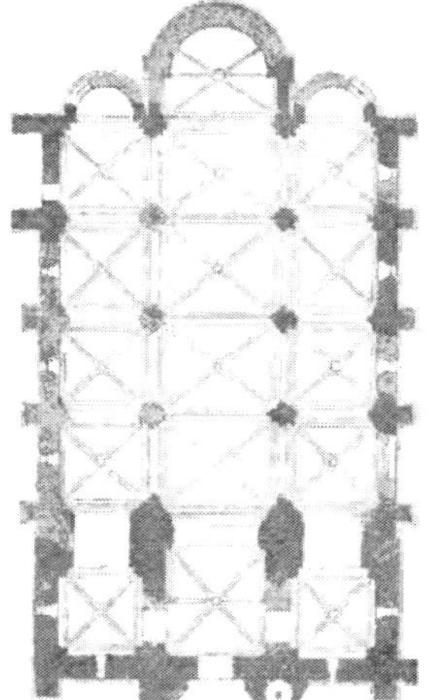

Fig. 338 Kirche zu Zsámbék.

Rund-kapellen

Eine im ganzen Bereiche des österreichischen Gebietes häufig vorkommende Anlage kleinerer Art bilden die Rundkapellen, die nur selten als Baptisterien gedient haben, wie die Kapelle zu Petronell in Niederösterreich, auch nur ausnahmsweise Pfarrkirchen gewesen sind, wie die Rundbauten zu Scheiblingkirchen und zu S. Lorenzen bei Markersdorf, sondern grösstentheils die Bestimmung eines Karner (Carnarium), d. h. einer Grabkapelle gehabt haben. Sie liegen daher in der unmittelbaren Nähe der Hauptkirchen, in der Regel auf dem Friedhofe, sind meistens kreisförmig angelegt und mit einem Kuppelgewölbe bedeckt, und haben gewöhnlich eine kleine Altarapsis. Vorzüglich bezeichnend ist aber für diese Bauten, dass unter dem Hauptraume sich eine Gruft befindet. Reich gegliederte Anlagen dieser Art findet man zu Deutsch-Altenburg, Mödling, Neustadt (achteckig mit Apsis), in Steiermark zu Jahring, Hartberg, S. Lambrecht und Gaisthal (die Apsis auf einer Console), in Ungarn zu Oedenburg (achteckig) und in interessant abweichender Form, mit vier auf der Grundlage eines Kreises nach aussen vorspringenden Halbkreisnischen, zu Pápoze und S. Ják, in Böhmen zu Georgsberg, Plzenec, Schelkowitz und drei kleine Rundbauten zu Prag. Endlich begegnet uns in ganz Oesterreich eine Menge oft zierlich ausgebildeter einschiffiger Kirchen, die entweder ihren Thurm auf dem Chorraume haben, an den sich dann eine Apsis lehnt, wie die Gertrudskirche zu Klosterneuburg, S. Johann im Dorf und S. Martin in Campill bei Botzen, auch wohl ohne Apsis mit geradlinig schliessendem Chor, wie die Ruprechtskirche zu Völkermarkt, oder es tritt der Thurm an das Westende des Schiffes, wo dann eine Empore sich gegen das Schiff öffnet, so besonders in Böhmen die Kirchen zu Zábor, Tetin (mit geradem Chorschluss), Poric (mit einer Krypta), S. Jakob (mit reicher Belebung des Aeusseren durch grosse Reliefgestalten) und endlich als eleganteste, mit reichem plastischem Schmuck ausgestattete Anlage die Kirche zu Schöngrabern**), von der wir Details auf S. 324 gaben.

Einschiffige Kirchen.

Doppelkapelle zu Eger.

Endlich erwähnen wir noch der Doppelkapelle auf dem Schlosse zu Eger, um zugleich eine Anschauung dieser eigenthümlichen Anlage zu geben. Die untere Ka-

*) Vergl. den Aufsatz von *Fr. Müller* im Jahrbuch der Central-Commiss. Wien. 1858.

**) Vergl. die treffliche Monographie: Die romanische Kirche zu Schöngrabern in Nieder-Oesterreich, von Dr. *Heider*. 4. Wien. 1855.

pelle ist niedrig, und ihre einfachen rundbogigen Gewölbe ruhen auf vier kräftig gedrungenen Säulen mit mannichfach verzierten Kapitälen (siehe Fig. 304 auf S. 345). Die obere Kapelle hat dagegen spitzbogige Rippengewölbe auf ungemein schlanken, elegant gebildeten Säulen. Man blickt auf der Abbildung Fig. 303 in der Richtung nach dem Altarraume, und im Fussboden bemerkt man die achteckige Oeffnung, welche die Verbindung mit der unteren Kapelle vermittelt.

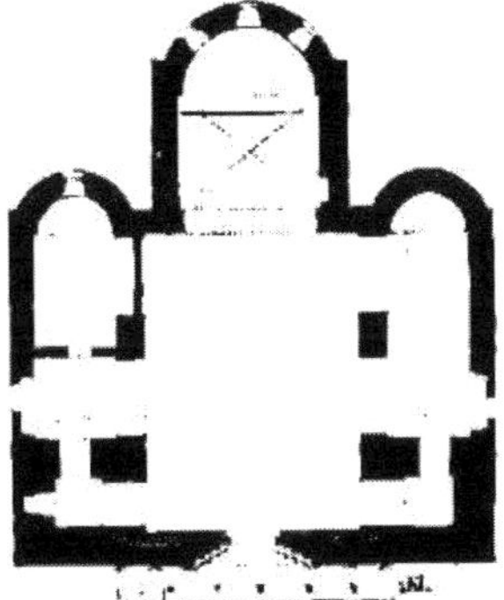

Fig. 368. Kirche zu Michelsberg.

Norddeutscher Ziegelbau.

Im norddeutschen Tieflande*) endlich, vorzugsweise den Küstenländern sammt den brandenburgischen Marken, gestaltet sich durch besondere Culturverhältnisse und materielle Bedingungen in manchen Punkten eine Aenderung, eine selbständige Umwandlung des romanischen Styles. Erst im Laufe des 12. Jahrh. dem Christenthum dauernd unterworfen und durch deutsche Ansiedler vom Niederrhein in genaue Geistesverbindung mit dem übrigen Deutschland gebracht, fällt der Beginn der Bauthätigkeit hier in die Epoche der letzten romanischen Stylentwicklung. Man findet desshalb in den frühesten dieser Bauwerke bereits den schweren romanischen Spitzbogen und andere Formen der Uebergangszeit. Wenn man nun freilich in der Gesammtanlage, der Anordnung der Räume und dem Aufbau sich im Wesentlichen an das im übrigen Deutschland, namentlich in den sächsischen Gegenden, gebräuchliche Schema anschloss, so wurde doch durch einen äusseren Grund eine Umgestaltung der Glieder und decorativen Elemente in besonders charakteristischer Weise geboten. Der Boden des norddeutschen Tieflandes ist als Niederschlag ehemaliger Meeresfluthen arm an gewachsenen Steinen. Er bot daher zunächst nur in den überall hin zerstreuten Granitsteinen, den sogenannten Wanderblöcken, dem Baubedürfniss ein verwendbares, festeres Material. So findet man die ältesten Kirchen dieser Gegenden aus unregelmässigen Feldsteinen roh und ungefüge errichtet. Diese unkünstlerische, einer höheren Entwicklung unfähige Bauweise konnte aber nicht lange

Fig. 251. Kirche zu Michelsberg.

*) F. v. Quast, Zur Charakteristik des älteren Ziegelbaues in der Mark Brandenburg. Im Deutschen Kunstbl. 1850. — A. v. Minutoli, Denkmäler mittelalterlicher Kunst in den brandenburgischen Marken. Fol. Berlin 1836. — H. Strack und F. Meyerheim, Architektonische Denkmäler der Altmark Brandenburg. Mit Text von F. Kugler. Fol. Berlin 1833. — F. Kugler's Pommersche Kunstgeschichte, neu abgedruckt mit Illustrationen in den Kl. Schriften zur Kunstgeschichte. Bd. I. Stuttgart 1853. — F. Adler, Mittelalterliche Backsteinbauwerke des preuss. Staates. Fol. Berlin 1859 ff.

genügen. Man vermochte hier höchstens durch rechtwinklige Auseckungen die Portale, durch abgetreppte Giebel die Façaden auszuzeichnen; bei diesen dürftigen Nothbehelfen blieb man stehen. Das Gediegenste, was dieser Granitbau hervorgebracht hat, dürfte die Westfaçade von S. Godehard zu Brandenburg sein, die um 1160 entstanden ist. Um dieser unbequemen Bauweise zu entgehen, blieb Nichts übrig, als die Erde selbst zu formen und Ziegelsteine in geeigneter Grösse als Material sich zu schaffen. Bisweilen verband man diese mit Granitsteinen, welche letztere dann zu den Ecken und Einfassungen gebraucht wurden. Ein Beispiel solcher Verbindung beider Bauweisen bietet die Klosterkirche zu Krewese in der Mark, die ausserdem in den mit Stichkappen versehenen Tonnengewölben der Seitenschiffe den ersten Versuch einer Wölbung des Langhauses zeigt. Bald aber gewöhnte man sich daran, verschiedene Muster in Thon zu bilden und mit diesen sogenannten Formsteinen den Anforderungen

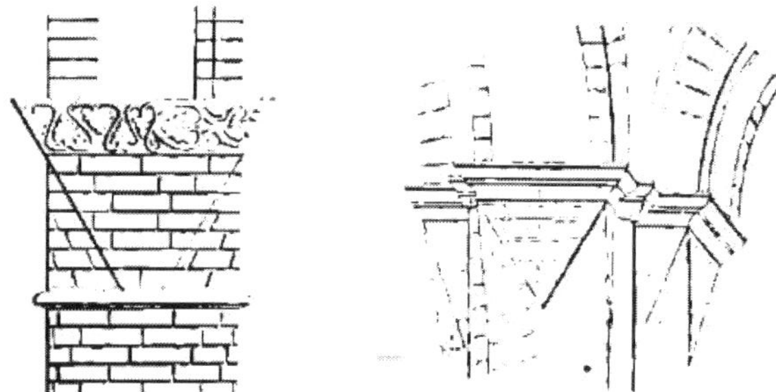

Fig. 362. Kapitäl aus Jerichow. Fig. 363. Kapitäl aus Ratzeburg.

höherer künstlerischer Durchbildung zu entsprechen. Dennoch mussten sich gewisse Formen einer dem Material zusagenden Umwandlung unterwerfen. Unter diesen ist das Kapitäl für die innere Architektur das wichtigste Glied. Man ging bei seiner Gestaltung von der Würfelform aus; aber wenn dort der Uebergang von der runden Säule zur rechtwinkligen Deckplatte durch Kugelabschnitte bewirkt wurde, so wird er hier durch Kegelabschnitte gebildet, so dass die senkrechten Flächen des Kapitäls nicht aus Halbkreisen, sondern aus Trapezen, wie bei Fig. 362, oder aus Dreiecken, wie bei Fig. 363, bestehen. Auch die Gesims- und Kämpfergliederungen werden in entsprechender Weise vereinfacht und umgestaltet. Das Ornament selbst dagegen tritt fast gänzlich zurück, wenn nicht bisweilen ein aus gebrannten Formsteinen gebildetes Muster die Deckplatte schmückt oder, was mitunter vorkommt, die Kapitäle aus schwedischem Kalkstein gearbeitet werden. Aber noch weiter erstreckten sich die Concessionen, die man dem Material machte. Bei der Schwierigkeit, Säulen aus demselben zu bilden, verzichtete man fast ohne Ausnahme auf den Säulenbau und nahm durchweg die einfache Pfeilerbasilika auf. Doch gliederte sich der Pfeiler bald in reicherer Weise durch kräftige vorgelegte Halbsäulen, von welchen die Gurtbögen aufsteigen. Am Aeusseren behielt man im Wesentlichen die romanische Wandgliederung mit Lisenen, auch wohl mit Halbsäulen, bei, nur die Bogenfriese erfuhren mancherlei verschiedene Bildungsweise. Der schlichte Rundbogenfries, aus einzelnen Formsteinen zusammengesetzt und auf Consolen ruhend, kommt zwar auch vor; beliebter aber ist ein aus durchschneidenden Rundbögen gebildeter (Fig. 361, 365 und 366 rechts), oder auch ein rautenförmiger, ebenfalls auf Consolen gestellter Fries (Fig. 366 links). Das Dachgesims über demselben wurde manchmal auf Consolen, mit einem

26*

Wechsel von vorspringenden und zurücktretenden, manchmal auch mit übereckgestellten Steinen, die eine Zickzacklinie ergaben (Stromschicht), gebildet. Endlich ist noch zu bemerken, dass man das Aeussere und Innere der Kirchen im Rohbaue mit sauber behandelten Fugen stehen liess, wenn nicht das Innere ganz oder zum Theil behufs malerischer Ausschmückung verputzt wurde, wie z. B. die Kirche zu Röbel in Mecklenburg. Für die Zeitbestimmung dieser Bauten ist zu merken, dass der romanische Styl, wie er hier später als anderwärts in Aufnahme kam, sich auch länger erhielt,

Fig. 364. Hauptgesims der Apsis zu Dobrilugk. (Nach Adler.)

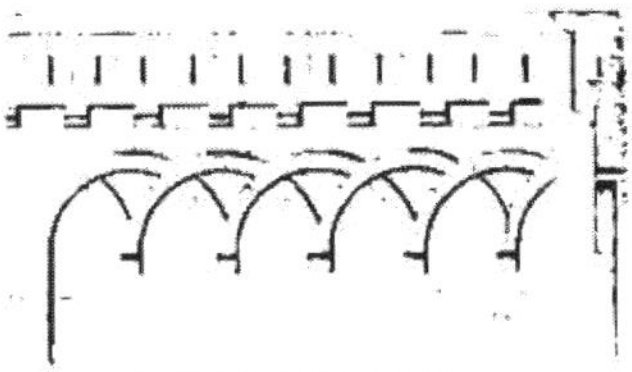

Fig. 365. Bogenfries aus Jerichow.

dass er erst um die Mitte des 12. Jahrhunderts beginnt und in spitzbogiger Umgestaltung noch bis gegen den Ausgang des 13. Jahrh. in Geltung bleibt.

Flachgedeckte Basiliken

Fig. 366. Bogenfries aus Ratzeburg.

Unter den norddeutschen Ziegelbauten erscheinen als die wichtigsten die Klosterkirche zu Jerichow, um 1150 begonnen, ausnahmsweise eine Säulenbasilika, mit Seitenchören, einer Krypta von Hausteinen, durch edle Verhältnisse des Inneren, klare Entwicklung des Aeusseren und höchste Sauberkeit der technischen Behandlung hervorragend. Zwei viereckige Westthürme mit schlanken Dachhelm schmücken die Façade, deren elegante Anlage einer späteren Bauperiode um 1250 angehört. Pfeilerbasiliken sind dagegen der Dom zu Brandenburg, vor seiner späteren Umgestaltung ein schlichter Pfeilerbau, seit 1170 errichtet, mit einer stattlichen Krypta von Hausteinen; die Nikolaikirche daselbst, ein schlicht und ansprechend durchgeführter Bau, dem wie bei den meisten der kleineren Kirchen dieser Gruppe das Querschiff fehlt; die Martinskirche zu Sandow, von ähnlich einfacher Form, aber mit zwei in die Pfeilerreihen eingemischten kräftigen Säulen; die Dorfkirchen zu Redekin, Melkow und Schönhausen, die durch gewölbten Chor, breiten Westthurm und zierliche Gliederung des Aeusseren sich auszeichnen; die Frauenkirche zu Jüterbogk, in ihren älteren Theilen, zwischen 1172 und 1179 geweiht, mit jüngerem Querschiff und gothischem Chor; sodann mit spitzbogigen Arkaden die aus Granit aufgeführte, ziemlich rohe Kirche zu Bahn, ohne Querhaus; die später eingewölbte Klosterkirche zu Dobrilugk, nach 1181 errichtet, mit schlichter Pfeilerbildung (Fig. 367); die in gothischer Zeit überhöhte und mit Gewölben versehene Kirche des Klosters Oliva bei Danzig, mit reich entwickelten, von Halbsäulen umgebenen, gedrungenen und massigen Pfeilern.

Ein Gebäude von höchst eigenthümlicher, offenbar auf byzantinischen Vorbildern beruhender Anlage war die im J. 1722 zerstörte Marienkirche auf dem Harlungerberge bei Brandenburg, von welcher wir unter Fig. 368 und 369 Grundriss und Aufriss der Südseite nach den vorhandenen Zeichnungen beifügen. Vermuthlich aus der ersten Hälfte des 13. Jahrh. herrührend, bildete sie mit ihrem Grundriss beinahe ein Quadrat, mit vier auf den Seiten vorspringenden Nischen, von denen die östliche noch mit drei niedrigeren, äusserlich polygonen Apsiden umgeben war. An die Westseite war in gothischer Zeit noch ein Anbau in Gestalt einer Doppelkapelle gefügt worden. Auf vier mächtigen Pfeilern stieg in der Mitte eine Kuppel auf, während vier Thürme auf den Ecken des Gebäudes sich erhoben. Was den byzantinischen Charakter dieser einzigen und originellen Anlage noch verstärkte, war die zweistöckige Anlage sämmtlicher Seitenräume. Marienkirche bei Brandenburg.

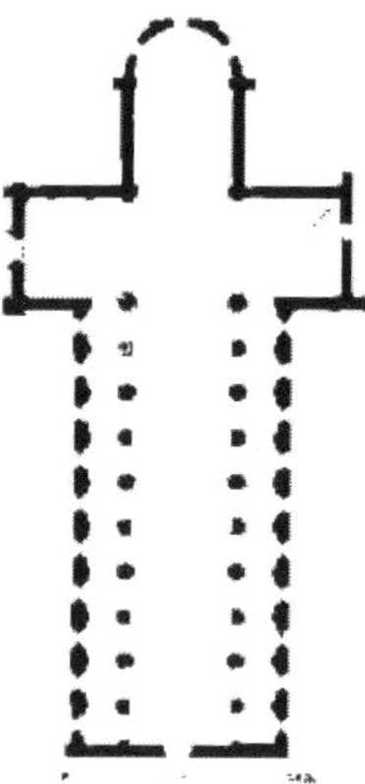

Fig. 367. Grundriss von Dobrilugk. (Nach Adler.)

Unter den gewölbten Basiliken scheint die Klosterkirche zu Arendsee, seit 1182 erbaut, noch im reinen Rundbogen und mit Kuppelgewölben bedeckt, eine der ältesten zu sein. Ihr steht die Klosterkirche zu Diesdorf nahe, gleich jener eine klar durchgebildete Basilika mit Kreuzschiff, die in allen Theilen mit Kreuzgewölben versehen ist. Der Bau scheint 1188 vollendet worden zu sein. Die in Trümmern liegende Cisterzienserklosterkirche zu Lehnin, in ihren östlichen Theilen jünger, eine der edelsten spätromanischen Gebäude des Backsteinstyles, zeigt im Langhause eine auf Gewölbe berechnete Pfeileranlage und die an einigen sächsischen Kirchen vorkommende Umfassung je zweier Gewölbebau.

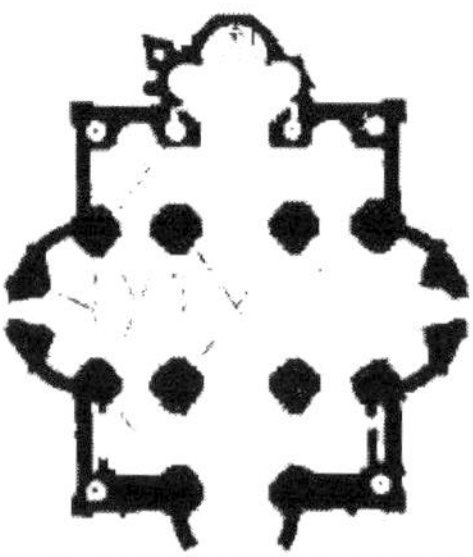

Fig. 368. Marienkirche auf dem Harlungerberge.

Fig. 369. Aufriss der Marienkirche auf dem Harlungerberge.

Arkaden durch einen Blendbogen. Ein eleganter Bau ist ferner die stattliche Westfaçade der Pfarrkirche zu Seehausen mit ihrem reich gegliederten Portale, während der gewaltig schwere Westbau des Doms zu Havelberg sammt den Pfeilern und den Umfassungsmauern ein streng behandeltes Sandsteinwerk darbietet. Einen sehr reichen Uebergangsstyl findet man im Dom zu Lübeck, dessen Kreuzschiff, Chor und Mittelschiff noch die Reste einer bedeutenden romanischen Anlage sind, wie auch der gewaltige zweithürmige Westbau und das höchst elegante in Sandstein ausgeführte Portal der Nordseite noch dem 13. Jahrh. angehört. Eine Nachahmung des Braunschweiger Doms bietet der Dom zu Ratzeburg, ebenfalls aus dem 13. Jahrhundert. Besonders edel ausgebildet erscheint der Dom zu Cammin mit selbdritt gruppirten Fenstern. Einfach endlich, jedoch mit stattlicher, an die Kirche zu Loccum erinnernder Choranlage ist die Kirche des 1170 gegründeten Cisterzienserklosters Zinna, deren Mittelschiff indess nachträglich überwölbt zu sein scheint.

b. Italien.*)

Verschiedene Richtungen.

Fanden wir in den romanischen Bauten Deutschlands eine grosse Mannichfaltigkeit selbständiger Richtungen, so bietet Italien zwar keinen solchen Reichthum an individuell geschlossenen Gruppen dar, wohl aber macht sich hier in den einzelnen Hauptrichtungen eine viel grössere Abweichung bemerklich. Mittelitalien, wo die antiken Ueberlieferungen innerlich und äusserlich am kräftigsten vorherrschten, blieb während der ganzen romanischen Epoche auf der Stufe des altchristlichen Basilikenbaues stehen. Sicilien und Unteritalien, unter der Normannenherrschaft, fügte dazu jene eigenthümlichen orientalischen Formen, welche durch die Baukunst der Mauren hier heimisch geworden waren. Oberitalien dagegen, dessen Volksstämme am meisten mit germanischem Blute sich gemischt hatten, betheiligte sich in energischer Weise an der Entwicklung der gewölbten Basilika, und nur das handeltreibende Venedig gab sich, in Folge seiner Verbindungen mit dem Osten, dem byzantinischen Bausystem hin. Was aber allen italienischen Bauten dieses Styls gemeinsam blieb, das ist vornehmlich der Mangel eines mit dem Kirchenkörper verbundenen Thurmbaues. Die Façade schliesst gewöhnlich in der durch die drei Langschiffe bedingten Form, die dann in verschiedenartiger Weise, entweder antikisirend oder nach romanischer Art mit Lisenen, Halbsäulen und Bogenfriesen sich gliedert. Manchmal wird die Façade indess, ohne diese Rücksicht auf die Construction des Langhauses, höher und reicher als eigentliches Decorationsstück vorgesetzt. In einigen Gegenden gewinnt sodann ein mächtiger Kuppelbau auf der Kreuzung eine besondere und zwar für die Erscheinung des Langhauses bisweilen zu sehr überwiegende Bedeutung.

In Mittelitalien

Romanische Bauten.

lassen sich auf den ersten Blick zwei verschiedene Baugruppen sondern. Der Mittelpunkt der einen ist Rom**). Hier wird am wenigsten eigene Erfindungskraft in Bewegung gesetzt. Man baut bis zum 13. Jahrh. in jener nachlässigen Weise, welche sich der antiken Ueberreste sorglos bediente, fort, und weiss sich, wo endlich diese Quelle versiegt, durch eigene Schöpferkraft nicht zu helfen. Nur die Verhältnisse des ganzen Gebäudes ändern sich, wenn auch nicht eben zu Gunsten der Totalwirkung. Die Schiffe verlieren an Weite und Grösse, gewinnen dagegen an Höhe. Wie wenig man zu neuen Resultaten gelangte, ist schon daraus zu erkennen, dass man gegen Ausgang dieser Epoche wieder zur Architravverbindung der Arkadenreihen zurückkehrte. So in den jüngeren Theilen von S. Lorenzo, in S. Crisogono vom J. 1128, und in S. Maria in Trastevere vom J. 1139. Eine andere, immerhin noch bedeutende Anlage dieser Zeit ist S. Maria in Araceli auf der Höhe des Kapitols; ein ziemlich roher

*) S. d'Agincourt, Histoire de l'art etc. Deutsche Ausgabe von F. v. Quast. Berlin. Fol. u. 4. — H. Gally Knight, The ecclesiastical architecture of Italy. 2 Vols. Fol. London 1843. — Chapuy, Italie monumentale et pittoresque. Fol. Paris. — Der Cicerone von J. Burckhardt. 2. II. Aufl. Leipzig 1869. — Vergl. auch meinen Reisebericht in den Mitth. der Centr.-Comm. Wien 1860.

**) Gutensohn und Knapp, Denkmale der christlichen Religion. Dazu als Text C. Bunsen, Die Basiliken des christlichen Roms. 4. Rom 1843.

Pfeilerbau, der wenigstens ein Streben nach neuen Formen bekundet, S. Vincenzo ed Anastasio, vor der Porta S. Paolo. Von besonderem Interesse sind in dieser Zeit gewisse Werke architektonisch-decorativer Art, Tabernakel und Ambonen, an denen sich ein Studium und freies Nachbilden antiker Baukunst geltend macht. Berühmt in solchen Arbeiten war die Künstlerfamilie der *Cosmaten*. Vorzügliche Werke dieser Art findet man in S. Lorenzo vor Rom, S. Clemente, S. Maria in Cosmedin, S. Nereo ed Achilleo und anderen römischen Kirchen. Aehnliche Werke sieht man im Dom zu Terracina und in dem von Cività Castellana. Mit solchen Arbeiten sind auch die prächtigen Kreuzgänge von S. Paolo und von S. Giovanni in Laterano geschmückt. Wie barbarisch man in diesen Zeiten mit den zusammengeflickten Bruchstücken antiker Werke gelegentlich die Bauten herauszuputzen strebte, beweist die sogenannte Casa di Pilato, in Wahrheit ein Palast „Nikolaus des Grossen", wie die rühmende Inschrift ihn nennt, eines Sohnes des 998 enthaupteten Crescentius. — Selbständiger entfaltet sich die Architektur in gewissen nördlich von Rom gelegenen Städten, wo der Mangel an antiken Ueberresten zu erhöhter eigener Thätigkeit nöthigte. Unter diesen Bauten ist die Kirche S. Maria zu Toscanella vom J. 1206 die edelste, namentlich aber durch Anklänge nordischer Kunst bemerkenswerth, während der Dom zu Viterbo eine prächtige Säulenbasilika mit originell und phantasievoll behandelten Kapitälen ist. Ganz abweichende Anlage, wie es scheint nicht ohne Einfluss nordischer Kunst, zeigt S. Flaviano zu Montefiascone, eine merkwürdige Doppelkirche, deren älteste Theile, namentlich die drei zusammengeschobenen Apsiden des unteren Raumes sammt den Umfassungsmauern, ihrer Anlage nach wohl noch von 1032 stammen. Ein offner Mittelraum, der mit der Oberkirche in Verbindung steht, wird unten von Hallen mit Kreuzgewölben auf Säulen und gegliederten Pfeilern umgeben. Die obere Kirche ist ein dreischiffiger Bau, jedes Schiff zeigt den offnen Dachstuhl der Basiliken. Während die untern Theile die Formen des entwickelten romanischen Styles vom Ende des 12. Jahrh. zeigen, mit Ausschluss der westlichen rein gothischen Pfeiler und Gewölbe, ist die obere Kirche ziemlich roh in kunstloser Weise durchgeführt. Ein Wandthron im oberen Raume scheint als Sitz für eine Aebtissin angelegt.

Toscanella. Viterbo. Montefiascone.

Eine höhere monumentale Richtung gewann der Basilikenbau in Toscana. Hier, wo ein hochsinniges Volk in Reichthum und Bildung blühte, begnügte man sich nicht mit jener rohen römischen Bauweise. Schon der Mangel antiker Reste führte bald auf eigene schöpferische Thätigkeit, deren Grundlage jedoch auf dem Studium der Werke des Alterthums beruhte. Es wiederholt sich hier also, wenn auch in veränderter Art, die culturgeschichtlich interessante Thatsache, welche wir schon in altchristlicher Zeit wahrnahmen, wo ebenfalls nicht Rom, sondern das nördlicher gelegene Ravenna als Träger einer neuen selbständigen Entwicklung der Baukunst hervortrat. Das Innere wurde in einfach klarer Weise durchgebildet, besonders aber das Aeussere entsprechend durch reichen, vielfarbigen Marmorschmuck ausgestattet. In der Bildung des plastischen Details, der Kapitäle und Gesimse, schloss man sich den antiken Formen, manchmal mit feinem Verständniss an. Pisa, die mächtige Handelsstadt, ging hier mit ihrem Dom voran, der 1063 nach einem glänzenden Siege über die Sicilianer begonnen und durch die Baumeister *Buschetus* und *Rainaldus* ausgeführt wurde. Nicht allein durch das prachtvolle Marmormaterial, sondern weit mehr noch durch die eigenthümlich neue und grossartige Weise der Composition, nimmt dieser Bau eine hervorragende Stellung ein. Ein breites Mittelschiff (vgl. den Grundriss Fig. 370), von vier niedrigen Seitenschiffen begleitet, öffnet eine bedeutende Perspective, die durch ein dreischiffiges Querhaus durchbrochen und von einer mächtigen Apsis geschlossen wird. Auch die Querarme enden mit je einer ihrer geringeren Weite entsprechenden kleineren Nische. Ueber den schlanken Säulen erheben sich Galerien, die sich mit Pfeilern und Säulen öffnen und selbst vom Querschiff nicht unterbrochen werden. Darüber liegen die kleinen Lichtöffnungen. Höchst charakteristisch für die Wirkung sowohl des Inneren wie des Aeusseren ist die Kuppel auf der Kreuzung, die merkwürdiger Weise, wegen der verschiedenen Weite von Langhaus und Querschiff, eine ovale Grundform hat. Die Seitenschiffe haben Kreuzgewölbe, die Emporen und Mittelräume flache

Toscanische Bauten. Dom zu Pisa.

Holzdecken. Am Aeusseren (Fig. 371) erscheint hier zum ersten Mal eine consequent durchgeführte, dem inneren System der Stützen entsprechende Gliederung der Flächen durch Pilaster und Wandsäulen mit Blendbögen oder Gesimsen. Am glänzendsten ist in derselben Anordnung die dem Aufbau des Langhauses entsprechende Façade behandelt, besonders durch reiche Ornamentation und wechselnde Lagen weissen und schwarzen Marmors geschmückt. Wenn nun auch das Querhaus mit seinen niedrigeren Dächern nicht recht organisch mit dem Langhause verbunden erscheint, so ist das ein Mangel, der die Bedeutung des im Ganzen hier Geleisteten kaum zu schmälern vermag.

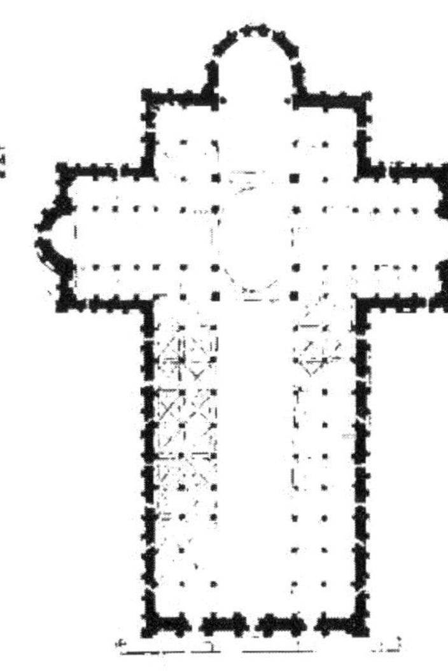

Fig. 370. Dom zu Pisa.

Baptisterium und Thurm zu Pisa. Mit dem Dome bilden zwei andere dazu gehörige mächtige Bauten eine der imposantesten Gruppen; das Baptisterium, ein Rundbau mit innerem Säulenkreise und einer Galerie darüber, 1153 von *Diotisalvi* errichtet, und der Campanile (der Glockenthurm), von den Baumeistern *Bonanno* und *Wilhelm von Innsbruck* im J. 1174 aufgeführt, wie gewöhnlich bei den italienischen Kirchen selbständig neben dem Dome liegend. Der Thurm ist rund und gleich dem Baptisterium mit Pilaster- und Bogenstellungen decorirt. (Doch sind an letzterem die Giebelchen und Spitzthürmchen spätere gothische Zusätze.) Berühmt ist der Thurm wegen seiner auffallend schiefen Neigung, die anfänglich ohne Zweifel durch den ungenügend fundamentirten Grund veranlasst, dann aber aus Lust am Seltsamen beibehalten wurde. (Den Thurm und einen Theil des Baptisteriums enthält Fig. 371).

Kirchen in Lucca. Der pisanische Styl hat eine Nachfolge in den Bauten von Lucca gefunden. Sie nehmen das dortige System, namentlich für die Gliederung des Aeusseren auf, mischen aber phantastische, bizarre Elemente in die Decoration, die vielleicht einem Einfluss aus dem Norden zuzuschreiben sind. S. Michele zeigt die Anlage einer Basilika von tüchtigen Verhältnissen bei stark antikisirender Behandlung des Einzelnen. Am Aeusseren kommt das pisanische System zu klarer Ausprägung, an der Chorapsis zu besonders edler Wirkung. Dagegen enthält die Façade in der übertriebenen Formensprache und gehäuften, unklaren Ornamentik etwas Schwülstiges, fast Barbarisches. Am Dom S. Martino gewährt das Aeussere der Chorapsis den Eindruck eines elegant durchgebildeten Romanismus; die Façade dagegen mit ihrer Vorhalle auf kräftig gegliederten Pfeilern ist zwar im Ganzen von bedeutender Wirkung, leidet aber am übertriebensten Schwulst und völlig barocker Ueberladung mit phantastisch-nordischen Gebilden*). Sie wird inschriftlich als Werk eines Meisters *Guidetto* vom J. 1204

*) Ueber diese u. andere ital. Gebäude vergl. meinen Reisebericht in den Mitth. der Wiener Centr.-Comm. 1860.

bezeichnet. Als einfache Basilika mit streng antikisirenden Säulen ist S. Giovanni zu nennen. An den linken Flügel des Kreuzschiffes schliesst sich ein quadratisches Baptisterium von 60 Fuss Weite, das in gothischer Zeit seine sehr seltsame Wölbung erhalten hat. Der Glockenthurm hat gleich denen der übrigen lucchesischen Bauten

Fig. 374. Ansicht des Doms von Pisa.

eine Zinnenbekrönung. — Hierher gehört auch das Langhaus des Doms zu Prato mit seinen weiten überhöhten Arkaden auf je vier gedrungenen Marmorsäulen, deren Kapitäle dem korinthischen frei nachgebildet sind; hieher ferner der weite, lichte und freie Schiffbau des Doms zu Pistoja, der in seinen Kapitälen eine der merkwürdigsten Musterkarten frei variirter korinthischer Form bietet. Die Gewölbe sind ein

Dom zu Prato, zu Pistoja.

späterer Zusatz. Hieher ebendort die in kleineren Verhältnissen ähnlich durchgeführten Kirchen S. Andrea und S. Giovanni fuoricivitas, wo das Aeussere die vollständigste Nachbildung des pisaner Systems und damit einen weiteren Beweis von dem Einfluss jener Schule darbietet. Völlig abweichend zeigt sich dagegen die merkwürdige S. Maria della Pieve zu Arezzo. In den östlichen Theilen rundbogig, hat sie im Schiffe romanische Spitzbögen auf derben Säulen von mehr nordisch-phantastischem als südlich-klassischem Charakter. Das Tonnengewölbe des Mittelschiffes erinnert geradezu an südfranzösische Bauten. Die groteske Façade zeigt eine hohe kastellartige Mauermasse, mehrfach von Arkadenreihen, unten auf niedrigen, oben auf schlankeren Säulen durchbrochen. Der viereckige Glockenthurm daneben ist gleich dem runden pisanischen ganz von solchen Säulengalerien umgeben, offenbar eine Nachahmung jenes berühmten Vorgängers, aber Alles in viel gröberem Sinne. So hat neben der feinen pisaner Schule in diesen Gegenden sich eine andere gebildet, die mit ihrer derben Phantastik sich eher gewissen nordischen Werken verwandt zeigt. Früher und der altchristlichen Praxis näherstehend erscheinen Kirchen wie der Dom zu Fiesole vom J. 1028 und die Kirche S. Piero in Grado zwischen Pisa und Livorno.

Arezzo.

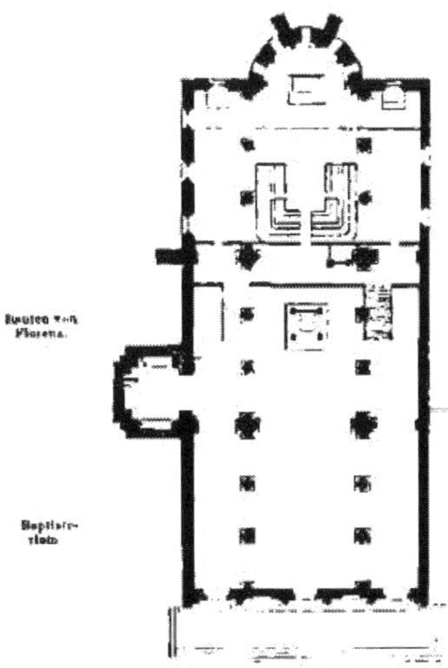
Fig. 172. S. Miniato zu Florenz.

Bauten von Florenz.

Eine bedeutende und dabei völlig selbständige Stellung behaupten die Bauten von Florenz. Minder originell in der Anlage als die pisanischen, geben sie auf eine noch feinere Detailentwicklung aus, und behandeln namentlich die musivische Ausschmückung mit verschiedenfarbigem Marmor in edlerer, dem baulichen Organismus sich anschliessender Weise. Das in der Nähe des Doms liegende Baptisterium, ein achteckiger höchst bedeutender Kuppelbau von 88 Fuss Durchmesser im Lichten mit kunstvoll durchgebildeter Gewölbanlage, im Inneren mit Pilaster- und Säulenstellungen, darüber mit einer Empore von glücklichen Verhältnissen, im Aeusseren entsprechend gegliedert und von grosser Pracht der Decoration gehört hierher*). Der Bau ist namentlich wichtig wegen der meisterlich durchdachten Gewölbeconstruction, die später dem grossen *Brunellesco* ein Vorbild für seine Domkuppel wurde. Die acht Ecken bilden nämlich nach innen vorspringende, mit Pilastern reich decorirte Strebepfeiler, zwischen welchen je zwei korinthische Säulen, mit ihnen durch Architrave verbunden, den Zwischenraum theilen. Ueber ihnen erhebt sich ein aus dem Kern der Mauer ausgespartes Emporengeschoss, das über den Säulen Pilasterstellungen zeigt, zwischen denen sich die Emporen auf ionischen Säulchen mit je zwei Rundbogenarkaden öffnen. Vom Kranzgesims dieser Emporen steigt sodann die schlanke achtseitige Wölbung auf; aber hinter ihr liegt eine zweite Wölbung, welche das zeltförmige Marmordach trägt. Dies System doppelter Wölbung bewirkt einen oberen Umgang, der zwischen den beiden Wölbungen liegt und durch zurückgreifende Strebepfeiler getheilt wird, zwischen welchen steigende Tonnengewölbe ausgespannt

Baptisterium.

*) Aufnahme in Isabelle, Parallèle des salles rondes. Fol. Paris. — Die Ansicht von Hübsch, der das Gebäude der altchristlichen Zeit zuweisen will, kann ich nicht theilen. Das Nähere in meinen bereits citirten Reisebriefen.

sind. Diesem bewunderswürdig durchdachten Constructionssystem ist die künstlerische Decoration völlig ebenbürtig, so dass man das bedeutende Werk als eine der vollendetsten Leistungen mittelalterlicher Epoche bezeichnen muss. Dazu kommen noch die Mosaikbilder, mit welchen die Gewölbflächen des Hauptraumes wie der kleinen angebauten rechtwinkligen Chorapsis ausgestattet sind. Nur die Beleuchtung des Innern ist etwas kärglich ausgefallen. — Nicht minder hohe decorative Ausbildung erreicht diese Bauweise in der Kirche S. Miniato. Die Anlage (vgl. den Grundriss S. Miniato.
Fig. 372) ist die einer nicht sehr grossen dreischiffigen Basilika ohne Querhaus mit

Fig. 373. S. Miniato zu Florenz. Façade

einfacher Apsis. Doch ist hier eine schon in der altchristlichen Basilika S. Prassede zu Rom aufgetretene Neuerung aufgenommen und mit feinem Sinn behandelt. Auf je zwei Säulen folgt nämlich ein mit vier Halbsäulen zusammengesetzter Pfeiler, der mit seinem Gegenüber durch breite Quergurte verbunden ist. Auf diesen ruht der offene Dachstuhl. Die Seitenschiffe sind flach gedeckt; eine Krypta erstreckt sich über ein Drittel der Schifflänge. Die Oberwände sind reich mit Marmormosaik belegt, die auch dem Aeusseren einen hohen Reiz verleiht. Die Façade (Fig. 373), klar angeordnet und dem Aufbau des Schiffes entsprechend, ist durch farbige Marmorplatten, durch Säulen mit Bögen, durch Pilaster mit Gesimsen belebt und gegliedert. Das Dachgesims hat fein gearbeitete antikisirende Consolen. Unstreitig ist dieses kleine Bauwerk die feinste Blüthe der mittelitalienischen Architektur jener Epoche. Die Zeitstellung desselben, die früher mit einer im Fussboden angebrachten Inschrift vom J. 1207 in Verbindung gebracht wurde, muss nach Schnaase's einleuchtender Beweisführung hinaufgerückt werden. Denn die Façade der Kathedrale von Empoli, mit jener von S. Miniato nahe verwandt, enthält die Jahreszahl 1093 als Anfangs-Datum der Ausführung. So wird S. Miniato wohl in der ersten Hälfte des 12. Jahrh. seine Vollendung erhalten haben. Ein anderer kleiner Bau von ähnlicher Feinheit classizistischer Behandlung ist die Kirche SS. Apostoli zu Florenz.

Dom von Ancona. Hier möge noch der Dom von Ancona angeschlossen sein, ein etwa seit der zweiten Hälfte des 11. Jahrh. in langsamem Fortschreiten ausgeführter Bau, in welchem sich Einflüsse des Doms von Pisa mit Anklängen an byzantinische Grundform, beides durch die Lage der Stadt erklärlich, verschmelzen. Ein dreischiffiges Langhaus, von eben so langem dreischiffigem Querbau durchschnitten, der an den Enden Apsiden hat, auf der Durchschneidung eine Kuppel, die Haupträume von Seitenschiffen mit Kreuzgewölben auf Säulen begleitet, das sind die Grundzüge dieser eigenthümlichen Anlage. Der geradlinige Chor ist ein späterer Zusatz; dagegen gehören die beiden Krypten in den Querarmen zu den ursprünglichen Eigenheiten dieses originellen Baues.

In Sicilien und Unteritalien

Sicilianische Bauten. bildete sich unter der Herrschaft der Normannen ein durchaus selbständiger Styl, der aus römischen, byzantinischen und arabischen Elementen zusammengesetzt war*). Die in Sicilien auf einander folgende Herrschaft der Byzantiner und der Mohamedaner bewirkte diese eigenthümliche Mischcultur, die auf architektonischem Gebiete Werke hervorbrachte, welche ohne höhere organische Entwicklung doch durch einen phantastischen Reiz und prächtige Ausstattung anziehen. Der Spitzbogen, der überhöhte und der hufeisenförmige Bogen, die Stalaktitengewölbe, so wie manche Elemente der Decoration kamen aus der mohamedanischen Kunst herüber; die Plananlage schloss sich der abendländischen Basilika an; die Kuppel auf der Kreuzung, die Mosaiken, manche Ornamente und Detailformen sind wieder durchaus dem byzantinischen Styl entlehnt. Endlich aber kam als speciell nordisch-germanisches Element oft die Verbindung des Thurmbaues mit der Kirche hinzu, so dass zwei durch eine Säulenhalle verbundene Thürme die Façade schliessen. Die Blüthezeit dieses Styls gehört ebenfalls dem 12. Jahrhundert.

S. Giov. d. Eremiti. Unter den sicilischen Bauten nimmt zunächst die kleine Kirche San Giovanni degli Eremiti zu Palermo eine Uebergangsstellung ein. Byzantinische und mohamedanische Einflüsse haben hier noch ausschliesslich die Herrschaft. Das einschiffige Langhaus ist mit zwei Kuppeln bedeckt, die nach maurischer Weise sich aus dem Quadrat entwickeln und auch nach aussen mit ihrer hohen Rundung unvermittelt aus der Mauermasse aufragen. Ein Querschiff mit drei Apsiden bildet den Chorraum. Ein ziemlich roher, halb verfallener Kreuzgang mit Spitzbogenarkaden auf Doppelsäulchen vollendet den überaus malerischen Eindruck des Ganzen. Vollendeter und

Martorana. im reichen Schmuck von Goldmosaiken tritt dieser Styl an der Kirche der Martorana auf, deren ältere Theile einem Bau aus der ersten Hälfte des 12. Jahrh. angehören. Eine hohe Kuppel, über vier von schlanken Säulen getragenen Spitzbogen aufsteigend, bildet die Mitte des Ganzen. Vier Tonnengewölbe schliessen dieselbe ein, und die Ecken zwischen ihnen sind mit kleinen Kreuzgewölben bedeckt. Drei Apsiden, die mittlere vorgeschoben, bilden den Chor, während westlich eine spätere Vorhalle mit hässlich gedrückten Flachbögen sich anfügt. Vor diese ist ein höchst originell durchgebildeter viereckiger Thurm gelegt, dessen unteres Geschoss eine offene Vorhalle ausmacht. Sodann ist als eins der ausgebildetsten Werke die Schloss-

Schlosskapelle zu Palermo.

*) *Hittorf* et *Zanth*, Architecture moderne de la Sicile. Fol. Paris 1835. — *H. Gally Knight*, Saracenic and Norman remains to illustrate the Normans in Sicily. Fol. — *Duca di Serradifalco*, Del duomo di Monreale e di altre chiese Siculo-Normanne. Fol. Palermo 1838.

kapelle (Capella platina) zu Palermo zu nennen, 1132 vollendet und 1140 geweiht. Hier sind die in weiten Abständen errichteten Säulen (vgl. Fig. 374) durch überhöhte Spitzbögen verbunden; auch die Kuppel steigt von vier Spitzbögen auf, und ähnlich sind Thüren und Fenster geschlossen. Die flache Decke mit tropfsteinartigen Gewölbtheilchen besetzt, glänzt im reichsten Schmuck von Farben und Vergoldung; die Wände sammt den drei Nischen, in welche die Schiffe auslaufen, sind mit Mosaiken auf Goldgrund prächtig bedeckt. Ungefähr gleichzeitig ist die 1132 begonnene Kathedrale von Cefalù, eine grossartige Basilika mit zwei Säulenreihen, welche überhöhte Spitzbögen tragen, mit einem bedeutenden Querschiff und drei Chorapsiden; an der Westseite ein stattliches Thurmpaar, das eine mit Säulen sich öffnende Vorhalle einfasst. Dabei ein phantastisch reicher Kreuzgang, dessen Arkaden auf gekoppelten Säulchen ruhen. Dom zu Cefalù.

Fig. 374. Capella palatina zu Palermo. Theil des Längendurchschnitts.

Die höchste Spitze glanzvoller Ausstattung bildet der im J. 1174 begonnene, und bereits 1189 vollendete Dom von Monreale bei Palermo, dessen Inneres einen der schönsten und weihevollsten kirchlichen Eindrücke der Welt gewährt. Dom zu Monreale. Der normannische Styl streift hier das zu specifisch Maurische und Byzantinische seiner Anfänge, namentlich die seltsamen Stalaktitenwölbungen und Kuppelbildungen ab, behält nur in den wenig überhöhten Spitzbögen eine Reminiscenz davon, kehrt dagegen in der Gesammtanlage, nach dem Vorbilde des Domes von Cefalù, und in der Behandlung des Ganzen zum allgemein christlichen Basilikenschema zurück und erreicht dadurch sowie durch den verschwenderischen Reichthum seiner musivischen Ausstattung eine vollendet harmonische Wirkung. Der Kreuzgang (Fig. 375) enthält in seinen zahlreichen Säulen ebenfalls Muster reicher musivischer Decoration, nach Art der römischen Cosmatenarbeiten. Ist das Aeussere des herrlichen Domes nur roh und schmucklos, so besitzen wir am Dom zu Palermo, 1169—85 erbaut, dessen Inneres völlig erneuert wurde, ein Beispiel der Aussendecoration dieses Styles, die Dom zu Palermo. aus einem musivischen Flächenschmuck in einfachen und durchschneidenden Spitzbögen mit schwarz eingelegten Mustern besteht. Den Abschluss bildet ein Spitzbogenfries auf Consolen und darüber, nach maurischer Weise, ein Zinnenkranz. Die Façade wird durch zwei fast minaretartig schlanke Thürme flankirt und durch zwei grosse Schwibbögen mit einem dritten Thurme verbunden, der durch eine Strasse vom Hauptbau getrennt ist. So sucht hier die italienische Sitte der Isolirung des Glockenthurmes mit der nordischen der Verbindung desselben sich in Gleichgewicht zu setzen.

Fürstengräber zu Palermo.

Wichtige Zeugnisse des architektonischen Sinnes der Schlussepoche sind die im Dom zu Palermo erhaltenen Fürstengräber König Rogers II., seiner Tochter Constantia und ihres Gemahls Kaiser Heinrichs VI., so wie ihres Sohnes Kaiser Friedrichs II. Die mächtigen Porphyrsarkophage stehen jeder unter einem auf sechs Säulen ruhen-

Fig. 375. Kreuzgang des Doms zu Monreale.

den Baldachin, der die Form eines antiken Tempeldaches hat. Diese sind theils in weissem Marmor mit musivischer Incrustation, theils in Porphyr ausgeführt und beweisen in der grossartigen Strenge ihrer Anlage und Behandlung eine starke Reaction antikisirender Auffassung *).

In Unteritalien.

In ähnlicher Weise, wenn auch mit mancherlei Modificationen, zeigt sich dieser Styl an den unteritalienischen Bauten **), doch tritt hier das Verhältniss der verschiedenen Styleinwirkungen mehrfach wechselnd auf, indem bald das byzantinische, bald das maurische, bald auch das eigentlich normannische Element vorwaltet, in gewissen Gegenden aber selbst aus anderen italienischen Gebieten, namentlich von der pisanischen Schule aus, starke Einwirkungen stattfinden. So kommt an dem um 1080

*) Genauere Darstellungen dieser merkwürdigen Werke in meinem Reisebericht in den Mitth. der Centr.-Comm. 1860, S. 236 ff.

**) Hauptwerk H. W. Schulz, Denkm. d. Kunst des Mittelalters in Unteritalien, herausg. von F. v. Quast. Dresden 1860. Fol. u. 4. Vergl. dazu meine Besprechung in der Zeitschr. für Bauwesen. Berlin 1861 S. 367 ff.

gegründeten Dom zu Salerno, einer mächtigen, auf Pfeilern gewölbten Basilika, mit einem Mittelschiff von 45 F. Breite, eine starke Einmischung germanischer Sinnesweise in's Spiel, obschon die überhöhten Rundbögen auf mohamedanische Kunst hindeuten. An das Querschiff, unter welchem eine Krypta sich ausdehnt, stossen unmittelbar die Hauptapsis und zwei kleinere Apsiden, eine Anordnung, deren primitive Einfachheit der altchristlichen Planform noch nahe steht, und die in Unteritalien und zum Theil auch in Sicilien die allgemein vorherrschende geblieben ist. Zu dem prachtvollen Atrium hat man schöne korinthische Säulen aus den Ruinen von Paestum genommen; mehrere unter den 28 Säulen zeigen jedoch eine trocken scharfe Nachahmung antiker Formen. Eine Basilika von schlanken Verhältnissen und ähnlicher Anlage wie Salerno, mit drei Apsiden auf dem Querschiff und ebenfalls modernisirter Krypta, ist der Dom zu Amalfi, an dessen hochgelegener, malerisch pikanter Vorhalle sich maurische Spitzbögen phantastisch mit antiken Säulen verbinden. Der Glockenthurm steht an diesen beiden Kirchen abgesondert nach italienischer Weise. Auch das in steiler Felsenhöhe einsam über Amalfi ragende Ravello hat in seinem Dom S. Pantaleone eine kleine modernisirte Basilika von ähnlicher Grundform, mit drei Apsiden auf weit ausladendem Kreuzschiff. Von der alten Anlage des Schiffes sind nur je zwei Säulen in dreifacher Wiederkehr zwischen Pfeilern stehen geblieben. Verwandte Anlagen zeigen ebendort die kleinen malerischen Kirchen S. Giovanni del Toro und S. Maria immacolata. Selbst ein Profanbau aus jener Zeit ist dort in dem stattlichen Palazzo Rufolo mit seinen maurisch phantastischen Hofarkaden übrig*). Eine zierliche schlanke Basilika mit überhöhten Rundbögen auf antiken Säulen ist ferner der Dom von Sessa, dessen Façade mit ihrer Vorhalle und den beiden thurmartigen Glockenstühlen einen malerisch bizarren Eindruck gewährt. Sodann findet man zu Neapel am Dom in der Kapelle S. Restituta, der ehemaligen Kathedrale, eine kleine Basilika mit antiken Säulen und unlebendig behandelten Spitzbögen.

Salerno. Amalfi. Ravello. Sessa. Neapel.

Eine geschlossene Gruppe bilden die Denkmäler Apuliens, und in dieser besonders die Terra di Bari mit Anschluss der Capitanata. Hier herrscht neben der Säulenbasilika das Streben nach reicherer Mannichfaltigkeit in der Gliederung der Stützen, und selbst nach einem Wechsel von Säulen- und Pfeilerstellungen. Solcher Art sind die Kirchen S. Gregorio und S. Nicolò zu Bari, letztere zugleich mit Emporen über den Seitenschiffen, was zu lebendiger Gliederung der Oberwand Veranlassung bot. Ferner die Kathedrale von Bitonto, S. Maria in Altamura, diese wieder mit Emporenanlagen, und S. Maria di Lago. Auch die Kathedrale von Trani ist mit Emporen über den Seitenschiffen versehen. Den mit Halbsäulen gegliederten Pfeiler findet man sodann zu consequentem System durgeführt in den Kathedralen von Ruvo und Molfetta, so wie in S. Maria Immacolata zu Trani. Auf dem Querschiff haben diese Bauten gewöhnlich eine Kuppel, ja selbst ausgedehntere Anwendung der Wölbung kommt mehrmals vor. In der Gliederung des Aeusseren zeigen die Kirchen meistens eine treffliche Anwendung von Lisenen, Blendarkaden und Bogenfriesen, wozu sich oft, nach dem Vorgange des Doms von Pisa, die Anordnung musivischen Schmuckes in runden oder rautenförmigen Feldern innerhalb der Bogenumfassung gesellt. Die Façaden befolgen zum Theil wie die prachtvolle Kathedrale von Troja das pisanische System, oder sie schliessen sich durch consequente Verticalgliederung mittelst Lisenen und Bogenfriesen den Bauten Oberitaliens an. Letzteren entspricht auch die überwiegende Breite des Ganzen, das mehr durch prunkenden Schmuck als durch Adel der Verhältnisse zu wirken sucht. Die Verbindung der Glockenthürme mit der Façade findet man nur am Dom zu Lucera, wo deutscher Einfluss bezeugt ist.

Bauten in Apulien.

Ausschliesslich byzantinisirende Anlagen besitzen einige Denkmäler der südlichsten Gruppe. So die kleine Kirche la Cattolica zu Stilo mit ihrer quadratischen Anlage, ihren Tonnengewölben und fünf Kuppeln. So auch S. Sofia zu Benevent und S. Giovanni Battista in Brindisi.

Byzantin. Bauten.

Ihre vorwiegend ornamentale Begabung bewährt diese Schule am glanzvollsten

Decoration.

*) Ausführlichere Mittheilungen über Ravello in meinem Reisebericht S. 216 ff. Vergl. die Aufnahmen bei Schulz.

in kleineren Bauwerken, Kanzeln und Chorschranken, bei denen der Glanz des weissen Marmors sich mit reicher Farbenmosaik verbindet, ähnlich aber noch mannichfaltiger als in den römischen Cosmatenarbeiten. Namentlich sind es die auf Säulenstellungen frei ruhenden Kanzeln, an welchen diese Decorationskunst ihre Meisterstücke liefert. Zwei solcher Werke besitzt der Dom von Benevent; die prachtvollsten aber enthalten die Kathedralen zu Sessa, wo auch die Chorschranken in ähnlicher Weise behandelt sind, zu Salerno und Ravello. Ein kleineres Werk dieser Gattung besitzt auch die Kirche S. Giovanni del Toro in letztgenanntem Orte*).

In Venedig.

Bauten in Venedig.

tritt uns eine von den übrigen italienischen Architekturgruppen durchaus verschiedene Bauweise entgegen, die auf völliger Hingabe an byzantinische Vorbilder beruht. Wie die reiche Handelstadt auf ihren Lagunen sich isolirt vom Festlande aus dem Meere erhob, so isolirt sie sich auch in ihrer Kunstrichtung schon in früher Zeit vom übrigen Italien. Der Seeverkehr mit den Ländern des Orients, namentlich mit Byzanz, gab dem Geschmack eine besondere Richtung, die sich durch Nachahmung der dortigen Architektur und im Geiste kaufmännischen Wesens durch Vorliebe für Prachtentfaltung offenbarte. Der Hauptbau, an welchem diese Tendenz zur grossartigsten Geltung kam, ist die Kirche

S. Marco.

S. Marco**), das Palladium und die Perle der Lagunen-Republik. Sie wurde bereits im J. 976 begonnen, 1071 nach fast hundertjährigem Bau vollendet, jedoch in ihrer verschwenderischen Fülle musivischen Schmuckes und anderer Decoration noch in den folgenden Jahrhunderten weiter bereichert. Der Kern des Baues (vergl. den Grundriss 376) bildet ein griechisches Kreuz, auf dessen Mitte und Endpunkten sich fünf Kuppeln erheben, eine Form, der wir in der späteren byzantinischen Architektur häufig begegnet sind. Die kräftigen Pfeiler, welche die kuppeltragenden Rundbögen stützen, grenzen die Mittelräume von schmaleren Seitenschiffen ab. Zwischengestellte Säulen tragen jene oberen Galerien, welche nach byzantinischem Vorgange über allen Nebenräumen liegen. Für den Altar ist eine kräftige Apsis, in deren Umfassungsmauern drei Nischen eingetieft sind, angeordnet; die Seitenräume enden mit kleineren, aus der Mauermasse ausgesparten Apsiden. Ein eigenthümlicher Zusatz ist die den westlichen Kreuzarm bis an das Querschiff auf seinen drei Seiten umgehende offene Vorhalle. Sie ist mit Kuppeln bedeckt und reich mit Säulenstellungen geschmückt. Die Ausstattung des ganzen Baues erschöpft jeden irgend ersinnlichen Aufwand von Prachtstoffen. Alle unteren Theile, sowohl die Wände wie der Fussboden, sind mit kostbaren, spiegelglatt geschliffenen Marmorarten belegt; alle oberen Wand- und Kuppelflächen starren von Mosaiken auf Goldgrund. Da die Beleuchtung sehr gering ist und hauptsächlich nur durch die in den Kuppeln liegenden Fensterkränze einfällt, so wird durch die aus dem Dämmerlicht hervorblitzenden Goldreflexe und das Farbenleuchten ein zauberhaft phantastischer Eindruck und eine

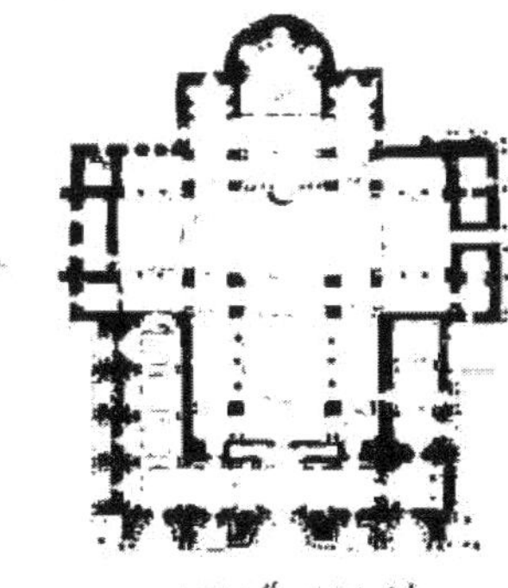

Fig. 376. Grundriss von S. Marco zu Venedig.

*) Abbild. der schönsten dieser Werke bei *Schulz* a. a. O.

**) *G. e L. Kreutz*, La basilica di S. Marco in Venezia, esposta ne suoi musaici storici, ornamenti, scolpiti e vedute architettoniche. Fol. 1843 ff. — *Oscar Mothes*, Geschichte der Baukunst und Bildhauerei Venedigs. 8. Leipzig [illegible].

imposante Gesammtwirkung hervorgebracht. Alles plastische Detail, besonders an den Gesimsen, ist sehr dürftig; für die Säulen ist Alles, was von byzantinischen, altchristlichen und antiken Kapitälen aufzutreiben war, zusammengebracht, eine wahre Musterkarte der verschiedensten Formationen. Unter Fig. 217 auf S. 259 gaben wir eins dieser Kapitäle, welches Zeugniss von der Nachwirkung antiker und byzantinischer Tradition gibt. So hat der Bau den Charakter einer fast barbarischen Pracht, wenigstens am Aeusseren, welches mit seinen hohen runden Kuppeldächern, den ebenfalls nach byzantinischer Weise runden Dächern der Vorhallen, den nutzlos gehäuften Säulen aus kostbarem Material, den bunt und unruhig angebrachten Mosaiken, mehr seltsam als befriedigend wirkt. (Fig. 377). — Andere venetianische Bauten jener Zeit folgen, wie die oben (S. 227) besprochenen Dome auf Torcello und Murano, dem Basilikentypus, während manche unter den benachbarten, wenn auch auf der Grundlage des Basilikenbaues, byzantinische und selbst mohamedanische Anklänge aufnehmen.

In der Lombardei*),

Lombardische Bauten. wo das Volksthum seit den Völkerwanderungen und der Longobardenherrschaft sich am stärksten mit germanischem Blute gemischt hatte, begegnet uns auch an den Werken der Architektur das entschieden germanische Streben nach der gewölbten Pfeilerbasilika. Die flachgedeckte Basilika scheint schon sehr früh dem Gewölbebau völlig das Feld geräumt zu haben. *Genua.* Zu Genua ist die kleine Kirche S. Donato eine später eingewölbte Basilika auf Säulen, die zum Theil antike zu sein scheinen. Der Dom daselbst ist eine prächtige Säulenbasilika des 12. Jahrh., mit späteren Umgestaltungen und Galerien über den Arkaden, die aber nicht mit Emporen verbunden sind. Die Façade, schon in spitzbogigen Formen, hat Anklänge an französische Bauten. *Verona.* In Verona zeigt das Baptisterium beim Dom die Anlage einer Basilika mit drei Apsiden und gewölbten Seitenschiffen. Mit Säulen wechseln hier merkwürdiger Weise schlanke, säulenartig verjüngte Pfeiler, deren stumpfe Kapitälbildung noch dem 11. Jahrh. angehört. Denn auf ganz ähnlichen Pfeilern ist die Krypta von S. Fermo daselbst gewölbt, inschriftlich im J. 1065 erbaut. Nicht minder kommt die Wölbung schon an der wohl noch älteren Kirche S. Lorenzo daselbst zur ausschliesslichen Geltung; denn das Mittelschiff zeigt ein Tonnengewölbe, und die Seitenschiffe gleich den über ihnen liegenden Emporen, abwechselnd von Pfeilern und Säulen getragen, sind mit Kreuzgewölben bedeckt.

Kreuzgewölbe. Seit dem Ende des 11. Jahrh. findet man nun in Oberitalien auf verschiedenen Punkten Kirchen mit ausgebildeten Pfeilern und durchgeführtem Kreuzgewölbsystem. Im Wesentlichen zeigt sich an ihnen derselbe Entwicklungsgang, den wir auch an den deutschen Gewölbebauten fanden. Ein eigentlich selbständiges Element tritt nur in der Bildung der Façaden auf. Da nämlich auch hier die italienische Sitte der gesonderten Thurmanlage herrscht, so bildet man die Façade als einfachen Giebelbau aus; aber in der Regel nicht wie die toskanischen Bauten, indem man die Composition des Langhauses mit seinen hohen Mittelschiffen und den niedrigen Abseiten zur Richtschnur nimmt, sondern in willkürlicher Weise, indem man die vor den Seitenschiffen liegenden Façadentheile höher emporführt und die ganze Breite als eine Masse mit schwach ansteigendem Giebel schliesst. So z. B. am Dom zu Parma, dessen Abbildung Fig. 378 gibt. Dadurch verliert die Façade ihren organischen Charakter und wird zum prunkenden Decorationsstück. Man gliedert ihre Flächen nun durch vorgesetzte Pilaster oder Halbsäulen, die am Dache gewöhnlich mit Bogenfriesen in Verbindung treten. Häufig wird das Dachgesims von einer offenen Säulengalerie begleitet, die auch in halber Höhe bisweilen die Façade theilt und sich an den Langseiten des Baues fortsetzt. Die Dreitheilung liegt indess der Façadenbehandlung in der Regel zu Grunde. Das mittlere Feld wird durch ein grosses Radfenster und ein reich

*) F. Osten, Die Bauwerke der Lombardei vom 7. bis 11. Jahrh. Fol. Darmstadt. — Cordero, Conte di S. Quintino: Dell' italiana architettura durante la dominazione Longobardica. Brescia 1829.

geschmücktes Portal ausgezeichnet. Bisweilen sind daneben noch zwei Seiteneingänge angeordnet. Die Portale sind entweder nach italienischer Sitte kleine, auf Säulen ruhende Vorbauten, oder haben nach nordischer Art schräg eingezogene, mit Säulchen reich besetzte Wände. Die Säulen sind sehr häufig auf Löwenfiguren gestellt. Auch diese Kirchen behalten die Kuppeln auf der Kreuzung bei.

Fig. 317. Aussenseite von S. Marco zu Venedig.

Dom zu Casale Monferrato.

Eins der frühesten unter diesen Bauwerken ist der 1107 vollendete Dom zu Casale Monferrato, ein fünfschiffiger Bau mit breiter Vorhalle, sämmtliche Schiffe in geringer Erhebung über einander mit Gewölben versehen. Verwandter Art erscheint der Dom zu Novara, ebenfalls fünfschiffig, mit Emporen über den inneren Abseiten, denen sich äussere, schmalere und niedrigere Nebenschiffe anschliessen.

Dom zu Novara.

Ein Querschiff mit Kuppel und weit vorgeschobenem Chor vollendet einerseits, ein ausgedehntes Atrium mit einem achteckigen Baptisterium andererseits die grossartige Anlage dieses Baues. Nicht minder streng alterthümlich ist der Dom zu Modena, im J. 1099 begonnen. Er zeigt eine klare dreischiffige Anlage mit consequenter Ueberwölbung, ohne Kuppel und Kreuzschiff, aber mit ausgedehnter Krypta. Ueber den Arkadenbögen liegen Galerien mit triforienartigen Säulenöffnungen. In S. Micchele zu Pavia zeigt sich der lombardische Styl noch in schwerfälliger, fast barbarischer Pracht, obschon nach seinen Hauptbestandtheilen bereits völlig ausgebildet. Die Bündelpfeiler des Inneren mit ihren phantastischen Kapitälen sind ursprünglich auf Gewölbe berechnet. Ueber den Seitenschiffen liegen Galerien, die sich mit weitem

Dom zu Modena.

S. Micchele zu Pavia.

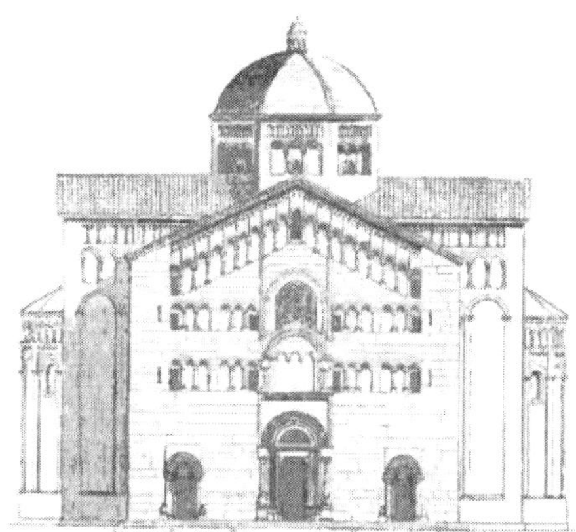

Fig. 178. Dom zu Parma. Façade.

Bogen nach dem Mittelraum öffnen. Das Mittelschiff hat dieselbe Anzahl von Gewölben wie die Seitenschiffe. Ein verwandtes System befolgt ebendort die Kirche S. Pietro in Cielo d'oro. Dagegen behält S. Ambrogio zu Mailand die quadratischen Mittelschiffgewölbe der Basilika bei, obwohl die Hauptformen schon den schweren, breitgelaibten Spitzbogen zeigen. Die Emporen über den Seitenräumen haben hier ein gedrücktes Verhältniss und öffnen sich, der Arkadenanordnung entsprechend, mit doppelten Bögen. S. Zeno in Verona, mit einer Krypta, behauptet bei zierlichster, elegantester Durchbildung eine wesentlich abweichende, an S. Miniato zu Florenz erinnernde Behandlung des Inneren. Hier wechseln Säulen mit Pfeilern; letztere verbinden sich in der Querrichtung mit Gurtbögen, auf welchen das Dach ruht. Doch ist diese Anlage durch spätere Veränderungen verwischt worden. Den edelsten Eindruck gibt die Façade, an welcher die Theilung des Langhauses vorgedeutet ist. Schlanke, graziöse Säulchen, zwischen welchen die horizontale Galerie nur untergeordnet eingefügt zu sein scheint, betonen in lebendigster Weise die aufsteigende Tendenz. Ein prachtvolles Portal und Radfenster zeichnen den Mittelbau aus. Die jetzige Form der Kirche datirt vom J. 1138. Endlich erscheint am Dom zu Parma, der im Wesentlichen wohl der zweiten Hälfte des 12. Jahrhunderts angehören wird,

S. Ambrogio zu Mailand.

S. Zeno in Verona.

Dom zu Parma.

27*

die Gewölbanlage auf der letzten Stufe romanischer Entwicklung, da wie der Grundriss Fig. 379 zeigt, die sämmtlichen Pfeiler in lebendiger Gliederung zu Gewölbträgern für das Mittelschiff gemacht sind, so dass hier die gleiche Anzahl von Gewölben ist wie in jedem Seitenschiff. Die Oberwand hat ein Triforium und darüber den Rundbogenfries. Von der Ausbildung der Façade gibt Fig. 378 eine Vorstellung. Dasselbe

Borgo S. Donnino.

System zeigt der Dom von Borgo S. Donnino, eins der reichsten und schönsten romanischen Gebäude Oberitaliens. Das Langhaus, dem sich ein hoher Chor mit schlanker Apsis unmittelbar anschliesst, hat Rundbogen-Arkaden auf lebendig gegliederten Pfeilern, welche zugleich mit Vorlagen für die spitzbogigen Gewölbe versehen sind. Je zwei vierfache Triforien, durch elegante Säulchen getheilt, erheben sich über den Arkaden. Die Verhältnisse des ganzen Baues sind schlank und elegant. Die Halbsäulen der Hauptpfeiler zeigen einfache Würfelkapitäle, während andere Säulen, namentlich auch die der Krypta, reicher ornamentirt sind. Die nicht ganz zur Vollendung gelangte Façade mit ihren drei prächtigen Löwenportalen und der energischen, frei und mannichfaltig behandelten Plastik ist ein Muster- und Meisterstück dieses Styles. Seitenschiffe und Oberschiff sind in Backsteinen mit reizenden Galerien und zierlich durchschneidenden Friesen ausgeführt. Minder ansprechend ist der Dom

Dom zu Piacenza.

zu Piacenza, der mit seinen plumpen, schweren Rundpfeilern, den rundbogigen Arkaden und spitzbogigen sechstheiligen Gewölben allerdings dieser Gruppe angehört und selbst ein noch zu erkennendes, später vermauertes Triforium gehabt hat. Unklar ist aber namentlich die Anordnung eines dreischiffigen Querhauses und die Verbindung desselben mit einer Kuppel, nach dem Muster des pisaner Domes. Unter Chor und Kreuzschiff zieht sich eine geräumige hundertsäulige Krypta hin. Die Façade (Fig. 380) folgt der üblichen lombardischen Anordnung.

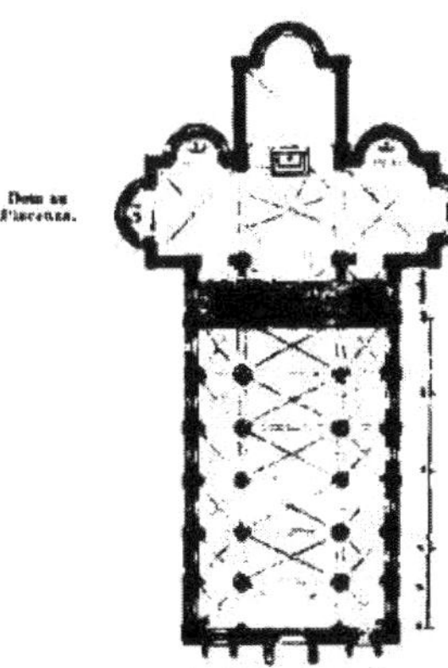

Fig. 379. Dom zu Parma.

Weit glücklicher weiss eine Reihe anderer Gebäude den Gedanken eines durchgeführten Gewölbesystems im Anschluss an die frühgothische Kunst des Nordens zu verwirklichen, ohne doch dem romanischen Gesammteindruck untreu zu werden. Auch diesen ist die ächt italienische Anordnung sehr hoher Seitenschiffe eigen. So die

Kirche zu Chiaravalle.

grossartige Cisterzienserkirche zu Chiaravalle, 1221 geweiht. Hier mochte schon die Ordensverbindung den Mönchen das Anschliessen an die nordischen Formen nahe legen. Der Uebergang vom romanischen zum gothischen System spricht sich im Inneren deutlich aus, während der gewaltige und phantastische Kuppelthurm auf der

S. Andrea zu Vercelli.

Kreuzung vielleicht ein späterer Zusatz ist. Sodann die Kirche S. Andrea zu Vercelli, die mit ihren schmalen spitzbogigen Gewölben und Arkaden, ihren Strebepfeilern und Strebebögen, ihrer reichen Thurmanlage dem nordischen System sich stark nähert. Ich gebe nach einer Zeichnung meines verstorbenen Freundes Nohl eine Darstellung der Kuppelentwicklung (Fig. 381). Endlich der Dom von Trient, von italienischen Meistern im Styl eines glänzend entwickelten deutschen Uebergangsbaues, mit wenig italienischen Anklängen seit 1212 ausgeführt.

S. Antonio zu Padua.

Wie lange die romanischen Traditionen hier noch lebendig blieben, beweisen zwei merkwürdige Gewölbkirchen Oberitaliens. Die eine ist die berühmte Kirche S. Antonio zu Padua (Fig. 382), gleich nach dem im J. 1231 erfolgten Tode des Heiligen begonnen, aber erst im 14. Jahrh. vollendet. Auf die Gesammtform wirkte hier die benachbarte Marcuskirche von Venedig ein, so dass die Haupträume des Langhauses und Querschiffes mit hohen Kuppeln bedeckt wurden. Nur empfahl sich eine gestrecktere Anlage des Ganzen, weshalb das Langhaus zwei Kuppeln erhielt, und der Chor ebenfalls verlängert und mit einem Umgang und neun quadratischen Kapellen versehen wurde. Die Seitenschiffe erhielten auf Zwischenpfeilern Kreuzgewölbe; die Arkaden sind im Spitzbogen, die hohen Gewölbe 46 Fuss weit mit gewaltigem Rundbogen gespannt. Die Verhältnisse sind überhaupt sehr bedeutend; die Höhe der Kuppeln 119 Fuss, die innere Breite des Schiffes 112, die gesammte innere Länge ohne die später angebaute Rundkapelle 316 Fuss. Dennoch ist der Eindruck ein

Fig. 200. Dom zu Piacenza.

ziemlich unerfreulich öder, das Aeussere aber wirkt durch seine schwerfällige Façade und die bizarren Formen der unverständig gehäuften Kuppeln und Thürme geradezu hässlich. Noch muss beachtet werden, dass die Bauausführung ungewöhnlicher Weise von Westen nach Osten fortgeschritten ist*). Prachtvoll sind die vier Klosterhöfe.

Noch später, seit 1373, entstand die Klosterkirche S. Maria del Carmine zu Pavia, ein streng und edel durchgebildeter Backsteinbau, mit gegliederten Pfeilern, spitzbogigen Arkaden und Gewölben, rings mit Kapellen umgeben, die dem System des Gan- Carmine zu Pavia.

*) Vergl. den gediegenen Aufsatz Essenwein's in den Mitth. der Wiener Centr. Comm. 1863. Mit Aufnahmen. Andere Aufnahmen in einem Folioheft: Guida della basil. di S. Ant. di Padova, tavole XXXVI.

zen trefflich angepasst sind. An der Façade treten die gothischen Zierformen auf*).

Centralbauten.

Ausser diesen Hauptgebänden ist eine Anzahl von meist kleineren Centralbauten zu nennen, die namentlich als Taufkapellen errichtet wurden. Von dem grossartigen Baptisterium zu Florenz und dem zu Pisa war schon die Rede. Eine freie Nachbildung des ersteren und eine Uebertragung desselben in Backsteinformen bietet

Baptist. zu Cremona.

das Baptisterium zu Cremona, 1167 begonnen. Es ist ein Achteck von 62 Fuss Durchmesser, mit einer spitzbogenartig überhöhten Kuppel, deren Scheitel 42½ Fuss über dem 49 Fuss hohen Unterbau aufsteigt. Das untere Geschoss wird in jeder der acht Seiten durch zwei Säulen mit Wandarkaden belebt; zwei kleine Galerien von

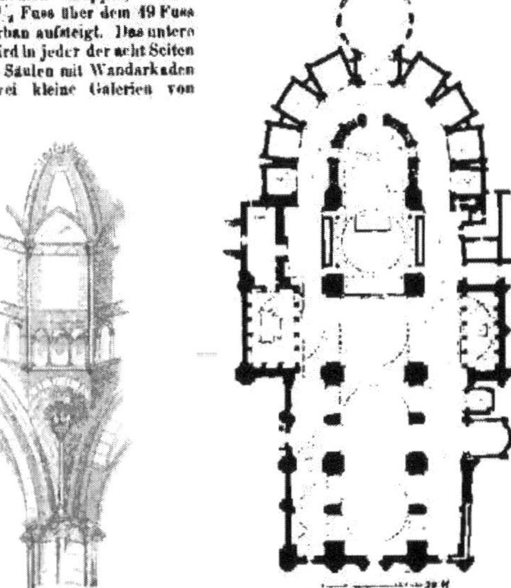

Fig. 281. S. Andrea in Vercelli. (Kuppelconstruction).

Fig. 282. S. Antonio zu Padua.

gekuppelten Oeffnungen auf kurzen Säulchen durchbrechen die obere Wandfläche**).

Baptist. zu Parma.

Anders das der Spätzeit des 12. Jahrh. angehörende Baptisterium zu Parma***), aussen achteckig, mit drei prachtvollen Portalen, im Innern eine sehr complicirte Wandgliederung bietend. Denn die drei Portale und die Altarnische werden je durch eine Gruppe von drei Flachnischen mit vortretenden Säulen getrennt, und darüber steigen dann noch zwei horizontal überdeckte Galerien auf; aber dies Alles wird von einer etwas verlauten Umrahmung durch Wandsäulen und Gesimse zu stark betont, und selbst die hoch über spitzbogigen Schildbögen aufsteigende Kuppel, 52 Fuss weit bei 85 Fuss Höhe, mit ihren reichen Malereien verliert dadurch den Charakter des Leichten.

*) Vergl. meinen Reisebericht a. a. O. S. 163, ff.

**) Mit der ungenügenden Darstellung Pirolberger's in den Denkm. des Österr. Kaiserstaates II. ist die treffliche Aufnahme Spalberg's in der Berliner Zeitschr. für Bauwesen 1859 zu vergleichen.

***) Aufnahme bei Osten a. a. O.

Am Aeusseren sind die obern Mauerflächen durch drei mit Architraven gedeckte Säulengalerien etwas monoton gegliedert; doch sieht man auch hier wie bei der inneren Anlage das Bestreben, die nordische Spitzbogenwölbung mit neu erwachten klassisch antiken Studien zu verschmelzen. Kleinere Gewölbbauten dieser Art sind das Baptisterium zu Asti und S. Tommaso in Limine bei Bergamo, beide mit innerer Stützenstellung und niedrigem Umgang, während das originelle Baptisterium zu Gravedona mit offnem Dachstuhl seinen ungefähr quadratischen Hauptraum bedeckt, den Mangel der Wölbung aber durch drei grosse Apsiden zu ersetzen sucht. Ein Glockenthurm ist mit diesem zierlichen Bau verbunden. — Kleinere Centralbauten.

Endlich sind hier die Bauwerke in Dalmatien*) anzuschliessen, das durch seine Schicksale schon früh von dem benachbarten Venedig abhängig, durchaus dem italienischen Culturkreise angehört. In früherer Zeit findet man hier Einflüsse der toscanischen und lombardischen Kunst; später wiegen venezianische Formen vor. Die Isolirung des Glockenthurmes, die Einfachheit des Basilikenschema's, die Gliederung Bauten Dalmatiens.

Fig. [illegible]. Dom zu Zara.

der Façade sind durchaus italienische Merkmale. Nur an den Portalen bricht zuweilen nordische Phantastik, ähnlich wie auch in Oberitalien, sich Bahn. Auch das späte Festhalten am romanischen Style theilt diese Gruppe namentlich mit den lombardischen Schulen.

Noch der altchristlichen Epoche scheint der merkwürdige Kuppelbau S. Donato zu Zara anzugehören. Um einen hohen runden Mittelraum legen sich gewölbte Umgänge in zwei Geschossen, beide mit drei neben einander liegenden Apsiden verbunden. Die übrigen Kirchen sind der Mehrzahl nach einfache Basiliken; nur S. Martino (heute S. Barbara) zu Traù und S. Eufemia zu Spalato verbinden damit Tonnengewölbe, ähnlich wie S. Lorenzo zu Verona. Eine schlichte flachgedeckte Säulenbasilika ist die verfallene Kirche S. Gio. Battista zu Arbe; doch hat der Chor ein Tonnengewölbe, und die Apsis wird von ebenfalls gewölbten Umgängen umzogen. Der Dom zu Arbe dagegen vom J. 1237 zeigt die normale Anlage einer dreischiffigen Basilika ohne Querschiff; ähnlich der Dom von Zara, 1285 geweiht, mit wechselnden Säulen S. Donato in Zara. Basiliken.

*) Einen dankenswerthen, wenn auch etwas flüchtigen und nicht überall genügenden Bericht gibt *Eitelberger* im Jahrb. der Centr.-Comm. Wien 186[illegible].

und Pfeilern. Die Apsis hat nach lombardischer Weise eine zierliche Galerie; die Façade (Fig. 383) ist überaus klar mit Blendarkaden gegliedert, die eine allerdings abgeschwächte Einwirkung des pisanischen Styles verrathen. Eine Pfeilerbasilika mit drei Apsiden ohne Querschiff und mit geräumiger Vorhalle ist der gegen 1240, wie es scheint, vollendete Dom von Traù. Die Gewölbe sind vielleicht erst nachträglich auf Kragsteinen hinzugefügt. Die edle Gliederung des Aeusseren, der zierliche Glockenthurm, das reiche, aber höchst barocke Portal zeichnen diesen Bau vor den übrigen Denkmalen Dalmatiens aus. Den höchsten Werth aber hat der herrliche Glockenthurm, welcher dem aus dem antiken Jupitertempel umgeschaffenen Dom von Spalato hinzugefügt wurde. Es ist ein Werk, in welchem die romanische Phantasie, aufs edelste von antiken Anschauungen gezügelt, eine ihrer vollendetsten Bauschöpfungen hervorgebracht hat. —

c. Frankreich.*)

Gegensatz von Nord und Süd.

Der Gegensatz des Nordens und Südens, der in Italien auf die Architektur einwirkte, lässt sich noch bestimmter in Frankreich beobachten. Dieses Land, in welchem die Bevölkerung aus keltischen, germanischen und römischen Elementen verschieden gemischt ist, dessen Lage vermöge der weitgestreckten Meeresküste mancherlei fremde Einflüsse, sowohl von den andern Anwohnern des Mittelmeeres wie von den Nationen des Nordens, vermittelte, schöpfte aus solchen mannichfachen Bedingungen eine ungemein vielgestaltige Entwicklung. In keinem anderen Lande findet sich die Selbständigkeit der einzelnen Provinzen in so hohem Grade ausgebildet wie hier. Die südlichen Gegenden, unter dem Einfluss zahlreicher römischer Baureste, hielten sowohl in constructiver wie in decorativer Hinsicht an der antiken Tradition fest, während die nördlichen den romanischen Styl in selbständigem Geiste ausbildeten, und die mittleren Regionen wiederum manche besondere, gemischte Eigenthümlichkeiten zeigen. Anknüpfend an die antike Bautradition tritt der romanische Styl des südlichen Frankreichs schon in der Frühzeit des 11. Jahrh. in klar ausgesprochener Originalität auf, entwickelt sich sodann auch in den nördlichen Gegenden seit der Mitte jenes Jahrhunderts zu bedeutsamerer Gestalt, und wird schon gegen Ende des 12. Jahrh., ohne sich lange mit den sogenannten Uebergangsformen aufzuhalten, durch ein ganz verschiedenes Bausystem, das gothische, verdrängt. Wir betrachten zunächst die Bauten

im südlichen Frankreich.

Provençalische Bauten.

Hier, besonders in den gesegneten Theilen, die an das Mittelmeer grenzen und in grauer Vorzeit schon die Griechen zur Gründung von Colonien angelockt hatten, wo noch jetzt die grossartigen Trümmer der Römerwerke zu Nismes, Arles und an anderen Orten die Blüthezeit römischer Cultur in's Gedächtniss rufen, entstand unter dem Einfluss des milden Klimas und der antiken Bautradition ein romanischer Styl, der, wie Schnaase bemerkt, die Antike strenger befolgt als selbst die italienische Architektur. Am meisten charakteristisch ist für diese Bauten, dass sie fast niemals die gerade Holzdecke, aber auch eben so wenig das Kreuzgewölbe, sondern meistens, offenbar in Nachahmung römischer Bauten, das Tonnengewölbe haben. Das Mittelschiff ist in ganzer Länge durch ein solches Gewölbe bedeckt, jedes Seitenschiff dagegen durch ein halbirtes, welches als Strebe sich an die mittlere Wölbung anlehnt. Dadurch wird dem Mittelschiff die selbständige Beleuchtung entzogen; es erhält sein Licht durch die Fenster der Seitenschiffe, der Apsis und der Kreuzarme, bleibt aber doch in seinen

*) *de Caumont's* Bulletin monumental. — *Derselbe*, Histoire sommaire de l'architecture. — *Viollet-le-Duc* Dictionnaire raisonné de l'architecture française. Paris 1854–1868. — *Al. de Laborde*, Monuments de la France. — *Willemin*, Monuments français inédits. — *Chapuy's* Cathédrales françaises. — *Derselbe*, Moyen âge pittoresque. — *Derselbe*, Moyen âge monumental. — *du Sommerard*, L'art du moyen âge. — *D. Ramée*, Histoire générale de l'architecture. 2 Bde. Paris 1860. — *Revoil*, Archit. romane de la France. Fol. — Endlich die Prachtwerke: Voyage pittoresque et archéologique dans l'ancienne France und die Monuments historiques, letztere mit musterhaften Aufnahmen.

oberen Theilen ziemlich dunkel, was für die nach Schatten und Kühlung strebenden Bewohner des Südens erwünscht sein musste. Manchmal wird auch das mittlere Tonnengewölbe aus zwei Kreissegmenten gebildet, so dass eine Art von schwerer Spitzbogenform entsteht. Der Chor hat gewöhnlich neben seiner Hauptapsis noch mehrere kleinere Apsiden; die Scheidbögen der Schiffe ruhen regelmässig auf kräftigen Pfeilern, wie es die starken Mauern und Gewölbe verlangten. Die Thürme sind niedrig und schwerfällig, theils neben dem Chor, theils an der Façade angeordnet; bisweilen erhebt sich auf der Kreuzung ein breiter viereckiger Thurm. Das Aeussere ist gleich dem Inneren übrigens einfach, kahl, wenig gegliedert; nur an Portalen, überhaupt an den Façaden, findet sich ein reicher plastischer Schmuck, der in grosser Eleganz und Feinheit den antiken Werken nachgebildet ist. Cannelirte Säulen und Pilaster mit zierlich gearbeiteten korinthischen Kapitälen, Gebälk mit reichem plastischem Fries, Zahnschnitte, Eierstäbe und Mäander sind mit Verständniss und Geschick angewandt und behandelt.

Denkmäler der Provence.

Der Mittelpunkt dieses Styls ist im Rhonethale; aber selbst über die anstossenden Theile der französischen Schweiz erstreckt sich dieselbe bauliche Richtung. Bedeutend durch ihre Façaden sind die Kirchen zu S. Gilles und die Kathedrale S. Trophime zu Arles, beide aus dem 12. Jahrh., letztere zugleich mit einem prächtigen Kreuzgang, der auf S. 347 abgebildet ist. Wie hier die Säulen in überreicher Anzahl zur Unterstützung eines mit einer Menge kleiner Figürchen besetzten Frieses angewandt sind, wie sie auf phantastischen Löwen nach Art mancher Kirchen Italiens ruhen, wie überhaupt eine Verschwendung von Sculpturschmuck das Portal auszeichnet, während der obere Theil der Façade ganz nackt ist und das Dachgesims nur auf Consolen ruht: das Alles erinnert durchaus an südliche Sinnesweise. Ein nicht minder prachtvolles Portal besitzt die Kathedrale von Avignon, deren Schiffbau das in diesen Gegenden herrschende System in reifer Durchbildung zeigt. Durch schlanke Verhältnisse und zierlich gegliederte Pfeiler, welche für die Tonnengewölbe des Mittelschiffes und die Kreuzgewölbe der Seitenschiffe Halbsäulen als Vorlagen haben, zeichnet sich die Kathedrale von Valence aus. Hierher gehört auch das Schiff der Kathedrale von Carcassonne, dessen Arkaden abwechselnd auf derben Rundpfeilern und gegliederten viereckigen Pfeilern ruhen. Eine kleine, jetzt fünfschiffige Kirche mit Tonnengewölben auf kurzen, schweren Säulen mit korinthisirenden Kapitälen ist die Kirche des Klosters Ainay zu Lyon. Vor der Chorapsis erhebt sich eine ziemlich ungeschickt entwickelte Kuppel, deren Bögen auf vier kräftigeren Säulen ruhen. Das Aeussere erhält durch den schweren Kuppelthurm und den späteren, reich geschmückten Westthurm mit Vorhalle eine nachdrückliche Wirkung. Im durchgebildeten Spitzbogen bei überaus schlankem Verhältniss der hochaufsteigenden Seitenschiffe ist die Klosterkirche von Fontfroide bei Narbonne ausgeführt. In derselben Schlussepoche entstand als decoratives Prachtwerk ersten Ranges der Kreuzgang des Klosters Elne bei Perpignan. Noch sind einige Kapellen von origineller Grundform zu erwähnen. Zunächst in der Nähe von Arles die kleine Kirche St. Croix zu Montmajour vom J. 1019, ein mit spitzbogiger Kuppel überwölbtes Quadrat, an welches sich vier Apsiden mit Halbkuppeln schliessen. An die westliche stösst eine rechtwinklige Vorhalle. Der originelle Bau, dessen Aeusseres durch streng antikisirende Consolengesimse gegliedert wird, scheint als Todtenkapelle des Klosters gedient zu haben. Aus romanischer Spätzeit stammt die Kapelle am Planes im Roussillon, ein gleichseitiges Dreieck mit einer Kuppel und drei ausstossenden Apsiden. Fast ebenso seltsam ist eine Kirche zu Rieux-Mérinville bei Carcassonne, ebenfalls ein Kuppelbau auf siebenseitiger Grundform, durch vier Pfeiler und drei Säulen von einem vierzehnseitigen, mit ansteigendem Ringgewölbe bedeckten

Fig. 281. Notre Dame du Port zu Clermont.

Denkmäler der Schweiz.

Umgange geschieden. — Von den Bauten der Schweiz*) gehören hierher die Kirche zu Granson am See von Neufchâtel, eine Säulenbasilika mit einem mittleren Tonnengewölbe und halben seitlichen Tonnengewölben, und die Abteikirche zu Payerne, deren Seitenschiffe gegenwärtig jedoch Kreuzgewölbe zeigen.

Bauten der Auvergne.

Eine gewisse Modificirung erfährt diese Schule in dem jenseits der Cevennen gelegenen gebirgigen Binnenlande der Auvergne. Auch hier bleibt das Tonnengewölbe und die Pfeilerordnung vorherrschend, aber eine Empore erhebt sich als zweites Stockwerk mit eigener Beleuchtung über den Seitenschiffen und zieht sich selbst über

Fig. 355. Durchschnitt von Notre Dame du Port zu Clermont.

die westliche Vorhalle hin. Die Seitenschiffe sind mit Kreuzgewölben bedeckt, die Emporen aber, die sich nach dem Mittelraume mit säulengetragenen Bögen öffnen, haben die halben Tonnengewölbe. Hin und wieder steigen schlanke Säulen an den Pfeilern auf, setzen sich an der Oberwand fort und enden dort, ohne irgend Etwas zu tragen, mit eleganten Kapitälen. Auch der Chor wird in reicher und eigenthümlicher Weise ausgebildet. Die Seitenschiffe setzen sich nämlich jenseits des Querhauses als Umgang um die durch schlanke Säulen eingefasste Apsis fort, und an den Umgang lehnen sich kleine kapellenartige Apsiden in jener radianten Richtung, die wir in Deutschland nur an S. Godehard in Hildesheim fanden. Diese centralisirende Choranlage scheint dem französischen Geiste eben so sehr entsprochen zu haben, wie die coordinirende dem deutschen Sinne. Da obendrein auch die Ostwand der Kreuzarme ihre Nischen hatte, so ergab sich daraus ein Chorschluss, der sowohl für das Innere wie für das Aeussere von reicher Wirkung war. Die Ornamentik schliesst sich zum

*) J. D. Blavignac, Histoire de l'architecture sacrée dans les anciens évêchés de Genève, Lausanne et Sion. Paris, Londres et Leipzig 1853. 8. und Atlas in Fol.

Theil der antiken an, hat indess auch mannichfache eigentlich romanische Elemente. Besonders gebräuchlich aber, wohl durch den Reichthum des vulkanischen Landes an verschiedenfarbigen Steinarten veranlasst und auf altchristliche Vorbilder gestützt, ist diesen Bauten die Anwendung eines bunten musivischen Steinschmuckes zu Bogenfüllungen, in Zwickeln, an Portalen und Fenstereinfassungen. Am Aeusseren finden sich Pilaster und Halbsäulen, jedoch niemals wie in der Provence cannelirt; die Gesimse ruhen auf Consolen, der Bogenfries fehlt. Auf der Kuppel der Kreuzung erhebt sich bisweilen ein viereckiger Thurm. Eins der glänzendsten Beispiele, welches die Eigenthümlichkeiten dieses Styls vollständig enthält, ist die Kathedrale zu Clermont, Notre Dame du Port, wahrscheinlich aus der Frühzeit des 12. Jahrh., N. D. du Port zu Clermont. von der Fig. 384 den Grundriss, Fig. 385 den Durchschnitt, Fig. 386 eine innere Ansicht und Fig. 387 den Aufriss des Chors mit seinem niedrigen Umgang und vier radianten Kapellen gibt. Eine kleinere Anlage verwandter Art bietet die Kirche zu Issoire, die im Mittelschiff das spitzbogige Tonnengewölbe, und an der Ostseite zwischen vier radianten Apsiden eine mittlere rechtwinklige Kapelle zeigt. Wie mannichfach in diesen Gegenden das Streben nach eigenthümlichen constructiven Formen war, beweist die Kathedrale von le Puy-en-Vélay le Puy mit den originellen achteckigen Kuppelwölbungen ihres Mittelschiffes. Dagegen schliesst sich die stattliche Abteikirche von Conques mit ihrem Conques dreischiffigen Querhaus sammt vier Kapellen und drei Apsiden am Chorumgang dem herrschenden System dieser Gegenden glänzend an. Aber auch südlicher findet sich eine bedeutende Kirche, S. Sernin zu Toulouse, wesentlich vom Bau des J. 1096 stammend. S. Sernin zu Toulouse. Hier ist der Grundplan so bedeutend gesteigert, dass das Langhaus fünf, das Querhaus drei Schiffe hat, dem Chorumgange fünf und den Querarmen vier Kapellen zugetheilt sind, so dass eine ungemein reiche, stark an das Centralsystem anklingende, in dem Thurm der Kreuzung culminirende Anlage sich ergibt.

Fig. 386. Innere Ansicht von Notre Dame du Port zu Clermont.

Etwas weiter nordöstlich schliesst sich das alte Burgund an, welches ebenfalls Burgundische Bauten. in seinen Bauwerken den antiken Reminiscenzen vielfach Eingang gestattet, sie aber in ungleich freierer, kühnerer Weise anwendet und im grossartigsten Sinne behandelt. Das Tonnengewölbe herrscht auch hier vor, aber indem man Stichkappen in dasselbe einschneiden lässt, oder gar die einzelnen Felder des Mittelschiffes mit querliegenden Tonnengewölben bedeckt, erhält man Raum für Oberlichter. Die Emporen auf den Seitenschiffen werden beibehalten und an dem westlichen Ende zu einer bedeutsamen zweistöckigen Vorhalle entwickelt; auch der Chorumgang mit dem Kapellenkranze ist hier an allen grösseren Kirchen vorhanden. Für die Belebung und Gliederung des Pfeilers bedient man sich mit Vorliebe des antiken cannelirten Pilasters, und überhaupt führen die Römerreste dieses reichen Landes bei dem denkenden Geiste des dortigen Volksstammes zu einer weniger spielend decorativen, als vielmehr ernsten, constructiven Anwendung. Schwerfällig und unbehülflich erscheint dieser Styl noch **Kirche zu Tournus.** an der nach 1007 errichteten Kirche S. Philibert zu Tournus. Hier sind statt der gegliederten Pfeiler plumpe Rundpfeiler im Schiffe angeordnet, von welchen an der Oberwand derbe Halbsäulen aufsteigen zur Unterstützung breiter Quergurte. Zwischen diese wölben sich einzelne quergespannte Tonnengewölbe. So ungeschickt es ohne Zweifel ist, dass man diese mit ihrer ganzen Wucht die Quergurte belasten liess, so

Fig. 387. Choraufriss von Notre Dame du Port zu Clermont.

zeugt doch diese Erfindung von dem kühnen, strebsamen Geiste der Erbauer. Dass der gesammte Schiffbau ein Werk des 11. Jahrh. ist, kann dem nicht zweifelhaft sein, der das rohe Bruchsteingemäuer des Aeusseren, die schwerfällig derben Gliederungen im Innern und die dürftigen Versuche einer Ornamentik beobachtet hat. Dagegen ist der viel reichere Bau der ausgedehnten, mit Umgängen versehenen Krypta etwas später entstanden, und der elegante Oberbau des Chores sammt dem Kuppelthurm auf dem Kreuze, zu welchem noch zwei Westthürme kommen, gehört der ersten Hälfte des 12. Jahrh. an. — Eine der grossartigsten Kirchen, welche der romanische Styl überhaupt hervorgebracht, war die in der Revolution verkaufte und abgebrochene **Abteikirche zu Cluny.** Abteikirche Cluny (Fig. 388), das Mutterkloster des berühmten, auch für die mittelalterliche Baugeschichte bedeutenden Cluniacenserordens. Im J. 1089 begonnen, 1130 vollendet, hatte sie ein fünfschiffiges Langhaus mit ausgedehnter dreischiffiger Vorhalle, zwei Kreuzschiffe, einen Chor mit Umgang und Kapellenkranz, so dass nicht weniger als fünfzehn Apsiden Chor und Kreuzarme schmückten. Die Kirche war ohne die Vorhalle 365, mit derselben 500 Fuss lang, 110 Fuss breit, im Mittelschiff über 100 Fuss hoch. Gegliederte Pfeiler trugen die Gewölbe; Säulen aus kostbarem Material, sogar aus pentelischem Marmor, wurden fernher geholt; das Aeussere war durch sieben Thürme bedeutsam ausgezeichnet. Der Dom von Autun, von dem Fig. 389 einen Querschnitt des Langhauses gibt, 1132 begonnen, zeigt an seinen mit Pilastern gegliederten Pfeilern, besonders aber an der Bildung der Triforien (der über den Seitenschiffen angebrachten Galerieöffnung), den Einfluss der Antike. Ganz wie an dem dort noch jetzt erhaltenen Römerthore, der Porte d'Arroux, besteht die Oeffnung aus Bogenstellungen, welche von Pilastern mit antikem Gebälk eingefasst sind. In naher Verwandtschaft zu diesem Bau steht die Abteikirche von Paray-le-Monial, besonders durch die in antikem Geist durchgeführte Behandlung des Pfeilersystems und der Triforien. Etwas weiter nördlich in der edlen und glänzenden Abteikirche von Vezelay und der Kathedrale zu Langres tritt das Kreuzgewölbe der nördlichen Schulen an die Stelle des südlichen Tonnengewölbes und bezeichnet den Uebergang zu einem andern Systeme.

Dom zu Autun.

Paray-le-Monial.

Vezelay. Langres.

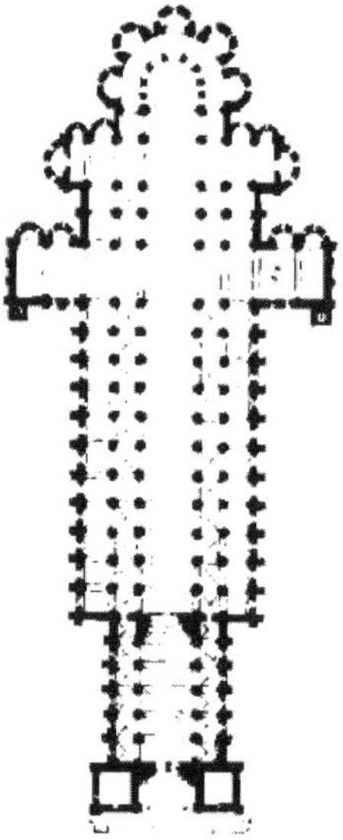

Fig. 388. Abteikirche Cluny.

Westfranzös. Bauten.

Eine ungemein merkwürdige, von allen übrigen Bauten Frankreichs abweichende Baugruppe findet man in den südwestlichen Theilen des Landes, wo eine Reihe von etwa vierzig Kirchen eine byzantinische Anlage mit Kuppeln und zum Theil griechischer Kreuzform zeigen. Das Hauptwerk und Vorbild der übrigen ist die Kirche S. Front zu Perigueux, wahrscheinlich gegen Ende des 11. Jahrh. erbaut*). Auffallender Weise ist dieser Bau (vergl. den Grundriss Fig. 390) eine selbst in den Maassen durchaus getreue Copie der Marcuskirche von Venedig, besteht gleich jener aus einem durch fünf Kuppeln gebildeten griechischen Kreuz, an welches anstatt der ausgedehnten Vorhalle jedoch nach abendländischer Weise ein Glockenthurm gefügt ist. Die spitz- bogigen schweren und breiten Gurtbögen (s. Fig. 391), von welchen auf Zwickeln und einem Gesimskranze die Kuppel aufsteigt, ruhen auf massenhaften Pfeilern, in deren Kerne schmale Durchgänge ausgespart sind. Die Säulenstellungen und der reiche Schmuck von S. Marco fehlen jedoch. Auch sonst ist alles schwerer, einfacher, derber. Dazu kommt, dass die Kuppeln nur wenige, die Seitenwände dagegen reichliche Fenster haben, wodurch die unteren Theile ziemlich hell, die oberen dagegen dunkel und lastend erscheinen. Die Bildung der Details, welche der heimisch französischen Schule angehört, zeigt den fremden Styl, über dessen Verpflanzung man keine nähere erklärende Auskunft besitzt, in den Händen inländischer Werkleute. Das sehr einfache und monotone Aeussere erhielt ehemals durch die runden Linien der nicht mit Dächern versehenen Kuppeln eine seltsam fremdartige Gestalt.

S. Front zu Perigueux.

Die zahlreichen anderen Kirchen, welche diesem Beispiel gefolgt sind, zeigen eine grössere Abschwächung und eine stärkere Nationalisirung der fremdartigen Form sowohl in Hinsicht auf die Plananlage und die Kuppelgestalt, als auch auf die Bildung der wichtigsten Einzelglieder. Zunächst beseitigte man die schwerfällige und unge-

*) F. de Verneilh, L'architecture byzantine en France. 4. Paris 1851.

wöhnliche Form des griechischen Kreuzes, gab den Kirchen einen ausgebildeten Chor, Umgang und Kapellenkranz, wie Fig. 392 zeigt, mit oder ohne Kreuzschiff. Das Langhaus, mit einem System von Kuppeln überwölbt, wurde ohne Abseiten angelegt, und nur die weit vorspringenden, mit Säulen bekleideten Mauerpfeiler, von denen die vier breiten Gurte aufsteigen, bieten vereint mit den zurücktretenden Umfassungsmauern einen Anklang an die Wirkung von Seitenschiffen. Anlagen dieser Art sind die Kathedralen von Angoulême, Saintes und Cahors, besonders aber die interessante Abteikirche Fontévrault, die dieses System in klarer Ausbildung repräsentirt. Das Schiff besteht aus vier Kuppeln (vergl. den Grundriss Fig. 392), welche, wie Fig. 393 zeigt, ganz nach byzantinischem Vorgang wie die Kuppeln zu Perigueux construirt sind. Sie haben nämlich vier grosse spitzbogige Gurte zur Basis, zwischen welche sich Zwickelgewölbe spannen, deren Abschluss der Gesimskranz der Kuppel bildet. Die Pfeiler springen so weit vor, dass durch ihre entschiedenen Schattenmassen das System des Langhauses in seiner Einfachheit wirksam und grossartig markirt wird. Die Gliederung der Pfeilerflächen und der Umfassungsmauern im Inneren und Aeusseren durch Säulchen und Lisenen beweist die consequente künstlerische Ausbildung des Styls. Ganz anders gestalten sich in ihrem constructiven System die später angebauten östlichen Theile, die aus einem weit ausladenden Kreuzschiff und einem Chor mit Umgang und Kapellen bestehen. Hier findet sich auf der Vierung des Kreuzschiffes die in Fig. 391 dargestellte Kuppelanlage, wo die entschiedene Höhenrichtung aufgegeben ist, die Kuppel ohne Gesimskranz, also in unmittelbarer Verbindung aus den Gewölbzwickeln hervorgeht, die von schlanken Ecksäulen aufsteigen. Damit war eine grössere Annäherung des fremdartigen Systems an die heimische Bauweise erreicht.

Fig. 390. Dom zu Autun. Querschnitt.

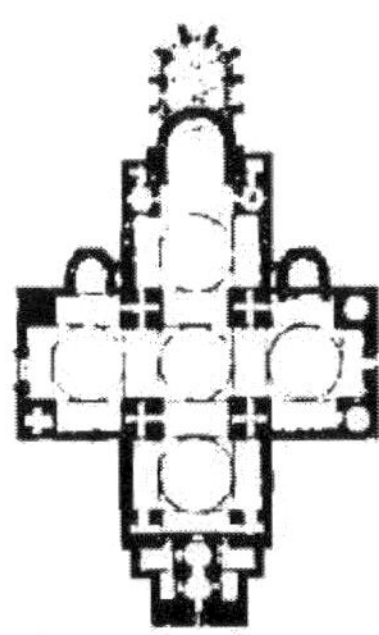

Fig. 390. S. Front zu Perigueux.

Bauten im Poitou.

Endlich schliessen sich hieran die Bauten der nördlichsten dieser Gruppe, des Poitou, wo man neben der Nachwirkung römischer Einflüsse die Kundgebung eines specifisch keltischen Nationalcharakters erkennt, der sich zumeist in einer wildphantastischen Decoration bemerklich macht. Das Tonnengewölbe herrscht hier wie im Süden bei der Ueberdeckung der Räume vor, die Anlage des Langhauses besteht entweder aus einem einzigen, oder aus drei fast gleich hohen Schiffen, ohne selbständige Beleuchtung des mittleren. Auch der Chorgrundriss ist meistens einfach, selten mit Umgang und Kapellen, meistens halbrund oder gar geradlinig geschlossen. Der Hauptthurm ist auf dem Kreuzschiff, während in der Regel an der Façade unbedeutende runde oder polygone Treppenthürme stehen. Ihre charakteristische Erscheinung erhalten diese Bauten aber durch die schwere, derbe, oft phantastische Ornamentation, welche besonders die Façaden völlig teppichartig überzieht. Ein glänzendes Beispiel dieser Art bietet die Kirche Notre Dame la grande zu Poitiers, deren Façade (Fig. 305) wie eine derbe Goldschmiedsarbeit jener Zeit aussieht.

Fig. 304. Inneres von S. Front zu Perigueux.

In der Maine und Anjou geht der Styl der altfranzösischen Schule in den der benachbarten Nordlande über, namentlich durch Aufnahme des Kreuzgewölbes in den Langhausbau. So verhält es sich mit der Kathedrale von Angers, die in ihren stark überhöhten Gewölben ein kuppelartiges Ansteigen erkennen lässt. Dagegen zeigt der Schiffbau der Kathedrale von le Mans die völlig ausgebildeten spitzbogigen Kreuzgewölbe der Uebergangszeit. Obwohl einer der glanzvollsten gothischen Chöre später dem Langhaus angefügt wurde, kann letzteres doch nicht verdunkelt werden; denn mit seinen grossartigen Dimensionen, seinen edlen Verhältnissen, seiner reichen, eleganten, trefflich abgewogenen Ornamentik gehört es zu den herrlichsten Meisterschöpfungen der gesammten romanischen Baukunst. Das etwa 34 Fuss weite Mittelschiff ist mit fünf quadratischen Kreuzgewölben auf durchgebildeten Pfeilern, die mit Halbsäulen und schlanken Ecksäulen verbunden sind, überdeckt. Mit den Pfeilern abwechselnd sind für die spitzbogigen Arkaden und die Gewölbe der Seitenschiffe

Bauten in Maine und Anjou.

kraftvolle Säulen angeordnet, deren Kapitäle die edelsten, zum Theil korinthisirenden Formen zeigen. Ueber den Arkaden ziehen sich rundbogige Wandgalerien als Scheintriforien hin; dann folgen, zu zweien gruppirt, die reich eingerahmten Rundbogenfenster, über welchen die spitzbogigen Gewölbe den Abschluss bilden. Zu bemerken ist, dass die östlichste Stütze nicht als Säule, sondern als gegliederter Pfeiler gestaltet, und dass ebenso die erste Arkade des Schiffes den Rundbogen zeigt. An der Südseite ist eins der grossartigsten und prachtvollsten romanischen Portale, umgeben von einer Vorhalle, angeordnet.

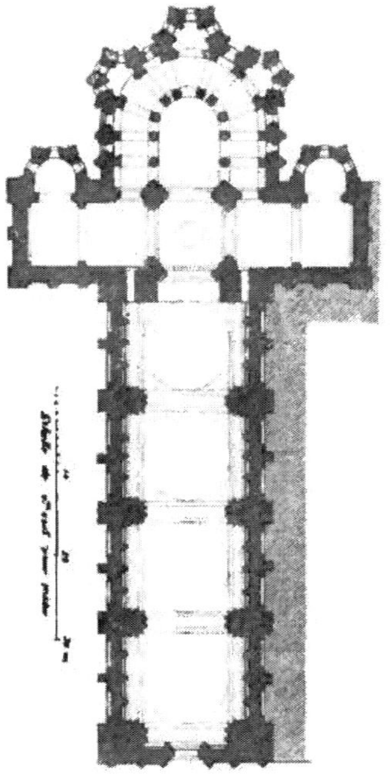

Fig. 228. Kirche zu Fontevrault.

Bauten in Nordfrankreich.

Im nördlichen Frankreich begegnet uns auf begrenzterem Gebiet eine Auffassung des romanischen Styls, die, weniger verschiedengestaltig als die Schulen des Südens, sich mehr in einer einfachen, an die sächsischen Bauten erinnernden Behandlung ausspricht*). Doch beruht diese Uebereinstimmung, die immerhin nur eine allgemeine ist und im Besonderen noch genug eigenartige Verschiedenheiten zulässt, nicht etwa auf äusserer Uebertragung, sondern nur auf verwandter Sinnesrichtung.

Normannen.

Der germanische Volksstamm der Normannen nahm bekanntlich schon früh den wichtigsten Theil des Landes erobernd in Besitz und begann darin ein Culturleben von besonderer Färbung. Kriegerisch, unternehmungslustig, nach Abenteuern begierig, dabei aber von klugem, gewandtem Geist, auf den weiten Raubzügen durch die nördlichen und südlichen Meere mit den Vortheilen der Civilisation bekannt geworden, wussten die Eroberer ihre Normandie bald zu gesetzlichen Zuständen zurückzuführen und unter kräftigen Herzögen ihre Macht zu befestigen. Auf dem rauhen, von römischen Traditionen fast unberührten Gebiet entfaltete sich nun in Folge jener geordneten Verhältnisse eine eigenthümlich strenge und tüchtige Architektur, welcher es seit der Eroberung Englands im J. 1066 durch die daraus fliessenden Reichthümer auch nicht an bedeutenden Mitteln gebrach.

Normannischer Styl.

Der Styl, der sich unter diesen Verhältnissen entwickelte, spricht das rüstige, kriegerische Wesen des normannischen Stammes lebendig und klar aus. Er geht wie

*) *Britton and Pugin*: Architectural antiquities of Normandy. London 1828. — *Cotman and Turner*: Archit. ant. of Normandy. 2 Vols. Fol. London 1822. — *H. Gally Knight*: Architectural tour in Normandy. (Deutsche Ausgabe Leipzig 1841.) — Vergl. in der Wiener Bauzeitung vom J. 1845 den interessanten Aufsatz von *F. Osten*.

Er geht wie der deutsch-romanische von der **flachgedeckten Basilika** aus, die sich aber hier vielleicht früher als anderswo, jedenfalls aber allgemeiner und ausschliesslicher

Fig. 393. Kirche zu Fontevrault. Theil des Langendurchschnitts.

mit dem **Kreuzgewölbe** verbindet. Schon in der ersten Hälfte des 11. Jahrh. scheint die consequente Anwendung desselben hier stattgefunden zu haben. Ueber den Seitenschiffen erheben sich oft Emporen, nach Art der südfranzösischen Bauten mit halben Tonnengewölben bedeckt; häufig aber ist statt der Emporen in den Oberwänden des Mittelschiffes nur ein **Triforium** angebracht, d. h. ein schmaler Gang, der sich mit Bogenstellungen auf Säulchen gegen das Innere der Kirche öffnet. Bemerkenswerth ist auch, dass selbst die Querarme zweistöckig gebildet wurden, oder doch in den Wänden obere Galerien erhielten. Die frühe Ausbildung des Kreuzgewölbes hatte zeitig die reichere Entwicklung des Pfeilers zur Folge, der mit Ecksäulchen und vorgelegten Halbsäulen versehen wurde. Im Gegensatz aber gegen den in Deutschland vorherrschenden rhythmischen Wechsel von stärkeren und schwächeren Stützen sind hier die Pfeiler (denn Säulen kommen als einzelne Stützen nur ausnahmsweise vor) sämmtlich gleich gebildet, auch ohne Ausnahme mit einer weiter an der Wand hinaufsteigenden

Fig. 394. Kirche zu Fontevrault. Kuppel der Vierung.

Halbsäule für die Gewölbe versehen, die dadurch sechstheilig werden. Auch das System selbständig gemauerter Rippen tritt hier frühzeitig auf.

Grundriss. Der **Grundplan**, dem der sächsischen Kirchen nahe verwandt, bildet ein einfaches Kreuz, dessen westlicher Schenkel jedoch eine beträchtlichere Länge hat als dort. Aus dem bisweilen mit Nischen versehenen Kreuzschiff treten in östlicher Richtung nicht bloss der Chor mit seiner Apsis, sondern in der Regel auch Seitenchöre als Verlängerung der Nebenschiffe, diese jedoch ohne Apsiden, hervor. Auf der Kreuzung,

Fig. 395. Notre Dame la grande zu Poitiers.

die ein weit höher geführtes Gewölbe hat, erhebt sich meistens ein kräftiger viereckiger Thurm. Zwei schlankere viereckige Thürme steigen an der westlichen Façade auf. Diese Anordnung gibt auch dem Aeusseren etwas Klares, Gesetzmässiges, dabei Ernstes und Ruhiges. Die thürmereichen Anlagen Deutschlands, besonders der Rheingegenden, die achteckigen Kuppeln auf der Kreuzung vermeidet dieser einfachere Styl. Die Gliederung der Aussenmauern wird durch sehr kräftige Lisenen, die an der Westfaçade sich sogar zu Strebepfeilern ausbilden, bewirkt. Manchmal verbinden sich damit an den Obermauern Arkaden von Blendbögen. Der Rundbogenfries fehlt fast gänzlich und wird durch ein auf phantastisch geformten Consolen ruhendes Gesims ersetzt. Die Façade hat in der Mitte ein kräftig markirtes, durch Säulchen eingefasstes Portal, dessen Archivolten meistens reich geziert sind, darüber aber statt der Rose mehrere Reihen einfacher Rundbogenfenster, den Stockwerken des Inneren entsprechend. Die Thürme, in schlichter Masse aufsteigend, haben ein schlankes, steinernes Helmdach, und auf den Ecken vier kleine Seitenspitzen.

Dieses einfache, den constructiven Grundgedanken in allen Theilen klar und anspruchslos darlegende bauliche Gerüst entbehrt nun an den geeigneten Stellen der reicheren Ausschmückung nicht. Aber auch in der Ornamentation waltet ein entschiedener Gegensatz gegen die plastische, auf antiken Elementen beruhende Schönheit und Anmuth der südfranzösischen Werke. Ein herber, strenger Zug geht durch alle Details dieses Styles hindurch. Zwar ist die Säulenbasis, zwar sind die horizontalen Glieder aus antiken Formen hervorgegangen, und selbst das Kapitäl zeigt bisweilen eine Nachbildung, wenn auch eine starre, ungefüge, des korinthischen Schemas. Aber im Allgemeinen herrscht ein ganz besonderer, nordischer Geist darin. Die Säulenkapitäle sind vorwiegend würfelförmig, nicht wie in Deutschland mit mannichfachem Blattornament bedeckt, sondern in der Regel mit einer linearen Verzierung ausgestattet, die, in senkrechten Rinnen abwärts laufend, dem Kapitäl eine gefältelte Oberfläche gibt. Am lebendigsten aber, ja in einer gewissen prunkenden Fülle, entfaltet sich die Ornamentik an den Archivolten der Portale, den Bögen des Inneren und den daselbst über den Arkaden bis zum Arkadensims sich ausbreitenden Wandfeldern. Aber alle diese Verzierungen verschmähen das biegsame, weichgeschwungene Pflanzenwerk und beschränken sich allein auf ein Spielen mit reich verschlungenen Linien. Der Zickzack, die Raute, der Stern, der Diamant, das Schachbrett, der gebrochene oder gewundene Stab, das Tau, die Schuppen- und Mäanderverzierung und ähnliche Combinationen sind, oft in derber plastischer Ausmeisselung, die Elemente, aus welchen diese Decoration sich zusammensetzt. Damit verbinden sich an Consolen und anderen besonderen Stellen Köpfe von Thieren und Ungethümen, die dem beinah trocken mathematischen Spiele den Beigeschmack eines wild phantastischen Sinnes geben. *Detailbildung.*

Der Hauptsitz dieses Styls ist die Normandie. Zu den älteren Anlagen zählt man die Abteikirche von Jumièges, in deren stattlichen Ruinen man die Reste des 1067 geweihten Baues zu erkennen glaubt, und S. Georg zu Bocherville, zu Wilhelm des Eroberers Zeit erbaut, von rohem, primitivem Charakter. Dem entwickelten Styl gehören die im J. 1066 von jenem Fürsten und dessen Gemahlin gegründeten beiden Abteikirchen zu Caen, S. Etienne und S. Trinité, deren Bau wahrscheinlich bis zum Beginn des 12. Jahrh. reicht. Von trefflichem Material sorgfältig aufgeführt, geben sie nur durch ihren einfachen, strengen Styl den Eindruck hohen Alters. Unter Fig. 396 theilen wir den Grundriss von S. Etienne, vor der Umgestaltung des Chors, als Beispiel einer klar gegliederten Anlage der gewölbten Basilika mit. Von verwandter Anlage, nur ohne die Apsiden des Querschiffs und in kleinerem Maassstabe durchgeführt ist S. Trinité, in welcher sich ohne spätere Umgestaltungen die architektonische Entwicklung deutlicher verfolgen lässt. Ohne Zweifel haben wir hier den Gründungsbau vor uns, dessen Vollendung indess erst im Anfang des 12. Jahrh. erfolgt zu sein scheint. Die Krypta unter dem Chor, deren rippenlose Kreuzgewölbe auf sechzehn schlicht behandelten Säulen ruhen, ist der älteste Theil. Auch der Chor, dessen Gewölbe ebenfalls noch keine Rippen zeigen, gehört der ersten Bauepoche. Man erkennt das namentlich an den unglaublich rohen Details der Säulen, welche einen doppelten Umgang in der Dicke der Mauern bilden. Dann folgt das Langhaus, dessen niedrige schwerfällige Verhältnisse bei ziemlich schlank entwickelten Pfeilern ebenfalls auf die erste Gründungszeit deuten. Allem Anscheine nach war aber der ursprüngliche Bau mit einer flachen Decke im Mittelschiff versehen, welche man nachträglich erst, etwa

Abteik. v. Jumièges. *S. Georg zu Bocherville.* *Kirchen zu Caen.* *S. Trinité.*

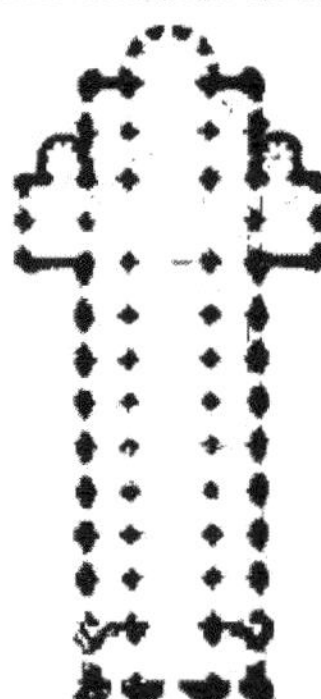

Fig. 396. St. Etienne zu Caen. Grundriss der ursprünglichen Anlage.

im Anfang des 12. Jahrh. mit einer Wölbung vertauschte. Dafür sprechen die unorganisch angebrachten Gewölbstützen, dafür selbst in den Seitenschiffen die ohne Pilastervorlage in der Mauer angeordneten rippenlosen Kreuzgewölbe. Im Mittelschiff sind die grossen Kreuzgewölbe über je zwei Arkaden hingespannt, aber auf dem mittleren Arkadenpfeiler steigt eine Halbsäule empor, welche einen zweiten Quergurt trägt, der indess keine durchgreifende organische Gliederung des Gewölbes herbeigeführt hat, wie er denn einfach in den Scheitel des grossen Schildbogens hineinschneidet. Die kleinen Blenden über den Arkaden und die Fenstergalerien gehören dem ursprünglichen Bau an, dessen Wesen sich in der schweren unbehülflichen Decoration, der Mäanderumfassung der Arkaden, dem Schachbrettfries unter dem Scheintriforium, den streng korinthisirenden Säulenkapitälen verräth. Das Aeussere wiederholt in glücklicher Weise das Motiv der Fenstergalerie; die Façade hat zwei Thürme, deren Ausbau erst neuerdings erfolgt ist; auf dem Kreuzschiff erhebt sich ein massiger viereckiger Thurm mit achteckiger hölzerner Spitze.

S. Etienne. Ungleich grossartiger, imposanter entfaltet sich dieser Styl in S. Etienne, durchweg auch mit so viel entwickelteren Formen, dass die Einweihung vom J. 1077 nur auf den durch einen frühgothischen Umbau verdrängten Chor, (s. später) vielleicht aber auch auf die ursprüngliche Anlage der Kirche einschliesslich des Unterbaues der beiden Westthürme, die zum Primitivsten der ganzen Anlage gehören, sich beziehen mag. Die Verhältnisse sind kühner, freier, gewaltiger als an S. Trinité, die Pfeiler reicher gegliedert mit Halbsäulen und Ecksäulchen; aber die Arkaden niedriger, weil eine vollständige Empore mit halbem Tonnengewölbe sich über den Seitenschiffen hinzieht. Manche Anzeichen sprechen dafür, dass dies ein nachträglicher Zusatz ist, dass ursprünglich (ähnlich wie an der Kathedrale von Rouen) das hohe Seitenschiff sich durch niedrige Arkaden und darüber durch eine obere Arkadenreihe gegen das Mittelschiff öffnete. Die sechstheiligen Gewölbe des letzteren haben durchgebildete Rippenform und sind sicherlich erst in der ersten Hälfte des 12. Jahrh. ausgeführt. Das Aeussere entfaltet sich zu einer der prächtigsten Compositionen des romanischen Styles. Zu den sechs Treppenthürmchen, die dem Chorhaupt und den Kreuzarmen beigegeben sind, gesellt sich der massige Centralthurm auf der Vierung, und endlich erheben sich an der Façade die beiden gewaltigen Hauptthürme, die mit ihren kleinen Eckthürmen und den in gediegener Steinconstruction durchgeführten schlanken Spitzen ein grossartiges Beispiel entwickelter romanischer Technik bieten. — Die dritte romanische Kirche Caen's S. Nicolas, jetzt zu einem Magazin herabgewürdigt, ist eine einfachere Reduction von S. Trinité, besonders interessant durch die in drei Geschossen consequent durchgeführte Gliederung mit Wandsäulen, die zweimal durch Mauerblenden, zuletzt durch ein Consolengesims verbunden werden. Die reichste Ausbildung, besonders eine ungemein prächtige Ornamentation, zeigen die unteren, aus dem 12. Jahrh. rührenden Theile der Kathedrale zu Bayeux, deren Chor aus frühgothischer Zeit stammt, während das Oberschiff erst dem 14. Jahrh. angehört.

S. Nicolas.

Kathedr. zu Bayeux.

Die übrigen nordfranzösischen Gegenden, namentlich die östlichen, schliessen sich im Wesentlichen mit den wenigen aus jener Epoche erhaltenen Bauresten dem Styl der Normandie an, ohne jedoch ihn in seiner ganzen Consequenz zu entwickeln, vielmehr mit mancherlei südfranzösischen Anklängen vermischt. In der Bretagne ist unter den einfachen und rohen Denkmalen als sehr eigenthümliches Werk die Kirche S. Croix zu Quimperlé zu nennen, ein schwerfällig massenhafter Rundbau, dessen Umgänge sich um einen viereckigen, auf vier plumpen Pfeilerkolossen aufragenden, mit einem Kreuzgewölbe bedeckten Mittelraum hinziehen. Ein lang vorgestreckter einschiffiger Chor mit einer Krypta legt sich östlich, ein kürzerer Querarm südlich an; ein ähnlicher, aber ohne Apsis enthält gen Westen einen Eingang. Die Anlage scheint ursprünglich auf eine vollständige Kreuzform beabsichtigt gewesen zu sein.

S. Croix zu Quimperlé.

d. Spanien und Portugal.

Spanien geschichtliches Verhältniss. Später als in den meisten übrigen Ländern beginnt in Spanien die christliche Kunst des Mittelalters. Zwar hatte während der Herrschaft der Gothen (417—717) auch hier die Architektur zahlreiche Werke hervorgebracht, die ohne Zweifel den Charakter der gesammten altchristlichen Kunst und das Formgepräge des späten barbarisirten Römerstyles trugen. Aber von diesen frühen Denkmalen ist allem Anscheine nach nichts Nennenswerthes übrig geblieben. Als sodann die Macht der Mauren das Land bis zu seinen nördlichen Gebirgsdistrikten unterjochte, blühte unter den neuen Herrschern jene eigenthümliche, durch Anmuth und Feinheit ausgezeichnete Kunstweise empor, deren Hauptwerke wir oben (S. 285 ff.) geschildert haben. Wenn hier die Mohamedaner auch duldsam gegen ihre christlichen Unterthanen waren, und sie weder in Ausübung des Gottesdienstes noch in Aufführung kirchlicher Gebäude hinderten, so befanden sich die spanischen Christen doch nicht in der Lage, mit reichen Mitteln eine Reihe von Monumenten hervorzurufen, die sich, sei es mit den glänzenden Werken der Araber, sei es mit den gleichzeitigen gediegenen des übrigen christlichen Abendlandes hätten messen dürfen. Dafür scheint schon der Umstand zu zeugen, dass auch von den Kirchen der ersten drei Jahrhunderte nach Beginn der maurischen Eroberung kaum ein Rest auf unsere Tage gekommen ist. Erst als mit dem 11. Jahrhundert die christliche Ritterschaft in stetigem Vordringen die Maurenherrschaft brach und unter Vorkämpfern wie der gefeierte Cid die Fremdlinge zuerst aus der nördlichen Hälfte der pyrenäischen Halbinsel, dann seit dem Fall Toledo's (1085), Tarragona's (1089), Zaragossa's (1118), Lerida's (1149), Valencia's (1239) auch aus dem südlichen und östlichen Theil zu vertreiben begann, entwickelte sich in den zurückeroberten Ländern eine architektonische Thätigkeit von grosser Energie. Die Begeisterung, welche jene siegreichen Kämpfe genährt hatte, gab diesem Streben einen besonderen Schwung und der erwachende Nationalstolz trieb zugleich zum Wetteifer mit den übrigen vorgeschritteneren Völkern des Abendlandes an. Denn während jene unter günstigeren Verhältnissen schon seit dem Ausgange des 10. Jahrh. im Kirchenbau eine selbständig neue Form geschaffen hatten, war in Spanien durch den Druck der Maurenherrschaft ein solcher Aufschwung unmöglich geworden, und noch der Verlauf des 11. Jahrh. war so sehr durch fortwährende Kämpfe mit diesen Erbfeinden ausgefüllt, dass für die Pflege der Kunst weder Musse noch Mittel übrig blieben. Sicher ist wenigstens, dass von den vorhandenen christlichen Denkmalen des Landes keines mit Bestimmtheit dieser Frühzeit des romanischen Styles zugesprochen werden kann, während vom Ausgange des 11. Jahrh. an eine Reihe bedeutender Bauwerke in den verschiedenen Theilen des Landes, in Aragonien und Catalonien wie in Kastilien, in Galizien wie in Navarra sich erhoben. Und das entspricht genau den geschichtlichen Verhältnissen der Halbinsel.

Was war in dieser Lage der Dinge natürlicher, als dass das in Künsten zurückgebliebene Volk seine Vorbilder und selbst seine Architekten zunächst vom Auslande entlehnte. Finden wir doch, dass sogar die in der Civilisation fortgeschrittenen Mauren, wo sie von den Christen unterworfen wurden, ihre Gebäude dem christlichen Gottesdienst einräumen mussten, wie S. Christo de la Luz zu Toledo, welche Alonso VI. bei seinem Siegeseinzug im J. 1085 sofort zur christlichen Kirche einweihte; wie die Moschee von Cordova, und die ebenfalls im maurischen Styl, aber ursprünglich als jüdische Synagoge errichtete Kirche S. Maria la Blanca zu Toledo. Fremder Einfluss.

In anderen Fällen, wie bei den originellen Glockenthürmen der letztgenannten Stadt (am schönsten der von S. Roman) bedienten die Christen sich maurischer Baumeister. Gewisse decorative Formen blieben seitdem aus dem überreichen Schatze maurischer Ornamentik den Denkmalen der folgenden christlichen Epochen zurück; allein dieselben kommen im Verhältniss zum Ganzen nur als leichtes spielendes Beiwerk in Betracht. Solcher Art sind die geometrischen Muster der Fensterfüllungen an manchen Orten, namentlich im Kreuzgang der Kathedrale von Tarragona, die seltsame Wölbung im Kapitelhause der alten Kathedrale von Salamanca und etwa die hie und da auftauchenden Zackenbögen, wie in der Querschiffarkade von S. Isidoro zu Leon und in gewissen Fenstern von Santiago de Compostella. Maurisches.

Im Wesentlichen, in Planform, Construction und Ausführung sind es dagegen die Bauschulen des christlichen Abendlandes, deren Werke den spanischen Christen als Muster vorgeschwebt haben. Unter diesen stehen weitaus in erster Linie Französisches.

die benachbarten Franzosen. Schon früh findet ein lebhafter Verkehr zwischen beiden Ländern statt, welchen die Felsenwälle der Pyrenäen so wenig gehindert haben, dass vielmehr auf beiden Seiten des Gebirges nahe Verwandtschaft in Volksart, Sitten und Bauwerken herrscht, wie denn das jetzt französische Roussillon während des ganzen Mittelalters bis in die Neuzeit hinein auch politisch zu Spanien gehörte. Gleichheit der klimatischen Bedingungen und des Materials trugen noch mehr dazu bei, diese Verwandtschaft in der Architektur zu befestigen. Untersucht man genauer den Charakter der spanischen Denkmäler, so kann kein Zweifel bleiben, dass in vielen, vielleicht den meisten Fällen zunächst französische Baumeister zur Ausführung berufen wurden. Mehrmals wird ein solches Verhältniss durch schriftliche Ueberlieferungen bestätigt. Die Kathedrale von Tarragona soll von Bauleuten aus der Normandie errichtet worden sein. Die Mauern von Avila wurden 1090—1099 von einem französischen Meister *Florin de Pituenga* erbaut. Dazu kommt, dass wir auf spanischen Bischofssitzen und in sonstigen einflussreichen Stellungen französische Geistliche mehrmals finden, wie im Anfang des 12. Jahrh. ein Don Bernardo aus Poitiers den Bischofstuhl von Siguenza inne hatte, ein anderer Franzose um dieselbe Zeit Erzbischof von Toledo war, ein dritter im zweiten Viertel desselben Jahrhunderts als Bischof von Zamora genannt wird. Auch der Freund und Beichtvater des Cid und seiner Gemahlin war ein Priester Geronimo aus dem Perigord. Keine Frage, dass solche Prälaten bei den unter ihrer Aufsicht stehenden Kirchenbauten sich vorzugsweise ihrer kunstverständigen Landsleute bedient haben werden.

Plan der Kirchen.

Wie die übrige Christenheit hält auch Spanien am Schema der Basilika fest, aber in einer Auffassung und Durchführung desselben, die sonst nur in den Schulen Südfrankreichs und Aquitaniens gefunden wird. Das Wesentliche ist die fast vollständige Ausschliessung des Säulenbaues und der flachen Holzdecken. Nur in einzelnen Fällen macht sich die Säule im regelmässigen Wechsel mit Pfeilern bemerklich; nur in wenige unbedeutende Kirchen kleinerer Art hat die Holzdecke oder der offene Dachstuhl Eingang gefunden. Dagegen folgt der spanische Kirchenbau durchweg dem Beispiele des südfranzösischen, der schon früh auf durchgängige Ueberwölbung und, in Wechselwirkung damit, auf Entwicklung des Pfeilers ausgeht. Seit dem Schluss des 11. Jahrh. bis gegen Ende des folgenden herrscht das Tonnengewölbe des südlichen Frankreichs vor, mit oder ohne Verstärkungsgurten in den Seitenschiffen durch ansteigende halbirte Tonnen oder auch durch Kreuzgewölbe begleitet. In der späteren Zeit zeigen die Gewölbe im Mittelschiff meist den Spitzbogen. In einzelnen Beispielen kommen vollständige Tonnengewölbe auf allen drei Schiffen vor. Nur ausnahmsweise wird dagegen die Emporenanlage über den Seitenschiffen, wie die Auvergne sie liebt, mit herübergenommen. Aehnliches gilt von der Grundrissbildung. In den meisten Fällen enden die drei Schiffe mit Parallel-Apsiden, die gern durch Hinzufügung von Nischen auf dem Querschiff sich zur Fünfzahl steigern (Fig. 397). Das Querschiff selbst ist in der Regel in der Frühzeit wenig bedeutend und tritt oft über die Seitenschiffe gar nicht hinaus, so dass diese Kirchen im Grundplan denen Süddeutschlands und Oesterreichs nahe verwandt erscheinen. Bisweilen erhält die mittlere Vierung ein Kuppelgewölbe, das sich nach aussen zuerst als viereckiger Thurm, wie in Südfrankreich, später als reicher kuppelartiger Bau entfaltet. Die prächtigere Chorbildung der auvergnatischen und burgundischen Bauten mit Umgang und Kapellenkranz hat sich nur an vereinzelten Stellen Eingang verschafft. Im Uebrigen fehlen der Planform alle jene phantasievollen mannichfaltigen Modificationen, welche den gleichzeitigen Bauwerken anderer Länder einen so hohen Reiz verleihen.

Spätere Werke.

Gegen Ausgang des 12. Jahrh. trägt das Kreuzgewölbe über die Tonnenwölbung den Sieg davon; aber nicht in jener weit angelegten quadratischen Form, welche in den meisten übrigen Ländern vorwiegt, sondern in einer gedrängteren Anordnung, welche dem Mittelschiff die gleiche Anzahl von Gewölbjochen wie den Abseiten zuweist. Dies scheint hier in ähnlicher Art wie in gewissen Bauten Oberitaliens und in einigen Werken Deutschlands die Form zu sein, unter welcher zuerst die Einflüsse der französischen Gothik sich bemerkbar machten. Der Pfeiler, der schon früher mit Halbsäulen gegliedert war, erhält nun noch reichere Entfaltung, so dass in den reichsten Beispielen je zwei Halbsäulen an den vier Hauptflächen für die Gurte und zwei Ecksäulen für die Diagonalrippen, im Ganzen also sechszehn schlanke Säulenschäfte den Kern umgeben und mit ihren reich geschmückten Kapitälen den Bauten eine hohe decorative Pracht verleihen. So bildet sich in Spanien ein Uebergangsstyl aus, der an Glanz und Fülle nur den deutschen Denkmälern dieser Zeit zu vergleichen ist und wie in Deutschland bis in die zweite Hälfte des 13. Jahrh. sich neben der eingedrungenen Gothik in Kraft erhält. Waren es die germanischen Bestandtheile im Charakter des spanischen Volkes, die, angeregt durch irgend ein Muster deutscher Bauweise, eine gleichartige Richtung einschlugen? Oder waren es die geistesverwandten Gebiete Oberitaliens, mit dessen Städten die Hafenplätze Cataloniens schon

Fig. 397. Kirche von Benavente. Ostseite.

früh in reger Handelsverbindung standen, welche Muster und Meister lieferten und zu Vermittlern jenes Einflusses wurden?

Mit dieser Entfaltung ging eine Steigerung der ornamentalen Ausstattung Hand in Hand, die namentlich an den Portalen Meisterwerke decorativer und frei figürlicher Plastik im Geiste der besten gleichzeitigen Werke Frankreichs und Deutschlands hinstellte. (Fig. 398). Zugleich wird der Grundplan regelmässiger nach einem festen System durchgebildet, namentlich das Kreuzschiff bedeutender entfaltet und mit den Seitenschiffen in genauere Uebereinstimmung gebracht, indem eine Gewölbabtheilung desselben der Breite der Abseiten entspricht und ein meist quadratisches Feld als vorspringender Querarm sich daranschliesst. So gross aber war die Vorliebe für das Tonnengewölbe geworden, dass die Querflügel sowie die rechtwinkeligen Theile des Chores in der Regel mit Tonnen bedeckt werden, während der ganze übrige Bau das ungleich schönere und zweckmässigere Rippengewölbe hat, das meistens auch die früheren

Halbkuppeln der Apsiden verdrängt. Auch die Kuppel auf der Vierung steigert sich jetzt zu einem oft sechzehntheiligen prächtigen Rippengewölbe mit reicher Fensterdurchbrechung und glanzvoller Wirkung. Die Elemente der Decoration in diesen Bauten beruhen im Wesentlichen auf den in den übrigen Ländern des Continents gleichzeitig ausgebildeten Formen. Die Säulenkapitäle namentlich folgen sowohl den elegant

Fig. [illegible]. Kathedrale zu Santiago. Portico de la Gloria.

korinthisirenden Mustern als den reich mit figürlichem und selbst phantastischem Bildwerk überladenen Arten der südlichen und westlichen Schulen Frankreichs. Am Aeusseren werden in der Regel die Apsiden mit den gestreckten Halbsäulen und Consolenfriesen der südfranzösischen Kunst gegliedert. Aber auch Lisenen und Bogenfriese kommen vor. Im Uebrigen herrscht eine gewisse Gleichgiltigkeit gegen die Durchführung des Aeusseren, was um so erklärlicher ist, da in den meisten Fällen die

Kirchen von anderen Bauanlagen klösterlicher Art fast ganz eingeschlossen werden. An den Façaden machen die Portale und die grossen Rundfenster den Hauptpunkt der künstlerischen Behandlung aus. An Archivolten und Gesimsen herrschen die linearen Muster, die Rauten, Zickzacks, Zahnschnitte, Schachbrettfriese der normannischen Kunst. Italienischer Einfluss ist vielleicht in der Vorliebe für weite, spärlich beleuchtete Räume, in der freien, mannichfaltigen Behandlung der Façade, besonders aber in der Isolirung des Glockenthurmes zu erkennen. Denn letzterer steht gewöhnlich südlich oder nördlich vom Chor oder auch in der Nähe der Westseite. Nur selten wird ein Thurmpaar mit dem Bau unmittelbar verbunden, aber auch dann die Façade meistens selbständig durchgeführt, so dass die Thürme an ihren Seiten errichtet sind.

In solcher Gestalt folgte die romanische Architektur Spaniens den Entwicklungen, welche die gleichzeitige Kunst der östlichen Nachbarn erlebte, zwar mit grosser imitatorischer Frische und im Einzelnen mit Geist und Gewandtheit, im Ornamentalen mit einer Fülle von schöpferischer Phantasie, aber im grossen Ganzen doch mit einer gewissen Monotonie, einer Armuth an eigenen bedeutsamen Conceptionen. In derselben Weise pflegen alle abgeleiteten Schulen mit einer Art von Aengstlichkeit dem überlieferten Schema sich anzuschmiegen, ohne zu freierer Umgestaltung desselben sich entschliessen zu können. Dafür halten sie sich dann an einer glänzenden Ornamentik schadlos. Wie wenig schöpferische Energie in Spaniens Architektur dieser Epoche hervortritt, erhellt schon aus dem Umstande, dass sich keinerlei durchgreifende provinzielle Eigenthümlichkeiten in gesonderten Schulen ausgeprägt haben. Denn obgleich die beiden Hauptreiche, Aragonien und Castilien, in allen wesentlichen Dingen, im Volkscharakter, Schicksalen, politischer Verfassung weit von einander verschieden waren, so herrschen doch dieselben Formen in Barcelona wie in Salamanca, in Aragonien und Catalonien wie in Castilien, in Galizien wie in Navarra. Wir haben daher die Denkmäler nicht nach lokalen Gruppen, sondern nach innerer Verwandtschaft zu ordnen*). Gesammtcharakter.

Unter den Kirchen mit Tonnengewölben, die sich gleichmässig in den verschiedenen Theilen des Landes finden, steht als eins der frühesten und zugleich glänzendsten Monumente die Kathedrale des berühmten Wallfahrtortes Santiago de Compostella unbedingt in erster Linie. (Fig. 400.) Denn mit ihr stellt Spanien ein ebenbürtiges Denkmal romanischer Frühzeit in die Reihe der grossartigsten Schöpfungen dieses Styles, welche Frankreich, Deutschland und Italien hervorgebracht. Die Kirche ist fast in Allem eine genaue Wiederholung von S. Sernin oder Saturnin zu Toulouse (S. 427), nur dass das Langhaus von fünf Schiffen auf drei reducirt ist. Auf einer vierfachen Freitreppe, zur Entfaltung der grossartigsten Processionen wie geschaffen, gelangt man zu einer dreischiffigen, mit Kreuzgewölben gedeckten offenen Vorhalle, welche, von zwei viereckigen Thürmen flankirt, die ganze Breite der Façade einnimmt. Ein prachtvoll geschmücktes Doppelportal (vgl. Fig. 398) führt in das Mittelschiff, zwei ebenfalls reiche Seitenpforten in die Abseiten. Der Blick fällt dann in ein 162 F. langes, 27 Fuss breites und über 70 Fuss hohes Mittelschiff, das durch dichtgedrängte Pfeiler von den Seitenschiffen getrennt wird (Fig. 399). Es hat Tonnengewölbe mit Gurten, die Seitenschiffe sind mit Kreuzgewölben bedeckt, die Emporen über letzteren, welche sich mit doppelten Triforienbogen gegen das Mittelschiff öffnen, haben halbe Tonnen. An das Mittelschiff grenzt ein ebenfalls dreischiffiger Querbau, der die ungewöhnliche Länge von 212 Fuss misst. Die Seitenschiffe und die Emporen setzen sich auch an den Giebelseiten der Querarme fort, so dass sie das Kreuzschiff völlig einrahmen. Spuren von je zwei Apsiden sind in der Ostseite der Querarme erhalten. Der Chor bildet eine Fortsetzung des Langhauses mit drei Arkaden und halbrundem Kirchen mit Tonnengewölben. Kathedr. von Santiago.

*) Wir hatten bisher nur ungenügende malerische Ansichten in de Laborde, Voyage pitt. et hist. de l'Espagne und in Villa Amil, España artistica y monumental (3. Vols. Fol. Par. 1842); sodann eine zu allgemein gehaltene Uebersicht in Caveda, Gesch. d. Bauk. in Spanien, verdeutscht von P. Heyse, herausg. von F. Kugler (Stuttgart 8. 1858). Auch das seit einigen Jahren auf Befehl der span. Regierung erscheinende Prachtwerk: „Monumentos arquitectónicos de España" bietet nur abgerissene Einzelheiten ohne Zusammenhang und systematische Folge. Erst das kürzlich erschienene gediegene Werk von G. E. Street, Some account of Gothic architecture in Spain (London, Murray 1865. 1 Vol. in 8. mit Plänen und Holzschnitten) setzt uns in den Stand, ein anschauliches Bild der spanischen Architektur zu entwerfen. Nach des verdienstvollen Verfassers Abbildungen sind auch die unserer Schilderung beigegebenen Holzschnitte angefertigt.

Schluss, einem halbkreisförmigen niedrigen Umgange und fünf radianten Kapellen, ganz nach französischem Muster. Mit ihm erreicht die Kirche eine innere Länge von 315 Fuss. Es ist also ganz das südfranzösische System in derselben mächtigen Ausprägung, wie S. Sernin zu Toulouse es zeigt. Selbst der (oben moderne) Kuppelthurm auf der Vierung, ja sogar die Doppelportale in den Querarmen sind von jenem Vorbild entlehnt.

Fig. [illegible] Inneres der Kathedrale von Santiago de Compostella.

Hält man dazu die durchaus in französischem Styl behandelten Details des Innern, so kann kein Zweifel walten, dass es ein französischer Architekt war, dem der Plan dieses grossartigen Gotteshauses und seine Ausführung zuzuschreiben ist. Wenn der Anfang des Baues auf 1078, von Andern auf 1082 angesetzt wird, so dürfte das um so sicherer zu früh datirt sein, als die Kirche zu Toulouse damals erst im Bau begriffen war. Dagegen wird 1124 in Sicilien und Apulien für den Bau collectirt, und 1128 rühmt der

Bischof seine Pracht, wesshalb wir annehmen dürfen, dass ein energischer Baubetrieb etwa seit dem Anfang des 12. Jahrh. begonnen habe. Damit stimmt überein, dass Street

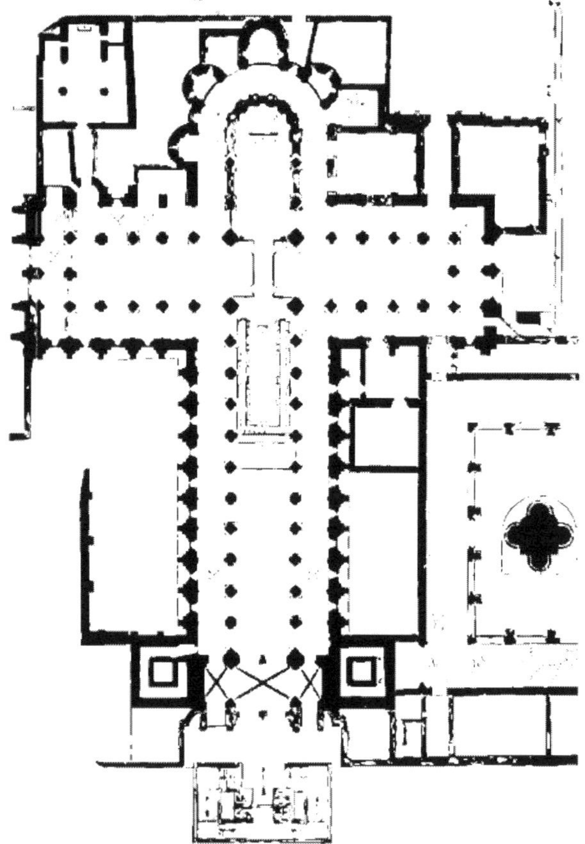

Fig. 460. Grundriss der Kathedrale von Santiago de Compostella.

im Querschiff die Jahreszahl 1154 las, und dass ein *Meister Mattheus* seit 1168 am Westbau beschäftigt war und seinen Namen bei Vollendung des dortigen Prachtportals

1188 auf die Oberschwelle desselben gesetzt hat. Er ist nicht bloss der Schöpfer des „Portico de la Gloria", wie diese prachtvollste romanische Portalhalle genannt wird, sondern auch der kleinen zweischiffigen Unterkirche mit Kreuzarmen und originellem Chorschluss, welche sich unter diesem Porticus und den westlichen Theilen des Langhauses erstreckt und an ornamentaler Pracht mit der Vorhalle wetteifert*).

S. Isidoro zu Leon. Ein kleinerer Bau verwandten Styles ist S. Isidoro zu Leon, 1149 geweiht, aber in der decorativen Ausstattung damals wohl noch nicht ganz vollendet. Ein dreischiffiges Langhaus von sechs Arkaden auf gegliederten Pfeilern, das Mittelschiff bei 26 F. Breite mit Tonnengewölben, die Seitenschiffe mit Kreuzgewölben bedeckt, der ausgedehnte Querbau mit zwei östlichen Apsiden, ebenfalls mit Tonnengewölben versehen, das sind die Grundzüge dieses anziehenden Baues, dessen Hauptapsis durch einen spätgothischen Chor mit Sterngewölben verdrängt wurde. In den Parallel-Apsiden, der Vereinfachung des Grundplans und des Aufbaues durch Fortlassen der Emporen und Einfügung von Fenstern zwischen Arkaden und Tonnengewölbe spricht sich vielleicht eine nationale Reaction gegen den fremdartigen Chorumgang mit Kapellenkranz aus. Die überhöhten Arkadenbögen und der Zackenbogen im Querschiff verrathen eine weitere Einwirkung heimischer, wenngleich von den Mauren entlehnten Motive. Eine quadratische Kapelle S. Catalina mit sechs Kreuzgewölben auf zwei Säulen, el Panteon genannt, dem Anscheine nach ein etwas früherer Bau, stösst an die Westfaçade, die nördliche Hälfte derselben verdeckend. Kräftig und elegant ist die Südseite der Kirche und des Querschiffes mit den beiden Portalen und der Seitenapsis gegliedert.

Kirchen in Segovia. Einen Reichthum an romanischen Kirchenbauten besitzt Segovia, unter ihnen vor Allen S. Millan. Fünf Arkaden, abwechselnd auf gegliederten Pfeilern und Säulen ruhend, theilen das Langhaus, das mit Tonnengewölben bedeckt ist. Das Querschiff, von derselben Breite, hat auf der Vierung eine niedrige achteckige Kuppel, auf den Seiten Tonnengewölbe. Drei Absiden schliessen den Bau, der im Wesentlichen dem 12. Jahrh. anzugehören scheint. Dagegen bilden die offnen Arkaden auf schlanken gekuppelten Säulen mit reich geschmückten Kapitälen, die sich an beiden Langseiten des Baues hinziehen, einen eleganten Zusatz spätromanischer Zeit. Diese eigenthümlichen Portiken, die sich gerade in Spanien mehrfach, in Italien nur vereinzelt in solcher Anlage finden, geben den Gebäuden nicht allein ein glänzend malerisches Aussehen, sondern sie gewähren in südlichen Ländern Schutz vor der Sonne und sind ohne Zweifel aus diesem Grunde angelegt. Noch umfassender ist diese Anordnung von S. Esteban daselbst. Hier sind die Arkaden um die Westseite fortgeführt und mit einem südlich vom Chor angebrachten Glockenthurm in Verbindung gesetzt, der mit seinen reichen abwechselnd rundbogigen und spitzbogigen Schallöffnungen und Blendarkaden zu den charaktervollsten Kirchthürmen des Landes gehört. In derselben Ausdehnung ist auch die Kirche S. Martin mit offenen Arkaden umgeben. Ihr Grundplan mit drei Apsiden und (modernisirter) Kuppel auf dem Kreuzschiffe entspricht dem von S. Millan. Ausser einem halben Dutzend kleinerer romanischer Kirchen, die Segovia besitzt, ist endlich noch die merkwürdige 1208 geweihte Templerkirche zu erwähnen, ein zwölfseitiger kleiner Bau von zwei Geschossen, der von einem Umgang mit spitzbogigem Tonnengewölbe umgeben wird und an der Ostseite die in Spanien so beliebten drei Parallel-Apsiden zeigt.

Huesca. Unter den Bauten der östlichen Landestheile mag S. Pedro in Huesca als eins der ältesten romanischen Denkmäler Spaniens voranstehen. Die schwerfälligen, ausgeeckten Pfeiler des Langhauses, die noch keine Spur von reicherer Gliederung mit Halbsäulen zeigen, die rohen aus Platte und Abschrägung bestehenden Kämpfergesimse, die einfachen Tonnengewölbe der drei Schiffe, die schmale Anlage des Querhauses und die drei kurz vorgelegten Apsiden, das Alles sind Züge schlichtester Bauführung, wie sie etwa dem Ausgang des 11. Jahrh. angehören mag. Nur die Kuppel auf der Vierung mit den Radfenstern ihres Unterbaues und dem Rippengewölbe

---

*) Wir verdanken Street geradezu die Entdeckung dieser herrlichen Kathedrale, von deren Beschaffenheit bis jetzt nirgends Etwas bekannt war.

Barcelona. Gerona. Ripoll. Jaca.

entspricht dem Einweihungsdatum des J. 1241. An der Nordseite des Chores liegt ein origineller sechsseitiger Glockenthurm, an der Südseite schliesst ein Kreuzgang frühromanischer Zeit sich der Kirche an. Etwas späterer Epoche gehört S. Pablo del Campo in Barcelona, eine einschiffige Benediktinerkirche, die zwischen 1117 und 1127 erbaut scheint; für die aber mit Unrecht, selbst von Street, als Erbauungszeit das Jahr 914 geltend gemacht wird. Langhaus und Kreuzschiff haben Tonnengewölbe, auf der Vierung erhebt sich eine Kuppel, an der Ostseite sind drei Apsiden angeordnet. Auch die Façade entspricht dem Charakter des 12. Jahrh. Ein etwas späterer Kreuzgang liegt an der Südseite. Von ähnlicher Anlage, aber nachmals mehrfach umgestaltet, erscheint ebendort S. Pedro de las Puellas, wo ausser der Kuppel auf der Vierung alle Räume das Tonnengewölbe zeigen. Endlich wird auch die Kirche des Benediktinerklosters S. Pedro de las Galligans in Gerona als ein Bau mit Tonnengewölben im Mittelschiff und halben Tonnen in den Abseiten bezeichnet. Der Chor hat eine grosse halbrunde Apsis, zu welcher am südlichen Kreuzarme zwei kleinere, am nördlichen eine grössere und eine an der Nordseite hinzukommen. — Als frühe Bauten dieser Gegenden werden die Klosterkirche zu Ripoll in Katalonien und die zu Jaca in Aragonien, beide in den Gebirgsthälern der Pyrenäen liegend, bezeichnet. Ihr Langhaus soll wechselnde Säulen- und Pfeilerstellungen haben.

Spitzbog. Formen. Gerona. Elne. Coruña. Lugo.

Bei einer Anzahl dieser Kirchen, die wohl erst der zweiten Hälfte des 12. Jahrh. angehören, nimmt das Tonnengewölbe die Form des Spitzbogens an. So in der kleinen einschiffigen Kirche S. Nicolas (oder Daniel?) zu Gerona. Ihre Kreuzschiffarme schliessen mit Seitenapsiden, die mit der östlichen Hauptapsis und der Kuppel auf der Vierung jene byzantinisirende Anlage bilden, welche in den deutschen Rheinlanden so häufig vorkommt (vgl. Fig. 273 auf S. 329). Dem 12. Jahrh. gehört ebendort noch der Kreuzgang der Kathedrale, eine unregelmässige Anlage von malerischem Reiz, mit eleganten Kuppelsäulen, auf deren Deckplatte Zwergsäulchen gestellt sind, um den Arkadenbogen zu stützen: ein Streben nach schlankerer Anlage, dem die hergebrachten Formen nicht mehr genügen wollen. Im benachbarten, heute zu Frankreich gehörenden Roussillon ist die Kirche von Elne, deren Kreuzgang auf S. 425 Erwähnung fand, hieher zu rechnen. Sie hat drei östliche Apsiden, ein Mittelschiff mit spitzbogigem Tonnengewölbe, dessen Gurte auf Wandsäulen ruhen; die Abseiten, durch gegliederte Pfeiler vom Mittelschiff getrennt, sind mit halbirten Tonnengewölben bedeckt. Endlich haben wir noch ein paar Gebäude dieser Gattung im äussersten Westen der Halbinsel aufzusuchen. Es ist die kleine dreischiffige Kirche S. Maria del Campo zu Coruña, eine romanische Hallenkirche, denn auf vier gegliederten Pfeilerpaaren ruhen die gleich hohen spitzbogigen Tonnengewölbe ihrer drei Schiffe. Ein Kreuzschiff ist nicht vorhanden, der Chor hat ein achttheiliges Rippengewölbe auf seinem quadratischen Theil, an welchen eine Apsis stösst. Das Datum ist 1256. Sodann die grössere und reicher ausgeführte Kathedrale zu Lugo, deren Langhaus aus zehn Arkaden auf gegliederten Pfeilern besteht. Wie bei allen Kirchen dieser Gattung verbot auch hier das Tonnengewölbe eine weite Spannung. Das Mittelschiff misst nur 24 Fuss, die Seitenschiffe 18 Fuss Weite bei der ansehnlichen Länge von 154 Fuss. Die östlichen vier Arkaden des Schiffes zeigen niedrige Rundbögen und die Seitenschiffe neben ihnen runde Tonnengewölbe. Im weiteren Fortschritt gab man den übrigen Theilen des Schiffes höhere spitzbogige Arkaden und dem Hauptgewölbe dieselbe Form. Ueber den Seitenschiffen erstreckt sich, wahrscheinlich durch das Beispiel der benachbarten Kathedrale von Santiago veranlasst, eine mit Kreuzgewölben versehene Empore, die sich in schönen zweitheiligen Triforien mit Spitzbögen gegen das Mittelschiff öffnet. Das tiefe Querschiff ist mit Tonnengewölben bedeckt, wie das Mittelschiff. An seine Ostseite wurde gegen Ende des 13. Jahrh. in frühgothischen Formen ein Chor mit polygonem Umgang und fünf radianten Kapellen gelegt, deren mittlere wieder in späterer Zeit durch eine moderne Rundkapelle verdrängt wurde. Die gesammte innere Länge der Kirche beläuft sich auf 250 Fuss. Der Anfang des romanischen Baues wurde 1129 durch einen *Maestro Raymundo* begonnen, dessen Name vielleicht auf ausländische Abstammung deutet. Beendet wurde der Schiffbau 1177.

Bauten mit Kreuzgewölben. Unter den mit Kreuzgewölben durchgeführten Bauten, welche wie gesagt den letzten Epochen der romanischen Zeit angehören und in der Regel die Formen des Uebergangsstyles, den Spitzbogen und die reiche decorative Pracht dieser Spätzeit aufweisen, mag als Muster einer spanischen Kirche dieser Gattung zunächst die alte

Fig. 401. Inneres der alten Kathedrale von Salamanca.

Salamanca. Kathedrale von Salamanca genannt werden. Zwar hat die neue Kathedrale, ein Kolossalbau der gothischen Schlussperiode, sich so hart an die alte Kirche gedrängt, dass sogar ein Theil des nördlichen Seitenschiffes geopfert werden musste: aber im Uebrigen besteht der Bau noch unberührt. An ein dreischiffiges Langhaus von fünf Jochen stösst ein klar durchgebildetes Querschiff mit einer mittleren Kuppel (Fig. 401), und an dieses drei Apsiden auf tonnengewölbten rechtwinkligen Vorlagen. Alle Arkaden und Gewölbe sind im Spitzbogen der Uebergangszeit durchgeführt, die Fenster zumeist im Rundbogen. Die Verhältnisse des Baues sind bescheiden, das Mittelschiff misst im Lichten 26 Fuss, die Gesammtlänge beträgt im Innern nicht mehr als 170 F. Reichere decorative Formen, namentlich Kleeblattbögen finden sich an den Fenstern der Kuppel, von deren Gestalt unsere Abbildung eine Anschauung gibt. Die Pfeiler des Schiffes sind mit vier kräftigen Halbsäulen gegliedert, die dem energischen Eindruck des Ganzen wohl entsprechen. Nach aussen ist die Kuppel als achteckiger Thurm mit vortretenden Giebeln und mit runden Eckthürmchen lebendig charakterisirt. Die kuppelartige Erhöhung der Kreuzgewölbe ist eine in den mittleren Provinzen Frankreichs, namentlich in Anjou und Poitou oft vorkommende Form. Der Bau gehört offenbar dem Ausgang des 12. und dem Anfang des 13. Jahrh., und eine Schenkung vom J. 1178 mag so ziemlich mit dem Anfang desselben zusammenfallen. — Ein anderer Bau derselben Stadt, S. Marcos, verdient wegen seiner originellen Anlage Erwähnung. Es ist ein Rundbau, welchem östlich drei Parallel-Apsiden vorgelegt und zum Theil eingebaut sind, während der übrige Raum von zwei Säulen in sechs ungleiche Felder getheilt wird, die Holzdecken haben.

Der Kathedrale von Salamanca nahe verwandt ist die der benachbarten Zamora. Zamora.
Derselbe schwere Spitzbogen mit breiten Gurten, dieselben massenhaften Pfeiler, sieben Fuss dick bei nur 23 Fuss Mittelschiffweite, eine ähnliche Kuppel auf dem Kreuzschiff, das minder stark ausladet und an der Ostseite von einer polygonen Hauptapsis und zwei viereckigen Nebenkapellen begrenzt wird. An der Nordseite der Westfaçade erhebt sich ein trefflich durchgeführter Glockenthurm. Wenn das Jahr 1174 als Vollendungszeit des Baues inschriftlich angegeben wird, so kann sich das nur etwa auf einen Theil der Anlage beziehen. — In derselben Stadt sind einige kleinere Kirchen aus romanischer Spätzeit erhalten. La Magdalena, einschiffig, mit flacher Decke, der Chor mit spitzem Tonnengewölbe, die Apsis mit einer Rippenwölbung, zeichnet sich durch ein glänzendes Portal der Südseite aus. Durch solche einzelne Prachtstücke wussten die Meister des Mittelalters selbst ihren kleineren Bauten monumentale Würde und Bedeutsamkeit zu verleihen. Etwas früher scheint S. Maria la Horta mit einschiffigem kreuzgewölbtem Langhaus und einem Chor mit Tonnengewölbe und halbrunder Apsis. Geradlinigen Chorschluss zeigt dagegen die kleine Kirche S. Isidoro, die wieder nicht auf Gewölbe angelegt ist. Mit welchem Geschick solche kleinere Bauwerke oft behandelt sind, das beweist unter andern die Kirche Santiago zu Coruña. Es ist ein einschiffiger Bau, mit Quergurten auf vortretenden Wandpfeilern, Coruña.
44 Fuss weit gespannt, darüber ein hölzerner Dachstuhl, eine Anordnung, wie der Süden, namentlich Italien, sie liebt. Den Chor bilden in anziehender Wirkung drei Apsiden mit tonnengewölbten Vorlagen in der ganzen Breite des Schiffes.

Weiter scheint die Stiftskirche zu Toro mit ihrem breiten, phantastisch decorirten Toro.
und reich gegliederten Kuppelthurm auf der Vierung den Kathedralen von Zamora und Salamanca zu entsprechen. Zu den bemerkenswerthesten Bauten dieser Gruppe gehört sodann S. Maria zu Benavente, mit weit ausladendem Kreuzschiff, an welches Benavente.
fünf Parallel-Apsiden stossen (vergl. Fig. 397). Da die inneren minder tief sind als die mittlere Hauptapsis, die äusseren wieder von jenen überragt werden, so stellt sich eine Abstufung heraus, welche nicht ohne feinere Berechnung der künstlerischen Wirkung, im Wetteifer etwa mit dem reichen Nischensystem der französischen Choranlage von Santiago, entstanden ist. Das Langhaus hat über seine spätromanischen gegliederten Pfeiler ein gothisches Sterngewölbe bekommen. Die kleine Kirche S. Juan del Mercado ebendort ist ein ähnlicher Bau mit drei Parallel-Apsiden.

Wie bei mässigen Dimensionen diese Kirchen immer mehr nach freien, weiten Palencia.
Intervallen streben, beweist S. Miguel zu Palencia, ein Werk der späten Uebergangszeit. Das Langhaus besteht aus vier Jochen, im Mittelschiff mit quadratischen Kreuzgewölben von 25 Fuss Spannung, die Seitenschiffe fast eben so breit, 20 Fuss. Ein Kreuzschiff ist nicht vorhanden; vielmehr enden die Schiffe in drei Apsiden mit Rippengewölben; die mittlere Apsis wunderlich genug als vierseitiges Polygon gestaltet und über die seitlichen hinaustretend. Ungewöhnlich erhebt sich der Glockenthurm in der

Mitte der Façade, während die Seitenschiffe neben ihm als Kapellen fortgesetzt sind. Die ganze Anlage hat merkwürdige Verwandtschaft mit deutschen Kirchen jener Zeit. — Eins der besten und wirksamsten Denkmäler dieser Gruppe ist endlich S. Vicente zu Avila, obwohl auch hier die Dimensionen über das bescheidenste Maass nicht hinausgehen (Fig. 402). Das Mittelschiff, 25 Fuss weit, besteht aus sechs Arkaden auf Pfeilern mit vier Halbsäulen, die in einem Abstand von 15 Fuss errichtet sind. Ein Querschiff mit achteckiger Kuppel schliesst sich an, dessen vorspringende Arme Tonnengewölbe haben. Drei Apsiden auf tonnengewölbten Vorlagen bilden den östlichen Abschluss. Die gesammte innere Länge beläuft sich nur auf 177 Fuss. An die Westseite legen sich ganz in deutscher Weise zwei Thürme, deren unteres Geschoss mit der von ihnen eingeschlossenen hohen Vorhalle einen einzigen stattlichen Raum bildet. Der mittlere Theil dieser grossartigen Halle, mit einem hohen sechstheiligen Rippengewölbe nach normannischer Weise bedeckt, erhält durch das prachtvolle Doppelportal, eins der reichsten dieses Styles, seine Vollendung. Die Arkaden der Kirche zeigen den Rundbogen; ebenso die Triforien, welche sich über denselben mit doppelten Bögen öffnen und mit einer Emporenanlage in Verbindung stehen. Alles dies deutet wieder auf französischen Einfluss. Die Erbauungszeit ist in die zweite Hälfte des 12. Jahrh. zu setzen. — Aehnliche Planform zeigt S. Pedro ebendort, nur dass das Triforium fehlt. Dagegen hat das Kreuzschiff die hier beliebte Kuppel, und die Ostseite drei Parallel-Apsiden.

Avila.

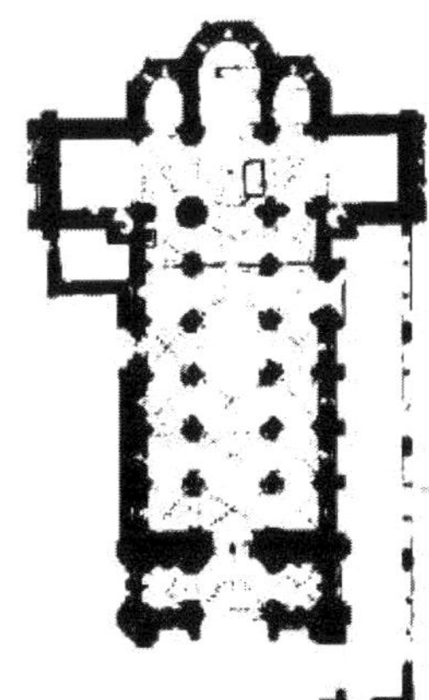

Fig. 402. S. Vicente zu Avila.

Siguenza-Kathedrale.

Erst an der Kathedrale zu Siguenza erhebt sich dieser Styl zu grossartigeren Verhältnissen und kühneren Gewölbspannungen. Es ist ein mächtiger Bau, im Langhause von vier quadratischen Mittelschiffjochen, die 34 Fuss weit sind und von 25 Fuss breiten Seitenschiffen begleitet werden. Die massenhafte Anlage der Pfeiler wird durch reichliche Halbsäulen mit eleganten Kapitälen anmuthig gemildert, denn unter jedem Gurtbogen sind paarweise, in den Ecken gar dreifache Säulen angeordnet, so dass zwanzig schlanke Schäfte jeden Pfeiler völlig umkleiden. Die breiten Arkaden, die hohen weiten Gewölbe, die kleinen streng behandelten Fenster, die schon frühgothisches Gepräge haben, alles dies gibt dem Innern den Eindruck mächtiger Gediegenheit und energischer Frische. Das weite Querschiff, 120 Fuss lang, ist in den Seitenarmen mit sechstheiligen normannischen Rippengewölben bedeckt, den Chor bildet ein quadratischer Raum mit grossem Kreuzgewölbe und eine halbrunde Apsis mit Rippengewölbe. Der Umgang um letztere ist neueren Ursprungs.

Tarragona, Kathedrale.

Die bedeutendsten Werke dieses späten und glänzenden Uebergangsstyles gehören den östlichen Gegenden, den Gebieten von Catalonien und Aragonien an. Am grossartigsten sind die räumlichen Verhältnisse entwickelt bei der Kathedrale von Tarragona, einem Baue, der sich den vorzüglichsten Meisterwerken der deutschen Uebergangsepoche würdig anschliesst. Doch tritt auch hier kein neues Motiv in der Gestaltung der Räume auf, vielmehr hat man sich damit begnügt, den üblichen spanischen Grundplan in möglichst grosse Dimensionen zu übertragen. Ein dreischiffiges Langhaus, von fünf mit zwölf Halbsäulen belebten Pfeilern jederseits getheilt, das Mittelschiff 45 Fuss breit, die Seitenschiffe 23 Fuss, die Intercolumnien etwa 20 Fuss, das sind Verhältnisse ersten Ranges. Ein Kreuzschiff von 85 Fuss Länge, auf der Mitte eine hohe achteckige Kuppel mit gruppirten Lanzetfenstern im Unterbau; an der Ostseite ein mit zwei Gewölbjochen vorgeschobener Chor mit halbkreisförmiger Apsis, daneben zwei kürzere Seitenkapellen mit kleineren Apsiden, endlich noch an der Ostseite der Querflügel zwei Altarnischen bilden die einfachen Grundzüge dieser grossartigen Anlage, deren gesammte innere Länge 304 Fuss beträgt. Bei aller Einheit des Planes lassen sich indess verschiedene Bauepochen unterscheiden. Die Apsis gehört wohl noch dem Neubau an, der 1131 im Zuge war. Das Uebrige datirt vom Ende des 12. und der ersten Hälfte des 13. Jahrh. und ist zum Theil wohl das Werk eines *Frater Bernardus*, der 1256 als „magister operis" starb. Für die Façade arbeitete 1295 *Maestro Bartolomé* neun Statuen, und noch 1375 war an derselben ein Meister *Jayme Castayls* thätig, so dass, wie so oft im Mittelalter, die gänzliche Vollendung des Werkes sich lange hinausschob. Zu den Werken des 13. Jahrh. gehört dagegen der Kreuzgang, ein glänzend reiches und edles Werk des Ueberganges.

Lerida. Kathedrale.

Verwandter Anlage bei minder bedeutenden, aber immer noch ansehnlichen Verhältnissen ist die jetzt zu einem Militärdepot herabgewürdigte Kathedrale von Lerida. Ein kurzes Langhaus von drei Arkaden, das Mittelschiff 37 Fuss, die Seitenschiffe 21 Fuss breit, ein weit ausladendes Querhaus mit achteckiger Kuppel auf der Vierung, ähnlich aber früher als zu Tarragona, ein Chor mit Apsis und zwei Nebenchöre mit kleineren Apsiden bilden den Grundplan. Die massigen, mit 16 schlanken Säulen gegliederten Pfeiler, die reiche Ornamentik, die harmonische Durchführung verleihen dem Ganzen einen bedeutenden künstlerischen Werth. An die Westseite stösst ein Kreuzgang von imposanten Dimensionen, dessen 27 Fuss weite Hallen ein Quadrat von 150 Fuss umfassen. Die Formen gehen hier zum Theil in frühgothische Bildung über. Das südliche Schiffportal mit seiner üppigen, hauptsächlich linearen Ornamentik an den rundbogigen Archivolten und seiner kreuzgewölbten Vorhalle gehört zu den edelsten und prächtigsten dieses Styles. Die Kirche ist ausserdem durch ihre sichere Datirung von Wichtigkeit für die Bestimmung der übrigen spanischen Bauten; denn nach inschriftlichem Zeugniss wurde der Grundstein 1203 gelegt, 1215 war das kleine Portal des südlichen Kreuzarmes vollendet, 1278 fand die Einweihung der Kirche statt. Ihr Baumeister *Pedro de Peñafreyta* starb 1286. So lange hielten sich hier ähnlich, wie in Deutschland die beliebten Formen des Uebergangsstyles. — Durch ein, ähnlich glänzendes Portal zeichnet sich ebendort die kleine einschiffige Kirche S. Juan aus, deren Schiff aus drei Kreuzgewölben und östlicher Apsis besteht. Dagegen hat die derselben Zeit angehörende Kirche S. Lorenzo auf ihrem einschiffigen Langhaus ein spitzbogiges Tonnengewölbe und an der Ostseite drei Parallel-Apsiden. — Andere Werke dieser Epoche sind in demselben District die Kirche von Salas bei Huesca, deren Westfaçade durch eins der reichsten Portale und ein glänzend umrahmtes Rundfenster sich auszeichnet; ferner S. Cruz de los Seros bei Jaca, mit achteckiger Kuppel auf der Vierung und einem Glockenthurm an der Nordseite; sodann der Kreuzgang in S. Juan de la Peña, der jenem bei S. Pedro zu Huesca entspricht.

Andere Kirchen.

Tudela. Kathedrale.

Genaue Uebereinstimmung mit der Kathedrale von Lerida hat die ungefähr gleich grosse von Tudela, nur dass das Langhaus vier Gewölbjoche, und das Kreuzschiff vier Kapellen hat, von denen die äussersten viereckig sind und geradlinig schliessen. Auch die Dimensionen bei 35 Fuss Breite des Mittelschiffes, 23 der Seitenschiffe stehen jenen von Lerida nahe. Wie dort ist auch hier die Gesammtlänge des Baues, 186 Fuss, der Breite (in den Kreuzarmen 144 Fuss) nur wenig überlegen. Erwähnen wir den achteckigen Thurm, der sich hier wunderlicher Weise über dem Chor erhebt, das Prachtportal und das Rundfenster der Façade, die von zwei Thürmen eingefasst wird, und den glänzenden, mit plastischem Schmuck reich verzierten Kreuzgang aus derselben Epoche des 13. Jahrh., so ist das Wesentlichste berührt.

Veruela. Abteikirche.

All diesen sehr prachtvollen, aber in der Anlage und Ausführung ziemlich gleichartigen Bauten tritt die Abteikirche von Veruela als ein durchaus selbständiges Werk von originellem Gepräge gegenüber. Sie überrascht zunächst durch den ächt französischen Chorschluss mit halbrundem Umgang und fünf tiefen radianten Apsiden, wozu noch zwei kleinere Nischen an der Ostseite des Querschiffes kommen. Das Langhaus besteht aus sechs ziemlich weit gespannten Jochen, die auf kräftigen Pfeilern mit drei Halbsäulen ruhen. Dem 30 Fuss weiten Mittelschiff schliessen sich die nur 13 Fuss breiten Abseiten gleichsam als schmale Gänge an. Diese Schmalheit der Seitenschiffe, die beträchtliche Längenentwicklung des Langhauses, die reichere Kapellenanlage, endlich die herbe Strenge und sparsame Knappheit der Ornamentik sind Eigenheiten, an welchen der Kundige leicht die Cisterzienserkirche erkennt. In der That war es die erste Niederlassung, welche dieser Orden in Spanien gründete, und die spitzbogige Wölbung in consequenter Durchführung mag mit diesem Bau vielleicht zuerst in die östlichen Gebiete des Landes übertragen worden sein. Mit der definitiven Constituirung des Convents im Jahre 1171 mag der Kirchenbau angefangen worden sein, an welchem die damals in Frankreich beginnenden Umgestaltungen des architektonischen Systems zur Geltung gelangten. Neben der Kirche liegt an der Südseite ein Kreuzgang des 14. Jahrhunderts mit einem sechsseitigen Brunnenhaus, wie es auch sonst in Cisterzienserklöstern gefunden wird. Der Kapitelsaal ist ein elegantes Werk des Uebergangsstyles.

Zaragoza. An den übrigen Kirchen dieser Gegend treten die specifisch spanischen Merkmale ziemlich übereinstimmend zu Tage. Solcher Art ist S. Pablo zu Zaragoza, ein Bau aus der Frühzeit des 13. Jahrh. Massige Pfeiler tragen die schweren Spitzbogen-Arkaden des Langhauses, das nur aus vier Jochen besteht. Die fünfseitige Apsis ist von einem niedrigen polygonen Umgange begleitet. Die Seitenschiffe ziehen sich am Westende um das Mittelschiff herum. Der achteckige Backsteinthurm ist ein späterer Zusatz. Als Hallenkirche romanischer Zeit, mit drei gleich hohen Schiffen, im Grundplan an die Kathedrale von Tudela erinnernd, nur in geringeren Dimensionen,
Olite. verdient S. Petro zu Olite Erwähnung. Verwandte Anlage, mit einem kurzen, aus
Pamplona. drei Jochen bestehenden Schiffbau, zeigt die Kirche S. Nicolas zu Pamplona, die in den Seitenschiffen das Tonnengewölbe aufnimmt und ihren Chor mit Kreuzschiff und kurz vorgelegter polygoner Apsis bildet. Weiter ist in der Nähe von Tarragona die
Vallbona. Kirche von Vallbona als Kreuzbau mit drei Parallel-Apsiden und achteckigem
Poblet. Kuppelthurm, die Kirche zu Poblet in derselben Gegend als ähnliche Anlage mit einer Kuppel des 14. Jahrh. und einem Kreuzgang derselben Zeit zu nennen.

Endlich gehören in diese Reihe noch einige Bauten Cataloniens. Zunächst die
Barcelona. originelle Collegiatkirche S. Ana zu Barcelona, einschiffig mit zwei quadratischen Kreuzgewölben von 30 Fuss Spannung, einem Querschiff und einfach rechtwinklig schliessendem Chor, so dass das Ganze, zumal eine achteckige Kuppel die Vierung krönt, einer Centralanlage nahe kommt. An der Westseite ein schief anstossender Kreuzgang des 14. Jahrhunderts mit einem Kapitelsaal derselben Zeit. Bedeutender
Gerona. gestaltet sich die Kirche S. Feliu zu Gerona als dreischiffiger Gewölbebau; das Kreuzschiff an der Nordseite mit einer, an der Südseite mit zwei Apsiden, wie an S. Pedro daselbst; der Chor mit einer grösseren Apsis. Die Arkaden haben noch den Rundbogen, die Gewölbe den Spitzbogen; über den Arkaden ist ein Schein-Triforium angebracht. Dass die Gewölbe späterer Zeit angehören als die unteren Theile, erhellt aus dem Umstande, dass auf fünf Arkaden zehn Gewölbjoche vertheilt sind. Der südliche Querschiffarm hat zwei Kreuzgewölbe, der nördliche ein Tonnengewölbe. Merkwürdiger Weise ist die Kirche, wenigstens in ihrem Gewölbebau erst im 14. Jahrh. aufgeführt, da 1318 der Chor vollendet ward und 1340, wahrscheinlich nach Vollendung des Schiffbaues, der Beschluss gefasst wurde, den Kreuzgang zu erbauen. Ein auffallend spätes Datum für eine Kirche, welche die Formen des Uebergangsstyles zeigt. In derselben Stadt ist endlich noch das sogenannte „maurische Bad" im Garten des Kapuzinerinnen-Klosters zu nennen: ein kleiner achteckiger Bau auf Säulen, die über Hufeisenbögen einen Tambour und über diesem eine zweite kleine Säulenstellung mit einer leichten Kuppel tragen. Diesen Mittelbau schliesst ein quadratischer mit halbirten Tonnengewölben bedeckter Umfassungsraum ab. Das Gebäude diente ohne Zweifel von Anfang an einem christlichen Zweck.

Die südlichen Gebiete Spaniens wurden erst in späterer Zeit dem Christenthum und seiner Kunst gewonnen, kommen also für diese Epoche noch nicht in Betracht.

In Portugal, über dessen Monumente wir wenig unterrichtet sind, herrscht in den nördlichen Provinzen ein, wie es scheint, einfach strenger Granitbau. Unter den bedeutenderen Kirchen des Landes werden die Kathedrale von Evora, die Klosterkirchen S. Domingos und de Gracia in Santarem und die Cisterzienserkirche von Alcobaca — letztere vielleicht schon frühgothisch? — als romanische Denkmale bezeichnet. Romanisch in Portugal.

e. England und Skandinavien.

Als die Normannen unter ihrem Herzog Wilhelm in der Schlacht von Hasting (1066) England erobert hatten, fanden sie in dem schon früh zum Christenthum bekehrten Lande eine Cultur von mehreren Jahrhunderten vor. Indess hatte dieselbe sich nicht in stetiger Entwicklung ausbilden können, denn zuerst waren durch sächsische Einwanderungen, dann durch dänische Eroberungszüge unruhvolle Unterbrechungen herbeigeführt worden. Das Wenige, was von Bauten aus sächsischer Zeit dort noch vorhanden ist, lässt schliessen, dass die allgemeine Grundlage der Architektur sich wie in anderen Ländern von Rom ableitete, wobei nur gewisse, durch einen alterthümlichen einheimischen Holzbau bedingte Umwandlungen stattfanden. Durch die Normannen wurde aber der Zustand des Landes in jeder Beziehung von Grund aus umgestaltet. Das unterjochte sächsische Volk wurde mit der ganzen Härte und Grausamkeit des Siegers verfolgt, neue gesellschaftliche und staatliche Einrichtungen wurden mit Strenge durchgeführt, und selbst die Geistlichkeit musste als normannische den Einwohnern in gehässiger Aufdringlichkeit erscheinen. So widerstrebend aber auch alle jene Volkscharaktere waren, welche neben dem urthümlich einheimischen der Kelten nunmehr die Bestandtheile des englischen Volks ausmachten, sie verschmolzen doch, durch die insulare Lage von allen anderen Nationen getrennt, und unter dem Einfluss des besonderen Klimas, zu einem streng eigenthümlichen, schroff charakteristischen Gesammtwesen von geringer innerer Mannichfaltigkeit bei desto grösserer äusserer Abgeschlossenheit. Sächsische Cultur in England. Normannen.

Dass auch der Styl der Architektur*) von den normannischen Mönchen mit herüber gebracht wurde, ist leicht zu vermuthen. Doch acclimatisirte er sich in dem neuen Lande nicht ohne erhebliche Trübungen seines ursprünglichen Wesens zu erfahren. Einerseits drangen durch die einheimischen Werkleute und den Geist des Landes manche sächsische Eigenthümlichkeiten mit ein; andererseits mischte der herrisch und übermüthig gewordene Sinn der Eroberer auch in die architektonischen Schöpfungen ein in der Normandie nicht gekanntes, fremdartiges Element. Dies lässt sich schon in der Anlage des Grundplans erkennen. Die Kirchen bestehen zwar auch hier aus einem Langhaus mit niedrigen Seitenschiffen, welches von einem Querhause durchschnitten wird, jenseits dessen sich die drei Schiffe als Chor fortsetzen. Aber im Einzelnen bemerkt man manche Aenderung. Zunächst wird der Chor beträchtlich verlängert, so dass er manchmal der Ausdehnung des Westarmes nahe kommt; sodann wird häufig die Apsis ganz fortgelassen, und der Chor im Osten durch eine gerade Mauer rechtwinklig geschlossen. Diese nüchterne Form wird zwar in der ersten normannischen Zeit der Regel nach durch die Apsis verdrängt, bald aber verschwindet diese wieder und kommt zuletzt nirgends mehr in Anwendung. Auch dem Querschiff fehlen die Apsiden, und statt derselben zieht sich an der Ostseite der Querarme ein niedriges Seitenschiff hin. Sehr charakteristisch ist sodann die Bildung der Stützen zwischen den drei Schiffen. Diese bestehen vorzüglich aus dicken, schwerfälligen, mit kleineren Steinen aufgemauerten Rundpfeilern, die manchmal kaum zwei bis drei mal so hoch sind wie ihr Durchmesser. In der Regel wechseln sie indess, wie auf dem beigefügten

*) *J. Britton:* Architectural antiquities of Great Britain. 5. Vols. 4. London 1807 ff. — *Derselbe:* Cathedral antiquities of Gr. Brit. 5. Vols. 4. London 1819 ff. — *M. H. Bloxam:* Mittelalterliche Kirchenbaukunst in England. Aus dem Englischen. 8. Leipzig 1847.

Grundriss der Kathedrale von Durham, mit kräftigen, gegliederten Pfeilern. An diesen Pfeilern ist eine schlanke Halbsäule emporgeführt, die noch an der Oberwand

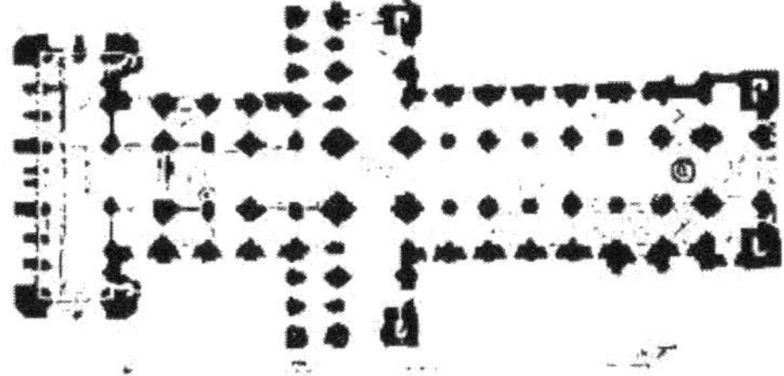

Fig. 403. Kathedrale zu Durham.

sich fortsetzt. Trotz dieser offenbar auf Gewölbe berechneten, den Bauten der Normandie nachgeahmten Anlage haben die englischen Kirchen nur eine flache Decke gehabt, und erst in späterer Zeit, wie das eben erwähnte Beispiel zeigt, Gewölbe erhalten. Auch an dieser Vorliebe für die Holzdecken, die reich mit Gold und Farben geschmückt wurden, erkennt man die Nachwirkung sächsischer Sitte, und es mag hier auf die innere Uebereinstimmung hingedeutet werden, welche in dieser Hinsicht mit deutsch-sächsischen Bauten bemerkt wird. Fügt man noch hinzu, dass die vier die Kreuzung begrenzenden Pfeiler von übermässiger Dicke sind, weil auf ihnen ein mächtiger viereckiger Thurm ruht, so hat man den Eindruck dieser langgestreckten, schmalen, niedrigen und dabei flach gedeckten Bauten, in welchen die dichtgedrängten massenhaften Pfeiler die Durchsicht aufs Aeusserste beschränken, und den Charakter trüber Schwerfälligkeit erhöhen. Betrachtet man den Aufbau der Mittelschiffwand, so fällt die vorwiegende Betonung der Horizontallinie auf. Dicht über den Arkaden zieht sich ein Gesims hin, welches um die aufsteigenden Halbsäulen mit einer Verkröpfung fortgeführt wird. Auf ihm stehen die Säulen, mit welchen die fast niemals fehlende Empore, in deren offene Dachrüstung man hineinblickt, sich öffnet. Auf diese folgt wieder ein Gesims, auf welchem sich eine in der Mauerdicke liegende, zur Belebung und Erleichterung der Mauer dienende Galerie mit Säulchen erhebt, hinter denen die einfachen rundbogigen Fenster sichtbar sind (vergl. Fig. 404). Auch hier ziehen sich oft von den Kapitälen horizontale Gesimsbänder die Wand entlang, die endlich von der flachen Holzdecke ge-

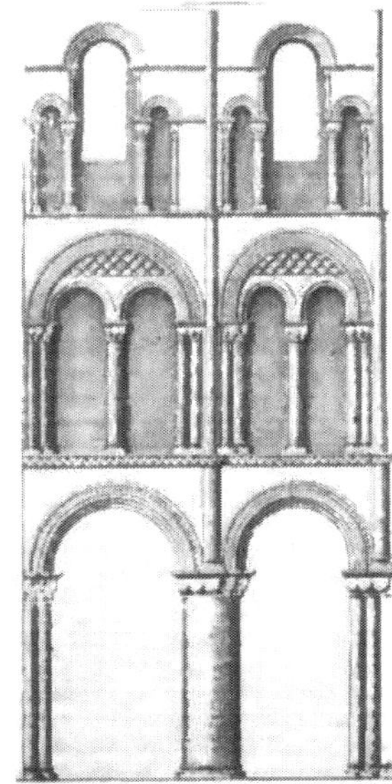

Fig. 404. Arkaden aus der Kathedrale zu Peterborough

schlossen wird. Die anscheinend für Gewölbe errichteten Halbsäulen werden hier abgeschnitten ohne zu einer naturgemässen Entwicklung zu kommen.

Die **Ornamentik** dieses Styls beschränkt sich, mit Nachahmung der Bauten in der Normandie, auf lineare Elemente. Der Zickzack, die Schuppenverzierung, die Raute, der Stern, das zinnenartige Ornament werden häufig an Portalen, Bogengliedern und Gesimsen angewandt, ja ganze Flächen und selbst die Rundpfeiler erscheinen damit bedeckt. Diese Ornamente werden in starkem Relief und sorgfältiger Steinarbeit ausgeführt, und verhüllen den architektonischen Körper in ähnlicher Weise, wie eine Stahlrüstung den menschlichen Körper. Ein Beispiel von dieser reichen Ornamentation gibt die nebenstehende Abbildung aus der Kirche zu **Stoneleigh**. Eigenthümlich ist aber dem englischen Styl die besondere Kapitälbildung des massigen Rundpfeilers. Um diesen mit der aufruhenden Wand und den Arkadenbögen zu vermitteln, wurde entweder, wie an dem Kapitäl aus dem **White tower** (Fig. 406), eine derbe Umgestaltung der Würfelform mit abgeschrägten Ecken versucht, oder, wie bei Fig. 401 zu erkennen, ein Kranz von kleinen würfelförmigen Kapitälen unter gesonderten Deckplatten auf den Pfeiler gesetzt, so dass nun eine Verbindung mit den wegen ihrer beträchtlichen Breite mehrfach ausgeeckten und abgestuften Arkadenbögen hergestellt war. An einzelstehenden Säulen ist das gefältelte Kapitäl vorherrschend. Die Basis der Rundpfeiler besteht meistens aus einer Abschrägung unter einem schmalen Bande. Die attische Basis, in allen anderen Ländern allgemein vorherrschend, kommt hier fast gar nicht vor.

Fig. 405. Kirche zu Stoneleigh.

Fig. 406. Kapitäl aus dem Weissen Thurm im Tower zu London.

Das **Aeussere** zeigt im Wesentlichen dasselbe Vorherrschen der Horizontalen wie das Innere. Zwar bewirken die kräftig vortretenden Strebepfeiler, die hier ohne constructiven Zweck die Stelle der Lisenen vertreten, ein starkes Markiren der vertikalen Richtung, aber der Zinnenkranz, der die niedrigen Dächer grösstentheils verdeckt, hebt diese aufstrebende Tendenz wieder auf und betont in kräftigster Weise die Horizontale. Der Bogenfries kommt nur ausnahmsweise vor, dagegen ist die auf Wandsäulchen ruhende Blendarkade sehr beliebt, besonders mit den von der ersten zu der zweitfolgenden Säule geschwungenen Bögen (s. Fig. 407), welche eine bunte und reiche Durchschneidung hervorbringen. Die auf S. 341 befindliche Zeichnung von der Abteikirche zu **Croyland** gibt ebenfalls ein Beispiel dieser Bogenbildung und zugleich einen Beleg von der glänzenden Ausschmückung, welche besonders auf die Thürme verwandt wurde. Der viereckige Thurm auf der Kreuzung beherrscht mit seiner schwerfälligen Masse den ganzen Bau; manchmal kommen zwei Westthürme hinzu, jedoch in der Regel mit der nicht sehr organischen Anlage dicht an den Seiten der Nebenschiffe. Die Thürme schliessen meistens horizontal mit einem kräftigen Zinnenkranze. So geben diese Bauwerke mehr den Eindruck weltlicher Macht, kriegerischer Tüchtigkeit, als religiöser Stimmung.

Kathedralen. Die meisten Kathedralen des Landes bestehen zum Theil, besonders in ihren unteren Partien, aus Resten dieses normannischen Styles. Da derselbe keine wesentlichen Mannichfaltigkeiten bietet, so wird es genügen, einige der wichtigsten hier kurz anzuführen. In der Regel sind die Gewölbe später in gothischer Zeit hinzugefügt, wie Gloucester. an der Kathedrale zu Gloucester, deren schlichte Rundpfeiler und spätere, auf Consolen ruhende Gewölbstützen, Fenster und Gewölbe Fig. 408 veranschaulicht. Sehr bedeutend Norwich. ist die im J. 1096 gegründete Kathedrale zu Norwich, mit reicher Ornamentation und ausgezeichnetem Thurm auf der Kreuzung. Von der später eingewölbten, Durham. sehr reich geschmückten Kathedrale zu Durham gaben wir bereits oben den Grundriss (Fig. 403), und von der 1117 bis 1140 erbauten Kathedrale zu Peterborough Peterborough.

Fig. 407. Kathedrale zu Canterbury.

Fig. 408. Kathedrale von Gloucester.

einen Theil der Arkaden sammt dem Oberbau (Fig. 404). Eine eigentlich fortschreitende innere Entwicklung ist an den englischen Bauten nicht nachzuweisen.

Skandinavien. In den skandinavischen Ländern*), welche weit später als England und Deutschland zum Christenthum bekehrt wurden, tritt uns ein Steinbau entgegen, der bald mehr an deutsche, bald mehr an englische Vorbilder erinnert. So hat Dänemark Dom zu Roeskild, Dom zu Lund. in seinem Dom zu Roeskild (Fig. 409) eine Nachahmung des Braunschweiger und des Ratzeburger Domes; auch der Dom zu Lund schliesst sich deutsch-romanischer Bauweise an. So ist in Norwegen der in gothischer Zeit vielfach umgestaltete, fast Dom zu Drontheim. ganz erneuerte, jetzt grossentheils als Ruine dastehende Dom zu Drontheim in seinen Kreuzarmen ein treues Nachbild englisch-normannischer Bauten. Dagegen giebt es eine Rundbauten. Anzahl runder Anlagen, die ein stärkeres einheimisches Element zu enthalten scheinen, und von denen das merkwürdigste, zugleich ein Beweis der weiten Seefahrten der Normannen, der an der Küste von Nordamerika auf Rhode-Island bei New-Port gelegene Rundbau ist.

Holzbau. Charakteristischer erscheint eine Anzahl von Denkmälern eines weit verbreiteten

*) A. von Minutoli: Der Dom zu Drontheim und die mittelalterliche christliche Baukunst der skandinavischen Normannen. Fol. Berlin 1853.

Holzbaues in Norwegen*), welche eine Umwandlung der im romanischen Styl anderer Länder üblichen Formen nach Maassgabe des Materials und der volksthümlichen Gewohnheiten und Sinnesweise zeigen. Die bekanntesten unter diesen sind die Kirchen zu Hitterdal, Borgund, Tind und Urnes. Sie sind zum Theil nach Art der Blockhäuser aus horizontal aufgeschichteten, an den Enden sich überschneidenden Baumstämmen erbaut. Die Fugen sind mit Moos ausgestopft, die Bäume an manchen Kirchen mit Brettern, und die Bretterfugen mit schmaleren Latten benagelt. Andere dieser Bauten, die man Reiswerkkirchen nennt, sind aus aufrechtstehenden Bohlen zusammengefügt. Die Dächer und Thürme sind mit Brettern oder auch mit Schindeln, Ziegeln oder grossen Schieferplatten, die hier bis zu 12 Fuss Länge gebrochen werden, bekleidet. Einige Kirchen sind ganz und gar mit solchen Platten bedeckt. Die Anlage dieser Kirchen bildet ihrem Kerne nach ein dem Quadrat sich näherndes Rechteck, welches auf drei Seiten von niedrigen Umgängen eingeschlossen wird, während nach Osten eine Vorlage für den Chor, gewöhnlich mit einer Halbkreisnische, sich anfügt. Bisweilen treten auch nach beiden Seiten Anbauten heraus, so dass der Grundriss eine Kreuzgestalt gewinnt. Schlanke Säulen aus Baumstämmen, die das Mittelschiff von seinen Abseiten trennen, tragen auf Rundbögen die Oberwand. Ein bretternes Tonnengewölbe schliesst jetzt gewöhnlich den ursprünglich mit offenem Dachstuhl versehenen Mittelraum, schräge Dächer bedecken die Seitengänge. Selbst die Orgeln sind mit allen ihren Pfeifen aus Holz gefertigt. Die Kapitäle der Säulen bestehen entweder aus einfachen Ringen oder einer Nachbildung des Würfelkapitäls, mit phantastischen Schnitzwerken auf den Seitenflächen.

Fig. 409. Domkirche zu Roeskild.

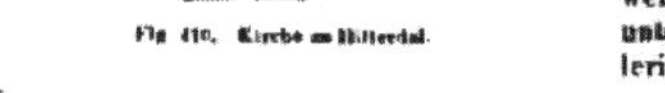

Fig. 410. Kirche zu Hitterdal.

Das Aeussere

Das Aeussere dieser merkwürdigen Kirchen erhält durch die den ganzen Bau umziehenden niedrigen „Laufgänge“, welche, nach Art der Kreuzgänge unten geschlossen, oben durch eine Gallerie auf Säulchen sich öffnen, eine noch

*) J. C. C. Dahl: Denkmale einer ausgebildeten Holzbaukunst in den Landschaften Norwegens. Fol. Dresden 1837. — Vergl. auch das Werk von Minutoli.

eigenthümlichere Gestalt. Diese Laufgänge bilden eine bergende Vorhalle und halten den Schnee und die Winterkälte von den unteren Theilen des Gebäudes ab. Ueber ihrem Dache erheben sich mit ihren kleinen viereckigen Fenstern die Seitenschiffe, über diesen das Mittelschiff, und aus dessen Dache endlich steigt ein viereckiger Thurm mit ziemlich schlanker Spitze auf. Dadurch erhalten diese Kirchen einen ungemein malerischen Aufbau und eine Centralisirung der Anlage, welche wohl mit Recht auf byzantinische Vorbilder zurückgeführt worden ist. Das Aeussere hat mancherlei Schmuck, auch selbst buntfarbig aufgemalte Ornamente. Die Giebel sind mit zierlich ausgeschnitzten Brettern bekleidet, an den Portalen und andern ausgezeichneten Stellen finden sich Arabesken von seltsam phantastischem Charakter, bisweilen an Schriftschnörkel in alten Manuscripten erinnernd. So tönt uns also im entlegensten Norden, selbst unter der Herrschaft eines wesentlich verschiedenen Materials, ein Nachklang der mächtigen Bildungsgesetze entgegen, welche in jener Epoche die ganze christliche Architektur des Abendlandes bestimmen.

(Das dritte (Schluss-) Kapitel des fünften Buches folgt im zweiten Bande.)

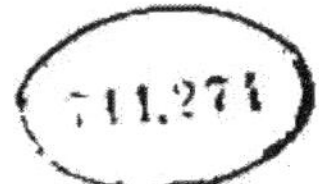

Verlag von E. A. Seemann in Leipzig

Druck von C. Grumbach in Leipzig.

FSC
www.fsc.org
MIX
Papier aus ver-
antwortungsvollen
Quellen
Paper from
responsible sources
FSC® C141904

Druck:
Customized Business Services GmbH
im Auftrag der KNV-Gruppe
Ferdinand-Jühlke-Str. 7
99095 Erfurt